O Regresso

Os sucessos de Rosamunde Pilcher

O Carrosel

A Casa Vazia

Os Catadores de Conchas

Com Todo Amor

O Dia da Tempestade

O Fim do Verão

Flores na Chuva

O Quarto Azul

O Regresso

Setembro

Sob o Signo de Gêmeos

Solstício de Inverno

O Tigre Adormecido

Um Encontro Inesperado

Victoria

Vozes no Verão

Rosamunde Pilcher

O Regresso

23ª EDIÇÃO

Tradução
Luisa Ibañes

Rio de Janeiro | 2024

Agradecimentos às autorizações para impressão das obras abaixo relacionadas:
"Deep Purple", letra de MITCHELL PARISH © 1934, 1939 (Renovado para 1962, 1967) EMI ROBBINS CATALOG INC.
Todos os direitos reservados. Reimpresso com permissão da Warner Bros. Publications US Inc.
"I Can't Give You Anything But Love", de DOROTHY FIELDS e JIMMI McHUGH © 1928 EMI MILLS MUSIC INC.
(Renovado o copyright mundial). Direitos da prorrogação do termo de renovação nos Estados Unidos controlados por ALDI MUSIC CO.
e IRE-NEADELE PUBLISHING COMPANY. Todos os direitos reservados.
Reimpresso com permissão da Warner Bros. Publications US Inc.
"I Get a Kick Out of You", de COLE PORTER © 1934 WARNER BROS. INC. (Renovado) Usado com permissão.
Reimpresso com permissão da Warner Bros. Publications US Inc.
"If Love Were All", de NOEL COWARD © 1929 CHAPPELL & CO. LTD. Copyright renovado e atribuído
à WARNER BROS INC., para os Estados Unidos e Canadá. Todos os direitos reservados. Reimpresso com a permissão da Warner Bros.
Publications US Inc.
"It's De-Lovely", de COLE PORTER © 1936, de CHAPPELL & CO. Copyright renovado e atribuído a Robert H. Montgomery, Jr., curador de
COLE PORTER MUSIC & LITERARY PROPERTY TRUSTS. Todos os direitos reservados. Reimpresso com permissão
da Warner Bros. Publications US Inc.
"My Hearth Stood Still", de LORENZ HART e RICHARD RODGERS © 1927 WARNER BROS. INC.
(Renovado) Direito da prorrogação do termo de renovação nos Estados Unidos controlados por THE STATE OF LORENZ HART (WB MUSIC
CORP., Administradora) e WILLIAMSON MUSIC (ASCAP). Todos os direitos reservados.
Reimpresso com permissão da Warner Bros. Publications US Inc. e Williamson Music.
Trechos da letra de "I've Got My Love To Keep Me Warm", de Irving Berlin © Copyright de 1936 e 1937, de Irving Berlin.
Copyright renovado. Assegurado o copyright internacional. Usado com permissão. Todos os direitos reservados.
Trechos da letra de "Puttin, on The Ritz", de Irving Berlin © Copyright de 1928 e 1929, de Irving Berlin. Copyright renovado.
Assegurado o copyright internacional. Usado com permissão. Todos os direitos reservados.
"La Mer", de Charles Trenet Copyright © 1945 PolyGram International Publishing, Inc. e France Music Corp.
Copyright renovado. Usado com permissão. Todos os direitos reservados.
"All The Things You Are", de Oscar Hammerstein e Jerome Kern. Copyright © 1939 PolyGram International Publishing Inc.
Copyright renovado. Usado com permissão. Todos os direitos reservados.
"A carta das páginas 682-684 é grandemente baseada em uma existente em *The Highland Division*, escrita por Eric
Linklater. (Londres. His Majesty's Stationery Office, 1942). Meus agradecimentos a seus filhos Andro e Magnus,
por sua gentil permissão para usá-la."

Copyright © 1995 *by* Robin Pilcher, Fiona Pilcher, Mark Pilcher e os curadores do Testamento de 1988 de
Rosamunde Pilcher
Título original: *Coming Home*

Capa: projeto gráfico de Leonardo Carvalho, utilizando detalhe da tela *Cleeve Prior*,
de George Samuel Elgood, 1901.
Editoração eletrônica: Imagem Virtual Editoração Ltda.

2024
Impresso no Brasil
Printed in Brazil

CIP-Brasil. Catalogação-na-fonte
Sindicato Nacional dos Editores de Livros, RJ

P686r 23ª ed.	Pilcher, Rosamunde, 1924- O regresso / Rosamunde Pilcher; tradução Luísa Ibañez – 23ª ed. – Rio de Janeiro: Bertrand Brasil, 2024. 1.092p. Tradução de: Coming home ISBN 978-85-286-0595-2 1. Romance escocês. I. Ibañez, Luísa. II. Título.
97-1660	CDD – 828.99113 CDD – 820(411)-3

Todos os direitos reservados pela:
EDITORA BERTRAND BRASIL LTDA.
Rua Argentina, 171 – 3º andar – São Cristóvão
20921-380 – Rio de Janeiro – RJ
Tel.: (21) 2585-2000

Não é permitida a reprodução total ou parcial desta obra, por quaisquer meios, sem a
prévia autorização por escrito da Editora.

Atendimento e venda direta ao leitor:
sac@record.com.br

*Este livro é para o meu marido Graham,
que serviu com a Highland Division.*

*E para Gordon, Judith e todos nós
que fomos jovens na mesma época.*

PARTE UM

1935

A Escola do Conselho de Porthkerris situava-se no meio da subida da escarpada colina, que se erguia do coração da cidadezinha até as charnecas vazias que jaziam além. Era um sólido edifício vitoriano, construído de blocos de granito, e tinha três entradas, marcadas Meninos, Meninas e Crianças, um legado dos dias da obrigatoriedade de segregação dos sexos. Era contornada por um pátio de recreio com piso alcatroado e uma alta grade de ferro forjado, oferecendo ao mundo uma fachada francamente proibitiva. Entretanto, naquele fim de tarde de dezembro, a escola se mostrava inteiramente inundada de luz e, de suas portas abertas, fluía uma torrente de crianças excitadas, carregadas de sacolas para botas, sacolas para livros, balões de gás presos em cordões e pequenos sacos de papel cheios de doces. Elas emergiam em pequenos grupos, empurrando-se, rindo tolamente e proferindo gritos agudos de alegres insultos entre si, antes de finalmente se dispersarem e tomarem o rumo de casa.

O motivo daquele excitamento era duplo. Estavam no final do termo letivo de inverno e houvera uma festa de Natal na escola. A festa consistira de jogos cantados e de corridas de revezamento, com os participantes subindo e descendo o corredor do salão de festas, carregando sacos de grãos que deviam ser agarrados e entregues à pessoa seguinte da equipe. As crianças tinham dançado Sir Roger de Coverley*, à música martelada no pequenino e antigo piano da escola, e tomado um chá com sanduíches de presunto, bolinhos de açafrão e limonada gasosa. Por fim, em fila indiana, uma por uma havia apertado a mão do sr. Thomas, o diretor, desejara a ele um Feliz Natal e ganhara um saquinho de doces.

Era uma rotina cumprida todos os anos, porém sempre alegremente esperada e muitíssimo apreciada.

---

* Nome de determinada música e dança rural inglesa. (N. da T.)

Aos poucos, a ruidosa torrente de crianças ficou reduzida a um regato: as que vinham embora por último, retidas lá dentro à procura de luvas perdidas ou de um sapato abandonado. No fim de tudo, quando o relógio da escola tocou um quarto para as cinco da tarde, pela porta aberta surgiram duas adolescentes, Judith Dunbar e Heather Warren, ambas com quatorze anos de idade, ambas com casaco azul-marinho e botas de borracha, os gorros de lã bem puxados sobre as orelhas. A semelhança entre as duas, entretanto, parava aí, porque Judith era loura, com dois hirsutos rabos-de-cavalo, sardas e olhos azul-claros; Heather, por sua vez, herdara do pai o seu tom de pele e, através dele, percorrendo gerações de ancestrais, de algum marinheiro espanhol, lançado à costa da Cornualha após a destruição da Armada. Desta maneira, ela possuía uma tez cor de oliva, cabelos negríssimos e olhos escuros, brilhantes como dois sumarentos bagos de uva.

Elas eram as últimas participantes da festa a sair, porque Judith estava deixando a Escola de Porthkerris para sempre e tivera que despedir-se, não apenas do sr. Thomas, mas também de todos os demais professores, além da sra. Trewartha, cozinheira da escola, e do velho Jimmy Richards, cujos humildes encargos incluíam o abastecimento do *boiler* da escola e a limpeza dos lavatórios externos ao prédio.

Finalmente, não havendo mais ninguém de quem se despedirem, elas seguiram seu caminho, atravessando o pátio de recreio e depois cruzando os portões. O dia nublado escurecera prematuramente e caía uma leve garoa, tremeluzindo contra o clarão dos postes de iluminação. A rua serpenteava colina abaixo, negra e molhada, com poças onde a luz se refletia. Elas começaram a caminhar, descendo para a cidade. Por um momento, nenhuma das duas falou. Então, Judith suspirou.

— Bem — disse ela, em um tom de finalidade —, é isso aí!

— É um tanto esquisito, saber que você não volta mais.

— Também acho. Entretanto, a parte mais esquisita é eu me sentir triste. Nunca pensei que ficaria triste por deixar qualquer escola, mas agora estou.

— Não vai ser a mesma coisa sem você.

— E sem você, também não será a mesma coisa. Você, no entanto, está com sorte, porque ao menos ainda tem Elaine e Christine como amigas. Quanto a mim, vou começar tudo outra vez, da estaca zero, tentando encontrar alguém de quem goste no Santa Úrsula. E odeio usar aquele uniforme!

O silêncio de Heather foi solidário. O uniforme era quase o pior de tudo. Na Porthkerris, todos usavam as próprias roupas e, além disso, ofereciam uma visão bastante agradável, graças às suéteres de cores diferentes, e às fitas de tons vivos nos cabelos das meninas. O Santa Úrsula, contudo, era uma escola particular e arcaicamente antiquada. As alunas usavam capotes de *tweed* verde-escuro, grossas meias marrons e chapéus verde-escuros, peças tão destoantes, que garantiam a transformação da aluna mais bonita em absolutamente horrível. O Santa Úrsula aceitava alunas externas, assim como internas, e essas infelizes criaturas eram francamente desprezadas por Judith, Heather e suas contemporâneas na Porthkerris, que as consideravam vítimas ideais para implicâncias e deboches, se tivessem a má sorte de tomar o mesmo ônibus que elas. Era deprimente, para Judith, imaginar-se formando fileiras com aquelas criaturas insuportáveis e dengosas, que se davam ares tão importantes.

O pior de tudo, no entanto, era a perspectiva do internato. Os Warrens eram uma família profundamente unida, e Heather não podia imaginar um destino pior do que ser separada do convívio dos pais e dos dois irmãos mais velhos, ambos atraentes e de cabelos tão negros como o de seu pai. Na Escola de Porthkerris, eles haviam ficado conhecidos por suas diabruras e travessuras, porém desde que tinham sido transferidos para a Escola do Condado, em Penzance, de certo modo acabaram domados por um aterrorizante diretor, sendo forçados a prestar mais atenção aos livros e a melhorar o comportamento. Ainda assim, os dois eram as criaturas mais divertidas do mundo. Eles é que tinham ensinado Heather a nadar, andar de bicicleta e pescar cavalinha com rede de arrasto, de seu atarracado barco de madeira. E que divertimento alguém conseguiria ter, na companhia de apenas *garotas*? Pouco importava o Santa Úrsula ficar em Penzance e, portanto, a somente quinze quilômetros de distância. Quinze quilômetros eram uma eternidade para alguém que tivesse de viver longe de mamãe, de papai, de Paddy e Joe.

De qualquer modo, parecia que a pobre Judith não tinha escolha. Seu pai trabalhava em Colombo, no Ceilão, e durante quatro anos ela, sua mãe e a irmãzinha caçula tinham ficado separadas dele. Agora, a sra. Dunbar e Jess iam voltar para o Ceilão, e Judith ficaria para trás, sem a menor idéia de quando tornaria a ver a mãe outra vez.

Entretanto, como a sra. Warren costumava dizer, não adiantava chorar sobre o leite derramado. Heather procurou algo alegre para dizer.

— Haverá os feriados.

— Com a tia *Louise*.

— Oh, vamos, não fique tão deprimida! Pelo menos, você ainda estará *aqui*. Vivendo em Penmarron. Pense só que sua tia poderia morar em algum lugar terrível, bem no interior do país, ou em alguma cidade qualquer. Você não conheceria ninguém. Do jeito como vai ficar, poderemos continuar nos vendo. Você virá para cá, nós desceremos até a praia. Ou iremos ao cinema.

— Tem certeza?

Heather estava perplexa.

— Certeza de quê?

— Bem, quero dizer... certeza de que continuará querendo ver-me, de ser minha amiga. Indo para o Santa Úrsula, e tudo o mais... Você não irá pensar que fiquei esnobe e horrível?

— Ora, francamente! — Heather deu uma batida amorosa no traseiro da amiga, com sua sacola de botas. — Quem está pensando que sou?

— Seria uma espécie de fuga.

— Você faz a coisa parecer como ir para a prisão.

— Sabe o que quero dizer.

— Como é a casa da sua tia?

— É bastante grande e fica bem no alto do campo de golfe. E é cheia de bandejas de latão, de peles de tigre e patas de elefante.

— Patas de elefante? Pelo amor de Deus, o que sua tia faz com elas?

— São um porta-guarda-chuvas.

— Eu não gostaria disso. Enfim, suponho que você não terá de olhar muito para semelhante coisa. Terá seu próprio quarto, não?

— Sim, vou ter meu quarto. Era o melhor quarto extra de minha tia. Tem sua própria pia e espaço para minha secretária.

— Parece excelente. Não sei por que você se lamenta tanto a respeito.

— Não é que me lamente. Apenas, simplesmente, aquela não é a minha *casa*. Além do que, lá no alto faz muito frio, o lugar é totalmente desabrigado e exposto aos ventos. A casa chama-se Windyridge*, o que não é de admirar. Mesmo quando tudo está calmo em todos os lugares, parece sempre haver uma ventania sacudindo as janelas de tia Louise.

— Fantasmagórico.

— Há mais uma coisa. Aquela casa é longe de tudo. Não vou mais poder pegar o trem, e a parada de ônibus mais próxima fica a três quilômetros de distância. Para piorar a situação, tia Louise não terá tempo de me levar de carro por aí, porque está sempre jogando golfe.

— Talvez ela lhe ensine a dirigir.

— Oh, ha, ha, ha!

— Está me parecendo que você precisa é de uma bicicleta. Então, poderia ir aonde quisesse e quando quisesse. Pela estrada do alto, são apenas uns cinco quilômetros até Porthkerris.

— Você é formidável! Eu nunca pensei em uma bicicleta!

— Não sei por que ainda não teve uma. Papai me deu a minha quando eu tinha dez anos. Não que ela seja muito boa neste maldito lugar, com tantas ladeiras, mas no lugar para onde você vai, uma bicicleta seria simplesmente o ideal.

— Bicicletas são muito caras?

— Uma nova deve custar umas cinco libras. De qualquer modo, é possível que consiga uma de segunda mão.

— Minha mãe não é muito boa nesse tipo de coisa.

— Se quer saber, acho que mãe nenhuma é. Entretanto, não é muito difícil ir a uma loja de bicicletas. Faça com que ela lhe dê uma no Natal.

— Já pedi uma blusa de malha para o Natal. Com gola pólo.

— Pois peça também uma bicicleta!

— Eu não poderia.

— É claro que pode. Dificilmente ela recusaria. Indo embora e sem saber quando tornará a vê-la, sua mãe lhe dará tudo o que você quiser. Basta malhar enquanto o ferro está quente.

Este era outro dos ditos da sra. Warren. Judith respondeu apenas:

— Veremos.

As duas caminharam algum tempo em silêncio, seus passos retinindo na calçada úmida. Passaram pela loja de peixe-e-fritas, animada por

---

* Cume ventoso. (N. da T.)

alegre iluminação, e o cheiro cálido de gordura quente e vinagre que emanava pela porta aberta era de dar água na boca.

— Essa sua tia, a sra. Forrester. É irmã de sua mãe, não?

— Não, de meu pai. É muito mais velha do que ele. Tem uns cinqüenta anos. Morou na Índia. Foi de onde trouxe a pata de elefante.

— E quanto a seu tio?

— Já morreu. Ela é viúva.

— Tem filhos?

— Não. Acho que eles nunca tiveram filhos.

— Curioso isso, não é? Será porque eles não quiseram ou porque... alguma coisa... não aconteceu? Minha tia May também não tem filhos, e ouvi papai dizer que era porque o tio Fred não tinha aquilo nele. O que ele quereria dizer com isso?

— Não faço a menor idéia.

— Teria alguma coisa a ver com o que Norah Elliot nos contou? Você sabe, aquele dia, atrás do galpão de bicicletas.

— Ela apenas inventou tudo o que disse.

— Como é que você sabe?

— Porque era nojento demais para ser verdade. Somente Norah Elliot pensaria em uma coisa tão repugnante.

— E se...

Era um tema fascinante, cujo teor as duas adolescentes haviam discutido de quando em quando, sem nunca chegarem a qualquer conclusão útil, exceto o fato de que Norah Elliot cheirava mal e suas blusas da escola estavam sempre sujas. De qualquer modo, aquele não era o momento para desfazerem as dúvidas, porque a conversa as fizera descer a colina, chegar ao centro da cidade e à biblioteca pública, onde cada uma tomaria seu rumo. Heather seguiria na direção do porto, descendo por ruas estreitas e frustrantes alamedas calçadas de lajes, até a casa quadrada de granito onde morava a família Warren, em cima da mercearia do sr. Warren. Quanto a Judith, ainda subiria outra ladeira e se encaminharia para a estação do trem.

As duas pararam sob o chuvisco impertinente, abaixo do poste de iluminação, e entreolharam-se.

— Bem, acho que agora é adeus — disse Heather.

— Sim, também acho.

— Você pode escrever para mim. Tem o meu endereço. E se quiser deixar algum recado, telefone para a mercearia. Quero dizer... se quiser vir lá em casa, nos feriados.

— Farei isso.

— Não creio que a escola vá ser tão ruim.

— Tem razão. Também acho que não será.

— Então, adeus.

— Adeus.

Contudo, nenhuma delas se moveu, nenhuma deu meia-volta. Haviam sido amigas durante quatro anos. Aquele era um momento doloroso.

— Tenha um bom Natal — disse Heather.

Outra pausa. De repente, Heather inclinou-se para diante e plantou um beijo na face molhada de chuva de Judith. Então, sem mais uma palavra, ela se virou e começou a descer a rua correndo, o som de seus passos ficando cada vez mais distantes, até não serem mais ouvidos. Só depois disso, sentindo-se algo desolada, Judith prosseguiu em sua caminhada solitária, subindo a calçada estreita entre pequenas lojas vivamente iluminadas, suas vitrines decoradas para o Natal com ouropéis envoltos em caixas de tangerinas, e fitas escarlates amarrando potes de sais para banho. Até o ferragista dera sua contribuição. PRESENTES ÚTEIS E BEM-VINDOS, dizia um cartaz escrito a mão, reclinado em brutal martelo de unhas que exibia um ramo artificial de azevinho. Ela deixou para trás a última loja situada bem no topo da ladeira, que era a filial local da W. H. Smith, onde sua mãe comprava a revista *Vogue* todos os meses e, a cada sábado, vinha trocar seu livro da biblioteca. Dali em diante, a rua nivelava-se, as casas rareavam e, sem seu abrigo, o vento assenhoreava-se do espaço. Chegava em rajadas suaves, carregadas de umidade, jogando-lhe no rosto uma bruma encharcante. No escuro, este vento provocava uma sensação toda sua e trazia consigo o som das ondas quebrando-se na praia, muito abaixo dali.

Após alguns momentos, ela parou e pousou os cotovelos sobre um muro baixo de granito; precisava descansar após a íngreme subida e também recuperar o fôlego. Judith viu o difuso amontoado de casas descendo para a taça escura do porto, assim como a rua do porto, delineada por um encurvado colar de postes de luz. Nos barcos de pesca, suas luzes de navegar verdes e vermelhas afundavam nas ondas e enviavam tremeluzentes reflexos para a água escura. O horizonte distante estava perdido na escuridão, porém o palpitante e incansável oceano continuava para sempre. Muito além, a luz do farol piscava seu aviso. Um facho curto, depois dois longos. Judith imaginou os vaga-lhões eternos, lançando-se contra as rochas cruéis em sua base.

Ela estremeceu. Estava escuro e frio demais para ficar parada naquele vento molhado. O trem estaria chegando em cinco minutos. Judith começou a correr, a sacola das botas batendo contra o lado do corpo; chegou ao comprido lance de degraus de granito que desciam para a estação ferroviária e disparou por eles abaixo, com a descuidada confiança gerada por anos de familiaridade.

O trem do pequeno ramal esperava junto à plataforma. A locomo-tiva, dois vagões de terceira classe, um de primeira classe e o bagageiro do guarda. Ela não precisava comprar passagem, porque tinha os passes do Período Escolar e, por outro lado, o sr. William — o guarda — a conhecia tão bem como sua própria filha. Charlie, o maquinista, também conhecia Judith e, quando ela estava atrasada para a escola, ele aguardava bondosamente com o trem na Parada de Penmarron, tocando seu apito, enquanto ela descia a toda pressa pelo jardim de Riverview House.

Ir para a escola e voltar todos os dias, viajando naquele trenzinho, era uma das coisas de que realmente iria sentir falta, porque durante cinco quilômetros a linha corria ao longo da borda de um trecho espetacular do litoral, abrangendo tudo que uma pessoa possivelmente desejasse contemplar. Como estava escuro, ela agora não podia ver nada lá fora, enquanto as rodas chocalhavam ao longo da via férrea, porém sabia que a paisagem seria a mesma de sempre. Penhascos e cortes profundos, baías e praias, chalés encantadores, pequenas trilhas e campos diminutos que, na primavera, ficavam amarelados de narci-sos. Depois vinham as dunas de areia e a praia, vasta e solitária, que ela chegara a considerar sua propriedade.

Às vezes, quando as pessoas sabiam que Judith não tinha pai, uma vez que ele se encontrava no outro lado do mundo, trabalhando para uma importante companhia de navegação chamada Wilson-McKin-non, sentiam pena dela. Como devia ser terrível viver sem um pai ao lado! Ela não sentia falta dele? Qual era a sensação de não tê-lo em casa, nem mesmo nos fins de semana? Quando é que tornaria a vê-lo? Quando ele voltaria para casa?

Ela sempre respondia de maneira vaga, em parte por não querer discutir o assunto, e também porque não sabia exatamente como se *sentia*. Judith apenas sempre soubera que a vida seria desta maneira, porque assim era para toda família na Índia Britânica e, desde a mais tenra idade, as crianças absorviam e aceitavam o fato de que as longas separações e despedidas eventualmente seriam inevitáveis.

Judith havia nascido em Colombo e lá vivera até os dez anos, dois a mais do que o permitido à maioria das crianças inglesas para permanência nos trópicos. Durante esse período, os Dunbars tinham retornado à pátria uma vez, para Férias Prolongadas, porém Judith tinha somente quatro anos na época, de maneira que as lembranças daquele tempo na Inglaterra tinham sido apagadas pela passagem dos anos. Ela nunca sentiu que a Inglaterra era a pátria, o lar. Colombo, sim, naquele espaçoso bangalô na Rua Galle, com um jardim verdejante, separado do Oceano Índico pela estrada de ferro de uma só via que vinha do sul até Galle. Devido à proximidade do mar, nunca parecia importar se o calor era demasiado, pois sempre havia uma brisa fresca soprando com as ondas e, dentro da casa, o ar era movimentado pelas pás de madeira dos ventiladores de teto.

Entretanto, inevitavelmente chegou o dia em que tiveram de deixar tudo aquilo para trás. O dia de dizerem adeus à casa, à ama e ao mordomo Joseph, ao velho Tamil que cuidava do jardim. De dizerem adeus a papai. *Por que temos de ir?*, perguntava Judith, ainda quando ele as levava de carro para o porto, onde o barco P & O estava ancorado, mas já com as máquinas em funcionamento. *Porque chegou a hora de irem*, havia respondido ele; *porque há um momento para tudo*. Nenhum dos pais lhe contara que sua mãe estava grávida, e somente após cumpridas as três semanas de viagem, quando já estavam de volta à cinzenta Inglaterra, com a chuva e o frio, Judith foi posta a par do segredo de que havia um novo bebê a caminho.

Uma vez que não tinham casa própria para onde voltar, tia Louise, industriada por seu irmão Bruce, havia tomado as rédeas do assunto, localizando Riverview House e alugando-a mobiliada. Pouco depois delas tomarem posse da casa, Jess nascia no Porthkerris Cottage Hospital. E agora, chegava o momento de Molly Dunbar voltar a

Colombo. Jess iria com ela, e Judith ficaria para trás, sentindo uma terrível inveja da mãe e da irmã.

Tinham vivido quatro anos na Cornualha. Quase um terço de sua vida. E, de uma maneira geral, aqueles anos tinham sido bons. A casa era confortável, havia espaço para todas elas, e possuía um jardim, extenso e irregular, que descia morro abaixo em uma série de terraços, relvados, degraus de pedra e um pomar de maçãs.

O melhor de tudo, no entanto, havia sido a liberdade de que Judith sempre desfrutara. O motivo para isto era duplo. Tendo que cuidar do bebê, Molly dispunha de pouco tempo para vigiar a filha mais velha, e ficava satisfeita por ela procurar entreter-se sozinha. Além disso, embora sendo por natureza extremamente ansiosa e protetora de suas filhas, Molly em pouco percebeu que a sonolenta aldeiazinha e seus pacatos arredores nenhum perigo representavam para qualquer criança.

Explorando o terreno, Judith aventurara-se além dos limites do jardim, de maneira que a linha do trem, a fazenda de violetas nas vizinhanças e as margens do estuário se tornaram seu local de brinquedos. Ao ficar mais velha, ela descobriu a alameda que levava à igreja do século XI, com sua quadrada torre normanda e um cemitério devastado pelo vento, cheio de lápides antigas cobertas de líquenes. Em um dia de tempo excelente, quando ela se agachava para tentar decifrar a inscrição entalhada em uma lousa, havia sido surpreendida pelo vigário que, encantado por seu interesse, a levara ao interior da igreja, contara-lhe parte da história do templo e apontara suas características salientes, seus singelos tesouros. Então, haviam subido à torre e, parados lá no alto, suportando as rajadas de vento, ele mostrara à menina interessantes pontos de referência. Era como ter o mundo todo revelado, um mapa imenso e maravilhosamente colorido: propriedades rurais, divididas em pequenos campos como uma colcha de retalhos, o verde-aveludado das pastagens e o canelado veludo castanho das terras aradas; montes distantes coroados por marcos de pedra que recuavam no tempo, um tempo tão distante, que ficava além da compreensão; o estuário, com seu fluxo de águas azuis que refletiam o céu, semelhante a um imenso lago cercado pela terra, mas sem ser um lago em absoluto, porque se enchia e esvaziava com as marés, correndo para o mar através da passagem de águas profundas, conhecida como o Canal. Nesse dia, o movimento da maré no Canal era azul-índigo, porém o oceano era turquesa, com ondas que rolavam para a praia vazia. Ela avistou a comprida linha costeira de dunas encurvando-se para o norte, até a rocha em que se erguia o farol, e havia barcos pesqueiros no mar, e o céu estava cheio de gaivotas grasnando.

O vigário explicou que a igreja tinha sido construída sobre este outeiro, acima da praia, para que sua torre fosse como um farol, um sinalizador para os navios em busca de águas seguras e da primeira terra vista de bordo. A ela não fora difícil imaginar aqueles galeões de eras passadas, as velas enfunadas ao vento, vindo de alto-mar e subindo a correnteza com a maré cheia.

Além de descobrir lugares, Judith também ficou conhecendo os moradores locais. Os habitantes da Cornualha adoram crianças e, para onde quer que ela fosse, era recebida com tal prazer, que sua inata timidez rapidamente desapareceu. A aldeia parecia fervilhar de personagens interessantes. A sra. Berry, que dirigia a loja da aldeia e fabricava os próprios sorvetes com ovos e creme de leite em pó; o velho Herbie, que conduzia sua carroça de carvão, e a sra. Southey, da agência do correio, que instalara uma grade de lareira sobre o balcão, a fim de manter os bandidos à distância, e mal conseguia vender um selo sem dar o troco errado.

Havia outros ainda mais fascinantes, residindo a uma distância maior. O sr. Willis, que passara uma boa parte da vida trabalhando nas minas de estanho do Chile, mas finalmente voltara à sua nativa Cornualha. Após toda uma existência aventureira, ele fincara raízes em uma cabana de madeira, pendurada acima das dunas arenosas, com vista para a margem do Canal. A estreita praia à frente de sua cabana se enchia de todas as interessantes espécies de destroços trazidos pelo mar: pedaços de corda e de caixotes de peixes, garrafas e encharcadas botas de borracha. Um dia, o sr. Willis se deparou com Judith catando conchas, começou a conversar e a convidou para uma xícara de chá em sua cabana. Depois disso, ela sempre fazia questão de procurá-lo para conversarem.

O sr. Willis, no entanto, de maneira alguma era um ocioso vasculhador de praia, porque tinha dois empregos. Um deles era vigiar as marés e erguer um sinal, quando a água subisse o suficiente para que os barcos de carvão pudessem passar sem risco por cima dos bancos de areia. O outro emprego era de barqueiro. No lado de fora de sua casa ele instalara um velho sino de navio, que era tocado por qualquer pessoa desejando cruzar o Canal. Ao ouvi-lo, o sr. Willis emergia de sua cabana, arrastava seu birrento barco a remos pela areia e levava seus passageiros para a outra margem. Por este serviço, bastante desconfortável e até perigoso quando de uma forte maré-vazante, ele cobrava dois *pence*.

O sr. Willis vivia com a sra. Willis, que tirava leite das vacas do fazendeiro da aldeia e, em geral, nunca estava em casa. Corria um rumor de que ela não era a sra. Willis, mas uma senhorita qualquer, de modo que ninguém lhe dava muita conversa. O mistério da sra. Willis tinha muito a ver com o mistério do tio Fred de Heather, o que "não tinha aquilo nele", porém sempre que Judith tocava no assunto com a mãe, era recebida com lábios apertados e uma mudança de assunto.

Judith nunca comentava com a mãe a sua amizade com o sr. Willis. O instinto lhe dizia que talvez fosse advertida a não procurar a companhia dele e certamente proibida de entrar em sua cabana e beber chá. Isso seria simplesmente ridículo. Que mal o sr. Willis faria a alguém? Às vezes, mamãe era terrivelmente obtusa.

De qualquer modo, sua mãe podia ser terrivelmente obtusa em inúmeras coisas, uma delas a de tratá-la da mesma forma como tratava Jess. E Jess só tinha quatro anos! Aos quatorze, Judith reconhecia-se madura o suficiente para partilhar e discutir decisões realmente importantes, que diriam respeito a *ela*.

Só que não adiantava. Mamãe nunca discutia. Ela simplesmente comunicava.

Recebi uma carta de seu pai, e eu vou voltar para Colombo com Jess.

Uma notícia que tivera mais ou menos o efeito de uma bomba, para dizer-se o mínimo a respeito.

Havia piores. *Decidimos que você deverá ir para o Santa Úrsula, como interna. A diretora chama-se srta. Catto, eu já fui procurá-la e está tudo arranjado. O período letivo da Páscoa começará a quinze de janeiro.*

Como se ela fosse uma espécie de embrulho ou de um cão sendo colocado em um canil.

— Oh, mas... e quanto aos feriados?

Irá passá-los com a tia Louise. Ela se ofereceu gentilmente para tomar conta de você e ser sua responsável, enquanto todos estivermos no estrangeiro. Reservou-lhe seu melhor quarto disponível, e você poderá levar todas as suas coisas, deixando-as lá.

Isto era, talvez, o mais atemorizante de tudo. Não que ela *não gostasse* da tia Louise. Durante o tempo de moradia em Penmarron elas tinham visitado Louise com freqüência, e esta sempre se mostrara gentil. Acontecia apenas que era toda *errada*. Velha — teria pelo menos cinqüenta anos — e um tanto intimidante, não encorajava qualquer familiaridade. E Windyridge era a casa de uma pessoa velha, uma casa disciplinada e quieta. As duas irmãs — Edna e Hilda — que trabalhavam para Louise como cozinheira e copeira, eram igualmente idosas e inacessíveis, muito diferentes da querida Phyllis, que fazia tudo para elas em Riverview House, mas ainda encontrava tempo para jogar "corrida-de-demônio" na mesa da cozinha e ler a sorte nas folhas de chá.

Provavelmente passariam o dia de Natal com a tia Louise. Iriam à igreja, quando voltassem teriam pato assado para o almoço, e depois, antes de escurecer, dariam uma rápida caminhada pelo campo de golfe, até o portão branco que se situava bem alto, acima do mar.

Nada muito excitante, mas, aos quatorze anos, Judith havia perdido algumas de suas ilusões sobre o Natal. A data deveria ser como era mostrada nos livros e cartões natalinos, porém nunca acontecia assim; sua mãe não tinha muito jeito para coisas de Natal e invariavelmente mostrava bem pouca inclinação para fazer enfeites com azevinho ou decorar uma árvore. Nos dois últimos anos, vinha dizendo para Judith que, em realidade, ela já estava crescida demais para ter uma meia pendurada, à espera de presentes.

De fato, quando pensava no assunto, Judith concluía que sua mãe realmente não sentia a menor inclinação para coisas semelhantes. Molly não gostava de piqueniques na praia e faria qualquer coisa para não promover uma festa de aniversário. Chegava a ter medo de dirigir. Elas tinham um carro, é claro, um Austin muito pequenino e em mau estado, porém sua mãe arranjava qualquer desculpa para não tirá-lo da garagem, certa de que acabaria colidindo com outro veículo, perderia o controle dos freios ou seria incapaz de fazer a mudança, quando chegassem a uma ladeira.

Voltando ao Natal, pouco importava a maneira como o passassem, e Judith sabia que nada seria pior do que o Natal de dois anos atrás, quando sua mãe insistira em ficarem algum tempo com os pais *dela*, o Reverendo e a sra. Evans.

Seu avô era o encarregado de uma diminuta paróquia em Devon, e sua avô uma velha e derrotada dama que lutara a vida inteira contra uma fidalga pobreza e vicariatos construídos para enormes famílias de filhos vitorianos. Lá, haviam passado um tempo incrível indo e vindo da igreja, e vovó lhe dera um livro de orações como presente de Natal. *Oh, muito obrigada, vovó*, havia dito Judith polidamente, *eu sempre quis ter um livro de orações*. E Jess, que costumava estragar tudo, caíra doente com crupe, ocupando todo o tempo e atenção de sua mãe. E, dia sim, dia não, havia compota de figo e manjar-branco de sobremesa.

Não, nada podia ser pior do que isso.

Contudo, ainda assim (como um cão preocupado com um osso, os pensamentos de Judith retornavam ao seu ressentimento original), a questão do Santa Úrsula continuava amargurando. Ela nem ao menos tinha visto a escola, não ficara conhecendo a provavelmente aterrorizante srta. Catto. Talvez sua mãe receasse uma explosão de rebeldia e escolhera o caminho mais fácil, porém mesmo isso não fazia sentido, pois Judith jamais, em toda a sua vida, se rebelara contra o que quer que fosse. Ocorreu-lhe que talvez, aos quatorze anos, devesse experimentar. Durante anos, Heather Warren soubera como conseguir o que queria e trazia o pai lindamente enrolado em torno de seu mindinho. Enfim, os pais eram diferentes. E, por falar nisso, Judith não tinha um.

O trem diminuía a velocidade. Passava debaixo da ponte (a gente sempre tinha certeza, devido ao som diferente produzido pelas rodas) e fez uma sibilante parada. Ela recolheu suas sacolas e saiu para a plataforma diante da estação, pequenina e parecendo um pavilhão de madeira para críquete, com uma profusão de arabescos ornamentais. O sr. Jackson, o chefe da estação, silhuetava-se contra a luz que brotava da porta aberta.

— Olá, Judith. Chegou tarde esta noite.

— Tivemos a festa da escola.

— Que formidável!

O último trecho da jornada era a caminhada mais curta possível, uma vez que a estação ficava exatamente oposta ao portão dos fundos da horta de Riverview House. Ela cruzou a sala de espera, que sempre tinha um desagradável cheiro de banheiros, e emergiu na alameda não iluminada que jazia além. Parou um instante para os olhos se adaptarem à escuridão, e então reparou que a chuva havia cessado, enquanto ouvia o vento passando pelos galhos mais altos do pequeno bosque de pinheiros, que funcionavam como proteção para a estação, no tempo mais inclemente. Era um som espectral, mas não amedrontador. Ela cruzou a estrada, tateou pelo ferrolho do portão, abriu-o e entrou na horta. Dali, começou a subir a trilha sinuosa e íngreme, que se elevava por lances de degraus e terraços. No alto, a casa assomava obscuramente diante dela, com janelas encortinadas e brilhando amigavelmente. A lanterna ornamental que pendia acima da porta da frente fora acesa e, ao seu clarão, Judith viu um carro estranho, parado na alameda de cascalho. Sem dúvida, tia Louise viera para o chá.

Era um enorme Rover negro. Parado ali, tinha uma aparência suficientemente inocente, inócua, sólida e confiável. Entretanto, qualquer pessoa que se aventurasse pelas estreitas ruas e alamedas de West Penwith teria motivos para precaver-se contra sua aparência, pois o veículo era dotado de um potente motor, e tia Louise, uma pacata cidadã que era, freqüentadora regular da igreja e um dos pilares do clube de golfe, experimentava uma espécie de mudança de personalidade, tão logo se sentava ao volante. Então, seu carro passava rugindo em curvas fechadas a oitenta quilômetros por hora, ela tendo plena confiança de que, se mantivesse a palma da mão sobre a buzina, a lei estaria do seu lado. Em vista disso, caso seu pára-choque se chocasse com o pára-lama de outra pessoa, ou se atropelasse uma galinha, jamais ela consideraria, por um momento que fosse, a possibilidade de que a culpa pudesse ser sua. Além disso, tão vigorosas eram as suas acusações e censuras, que as partes prejudicadas geralmente perdiam a coragem de enfrentá-la e desapareciam sem ousar exigir reparação pelos danos sofridos.

Judith não queria enfrentar imediatamente a tia Louise. Por causa disso, em vez de entrar pela porta da frente, deu a volta pelos fundos, cruzando o pátio e a copa, antes de chegar à cozinha. Ali, encontrou Jess sentada na mesa esfregada, com seus lápis de cor e o caderno de desenhos, além de Phyllis, vestida no uniforme verde com avental de musselina que usava à tarde, passando a ferro uma pilha de roupas.

Depois do frio lá fora e da umidade, a cozinha estava maravilhosamente quente. De fato, era o aposento mais quente da casa, porque o fogo naquele fogão da Cornualha, negro e muito pesado, com maçanetas de bronze, nunca era apagado. Agora estava brando, fazendo cantar a chaleira na trempe. Do lado oposto ao fogão havia um aparador sustentando pratos variados de carne, verduras e uma tigela de sopa. Ao lado do fogão estava a cadeira de vime de Phyllis, na qual ela se deixava cair para tirar o peso das pernas, sempre que tinha um momento de folga — o que não era freqüente. O aposento cheirava agradavelmente a roupa limpa e bem passada. Junto ao teto pendia uma roldana, carregada de roupa lavada.

Phyllis ergueu os olhos.

— Olá. O que está fazendo, esgueirando-se pelos fundos da casa?

Ela sorria, mostrando os dentes não muito bons. Era uma jovem ossuda e de peito achatado, pele pálida e cabelos lisos, acinzentados, mas a criatura de mais doce temperamento que Judith já conhecera.

— Vi o carro de tia Louise.

— Isso não é nenhum motivo. E então, teve uma boa festa?

— Tive. — Ela enfiou a mão no bolso do casaco. — Tome aqui, Jess — e entregou à irmã um saquinho de doces.

Jess olhou para eles.

— O que eles são?

Era uma linda criança, rechonchuda e de cabelos louros-prateados, mas terrivelmente infantil, o que deixava Judith constantemente exasperada.

— É claro que são doces, sua boba.

— Eu gosto de goma de frutas.

— Pois então, olhe e veja se encontra alguma.

Ela tirou o casaco, o gorro de lã e os jogou em uma cadeira. Phyllis não diria "Pendure-os". Mais tarde, provavelmente ela mesma os penduraria para Judith.

— Eu não sabia que tia Louise vinha para o chá.

— Eu telefonei e ela aceitou, lá pelas duas horas.

— Sobre o que elas estão falando?

— Não seja curiosa.

— Suponho que deva ser sobre mim.

— Bem, sobre você e essa escola, advogados e honorários, períodos letivos e telefonemas. E, por falar em telefonemas, sua tia Biddy ligou esta manhã. Falou uns dez minutos ou mais com sua mãe.

Judith surpreendeu-se.

— Tia Biddy? — A tia Biddy era irmã de sua mãe e a favorita de Judith. — O que ela queria?

— Eu não fiquei ouvindo atrás da porta, fiquei? Vai ter de perguntar para sua mãe. — Ela largou o ferro de passar e começou a abotoar os botões da melhor blusa de Molly. — É melhor você ir andando. Coloquei uma xícara para você, e há bolinhos e bolo de limão, se estiver com fome.

— Estou faminta.

— Como sempre. Não lhe deram nada para comer na festa?

— Deram. Bolinhos de açafrão, mas continuo com fome.

— Pois então, apresse-se, ou sua mãe vai começar a se preocupar.

— Preocupar-se com o quê?

Em vez de responder, Phyllis disse apenas:

— Primeiro vá trocar seus sapatos e lavar as mãos.

Foi o que ela fez. Lavou as mãos na copa, usando o sabão "California Poppy" de Phyllis, e depois, com certa relutância, abandonou a aconchegante camaradagem da cozinha e cruzou o corredor. De além da porta da sala de estar chegava o baixo murmúrio de vozes femininas. Ela abriu a porta, silenciosamente, de modo que, por um momento, as duas mulheres não perceberam sua presença.

Molly Dunbar e sua cunhada Louise Forrester estavam sentadas próximo da lareira, tendo entre elas uma mesa dobrável para chá. Esta havia sido coberta com uma toalha bordada de linho e exibia a melhor porcelana, assim como pratos contendo sanduíches, um bolo glaçado de limão, bolinhos quentes, besuntados de creme e geléia de morangos, e duas espécies de biscoitos — amanteigados e de chocolate.

As duas mulheres estavam bastante confortáveis, com as cortinas de veludo ocultando as janelas e o fogo de carvão crepitando na lareira. A sala de estar não era grande nem luxuosa e, como Riverview House fora alugada com móveis, tampouco era muito bem servida. Chintz desbotados forravam as poltronas, um tapete turco cobria o assoalho, e ocasionais mesas e estantes para livros eram mais funcionais do que decorativas. Não obstante, à luz suave da lâmpada, o aposento parecia bastante feminino e agradável, porque Molly trouxera do Ceilão vários objetos favoritos que, dispostos ali dentro, aliviavam bastante a impersonalidade da sala. Ornamentos em jade e marfim; uma caixa para cigarros em laca vermelha; um vaso azul e branco plantado com jacintos, e fotografias da família em molduras de prata.

— ... você terá muita coisa a fazer — estava dizendo tia Louise. — Se eu puder ajudar... — Ao inclinar-se para colocar a xícara vazia com o pires em cima da mesa, ela ergueu os olhos e viu Judith em pé na porta aberta. — Bem, veja quem está aqui...

Molly virou-se.

— Judith! Pensei que talvez tivesse perdido o trem.

— Não. Eu estava conversando com Phyllis. — Ela fechou a porta e cruzou a sala. — Olá, tia Louise.

Inclinou-se para beijar o rosto da tia; esta aceitou o beijo, porém não fez qualquer movimento para retribuí-lo.

Ela não era das que demonstram emoção. Ali estava uma mulher corpulenta de cinqüenta e poucos anos, com pernas surpreendentemente delgadas e elegantes, e pés compridos, afilados, em sapatos fortes, engraxados de castanho. Usava um casaco de *tweed* e blusa por dentro. Seus cabelos grisalhos exibiam uma ondulação permanente e eram mantidos firmes por uma redinha invisível. A voz dela era grave e rouca devido ao cigarro, mas mesmo quando à noite usava uma indumentária mais feminina, como vestidos de veludo e casacos bordados de *bridge*, havia algo de desconcertantemente masculino sobre ela; dava a impressão de um homem que, por brincadeira ou para um baile à fantasia, houvesse vestido as roupas da esposa, desta maneira proporcionando divertidos momentos aos amigos reunidos.

Era uma mulher atraente, mas não bonita. E, a dar-se crédito a antigas fotos de sépia, nunca o fora, nem mesmo quando jovem. De fato, aos vinte e três anos, ainda não comprometida — e sem qualquer perspectiva de sê-lo — seus pais não tiveram outra alternativa senão embarcá-la para a Índia, onde ficaria com parentes do Exército, aquartelados em Delhi. Chegando a época do calor, todos que viviam na casa transferiram-se para o norte, para Poona e as frescas montanhas onde se situava, e foi lá que Louise conheceu Jack Forrester. Jack era major dos Rifles de Bengala, tendo acabado de passar doze meses enfurnado em um remoto forte de montanha, de quando em quando enfrentando escaramuças com belicosos afegãos. Ele estava de folga em Poona, após meses de isolamento, e desesperado por companhia feminina. Louise — jovem, de faces rosadas, descompromissada e atlética — vista de relance em uma quadra de tênis, pareceu uma criatura imensamente desejável aos seus olhos famintos e deslumbrados. Com enorme determinação, mas pouca finura — não havia tempo para sutilezas — ele a perseguiu e, antes de saber o que acontecia, descobriu-se noivo e prestes a casar-se.

Curiosamente, foi um casamento sólido, embora... ou talvez por isso mesmo... eles nunca fossem abençoados com filhos. Ao invés disso, partilharam um amor pela vida ao ar livre e a todas as gloriosas oportunidades para o esporte e a caça que a Índia oferecia. Havia caçadas e expedições ao seio de maciços montanhosos; cavalos para montar e jogar pólo, além de inumeráveis oportunidades para jogar tênis e golfe, nos quais Louise era incomparável. Quando Jack finalmente desligou-se do Exército e eles voltaram para a Inglaterra, instalaram-se em Penmarron, simplesmente devido à proximidade do campo de golfe. Assim, o clube se tornou o seu lar fora do lar. Se o tempo ficava inclemente, jogavam *bridge*, mas a maioria dos dias agradáveis os via fora de casa, entre os buracos do campo de golfe. Além disso, uma certa parte do tempo era passada no bar, onde Jack conquistara a duvidosa reputação de ser capaz de, clandestinamente, derrotar qualquer homem na quantidade de bebida ingerida. Ele se gabava de possuir um estômago como um balde, no que todos os seus amigos concordavam, até uma radiosa manhã de sábado, quando caiu morto no décimo quarto *green*. Depois disso, eles não tiveram mais tanta certeza.

Molly encontrava-se no Ceilão, quando da ocorrência dessa triste notícia. Escreveu para a cunhada uma carta de profunda solidariedade, não conseguindo imaginar como Louise se arranjaria sem Jack. Os dois tinham sido tão amigos, tão companheiros! No entanto, quando as duas finalmente voltaram a encontrar-se, Molly não descobriu a menor mudança em Louise. Ela parecia a mesma pessoa de antes, continuava morando na mesma casa, desfrutava do mesmo estilo de vida. Ia diariamente para o campo de golfe e, como dona de excelente *handi-*

cap, além de poder lançar uma bola com a mesma força de qualquer homem, nunca lhe faltavam parceiros masculinos.

Agora, ela estendeu a mão para sua cigarreira, abriu-a e encaixou um cigarro turco em uma piteira de marfim. Acendeu-o com um isqueiro de ouro que outrora havia pertencido ao falecido marido.

— Como foi a festa de Natal? — perguntou para Judith, através de uma nuvem de fumaça.

— Correu tudo bem. Tivemos a dança Sir Roger de Coverley, e havia bolinhos de açafrão — respondeu Judith, com os olhos postos na mesa do chá. — Só que ainda estou com fome.

— Bem, aqui temos de sobra para que você se sirva — disse Molly. Judith puxou uma banqueta baixa e sentou-se entre as duas mulheres, o nariz situado no mesmo nível que os petiscos de Phyllis. — Quer leite ou chá?

— Prefiro leite, obrigada.

Ela pegou um prato e um bolinho quente. Começou a comer com cautela, porque o creme espesso e a geléia de morango tinham sido espalhados tão generosamente, que podiam escorrer para fora e cair em qualquer lugar.

— Despediu-se de todos os seus amigos e amigas?

— Sim. Do sr. Thomas e de todos os demais. Ganhamos um saquinho de doces, mas dei o meu para Jess. Depois desci a ladeira com Heather e...

— Quem é Heather? — perguntou tia Louise.

— Heather Warren. É minha melhor amiga.

— Você os conhece — disse Molly. — Filha do sr. Warren, o merceeiro da Praça do Mercado.

— Oh! — tia Louise ergueu as sobrancelhas e mostrou uma expressão maliciosa. — O vistoso espanhol. Um homem muito atraente. Mesmo se ele não vender minha geléia favorita "Tiptrees", penso que deveria tornar-me sua freguesa.

Evidentemente, ela estava de bom humor. Judith decidiu que aquele era o momento oportuno para abordar o tema da bicicleta. Malhar o ferro enquanto ainda está quente, como costumava dizer a sra. Warren. Agarrar o touro pelos chifres.

— Na realidade, Heather teve a idéia mais formidável. Que eu devia ter uma bicicleta.

— Uma *bicicleta*?

— Mamãe, você dá a impressão de que estou pedindo um carro de corridas ou um pônei. Aliás, também acho que é uma idéia muito boa. Windyridge não é como esta casa, ao lado da estação do trem — fica a quilômetros da parada do ônibus. Se tiver uma bicicleta, então eu mesma posso ir até lá e tia Louise não teria que me levar em seu carro. *Assim* — acrescentou Judith, astutamente —, ela pode continuar com seu golfe.

Tia Louise riu com vontade.

— Certamente, você pensou em tudo.

— *A senhora* não se importaria, não é, tia Louise?

— Por que eu deveria importar-me? Seria um prazer ficar livre de você — respondeu a tia Louise, no que considerava o seu jeito de ser engraçada.

Molly recuperou a voz.

— Bem, Judith, mas... uma bicicleta não é muito cara?

— Heather falou em cerca de cinco libras.

— Foi o que pensei. Terrivelmente cara, quando temos tantas coisas para comprar. Ainda nem ao menos começamos com o seu uniforme — e a lista de roupas para o Santa Úrsula tem metros de comprimento.

— Pensei que você podia me dar a bicicleta no Natal.

— Oh, mas eu já comprei o seu presente de Natal! O que você me pediu foi...

— Bem, uma bicicleta poderia ser meu presente de aniversário. Você não estará aqui quando eu fizer anos, estará em Colombo, e assim não terá a despesa de me mandar uma encomenda pelo correio.

— Sim, mas você teria que pedalar pelas ruas principais. Poderia sofrer um acidente...

Aqui, tia Louise interveio.

— Você sabe andar de bicicleta?

— Sei, claro, mas nunca pedi uma antes porque não estava mesmo precisando. Entretanto, tia Louise, admito que seria muitíssimo útil para mim.

— Mas, Judith...

— Oh, Molly, não seja tão preocupada! Que mal pode acontecer à menina? Se ela se meter debaixo de um ônibus com a bicicleta, então, a culpa será dela própria. Eu lhe prometo uma bicicleta, Judith, mas sendo tão cara, valerá também como presente de aniversário. O que *me* poupará também a despesa de mandar-lhe uma encomenda pelo correio.

— É mesmo? — Judith mal podia acreditar que sua argumentação funcionara, que acabara vencendo ao insistir em seu ponto de vista, que realmente conseguira o que queria. — Tia Louise, a senhora é ótima!

— Farei qualquer coisa para não ter você em meus calcanhares.

— E quando iremos comprá-la?

— O que acha na véspera de Natal?

— Oh, não! — exclamou Molly fracamente.

Ela parecia perturbada, e Louise franziu o cenho.

— O que foi *agora*? — perguntou. Judith achou que não havia motivo para sua tia falar tão desabridamente, mas a verdade é que com freqüência ela ficava impaciente com Molly, tratando-a mais como uma garota retardada do que como uma cunhada. — Pensou em mais objeções?

— Não... não é nada disso. — Um leve rubor deixou rosadas as faces de Molly. — Acontece apenas que não estaremos aqui. Ainda não lhe contei, Louise, mas eu queria dizer antes para Judith. — Ela se virou para a filha. — Tia Biddy ligou.

— Eu sei. Phyllis me contou.

— Ela nos convidou para passarmos o Natal e Ano Novo com eles, em Plymouth. Eu, você e Jess.

Judith, com a boca cheia de bolinho com creme, por um momento, pensou que fosse sufocar, mas conseguiu engolir tudo, antes que alguma coisa terrível pudesse acontecer.

O Natal com tia Biddy.

— E o que você *respondeu*?

— Eu disse que iríamos.

Era uma notícia tão incrivelmente excitante, que todos os demais pensamentos, inclusive o da nova bicicleta, evaporaram-se da cabeça de Judith.

— Quando é que vamos?

— Eu pensei em um dia antes da véspera do Natal, porque os trens não estarão tão apinhados. Biddy ficou de encontrar-nos em Plymouth. Ela disse que lamentava ter deixado para tão tarde — o convite, quero dizer — mas acontece apenas que foi uma idéia impulsiva. Ao pensar que este vai ser o nosso último Natal durante algum tempo, achou que seria uma boa idéia passá-lo todos juntos.

Se tia Louise não estivesse presente, Judith teria dado saltos de alegria, agitado os braços e dançado em volta da sala. Entretanto, pareceu-lhe um pouco rude mostrar-se tão eufórica, uma vez que ela não fora convidada também. Contendo o excitamento, virou-se para a tia.

— Nesse caso, tia Louise, será que poderíamos comprar a bicicleta *depois* do Natal?

— Parece que não temos alternativa, não é mesmo? Aliás, eu ia convidá-las para passarem o Natal comigo, porém agora parece que Biddy me poupou o trabalho.

— Oh, Louise, eu sinto muito. Agora, começo a pensar que a desapontei.

— Tolice. Para todos nós, é melhor termos um pouco de variação. O filho de Biddy estará lá?

— Ned? Infelizmente, não. Ele vai esquiar em Zermatt, com alguns colegas do colégio em Dartmouth.

Tia Louise ergueu as sobrancelhas, não aprovando vagabundagens caras e extravagantes. De qualquer modo, Biddy sempre fizera as vontades de seu único filho, e não lhe negaria nenhum divertimento neste mundo.

— É uma pena — foi tudo o que ela disse. — Ele seria um companheiro para Judith.

— Ned tem dezesseis anos, tia Louise! Posso garantir que nem perceberia a minha presença. Aliás, acho que me divertirei muito mais sem ele por lá...

— É possível que tenha razão. E, conhecendo Biddy, vocês terão momentos muitíssimo agradáveis. Há séculos não a vejo. Quando foi a última vez que ela esteve aqui, Molly, hospedada em sua casa?

— No começo do verão passado. Você deve lembrar-se. Tivemos aquela maravilhosa onda de calor...

— Foi no verão em que ela jantou comigo, usando aqueles extraordinários pijamas de praia?

— Sim, isso mesmo.

— E eu a encontrei em seu jardim tomando banho de sol com um maiô de duas peças. De tecido cor de carne. Quase como se estivesse nua!

— Biddy sempre foi muito avançada. — Molly sentiu-se no dever de defender a irmã, mesmo fracamente. — Acho que, dentro de bem pouco tempo, todas nós estaremos usando pijamas de praia.

— Deus nos livre!

— O que fará no Natal, Louise? Espero que não se sinta abandonada.

— Céus, não! Fique certa de que me divertirei, mesmo sozinha. Talvez convide Billy Fawcett para um drinque, e depois iremos almoçar no clube. Eles costumam esmerar-se nos preparativos para a data. — Judith elaborou um retrato mental de todos os golfistas, em suas calças presas à altura dos joelhos e sapatos robustos, soltando bombinhas e usando chapéus de papel. — Então, talvez tenha uma ou duas partidas decisivas de bridge.

Molly franziu a testa.

— Billy Fawcett? Acho que não o conheço.

— Não. Nem poderia. Trata-se de um velho amigo, dos tempos em Quetta. Agora está reformado e decidiu experimentar uma temporada na Cornualha. Alugou um daqueles novos bangalôs que foram construídos na minha rua, mais abaixo. Vou apresentá-lo ao nosso grupo. Você precisa conhecê-lo, antes de viajar. Também é bom jogador de golfe, de modo que o indiquei para membro do clube.

— É muito bom para você, Louise.

— O que é bom para mim?

— Bem... ter um velho amigo morando tão perto. E também golfista. Não que lhe faltem parceiros para jogar...

Louise, entretanto, não procurava comprometer-se. Jogava somente com a nata.

— Depende de que tipo é o *handicap* dele — replicou ela vigorosamente, apagando o cigarro. Olhou para o relógio de pulso. — Céus, já tão tarde? Preciso ir andando. — Pegando sua bolsa, levantou-se da poltrona. Molly e Judith levantaram-se também. — Diga a Phyllis que o chá estava delicioso. Você sentirá falta dessa moça. Ela já encontrou outro emprego?

— Não creio que Phyllis tenha se esforçado muito.

— Ela é um tesouro para uma pessoa de sorte. Não, não toque a sineta para chamá-la. Judith pode acompanhar-me. E caso não a veja antes do Natal, Molly, desejo que tenha momentos muito felizes. Ligue para mim quando voltar. Diga-me quando quer levar os pertences de Judith para Windybridge. E, Judith, nós compraremos a bicicleta no início dos feriados da Páscoa. De qualquer modo, não irá precisar dela antes disso...

1936

A manhã escura como breu estava tão fria que, acordando aos poucos, Judith ficou cônscia de seu nariz como uma entidade separada, congelada e presa ao seu rosto. Na noite anterior, ao ir para a cama, o quarto estivera gelado demais para permitir que abrisse a janela, porém havia puxado as cortinas um pouco para trás, e agora, além da vidraça embaçada, podia vislumbrar o brilho amarelado da lâmpada do poste de iluminação na rua abaixo. Não havia nenhum som. Talvez a noite ainda estivesse na metade. Então, ouviu o ruído de patas de cavalos e da carroça de entrega de leite, deixando-a perceber que não estava no meio da noite, mas que o dia já amanhecera.

Agora, era preciso um esforço imenso de coragem física. Um, dois, três! Puxou a mão para fora do calor das cobertas da cama e a esticou para ligar o abajur na mesa-de-cabeceira. Seu relógio novo — ganho do tio Bob, e um dos melhores presentes já recebidos — anunciava sete e quarenta e cinco.

Judith voltou rapidamente a mão para debaixo das cobertas e a aqueceu entre os joelhos. Um novo dia. O último dia. Sentia-se um pouco deprimida. Os feriados de Natal tinham chegado ao fim e iam voltar para casa.

O quarto em que dormia ficava no sótão da casa da tia Biddy e era o segundo melhor dormitório disponível da casa. Molly e Jess haviam ficado com o melhor dos dois, porém Judith preferira este, com seu teto inclinado e uma água-furtada, de cortinas em cretone florido. O frio tinha sido a pior coisa a enfrentar, porque o parco aquecimento dos aposentos abaixo dela não se esgueirava pelo último lance de escadas. No entanto, tia Biddy a deixara ter uma pequena estufa elétrica e, com a ajuda de duas garrafas de água quente, Judith conseguira manter-se aconchegada.

35

Isto porque a temperatura descera alarmantemente, pouco antes do Natal. Havia uma frente fria a caminho, conforme avisara o meteorologista pelo rádio, mas ele não prevenira ninguém para as condições árticas que tinham prevalecido desde então. Enquanto as Dunbars viajavam país acima, pela *Riviera da Cornualha*, a neve que caía cobrira de branco a Charneca Bodmin. O desembarque em Plymouth tinha sido mais ou menos como uma chegada à Sibéria, com ventos amargos despejando neve misturada à chuva, sobre a plataforma da estação.

Isso era uma falta de sorte, porque tia Biddy e tio Bob moravam na que tinha de ser a casa mais fria do mundo. Não eram eles os culpados disso, porque a residência era resultante do trabalho do tio Bob, capitão-engenheiro, encarregado do Real Colégio de Engenharia Naval, em Keyham. A casa ficava em um terrapleno de frente para o norte, era alta e estreita, com correntes de vento que assobiavam por todo canto. O lugar mais quente era a cozinha no porão, porém aquele era o território da sra. Cleese, a cozinheira, e de Hobbs, o músico de banda reformado da Marinha Real, que vinha todos os dias para polir botas e amontoar carvão. Hobbs era uma personalidade, com cabelos brancos alisados sobre a parte calva da cabeça, e olhos tão brilhantes, tão sagazes como os de um melro. Tinha dedos manchados de tabaco, o rosto franzido, castigado e bronzeado, como uma velha peça de bagagem. Se houvesse alguma reunião ou festa à noite, ele se ataviava, calçava luvas brancas e passava bebidas aos convidados.

Houvera um bom número de festas porque, a despeito do frio enregelante, aquele havia sido um Natal verdadeiramente mágico, exatamente da maneira como Judith sempre imaginara que devia ser um Natal, mas já começando a pensar que jamais o experimentaria. Biddy, no entanto, que nunca fazia as coisas pela metade, havia decorado a casa inteira — como um encouraçado, comentara tio Bob — e sua árvore de Natal, erguida no vestíbulo e enchendo o poço da escada de luzes, brilhos, ouropéis agitados pelo vento e do cheiro de abeto, era a mais magnífica que Judith já vira. Outros aposentos também se mostravam festivos, com centenas de cartões de Natal pendendo de fitas vermelhas, ramos de azevinho e de hera emoldurando as lareiras e, nas salas de refeições e de visitas, enormes fogos a carvão nunca eram apagados, como fornalhas de navio, estocados por

Hobbs e abafados a cada noite com carvão miúdo, a fim de que nunca se extinguissem.

E, o tempo todo, houvera muita coisa a fazer, muita coisa acontecendo. Almoços e jantares festivos, após os quais dançava-se ao som do gramofone. Amigos chegavam a todo instante para o chá ou para um drinque, mas se surgisse uma calmaria ou uma tarde vazia, tia Biddy jamais sucumbia a um período de paz, imediatamente sugerindo uma ida ao cinema ou uma expedição ao rinque coberto de patinação.

Judith sabia que sua mãe havia ficado absolutamente exausta, de quando em quando esgueirando-se para um descanso em sua cama no andar de cima, após entregar Jess aos cuidados de Hobbs. Jess gostava de Hobbs e muito mais da sra. Cleese, de maneira que passava a maior parte de seu tempo na cozinha do porão, empanturrando-se de petiscos inadequados à sua idade. Isso constituía um certo alívio para Judith, que se divertia muito mais sem a irmã menor em seus calcanhares.

Naturalmente, de vez em quando Jess era incluída. Tio Bob adquirira entradas para a pantomima e todos eles haviam comparecido, juntamente com outra família. Tinham ocupado toda uma fileira de poltronas na primeira fila, e tio Bob comprara programas para todos, além de uma enorme caixa de chocolates. Entretanto, quando a *Dame** aparecera, com sua peruca vermelha, espartilhos e volumosos calções escarlates, presos com elásticos abaixo dos joelhos, Jess se portara da maneira mais embaraçosa, soltando gritos de pavor e tendo que ser levada rápida e definitivamente para fora dali pela mãe. Por sorte isso acontecera bem no início, de modo que todos os demais puderam acomodar-se e apreciar o restante do espetáculo.

Tio Bob havia sido a melhor parte. Estar com ele, chegar a conhecê-lo, sem dúvida fora o ponto alto dos feriados. Judith nunca imaginara que pais pudessem ser tão agradáveis, tão pacientes, tão interessantes, tão divertidos. Uma vez que aqueles eram dias feriados, ele não tinha que comparecer diariamente ao Colégio, desta maneira ficando com tempo de folga. Com o tio, Judith passara muitos desses momentos no santuário que era o estúdio dele, onde Bob lhe mostrara seus álbuns de retratos, deixara que ela tocasse discos em seu gramofone de corda manual e lhe ensinara a usar sua castigada máquina de

---

* Mulher idosa, personagem cômico da pantomina. O papel é geralmente desempenhado por um homem. (N. da T.)

escrever portátil. E quando foram patinar, ele é que a tinha ajudado nas voltas pelo rinque de patinação, até ela poder controlar o que tio Bob chamava de suas pernas de "marinheiro de primeira viagem"; além disso, nas festas ele sempre se preocupava em não deixá-la isolada, apresentando-a aos convidados justamente como se fosse uma adulta.

Seu pai, embora amado e fazendo falta, nunca tinha sido tão divertido. Ao admitir isto para si mesma, Judith sentia-se um pouco culpada porque, durante as duas últimas semanas, tinha vivido dias tão maravilhosos, que mal dedicara um pensamento a ele. Procurando compensar-se disto, agora pensava no pai, com firmeza. Entretanto, tinha primeiro que pensar em Colombo, pois era onde ele se encontrava, e por ser aquele o único lugar onde conseguia uma imagem viva dele. Era difícil. Colombo havia acontecido muito tempo atrás. A gente imaginava poder recordar todos os detalhes, porém o tempo esfumava a nitidez da recordação, da mesma forma como a claridade desbota fotos antigas. Judith procurou uma ocasião na qual pudesse fixar a memória.

O Natal. Claro, o Natal em Colombo era inesquecível, ao menos por ser tão absurdo, com os céus brilhantes dos trópicos, o calor sufocante, as águas inconstantes do Oceano Índico e a brisa que agitava as folhas das palmeiras. Na casa da Rua Galle, no Natal, ela abria seus presentes na varanda ventilada, ouvindo as ondas que se quebravam na praia. Além disso, o jantar de Natal não tivera peru, em vez disso sendo um tradicional almoço de *curry* no Galle Face Hotel. Muitas outras pessoas também comemoravam desta maneira, de modo que aquilo parecia uma enorme festa de crianças, com todos usando chapéus de papel e soprando apitos. Ela pensou no refeitório apinhado de famílias, todos comendo e bebendo demais, com a fresca brisa marinha soprando do mar e os ventiladores girando lentamente no teto.

Funcionou. Agora, Judith tinha um nítido retrato do pai. Podia vê-lo sentado à cabeceira da mesa, com uma coroa de papel azul salpicada de dourado. Perguntou-se como ele teria passado seu Natal solitário. Quando o tinham deixado, quatro anos atrás, um amigo solteiro havia ido morar com ele, a fim de fazer-lhe companhia. Entretanto, de algum modo era impossível imaginar eles dois entregando-se às alegrias da temporada natalina. Provavelmente tinham ido para o clube, com todos os demais solteiros e separados das esposas. Judith suspirou. Achava que sentia falta do pai, porém não era fácil sentir saudades de uma pessoa que tinha vivido tanto tempo longe dela. O único contato eram as cartas mensais dele, que quando chegavam já tinham três semanas de atraso e, mesmo assim, pouco tinham de inspiradoras.

O relógio novo agora marcava oito horas. Hora de levantar-se. Já. Um, dois, três! Ela jogou as cobertas para o lado, saltou da cama e correu para ligar a estufa elétrica. Então, a toda pressa, envolveu-se em seu robe e enfiou os pés descalços nos chinelos de pêlo de carneiro.

Seus presentes de Natal estavam perfeitamente alinhados no chão. Pegando sua maleta — chinesa e feita de vime, com alça e pequenas tranquetas que mantinham a tampa fechada — ela a abriu, a fim de ali guardar os presentes. Colocou na maleta o relógio e os dois livros que ganhara da tia Biddy. O recém-publicado *Férias de Inverno*, de Arthur Ransome, e um exemplar de *Jane Eyre*, belamente encadernado em couro. Parecia um livro muito extenso, de letras miúdas, mas possuía numerosas ilustrações, lâminas coloridas protegidas por folhas de papel de seda, e tão cativantes, que Judith mal podia esperar para começar a lê-lo. Em seguida foi a vez das luvas de lã, presente dos avós, e a bolha de vidro que, quando sacudida, explodia em uma tempestade de neve. Presente de Jess. Mamãe lhe dera um pulôver, mas não o que pedira, porque tinha gola redonda e ela quisera de pólo. De qualquer modo, tia Louise a compensara e, a despeito da prometida bicicleta, debaixo da árvore e envolto em papel de presente, estava um pacote destinado a ela. Continha um diário para cinco anos, grosso e de capa dura como uma Bíblia. O presente de papai ainda não chegara. Ele não era muito bom em enviar coisas dentro do prazo, e o correio levava séculos para fazer uma entrega. Ainda assim, era algo pelo que ansiar. O melhor presente quase se podia dizer que era o de Phyllis, e exatamente aquilo de que Judith precisava — um pote de cola, com seu próprio pincelzinho, e uma tesoura. Ela os guardaria na gaveta trancada de sua secretária, longe dos dedos buliçosos de Jess. Então, quando se sentisse com ânimo criativo e quisesse fazer alguma coisa, ou recortar o que quer que fosse, ou colar um postal em seu livro de recortes, não precisaria pedir a tesoura para sua mãe (que dificilmente era localizada) ou ver-se na contingência de preparar a própria cola, com água e farinha de trigo. Era um grude que nunca funcionava a contento, além de desprender um cheiro nauseante. A posse destes dois humildes objetos deixava Judith com uma agradável sensação de auto-suficiência.

Ela arrumou tudo cuidadosamente dentro da maleta, mal havendo espaço para todos os objetos sem que o ferrolho se recusasse a fechar. Judith pressionou as pequenas tranquetas e colocou a maleta sobre a cama. Depois, o mais rápido que pôde, vestiu suas roupas. O desjejum já estaria esperando e ela estava faminta. Esperava que houvesse salsichas, em vez de ovos *pochés*.

Biddy Somerville sentou-se à extremidade de sua mesa da sala de refeições, bebeu café puro e tentou ignorar o fato de que estava com uma leve ressaca. Na véspera, depois do jantar, dois jovens tenentes-engenheiros tinham feito uma visita de cortesia, e Bob aparecera com uma garrafa de *brandy*. Na comemoração, Biddy tinha ingerido um pouco além da conta. Agora, um ligeiro latejamento nas têmporas recordava-lhe que devia ter parado na segunda dose. Não comentara com Bob que se sentia um pouco tonta, pois do contrário ele prontamente lhe diria a mesma coisa. Na opinião de seu marido, ressacas ajustavam-se à mesma categoria de queimaduras do sol: uma infração merecendo castigo.

Estava tudo muito bem para ele, que nunca sofrera uma ressaca na vida. Neste momento, sentava-se à outra extremidade da mesa, escondido dela pelas páginas abertas do *The Times*. Estava uniformizado, porque sua temporada de folga terminara, e hoje voltaria ao trabalho. Dentro de um momento, Bob fecharia e dobraria o jornal, depositando-o em cima da mesa enquanto anunciava que era hora de sua partida. Os outros participantes dos feriados natalinos naquela pequena casa ainda não tinham aparecido. Isto era ótimo para Biddy, porque quando aparecessem, com um pouco de sorte ela estaria em sua segunda xícara de café e sentindo-se mais revigorada.

Suas visitas iriam embora hoje, e Biddy lamentava imensamente a aproximação da hora das despedidas. Convidara-as para ficarem em sua casa por vários motivos. Aquele seria o último Natal de Molly antes de seu retorno ao Extremo Oriente, ela era sua única irmã e, em vista do estado em que se encontrava o mundo, ninguém podia saber quando tornariam a ver-se. Ao mesmo tempo, Biddy sentia-se um pouco culpada, achando que não fizera o suficiente pelos Dunbars durante os últimos quatro anos; não estivera vezes suficientes com a irmã e as sobrinhas, além de não ter-se esforçado muito para isso. Por fim, convidara-as porque Ned estava ausente, esquiando, e a idéia de um Natal sem pessoas jovens por perto era terrível, insuportável.

O fato de pouco ter em comum com a irmã e de mal conhecer as sobrinhas não a deixara muito esperançosa quanto ao desfecho do arranjo. No entanto, fora tudo um surpreendente sucesso. Era verdade que Molly murchara de quando em quando, derrotada pelo ritmo turbilhonante da vida social da irmã, indo então para a cama, para ficar com os pés levantados. No tocante a Jess, Biddy era forçada a admitir que se tratava de uma criança demasiado mimada e cheia de vontades, cujos caprichos eram prontamente satisfeitos a cada vez que chorava.

Judith, no entanto, havia sido uma tremenda revelação, mostrando-se o tipo de menina que ela gostaria de ter como filha, caso houvesse tido alguma. Ela se divertia sozinha, havendo necessidade, nunca se intrometendo em conversas adultas, e ficando entusiasmada, até agradecida, caso fosse sugerida alguma coisa para seu próprio entretenimento. Biddy refletiu que sua sobrinha era também extraordinariamente bonita... ou pelo menos ficaria, dentro de uns poucos anos. De maneira alguma Judith se importara com o fato de na casa não haver ninguém da sua idade e, nas festas da tia, soubera tornar-se útil, servindo os visitantes com nozes e biscoitos, além de responder a todos que faziam uma pausa para dirigir-lhe a palavra. O perfeito entendimento que surgira entre sua sobrinha e Bob era um prêmio extra, sendo óbvio que Judith dera tanto prazer ao tio quanto este a ela. Bob a apreciara por motivos antiquados: ela possuía boas maneiras, e quando falava com alguém, fitava o interlocutor dentro dos olhos. Além disso, entre eles houvera uma atração natural, o estímulo de estar com um membro do sexo oposto, um relacionamento de pai-filha, algo de que ambos sentiam falta, de um modo ou de outro.

Talvez devessem ter tido filhas. Talvez devessem ter tido muitos filhos. Entretanto, houvera apenas Ned, despachado para a escola preparatória aos oito anos, e em seguida para Dartmouth. Os anos corriam velozes, e era como se o tempo não tivesse passado desde que ele era pequenino e adorado, com bochechas de bebê e cabelos dourados, joelhos sujos e ásperos, mãos quentes e pequeninas. Agora, aos dezesseis anos, era quase tão alto quanto o pai. E, praticamente antes que se pudesse piscar um olho, terminaria os estudos e iria para o mar. Seria adulto. Casar-se-ia. Teria sua própria família. A imaginação de Biddy corria solta. Ela suspirou. Ser avó não lhe seduzia muito. Ela era jovem. *Sentia-se* jovem. A maturidade devia ser mantida ao largo, a qualquer preço.

A porta se abriu e Hobbs entrou na sala em passos rangentes, trazendo a correspondência matinal e um bule de café fresco. Ele pousou o bule sobre a chapa quente no aparador e aproximou-se para deixar as cartas na mesa, ao lado de Biddy. Ela desejou que Hobbs tomasse alguma providência com suas botas chiantes.

— Faz um frio terrível esta manhã — observou ele, com alívio. — Todas as calhas estão entupidas de gelo. Despejei sal na escada da frente.

— Obrigada, Hobbs — Biddy respondeu, lacônica.

Sabia que, se comentasse aquela observação, ele ficaria ali tagarelando eternamente. Frustrado por aquele prolongado silêncio, Hobbs cerrou os dentes com certa rabugice, ajeitou um garfo em cima da mesa a fim de justificar sua presença, mas, finalmente derrotado, bateu em retirada. Bob continuou lendo o jornal. Biddy folheou sua correspondência. Nada importante como um cartão de Ned, mas havia uma carta de sua mãe, provavelmente agradecendo a manta tricotada para os joelhos, que ela lhe enviara como presente de Natal. Biddy pegou uma faca, para abrir o envelope. Ao fazer isso, Bob baixou o jornal, dobrou-o e bateu com ele na mesa, mostrando certa violência.

— O que há de errado? — perguntou Biddy, erguendo os olhos para ele.

— O desarmamento. A Liga das Nações. E eu não estou gostando do cheiro do que está acontecendo na Alemanha.

— Oh, meu bem!

Biddy odiava vê-lo deprimido ou preocupado. Para si mesma, lia apenas as notícias alegres, virando a folha apressadamente, se as manchetes parecessem sombrias. Ele consultou o relógio de pulso.

— Está na hora de ir andando.

Empurrou a pesada cadeira para trás e levantou-se. Era um homem alto e forte, sua corpulência tornada mais impressionante pela túnica escura e trespassada, com botões dourados. O rosto inteiramente barbeado e de feições marcantes, era sombreado por espessas sobrancelhas. Os bastos cabelos cinza-escuros jaziam lisos sobre a cabeça, de corte rente, controlados firmemente por óleo para cabelos Royal Yacht e duas escovas de cerdas duras.

— Tenha um bom dia — desejou Biddy.

Ele olhou para a mesa vazia.

— Onde está todo mundo?

— Elas ainda não desceram.

— A que horas parte o seu trem?

— Esta tarde. É o *Riviera*.

— Não creio que possa levá-las. Você faria isso?

— Naturalmente.

— Despeça-se delas por mim. Diga adeus a Judith.

— Você sentirá falta dela.

— Eu... — Sendo um homem pouco emotivo, ou melhor, um homem que não demonstrava suas emoções, ele procurou palavras. — Não gosto de pensar que ela ficará abandonada. Sozinha, por conta própria.

— Judith não ficará sozinha. Louise a acolherá.

— Ela precisa de mais do que Louise tem para oferecer.

— Eu sei. Sempre achei que os Dunbars eram as pessoas mais secarronas deste mundo. Enfim, o que se pode fazer? Molly casou com um deles e parece ter sido absorvida pela família do marido. Não há muito o que eu ou você possamos fazer.

Ele pensou a respeito, em pé, olhando pela janela a manhã gelada e escura, enquanto fazia tilintar as moedas que tinha no bolso da calça.

— Você sempre poderia convidá-la por alguns dias. Eu me refiro a Judith. Durante as férias. Ou isso seria muito tedioso para você?

— De maneira alguma. Entretanto, duvido muito que Molly concorde com a idéia. Tenho certeza de que dará qualquer desculpa, como a de não querer ofender Louise. Você sabe muito bem que minha irmã é terrivelmente dominada pela cunhada. Louise a trata como se fosse uma tola, porém ela nunca se rebela.

— Bem, sejamos francos; sua irmã é um pouco pateta. De qualquer forma, fale com ela a respeito de Judith.

— Farei uma sugestão.

Aproximando-se, ele beijou os cabelos desordenados da esposa, no alto da cabeça.

— Vejo você logo mais à noite — disse.

Bob nunca vinha em casa no meio do dia, preferindo almoçar no salão para oficiais.

— Até logo mais, meu bem.

Ele saiu. Biddy ficou sozinha. Ela terminou o café e foi encher outra xícara no aparador. Depois voltou para a mesa, a fim de ler a carta de sua mãe. A caligrafia era vacilante, trêmula, parecendo ter saído da mão de uma mulher muito idosa.

Minha querida Biddy,

Escrevo apenas uma linha para agradecer pela manta. Foi a lembrança exata para as noites geladas e, com a atual onda de frio, o reumatismo atacou-me novamente. Tivemos um Natal quieto. Pequenas congregações, com a organista ficando gripada e precisando ser substituída pela sra. Fell que, como você sabe, não é muito boa. Papai sofreu uma terrível derrapagem com o carro, quando subia a Rua Woolscombe. O carro está amassado e ele bateu com a testa no pára-brisa. Foi uma contusão feia. Recebi um cartão da pobre Edith. A mãe dela tem piorado...

Mãe

Ainda era muito cedo para digerir notícias tão sombrias. Biddy largou a carta e voltou ao seu café, sentada com os cotovelos fincados na mesa e os dedos compridos encurvados em torno da bem-vinda quentura da xícara. Pensou naquele triste casal formado por seus pais e encontrou tempo para, uma vez mais, surpreender-se ante o fato de que eles realmente haviam desempenhado inimagináveis atos de paixão sexual, através dos quais tinham produzido suas duas filhas, Biddy e Molly. Contudo, ainda mais miraculoso era o fato de essas duas filhas, de uma forma ou de outra, terem conseguido escapar do Vicariato, encontrado homens com quem se casaram e ficado livres para sempre do sufocante tédio e da envergonhada pobreza em que tinham sido criadas.

Isto porque nenhuma delas havia sido preparada para a vida. Nenhuma se especializara em enfermagem, freqüentara uma universidade ou aprendera datilografia. Molly ansiara pelo palco, sonhara ser dançarina, uma bailarina. Na escola, sempre tinha sido a estrela das aulas de dança, desejosa de seguir os passos de Irina Baronova e Alicia Markova. Entretanto, desde o início, suas débeis ambições haviam sido minimizadas pela desaprovação dos pais, pela falta de dinheiro e pela não declarada convicção do Reverendo Evans de que pisar o palco era o primeiro passo para tornar-se uma meretriz. Se Molly não tivesse sido convidada para aquela partida de tênis com os Luscombes, e lá conhecido Bruce Dunbar, pela primeira vez desfrutando longas férias de Colombo e procurando desesperadamente uma esposa, só Deus saberia o que teria acontecido à pobre jovem. Uma existência de solteirona, provavelmente ajudando a mãe a enfeitar a igreja com flores.

Biddy era diferente. Sempre soubera o que queria, e se dispôs a consegui-lo. Desde bem nova, pudera ver distintamente que, se pretendia ter qualquer espécie de vida, teria que se arranjar sozinha. Com isso decidido, tornou-se astuta e, no colégio, fez amizades somente com colegas que, no devido tempo, poderiam ajudá-la a realizar suas ambições. A que se tornou sua *melhor* amiga era filha de um Comandante Naval e morava em uma grande casa, perto de Dartmouth. Além disso, essa jovem tinha irmãos. Biddy decidiu que aquele era um solo fértil e, após algumas insinuações casuais, conseguiu ser convidada para lá passar um fim de semana. Então, como era o seu propósito, tornou-se um verdadeiro sucesso social. Atraente, com longas pernas e inteligentes olhos escuros, bastos e anelados cabelos castanhos, era jovem o bastante para que suas roupas inadequadas não fizessem diferença. Por outro lado, Biddy possuía um seguro instinto para o que devia fazer; quando ser polida e quando ser agradável ou como flertar com os homens mais velhos, que a consideravam atrevida e davam-lhe palmadas no traseiro. Entretanto, os irmãos eram o melhor; eles tinham amigos, e esses amigos tinham outros amigos. O círculo de conhecidos de Biddy expandiu-se com maravilhosa facilidade e, não demorou muito, ela se tornava um membro aceito desta família substituta, passando mais tempo com eles do que em sua casa, e dando menos e menos importância às admoestações e lúgubres conselhos dos ansiosos pais.

Seu descuidado estilo de vida mereceu-lhe uma espécie de reputação, porém ela não se incomodava. Aos dezenove anos, desfrutava da duvidosa fama de estar comprometida com dois jovens subtenentes ao mesmo tempo, trocando de anéis quando os diferentes navios deles chegavam ao porto. Por fim, quando estava com vinte e um anos, casou-se com o sério Bob Somerville, e nunca se arrependera de sua decisão. Porque Bob não era apenas seu marido e pai de Ned, mas seu amigo, fechando os olhos para uma série de associações passageiras, porém sempre ao alcance quando Biddy precisava dele ao seu lado.

Eles tinham vivido períodos de grande felicidade, porque ela adorava viajar e nunca se recusava a fazer as malas para seguir Bob, para onde quer que o enviassem. Dois anos em Malta haviam sido a glória, porém a vida dos dois nunca enfrentara momentos adversos. Não, quanto a isso não havia dúvidas. Ela realmente tivera muita sorte.

O relógio acima da lareira na sala de refeições bateu sua meia hora. Oito e meia da manhã, e Molly ainda não tinha aparecido. Biddy agora já se sentia ligeiramente menos nauseada e decidiu que estava pronta para seu primeiro cigarro. Levantou-se para apanhar um na cigarreira de prata em cima do aparador e, ao voltar para a mesa, esbarrou no jornal de Bob, que caiu aberto, mostrando as manchetes. Evidentemente não era uma leitura agradável, e ela compreendeu por que seu marido se mostrara tão anormalmente aborrecido. A Espanha parecia rumar para uma sangrenta guerra civil. Herr Hitler fazia ruidosos discursos sobre a remilitarização da Renânia e, na Itália, Mussolini vangloriava-se de seu crescente poderio naval no Mediterrâneo. Não era de admirar que Bob rangesse os dentes. Ele não suportava Mussolini, a quem se referia como o Gordo Fascista, e não tinha dúvidas de que, para silenciar tão bombásticas declarações, bastariam duas salvas do convés de um encouraçado britânico.

Tudo aquilo era um tanto amedrontador. Ela deixou o jornal cair no chão e procurou não pensar em Ned, com dezesseis anos, destinado à Marinha Real e tão maduro para o combate como uma fruta doce. A porta se abriu, e Molly entrou na sala de refeições.

Biddy não se preparava especialmente para o desjejum. Ela possuía uma útil peça denominada chambre, que todas as manhãs vestia sobre a camisola. Por esse motivo, a aparência de Molly, perfeitamente arrumada e vestida, com os cabelos cuidadosamente afofados e uma discreta maquiagem no rosto, provocou nela uma pontada de fraterna irritação.

— Sinto muito o atraso.

— Não está atrasada, em absoluto. Enfim, não importa. Dormiu demais?

— Não foi bem o caso. Fiquei me levantando a noite inteira. A pobre Jess teve pesadelos horríveis e acordava a todo instante. Sonhou que a *Dame* da pantomima estava no quarto e queria beijá-la.

— O quê? Com espartilhos e tudo? Não consigo imaginar nada pior.

— Ela ainda está dormindo, a coitadinha. Judith também ainda não desceu?

— Provavelmente está arrumando as malas. Não se preocupe com ela. Aparecerá em um momento.

— E Bob?

— Já se levantou e se foi. O dever chama. Os feriados terminaram. Pediu que eu me despedisse de você por ele. Vou levá-la de carro à estação. Coma alguma coisa, a sra. Cleese cozinhou salsichas.

Molly foi até o aparador, levantou a tampa da frigideira, hesitou e tornou a baixá-la. Despejou café na xícara e voltou para junto da irmã. Biddy ergueu as sobrancelhas.

— Não está com fome?

— Na verdade, não. Vou comer uma torrada.

As pretensões de Molly sobre beleza jaziam em sua aparência extraordinariamente jovem, nos fofos cabelos claros, nas faces redondas e nos olhos, que refletiam somente uma espécie de aturdida inocência. Ela não era uma mulher inteligente, e sempre lenta em perceber a graça de uma piada, além de aceitar qualquer observação por seu manifesto significado, ainda que estando carregada de duplo sentido.

Os homens pareciam achar isso cativante, porque fazia com que se sentissem protetores, mas a patente transparência da irmã era uma causa de irritação para Biddy. Agora, contudo, ela experimentava certa preocupação. Via que, por baixo da delicada aplicação de pó-de-arroz, o rosto de Molly mostrava sombras escuras sob os olhos, e suas faces estavam incomumente pálidas.

— Está se sentindo bem?

— Sim. Apenas não tenho fome. E sofro com a falta de sono. — Ela bebeu café. — *Odeio* ficar sem dormir no meio da noite. É como estar em um mundo diferente, e tudo se torna muito mais terrível.

— Antes de mais nada, o que é tão terrível?

— Oh, eu não sei. Apenas todas as coisas que precisam ser feitas, quando eu voltar para casa. Comprar roupas escolares para Judith, e organizar tudo. Fechar a casa. Tentar ajudar Phyllis a encontrar outro emprego. Depois, ir até Londres, tomar o navio, voltar a Colombo. Tudo. Afastei todas essas coisas da mente enquanto estive aqui com você; procurei não pensar em nada. Agora, tenho que voltar a ser sensata novamente. E acho que uma coisa que *terei* de fazer é, simplesmente, passar alguns dias com papai e mamãe. Isso significa outra complicação.

— Você tem que ir?

— Eu acho que devo.

— Você é uma gulosa por castigo. Acabei de receber uma carta de mamãe.

— Está tudo bem por lá?

— Não. Como sempre, tudo errado.

— Chego a sentir-me culpada, por eles terem passado o Natal sozinhos.

— Pois eu, não — respondeu Biddy prontamente. — É claro que os convidei. Sempre convido, rezando para que não aceitem. E, graças a Deus, arranjaram as desculpas costumeiras. Papai sem tempo disponível; neve nas estradas; o carro fazendo um barulho esquisito; as pontadas de reumatismo de mamãe. Aqueles dois são impossíveis. Vêem tudo pelo lado mais sombrio. Não adianta a gente querer mostrar-lhes que a vida pode ser melhor, porque aproveitam qualquer pretexto para uma lamentação.

— Eles estão velhos.

— Não, não estão. Simplesmente aliaram-se à decrepitude. Em seu lugar, não me preocuparia tanto com eles, já que tem tanta coisa para resolver.

— Não está em mim pensar diferente. — Molly vacilou, depois disse, com certa violência: — O terrível é que, neste exato momento, eu daria qualquer coisa para não ir vê-los. Odeio deixar Judith. Odeio o fato de estarmos sendo separadas. Isso me dá a sensação de que não pertenço a lugar algum. Compreenda, às vezes tenho essa sensação curiosa... como se estivesse em uma espécie de limbo, sem qualquer espécie de identidade. É algo que acontece quando menos espero. Posso estar no topo de um ônibus em Londres ou debruçada na amurada de algum barco da P&O, espiando a esteira do navio dissolver-se no passado. Então penso: o que estou fazendo aqui?, para onde estou indo?, quem sou eu?

Sua voz falhou. Por um terrível momento, Biddy receou que ela fosse se debulhar em lágrimas.

— Oh, Molly...

— ... e sei que é apenas esta questão de viver entre dois mundos — e os piores momentos são quando esses dois mundos ficam tão próximos que quase se tocam. Como agora. Não me sinto pertencendo a nenhum deles. É simplesmente... atordoante...

Biddy achou que entendia o que se passava com a irmã.

— Bem, se serve de consolo, há milhares de mulheres como você, esposas da Índia Britânica, enfrentando o seu mesmo dilema...

— Eu sei. E não é nenhum consolo, acredite. Continuo a sentir-me inteiramente isolada.

— É porque você está cansada. Sem dormir direito. Qualquer um ficaria deprimido.

— Tem razão. — Molly suspirou mas, pelo menos, não estava chorando. Bebeu mais café, depois depositou a xícara no pires. — Seja como for, continuo desejando que Bruce trabalhasse em Londres, em Birmingham, em *qualquer lugar*, mas desde que pudéssemos viver na Inglaterra, onde pudéssemos apenas ficar juntos.

— Agora é um pouco tarde para desejar isso.

— Ou, inclusive, que nunca nos tivéssemos casado. Que nunca nos tivéssemos conhecido. Que ele houvesse encontrado outra moça. Que me deixasse em paz.

— É improvável que *você* houvesse encontrado outro homem — Biddy disse para ela, rudemente. — Procure imaginar a alternativa. Viver no Vicariato com mamãe. E não ter filhas tão bonitas.

— É somente a idéia de ter de começar... novamente. De recolher os pedaços. De não pertencer mais a mim mesma...

Sua voz extinguiu-se. As palavras não ditas pairaram entre elas. Molly baixou os olhos e um leve rubor surgiu em suas faces.

Apesar de tudo, Biddy foi tomada de solidariedade. Sabia perfeitamente o que havia no fundo daquele depressivo fluxo de desacostumadas confidências. Nada tinha a ver com o trabalho iminente de arrumar a bagagem e partir. Nada tinha a ver com a separação de Judith. Tinha tudo a ver com Bruce. Biddy sentia pena dele, por mais apático que fosse. Quatro anos de separação não faziam bem a nenhum casamento, e Biddy não supunha que Molly, tão feminina, tão difícil de contentar e tão diferente, algum dia houvesse sido muito boa na cama. De que maneira todos aqueles maridos abandonados lidavam com seus naturais desejos sexuais era algo que estava fora da sua compreensão. Aliás, pensando bem, não estava tão fora assim. A solução óbvia seria, simplesmente, algum arranjo discreto. Não obstante, até mesmo a moderna Biddy guardava dentro de si os inatos preconceitos de sua geração, de maneira que procurou conter a imaginação e, com firmeza, afastou da mente toda essa história.

O rubor de Molly desaparecera. Biddy decidiu ser positiva. Disse, vivamente:

— Tenho certeza de que tudo acabará se resolvendo. — O que, mesmo a seus ouvidos, soava francamente inconclusivo. — Quero dizer... penso que isso tudo chega a ser excitante. Assim que estiver a bordo, você se sentirá uma mulher diferente. Pense na tranqüilidade, três semanas sem mais nada a fazer, além de estirar-se em uma deliciosa espreguiçadeira de convés. E, uma vez cessados os enjôos na baía de Biscaia, você provavelmente se divertirá como nunca. Voltará para o sol, para os trópicos e para um bando de criados. Tornará a ver todos os seus amigos. Sabe de uma coisa? Quase sinto inveja de você!

— Certo — Molly conseguiu mostrar um sorriso de desculpas. — Claro, claro. Estou apenas sendo tola. Sinto muito... Você, naturalmente, vai me achar uma grande tola.

— Não vou achar coisa nenhuma, bobinha. Eu compreendo. Ainda me lembro de quando fomos para Malta. Como detestei deixar Ned! Enfim, o que podemos fazer? Não se pode ter tudo ao mesmo tempo. A única coisa, para ter certeza, é de que vai deixar Judith em uma escola que a compreenderá e cuidará dela. Como é mesmo o nome da que encontrou para ela?

— Santa Ursula.

— Você gostou da diretora?

— Ela tem excelente reputação.

— Sim, mas gostou dela?

— Bem, acho que gostei, assim que parei de sentir medo dela. Mulheres inteligentes sempre me deixam em pânico.

— Ela demonstrou ter senso de humor?

— Não lhe contei nenhuma piada.

— Claro, mas você ficou satisfeita com a escola?

— Oh, sim. Mesmo que não tivesse de voltar para o Ceilão, acho que enviaria Judith para o Santa Úrsula. A Escola de Porthkerris foi excelente, academicamente falando, mas as alunas formam um grupo bastante misturado. A melhor amiga de Judith era a filha do merceeiro.

— Não há nada de errado nisso.

— Eu sei, mas não *leva* a lugar algum, leva? Socialmente, é o que quero dizer.

Biddy teve de rir.

— Francamente, Molly, você sempre foi uma grande esnobe!

— Não sou esnobe, mas as pessoas têm sua importância.

— Sim, é claro que têm.

— Aonde está querendo chegar agora? — perguntou Molly.

— Louise.

— Você não gosta dela?

— Gosto, na mesma medida em que ela gosta de mim. Com toda a certeza, não desejaria passar meus feriados com ela.

Isto deixou Molly em um estado de súbita agitação.

— Oh, Biddy, *por favor*, não comece a interferir e a criar objeções! Tudo já foi combinado, feito e encerrado, não há mais nada a ser dito.

— Quem disse que eu ia criar objeções? — exclamou Biddy, e imediatamente começou a criá-las. — Ela é uma velhota teimosa. Tão entediante, com seu interminável golfe, seu *bridge* e seu "templo sagrado" que é o Clube de Golfe! Louise é tão pouco feminina, tão apegada a seu sistema de vida, tão... — Biddy franziu a testa, procurando a palavra adequada, mas encerrou somente com "secarrona"! ...

— A verdade é que você está vendo as coisas pelo prisma errado. Louise é muito gentil. Ela tem sido um braço forte para mim. Além disso, ofereceu-se para ficar com Judith, eu nem precisei pedir. Isso é generosidade. E vai dar uma bicicleta para Judith. Também é generosidade, porque bicicletas são terrivelmente caras. O mais importante, no entanto, é Louise ser uma pessoa de confiança. Ela dará segurança a Judith... Não precisarei me preocupar...

— Talvez Judith precise de algo mais do que segurança.

— Como o quê?

— Espaço emocional; liberdade para crescer em sua própria direção. Ela logo estará com quinze anos. Precisará abrir as asas, encontrar-se. Fazer amigos. Ter algum contato com o sexo oposto...

— Biddy, você *tinha* que colocar sexo na conversa. Ela ainda é muito nova para começar a pensar nesse tipo de coisa...

— Ora, vamos, Molly, seja adulta! Você a viu, nestas duas últimas semanas. Judith literalmente floresceu, com todo o divertimento que tivemos. Você não pode privá-la dos perfeitamente naturais prazeres da vida. Não vai desejar que sua filha seja igual a nós, confinadas pelas circunstâncias de nossa condição social e morrendo de tédio!

— O que eu desejo não importa. Como lhe disse, é tarde demais. Ela irá ficar com Louise.

— Chova ou faça sol, eu sabia que seria esta a sua atitude.

— Então, para que discutir o assunto?

Biddy queria feri-la, mas pensou em Judith e conseguiu reprimir a crescente impaciência. Assim, procurou outra abordagem, agora mais suave. Uma persuasão gentil.

— Não acha que seria divertido para ela vir ver-nos de vez quando? Por favor, não fique tão horrorizada, é uma sugestão perfeitamente viável. Aliás, foi idéia de Bob. Ele simpatizou muito com Judith. Seria uma pequena e agradável folga para sua filha, sendo também uma pequena e agradável folga para Louise.

— Eu... eu teria de discutir isso com Louise...

— Oh, pelo amor de Deus, Molly, mostre um pouco de vontade própria!

— Eu não quero *irritar* Louise...

— Porque Louise não *me* aprova.

— Não. É porque não quero balançar o barco, criar instabilidade para Judith. Não precisamente agora. Por favor, Biddy, procure entender. Mais tarde, talvez...

— Pode ser que não haja um mais tarde.

— O que está querendo dizer? — perguntou Molly, visivelmente alarmada.

— Leia os jornais. Os alemães abraçaram o Nacional Socialismo, porém Bob não sente a menor confiança no que diz Herr Hitler. E pensa o mesmo em relação ao velho e gordo Mussolini.

— Está querendo dizer... — Molly engoliu em seco. — ... uma guerra?

— Oh, eu não sei! Entretanto, acho que não devemos ficar tão suscetíveis sobre nossas vidas particulares porque, talvez muito breve, não tenhamos nenhuma. E acho que sua suscetibilidade de agora é por não querer que Judith venha ver-me. Imagino que talvez me ache uma influência ruim para ela. Todas essas festas loucas e jovens tenentes fazendo visitas de cortesia... É isso, não é? Por que não admite de uma vez?

— Não é nada disso! — A conversa tornava-se uma perfeita discussão, com as duas levantando a voz. — Você sabe que não é! E eu fico agradecida. Você e Bob foram tão bondosos...

— Pelo amor de Deus, você faz com que isso pareça uma penitência! Nós as convidamos para o Natal e todos nos divertimos imensamente. Nada mais do que isso. E acho que você está sendo muito pusilânime, muito egoísta. É igual a mamãe... detestando as pessoas que se divertem.

— Isso não é verdade.

— Oh, vamos esquecer, está bem?

Após falar e, exasperada, Biddy estendeu a mão para *The Times*, abriu as páginas espalhafatosamente e escondeu-se atrás delas.

Silêncio. Inteiramente abalada pelo horror de tudo, pela possibilidade de outra guerra, pelas confusões de seu iminente futuro e pelo fato de que Biddy agora estava furiosa com ela, Molly permaneceu em um estado de trêmula agitação. Aquilo não era justo. Ela estava agindo da melhor maneira possível. A culpa não era sua. O pesado silêncio prolongou-se, e ela percebeu que não poderia suportá-lo nem mais um segundo. Empurrou para trás o punho de seu cardigan e olhou para o relógio de pulso.

— Onde está *Judith?*

Era um alívio poder pensar em alguma coisa, alguém sobre quem descarregar sua agonia. Levantou-se de repente, empurrando a cadeira para trás, e foi até a porta, a fim de escancará-la e chamar a filha que se atrasava. Entretanto, não precisou chamar, porque Judith já estava lá, bem no outro extremo do corredor, sentada ao pé dos degraus.

— O que *está* fazendo aí?

— Amarrando o cordão do meu sapato.

Judith não fitou os olhos da mãe ao falar. Molly sentiu uma frieza e, embora nem sempre sendo a mais perceptiva das mulheres, compreendeu que sua filha estivera ali por algum tempo, detida pelas vozes iradas que se filtravam pela porta fechada da sala de refeições, tendo ouvido cada palavra daquela desabrida e lamentável discussão.

Foi Jess quem veio em seu socorro.

— Mamãe!

— Já estou indo, meu bem.

— Quero abotoar meu casaco.

— Já estou indo. — Molly cruzou o corredor e parou por um instante. — É melhor fazer seu desjejum — disse para Judith.

Ela subiu a escada e Judith esperou, até vê-la desaparecer. Em seguida, levantando-se, entrou na sala de refeições. Tia Biddy estava sentada à mesa, em seu lugar costumeiro e, através da sala, as duas entreolharam-se tristemente.

— Oh, querida. — Ela estivera lendo o jornal. Dobrou-o e o deixou cair no chão. — Lamento tudo isso — falou.

Judith não estava acostumada a ouvir desculpas de adultos.

— Está tudo bem — respondeu.

— Sirva-se de salsichas. Pensei que você gostaria.

Judith obedeceu, mas salsichas quentes e crepitantes não serviram de grande consolo. Carregou seu prato de volta à mesa e sentou-se em seu lugar de sempre, com as costas para a janela. Contemplou as salsichas, mas decidiu que, pelo menos por enquanto, não conseguiria comê-las.

— Você ouviu tudo? — perguntou Biddy, após um momento.

— A maior parte.

— A culpa foi minha. Não raciocinei direito. Escolhi a hora errada para falar. No momento, sua mãe não se encontra em estado de planejar seja o que for. Eu devia ter percebido.

— Eu estarei bem com tia Louise, acredite.

— Eu sei. Não é que me preocupe com o seu bem-estar. Acontece apenas que, com toda a probabilidade, não será muito divertido.

— Eu nunca tive divertimentos de adultos antes — disse Judith. — Não antes deste Natal.

— Está querendo dizer que, quando a gente não tem, não sente falta.

— Sim, acho que é isso. Entretanto, eu adoraria voltar.

— Tentarei novamente. Um pouco mais tarde.

Judith pegou o garfo e a faca, e cortou uma salsicha ao meio. Então, perguntou:

— Acha mesmo que vai haver outra guerra?

— Oh, meu bem, não é o que espero. E você ainda é muito nova para ficar preocupada com essas coisas.

— Sim, mas tio Bob está preocupado?

— Não só muito preocupado, creio eu, como frustrado. Ele range os dentes, só em pensar que o Império Britânico está sendo desafiado. Quando enfurecido, Bob pode tornar-se um verdadeiro buldogue.

— Se eu puder ficar, viria para cá?

— Não sei. A indicação de Bob para Keyham foi de dois anos, de maneira que devemos mudar-nos no final do verão.

— E para onde irão?

— Nem imagino. Bob quer retornar ao mar. Se ele for, tentarei comprar uma casinha para nós. Nunca tivemos uma propriedade, sempre vivemos em imóveis militares. Entretanto, acho que seria bom termos uma base permanente. Pensei em Devon. Temos amigos por aqui. Algum lugar como Newton Abbot ou Chagford, não muito longe de seus avós.

— Uma casinha de vocês! — Era uma encantadora perspectiva. — Oh, compre uma no campo! Então, eu poderei ir e ficar lá com vocês.

— Se você quiser.

— Eu sempre vou querer.

— Não. Aí está o curioso. Você talvez não quisesse. Na sua idade, tudo muda tão depressa, que um ano às vezes parece durar uma existência. Eu me lembro. Além do que, você fará novas amizades, desejará coisas diferentes. Em seu caso, isso terá ainda mais importância, porque você precisará tomar suas próprias decisões e resolver o que quer fazer. Não contará com sua mãe por perto e, embora possa sentir-se um pouco triste e solitária, de certa forma isto será uma boa coisa. Eu teria dado o mundo para ficar livre de meus pais, quando tinha quatorze, quinze anos. De qualquer modo — acrescentou ela, com certa satisfação — não me saí muito mal, mas só foi assim porque tomei as decisões em minhas próprias mãos.

— Não é muito fácil a gente tomar decisões estando em um internato — observou Judith, achando que sua tia fazia aquilo parecer demasiado fácil.

— Acredito que você deve aprender a precipitar situações, em vez de ser passiva e simplesmente deixar que elas aconteçam. Aprenda a ser seletiva, no referente às amizades que fizer e aos livros que ler. Estou falando, suponho, de uma independência de espírito. — Ela sorriu. — George Bernard Shaw disse que a juventude é malbaratada nos jovens. Somente quando envelhecemos é que começamos a entender do que ele estava falando.

— Você não é velha.

— Talvez, mas a verdade é que há muito deixei de ser uma ninfeta.

Judith enfiou um pedaço de salsicha na boca e mastigou, pensativa, refletindo no conselho da tia.

— O que eu realmente detesto — admitiu por fim — é ser tratada como se tivesse a mesma idade de Jess. Nunca sou *consultada* sobre coisas, nunca me *comunicam* coisas. Se não tivesse ouvido vocês duas gritando uma com a outra, jamais ficaria sabendo que você tinha me convidado para ficar aqui. Mamãe nunca me diria uma palavra.

— Eu sei. Deve ser enlouquecedor. E acredito que você tenha motivos para ficar ressentida. De qualquer modo, neste exato momento procure não ser muito severa com sua mãe. Por ora, ela se encontra em estado de franca ebulição, e quem poderia censurá-la, se começar a agitar-se de um lado para o outro como galinha choca? — Ela riu, sendo então recompensada pelo começo de um sorriso. — Cá entre nós, eu acho que ela tem medo de Louise.

— Eu sei que tem.

— E você?

— Nunca senti medo dela.

— Boa garota.

— Sabe de uma coisa, tia Biddy? Sinceramente, eu adorei estes dias com vocês. Nunca vou esquecê-los.

Biddy ficou comovida.

— E nós gostamos de tê-la conosco. Principalmente Bob. Ele me pediu para dizer-lhe adeus. Lamentou ter que ir trabalhar sem tornar a vê-la. Bem... — Ela empurrou a cadeira para trás e ficou em pé. — Posso ouvir sua mãe e Jess descendo a escada. Acabe com seu desjejum e faça de conta que não tivemos uma conversinha franca. E lembre-se: mantenha o ânimo elevado! Agora, vou subir e vestir umas roupas...

Antes que ela chegasse à porta, Molly e Jess entraram na sala. Jess estava agora de macacão e meias brancas, os cabelos sedosos penteados com escova. Biddy parou para dar um beijo leve no rosto de Molly.

— Não se preocupe nem um pouco — disse para a irmã.

Isto foi o mais aproximado que conseguiu para um pedido de desculpas, e então desapareceu, subindo a escada para o santuário de seu quarto de dormir.

<hr />

Desta maneira, a discussão foi varrida para baixo do tapete e o dia seguiu em frente. Judith ficou tão aliviada com o ambiente agora claro entre sua mãe e sua tia, sem nenhum desentendimento pairando no ar, que foi apenas quando estavam de fato na estação, em pé na plataforma varrida pelo vento e à espera do *Riviera* para levá-las de volta à Cornualha, que encontrou tempo para lamentar a ausência do tio Bob.

Era horrível, ir embora sem se despedir dele. E ela era a culpada, por demorar tanto a descer para o desjejum. No entanto, teria sido tão bom se ele tivesse esperado, apenas uns cinco minutos, para que houvesse uma despedida apropriada... Além disso, ela gostaria de agradecer-lhe por tudo, e agradecimentos nunca eram a mesma coisa quando escritos em uma carta.

O melhor havia sido o gramofone dele. A despeito das ânsias juvenis de sua mãe em tornar-se bailarina, nem ela e nem seu pai possuíam tendências musicais, porém aquelas tardes passadas com tio Bob em seu estúdio haviam despertado uma percepção, uma valorização da existência que Judith jamais houvera suspeitado. Ele possuía uma grande variedade de discos e, mesmo tendo ela gostado muito das canções de Gilbert e Sullivan, com suas letras inteligentes e melodias cativantes, outras lhe tinham alegrado o coração ou a deixado tão angustiadamente triste, que mal conseguira impedir as lágrimas boiando em seus olhos. Árias de Puccini, extraídas de *La Bohéme*, o Concerto para piano de Rachmaninoff, a música *Romeu e Julieta*, de Tchaikovsky... E, absoluta magia, aquele *Scheherazade*, de Korsakov, um solo de violino que a deixava com arrepios descendo pela espinha... Havia outro disco do mesmo compositor, ao qual tio Bob se referia como *"Bum of the Flightle Bee"**, de autoria de Rip His Corsetsoff, uma piada que fazia Judith ter acessos de riso. Ela nunca havia pensado que um adulto pudesse ser tão divertido. Entretanto, uma coisa era certa: ela precisava ter seu próprio gramofone, e então poderia colecionar discos, exatamente como fazia o tio Bob, a fim de tocá-los sempre que tivesse vontade e ser transportada, como que levada pela mão, para aquela outra terra, anteriormente jamais imaginada. Começaria a economizar imediatamente.

Seus pés estavam gelados. Tentou aquecê-los um pouco, batendo-os no piso oleoso da plataforma, como se marcasse compasso. Tia Biddy e sua mãe conversavam inconseqüentemente, como as pessoas costumavam fazer enquanto esperam um trem. Pareciam ter esgotado coisas importantes para dizer. Jess estava sentada na beirada de um carrinho de transporte, e balançava as pernas gorduchas, envoltas em meias brancas. Abraçava seu espantalho, aquele brinquedo revoltante que levava para a cama todas as noites. Judith apostava que o espantalho devia estar imundo, mas, tendo a cara preta, a sujeira não aparecia. E devia estar não apenas imundo, mas cheio de micróbios.

Então, algo realmente bom aconteceu. Tia Biddy parou de tagarelar, espiou por sobre a cabeça da irmã e exclamou, em um tom muito diferente:

— Oh, veja! Aí vem Bob!

---

* Jogo de palavras de tradução impossível, referindo-se à obra "O Vôo do Besouro", de Rimski-Korsakov. (N. da T.)

O coração de Judith alegrou-se. Ela deu meia-volta. Esqueceu os pés gelados. E lá estava ele, uma corpulenta e inconfundível figura uniformizada, caminhando pela plataforma em direção a elas, o quepe de oficial meio de banda, puxado sobre uma espessa sobrancelha, e um amplo sorriso nas feições marcantes. Os pés de Judith deixaram de sentir frio, e ela precisou ficar absolutamente imóvel, para evitar de ir correndo encontrá-lo.

— Bob! O que está fazendo aqui?

— Tive um ou dois momentos de folga e decidi vir para o embarque do nosso grupinho. — Ele baixou os olhos para Judith. — Eu não a deixaria ir embora sem uma despedida adequada.

Ela sorriu, deliciada. Disse:

— Estou contente porque veio. Eu queria agradecer-lhe por tudo. Especialmente pelo relógio.

— Precisará lembrar-se de dar-lhe corda.

— Oh, eu me lembrarei...

Ela não conseguia parar de sorrir. Tio Bob bandeou a cabeça, ouvindo.

— Acho que o trem vem vindo.

De fato havia um som — as linhas do trem estavam zumbindo. Judith espiou e, na curva distante, além do final da plataforma, surgiu à vista a enorme locomotiva a vapor verde e negra, com seus polidos acessórios de bronze e a fumaça negra que subia da chaminé. Sua aproximação era majestática e inspirava medo, enquanto corria ao longo da plataforma. O maquinista, de rosto sujo de fuligem, inclinou-se em seu posto, e Judith teve um relance das chamas gulosas crepitando na fornalha. Os maciços pistões, como braços de um gigante, revolveram-se cada vez mais devagar, até finalmente a composição parar, com um esguicho sibilante de vapor. Como sempre, chegava na hora exata.

Houve um pequeno pandemônio. Portas escancaravam-se e passageiros desembarcavam, carregando sua bagagem. Havia uma certa urgência, um lufa-lufa de partida. Então, o carregador colocou as malas delas a bordo e se foi em busca de assentos. Com meticulosidade própria de homem do mar, tio Bob o seguiu, apenas para ter certeza de que o trabalho seria feito de maneira adequada. Ligeiramente em pânico, Molly ergueu Jess nos braços e embarcou no trem, precisando inclinar-se para o beijo de despedida na irmã.

— Você foi tão bondosa! Tivemos um Natal maravilhoso. Dê adeus para a tia Biddy, Jess.

Ainda aferrando o espantalho, Jess agitou uma mãozinha enluvada em branco. Tia Biddy se virou para Judith.

— Adeus, querida. Você foi um amorzinho. — Inclinando-se, beijou a sobrinha. — Não se esqueça: eu sempre estou aqui. Sua mãe anotou o meu telefone na caderneta de endereços.

— Adeus. E muito, muito obrigada!

— Depressa! Suba logo, ou o trem irá sem você. — Biddy levantou a voz: — Faça seu tio Bob descer, pois do contrário terão de levá-lo com vocês!

Durante um momento ela ficara um pouco séria, mas agora estava rindo de novo. Judith riu de volta, deu um último adeus e então mergulhou no corredor, atrás dos outros.

Havia sido encontrado um compartimento ocupado por um rapaz apenas, que estava sentado com um livro aberto sobre o joelho, enquanto o carregador ajeitava a bagagem nos bagageiros acima de sua cabeça. Então, depois de tudo no lugar, tio Bob deu uma gorjeta ao carregador e o despachou.

— Você também precisa ir, e depressa — disse-lhe Judith — ou o trem começará a andar e será impossível desembarcar.

Ele sorriu para ela.

— Isso nunca aconteceu até hoje. Adeus, Judith.

Eles trocaram um aperto de mãos. Quando afastou a mão, Judith encontrou, na palma de sua luva de lã, uma nota de dez xelins. Dez xelins ao todo!

— Oh, tio Bob, *muito obrigada*!

— Gaste-os com sabedoria.

— Farei isso. Adeus.

Ele se foi. Um momento mais tarde, reaparecia ao lado de tia Biddy, em pé na plataforma, abaixo da janela delas.

— Façam uma boa viagem! — O trem começou a mover-se. — Boa viagem! — A velocidade foi aumentando. — Adeus!

A plataforma e a estação foram ficando para trás. Tio Bob e tia Biddy desapareceram de vista. Tudo terminara. Agora, estavam a caminho de casa.

Elas levaram alguns momentos instalando-se. O outro ocupante do vagão, o rapaz, sentava-se junto à porta, e por isso elas ficaram com os assentos perto da janela. O aquecimento funcionava a pleno vapor e estava muito quente, de modo que luvas, casacos e chapéus foram removidos pelas crianças. Molly continuou com seu chapéu. Jess foi posta junto à janela, onde ficou de joelhos sobre a pelúcia áspera do banco, o nariz comprimido contra a vidraça fuliginosa. Judith sentou-se diante dela. Sua mãe, após dobrar casacos e colocá-los no bagageiro, remexeu em sua sacola de viagem à procura dos lápis de cor e do caderno de desenho de Jess. Finalmente sentou-se ao lado da filha caçula e soltou um suspiro de alívio, como se toda a operação tivesse sido quase superior às suas forças. Fechou os olhos, mas, após algum tempo, tornou a abri-los e começou a abanar o rosto com a mão.

— Céus, como está quente! — murmurou.

— Estou achando ótimo — disse Judith, pois seus pés nem mesmo haviam começado a degelar.

Sua mãe, no entanto, ficou insistente.

— Estou pensando se...

Ela agora se dirigia ao rapaz, cuja privacidade e sossego haviam perturbado tão rudemente. Ele ergueu os olhos do livro que lia, e Molly sorriu, simpática.

— Será que não se importaria se baixássemos o aquecimento um pouquinho? Ou se abríssemos uma pequena fresta da janela?

— Em absoluto — disse polidamente. Largou o livro e ficou em pé. — O que a senhora prefere? Talvez as duas coisas?

— Não, acho que um pouco de ar fresco seria o bastante...

— Está bem.

O rapaz aproximou-se da janela. Judith puxou as pernas do caminho e ficou espiando, enquanto ele afrouxava a grossa correia de couro, deixava a janela baixar uns três centímetros e tornava a firmar a correia de novo.

— Está bom assim?

— Perfeito.

— Cuidado para que a fuligem não atinja o olho de sua garotinha.

— Espero que isso não aconteça.

Ele voltou ao seu assento e tornou a pegar o livro. Ouvir a conversa de outras pessoas, espiar estranhos e tentar adivinhar suas vidas eram duas das ocupações prediletas de Judith. Molly chamava isso de "encarar". "Pare de encarar, Judith."

Entretanto, Molly agora lia sua revista, de modo que tudo estava bem.

Judith o estudou disfarçadamente. O livro dele parecia grande e enfadonho. Ela perguntou-se por que aquelas páginas o absorviam tanto, uma vez que não o considerava um tipo estudioso, com aqueles ombros largos e corpo robusto. Bastante forte e bem-disposto, decidiu ela. Vestia calças de veludo cotelê, um paletó de *tweed* e uma grossa camisa cinza, modelo pólo. Tinha em volta do pescoço um cachecol de lã muito comprido, de listras vivas. Os cabelos não mostravam uma cor particular, não sendo claros nem castanhos. Estavam um tanto despenteados e pareciam precisar de um bom corte. Ela não pôde ver-lhe a cor dos olhos, porque ele estava lendo, mas usava óculos de aros grossos e, no meio do queixo, tinha um corte fundo, masculino demais para ser chamado de "covinha". Judith perguntou-se que idade ele teria e decidiu-se por cerca de vinte e cinco. Talvez estivesse enganada. Não tendo muita experiência com rapazes, era difícil ter certeza.

Ela se virou para a janela. Dentro de alguns instantes estariam passando pela ponte Saltash, e não queria perder a vista de todos os navios de guerra ancorados no porto.

Jess, contudo, tinha outras idéias. Já se entediara de espiar pela janela e agora procurava uma distração diferente. Começou a pular no assento, depois ficou descendo, para subir novamente. Ao fazer isso, seu sapato se chocou com a canela de Judith, causando dor.

— Oh, fique *quieta*, Jess!

Jess respondeu, atirando o espantalho na irmã. Por pouco Judith não o enfiou pela fresta aberta no alto da janela, e aquele horrível brinquedo teria desaparecido para sempre, mas, em vez disso, apanhou-o, e o jogou de volta. O espantalho bateu no rosto da menina. Jess iniciou um berreiro.

— Oh, *Judith*! — exclamou Molly.

Colocou a filha sobre os joelhos. Depois que os gritos amainaram, ela se desculpou com o rapaz.

— Sinto muito. Perturbamos o seu sossego.

Ele ergueu os olhos do livro e sorriu. Era um sorriso particularmente encantador, revelando dentes tão alvos e perfeitos como um anúncio de creme dental. Além disso, aquele sorriso animou suas feições despretensiosas e modificou-lhe o rosto inteiramente, fazendo com que, de súbito, ficasse mais bonito.

— Não foi nada — afirmou ele.

— Está vindo de Londres?

Evidentemente, ela estava com disposição para conversar. O rapaz pareceu notar isto, porque fechou o livro e o deixou de lado.

— Sim, estou.

— Passou o Natal fora?

— Não, estive trabalhando durante o Natal e o Ano Novo. Agora é que estou tirando uma folga.

— Céus, que horror! Ter que trabalhar durante o Natal! E o que faz?

Judith achou que sua mãe estava sendo um tanto bisbilhoteira, mas o rapaz não parecia pensar assim. De fato, dava a impressão de bastante satisfeito em falar, como se já houvesse lido o suficiente de seu enfadonho livro.

— Sou residente no Saint Thomas's.

— Oh, um *médico*!

— Exatamente.

Judith ficou terrificada, imaginando o que sua mãe iria dizer, "Parece jovem demais para ser médico", o que deixaria todos constrangidos, mas ela nada comentou. Isto explicava o motivo daquele livro grosso e sólido. Provavelmente o rapaz estudava os sintomas de alguma obscura enfermidade.

— Seu Natal não deve ter sido muito divertido.

— Pelo contrário. No hospital, o Natal é bastante animado. As enfermarias são decoradas e as enfermeiras cantam canções natalinas.

— E agora está indo para casa?

— Sim, para Truro. Meus pais moram lá.

— Nós vamos para um pouco mais longe. Praticamente até o fim da linha. Estivemos passando os feriados com minha irmã e seu marido. Ele é capitão na Faculdade de Engenharia.

Aquilo soava como se ela estivesse se vangloriando. Para distrair a atenção, Judith falou:

— Já estamos chegando à ponte!

Para sua surpresa, o rapaz parecia tão excitado a respeito quanto ela.

— Quero dar uma espiada — disse ele.

Levantando-se, ficou em pé ao lado dela, firmando-se com uma das mãos na borda da janela. Sorriu para Judith, e ela reparou que os olhos dele não eram castanhos nem verdes, mas pintalgados, como os de uma truta.

— É bonito demais para que se perca a vista, não?

As rodas diminuíam a velocidade. As vigas de ferro ficaram fragorosamente para trás e, muito abaixo, cintilava a gélida água invernal, juncada de esguios cruzadores e destróieres cinzentos, além de pinaças, pequenas e movimentadas lanchas, e barcos de navios, todos exibindo o Estandarte Branco.

— Esta é uma ponte especial — disse Judith.

— Por quê? Por levar a gente rio abaixo, para terras estrangeiras?

— Não é só por isso.

— Ela é uma obra-prima de Brunel.

— Como disse?

— Brunel. Ele desenhou e construiu a ponte para a Great Western Railway. Foi a maravilha de sua época. Por falar nisso, continua maravilhosa.

Os dois silenciaram. O rapaz continuou ali até o trem atravessar a ponte e passar para Saltash, no lado do Tamar pertencente à Cornualha. Então, retornando ao seu lugar, ele tornou a pegar o livro.

Após alguns momentos, o homem do vagão-restaurante apareceu para anunciar que o chá da tarde estava sendo servido. Molly perguntou ao jovem médico se gostaria de juntar-se a elas, porém ele recusou polidamente. Então, deixaram-no sozinho e começaram a caminhar pelos ruidosos e cambaleantes corredores do trem, até chegarem ao vagão-restaurante. Uma vez lá, foram conduzidas a uma mesa coberta por uma toalha de linho branco e posta com porcelanas brancas. Havia pequenos abajures de cúpulas rosadas, e estavam todos ligados, o que tornava o ambiente luxuoso e aconchegante, porque lá fora a tarde invernal escurecia para o crepúsculo. O garçom aproximou-se, com chá em um bule de porcelana, um pequenino jarro de leite, outro de água quente e uma tigelinha com torrões de açúcar. Jess já tinha comido três torrões, antes que sua mãe percebesse. Então, outro garçom apareceu junto delas, servindo sanduíches, biscoitos quentes e amanteigados para o chá, fatias de bolo e biscoitos de chocolate, envoltos em papel prateado.

Molly serviu as xícaras, e Judith bebeu o chá forte e quente, acompanhando-o com os biscoitos amanteigados. Olhando para a escuridão que aumentava no exterior, ela decidiu que, afinal de contas, aquele não fora um dia tão ruim. Tinha começado de maneira um tanto sombria quando, ao acordar, ela se conscientizara de que os feriados haviam terminado. O ambiente quase se tornara inteiramente desastroso à hora do desjejum, devido àquela terrível discussão entre sua mãe e tia Biddy. Entretanto, as duas irmãs tinham contornado a situação e continuaram sendo gentis uma com a outra; disso tudo, resultara bom saber que tia Biddy e tio Bob de fato gostavam da sobrinha o bastante para desejarem sua volta, mesmo parecendo que a ela não seria dada liberdade para ficar com eles. Tia Biddy se mostrara particularmente gentil e compreensiva, falando-lhe como se ela fosse adulta e dando-lhe conselhos que jamais esqueceria. Outra coisa boa fora tio Bob aparecer na estação para despedir-se e vê-las partirem, e deixando-lhe uma nota de dez xelins na mão. Aquele dinheiro seria o início de suas economias para comprar um gramofone — a *sua* vitrola. Por fim, a conversa com o jovem médico que viajava no mesmo compartimento ocupado por elas. Teria sido formidável se ele as acompanhasse no chá, mas talvez todos acabassem sem assunto para conversar. Ainda assim, ele se mostrara agradável, com suas maneiras simples. Quando haviam atravessado a ponte do Saltash, ficara muito perto dela, e Judith pudera sentir o cheiro de seu paletó de *tweed*, enquanto a ponta do comprido cachecol do rapaz lhe pousara sobre um joelho. Brunel, havia dito ele. Brunel construiu esta ponte. Ocorreu-lhe que aquele rapaz seria o tipo de pessoa que gostaria de ter como irmão.

Ela terminou uma fatia do bolo e pegou um sanduíche com patê de salmão, fingindo para si mesma que a mãe e a irmã não faziam parte de sua vida, que estava viajando sozinha através da Europa no *Orient Express*, levando segredos de estado em sua maleta chinesa de vime, e sendo-lhe reservado todo o tipo de excitantes aventuras em futuro próximo.

Logo depois que retornaram ao compartimento, o trem fez sua parada em Truro, e o passageiro que as acompanhava fechou seu livro, guardando-o na mochila, enrolou o cachecol no pescoço e disse adeus. Pela janela, Judith observou-o seguir seu caminho na plataforma em direção à saída. Então, ele desapareceu.

Depois disso, o ambiente ficara um pouco tedioso, porém faltava pouco para terminar a viagem e Jess tinha pegado no sono. No entroncamento, Judith encontrou um carregador que lhes levou as malas maiores, enquanto ela levava as menores e Molly carregava Jess. Cruzando a ponte que levava à outra plataforma e ao trem para Porthkerris, ela sentiu o vento soprando do mar e, embora estivesse frio, aquele era um frio diferente do de Plymouth, como se sua curta viagem as tivesse transportado para outra terra. A friagem não era mais intensa e enregelante, porém suave e úmida, unida ao cheiro noturno de salitre, de sulcos na terra e de pinheiros.

As três embarcaram no pequeno trem apinhado, e pouco depois estavam partindo, de uma forma algo modorrenta. O som das rodas no trilho era inteiramente diferente do produzido pelo grande expresso de Londres. Cinco minutos mais tarde elas desciam na Parada de Penmarron e, na plataforma, o sr. Jackson veio ao seu encontro, de lanterna na mão.

— Quer uma ajuda com suas malas, sra. Dunbar?

— Não é preciso. Penso que deixaremos aqui as maiores e levaremos conosco apenas as menores. Podemos arranjar-nos por esta noite. Talvez o carregador possa levá-las pela manhã, em sua carroça.

— Suas malas aqui estarão em segurança.

Elas atravessaram a sala de espera, depois a escura estrada de terra, cruzaram o portão e subiram pela horta às escuras. Jess pesava bastante e, de vez em quando, Molly tinha que parar para recuperar o fôlego. Por fim alcançaram o último terraço e viram a luz acesa acima da porta. Quando chegaram ao final da trilha, a vidraça interna da porta fora aberta, e lá estava Phyllis para recebê-las.

— Vejam só quem chegou, de volta como um monte de moedas sem valor! — exclamou ela, satisfeita, descendo apressadamente os degraus. — Vamos, senhora, dê-me a criança. Deve ter ficado exausta com a subida. E não podia ser de outro jeito, carregando-a até cá em cima por todos aqueles degraus, e com ela pesando mais do que deveria, como bem posso perceber!

Sua voz estridente nos ouvidos de Jess finalmente acordou a menina, que pestanejou sonolentamente, sem imaginar onde estaria.

— Quantos petiscos de Natal andou comendo, Jess? Vamos, agora entrem, saiam desse frio! Estou com a água do banho escaldante, há um belo fogo na sala de visitas e uma galinha ensopada para jantarem!

Molly decidiu que Phyllis era realmente um tesouro, e que a vida sem ela nunca mais voltaria a ser a mesma. Após ter ouvido um apressado relato de como fora o Natal das recém-chegadas e de retribuir com uns poucos mexericos da aldeia, ela carregou Jess para o andar de cima a fim de dar-lhe banho, alimentá-la com pão aquecido e leite quente, e depois pô-la na cama. Carregando sua maleta chinesa de vime, Judith a seguiu, ainda tagarelando:

— Ganhei um relógio do tio Bob, Phyllis. Fica em uma espécie de estojo de couro. Vou mostrar a você...

Molly ficou olhando as duas irem. Finalmente aliviada da responsabilidade de Jess e, encerrada a viagem, ela de repente se sentiu de todo exaurida. Tirou o casaco de peles e o pendurou na extremidade do corrimão. Depois recolheu a pilha de correspondência que a aguardava na mesa do vestíbulo e foi para a sala de visitas. O fogo de carvão queimava vivamente, e Molly parou diante dele por um instante, aquecendo as mãos e tentando amenizar a rigidez do pescoço e ombros. Após um momento, sentou-se em sua poltrona e folheou as cartas. Havia uma de Bruce, porém não a abriu logo. Agora, tudo quanto queria era apenas ficar sentada, bem quieta e aquecida pelo fogo, enquanto coordenava os pensamentos.

Afinal de contas, aquele havia sido um dia abalador, e a odiosa discussão com Biddy, após uma noite insone, simplesmente arrasara com ela. "Não se preocupe nem um pouco", dissera Biddy, beijando-a, como se aquilo encerrasse o ressentimento. Antes do almoço, no entanto, ela voltara à carga, enquanto estavam sozinhas bebericando um cálice de *sherry* e esperando que Hobbs tocasse o gongo para a refeição.

Biddy agira com uma gentileza quase arreliante, porém sua mensagem tinha sido alta e clara.

— Pense um pouco no que lhe digo. É para o seu próprio bem e de Judith também. Não pode abandoná-la durante quatro anos, inteiramente despreparada para o que é sempre um período bastante difícil. Eu odiei ter quatorze anos — sempre me senti como se não fosse peixe frito nem cozido.

— Biddy, ela não está *inteiramente* despreparada...

Biddy acendeu um dos seus perpétuos cigarros. Soprando a fumaça, perguntou:

— Ela já iniciou seus períodos?

A pergunta direta era embaraçosa, mesmo sendo feita por uma irmã, porém Molly ignorou-a.

— Sim, claro. Há seis meses.

— Bem, afinal, isso é uma bênção. E quanto às roupas dela? Vai precisar de algumas peças atraentes e não imagino Louise muito entrosada nesse campo. Ela terá alguma quantia reservada para roupas...?

— Sim, já tomei essa providência.

— O vestido que Judith usou noites atrás era muito bonito, porém um tanto infantil. Então, você me disse que ela queria um livro de Arthur Ransome para o Natal, de maneira que o comprei.

— Ela adora Arthur Ransome...

— Sim, mas a essa altura, devia estar lendo livros para adultos... ou, pelo menos, começando a lê-los. Por isso tornei a sair na véspera de Natal e comprei *Jane Eyre*. Assim que ler a primeira página, ela só irá parar quando chegar à última. Provavelmente ficará apaixonada pelo sr. Rochester, como toda adolescente. — Os olhos de Biddy eram provocantes, faiscavam de divertimento. — Ou será que você não se apaixonou por ele? Talvez estivesse se reservando para Bruce, não?

Molly percebia que a irmã queria divertir-se à sua custa, e recusava-se a cair na armadilha.

— Isso é da minha conta.

— Então, quando você o viu pela primeira vez, seus joelhos ficaram bambos...

Biddy às vezes era simplesmente insultante, mas também engraçada, de modo que Molly acabou rindo. Ainda assim, ficara bastante aborrecida com aquilo, porém o que tornava a coisa tão perturbadora, era saber que as críticas da irmã, embora perfeitamente justificadas, tinham vindo tarde demais para que pudesse ser feito algo, a fim de melhorar a situação. Isto porque, como de hábito, Molly deixara tudo para o último momento e, agora, pairando à sua frente, havia coisas demais para *fazer*.

Ela bocejou profundamente. O relógio acima da lareira bateu seis da tarde. Hora do ritual noturno de subir ao andar de cima e vestir-se para o jantar. Molly trocava de roupa para jantar todas as noites, como havia feito durante a vida inteira de casada, embora nos dois últimos anos tivesse apenas Judith como companheira de refeição. Esta era uma das pequenas convenções que haviam sustentado sua vida solitária, proporcionando uma certa ordem e estrutura, necessárias para haver alguma espécie de forma na existência do dia-a-dia, por mais tedioso que isso fosse. Aí estava outro motivo para as implicâncias de Biddy que, vendo-se sozinha, provavelmente enfiaria no corpo aquele seu chambre ou mesmo uma camisola de dormir bem velha, calçaria um par de chinelos e diria a Phyllis para servir o ensopado de galinha em uma bandeja, diante da lareira na sala de visitas.

Ela também se serviria de um generoso uísque com soda. Em sua casa de Riverview House, a bebida noturna de Molly era um só cálice de *sherry*, saboreado vagarosamente, porém a permanência com Biddy fora uma verdadeira revelação, e ela tomara uísque, como todos eles, após uma tarde fria fora de casa ou a aborrecida e fragorosa visita à pantomima. Agora, a própria idéia de um uísque, quando se sentia tão cansada e abatida, era francamente tentadora. Molly refletiu por um momento se *devia* ou não. E se valia a pena o esforço necessário para ir até a sala de refeições, apanhar a garrafa de uísque, o sifão da soda e um copo. Por fim decidiu que, por motivos medicinais, um uísque era absolutamente essencial, e parou de debater a questão. Levantando-se da poltrona, foi preparar o drinque. Beberia um apenas, de modo que o fez bastante forte. De volta à lareira e novamente instalada em sua poltrona, tomou um delicioso, aquecedor e confortador gole. Em seguida, deixando o pesado copo ao lado, pegou a carta do marido.

Enquanto Phyllis lidava com Jess, Judith tomou posse novamente de seu quarto, tirou da bagagem suas coisas para a noite e sua sacola felpuda. Depois abriu a cesta chinesa de vime que continha os presentes ganhos no Natal. Deixou tudo em cima de sua cômoda, a fim de que pudesse mostrar a Phyllis, quando ela terminasse com Jess. Também explicaria a ela quem lhe dera tudo aquilo. A nota de dez xelins do tio Bob foi guardada em uma gaveta particular que tinha uma pequena chave, e seu relógio colocado na mesinha ao lado da cama. Quando Phyllis enfiou a cabeça pela porta, Judith estava sentada à secretária, escrevendo seu nome na folha de abertura do novo diário.

— Deixei Jess vendo seu livro ilustrado — anunciou Phyllis. — Estará dormindo de novo, antes mesmo de saber onde está.

Entrou no quarto e acomodou-se na cama de Judith, que ela própria havia preparado para a noite, quando estivera ali para fechar as cortinas.

— Agora, mostre-me o que ganhou.

— Seu presente foi o melhor, Phyllis. Você foi muito gentil.

— Assim, pelo menos você não terá que ficar me pedindo uma tesoura o tempo todo. Vai precisar escondê-la de Jess. Quero agradecer a você por aqueles sais de banho. Gostei mais de "Noite em Paris" do que de "Papoula da Califórnia". Usei um deles ontem à tarde, quando tomei banho. Depois me senti como uma artista de cinema. E agora, vamos dar uma olhada...

A inspeção durou algum tempo porque Phyllis, de natureza tão generosa, teve de verificar tudo minuciosamente e maravilhar-se ante tal esplendor.

— Veja só este livro! Você vai demorar meses para ler tudo! Coisa de adulto, a gente vê logo. E este macacão... tão macio! O seu diário! Com capa de couro, e você terá segredos para escrever nas páginas.

— Não foi muita generosidade de tia Louise, que já me tinha prometido uma bicicleta? Nunca esperei ganhar dois presentes.

— Oh, e o reloginho! Agora, não tem mais desculpa por descer tarde para o desjejum. O que ganhou de seu pai?

— Eu pedi a ele uma caixa de cedro, com fechadura chinesa, mas ainda não chegou.

— Oh, bem, vai acabar chegando. — Phyllis acomodou-se melhor na cama. — E agora... — disse, cheia de curiosidade — conte-me o que fez por lá.

Judith contou. Falou sobre a casa da tia Biddy ("Eu estava ficando absolutamente congelada pelo frio, Phyllis. Nunca estive em uma casa tão fria, mas havia fogo aceso na lareira da sala de visitas e, de algum modo, isto não parecia importar muito, porque estávamos sempre nos divertindo demais") e sobre a pantomima, e a patinação, e tio Bob com seu gramofone, sua máquina de escrever e suas fotos tão interessantes, e sobre as festas e a árvore de Natal, e sobre a mesa do almoço de Natal, com a floreira no centro contendo azevinho e rosas do Natal, e sobre os apitos vermelhos e dourados, e as travessinhas prateadas cheias de bombons.

— Nossa! — exclamou Phyllis, com um suspiro de inveja. — Deve ter sido *maravilhoso*!

Isso fez Judith sentir-se um pouco culpada, pois tinha certeza de que o Natal de Phyllis havia sido bastante simples. O pai dela trabalhava nas minas, nos arredores de Saint Just, ao passo que sua mãe sempre de avental, dona de um busto generoso e de um também generoso coração, geralmente tinha um filho enganchado a um lado da cintura. Phyllis era a mais velha de cinco irmãos, e como eles todos se espremiam naquela casinha de pedra fazendo parede-e-meia com as casinhas dos lados, era um verdadeiro enigma. Certa vez, Judith fora com Phyllis à festa de Saint Just, apreciar o encontro de caçadores para a primeira caçada da estação, e depois disso tinham ido tomar chá na casa dela. Haviam comido bolinhos de açafrão e bebido chá forte, eles sete apinhados em torno da mesa da cozinha, enquanto o pai de Phyllis ocupava sua poltrona ao lado do fogão, bebendo chá em uma tigela para pudim e descansando as botas sobre o polido guarda-fogo de latão da lareira.

— E *você*, Phyllis? O que fez?

— Em realidade, não muita coisa. Minha mãe não se sentia bem, acho que estava gripada, de maneira que a maior parte do trabalho ficou para mim.

— Oh, sinto muito. E ela melhorou?

— Já está em pé mas, bolas, com uma tosse danada.

— E você ganhou um presente de Natal?

— Ganhei. Uma blusa de minha mãe e uma caixa de lenços de Cyril.

Cyril Eddy era o namorado de Phyllis, também mineiro. Ela o conhecia desde que iam juntos para a escola, e namoravam desde então. Não estavam exatamente comprometidos, porém Phyllis ocupava-se em fazer um conjunto de paninhos de crochê para o enxoval. Ela e Cyril não se viam com freqüência, porque Saint Just ficava muito distante e ele trabalhava em turnos, mas, quando conseguiam encontrar-se, davam passeios de bicicleta ou sentavam-se na última fileira do cinema de Porthkerris, estreitamente abraçados. Phyllis tinha um retrato do namorado sobre a cômoda em seu quarto. Não era um rapaz atraente, porém ela assegurava a Judith que tinha sobrancelhas adoráveis.

— O que você deu para ele?

— Uma coleira para o seu cachorro. Ele ficou bem satisfeito. — Uma expressão maliciosa surgiu em seu rosto. — E então, conheceu algum rapaz interessante?

— Oh, Phyllis, claro que não!

— Não precisa falar nesse tom. Não seria nada demais.

— Quase todos os amigos da tia Biddy são adultos. Apenas na última noite é que apareceram dois tenentes jovens, para um drinque depois do jantar. Só que já era bastante tarde e eu fui logo para a cama, portanto, não conversei muito com eles. De qualquer modo — acrescentou ela, decidida a ser sincera — os dois estavam tão ocupados em dar atenção para tia Biddy, que nem olharam para mim...

— Não é uma coisa nem outra. É por causa da sua idade. Em mais dois anos, você será adulta, e os rapazes estarão à sua volta como moscas em torno de um pote de mel. Você os atrairá. — Phyllis sorriu. — Nunca se sentiu atraída por algum rapaz?

— Já falei que não conheço nenhum. Exceto... — ela hesitou.

— Continue. Conte para Phyllis.

— Quando viemos de Plymouth, havia um homem em nosso compartimento. Era médico, mas parecia incrivelmente jovem. Mamãe conversou com ele, e então ele me disse que a ponte de Saltash tinha sido construída por alguém chamado Brunel. Era um rapaz muito atraente. Eu não me incomodaria de conhecer alguém como ele.

— Talvez fique conhecendo.

— Não no Santa Úrsula.

— Ninguém vai para um lugar desses a fim de conhecer rapazes, mas para aprender. E não torça o nariz por causa disso. Eu tive que abandonar a escola quando mais nova do que você, para começar a trabalhar. Não sei muito mais do que ler, escrever e fazer uma conta de somar. Quando terminar os estudos, você terá sido aprovada em exames e ganho prêmios. O único prêmio que já ganhei, foi por cultivar agrião em pedaços de flanela úmida.

— Suponho que, com sua mãe doente e tudo o mais, você nem teve tempo de procurar outro emprego.

— A verdade é que não tive coragem. Acho que, no fundo, é por não querer deixar vocês. Não se incomode, sua mãe já disse que vai ajudar, ela me dará uma boa referência. A questão é que não quero mais ficar tão longe de casa. Nos meus dias de folga, levo a maior parte do tempo pedalando a bicicleta até Saint Just. Eu não suportaria mais isso.

— Talvez alguém precise de uma empregada em Porthkerris.

— Isso já seria melhor.

— Você poderia conseguir um emprego muito mais vantajoso. Com outras pessoas na cozinha com quem conversar e tendo menos tarefas para fazer.

— Não sei. Não quero terminar como empregada faz-tudo para uma cozinheira de mau gênio e descarada. Prefiro fazer tudo sozinha, mesmo não sendo muito boa em massas e não conseguindo pegar o jeito do velho batedor de ovos. Sua mãe sempre diz...

Phyllis parou de repente. Phyllis esperou.

— O que há de errado?

— Engraçado... Ela não subiu para o banho. Olhe, já são seis e vinte! Não reparei que tinha ficado aqui sentada tanto tempo. Terá ela pensado que ainda não acabei com Jess?

— Eu não sei.

— Bem, desça como uma boa menina e diga para ela que o banheiro está vazio. Não se incomode com a galinha ensopada, posso mantê-la aquecida até sua mãe estar pronta para comer. Coitada, provavelmente está recuperando o fôlego depois dessa viagem de trem, mas não é do feitio dela retardar o banho... — Phyllis ficou de pé. — É melhor eu descer e preparar aquelas batatas.

No entanto, depois que ela se foi, Judith demorou um pouco, colocando tudo nos lugares, alisando o edredom amarrotado e deixando o novo diário em cima da cômoda. A partir de primeiro de janeiro, escreveria nele diariamente, em sua melhor caligrafia. Agora, ela contemplou a folha em branco no início. Judith Dunbar. Pensou em colocar seu endereço, mas depois decidiu que não, porque em breve não teria um endereço adequado. Calculou que, quando terminasse de escrever no diário, seria dezembro de 1940. E ela estaria com dezenove anos. De algum modo, isto era um tanto aterrador, de modo que Judith guardou o diário em uma gaveta, penteou o cabelo e desceu rapidamente para o térreo, a fim de dizer para sua mãe que, caso se apressasse, teria tempo para um banho.

Ela irrompeu na sala de visitas.

— Mamãe, Phyllis disse que se você quiser to...

Não prosseguiu. Havia algo, sem a menor dúvida, obviamente errado. Molly estava sentada em sua poltrona diante do fogo, porém o rosto que virou para a filha estava transtornado pelo desespero, inchado e disforme pelas lágrimas. Havia um copo quase vazio em cima da mesa ao lado dela e, no chão, aos seus pés, espalhavam-se como folhas as dispersas páginas de papel de seda de uma carta, cobertas por uma letra miúda e apertada.

— Mamãe! — Instintivamente, Judith fechou a porta atrás dela. — O que foi?

— Oh, *Judith*!

Ela cruzou o tapete e ajoelhou-se ao lado da mãe.

— O que está acontecendo?

O horror de ver a mãe em lágrimas era pior do que qualquer coisa que ela lhe pudesse dizer.

— É uma carta do seu pai. Acabei de lê-la. Eu não agüento mais...

— O que houve com ele?

— Nada. — Molly passou no rosto um lenço já encharcado. — Acontece apenas que... não vamos mais ficar em Colombo. Ele está em um novo emprego... teremos de ir para Cingapura!

— E por que isso a faz chorar?

— Porque é *outra* mudança... assim que eu chegar lá, teremos de arrumar a bagagem novamente e tornar a viajar. Para um outro lugar estranho. E eu não conheço ninguém lá. Já era ruim o bastante voltar para Colombo, mas, afinal, eu tinha a minha própria casa... e agora será ainda mais distante... e eu nunca estive lá... e vou ter de... Oh, sei que estou sendo incoerente... — As lágrimas tornaram a correr de novo. — No entanto, de algum modo isto é como se fosse a última palha. Sinto-me tão cansada e há tanto por...

A esta altura ela chorava tanto, que não conseguia dizer mais nada. Judith a beijou. Sentiu o cheiro de uísque. Sua mãe nunca bebia uísque. Estendendo o braço, Molly deu um abraço desajeitado na filha.

— Estou precisando de um lenço limpo.

— Vou apanhar um.

Judith saiu da sala, correu até seu quarto e apanhou, na gaveta de cima da cômoda, um dos seus grandes e úteis lenços para a escola. Fechando a gaveta com força, ergueu os olhos e viu seu reflexo no espelho. Estava quase tão transtornada e ansiosa como sua lacrimosa mãe no andar de baixo. E isto era algo que de nada adiantaria. Uma delas precisava ser forte e sensata, pois do contrário tudo se espatifaria. Respirou fundo, uma ou duas vezes, depois procurou compor-se. O que mesmo a tia Biddy havia dito? Você precisa aprender a precipitar situações, não deixar, simplesmente, que elas aconteçam em sua vida. Bem, isto de agora era uma situação, se é que já houvera alguma. Empinando os ombros, ela desceu para o térreo.

Descobriu que Molly também fizera um esforço semelhante, pois juntara a carta espalhada no chão e inclusive esboçou um trêmulo sorriso, quando a filha entrou na sala.

— Oh, meu bem, obrigada... — Ela aceitou o lenço limpo e assoou o nariz. — Eu sinto muito. Não sei o que deu em mim. Na realidade, este foi um dia dos mais exaustivos. Acho que estou cansada...

Judith sentou-se na banquetinha ao lado da lareira.

— Posso ler a carta?

— É claro — respondeu sua mãe, entregando a ela as folhas escritas.

Muito querida Molly,

A caligrafia de seu pai era elegante e uniforme, muito preta. Ele sempre usava tinta preta para escrever.

Quando esta chegar às suas mãos, o Natal já deverá ter passado. Espero que você e as meninas tenham tido momentos felizes. Há novidades importantes para contar-lhe. O presidente me chamou ontem pela manhã em seu escritório e disse que desejam transferir-me para Cingapura, como Gerente de Companhia para a Wilson-McKinnon. Trata-se de uma promoção, isto querendo dizer um salário melhor e também outras mordomias, como uma casa maior, carro da companhia e motorista. Espero que se sinta tão entusiasmada e satisfeita como eu. O novo trabalho só começará um mês depois que você chegar, a fim de que possa ajudar na preparação de nossa mudança e na arrumação da casa para o homem que me virá substituir. Depois disso, nós três viajaremos juntos para Cingapura. Sei que sentirá falta de Colombo — da mesma forma que eu — e de toda a beleza desta ilha encantadora, porém acho excitante pensar que viajaremos juntos, e que juntos montaremos o nosso novo lar. O posto que irei ocupar encerra muito mais responsabilidade e provavelmente exigirá bem mais de meus esforços, mas acredito que estou à altura de ocupá-lo e que sou capaz de torná-lo um sucesso. Estou ansioso por sua chegada e para conhecer Jess. Espero que ela não me estranhe demais, logo aceitando a idéia de que sou seu pai.

Diga a Judith que seu presente de Natal estará chegando aí a qualquer dia. Espero que todas as providências em relação ao Santa Úrsula estejam acontecendo segundo o que foi planejado, e que a despedida não seja dolorosa demais para você.

Há dias, estive com Charlie Peyton no clube, e fiquei sabendo que Mary espera um novo bebê para abril. Eles desejam oferecer-nos um jantar...

A carta continuava. Judith não precisou ler mais. Dobrou as folhas e as devolveu à mãe.

— Parecem boas notícias. Ótimo para papai, não? Acho que você não devia ficar triste demais com isso.

— Não é que eu tenha ficado triste. Estou apenas... frustrada. Sei que é egoísmo de minha parte, porém não sinto vontade de ir para Cingapura. Lá é muito quente e demasiado úmido. Além disso, uma nova casa, novos criados... ter de fazer novos amigos... tudo isso. É demais...

— Oh, mas não terá de fazer tudo isso sozinha. Papai estará lá com você...

— Eu *sei*...

— Será excitante.

— Não quero ficar excitada. Quero que tudo esteja calmo e tranqüilo, sem mudanças. Eu quero um *lar*, não mudanças o tempo todo, para logo ter que desmontar tudo. E com todos exigindo coisas de mim, alegando que faço tudo errado, quando chego a fazer algo, além de saber-me incompetente e incapaz...

— Ora, mas você *não* é!

— Biddy acha que sou uma tola. Louise também.

— Oh, não dê tanta importância a elas...

Molly tornou a assoar o nariz e tomou mais um gole de seu uísque.

— Eu não sabia que você bebia uísque.

— E não costumo mesmo beber. Agora, no entanto, senti necessidade de uma dose. Talvez por isso é que tenha chorado. Acho que me embriaguei.

— Pois eu não acho.

Sua mãe sorriu acanhada, tentando zombar de si mesma. Então, disse:

— Lamento sinceramente o que aconteceu esta manhã. Estou falando daquela discussão idiota que eu e Biddy tivemos. Não sabia que você estava ouvindo, mas, mesmo que soubesse, nunca deveríamos ter tido um comportamento tão infantil.

— Não fiquei ouvindo atrás da porta.

— Eu sei disso. Espero que não me tenha achado mesquinha e egoísta em relação a você. Quero dizer, sobre Biddy sugerindo que você fique com ela e eu me mostrando contrária. Acontece apenas que Louise, bem, é verdade que ela não aprova Biddy, e isso apenas me pareceu mais uma complicação a enfrentar... Na verdade, talvez não me tenha saído muito bem em minhas explicações.

Judith respondeu, com sinceridade:

— Nada disso me importa, em absoluto. — Então acrescentou, achando que o momento era tão oportuno quanto qualquer outro para dizê-lo: — Não me importa nem um pouco se visitarei tia Biddy ou ficarei com tia Louise; aliás, nem uma coisa nem outra importam para mim. O que realmente me importa é você nunca me comunicar o que está para acontecer. É você nunca se preocupar em perguntar o que *eu* quero.

— Foi o que Biddy disse. Pouco antes do almoço, ela voltou ao assunto. E eu me senti muito culpada por talvez ter deixado você demasiadamente por conta própria, e fazer planos a seu respeito sem antes consultá-la. Planos sobre a escola e tudo o mais... sobre tia Louise... E agora, acho que é muito tarde para consertar as coisas...

— Tia Biddy nunca devia ter censurado você. E não é tarde demais...

— Oh, mas há tanto por *fazer*... — Ela começava a afligir-se novamente. — Deixei tudo para a última hora, nem mesmo comprei seu uniforme, sem falar que ainda há o caso de Phyllis, as malas por arrumar, e tudo o mais...

Molly parecia tão fragilizada, tão indefesa, que Judith subitamente se sentiu muito protetora, organizada e forte.

— Nós ajudaremos — disse para a mãe. — Eu ajudarei. Faremos tudo isso juntas. E quanto àquele horrível uniforme da escola, por que não cuidamos disso amanhã? Aonde teremos de ir?

— À Casa Medways, em Penzance.

— Pois muito bem, nós iremos à Medways e encerraremos isso de uma vez!

— Bem, mas ainda temos que comprar bastões de hóquei, Bíblia, pastas escolares...

— Faremos tudo isso amanhã mesmo. Só voltaremos quando não houver mais nada pendente. Iremos de carro. Você terá de ser corajosa e dirigir, porque certamente não conseguiremos trazer tudo para casa, se viermos de trem.

No mesmo instante, Molly pareceu um pouco menos desolada. Era como se apenas tomar uma decisão *por* ela a deixasse mais animada.

— Tudo bem — concordou, e refletiu na idéia. — Deixaremos Jess com Phillys, o dia inteiro. E faremos uma espécie de passeio, só nós duas. Almoçaremos no "The Mitre", como prêmio. Então, já o teremos merecido.

— Além disso — declarou Judith, com toda firmeza — também iremos de carro até o Santa Úrsula, para que eu dê uma olhada no lugar. Não posso ir para uma escola que nunca vi antes...

— Oh, mas estamos em época de férias. Não encontraremos ninguém por lá.

— Melhor ainda. Daremos uma volta pelo lugar e espiaremos através das vidraças. Bem, já que está tudo decidido, anime-se! Sente-se melhor agora? Vai querer um banho? Ou prefere ir logo para a cama e que Phyllis lhe leve o jantar em uma bandeja?

Molly balançou a cabeça.

— Não. Nada dessas tentações adoráveis. Agora estou bem. Tomarei meu banho mais tarde.

— Nesse caso, vou dizer a Phyllis que comeremos sua galinha ensopada o quanto antes.

— Espere só um momento. Não quero que Phyllis perceba que estive chorando. Pareço ter chorado?

— Não. Está apenas com o rosto um pouco corado por causa do fogo.

Sua mãe inclinou-se para a frente e beijou-a.

— Obrigada. Você fez com que me sentisse outra. Foi muita bondade sua.

— Não foi nada. — Judith tentou pensar em algo tranqüilizador para dizer. — Você apenas estava nervosa.

Molly abriu os olhos e enfrentou o novo dia. Mal havia claridade e ainda não era hora de levantar-se, de modo que permaneceu aquecida e envolta nas cobertas, tomada de gratidão por ter dormido a noite inteira sem sonhos e por adormecer assim que sua cabeça encostara no travesseiro, sem interrupção e sem que Jess a perturbasse. Por si só, isto já constituía um pequeno milagre, porque Jess era uma criança exigente. Quando não acordava de madrugada e gritava pela mãe, então abandonava a própria cama terrivelmente cedo, para fazer a difícil escalada para a de Molly.

Parecia, no entanto, que ela estava tão cansada quanto a mãe e, já sendo sete e meia, ainda não havia o menor sinal ou som da parte dela. Talvez fosse devido ao uísque, pensou Molly. Talvez eu devesse beber uma dose todas as noites, antes de dormir. Ou talvez fosse o fato de que as assoberbantes ansiedades e apreensões da véspera houvessem sido sublimadas por sua exaustão física. Fosse lá o que fosse, tinha funcionado. Ela havia dormido. Sentia-se revigorada, renovada, pronta para o que quer que o dia trouxesse.

E o que aquele dia trazia era a aquisição do uniforme escolar de Judith. Molly saiu da cama, vestiu o robe, chegou à janela e puxou as cortinas. Viu uma manhã pálida e nevoenta, ainda não de todo clara, e muito quieta. Abaixo de sua janela, a enladeirada horta em terraços permanecia sossegada e úmida, enquanto os maçaricos grasnavam na margem, além da estrada de ferro. O céu, contudo, estava claro, e ocorreu a Molly que talvez a manhã resultasse em um daqueles dias que a primavera costuma roubar de um inverno na Cornualha, quando tudo fica imbuído do senso de coisas desenvolvendo-se, irrompendo através da terra escura e macia; brotos iniciando o desabrochar e pássaros de retorno começando a cantar. Ela pretendia pôr de parte aquele único dia inteiro, todo ele, uma entidade em si, passado com sua filha mais velha. Ao recordá-lo, ele seria nítido e vívido, como uma foto perfeitamente emoldurada, sem qualquer intrusão perturbando a imagem.

Afastando-se da janela, Molly sentou-se diante de seu toucador e, de uma das gavetas, tirou o grosso envelope de papel pardo contendo a lista de roupas para o Santa Úrsula e uma verdadeira pletora de instruções destinadas aos pais:

O termo letivo da Páscoa começa a quinze de janeiro. Solicitamos às internas que não cheguem depois das 14:30 desse dia. Por favor, assegure-se de que o Atestado de Saúde de sua filha foi assinado. A secretária da srta. Catto as receberá no Saguão principal, a fim de mostrar, à senhora e sua filha, o dormitório que ela ocupará. Caso a senhora deseje, a srta. Catto sentirá prazer em oferecer a qualquer mãe de aluna um chá em seu estúdio, das 15:30 em diante. É proibido às internas levarem quaisquer doces ou alimentos para seus respectivos dormitórios. A cota de doces deverá ser de um quilo por termo letivo, porém os mesmos terão de ser entregues à Inspetora. POR FAVOR, certifique-se de que todos os sapatos e botas estejam claramente marcados com o nome de sua filha... (E etc., etc.).

Segundo parecia, as normas e regulamentos eram tão severos para os pais como para seus pobres filhos. Ela pegou a lista de roupas e passou os olhos pelas suas três páginas. "Os itens assinalados com asterisco podem ser adquiridos na loja autorizada, a Medways, Tecidos e Artigos Esportivos, Penzance." Quase tudo parecia ter um asterisco. Regulamentar isso, regulamentar aquilo. Oh, ainda bem, se pudessem comprar tudo na mesma loja, então toda a trabalheira não tomaria muito tempo. E aquilo tinha que ser feito.

Recolocou os papéis no envelope e foi à procura de Jess.

Durante o café da manhã, Molly deu colheradas de ovo quente a Jess (uma para papai, outra para Golly) — o espantalho que a menina nunca largava — e aproveitou para dar a notícia de que ela seria "abandonada" durante aquele dia.

— Não quero ficar em casa! — protestou Jess.

— É claro que quer. Vai ter um dia formidável com Phyllis.

— Eu não quero...! — O lábio inferior de Jess projetou-se para a frente, como uma prateleira.

— Você e Phyllis vão poder levar Golly para passear, e comprar jujubas de frutas na sra. Berry...

— Está subornando Jess — observou Judith, do outro lado da mesa.

— Antes isso do que suportar um berreiro...

— Eu não quero!

— Parece que não está adiantando — disse Judith.

— Ora, Jess, você adora jujuba de frutas...

— EU NÃO QUERO...!

As lágrimas escorreram pelo rosto de Jess, e sua boca ficou contorcida. Ela começou a gritar. Judith enervou-se:

— Oh, céus, agora ela vai...

Antes que terminasse de falar, Phyllis chegou com uma bandeja de torradas quentes e, ao deixá-la na mesa, disse apenas:

— Ora vejam, o que está acontecendo aqui?

Tomando nos braços a menina aos gritos, levou-a com firmeza para fora da sala e fechou a porta ao sair. Ao chegar à cozinha, os gritos de Jess já haviam perdido a intensidade.

— Graças a Deus por isso — comentou Judith. — Agora podemos terminar nosso café da manhã em paz. E você evite despedir-se dela, mamãe, pois do contrário vai começar tudo outra vez.

Molly foi forçada a admitir que era a pura verdade. Bebendo o café, olhou para Judith que, naquela manhã, havia descido com o cabelo penteado de outro modo, repuxado do rosto e preso por uma fita azul-marinho. Molly não tinha certeza de que o penteado assentava bem. Deixava sua filha mais velha muito diferente, ela não era mais a garotinha de antes, e as orelhas, agora à mostra, nunca tinham sido seus traços mais atraentes. Entretanto, ficou calada e sabia que Biddy teria aprovado seu diplomático silêncio.

— Acho melhor irmos andando assim que terminarmos o café — disse. — Do contrário, não haverá tempo para nada. Devia ver o tamanho da lista de roupas! Além disso, tudo terá que ser marcado com etiquetas contendo o seu nome. Imagine como será tedioso costurar todas elas com linha e agulha! Talvez Phyllis me ajude...

— Por que não usamos a máquina de costura?

— É uma excelente idéia. Será um trabalho muito mais rápido e limpo. Eu nem tinha pensado nisso!

Meia hora mais tarde, estavam prontas para ir. Molly armou-se da lista de instruções, bolsa e talão de cheques. Vestiu-se prudentemente para o caso de chover — já que nunca se podia ter certeza — com sapatos fechados, impermeável e seu chapéu vermelho-escuro. Judith vestiu sua velha capa de chuva azul-marinho e enrolou no pescoço um cachecol axadrezado. A capa estava muito curta, e suas pernas, finas e compridas, pareciam intermináveis.

— Está levando tudo o que é preciso? — perguntou para Molly.

— Acho que sim.

As duas pararam para ouvir, mas da cozinha vinham apenas sons satisfeitos, a voz aflautada de Jess em conversa com Phyllis, que provavelmente estaria preparando algum creme ou varrendo o chão.

— Não podemos fazer nenhum ruído, ou ela quererá ir conosco.

Assim, as duas saíram furtivamente pela porta da frente e, na ponta dos pés, foram até o galpão de madeira que servia de garagem. Judith abriu as portas, e Molly subiu cautelosamente para trás do volante do pequeno Austin Seven. Após uma ou duas falsas partidas, conseguiu colocar o motor em movimento, forçar a mudança para ré e sair aos arrancos do galpão. Judith sentou-se ao seu lado e partiram. Molly precisou de alguns momentos para controlar os nervos. Cruzaram a aldeia e já tinham rodado um bom pedaço de estrada, quando finalmente acelerou e chegou aos cinqüenta quilômetros por hora.

— Não consigo imaginar por que você tem tanto medo de dirigir. Faz isso muito bem.

— É porque não pratiquei o suficiente. Em Colombo sempre tínhamos um motorista.

Continuaram rodando e logo enfrentaram um trecho algo nevoento, exigindo a ação dos limpadores de pára-brisa, mas havia poucos carros na estrada (felizmente, disse Judith para si mesma), e Molly começou a relaxar um pouco. Houve um momento em que um cavalo puxando uma carroça de nabos pareceu sair do nevoeiro diante do carro, mas ela conseguiu enfrentar a emergência, apertando a buzina, aumentando um pouco a velocidade e ultrapassando o rangente veículo.

— Formidável — disse Judith.

Passado pouco tempo, o nevoeiro dissipou-se tão rapidamente como tinha surgido, e o outro mar surgiu à vista, de um azul-perolado ao fraco sol matinal. Puderam ver a imponente curva de Mount's Bay, e o Monte Saint Michael como um castelo de conto de fadas no alto de seu rochedo. A maré estava alta, de maneira que o monte ficava isolado pela água. Depois a estrada prosseguiu entre a linha do trem e as suaves ondulações das terras de fazendas, pequenas lavouras verdes de brócolis, e a cidade apareceu mais adiante, com o porto apinhado de barcos de pesca. Passaram por hotéis fechados para o inverno e pela estação ferroviária. Em seguida, a Rua do Mercado Judeu elevou-se à frente do carro, até a estátua de Humphrey Davy com sua lâmpada de segurança dos mineiros, e a alta cúpula do prédio do Banco Lloyds.

Molly estacionou o carro no Greenmarket, perto da loja de frutas-e-vegetais. Fora de sua porta havia baldes de estanho cheios dos primeiros e delicados ramos de narcisos precoces e, do interior, flutuavam no ar os cheiros de terra, de alho-poró e de pastinagas. As calçadas estavam tomadas por compradores e mulheres do campo que carregavam pesadas cestas, reunidas em pequenos grupos para trocar mexericos.

— O tempo agora ficou maravilhoso, não?

— E a perna de Stanley, como vai?

— Inchou como um balão.

Seria interessante demorar ali e ficar ouvindo, mas Molly já começava a andar, não querendo perder um só momento, e cruzava a rua, encaminhando-se para a Casa Medways. Judith a seguiu, correndo para alcançá-la.

Era um estabelecimento antiquado e sombrio, com vitrines exibindo trajes para uso ao ar livre, *tweeds*, lãs, chapéus e capas de chuva para damas e cavalheiros. Todo o interior era forrado de madeira escura e cheirava a aquecedores de parafina, impermeáveis de borracha e desatualizados empregados. Um deles, parecendo ter a cabeça pregada ao corpo pelo colarinho alvo e engomado, aproximou-se respeitosamente das recém-chegadas.

— Posso ajudá-la em alguma coisa, senhora?

— Oh, sim, obrigada. Temos que comprar uniformes... para o Santa Úrsula.

— Primeiro andar, senhora. Se quiser subir pela escada...

— Para onde mais ele desejaria que fôssemos pela escada? — cochichou Judith, enquanto subiam.

— Fique quieta, ele pode ouvi-la.

A escada era ampla e majestosa, com um portentoso corrimão de mogno polido que, em outras circunstâncias, seria perfeito para deslizar-se por ele. O departamento infantil ocupava todo o primeiro andar e era espaçoso, com um comprido e lustroso balcão a cada lado, e janelas altas abrindo-se para a rua. Desta vez foi uma empregada que se aproximou delas. Usava um recatado vestido preto e era bastante idosa. Caminhava como se os pés lhe doessem, e provavelmente doíam, após anos trabalhando em pé.

— Bom-dia, senhora. Em que posso ajudá-la?

— Bem... — Molly pegou a lista de roupas em sua bolsa. — Trata-se do enxoval do Santa Úrsula. Para minha filha.

— Que maravilhoso, não? Está indo para o Santa Úrsula! De que precisam?

— De tudo — disse Molly.

— Isso demora algum tempo.

Assim, foram providenciadas duas cadeiras para elas. Após sentar-se, Molly tirou as luvas, apanhou sua caneta-tinteiro e preparou-se para a enorme compra.

— Por onde gostaria de começar, senhora?

— Pelo alto da lista, imagino. Um capote verde de *tweed*.

— Esses capotes são feitos de tecido excelente. Trarei o capote e também a saia. São de uso nos domingos. Para ir à igreja...

Sentada de costas para o balcão, Judith ouvia as vozes delas, mas deixara de prestar atenção, porque agora fora atraída por algo infinitamente mais fascinante. No outro lado do departamento — e também no outro balcão — uma segunda mãe e sua filha faziam compras como elas, porém não pareciam encarar aquilo como uma coisa séria e sim uma espécie de brincadeira, uma vez que ambas conversavam e riam bastante. Além disso, a funcionária que as atendia era jovem, de muito boa aparência, e as três agiam como se aquele fosse o maior divertimento de suas vidas. Aquilo era extraordinário, porque as duas compradoras também estavam adquirindo o enxoval completo para o Santa Úrsula. Ou, mais precisamente, já o tinham adquirido e chegavam ao fim da maratona, pois os imaculados montes de peças, em sua maioria naquele horrendo verde-garrafa, estavam sendo embalados, primeiro envoltos em roçagante papel de seda branco e depois acondicionados em enormes caixas de papelão para vestidos, as quais eram firmemente amarradas com metros de forte barbante branco.

— Se preferir, posso mandar levar em sua casa, sra. Carey-Lewis. O furgão de entregas estará na sua área, na próxima quinta-feira.

— Não é necessário, nós mesmas levaremos. Mary quer costurar as etiquetas com os nomes e, além disso, eu vim de carro. Precisarei apenas que alguém daqui me faça a gentileza de levar os embrulhos até a rua, mais abaixo, e de colocá-los no porta-malas do carro.

— Chamarei o jovem Will na sala de estoques. Ele a ajudará.

Elas estavam sentadas de costas para Judith, mas isso não fazia grande diferença, porque havia um enorme espelho na parede contrária e, de certo modo, olhar para os rostos refletidos era até melhor porque, com alguma sorte, ela podia espiar sem ser observada.

O Santa Úrsula. Então, aquela garota ia para o Santa Úrsula. Isso levantava possibilidades e tornava o escrutínio de Judith mais aguçado e muito mais pessoal. Avaliou a idade da outra em cerca de doze, talvez treze anos; muito magra, de pernas compridas e peito chato como o de um garoto. Usava gastas sandálias Clark, meias até os joelhos, uma saia de xadrez pregueada e uma suéter azul-marinho, muito velha, que parecia ter pertencido um dia a algum parente homem e de corpo muito mais robusto. Era uma peça terrivelmente puída, com a bainha despencada e cotovelos cerzidos. Entretanto, nada disso importava, porque ela era tão sensacionalmente bonita e atraente, com um pesco-ço comprido e esguio, juntamente com escuros cabelos anelados, tão curtos, que a Judith pareceu uma cabeça-flor sobre uma haste, talvez um desgrenhado crisântemo. Abaixo de grossas sobrancelhas escuras, os olhos eram azul-violeta, a pele tinha a cor do mel (ou talvez a tonalidade e constituição de um perfeito ovo castanho) e, quando sorria, seu sorriso era o de um garoto travesso.

Ela se sentava apoiando os cotovelos em cima do balcão, tinha os ombros ossudos encurvados e torcera as pernas finas em torno das pernas da cadeira. Era desgraciosa, mas sem deixar de ter sua gracio-sidade, porque havia uma falta absoluta de autoconscientização por parte dela, uma tão arrogante confiança, que qualquer pessoa saberia, de maneira instintiva, que ninguém já lhe dissera, em toda a sua vida, que era desajeitada, obtusa ou enfadonha.

O último nó foi dado, e o barbante cortado com uma enorme tesoura.

— Como irá pagar esta manhã, sra. Carey-Lewis?

— Oh, ponha na minha conta, fica mais simples assim.

— *Mamãe*. Sabe que papai lhe disse que pagasse tudo na hora, porque você sempre atira contas na cesta de papéis.

Houve mais risadas das três.

— Querida, você não devia revelar meus segredos.

A voz da sra. Carey-Lewis era grave e cheia de divertimento, sendo difícil imaginar-se que ela pudesse ser a mãe de alguém. Parecia mais uma atriz de teatro ou artista de cinema, talvez uma encantadora irmã mais velha, até mesmo uma animada tia. Qualquer coisa, menos mãe.

De ossos miúdos e muito esbelta, seu rosto possuía a palidez da porcelana, com sobrancelhas finas e arqueadas, juntamente com uma boca escarlate. O cabelo era de um dourado cor de trigo, sedosamente liso, com um penteado simples que nada tinha a ver com a moda, mas tudo com estilo. Usava... e isto era particularmente *outré*... calças compridas. *Slacks*, como eram chamadas. De flanela cinza, justas em torno das ancas estreitas e depois alargando-se até os tornozelos, como as calças de um estudante de Oxford. Sobre os ombros fora jogado um curto casaco de peles castanho-escuras, sendo a peça mais macia e maleável que se pudesse imaginar. Uma das mãos de unhas vermelhas pendia ao lado do corpo, segurando frouxamente as voltas de uma correia escarlate de couro, cuja outra extremidade se prendia a uma imóvel e peluda almofada creme.

— Bem, tudo feito, suponho. — Ela enfiou as mãos nas mangas do casaco de peles e, ao fazê-lo, deixou a correia cair. — Vamos indo, querida, temos que ir embora. Não demorou nem a metade do que temíamos. Agora tomaremos um café e comprarei para você um sorvete ou um pedaço de bolo. Ou qualquer coisa igualmente saborosa.

Não se sentindo mais tolhida, a peluda almofada do chão resolveu voltar à vida e ficou em pé sobre quatro patas aveludadas, bocejou escancaradamente e virou para Judith um par de olhos escuros e bulbosos, incrustados em uma cara achatada como se fossem pedras preciosas. Acima de suas costas enrolava-se uma cauda emplumada. Após bocejar, sacudiu-se, farejou um pouco, a cabeça pendida sobre o pequeno queixo entreaberto e então, para delícia de Judith, começou a caminhar para ela através do carpete, com grande dignidade e arrastando atrás de si a correia vermelha, como se fosse uma capa da realeza.

Um cão. Judith adorava cães, mas por numerosas e perfeitamente viáveis razões, nunca lhe fora permitido ter um. Aquele era um pequinês. Irresistível. Por um momento, tudo o mais foi esquecido. Quando o cãozinho se aproximou, ela deslizou da cadeira e agachou-se para afagá-lo.

— Olá — disse.

Pousou a mão sobre a cabeça macia e arredondada, e foi como afagar *cahsmere*. O pequinês ergueu o focinho para ela e tornou a farejar. Judith escorregou os dedos para baixo da mandíbula do animal e friccionou docemente seu pescoço peludo.

— Pekoe! O que está fazendo? — Sua dona veio buscá-lo, e Judith levantou-se, tentando não parecer embaraçada. — Ele odeia fazer compras — disse a sra. Carey-Lewis — mas não gostamos de deixá-lo sozinho, dentro do carro. — Inclinando-se, ela ergueu a correia, e Judith aspirou uma leve onda de seu perfume, adocicado e pesado como a fragrância de recordadas flores nos jardins de Colombo, as flores do templo, que apenas soltavam seu perfume em plena escuridão, depois que o sol se punha. — Obrigada por ser gentil com ele. Gosta de pequineses?

— Gosto de todos os cães.

— Ele é muito especial. Um cão-leão. Não é mesmo, meu querido?

Os olhos dela eram de um hipnotizante e intenso azul, orlados por fartos cílios negros. Não pestanejavam. Atordoada pelo impacto daquelas pupilas, Judith ficou apenas olhando para a mulher, pensando em alguma coisa para dizer. Entretanto, a sra. Carey-Lewis sorriu, como se compreendesse o que ocorria, e deu meia-volta para ir embora. Movia-se como uma rainha, com seu cão, sua filha e a funcionária da loja cambaleando ligeiramente pela pilha de caixas, em uma procissão atrás dela. Ao passar por Molly, ela parou um instante.

— Também está providenciando a ida de sua filha para o Santa Úrsula?

Apanhada desprevenida, Molly sobressaltou-se um pouco.

— Sim. Sim, de fato estou.

— A senhora *já viu*, em *toda* a sua vida, roupas mais horrorosas? — perguntou ela, risonha.

Sem esperar resposta, ergueu o braço em um vago gesto de despedida e guiou seu pequeno grupo para a escada, e lá sumiu de vista.

Elas viram-na afastar-se. Por um momento, ninguém disse nada. A partida do grupo deixou para trás uma espécie de vazio, um extraordinário vácuo. Era como se uma luz tivesse apagado ou o sol se escondesse atrás de uma nuvem. Ocorreu a Judith que provavelmente isto sempre acontecia quando a sra. Carey-Lewis se retirava de um aposento. Ela levava consigo o seu encanto, deixando apenas monotonia atrás de si.

Foi Molly quem rompeu o silêncio. Ela pigarreou.

— Quem era ela?

— Ela? É a sra. Carey-Lewis, de Nancherrow.

— Onde fica Nancherrow?

— Mais além de Rosemullion, na estrada de Land's End. É uma propriedade maravilhosa, bem junto ao mar. Estive lá uma vez, na época das hortênsias. Na excursão da escola dominical. Fomos de ônibus especial, tivemos balões, um chá muito bem servido, e nos divertimos muitíssimo. Posso lhe garantir que nunca vi jardins como aqueles.

— E aquela é a filha dela?

— Sim, é Loveday. A filha caçula. Ela tem mais dois filhos, porém são quase adultos. Uma moça e um rapaz.

— Ela já tem filhos tão crescidos? — perguntou Molly, incrédula.

— Olhando para ela, ninguém acreditaria, não é mesmo? Esbelta como uma mocinha e sem uma ruga no rosto!

Loveday. Ela se chamava Loveday Carey-Lewis. Judith Dunbar soava como alguém caminhando pesadamente, arrastando os pés, um à frente do outro, mas Loveday Carey-Lewis era um nome maravilhoso, leve como o ar, como borboletas em uma brisa de verão. Ninguém poderia ser ignorada, tendo semelhante nome.

— Ela vai para o Santa Úrsula como interna? — perguntou Judith à senhora do sombrio vestido negro.

— Não, acho que não. Talvez interna semanalmente, acredito, indo em casa nos fins de semana. Parece que o Coronel e a sra. Carey-Lewis mandaram-na para uma grande escola perto de Winchester, mas ela ficou interna apenas meio período e depois fugiu. Tomou sozinha o trem para casa e disse que não voltava mais para a escola, porque sentia saudades da Cornualha. Então, eles preferiram enviá-la para o Santa Úrsula.

— Ela me parece um tanto mimada — disse Molly.

— Sendo a caçula, sempre lhe fizeram as vontades, a vida inteira.

— Sim — disse Molly, parecendo pouco à vontade. — Compreendo. — Já era hora de voltar ao que a trouxera ali. — Bem, e agora, o que levaremos? Blusas. Quatro de algodão e quatro de seda. E, Judith, vá até a sala de provas e experimente a túnica para ginástica.

Por volta das onze horas tudo já fora feito e elas podiam ir embora da Casa Medways. Molly preencheu e assinou o enorme cheque, enquanto as pilhas de peças do enxoval do colégio eram dobradas e guardadas em caixas. Para elas, no entanto, não houve a oferta de uma entrega em casa e nem a sugestão de que algum funcionário levasse as compras até seu carro. Talvez, pensou Judith, ter uma conta na Medways tornasse a pessoa importante, infundindo respeito e até uma espécie de servilismo. Não obstante, por atirar todas as suas contas na cesta de papéis, a sra. Carey-Lewis não devia ser uma cliente particularmente bem-vinda. Não, tudo acontecia simplesmente por ela ser quem era, a sra. Carey-Lewis de Nancherrow, incrivelmente importante e bela. Molly poderia ter conta em uma dúzia de lojas e, por mais pontualmente que pagasse suas compras, nunca seria tratada, por pessoa alguma, como se pertencesse à realeza.

Dessa maneira, carregadas como burros de carga, elas mesmas levaram as caixas até o Greenmarket, satisfeitas em largá-las no assento traseiro do Austin.

— Foi uma boa coisa não termos trazido Jess — observou Judith, batendo a porta com força. — Não haveria nenhum lugar para ela sentar.

Tinham encerrado sua visita à Casa Medways, mas de maneira alguma terminado. Ainda faltava visitar a loja de calçados e a esportiva (um bastão de hóquei e caneleiras são essenciais para o período letivo da Páscoa); teriam que ir à papelaria (um bloco de papel de cartas, lápis, uma borracha, um conjunto para geometria e uma Bíblia) e ao seleiro (uma pasta com artigos para escrita). Elas viram inúmeras pastas mas, naturalmente, a que Judith realmente queria custava quatro vezes mais do que as outras.

— Você não gostaria desta, com zíper? — perguntou Molly, sem muita esperança.

— Não acho que seja grande o bastante. Quanto a *esta aqui*, até parece uma pasta de executivo. Tem bolsos no lado de fora para a gente colocar coisas e um livrinho de endereços que é uma graça. Veja! *E* tem fechadura com chave. Assim, posso manter minhas coisas secretas. Posso guardar nela o meu diário para cinco anos e...

Assim, finalmente foi escolhida a pasta de executivo. Quando saíam do seleiro, Judith disse para sua mãe:

— Foi muita bondade sua. Sei que é uma pasta cara, mas se eu cuidar bem dela, poderá durar a vida inteira. E nunca tive um livrinho de endereços só meu. Será incrivelmente útil.

Voltaram mais uma vez ao Greenmarket, para deixarem pacotes no carro. A essa altura já era meio-dia e meia, de modo que foram caminhando pela Chapel Street até o restaurante "The Mitre", onde almoçaram esplendidamente rosbife, pudim do Yorkshire, couve-de-bruxelas e batatas assadas com molho. Para sobremesa tiveram charlote de maçãs e creme da Cornualha. E cada uma bebeu um copo de cidra.

Enquanto pagava a conta, Molly perguntou:

— O que você quer fazer agora?

— Vamos ao Santa Úrsula dar uma olhada.

— É realmente o que você quer?

— É.

Assim, elas retornaram ao carro, entraram e rodaram através da cidade, saindo na direção contrária, onde as últimas casas rareavam e começava o campo. Internaram-se por uma estrada lateral que subia uma colina e, no alto, chegaram a dois portões no lado esquerdo. Um quadro de avisos dizia COLÉGIO SANTA ÚRSULA — PROPRIEDADE RIGO-ROSAMENTE PRIVADA, porém não deram importância ao aviso e, cruzando os portões, seguiram por uma alameda marginada de amplas cercaduras gramadas e maciços de rododendros tão altos como árvores de grande porte. Não era uma alameda extensa, e o prédio erguia-se, em seu final, com um trecho forrado de cascalho diante de sua imponente porta principal. Havia dois pequenos carros parados ao pé da escada que conduzia à entrada, mas, fora isso, parecia não haver ninguém por ali.

— Acha que devemos tocar e deixá-los saber que estamos aqui? — perguntou Molly.

Ela sempre tivera receio de invadir terrenos privados, temendo que alguma irada figura aparecesse para repreendê-la.

— Não, nada disso. Se alguém perguntar o que estamos fazendo, diremos simplesmente que...

Ela olhava para o prédio e viu que a parte principal era bastante antiga, com peitoris de pedra nas janelas e uma vetusta trepadeira escalando as paredes de granito. Entretanto, além desta edificação original havia uma ala muito mais nova e moderna, com fileiras de janelas e, na extremidade mais distante, um arco de pedra levando a um pequeno pátio quadrangular.

Mãe e filha caminharam, seus passos rangendo alarmantemente no piso de cascalho, parando de vez em quando para espiar pelas vidraças. Uma sala de aula, cheia de carteiras com tampas e bocais para tinteiros, além de um quadro-negro esbranquiçado de giz; mais além, um laboratório de ciências, com balcões de madeira e bicos de Bunsen.

— Parece um tanto sombrio — comentou Judith.

— Salas de aula vazias são sempre assim. Essa aparência deve ter algo a ver com o ensino de teoremas e verbos franceses. Quer ir olhar lá dentro?

— Não. Vamos explorar o jardim.

Foi o que fizeram, seguindo um caminho que serpenteava através de moitas de arbustos e levava a duas quadras gramadas de tênis. Em janeiro, sem marcações e com a grama crescida, as quadras pareciam abandonadas, não induzindo imagens de nenhum jogo animado. Fora aquela parte, tudo estava muito bem cuidado, com o cascalho aplainado e as sebes podadas.

— Eles devem empregar um bocado de jardineiros — observou Molly.

— Aí está o motivo de cobrarem tão caro das alunas. Trinta libras por um período letivo!

Após alguns momentos, chegaram a um local abrigado do vento, com piso de lajes arredondadas e um banco encurvado. Aquele pareceu um bom lugar para se sentarem por um instante, enquanto desfrutavam do escasso calor do sol de inverno. Dali podiam ver de relance a baía, apenas um trecho de mar e céu pálido, emoldurado por um par de eucaliptos. A casca do tronco das duas árvores era prateada e suas folhas aromáticas tremulavam, agitadas por alguma misteriosa e não percebida brisa.

— Os eucaliptos... — recordou Judith. — Havia muitos no Ceilão. Desprendem um cheiro igual àquele de quando friccionamos o peito.

— Tem razão. No interior do país. Em Nuwara Eliya. Árvores resinosas cheirando a limão.

— Nunca as vi em nenhum outro lugar.

— Suponho que aqui o clima seja brando, portanto, temperado.
— Molly recostou-se no banco, ergueu o rosto para o sol e fechou os olhos. Após alguns momentos, perguntou:

— O que você acha?

— O que acho sobre o quê?

— Sobre este lugar. O Santa Úrsula.

— É um lindo jardim.

Molly abriu os olhos e sorriu.

— Isso é algum consolo?

— Naturalmente que é. Quando a gente tem que ficar trancada em algum lugar, um jardim ajuda, se for bonito.

— Oh, não fale assim! Faz-me pensar que estou abandonando você em alguma espécie de prisão. E eu não quero deixá-la em lugar nenhum. Quero levá-la comigo.

— Eu estarei bem.

— Se... se você quiser ficar com Biddy algumas vezes... pode ir, tem a minha permissão. Eu falarei com Louise. Conversarei. Foi uma tempestade em copo d'água, quando tudo o que realmente desejo é que você seja feliz.

— Eu também desejo ser feliz, mas nem sempre isso acontece.

— Deve fazer com que aconteça.

— Você também.

— O que quer dizer?

— Quero dizer que não deve ficar tão nervosa quanto a viajar para Cingapura. O mais provável é que simplesmente adorará o lugar, ainda mais do que Colombo. Será como ir a uma festa. Aquelas que mais tememos geralmente terminam sendo as mais divertidas de todas.

— Sim — suspirou Molly — você tem razão. Agi como uma tola. Não sei por que motivo tive tamanho pânico. De repente senti tanto *medo*! Talvez fosse apenas cansaço. Sei que tenho de pensar nisso como uma aventura. A promoção de papai, uma vida melhor. Sei disso. Contudo, não posso deixar de recear ter que fazer uma mudança geral, conhecer novas pessoas e fazer novos amigos.

— Não deve pensar no que ainda falta para acontecer. Pense apenas no amanhã, e então resolva uma coisa de cada vez.

Um vapor, tênue demais para ser chamado de nuvem, esgueirou-se sobre a face do sol. Judith estremeceu.

— Estou ficando com frio. Vamos andar.

Abandonaram aquele pequeno recanto de descanso e se foram, seguindo uma alameda de terra revolvida, que levava à subida da ladeira. No alto, viram um jardim murado, mas as flores e vegetais haviam desaparecido, substituídos por uma quadra asfaltada de *netball.** Um jardineiro varria as folhas amontoadas na alameda, e havia feito uma série de pequenas fogueiras, queimando as folhas enquanto trabalhava. A fumaça pura e adocicada tinha um cheiro delicioso. Quando elas se aproximaram, ele ergueu os olhos, levou a mão à pala do boné e disse:

— 'Tarde!

Molly parou.

— Faz um lindo dia.

— É verdade. E seco o suficiente.

— Estamos apenas dando uma olhada por aí.

— No que me diz respeito, não tem problema nenhum.

Elas o deixaram e cruzaram uma porta, incrustada no alto muro de pedra. Por ali chegava-se a campos de jogos, com traves de gol para hóquei e um pavilhão de madeira para jogos. Fora do abrigo do jardim, de súbito o ambiente ficou muito mais frio, enregelante e ventoso. Caminharam mais depressa, encurvadas contra o vento cortante, e cruzaram os campos, chegando a edificações próprias de fazenda e a galpões de carroças. Em seguida, ganharam uma estrada de fazenda que passava por uma fileira de chalés, retornaram ao portão principal, e dali à alameda, ao pátio diante do Santa Úrsula e ao pequeno Austin que as esperava.

Entraram no carro e bateram rapidamente as portas. Molly esticou a mão para a chave de ignição, mas não a girou. Judith esperou, porém sua mãe apenas repetiu o que já lhe havia dito, como se, de algum modo, a repetição tivesse o dom de fazer acontecer:

— Realmente quero que você seja feliz.

— Está se referindo a ser feliz na escola ou a ser feliz para sempre?

— Acho que às duas coisas.

— Feliz para sempre é o que lemos nos contos de fadas.

— Eu desejaria que não fosse. — Molly suspirou, depois ligou o motor. — Que coisa mais tola para dizer!

---

* Esporte feminino semelhante ao basquetebol. (N. da T.)

— Não tem nada de tola. Acho ótima.

Iniciaram, então, a volta para casa.

***

Aquele havia sido um excelente dia, concluiu Molly. Um dia constrututivo, que a deixara sentindo-se bastante melhor acerca de tudo. Desde aquela agitada discussão com Biddy, ela vinha sofrendo de um incômodo sentimento de culpa, não somente porque retornava ao Ceilão e deixava Judith para trás, mas por causa de incompreensões passadas e de sua própria falta de percepção. A culpa já era suficientemente ruim, mas saber que lhe restava tão pouco tempo para acertar as coisas entre elas era algo que a angustiava mais do que admitiria, mesmo para si própria.

Enfim, de algum modo havia funcionado. Não apenas porque haviam conquistado muito, mas porque tudo tinha sido feito em circunstâncias de grande satisfação e companheirismo. Ambas tinham se esforçado ao máximo — Molly percebia muito bem — e só isto já bastava para encher-lhe o coração de grato apreço. Sem Jess em seus calcanhares, exigindo atenção, estar com Judith havia sido como passar tempo com uma amiga, uma contemporânea. Os pequenos luxos e extravagâncias — como almoçar no "The Mitre" e comprar aquela pasta de executivo tão cara, por ser a única que Judith realmente queria — eram um preço ínfimo a pagar pela certeza de que, de alguma forma, ela havia cruzado uma difícil ponte no relacionamento com sua filha mais velha. Talvez houvesse deixado isso para muito tarde, mas finalmente fora feito.

Molly se sentia muito mais calma e revigorada. Faça uma coisa de cada vez, Judith lhe dissera. Encorajada e estimulada pela cooperação da filha, ela lhe aceitara o conselho, recusando-se a ficar desanimada por tudo que ainda era preciso fazer. Havia elaborado tarefas, cada uma com o respectivo número de prioridade, as quais iam sendo riscadas logo depois de resolvidas.

Assim, nos dias seguintes, em estrita seqüência, planos eram montados e cumpridos para o fechamento de Riverview House e resultante dispersão de seus moradores. Objetos pessoais que Molly trouxera de Colombo para aquela casa, ou que acumulara durante os anos vivendo ali, eram recolhidos de vários aposentos e armários, listados e embalados, para mais tarde ficarem estocados em uma firma especializada. A nova mala escolar de Judith, com guarnições de latão e já marcada com as iniciais dela, permanecia aberta no patamar do andar de cima e, à medida que os vários itens iam sendo etiquetados com seu nome e dobrados, terminavam perfeitamente acondicionados no interior daquela volumosa peça de bagagem.

— Judith, pode vir aqui e ajudar?

— Já estou ajudando! — respondeu Judith, sua voz vindo de além da porta do seu quarto.

— O que está fazendo?

— Embalando meus livros que serão levados para a casa de tia Louise.

— Todos eles? Os seus livros infantis também?

— Não. Estes eu vou colocar em outra caixa. Podem ficar estocados, junto com as suas coisas.

— Você nunca mais vai precisar de seus livros infantis!

— Vou, sim. Quero guardá-los para meus filhos.

Pesarosa, dividida entre o riso e as lágrimas, Molly não teve coragem de argumentar. E, afinal de contas, que diferença fariam algumas poucas caixas a mais? Respondeu:

— Oh, está bem.

Em seguida, fez uma marca após "botas de hóquei", na interminável lista do enxoval do colégio de Judith.

— Encontrei um novo emprego para Phyllis. Pelo menos, acho que encontrei. Ela irá a uma entrevista depois de amanhã.

— Onde?

— Em Porthkerris. Será até melhor para ela. Ficará mais perto de casa.

— Com quem?

— Com a sra. Bessington.

— Quem é a sra. Bessington?

— Oh, Judith, você sabe quem é. Costumamos encontrá-la algumas vezes, fazendo compras, e ela sempre conversa um pouco. Geralmente leva uma cesta para acomodar suas compras, e tem um cão *terrier* Highland branco. Mora no topo da colina.

— Ela é velha.

— Bem... de meia-idade. E muito saudável. Entretanto, sua empregada de vinte anos quer aposentar-se, por causa das varizes. Vai tomar conta da casa do irmão. Assim, eu sugeri Phyllis.

— A sra. Bessington tem cozinheira?

— Não. Phyllis é que ficará com esse posto.

— Bem, já é alguma coisa. Ela me disse que preferia fazer tudo sozinha. Não quer terminar como empregada faz-tudo para uma cozinheira de mau gênio e descarada.

— Não devia empregar esse palavreado, Judith.

— Estou apenas repetindo o que Phyllis disse para mim.

— Bem, ela não deveria ter dito.

— Eu acho que "descarada" é realmente uma boa palavra. Significa apenas uma pessoa abusada. Não há nada de grosseiro nisso.

Os últimos dias escoaram-se com aterrorizante velocidade. A essa altura, os aposentos despidos de suas fotografias, retratos e enfeites tornaram-se impessoais, como se já abandonados. Sem suas flores e pequenos toques pessoais, a sala de visitas mostrava-se árida e tristonha. Parecia haver caixotes e caixas de embalagens por todos os lados. Enquanto Judith e Phyllis mourejavam corajosamente, Molly passava muito tempo ao telefone, falando com a companhia de navegação, o departamento de passaportes, a firma que estocaria tudo que não levaria na viagem, a estação ferroviária, o gerente do banco, o advogado, Louise, sua irmã Biddy e, finalmente, sua mãe.

Este último telefonema foi o mais exaustivo, porque a sra. Evans estava ficando surda e não confiava no telefone, achando que a mulher na central telefônica ouvia conversas particulares, para em seguida contá-las a outros. Dessa maneira, foram necessárias uma explicação introdutória e uma boa dose de frustração, antes que a moeda caísse e a telefonista conseguisse convencer a sra. Evans a aceitar a ligação.

— O que significa tudo isso? — perguntou Judith, chegando no final da conversa.

—Oh, ela é impossível! Enfim, penso que resolvi tudo. Depois que levar você para o Santa Úrsula, fecho esta casa, e então eu e Jess passaremos a última noite com Louise. Ela prometeu, muito gentilmente, levar-nos em seu carro até a estação. Depois disso, ficaremos uma semana com seus avós.

— Oh, mamãe, você tem *mesmo* de ir?

— Acho que é o mínimo que posso fazer. Eles estão ficando muito velhos e só Deus sabe quando tornarei a vê-los.

— Está querendo dizer que eles poderão morrer?

— Oh, não exatamente. — Molly refletiu em suas palavras. — Bem... sim, eles poderão — admitiu — mas não quero pensar nisso.

— Tem razão. Seja como for, ainda acho que você está com uma paciência de santa, se insiste de fato nessa idéia. Não viu minhas botas de borracha por aí, em algum lugar qualquer...?

O carregador da estação chegou à porta da frente com seu cavalo e sua carroça de eixos baixos, sobre a qual foram colocadas a cômoda de Judith e outros pertences que deveriam ser transportados à casa de tia Louise. O homem levou algum tempo amarrando tudo aquilo bem firmemente com cordas, e Judith ficou obsevando a partida: a carroça sacolejando pela estrada, atrás do cavalo com sua andadura cômoda, na viagem de cinco quilômetros até Windyridge. Então foi a vez do homem que dirigia o posto de gasolina da aldeia fazer uma oferta pelo Austin Seven. Não foi uma grande coisa como oferta, mas tampouco havia uma grande coisa como carro. No dia seguinte ele veio apanhar o carro, entregou o cheque insignificante e foi embora, dirigindo o Austin. Ver aquele carro rodando pela última vez era mais ou menos como ver um velho cão sendo levado pelo veterinário, para ser eliminado.

— Se não tivermos um carro, como é que você vai me levar para o Santa Úrsula?

— Chamaremos um táxi. De qualquer modo, nunca conseguiríamos colocar a sua mala no Austin. E então, depois que você estiver seguramente instalada, o mesmo táxi trará nós duas — eu e Jess — de volta para casa novamente.

— Se quer saber, eu não gostaria que Jess fosse.

— Oh, Judith! Coitadinha da Jess! Por que não?

— Ela perturba o tempo todo. Está sempre chorando ou fazendo alguma coisa. E se ela chorar, nós duas vamos acabar chorando também.

— Você nunca chora.

— Não, mas poderei. Prefiro despedir-me dela aqui, quando me despedir de Phyllis.

— Parece um pouco injusto.

— Acho que será melhor assim. De qualquer modo, duvido que ela perceba o que está acontecendo.

Jess, no entanto, percebia. Não sendo uma criança obtusa, foi com considerável alarme que testemunhou o desmembramento de seu lar. Tudo estava mudando. Objetos familiares desapareciam, havia caixas de embalagem no corredor e na sala de refeições, e sua mãe andava ocupada demais para dar-lhe atenção. Sua casa de bonecas, seu cavalinho-balanço, pintado de vermelho, e o cachorro de puxar, com rodinhas nas patas, estavam lá um dia, para desaparecerem no seguinte. Só lhe restara "Golly", o espantalho, e, de polegar enfiado na boca, ela o carregava para todos os lados, segurando-o por uma perna.

Jess não tinha idéia do que estava acontecendo em seu pequeno mundo, sabia apenas que não estava gostando nem um pouco daquilo.

No último dia, como a sala de refeições já fora despojada de pratos e talheres e estes, reduzidos ao mínimo básico, as quatro almoçaram na cozinha, sentadas em torno da mesa escovada de Phyllis. Comeram ensopado e purê de amoras-pretas, nos pratos desbeiçados e desaparelhados que tinham vindo com a casa, quando Molly a alugara. Aferrando "Golly", Jess deixou que a mãe a alimentasse com uma colher, porque queria ser bebê novamente. Depois de comer sua sobremesa, ganhou um pacotinho de jujubas de fruta, só para ela. Ficou tão absorta em abrir o pacotinho e escolher as cores das jujubas, enquanto Phyllis tirava a mesa, que mal notou que a mãe e Judith haviam desaparecido no andar de cima.

Então, aconteceu a cena perturbadora. Phyllis estava na copa, chocalhando pratos e esfregando panelas, quando Jess, ao levantar o rosto, viu pela janela o desconhecido carro negro cruzar o portão, rodar lentamente pela alameda de cascalho e parar diante da porta principal. Com as bochechas entulhadas de jujubas, foi contar a novidade a Phyllis.

— É um *carro*!

Phyllis sacudiu a água das mãos avermelhadas e pegou uma toalha para enxugá-las.

— Deve ser o táxi...

Jess foi com ela até o vestíbulo e deixaram o homem entrar na casa. Ele usava um boné pontudo, como um carteiro.

— Tem bagagem para levar?

— Tem. Tudo isto aqui.

A bagagem estava empilhada ao pé da escada. A mala de guarnições de latão, valises e sacolas, o bastão de hóquei e a nova pasta executiva de Judith. O homem ia e vinha, levando tudo para seu táxi, colocando cada peça no porta-malas aberto, depois firmando-as com uma corda, para que não caíssem para fora.

Para onde ele ia levar aquilo? Jess ficou parada, olhando fixamente. Em suas idas e vindas, o motorista do táxi sorria para ela e perguntava como se chamava, mas ela não sorriu de volta nem lhe disse seu nome.

Então, mamãe e Judith desceram para o térreo, e esta foi a pior parte, porque mamãe estava de casaco e chapéu, enquanto Judith usava um conjunto verde que Jess nunca tinha visto antes. Também estava de colarinho e gravata, como um homem, e calçava sapatos marrons de cadarço. Tudo aquilo parecia tão tenso e incômodo, além de tão grande, e a aparência dela era tão amedrontadoramente estranha, que imediatamente Jess se sentiu tomada de terror e, incapaz de conter-se por mais tempo, explodiu em um berreiro histérico.

As duas estavam indo embora, iam deixá-la para sempre. Era disso que havia obscuramente desconfiado, e que agora estava prestes a acontecer. Gritou para que sua mãe a pusesse no colo e a levasse também, agarrou-se ao casaco de Molly e tentou subir até seus braços, como se quisesse subir em uma árvore.

Entretanto, foi Judith quem se adiantou e a pôs no colo, abraçando-a apertadamente. Em desespero, Jess enroscou os braços em torno do pescoço da irmã, apertou as bochechas lacrimosas no rosto de Judith e soluçou amargamente.

— Onde é que vocês *vão*?

Judith nunca imaginara que algo tão terrível acontecesse, e percebeu que havia subestimado Jess. Tinham agido como se ela fosse um bebê, imaginando que um pacotinho de jujubas as deixaria livres de uma possível crise. Tanto ela como sua mãe estavam erradas, e esta cena dolorosa era o resultado de seu erro.

Abraçou Jess com força e a embalou de um lado para outro.

— Oh, Jess, não chore! Está tudo bem. Phyllis vai ficar aqui e mamãe estará de volta bem depressa.

— Eu também quero *ir*!

O peso da menina era doce, os bracinhos e pernas rechonchudos insuportavelmente macios e suaves. Ela cheirava a sabonete e tinha os cabelos sedosos como paina. Judith concluiu que não adiantava relembrar todas as vezes que se mostrara impaciente e zangada com a irmã menor, porque essa época já terminara. Tudo quanto importava agora era que as duas se despediam, e que amava realmente sua irmãzinha. Beijou várias vezes as bochechas de Jess.

— Por favor, não chore! — implorou. — Escreverei cartas para você e terá de me mandar lindos desenhos e fotos. E pense só uma coisa: quando nos encontrarmos outra vez, você estará com oito anos e quase da minha altura!

Os soluços diminuíram um pouco. Judith tornou a beijá-la, e então se moveu para entregá-la a Phyllis, enquanto desprendia os braços de Jess, que continuavam enroscados em seu pescoço. A menina ainda soluçava, mas seus gritos tinham abrandado e voltara a enfiar o polegar na boca.

— Tome conta direitinho do "Golly", ouviu? Não o deixe cair pela borda do navio. Adeus, Phyllis querida.

As duas abraçaram-se, mas Phyllis não pôde ser mais demonstrativa, porque tinha os braços ocupados com Jess. Por outro lado, parecia incapaz de dizer qualquer coisa além de "boa sorte".

— Boa sorte para você também. Prometo escrever.

— Não vá esquecer.

Saíram todas da casa, para onde o táxi esperava. Molly depositou um beijo na bochecha molhada de Jess.

— Daqui a pouco estarei de volta — prometeu. — Seja uma boa menina para Phyllis.

— Não se apresse em voltar, senhora. Demore o tempo que for preciso. Não há nenhuma necessidade de vir correndo para casa.

Em seguida as duas entraram no táxi, o homem bateu a porta atrás delas e ocupou o seu lugar ao volante. O motor roncou. O cano de descarga soltou uma fedorenta nuvem de fumaça.

— Dê adeus, Jess — disse Phyllis. — Dê adeus, como uma boa menina.

Jess sacudiu "Golly" como se estivesse acenando com uma bandeira, e o táxi começou a rodar sobre o cascalho rangente. Elas viram o rosto de Judith apertado contra o vidro traseiro, e também ela dava adeus e continuava a acenar, até o táxi dobrar a esquina da casa, subir a alameda e desaparecer de vista, seu som extinguindo-se na distância.

Windyridge,
Sábado, 18 de janeiro de 1936.

Muito querido Bruce,

Escrevo-lhe esta em meu quarto, na casa de Louise. Jess está dormindo, e vou descer daqui a pouco, a fim de acompanhar Louise em um drinque antes do jantar. Neste momento, River-view House já ficou para trás, fechada e vazia. A querida Phyllis nos deixou, vai passar uns dias em casa e depois começará em seu novo emprego em Porthkerris. Na segunda-feira de manhã, Louise me levará com Jess à estação, em seu carro, e passaremos alguns dias com meus pais, antes de eu rumar para Londres e tomar o navio. Partiremos dia 31. Na quarta-feira, levei Judith ao Santa Úrsula e a deixei lá. Não levamos Jess conosco, o que resultou numa deplorável cena em Riverview House, antes de entrarmos no táxi. Eu não esperava nada semelhante, nem tinha percebido o quanto Jess estava angustiada com a partida. Foi algo bastante perturbador, mas Judith particularmente não a queria nos acompanhando até o colégio e, claro está, tinha toda razão. Foi melhor que tudo acontecesse na privacidade de nossa própria casa.

Receei que esta cena fosse demasiada para Judith, mas ela soube manejá-la de modo bastante adulto, mostrando-se muito amorosa e compreensiva com a pequena Jess. No táxi, falamos de coisas práticas, porque achei impossível abordar qualquer outro assunto. Ela parecia muito elegante em seu novo uniforme, porém ao mesmo tempo tão estranha, que era como se eu estivesse levando a filha de qualquer outra pessoa para o colégio, em vez da minha. Durante estas últimas semanas ela amadureceu subitamente e me foi de inestimável ajuda na arrumação de tantas bagagens, bem como nas providências a serem tomadas. Chega a ser uma ironia a gente levar tantos anos criando uma filha, para então, justamente quando ela começa a ser uma amiga e nossa igual, ter de abandoná-la e prosseguir na vida sem sua companhia. Neste momento, quatro anos me parecem intermináveis, alongando-se à minha frente como a eternidade. Imagino que, tão logo me veja no navio, indo para Colombo, minha depressão sobre tudo isto diminuirá; neste momento, entretanto, nada tem de divertida.

Chegando ao Santa Úrsula, era minha intenção entrar lá com Judith, instalá-la em seu dormitório, e depois tomar uma xícara de chá com a srta. Catto. No táxi, contudo, já a meio caminho para Penzance, Judith anunciou subitamente que não me queria fazendo tais coisas. Seu desejo era que nossas despedidas fossem rápidas e curtas, demorando o menos possível. Ela me assegurou que saberia manejar bem a situação. Não queria que lhe fizesse companhia durante seu primeiro contato com o colégio, porque então eu ficaria também sendo parte dele, e isso era algo que não deveria acontecer. Afirmou não desejar que seus dois mundos se tocassem, e tampouco que um se impingisse ao outro, em nenhum sentido. Considerei isso um tanto embaraçoso, pois sentia que minha presença era esperada, que me cabia mostrar alguma espécie de interesse, mas então achei melhor desistir, ao pensar que era o mínimo que poderia fazer por minha filha.

Assim sendo, nossa despedida durou somente alguns minutos. Nós mesmas descarregamos a bagagem, e logo surgiu um carregador, que levou em seu carrinho a mala grande e os demais pertences de Judith. Havia outros carros lá, portanto, também outros pais e outros filhos, todos iniciando o novo período letivo.

Em seus uniformes verdes, as garotas ficavam idênticas umas às outras, de modo que Judith imediatamente se tornou mais uma delas, como se tivesse perdido por completo a individualidade, homogeneizada como o leite. Não sei se isso tornou o nosso adeus mais fácil ou mais difícil. Observei seu rostinho doce, nele antevendo uma promessa de beleza que será evidente quando eu finalmente tornar a vê-la. Seus olhos não estavam lacrimosos. Nós nos beijamos e abraçamos, prometemos escrever, tornamos a abraçar-nos, e então ela se foi. Deu meia-volta, afastou-se, subiu a escada e entrou pela porta aberta. Não olhou para trás uma só vez. Carregava a sacola de livros, o bastão de hóquei e a pequena pasta executiva que eu lhe tinha comprado, onde guardaria seus papéis de cartas, seu diário e seus selos.

Sei que você achará uma tolice de minha parte, mas chorei no táxi durante todo o trajeto de volta para casa, só me controlando depois que Phyllis me serviu uma xícara quente de chá. Então, liguei para a srta. Catto, desculpando-me por minha rudeza. Ela disse que compreendia e que manteria contato conosco, para deixar-nos a par do bem-estar e dos progressos de nossa filha. Entretanto, vamos ficar tão distantes! E os barcos postais demoram tanto!

Molly fez uma pausa, largou a caneta e começou a ler o que já tinha escrito. Concluiu, então, que sua carta parecia terrivelmente emocional. Ela e Bruce nunca tinham achado fácil abrir o coração um para o outro, fosse para comentar intimidades ou partilhar segredos. Gostaria de saber se sua evidente angústia não o deixaria perturbado. Ficou indecisa, pensando que talvez fosse preferível rasgar as páginas e começar a carta de novo. Entretanto, escrever tudo aquilo a acalmara e, por outro lado, não se sentia com coragem nem energia para fingir friamente que tudo ia bem.

Tornando a pegar a caneta, ela continuou.

Assim, tudo está terminado, e procuro mostrar um rosto alegre por causa de Jess e de Louise. Não obstante, sofro como se houvesse perdido uma filha. Sofro pelas oportunidades passadas e não convividas, como também pelos anos à minha frente que não serão partilhados com ela. Sei muito bem que milhares de outras mulheres têm passado pelo mesmo que eu, mas, por um ou outro motivo, isso em nada minora a situação.

Dentro de um mês, eu e Jess estaremos com você. Enviarei mais notícias quando passar por Cingapura. Você agiu muito bem, e estou feliz por isso.

Com todo o meu amor,

Molly

P.S. Seu presente de Natal para Judith ainda não chegou. Deixei instruções com a sra. Southey, no Correio de Penmarron, que deverá despachá-lo para o Santa Úrsula, assim que finalmente houver chegado.

Ela tornou a ler a carta, do princípio ao fim. Depois a dobrou, enfiou-a em um envelope, selou-o e o endereçou. Pronto. Estava feito. Molly ficou sentada, ouvindo a crescente intensidade do vento no exterior, que sacudia a janela e gemia além da cortina que a encobria. A sensação era de uma tempestade iminente. A pequena escrivaninha jazia em um círculo de luz da lâmpada acima dela, porém atrás de Molly, o quarto estava penumbroso e quieto. Jess dormia em uma das duas camas de solteiro, com "Golly" apertado contra a bochecha. Levantando-se, Molly foi beijá-la e ajustar as cobertas. Em seguida aproximou-se do espelho do toucador, para ajeitar o cabelo e modificar um pouco o caimento da echarpe de seda que colocara em torno dos ombros. Seu pálido reflexo flutuou como um espectro no vidro escuro. Saiu do quarto, fechando a porta suavemente às suas costas. Cruzou o patamar e começou a descer os degraus.

Havia muito, Molly decidira que Windyridge era uma casa cuja construção falhara lamentavelmente. Erigida logo depois da Primeira Guerra Mundial, não era moderna o suficiente para ser de conveniência e tampouco antiga o bastante para ter encanto. Além disso, sua localização no topo da colina, acima do campo de golfe, fazia com que se situasse na passagem de cada vento que soprasse. Contudo, sua mais infeliz característica era a sala de estar. Molly podia apenas imaginar que o arquiteto, sofrendo de uma infortunada congestão cerebral, houvesse imaginado um salão/corredor, a fim de que para lá descesse a escada do andar de cima e também para lá se abrisse a porta principal. Tal arranjo era uma garantia de uivantes rajadas de vento e de um senso de impermanência, algo mais ou menos como se estar sentado na sala de espera de uma estação ferroviária.

Fosse como fosse, Louise estava lá, aninhada em sua poltrona, ao lado de crepitantes chamas de carvão na lareira, com seus cigarros, seu uísque com soda e seu tricô convenientemente ao alcance. Ela tricotava meias para caçada. Ao terminar um par, deixava-o em uma gaveta, aguardando a próxima Feira na Igreja ou Trague e Compre, para começar outra vez a tricotar um novo par. Chamava isso de agitação organizada, cronometrando sua aplicação segundo as Boas Obras.

Ao ouvir Molly descendo a escada, Louise olhou para cima.

— Ah, é você! Pensei que estivesse dormindo.

— Sinto muito. Estive escrevendo para Bruce.

— Jess dormiu?

— Dormiu. Logo, logo.

— Tome um drinque. Sirva-se.

A um lado da sala havia uma bandeja pronta, com garrafas, copos limpos e um sifão de soda. Era um toque masculino, como que em memória de Jack Forrester, porém nada havia mudado desde a morte dele. Os troféus de golfe que ganhara continuavam decorando a platibanda da lareira, suas fotos do Regimento — da época em que servira na Índia — ainda pendiam das paredes, e por todos os lados havia evidências da caça e da presa — a pata de elefante, os tapetes de pele de tigre, os chifres de uma corça.

Molly serviu-se de um pequeno *sherry* e sentou-se na poltrona do lado oposto da lareira. Louise parou de tricotar e estendeu a mão para seu uísque.

— Saúde! — exclamou, e tomou um gole. Largando o copo, olhou para Molly por cima dos óculos. — Você não me parece muito animada.

— Eu estou bem.

— Não é nada agradável deixar Judith, eu posso perceber. Não se preocupe tanto. O tempo cura tudo. Você superará isso.

— Acho que sim — disse Molly desanimada.

— Pelo menos, é uma coisa que já deixou para trás. Tudo terminado. E feito.

— Sim, está feito. — Molly concordou. — Acho que...

Não completou a frase. Um som lhe prendeu a atenção, vindo do lado de fora da casa, acima do uivar do vento. Um som de passos, rangendo no cascalho.

— Há alguém lá fora.

— Deve ser Billy Fawcett. Eu o convidei para um drinque. Achei que isso nos alegraria.

A porta da frente se abriu, deixando entrar uma rajada de vento que sacudiu os tapetes, enquanto a lareira lançava uma nuvem de fumaça fuliginosa. Louise ergueu a voz.

— Billy, seu velho tolo, feche a *porta*! — A porta se fechou com uma forte batida. Os tapetes aquietaram-se, o fogo recuperou a compostura. — Que noite para se estar lá fora! Venha para cá.

Molly ficou intimidada e ao mesmo tempo irritada por aquela inoportuna e inesperada intrusão. No presente momento, o que menos queria era a companhia de estranhos. Não gostava de conversar com pessoas desconhecidas, e considerava uma falta de sensibilidade de Louise convidar um amigo, justamente naquela noite. Enfim, nada havia que pudesse fazer a respeito, e então, sem muita vontade, largou o cálice de *sherry* e ajeitou o rosto em uma expressão agradável, virando-se na poltrona para cumprimentar o visitante.

Louise levantou a voz.

— Foi bom você ter vindo, Billy!

Ele não apareceu de imediato, porque sem dúvida devia estar tirando o sobretudo e o chapéu. Entretanto, quando por fim surgiu à porta, esfregando as mãos para afugentar o frio, mostrava a expressão do homem que concede favores gentilmente.

— Aqui estou, minha querida, castigado pela tempestade.

Não era alto, mas de corpulência viril, e usava casaco e calções de golfe em padronagem axadrezada, grande e berrante. Os calções eram particularmente volumosos e, emergindo de suas amplas dobras, as pernas finas, em meias de tricô amarelo-vivo, assemelhavam-se às patas de uma ave. Molly perguntou-se se Louise teria tricotado aquelas meias e, em caso afirmativo, qual dos dois escolhera a cor. Os cabelos dele eram brancos, rareando sobre um couro cabeludo coriáceo, e as faces eram raiadas de veias vermelhas. Usava uma gravata de Regimento. Tinha um vigoroso bigode e um brilho alegre nos olhos azul-claros. Ela lhe avaliou a idade em cerca de cinqüenta anos.

— Molly, este é meu vizinho, Billy Fawcett. Ou Coronel Fawcett, se preferir ser formal. Billy, esta é minha cunhada, Molly Dunbar.

Molly forçou um sorriso, estendeu a mão, e disse:

— Como vai?

Esperou que ele a apertasse. No entanto, Billy Fawcett agarrou-lhe os dedos e fez uma profunda mesura. Por um louco momento, Molly pensou que ele ia beijá-los, e quase puxou a mão bruscamente. No entanto, ele estava apenas sendo excessivamente cortês.

— É um prazer conhecê-la... já ouvi muito a seu respeito — acrescentou, esta última frase sendo uma garantia de congelar qualquer conversa espontânea.

Louise, no entanto, largou o crochê e, levantando-se da poltrona, assumiu o controle.

— Sente-se, Billy. Depois de seus esforços, deve estar precisando de um uísque.

— Eu não negaria — replicou ele.

Entretanto, não se sentou. Em vez disso, ficou em pé diante do fogo, batendo nas coxas e fazendo com que as folgadas calças se aquecessem ligeiramente, emanando um fraco odor de velhas fogueiras.

Molly ajeitou-se de novo na poltrona e estendeu a mão para seu *sherry*. Billy Fawcett sorriu insinuantemente para ela. Seus dentes eram uniformes e amarelos, parecidos aos de um cavalo saudável.

— Segundo soube, passou dias extenuantes colocando sua casa em ordem, antes de voltar para o Leste.

— É verdade. No momento, somos aves de passagem. Louise nos convidou gentilmente para duas noites, antes de prosseguirmos em nossas jornadas.

— Devo dizer que a invejo. Seria bom ter um relance do velho sol novamente. Oh, obrigado, Louise minha querida, a dosagem exata.

— É melhor sentar-se, Billy. Suas calças vão acabar pegando fogo. Venha, no sofá, entre nós.

— Queria apenas aquecer-me um pouco. Bem, saúde, senhoras!

Ele sorveu um gole do drinque generoso e muito escuro, deixou escapar um suspiro apreciativo, como se estivesse ansiando uma semana pela bebida, e só então fez o que lhe fora dito, movendo-se de perto das chamas ardentes para acomodar-se contra as almofadas do sofá. Molly concluiu que Billy Fawcett parecia inteiramente à vontade naquela casa. Perguntou-se quantas vezes aparecia ali para ver Louise, e se planejava mudar-se para Windyridge em base mais permanente.

— Louise me disse que você está morando em Penmarron há apenas pouco tempo — disse ela.

— Faz três meses que estou por aqui. A casa é apenas alugada, compreenda.

— Joga golfe?

— Sim. Aprecio uma partida. — Ele piscou um olho para Louise. — De qualquer modo, não tenho a perícia de sua cunhada. Certo, Louise? Costumávamos jogar juntos na Índia. Quando Jack ainda vivia.

— Há quanto tempo está reformado? — perguntou Molly.

Não tinha o menor interesse em saber, mas achava que, por deferência a Louise, devia mostrar algum polido interesse.

— Dois anos. Livrei-me de minha comissão e voltei para casa.

— Ficou muito tempo na Índia?

— Durante toda a minha vida militar. — Não era difícil imaginá-lo jogando pólo e berrando xingamentos para sua montaria. — Aos dezenove anos, como oficial subordinado, servi na fronteira noroeste. Era um trabalho exaustivo, acredite, manter aqueles afegãos dentro dos limites. Ninguém desejaria ser capturado por semelhantes pestes. Não é mesmo, Louise? — Como era óbvio, Louise não deu nenhuma resposta. Estava claro que ela não desejava prosseguir com aquele tipo de assunto. Billy Fawcett, no entanto, de maneira alguma pretendia desistir. — Depois da Índia — contou para Molly — decidi que não suportaria mais o frio. Achei que seria interessante experimentar a Riviera da Cornualha. Então, conhecendo Louise... foi como uma apresentação. Compreenda, os amigos escasseiam na volta à pátria, quando se fica tanto tempo fora dela.

— E sua esposa também pensa assim?

A frase o apanhou desprevenido, como era de esperar.

— O que disse?

— Sua esposa. Ela não se acostuma ao frio?

— Eu sou solteiro, minha cara. Nunca encontrei a pequena *mensahib* certa. Nos lugares em que lutei havia bem poucas moças bonitas.

— Entendo — disse Molly. — Acho que entendo.

— Bem, você deve saber tudo sobre os rigores do nosso Vasto Império. Onde é que seu marido presta serviço? Rangum, segundo disse Louise?

— Não. Colombo. Entretanto, meu marido tem agora um novo posto e estamos nos mudando para Cingapura.

— Hum-hum! O Comprido Bar, no Raffles Hotel... É a vida!

— Parece-me que iremos morar em uma casa na Rua Orchard.

— E você tem uma filha adolescente, não? A que virá passar os feriados com Louise? Estou ansioso por conhecê-la. Estamos precisando de um pouco de sangue jovem por aqui. Posso ser o seu guia local.

— Ela morou em Penmarron nos últimos quatro anos — replicou Molly friamente — de modo que dificilmente precisaria de um guia.

— Certo. Certo, não precisaria mesmo. — De couro duro, ele não parecia nem um pouco atingido com a leve secura de Molly. — Entretanto, sempre é bom ter um velho amigo para quem se voltar.

A simples idéia de Judith procurando Billy Fawcett por qual fosse o motivo deixou Molly tomada por uma sensação de profunda repugnância. Não estava gostando dele. Não havia uma razão palpável que pudesse apontar de imediato, reduzindo-se tudo a apenas uma instintiva antipatia. Com toda certeza aquele homem era totalmente inofensivo e, além disso, tratava-se de um velho amigo de Louise. Sem falar que Louise não era nenhuma tola, a quem se pudesse enganar sem dificuldade. No entanto, como podia ela aturar a companhia de tal indivíduo? Por que não o agarrava pelo pescoço e o expulsava de sua casa, como um cão que houvesse urinado em um tapete valioso?

> *Dr. Fell, eu não gosto de você.*
> *O motivo? Nem mesmo sei o porquê.*

De repente, a sala e o fogo da lareira a envolveram em opressivo calor. Podia sentir a quentura esgueirando-se por seu corpo acima, chegar às faces e colori-las de chamejante vermelho. Começou a suar levemente. Foi então que, de repente, não pôde mais suportar aquilo.

Havia terminado seu *sherry*. Puxando ostensivamente o punho da manga, consultou seu relógio de pulso.

— Peço que me desculpem por um momento. — Era imperioso sair dali, respirar ar puro, pois do contrário acabaria desmaiando. — Jess tem um sono tão inquieto... Vou dar uma olhada nela. — Levantou-se, virou as costas para eles. — ... Logo estarei de volta.

Misericordiosamente, Louise não percebera o seu forte rubor, a sua perturbação.

— Quando voltar — disse — tome mais um *sherry*.

Molly saiu e foi ao quarto que ocupava com Jess. A menina continuava dormindo. Não tinha se movido. Molly pegou um casaco grosso no guarda-roupa e o jogou em volta dos ombros. Saindo do quarto, desceu pela escada dos fundos e cruzou a sala de refeições, onde a mesa havia sido posta para duas pessoas — o seu jantar com Louise. No lado mais distante da sala, portas-janelas davam para um pequeno jardim cimentado e circundado por uma alta sebe de escalônias e, portanto, abrigado parcialmente dos ventos. Ali, Louise cultivava plantas carnudas e tomilho perfumado. Durante o verão costumava usar o pequeno terraço para drinques ao ar livre ou refeições informais. Molly correu as pesadas cortinas de veludo, abriu uma porta-janela e saiu. O vento imediatamente caiu sobre ela, sacudindo a porta envidraçada, de maneira que precisou esforçar-se para fechá-la novamente, antes que batesse e se fechasse sozinha, chamando a atenção. Então, virou-se para a escuridão e deixou que seu corpo ardente fosse envolvido pelo frio. Era como estar debaixo de uma ducha gelada, e ela encheu os pulmões com o ar puro e cortante, sentiu o cheiro do mar distante e pouco se importou com o vento que lhe desordenara os cabelos, jogando-os para trás da testa úmida de suor.

Agora estava melhor. Fechando os olhos, não se sentiu mais como se prestes a sufocar. Estava refrescada, calma, gelada. Abriu os olhos e fitou o céu. Uma meia-lua aparecia e desaparecia, quando nuvens negras corriam por sobre sua face. Mais além havia estrelas, o universo, espaço. Molly via-se reduzida a nada, um pontinho de humanidade e, de repente, sentiu um medo terrível, o antigo pânico da desorientação, de nulidade. Quem sou eu? Onde estou? Para onde vou e o que acontecerá, quando chegar lá? Ela sabia que este terror nada tinha a ver com a fúria daquela noite impetuosa. O vento e a escuridão eram elementos conhecidos e identificados, porém o medo e a apreensão não possuíam raízes em lugar algum, exceto dentro dela.

Estremeceu. Foi um *frisson* de puro terror. *Um fantasma passando sobre sua sepultura*, disse para si mesma. Agarrou o casaco grosso e o puxou para envolver-se, abrigando o peito. Tentou pensar em Judith, mas isso constituía o pior de tudo, porque era como recordar uma filha já morta, uma filha que nunca mais tornaria a ver.

Molly começou a chorar, era a mãe carpindo sua dor. As lágrimas lhe brotaram dos olhos, transbordaram e desceram pelo rosto, sendo secadas pelo vento forte à medida que deslizavam, salgadas, por suas faces. Chorar era uma liberação de sofrimento, e ela deixou que as lágrimas caíssem, não tentou estancá-las. Após alguns momentos, tudo havia terminado e o pânico passara; estava novamente controlada. Não fazia idéia de quanto tempo ficara ali, mas agora estava frio demais para continuar naquele lugar. Virando-se, tornou a entrar na casa, fechou a porta-janela, e cerrou de novo as cortinas. Voltou ao seu quarto pela escada dos fundos por onde havia descido, caminhando suavemente, para não fazer nenhum barulho. Pendurou o casaco e olhou para sua cama, ansiando mergulhar nela, ficar sozinha, dormir. Em vez disso, no entanto, lavou o rosto com uma flanela escaldante, passou pó e penteou os cabelos. Desta maneira, restaurada externamente, Molly voltou à sala.

Quando descia a escada, Louise olhou para cima.

— Oh, Molly... Por que demorou tanto?

— Fiquei com Jess.

— Está tudo bem?

— Sim, está — respondeu Molly. — Tudo perfeitamente bem.

O Regresso

Colégio Santa Úrsula

2 de fevereiro de 1936.

Queridos Mamãe e Papai,

O domingo é dia de escrever cartas, portanto, aqui estou eu, escrevendo uma. Tudo está correndo muito bem, e vou me adaptando. Os fins de semana são engraçados. Preparamos as lições nas manhãs de sábado, e à tarde praticamos jogos ao ar livre. Ontem tivemos netball — um jogo parecido com o basquete — ou então "derrube-a-lata". Nos domingos pela manhã vamos à igreja caminhando em fila, o que é entediante. Aliás, também a igreja é tediosa, pois temos que ficar de joelhos a todo instante. É uma igreja muito High Church* — eles usam incenso, e uma garota acabou desmaiando. Voltamos para o almoço do domingo, depois damos outra caminhada (como se precisássemos dela), em seguida escrevemos cartas — como agora — e então está na hora do chá. Depois do chá é interessante, porque vamos todas para a biblioteca, e a srta. Catto lê para nós em voz alta. Ela está lendo A Ilha das Ovelhas, escrito por John Buchan, livro muito excitante. Mal posso esperar para saber o que acontece.

As aulas vão bem e só estou atrasada em francês, porém venho tendo aulas de reforço. Fazemos ginástica nas terças-feiras, mas é difícil subir na corda. Rezamos todas as manhãs na ginástica e cantamos um hino. Temos bastante música e ouvimos discos clássicos na vitrola, uma vez por semana. Às sextas-feiras temos uma hora de Canto Comunitário, que é encantador. Cantamos músicas como Sweet Lass of Richmond Hill e Early One Morning.

A srta. Hornet é a responsável pela minha classe, e dá aulas de Inglês e História. É uma pessoa muito severa, e eu sou monitora do quadro-negro; tenho que manter o quadro-negro

---

* Grupo da Igreja Anglicana que mais se aproxima do catolicismo apostólico romano. (N. da T.)

limpo e providenciar para que haja uma quantidade suficiente de giz.

Estou em um dormitório com mais cinco garotas. A Inspetora não é nem um pouco gentil e, portanto, espero jamais ficar doente. Lembra-se da garota que comprava uniforme na mesma hora em que nós? Ela se chama Loveday Carey-Lewis e também está em meu dormitório, mas sua cama fica perto da janela, e a minha perto da porta. Na escola, ela é a única interna semanal. Está em uma classe abaixo da minha, e não conversamos muito, porque ela tem uma amiga que é aluna externa, chamada Vicky Payton, sua conhecida de antes de vir para cá.

Recebi cartas de tia Louise e tia Biddy. Phyllis também me mandou um cartão-postal. A metade do período letivo cairá em 6 de março, quando teremos quatro dias de folga. Será então que tia Louise pretende comprar a minha bicicleta.

Tem feito muito frio e chovido bastante. No colégio há partes aquecidas, porém a maioria dele é fria. O hóquei é o pior, por causa dos joelhos de fora e de não se poder usar luvas. Algumas garotas ficam com frieiras.

Meu presente de papai ainda não chegou. Espero que não tenha se extraviado ou que a sra. Southey tenha esquecido de despachá-lo.

Desejo que vocês estejam bem e que a viagem de navio tenha sido satisfatória. Olhei no mapa e encontrei Cingapura. Fica a quilômetros de distância.

Envio montanhas de amor para todos e para Jess.

Judith.

A garota líder do Santa Úrsula era uma robusta e magnífica criatura que atendia pelo deleitável nome de Deirdre Ledingham. Tinha comprido rabo-de-cavalo castanho e um busto esplêndido. Sua túnica verde-escura de ginástica era inteiramente decorada com insígnias de jogos e distintivos de vitórias. Corria o boato de que, quando deixasse o colégio, iria para a Escola Bedford de Treinamento Físico, a fim de tornar-se professora de Educação Física. Observá-la exercitando-se no cavalo de pau era uma visão para não ser esquecida. Além disso, era solista no coro, não sendo de admirar que fosse objeto de violentas paixonites entre as garotas menores e mais impressionáveis, as quais escreviam-lhe cartas de amor anônimas, em folhas rasgadas dos cadernos de exercícios, além de ficarem terrivelmente ruborizadas se, ao passar, ela lhes dirigia pelo menos uma palavra.

Suas obrigações eram muitas e variadas, mas ela aceitava as responsabilidades com grande seriedade: tocar sinetas, escoltar a srta. Catto às Preces Matinais, e organizar a longa e errante fila indiana das alunas que trotavam semanalmente para a igreja. Era ainda a encarregada da distribuição diária das cartas e encomendas que o furgão dos correios trazia para as internas. Este evento tinha lugar todos os dias, durante a meia hora vaga antes do almoço. Ela então se punha por trás de uma grande mesa de carvalho no saguão principal, à semelhança de uma competente balconista de loja, para em seguida ir fazendo a entrega dos envelopes e pacotes de encomendas.

— Emily Backhouse. Daphne Taylor. Daphne, é melhor você arrumar seu cabelo antes do almoço, porque está horrorosamente desgrenhado. Joan Betworthy. Judith Dunbar.

Um grande e pesado pacote, embrulhado em papel grosso, firmemente amarrado, etiquetado e emplastrado de selos estrangeiros.

— Judith Dunbar!

— Não está aqui — disse alguém.

— Onde está ela?

— Não sei.

— Bem, por que ela não está aqui? Alguém vá chamá-la. Não, não se preocupe. Quem está no dormitório dela?

— Eu estou.

Deirdre olhou para a garota que tinha falado, e viu Loveday Carey-Lewis no fim da aglomeração que se acotovelava perto da mesa. Franziu a testa. Desde o começo havia implicado com aquela caprichosa recém-chegada que, segundo decidira, era por demais arrogante e presunçosa. Já a surpreendera duas vezes às carreiras pelos corredores, um pecado cardeal, como também a flagrara chupando uma pastilha de hortelã no vestiário.

— Judith devia estar aqui.

— Não tenho culpa disso — replicou Loveday.

— Não seja insolente! — Uma pequena penalidade extra parecia estar na ordem do dia. — É melhor que leve isto para ela. Aproveite para dizer-lhe que deve comparecer à Entrega de Cartas todos os dias. O embrulho pesa bastante, então, cuidado para não o deixar cair.

— E onde vou encontrá-la?

— Não faço a menor idéia. Terá de procurar. Rosemary Castle. Uma carta para você...

Loveday adiantou-se e segurou o enorme pacote contra o peito ossudo. Era extremamente pesado. Segurando-o com todas as forças, ela se afastou da mesa e caminhou pelo assoalho encerado, cruzou o comprido refeitório e depois ganhou o corredor que levava às salas de aula. Foi primeiro à sala de Judith, porém estava vazia. Dando meia-volta, começou a subir a larga escada sem tapetes, rumo aos dormitórios.

Uma monitora vinha descendo.

— Céus, o que você tem aí?

— É para Judith Dunbar.

— Quem lhe disse para trazê-lo?

— Deirdre.

Loveday respondeu com insolência, salva pela certeza de que tinha a autoridade do seu lado. A monitora ficou embaraçada.

— Oh, então tudo bem, mas que nenhuma de vocês se atrase para o almoço.

Loveday mostrou a língua para a retaguarda da monitora que se afastava, e seguiu em frente. Sua carga ficava mais pesada a cada passo que dava. O que, afinal, podia haver ali dentro? Chegou ao patamar da escada, desceu por outro comprido corredor e finalmente alcançou a porta do dormitório. Empurrou-a com o ombro e entrou aos tropeções.

Judith estava lá, lavando as mãos na única pia que todas elas usavam.

— Finalmente a encontrei! — exclamou Loveday.

Deixou o pacote sobre a cama de Judith e, como que exausta, caiu ao lado dele. Seu súbito e inesperado aparecimento, entrando ali de repente, com um enorme pacote, o motivo para isto e o fato de que, pela primeira vez, elas duas estavam sozinhas, sem nenhuma outra pessoa de permeio, fizeram com que Judith fosse tomada por um doloroso e exasperante acanhamento. Desde aquele momento na Medways, quando pusera os olhos pela primeira vez nas Carey-Lewis, mãe e filha, achara Loveday simplesmente fascinante e ansiara travar conhecimento com ela. Assim, o aspecto mais decepcionante de suas duas primeiras semanas no Santa Úrsula havia sido o fato de que Loveday ignorara sua presença por completo, deixando-a com a triste convicção de sua tamanha nulidade, que a outra nem mesmo a reconhecera.

Ela tem uma amiga que é aluna externa, chamada Vicky Payton, havia escrito para sua mãe, porém a fria e breve frase fora cuidadosamente elaborada a fim de afastar suspeitas, já que seu natural orgulho não permitia que a mãe a considerasse ofendida ou perturbada pela indiferença de Loveday. Durante os momentos de folga e após os jogos, ela observara disfarçadamente Loveday e Vicky juntas, as duas bebendo seu leite de meia-manhã ou caminhando de volta à escola depois do hóquei, conversando, rindo e invejavelmente íntimas.

Não que Judith não tivesse amigas. A essa altura já conhecia todas as garotas de sua classe, bem como os nomes de todas em geral na Sala Comunal das alunas mais adiantadas. Entretanto, não havia ninguém especial, não uma amiga de verdade como Heather Warren, e ela não pretendia travar amizade com alguém que ocupasse um segundo lugar em sua afeição. Lembrava-se de seu pai dizendo: "Cuidado com o primeiro homem que falar com você em uma viagem P & O, porque certamente ele será o sujeito mais cacete do navio." Aquelas sábias palavras haviam permanecido em sua memória. Afinal de contas, um internato não era muito diferente, porque as pessoas se viam forçadas a aceitar a companhia de muitas outras com quem pouco tinham em comum, e separar o joio do trigo exigia um bocado de tempo.

Contudo, de certa forma obscura, Loveday Carey-Lewis era diferente. *Ela era especial.* E agora, ali estava ela!

— Fui incumbida de repreendê-la por você estar ausente da Entrega de Cartas.

— Eu estava enchendo minha caneta e sujei as mãos de tinta. Acontece que a tinta não quer sair.

— Experimente uma pedra-pomes.

— Fico arrepiada, esfregando aquilo na pele.

— Claro, é mesmo terrível, não? Enfim, Deirdre me disse para achar você e entregar-lhe isto. Pesa uma tonelada. Venha abrir, quero ver o que tem aí dentro.

Judith sacudiu a água das mãos, pegou uma toalha e começou a enxugá-las.

— Imagino que provavelmente seja o presente de Natal de meu pai para mim.

— Presente de Natal? Estamos em fevereiro.

— Eu sei. Foi há muito tempo. — Ela se juntou a Loveday na cama, com o enorme pacote entre as duas. Observou os selos, os carimbos postais e etiquetas alfandegárias. Sorriu. — Sim, não é outra coisa. Já estava pensando que nunca chegaria!

— Por que demorou tanto?

— Porque veio de Colombo. No Ceilão.

— Ele mora no Ceilão?

— Mora. Meu pai trabalha lá.

— E sua mãe?

— Faz pouco tempo que viajou para ficar com ele. Levou minha irmãzinha com ela.

— Quer dizer que você está *sozinha* de todo. Onde mora?

— Até agora, em lugar nenhum. Quero dizer, não temos uma casa neste país. Assim, fico hospedada com a tia Louise.

— E quem é ela, quando está em casa?

— Já lhe disse. Minha tia. Mora em Penmarron.

— Você não tem irmãos nem irmãs?

— Só tenho Jess.

— A que viajou com sua mãe?

— Ela mesma.

— Deus do céu, isso é terrível! Lamento por você. Eu não sabia. Quando a vi na loja...

— Quer dizer que você *me* viu?

— Sim, claro que vi. Pensa que sou cega?

— Não. Foi apenas por não ter falado comigo. Pensei que talvez não me tivesse reconhecido.

— Ora, você também não falou *comigo*.

Era a pura verdade. Judith tentou explicar.

— Bem, você está sempre com Vicky Payton. Pensei que fosse amiga dela.

— É claro que sou. Fizemos o jardim de infância juntas. Conheço-a há muito tempo.

— Pensei que você fosse a *melhor* amiga dela.

— Oh, melhores amigas! — zombou Loveday, o rosto inteligente animado pela diversão. — Você parece até personagem de um livro de Angela Brazil. Seja lá como for — observou — estamos nos falando agora; portanto, está tudo bem. — A mão dela pousou sobre o pacote. — Abra-o. Estou morrendo de curiosidade para ver o que há dentro dele, e já que transportei a carga o trajeto inteiro pela escada, o mínimo que você pode fazer é desembrulhar o pacote e me mostrar!

— Eu sei o que há no pacote. É o que pedi. Uma caixa de cedro com fechadura chinesa.

— Então, abra logo! Depressa! Antes que toquem o sino para o almoço e a gente tenha que descer.

Judith, no entanto, sabia que não poderia abrir precipitadamente o seu presente. Esperara tanto por ele, e agora que estava ali, ao alcance, desejava prolongar a excitação. Mais tarde, tão logo o abrisse, haveria tempo suficiente para examinar cada mínimo detalhe de sua nova e tão ansiada propriedade.

— Agora não há tempo. Abrirei mais tarde. Antes do jantar.

Loveday ficou exasperada.

— Oh, mas eu quero *ver*!

— Abriremos o pacote juntas. Prometo que não vou olhar sem você aqui. Trocaremos de roupa bem depressa para o jantar, e então teremos tempo de sobra. Vou levar séculos para rasgar toda essa papelada. Sei que levarei, basta olhar para o pacote. Vamos esperar. E será formidável ficar a tarde inteira esperando por essa hora.

— Oh, tudo bem. — Loveday fora convencida, mas evidentemente contra sua vontade. — Não sei como pode ter tanta força de vontade.

— É apenas para que a expectativa dure mais tempo.

— Tem um retrato de seu pai?

Ao perguntar, Loveday olhou para a cômoda de Judith, pintada de branco e idêntica a todas as outras cinco colocadas em torno do dormitório.

— Tenho, mas não é muito bom.

Ela apanhou o retrato e o entregou para Loveday examinar.

— É ele, o que está de shorts? Parece bem simpático. E esta é sua mãe? Sim, claro que é. Eu a reconheço, também. Por que Jess não está aqui?

— Porque ainda não tinha nascido. Ela só tem quatro anos. Papai nunca a viu.

— *Nunca* a viu? Não dá para acreditar! E o que ele irá dizer, quando puser os olhos nela? Ela o imaginará apenas outro homem, talvez um tio ou coisa assim. Você gostaria de ver minhas fotos?

— Oh, sim, por favor.

As duas abandonaram a cama e foram até a extremidade do dormitório que pertencia a Loveday, um local muito mais atraente e claro, por estar tão próximo dos janelões. O regulamento do colégio permitia que a aluna tivesse duas fotos, porém Loveday tinha seis.

— Está aqui é mamãe, absolutamente linda, em trajes de gala, com suas peles de raposa prateada. E este é papai... não ficou excelente? Foi tirada num dia em que caçava faisões, daí o motivo de ter uma arma. E ele está com Tiger — Tiger é o seu cão labrador. Veja, esta aqui é minha irmã Athena, e este é meu irmão Edward. Este aqui é Pekoe, o pequinês, e você também o conheceu, lá na loja.

Judith estava perplexa. Jamais imaginara que alguém pudesse ter um punhado de parentes tão belos, atraentes e glamourosos, todos dando a impressão de terem saído das acetinadas páginas de alguma revista da alta sociedade, como *The Tatler*.

— Que idade tem Athena?

— Ela está com dezoito anos. Teve sua Temporada Londrina o ano passado e depois foi à Suíça, aprender francês. Ainda está lá.

— Ela pretende ser professora de Francês ou coisa assim?

— Céus, não! Athena nunca trabalhou na vida.

— E o que irá fazer, quando voltar da Suíça?

— Ficar em Londres, provavelmente. Mamãe tem uma casinha em Cadogan Mews. E Athena conhece montes de rapazes, está sempre saindo para fins de semana e coisas assim.

Aquilo soava como uma invejável existência.

— Ela parece uma artista de cinema — disse Judith, um tanto pensativa.

— Sim, parece mesmo.

— E seu irmão?

— Edward? Tem dezesseis anos. Está em Harrow.

— Eu tenho um primo de dezesseis anos. Está em Dartmouth. Chama-se Ned. Sua... — Judith vacilou. — Sua mãe não parece velha o bastante para ter filhos quase adultos.

— Todo mundo diz isso. Chega a ser tedioso. — Loveday largou a última foto e depois, com um baque, sentou-se em sua cama estreita, coberta de branco. — Você gosta deste lugar? — perguntou subitamente.

— Como? Está falando do colégio? Acho legal.

— Você queria vir para cá?

— Não particularmente, mas tive que vir. Por causa do internato.

— Porque sua mãe ia embora?

Judith assentiu.

— Eu quis vir para cá — contou Loveday. — Porque queria ficar perto de casa. Em setembro passado, fui mandada para o lugar mais horrível no Hampshire, mas fiquei com tanta saudade, que levei semanas chorando, e então fugi de lá.

Judith já sabia disso, através do relato da funcionária da loja Medways, porém foi novamente tomada de admiração.

— Não consigo imaginar alguém tendo tanta coragem!

— Não foi bem coragem de minha parte. Eu apenas não podia mais suportar aquele lugar horrível, nem por um momento. Tinha de ir para casa. Fugir sempre parece muito difícil, mas na realidade é até bem fácil. Tive somente que tomar um ônibus para a estação de Winchester e depois um trem.

— Precisou trocar de plataformas?

— Oh, sim, duas vezes, mas bastava perguntar às pessoas. Então, quando cheguei a Penzance, liguei para mamãe de um telefone público e pedi que fosse me buscar. Chegando em casa, falei para ela que nunca, nunca mais tornasse a me mandar para tão longe de casa, e ela prometeu que não mandaria. Assim, vim para cá e, quando a srta. Catto soube de minha fuga, disse que eu podia ficar como interna semanal, porque não queria que isso se repetisse.

— Então... — Não havia mais tempo para que tão fascinante conversa prosseguisse, pois todo o prédio foi subitamente invadido pelo clangor do sino da escola, convocando-as para o almoço. — Oh, que droga, eu detesto isso! Odeio esse sino, e hoje é terça-feira, portanto, teremos passas e creme de leite na sobremesa. Vamos, é melhor a gente ir andando ou seremos repreendidas.

As duas desceram rapidamente, para se reunirem às colegas em suas respectivas salas de aula. Antes de se separarem, no entanto, houve tempo para uma última troca de palavras.

— Antes do jantar, no dormitório. Então, abriremos o pacote juntas.

— Mal posso esperar!

***

Depois disso, foi como se todo o colorido e formato do dia houvessem mudado miraculosamente. Judith já experimentara, em tempos passados, os entusiasmos e mudanças de ânimo que afetam toda criança, os súbitos e despropositados transportes de felicidade, até mesmo de êxtase. Isto agora, no entanto, era diferente. Um evento. Uma série de eventos. Seu presente de Natal finalmente tinha chegado e, por causa dele, tinha tido oportunidade de fazer amizade com Loveday Carey-Lewis, e ainda havia à sua espera o cerimonial do desembrulhar da caixa de cedro. À medida que a tarde progredia, seu contentamento acumulava outros prêmios inesperados, e era como se aquele dia houvesse sido encantado, nada nele podendo dar errado. Ao almoço, a sobremesa não constou de passas com creme de leite — que ela detestava — mas torta de baunilha com calda, o que era um petisco. Em seguida, no teste de verbos franceses, acertou oito dos dez apresentados, e quando chegou a hora de apanhar os apetrechos de jogo e encaminhar-se para os ventosos campos de hóquei, viu que a chuva cinzenta da manhã havia cessado. O céu estava claro, de um azul puríssimo. A brisa era perfeitamente suportável. E narcisos precoces, marginando os caminhos que levavam aos campos de jogos, começavam a desabrochar em plena floração amarela. Transbordante de energia física, ela até apreciou o hóquei, correndo para baixo e para cima, à medida que o jogo se movia para lá e para cá, e acertando a bola de couro com fácil precisão, sempre que a tinha em seu caminho. Saiu-se tão bem, que no fim do jogo mereceu um tapinha nas costas, dado pela srta. Fanshaw, a professora de jogos — uma dama robusta, de cabelos muito curtos, no estilo de Eton — conhecida por sua parcimônia em elogios.

— Trabalhou bem, Judith! Continue jogando assim, e vamos tê-la na equipe.

Depois disso foi a hora do chá, em seguida a preparação das lições e, por fim, o momento de trocar de roupa para o jantar. Ela voou escada acima, dois degraus de cada vez, entrou no dormitório, fechou as cortinas brancas de algodão do seu cubículo, e se livrou das roupas. Conseguiu até mesmo um banheiro livre, antes que qualquer outra garota chegasse à sua frente. Mesmo assim, quando retornou ao dormitório, já encontrou Loveday à sua espera, sentada em sua cama e enfiada no horrível vestido de gabardine verde, com gola e punhos brancos, que era o traje regulamentar de uso à noite.

— Poxa, você foi rápida! — exclamou Judith.

— Meu jogo foi apenas de *netball*, por isso não fiquei muito suada. Ande depressa e vista-se, para podermos começar. Trouxe minha tesoura, para cortar logo o barbante.

Judith se trocou o mais depressa que pôde, abotoando a frente do vestido enquanto enfiava os pés nos sapatos. Depois passou rapidamente uma escova pelos cabelos, amarrou-os para trás com uma fita, e estava pronta. Pegando a tesoura, cortou o barbante, mas depois precisou puxar com os dedos os grosseiros pontos que costuravam o rústico tecido de juta, para mantê-lo no lugar. Depois da juta havia uma camada de papel pardo, e em seguida uma outra, mais espessa, de papel de jornal, algo bastante excitante por si só, já que todos os jornais estavam cobertos por estranhas letras e caracteres orientais. Tudo cheirava a especiarias e a estrangeiro. O último envoltório era de lustroso papel branco, que foi rasgado e, por fim, revelado o presente de Natal. As duas ficaram caladas, contemplando-o.

Loveday rompeu o silêncio.

— É divina! — exclamou, as palavras exaladas como um satisfeito suspiro.

De fato era um lindo presente, mais esplêndido do que Judith imaginara ganhar. A madeira era cor de mel, lisa como cetim e toda intrincadamente lavrada. Sua aldraba ornamental era de prata, em formato de flor, e o fecho chinês deslizava para dentro dela como um pequeno cadeado. A chave para a fechadura estava presa à tampa da caixa, por uma tira de papel gomado. Loveday prontamente removeu a chave e a entregou a Judith, que a introduziu na lateral da fechadura, e uma mola oculta foi tocada e liberada, abrindo o cadeado. Judith ergueu a aldraba, levantou a tampa, e um espelho deslizou para a frente, mantendo a tampa aberta. A frente da caixa podia ser dividida, abrindo-se como asas e, desta maneira, revelando duas miniaturas de cômodas com gavetas. O cheiro de cedro impregnava o ambiente.

— Você *sabia* que ia ser assim? — perguntou Loveday.

— Mais ou menos. Minha mãe tinha uma em Colombo. Por isso pedi uma para mim. Entretanto, a dela *de maneira nenhuma* era tão bonita quanto esta.

Enquanto falava, abriu uma das pequeninas gavetas, que deslizou doce e suavemente, revelando juntas de encaixe e um cintilante acabamento interno em laca vermelha.

— Que lugar para guardar seus tesouros! E você poderá fechar com chave... Aí está o melhor. E pendurar a chave em torno do pescoço. Céus, você tem sorte... vamos fechar a caixa novamente, trancá-la, e depois vou experimentar com a chave...

Elas poderiam continuar brincando com a caixa indefinidamente, se a Inspetora não irrompesse no dormitório. Tinha ouvido as vozes e puxara as cortinas do cubículo com um gesto brusco e irritado. Muito assustadas, Judith e Loveday ergueram os olhos e a viram encarando-as fixamente, sua aparência em nada melhorada pelo véu de enfermeira que usava puxado para as sobrancelhas, como se fosse uma freira.

— O que fazem vocês duas, que tanto cochicham? Sabem muito bem que não é permitido ficarem juntas nos cubículos.

Judith abriu a boca para desculpar-se, porque a Inspetora a intimidava, porém Loveday não tinha medo de ninguém.

— Veja, Inspetora, não é uma beleza? O pai de Judith mandou para ela do Ceilão, como presente de Natal, mas o pacote levou séculos para chegar até aqui.

— E por que *você* está no cubículo de Judith?

— Eu estava apenas ajudando a abrir o pacote. Oh, veja! A caixa tem uma fechadura e gavetinhas que são um amor...

Exibindo os encantos do presente, Loveday abriu uma das gavetinhas para a Inspetora ver, mas fez isso de maneira tão insinuante, que a fúria da mulher abrandou-se ligeiramente. Ela chegou a dar um passo à frente, para poder observar melhor o objeto em cima da cama.

— Devo dizer — admitiu — que é uma caixa muito interessante. E também bonita. — Então, voltou às suas naturais maneiras prepotentes. — E onde vai guardá-la, Judith? Não há espaço suficiente em seu armário.

O problema ainda não ocorrera a Judith.

— Eu acho que... poderia levá-la para a casa de tia Louise, na metade do período letivo.

— A *senhora* não tem algum lugar seguro, Inspetora? — bajulou Loveday. — Na enfermaria ou algum outro lugar? Dentro de um daqueles armários... Só por enquanto?

— Bem, verei o que posso fazer. Talvez. Nesse meio tempo, arrumem toda essa bagunça e limpem tudo, antes que toque a sineta do jantar. Quanto a você, Loveday, volte para seu cubículo e não me deixe surpreender as duas juntas novamente.

— Claro, Inspetora. Sinto muito, Inspetora. E obrigada, Inspetora.

A fala de Loveday era tão doce, tão arrependida, que a Inspetora franziu o cenho. Por um momento, encarou desconfiadamente o rosto de Loveday, mas esta se limitou a sorrir e, após um instante, incapaz de encontrar mais algum motivo de queixa, a mulher deu meia-volta e se foi. As duas garotas mantiveram-se muito sérias, até ficarem certas de que não seriam ouvidas, e então entregaram-se a acessos incontroláveis de risadinhas sufocadas.

Colégio Santa Úrsula

Domingo, 9 de fevereiro

Queridos mamãe e papai,

Meu presente de Natal de papai chegou esta semana, e obrigada, muito obrigada, ele é exatamente o que eu desejava, e ainda melhor. Tive muito medo de que acabasse se extraviando. Não há lugar para guardá-lo, seja no meu cubículo ou no meu armário, de modo que a Inspetora o levou e guardou no fundo do armário da Cruz Vermelha. Suponho seja gentil da parte dela, porém não posso examiná-lo e orgulhar-me dele. Na metade do período letivo (29 de fevereiro) irei para a casa da tia Louise, e então levarei minha caixa comigo e a deixarei lá, no meu quarto. Obrigada mais uma vez, papai, eu realmente adorei seu presente.

E obrigada a você, mamãe, por sua carta posta no correio em Londres, pouco antes de viajar. Espero que esteja tendo uma boa viagem e que Jess se divirta no navio.

Loveday Carey-Lewis ajudou a abrir o pacote da minha caixa. Ela é realmente simpática. Também é rebelde, mas sempre consegue um jeito de levar a melhor, não ligando para o que lhe digam ou mandem fazer. Está aqui porque prefere ficar em uma escola perto de sua casa. A casa é chamada Nancherrow, e Loveday tem um pônei. Na Sala Comunitária das Calouras temos que fazer projetos destinados a obras benemerentes. Eu e Loveday estamos fazendo uma manta com retalhos. Não creio que ela fosse uma amiga especial de Vicky Payton — apenas as duas já eram conhecidas de antes daqui, e quando Vicky conversa conosco, nós somos gentis com ela. Vicky agora tem outra amiga que é externa, de modo que não deve preocupar-se com Loveday e eu.

Loveday tem uma irmã chamada Athena, que se encontra na Suíça, e um irmão chamado Edward, que está em Harrow. O pai dela tem um cachorro chamado Tiger.

Estou melhorando nos verbos franceses, e amanhã farei um teste, para participar do coro.

Montes de amor para vocês e para Jess, da

Judith

Na quarta-feira da semana seguinte, quando Judith compareceu obedientemente para recolher qualquer possível correspondência, Deirdre Ledingham comunicou-lhe que não havia nenhuma carta para ela, mas que a srta. Catto queria vê-la imediatamente, antes que o sino tocasse para o almoço.

O coração de Judith ficou imediatamente opresso e seu estômago começou a arder de medo. Estava também cônscia dos olhos voltados em sua direção, cheios de receio e uma espécie de relutante respeito, como se ela tivesse sido incrivelmente audaciosa e tivesse feito algo terrivelmente iníquo.

Judith fez um rápido exame de consciência, mas nada encontrou. Não correr no corredor, não conversar depois das luzes apagadas. Com uma certa acanhada coragem, conseguiu perguntar:

— Por que ela quer me ver?

— Não faço a menor idéia, mas você logo ficará sabendo. Agora vá, sem perda de tempo. Ela está em seu estúdio.

Aterrorizada, mas obediente, Judith saiu.

Em seu papel de diretora, a srta. Catto era uma influência sempre presente na escola, mas, mesmo assim, talvez deliberadamente, procurava manter-se distante das atividades rotineiras de seu colégio. Enquanto o resto da equipe se arranjava com quartos austeros e uma sala de funcionários sempre apinhada de professores, xícaras de chá e cadernos de exercícios, a srta. Catto tinha seus próprios aposentos no primeiro andar da parte antiga do prédio. Seu estúdio no térreo, entretanto, era o santuário dos santuários, o centro nervoso de tudo que estivesse acontecendo. Todos a tratavam com profundo respeito, e, quando ela surgia, com a saia negra flutuando ao caminhar, nas Preces Matinais ou no refeitório, durante as refeições, onde se sentava à mesa principal, o colégio inteiro ficava automaticamente silencioso e todos se punham de pé ao mesmo tempo.

Uma vez que ela lecionava apenas para as garotas mais adiantadas, também lidando com certificados colegiais ou matrículas, havia pouco ou nenhum contato pessoal com as alunas mais novas. Por seu turno, Judith falara com ela apenas uma vez, em seu primeiro dia, quando a srta. Catto havia dito seu nome, para recebê-la e dar-lhe as boas-vindas. Entretanto, como qualquer outra aluna do colégio, ela estava perpetuamente cônscia da diretora, como uma presença agigantada, observada à distância e constantemente lá.

Em vista disso, ser convocada era uma espécie de provação.

O estúdio da srta. Catto ficava no final do comprido corredor para o qual davam as várias salas de aula. A porta pintada de marrom estava fechada. De boca seca, Judith deu pancadinhas leves na madeira, com os nós dos dedos.

— Entre.

Ela abriu a porta. A srta. Catto estava sentada à sua mesa de trabalho. Erguendo o rosto, deixou de lado a caneta com que escrevia.

— Oh, Judith. Aproxime-se.

Judith fechou a porta ao entrar e avançou na sala. Era uma manhã ensolarada e o estúdio, que dava para o sul, com vista para os jardins, estava inundado de claridade. Havia um jarro de prímulas silvestres sobre a mesa da diretora e, atrás dela, pendurada à parede, uma tela a óleo de uma enseada e um mar cor de anil, com um bote sendo puxado para uma praia.

— Pegue uma cadeira e sente-se. E não precisa ficar com a fisionomia tão angustiada, porque não estou aborrecida com você. Queria apenas ter uma conversa. — Ela se recostou na cadeira. — Como está indo no colégio?

Apesar de sua elevada posição e pesadas responsabilidades, a srta. Catto era relativamente jovem, não tendo ainda chegado aos quarenta anos. Possuía uma pele viçosa, assim como a flexível desenvoltura da mulher que só se sente de todo relaxada quando praticando exercícios ao ar livre. Os cabelos, ligeiramente grisalhos, eram repuxados da testa lisa e presos em um coque despretensioso. Tinha pupilas azuis e límpidas, o olhar penetrante capaz de encantar ou intimidar, dependendo das circunstâncias da entrevista. Por baixo da beca, usava um casaco azul-escuro, bem como um conjunto de saia e blusa de seda, a qual exibia um laço junto à garganta. Suas mãos hábeis não tinham anéis, mas havia uma pérola em cada orelha e um broche, também de pérola, como um alfinete de gravata masculino espetado na lapela.

Tendo encontrado uma cadeira, Judith sentou-se e encarou a diretora.

— Estou indo muito bem, obrigada, srta. Catto.

— Vem obtendo notas bastante satisfatórias, e estou contente com o seu trabalho.

— Obrigada, srta. Catto.

A srta. Catto sorriu, a expressão severa modificando-se para outra de sincera simpatia.

— Recebeu notícias de sua mãe?

— Sim, recebi uma carta que foi postada em Gibraltar.

— Tudo bem com ela?

— Suponho que sim.

— Fico satisfeita em saber. Agora, vamos à nossa conversa. Você parece ter feito amizade com Loveday Carey-Lewis.

(Será que nada escapava àquela mulher?)

— Sim, fiz.

— Eu tinha a impressão de que vocês duas pudessem travar amizade, daí o motivo de ter dito à Inspetora para colocá-las no mesmo dormitório. Acontece que a sra. Carey-Lewis telefonou para mim porque, aparentemente, Loveday quer levar você à casa dela, para um fim de semana. Ela lhe disse alguma coisa sobre este plano?

— Não. Sequer uma palavra.

— Boa menina... A mãe a fez prometer que nada diria, enquanto ela não tivesse falado comigo. Você gostaria de ir?

— Se eu gostaria...? — Judith mal podia crer no que ouvira. — Oh, srta. Catto, eu *adoraria*!

— Muito bem, mas você deverá compreender que se eu lhe der permissão para ir, isso lhe será um grande privilégio porque, oficialmente, a metade do período letivo é o único fim de semana em que as internas podem deixar o colégio. Em vista das circunstâncias, no entanto, com sua mãe fora do país, creio que uma saída seria benéfica para você.

— Oh, obrigada!

— Você irá com Loveday na manhã de sábado, voltando para cá, com ela, ao anoitecer do domingo. Além disso, telefonarei para sua tia Louise, uma vez que é a sua guardiã legal, pois ela deverá estar a par de tudo o que você faz.

— Tenho certeza de que ela não seria contra.

— Eu também, mas é importante e polido observarmos as formalidades. — Seu sorriso a estava dispensando. A srta. Catto ficou em pé e Judith, apressada e desajeitadamente, fez o mesmo. — Então, está combinado. Telefonarei para a sra. Carey-Lewis, comunicando-lhe o que ficou acertado. Agora vá, encontre Loveday e comunique-lhe as boas-novas.

— Sim, srta. Catto, e muito, muitíssimo obrigada...

— Lembre-se — e a srta. Catto levantou a voz — de não correr pelo corredor.

Ela finalmente encontrou Loveday em sua sala de aula, esperando, com o resto da turma, que soasse o sino para o almoço.

— Loveday, sua fingida! Sua hipócrita!

Loveday, no entanto, quando viu o rosto vermelho e extasiado de Judith, teve um acesso de riso.

— A Gata-catto *deixou*! — As duas abraçaram-se apertadamente, começando a dar pulos no que parecia uma selvagem dança guerreira de satisfação e euforia. — Ela deixou! Nunca pensei que fosse deixar!

— E você nunca me *contou* que tinha pedido para sua mãe!

— Prometi não contar porque tínhamos medo de que a srta. Catto recusasse permissão, deixando-nos com a mais horrível decepção deste mundo. Eu chegava a me sentir *explodindo* por guardar o segredo. Foi idéia de mamãe. Falei a ela sobre você, e ela disse "Traga Judith para casa". Respondi que você não teria permissão, mas ela respondeu, "Deixe comigo!" Então, eu deixei. E deu certo. As coisas sempre dão certo com mamãe. Papai vive dizendo que ela é a mulher mais persuasiva do mundo. Oh, vai ser divertido! Mal posso esperar para mostrar tudo a você. Mal posso esperar... Por que ficou tão triste de repente?

— Acabei de lembrar que não tenho roupas para vestir em sua casa. Todas as minhas coisas estão na tia Louise.

— Oh, céus, qual é o problema? Pode usar as minhas!

— Você é mais magra e mais baixa do que eu.

— Então poderá vestir as de Athena. Ou as de Edward. Não tem importância a aparência com que ficar. E eu vou lhe mostrar...

Não houve tempo para dizer mais nada, porque soou o sino do almoço.

— A melhor coisa quando se vai para casa — disse Loveday, em sua voz alta e convincente — é que lá a gente não tem nenhum maldito sino tocando.

Tais palavras valeram-lhe um ponto negativo de sua chocada monitora de turma, fazendo com que Loveday recuperasse seu estado costumeiro de insolentes risadinhas.

Elas deveriam partir às dez da manhã; já estavam vestidas, de maletas arrumadas e prontas para sair, quando Loveday teve uma de suas brilhantes idéias.

— A sua caixa de cedro!

— O que tem ela?

— Vamos levá-la conosco. Então, podemos mostrá-la para mamãe. Judith ficou duvidosa.

— Bem, mas... acha que ela vai querer vê-la?

— Oh, não seja tola, é claro que vai querer! Contei tudo a ela sobre a caixa.

— A Inspetora ficará furiosa.

— Não há motivo nenhum para que fique furiosa. Pelo contrário, ficará até contente por se ver livre de uma coisa que atravanca seus armários. De qualquer modo, não interessa se ela vai ou não ficar furiosa. Eu irei, se você quiser...

Por fim, foram as duas. Encontraram a Inspetora na enfermaria, medicando uma criança magricela com uma melosa colherada de extrato de malte. Como já era de esperar, a mulher não ficou nem um pouco satisfeita ao vê-las.

— Vocês duas ainda estão aqui? — Ela não aprovara a idéia da srta. Catto em esquecer os regulamentos e permitir a saída de Judith pelo fim de semana, tendo deixado isso perfeitamente claro, desde o momento em que foi informada do plano. — Pensei que, a esta altura, já estivessem longe daqui.

— Já estávamos de partida, Inspetora — explicou Loveday, em sua maneira apaziguadora — quando de repente pensamos em levar conosco a caixa de Judith. Assim, ela não ficará mais ocupando lugar em seu armário — acrescentou, ardilosamente.

— Para que querem levar a caixa?

— Mamãe está ansiosa por vê-la. E eu tenho algumas conchas que queremos colocar naquelas gavetinhas.

— Oh, tudo bem. Podem apanhá-la no fundo do armário da Cruz Vermelha. E, por favor, não a tragam de volta, porque eu realmente não tenho espaço disponível para tantas coisas extras. Ora, vamos, Jennifer, pare de fingir que vai se sentir mal. Isto é apenas malte e faz muito bem a você.

As duas recolheram a caixa em seu esconderijo, despediram-se da

Inspetora e afastaram-se depressa, Judith carregando seu novo tesouro, e Loveday com uma maleta de viagem em cada mão. Desceram a escada, em seguida o comprido corredor, caminhando o mais rapidamente que podiam, mas sem que de fato chegassem a correr. Atravessaram o refeitório, depois o saguão...

Deirdre Ledingham estava pregando listas de jogos no quadro de avisos forrado de baeta verde.

— Para onde estão indo? — perguntou, em tom autoritário.

— Para casa — respondeu Loveday.

Sem esperar resposta, a menina disparou pela porta aberta e pela escada de pedra, deixando a garota-líder boquiaberta.

Era um dia maravilhoso, um verdadeiro sábado, frio e ventoso, com enormes nuvens brancas deslizando pelo céu de puro azul. O carro dos Carey-Lewis já estava lá, estacionado na alameda de cascalho, com a sra. Carey-Lewis atrás do volante, esperando-as com Pekoe, o pequinês, sentado ao seu lado, no banco do passageiro.

O carro, em si, já era magnífico o suficiente: um Bentley novo, azul-marinho, com um longo e reluzente capô e enormes faróis dianteiros prateados. A despeito do ar frio, a sra. Carey-Lewis tinha arriado a capota. Ela usava um casaco de peles e enrolara uma vistosa echarpe de seda em torno da cabeça, para impedir que o vento lhe jogasse os cabelos nos olhos.

A sra. Carey-Lewis levantou um braço quando elas surgiram.

— Oh, finalmente, queridas! Pensei que nunca mais chegariam. Estão cinco minutos atrasadas.

— Fomos apanhar a caixa de Judith. Mamãe, esta é Judith.

— Olá, Judith, é um prazer ver você. Céus, isto parece pesado! Coloquem tudo no banco traseiro, e então você, Loveday, irá aí atrás com Pekoe, para que Judith se sente perto de mim. Que maravilhosa manhã! Não pude resistir e arriei a capota, porque tudo está com um aroma tão delicioso! Pekoe, nada de birra! Você sabe que adora sentar no banco de trás. Segure-o bem, Loveday, pois, do contrário, se ele avistar uma ovelha, uma vaca ou qualquer outra coisa, vai querer correr atrás. Agora, já que estamos todos instalados...

Sem mais palavras, ela ligou a ignição, o potente motor ronronou, e partiram. Judith recostou-se no assento de couro estofado e soltou um grande, secreto suspiro de prazer, porque nos poucos dias anteriores tinha vivido com certa apreensão de que alguma coisa... qualquer coisa... poderia acontecer para interromper os planos dela e de Loveday. Entretanto, nada acontecera, e tudo estava bem. Cruzaram os portões, ganharam a estrada e o colégio Santa Úrsula desapareceu, fundiu-se ao passado, atrás delas.

Loveday tagarelava.

— Resolvemos trazer a caixa no último momento, e a Inspetora ficou lívida, não foi, Judith? Não sei por que motivo é tão mal-humorada o tempo todo, e não sei por que ela não pode ser como Mary. Acho que não gosta muito de mim e de Judith, não é, Judith? Mamãe, quem vai estar lá em casa este fim de semana? Alguém excitante?

— Na realidade, ninguém. Apenas Tommy Mortimer, chegado de Londres.

— Oh, *ho*! — O tom de Loveday era malicioso. Deu palmadinhas no ombro da mãe. — Tommy *Mortimer*. É o namorado de mamãe — explicou para Judith. — Costuma trazer para ela deliciosos bombons da Harrods.

— Está sendo ridícula, Loveday. — Sua mãe, entretanto, não parecia nem um pouco aborrecida, apenas divertida. — Não deve acreditar numa só palavra do que diz esta menina, Judith. Aliás, com certeza já descobriu isso por si mesma.

— Estou dizendo a pura verdade e você sabe disso. Athena falou que ele persegue você há anos, daí o motivo de nunca se ter casado.

— Athena fala ainda mais tolices do que você.

— Recebeu carta dela?

— Oh, querida, que pergunta boba. Sabe que sua irmã é um horror com cartas. O que recebemos foram uns rabiscos de Edward, para contar-nos que participará da segunda dupla no tênis. E Jeremy Wells apareceu esta manhã. Papai o convidou. Ele, papai e Tommy sumiram na floresta, para abater pombos.

— Jeremy... Oh, poxa, eu não o vejo há séculos. — Gentilmente, ela explicou para Judith. — Ele é legal. Já foi preceptor de Edward, quando Edward se preparava para entrar em Harrow. Também é uma espécie de namorado de Athena. Costumava levá-la a festas, quando ela estava com uns dezesseis anos. O pai dele é nosso médico. E papai simplesmente adora Jeremy, porque ele é terrivelmente bom no rúgbi e no críquete. Além disso, é o capitão da equipe do condado.

— Oh, meu bem, seu pai não gosta dele somente por esses motivos.

— Afinal, ele sempre vai ao Twickenham, quando a Cornualha está jogando, e ao Lords no verão. Além disso, vive dizendo que Jeremy é um *atirador* maravilhoso, e quantos faisões abateu.

Diana Carey-Lewis riu pesarosamente.

— Isso lá é verdade — admitiu — mas ainda acho que na amizade deles há mais do que apenas fulminar qualquer coisa que voe...

Judith parou de ouvir. Começava a ficar nervosa, porque eram muitos os nomes comentados. Tanta gente e tantos acontecimentos — além de tudo aquilo ser tão casual, tão mundano, tão infinitamente alheio a qualquer coisa que já houvesse experimentado antes... Esperava que, durante os dois dias seguintes, fosse capaz de enfrentar toda atividade social, sem cometer gafes e ignorados erros crassos capazes de embaraçar os demais, especialmente ela própria. Quanto a Loveday, nunca ouvira filha alguma falar com a mãe dessa maneira, fazendo mexericos como se fossem contemporâneas e espicaçando-a com aquela história de seu namorado. Tommy Mortimer. Ele, mais do que ninguém já mencionado, era uma fonte de pasmo. As mães que Judith conhecia, de maneira alguma tinham namorados ou, se os tivessem, mantinham o fato em absoluto sigilo. No entanto, parecia que a sra. Carey-Lewis não se sentia nem um pouco envergonhada — antes, até orgulhosa — do cavalheiro seu admirador. Não se importava se a família inteira... que, presumivelmente, incluía seu marido... soubesse de tudo, até ficando feliz por todos eles discutirem seu pequeno caso e o tratarem como uma grande piada.

Judith acabou achando que tudo aquilo ia ser muitíssimo interessante.

A essa altura já tinham deixado a cidade para trás, atravessado uma pequena aldeia pesqueira e subido a íngreme colina que dava para as terras vazias mais além. A estrada estreita serpenteava e se torcia, seguindo os irracionais contornos dos meandros de muros de pedra e as divisas irregulares de fazendas, cujas edificações podiam ser vislumbradas, com seus tetos baixos e antigos, atabalhoadamente amontoadas contra o vento. Ladeiras suaves, coroadas por marcos de pedra granítica, desciam para o litoral e os penhascos, diretas ao mar cintilante e pontilhado de sol. Muito longe, no mar, pequeninos barcos de pesca empinavam-se nas vagas e, mais acima, gaivotas espiando um homem que arava atrás de um cavalo, precipitavam-se, grasnavam e pairavam, esperando atacar a terra pouco antes revolvida.

Aquela era uma região bem diferente da que ficava no outro lado da Cornualha.

— É muito bonita — disse Judith.

A sra. Carey-Lewis sorriu.

— Nunca passou antes por esta estrada?

— Não. Nunca. Não tão longe assim.

— Não fica muito distante de Penmarron. Na Cornualha, nenhum lugar fica muito longe um do outro.

— Fica, se não tivermos um carro.

— Sua mãe não tinha um carro?

— Tinha. Um Austin Seven, mas como ela não gostava muito de dirigir, geralmente íamos de trem para Porthkerris.

— Oh, que lástima! Ela não gostava de dirigir?

— Não. Ficava muito nervosa. Dizia que era porque, em Colombo, sempre tivera motorista. Na verdade, uma grande bobagem dela, porque conseguia dirigir perfeitamente bem. Apenas achava que não podia.

— De que adianta ter um carro — observou Loveday — se você nunca dirige?

Judith pensou que talvez tivesse sido desleal, que não deveria criticar sua mãe ausente.

— De qualquer modo, antes assim do que como minha tia Louise, que dirige seu Rover a cento e sessenta por hora, e geralmente pelo lado errado da estrada. Mamãe tinha pavor de ir a qualquer lugar junto com ela.

— Acho que eu também sentiria medo — disse a sra. Carey-Lewis.

— Quem é tia Louise?

— É irmã do meu pai. Enquanto minha mãe estiver fora, é com ela que vou passar as férias e feriados. Tia Louise mora em Penmarron.

— Espero que ela não dirija a cento e sessenta por hora, tendo *você* como companhia.

— Oh, não... Ela vai comprar uma bicicleta para mim.

— Uma dama sensata. Entretanto, é uma pena que sua mãe não

gostasse de dirigir, porque há inúmeras enseadas e praias divinas nesta parte da Cornualha, que só podem ser descobertas para quem tenha carro. De qualquer modo, não se preocupe, *nós* vamos mostrá-las a você. Nosso divertimento será ainda maior, uma vez que você nunca as viu antes.

A sra. Carey-Lewis ficou silenciosa por um momento. Depois perguntou:

— Como é que você chama sua mãe?

Judith achou a pergunta bastante curiosa.

— Mamãe.

— E como irá me chamar?

— Sra. Carey-Lewis.

— Muito correto e apropriado. Meu marido aprovaria. Entretanto, posso lhe dizer uma coisa? Eu simplesmente odeio ser chamada de sra. Carey-Lewis. Sempre me fica a impressão de que as pessoas estão falando com minha sogra, que era velha como Deus e duas vezes mais amedrontadora do que ele. Atualmente já é falecida, graças a Deus, e então, pelo menos, a gente não tem que se preocupar com *ela*. — Judith não conseguia pensar em absolutamente nada para dizer a respeito, mas isso não fazia qualquer diferença, porque a sra. Carey-Lewis continuou falando: — Na realidade, só gosto que me chamem de Diana, Querida ou Mamãe. Como não sou sua mãe e Querida soa um pouco afetado, acho melhor que me chame de Diana.

Virando o rosto, ela sorriu para Judith, que reparou então que o vivo tom azul da echarpe que a mãe de Loveday pusera na cabeça combinava exatamente com a cor de seus olhos. Perguntou-se se a sra. Carey-Lewis sabia disso e se, sabendo, apanhara-a deliberadamente em alguma gaveta, para usá-la daquela maneira.

— E a senhora não se importaria?

— De maneira alguma, até prefiro. Também quero que me trate por "você", e será mais fácil começando logo agora. Se continuar a chamar-me de sra. Carey-Lewis, verá depois que é impossível mudar para Diana. Creio que eu não suportaria isso.

— Nunca tratei antes nenhum adulto por seu nome de batismo.

— Ridículo, não? Todos recebemos nomes adoráveis de batismo, portanto, devemos usá-los. Mary Millyway, a quem irá conhecer, é a ama de Loveday — ou, pelo menos, *foi*, quando Loveday era bebê.

Entretanto, nunca a chamamos de *Nanny* — "Ama" — porque Mary é um nome muito bonito. Seja como for, detesto essa palavra, *nanny*. Evoca imagens das mais tediosas mães. — Ela passou a usar uma falsa voz de classe superior, mas em perfeita imitação: — "Nanny fica louquíssima, porque deixo Lucinda acordada após sua hora de dormir." Hum, nauseante! Portanto, vamos começar já o que pretendemos continuar. Diga meu nome agora, em voz alta.

— Diana.

— Grite-o para o mundo.

— Diana!

— Melhorou bastante. Agora, vamos gritar o mais alto que pudermos. Um, dois, três, todas juntas...

— DIANA!

Suas vozes espalharam-se na distância, subiram ao céu, foram levadas pelo vento. A fita cinzenta da estrada desenrolava-se diante delas, e as três davam risadas.

Após uns quinze quilômetros mais, o cenário tornou a modificar-se abruptamente, e elas penetraram em um distrito de riachos correntes e profundos vales cobertos de vegetação. Rosemullion jazia ao pé de um destes, um amontoado de chalés caiados de branco, um pátio de fazenda, um *pub* e uma igreja antiga de torre quadrada, circundada por lousas de sepulturas inclinadas pela idade e amareladas pelos liquens. Uma ponte encurvada cruzava um riacho de águas que corriam suavemente, e a estrada prosseguia, íngreme, subindo novamente. No alto da colina nivelava-se, e surgia ao longe um pórtico imponente, de muros encurvados abrigando altos portões de ferro forjado, estes abertos e emoldurando a perspectiva de uma comprida alameda arborizada, que depois fazia uma curva e se perdia na distância. Diana trocou de marcha, e o Bentley deslizou através da entrada.

— É aqui? — perguntou Judith.

— Sim, é aqui. Nancherrow.

Enquanto a estrada se estirava, torcendo-se, virando-se e nunca parecendo chegar a algum lugar, Judith permaneceu em silêncio. De repente, tudo era um pouco assustador, remoto e impressionante. Nunca vira antes uma alameda de tal comprimento no início de uma propriedade, e começou a suspeitar de que Nancherrow não fosse uma casa em absoluto, mas sim um castelo, talvez possuindo seus próprios fosso, ponte levadiça e até mesmo um fantasma sem cabeça. Naquele momento, sentia-se tomada de ansiosa apreensão ante o desconhecido.

— Está nervosa? — perguntou Diana. — Costumamos dar a isso o nome de "febre da avenida". Eu me refiro a essa espécie de depressão, sentida quando estamos chegando a algum lugar novo.

Judith perguntou-se se ela era capaz de ler pensamentos, além de tudo o mais.

— Bem, é uma alameda muito comprida.

— Como imagina que será a aparência final? — Ela riu. — Não se preocupe, nada existe de amedrontador. Não há fantasmas. Todos foram incinerados, quando a casa antiga incendiou-se, em 1910. Meu sogro apenas deu de ombros e construiu outra, muito maior e muito mais confortável. Foi um alívio — disse ela, sorrindo — porque temos o melhor dos dois mundos e nenhum fantasma ou passagem secreta na casa. É apenas o lar mais encantador, e todos o adoramos.

Quando finalmente chegaram a Nancherrow, Judith entendeu exatamente o que ela queria dizer. Foi um encontro súbito, abrupto. As árvores circundantes rarearam e ficaram para trás, o sol ventoso voltou a brilhar e a estrada descreveu uma última curva, revelando a casa. Havia sido edificada em granito do lugar e possuía telhado de ardósia, como qualquer casa de fazenda tradicional, exibindo compridas janelas nos dois pavimentos e uma linha de águas-furtadas acima delas. Ficava recuada, além de possuir um amplo caminho para veículos forrado de pálidos seixos marinhos, e sua parede leste era suavizada por clematites e roseiras-trepadeiras. A porta principal incrustava-se na torre redonda, encastelada no topo como uma fortaleza normanda. Por todos os lados estendiam-se gramados verdejantes, pontilhados de maciços de arbustos e terrenos arborizados, canteiros de flores ornamentais e tapetes de narcisos e crocos, amarelos e purpúreos. No lado sul, que era para onde dava a fachada da casa, esses gramados assumiam a forma de terraços, divididos por lances de degraus de pedra. À distância, era possível vislumbrar-se o horizonte azul e o mar.

Ainda assim, apesar de todo o seu esplendor, nada daquilo era assoberbante ou amedrontador, em nenhum sentido. Desde aquele primeiro momento, Judith apaixonou-se por Nancherrow, imediatamente sentindo que compreendia Loveday muito melhor. Isto porque agora sabia com certeza por que motivo ela havia fugido da escola no

Hampshire, encontrara o caminho de volta para este lugar mágico e fizera a mãe prometer que nunca, jamais tornaria a enviá-la para longe.

O Bentley fez alto dignamente diante da porta principal, e Diana desligou o motor.

— Bem, aqui estamos, minhas crianças, sãs e salvas!

Elas desceram, recolhendo suas posses, e caminharam para a entrada, com Pekoe encabeçando imponentemente a fila e Judith, sobrecarregada com sua caixa de cedro, seguindo à retaguarda. Subiram um lance de escada de pedra, cruzaram um pórtico circular pavimentado de lajes e depois portas internas envidraçadas, dando para o saguão central que jazia além. Tudo parecia incrivelmente grande e espaçoso, mas a despeito do tamanho e das proporções generosas, os tetos não eram demasiadamente altos. Assim, a impressão imediata era a de uma casa campestre, uma residência familiar, amistosa e sem pretensões. Imediatamente Judith se sentiu muito mais à vontade, em casa.

As paredes do saguão eram apaineladas em madeira natural, e pelo assoalho de tábuas enceradas, estavam espalhados gastos e desbotados tapetes persas. A ampla escadaria, espessamente acarpetada, subia para o patamar superior em três lances retos, e a claridade do sol infiltrava-se através do amplo vitral da escada, encortinado em dobras de pesado brocado de seda amarela. No meio do saguão havia uma mesa redonda de pedestal, sobre a qual pousava uma lustrosa terrina repleta de narcisos brancos, desabrochados à noite. Viam-se também ali um Livro de Visitantes com surrada encadernação de couro, uma ou duas coleiras para cães, as luvas de alguém e uma pilha de correspondência. No lado oposto da escadaria ficava a lareira, de platibanda muito esculpida e ornamentada. Em seu bojo jazia uma camada de cinza, porém Judith adivinhava que um ou dois troncos secos e uma lufada de vento dos foles logo fariam o fogo renascer para a vida chamejante.

Enquanto ela olhava em torno, captando tudo quanto via, Diana parou junto à mesa, desatou a echarpe de seda e enfiou-a no bolso do casaco.

— Muito bem, Loveday, agora vá, e cuide de Judith. Creio que Mary está no quarto de brinquedos. Os rapazes virão almoçar às onze, portanto, não se atrase. Esteja na sala de estar quinze minutos antes. — Em seguida, ela recolheu as cartas à sua frente e começou a afastar-se, cruzando o amplo saguão adornado por encantadoras peças polidas de mobiliário antigo, gigantescos vasos de porcelana e espelhos enfeitados. Pekoe a seguiu, junto a seus elegantes calcanhares em saltos altos. Um lânguido aceno de mão foi a despedida de Diana: — E não se esqueça de lavar as mãos...

As duas ficaram vendo Diana afastar-se. Judith a observava àquele dia na loja, ao vê-la pela primeira vez, obscuramente fascinada, parecendo enraizada no chão, de algum modo não querendo afastar os olhos. As duas permaneceram ali, até Diana alcançar a porta fechada na extremidade oposta do corredor, abri-la para um clarão de sol e desaparecer.

A saída dela, súbita, oferecia um interessante vislumbre no relacionamento das Carey-Lewis, mãe-e-filha. Loveday podia demonstrar uma íntima familiaridade e falar com a mãe como se fossem irmãs, porém o privilégio exigia seu preço. Se ela fosse tratada como contemporânea, então esperava-se um comportamento adulto de sua parte, a responsabilidade social por sua própria convidada. Esta parecia ser a norma, e Loveday a aceitava, tranqüilamente e sem discutir.

— Ela foi ler suas cartas — explicou a garota, sem necessidade. — Venha, vamos procurar Mary.

Ao falar, encaminhou-se para a escada, carregando as maletas de ambas. Judith a seguiu em passo mais vagaroso, sobrecarregada pelo peso da caixa, que começava a ficar bastante incômodo. No alto da escada havia outro comprido corredor, réplica daquele do andar de baixo, por onde Diana fizera sua pomposa saída. Loveday começou a correr de repente, as maletas batendo contra suas pernas magricelas.

— Mary!

— Estou aqui, benzinho!

Judith pouca experiência tinha de babás inglesas ou dos ingleses quartos de brinquedos para crianças. Já vira babás na praia, em Porthkerris, senhoras robustas e autoritárias, em grossos vestidos de algodão, enchapeladas e de meias compridas mesmo no tempo mais calorento, tricotando e constantemente sugerindo a seus tutelados que entrassem no mar ou saíssem dele, que pusessem um chapéu contra o sol, comessem um biscoito de gengibre ou se afastassem daquela criança desagradável, que podia estar com algo contagioso. Entretanto, para sorte sua, nunca tivera muito a ver com qualquer delas.

Quanto aos quartos de brinquedos, a expressão não evocava nada mais excitante do que o quarto-enfermaria no Santa Úrsula, com seu piso de linóleo marrom, janelas sem cortinas e um estranho cheiro, mescla de menta e canela.

Conseqüentemente, entrou na sala de brinquedos de Nancherrow com certa dose de trepidação, prontamente dissipada ao constatar que todas as suas preconcebidas idéias eram de todo enganosas. Aquilo ali nada tinha de quarto para doentes ou de enfermaria. Era uma grande e ensolarada sala de estar, com uma enorme janela de sacada e um assento-janela que ocupava boa parte da parede sul, permitindo uma ampla visão do jardim e aquele distante e sedutor panorama do horizonte cintilante.

O aposento tinha uma lareira aberta e estantes entulhadas de livros, sofás e poltronas adequados, com coberturas floridas, um grosso tapete turco e uma mesa redonda com uma resistente toalha de fundo azul, estampada com pássaros e folhagens. Havia mais delícias à vista. Quadros alegres, um rádio em cima da mesa perto da lareira, uma vitrola portátil e uma pilha de discos, uma cesta com apetrechos de tricô e um monte de revistas. As únicas concessões à vida de um quarto de brinquedos eram o alto guarda-fogo com o topo em latão polido, um surrado cavalo de balanço sem a cauda e uma tábua de passar roupas.

A tábua de passar estava montada, e Mary Millyway estivera trabalhando duro nela. No chão havia uma cesta de vime cheia de roupa lavada, uma pilha de peças meticulosamente passadas repousava em cima da mesa e, sobre a tábua, Judith viu uma camisa azul já passada pela metade. Havia no ar aquele cheiro bom e tranqüilizante de algodão recém-passado, fazendo-a recordar a cozinha em Riverview House e, em conseqüência, Phyllis. Então sorriu, porque aquilo era um pouco como chegar em casa.

— Bem, aí está você...

Mary largou o ferro de passar, abandonou a camisa e abriu os braços para Loveday que, deixando as maletas caírem sobre o tapete, atirou-se neles para um forte abraço. Foi levantada do chão como se tivesse o peso de uma pluma, e sacudida de um lado para outro, como o pêndulo de um relógio.

— Minha menina levada...

Um beijo foi impresso no topo da anelada cabeça castanha de Loveday, e então Mary a depositou no chão, com um baque, quando Judith cruzou a porta.

— Oh, então esta é a sua amiga! Carregada como uma mula! O que é isso que está trazendo?

— É a minha caixa de cedro.

— Dá a impressão de pesar uma tonelada. Deixe-a em cima da mesa, pelo amor de Deus! — O que Judith fez, agradecida. — Por que a trouxe com você?

— Nós queríamos mostrar a caixa para mamãe — explicou Loveday. — É nova. Judith a ganhou no Natal. Esta é Judith, Mary.

— Foi o que pensei. Olá, Judith.

— Olá.

Mary Millyway. Não era corpulenta, nem velha ou autoritária, mas uma nativa da Cornualha, alta e magra, que não teria mais de trinta e cinco anos. Tinha espessos cabelos louros e rosto sardento, traços fortes, agradáveis, não porque fossem bonitos em qualquer sentido, mas porque todos combinavam-se entre si e, de algum modo, pareciam exatamente certos. Ela tampouco usava qualquer espécie de uniforme, e sim uma saia de *tweed* cinza e uma blusa branca de algodão, com um broche na gola, e um cardigan de lã azul-fumaça.

As duas observaram-se. Mary falou.

— Você parece mais velha do que pensei.

— Tenho quatorze anos.

— Ela está em uma classe mais adiantada do que a minha — explicou Loveday — mas nosso dormitório é o mesmo. E, Mary, você vai ter que dar um jeito, porque Judith não trouxe nada para vestir em casa, e minhas roupas devem ser pequenas para ela. Existe alguma coisa de Athena que possa servir?

— Você vai arranjar problemas, emprestando as coisas de Athena.

— Não estou me referindo ao que Athena ainda usa, mas às roupas que ela não quer mais. Ei, você sabe o que quero dizer...

— Claro que sei. Nunca vi ninguém como ela, que usa as coisas uma vez e depois as rejeita...

— Pois bem, encontre alguma coisa. E encontre *agora*, para a gente poder ficar livre destes uniformes horríveis.

— E eu lhe digo — replicou Mary calmamente, tornando a

empunhar com firmeza o ferro de passar — que leve Judith e mostre a ela onde vai dormir...

— Qual é o quarto?

— Aquele rosa, no fim do corredor...

— Oh, que bom, Judith, o quarto rosa é o mais bonito...

— ... e depois, quando terminar de passar minha roupa, vou dar uma olhada na minha gaveta especial, para ver o que consigo arranjar.

— Ainda tem montanhas de roupa para passar?

— Não levarei mais de cinco minutos. Agora vá, e quando voltar, já estarei pronta.

— Está bem. — Loveday sorriu para Judith. — Vamos.

Ela já tinha ido, saíra do quarto e seguia em frente. Parando apenas para pegar sua maleta, Judith precisou correr, para alcançá-la. Desceu o comprido corredor, para o qual davam portas fechadas em ambos os lados, mas cada uma delas tendo no alto clarabóias em forma de leque, de maneira que tudo estava muito claro e arejado. Na extremidade mais distante, o corredor dobrava para a direita, revelando outra ampla ala. Pela primeira vez, Judith pôde avaliar a extensão daquela casa. Ali, compridas janelas ofereciam vistas dos gramados nos fundos, os quais estendiam-se até altas sebes de escalônias. Mais além viam-se as pastagens da propriedade, cercadas por muros de pedra, onde pastavam manadas de gado Guernsey.

— Vamos!

Loveday fizera alto por um momento, esperando que Judith a alcançasse, de maneira que não havia tempo de parar, olhar e abranger tudo o que havia para ver.

— É tudo tão grande... — comentou Judith, admirada.

— Eu sei que é grande, mas não podia ser de outro modo, porque somos muitos e sempre há gente vindo ficar aqui. Esta é a ala dos hóspedes. — Agora, à medida que avançava, Loveday ia abrindo e fechando portas, desta maneira permitindo a visão dos quartos mais além. — Este é o quarto amarelo. E um banheiro. Aqui é o quarto azul... Tommy Mortimer geralmente fica nele. Sim, ele está aqui, estou reconhecendo suas escovas de cabelo. E o seu cheiro.

— Qual é o cheiro dele?

— Divino! Por causa do que ele põe no cabelo. Este agora é o grande quarto de casal. Não acha espetacular, a cama de quatro colunas? É terrivelmente antiga. Parece que a Rainha Elizabeth dormiu nela. Agora, mais um banheiro. E este é o quarto de vestir, mas também com uma cama, para o caso dos hóspedes terem um filho pequeno ou algo assim. Mary coloca um berço, se for mesmo um bebê. Mais um banheiro. É aqui, chegamos ao seu quarto.

Tinham alcançado a última porta. Mostrando certo orgulho, Loveday tomou a dianteira e entrou no quarto. Como qualquer outro aposento naquela casa deleitosa, este era igualmente apainelado em madeira, mas tinha duas janelas com cortinas de chintz, em *toile de Jouy*. O acarpetado também era rosa, e a cama, com sua alta cabeceira de latão, exibia uma coberta de linho branco, fresca como neve recém-caída, de bainhas bordadas com margaridas. Havia uma prateleira para bagagem aos pés da cama, e ali Judith depositou sua maleta, que ficou parecendo humilde, pequenina e, de algum modo, também vulnerável.

— Gostou?

— É simplesmente *adorável*.

Ela viu o toucador, com uma saia franzida no mesmo tecido das cortinas e provido de um espelho tríplice. Sobre ele, uma bandeja de porcelana com estampa de rosas e um pequeno vaso de louça, cheio de aveludadas primaveras-dos-jardins. Havia um enorme guarda-roupa vitoriano e uma apropriada poltrona com almofadas cor-de-rosa. Ao lado da cama, uma mesinha sustentava um abajur e uma moringa de água com o respectivo copo ajustado ao seu gargalo, bem como uma lata coberta de cretone, que Judith sabia estar cheia de gostosos biscoitos para o chá. Apenas para o caso de sentir fome no meio da noite.

— E aqui é o seu banheiro.

Simplesmente inacreditável. Ela foi inspecioná-lo e viu o piso axadrezado em ladrilhos pretos e brancos, a imensa banheira, as torneiras douradas de bocal largo, enormes toalhas brancas, frascos com óleo para banho e potes de vidro contendo talco perfumado.

— O *meu* banheiro?

— Bem, você o divide com o quarto do outro lado, mas como ele está vazio, então o banheiro é todo seu. — Loveday voltou ao quarto, para escancarar a janela e debruçar-se nela. — E esta é a sua vista, mas vai ter que se esforçar um pouco para avistar o mar.

Judith se juntou a ela e as duas ficaram lado a lado, os braços pousados no peitoril de pedra, e sentindo o vento fresco, com cheiro de mar, que batia em seus rostos.

Esticando o pescoço, Judith admirou devidamente a visão do mar, porém muito mais interessante era o que podia ver logo abaixo delas. Um enorme pátio lajeado, com três lados fechados por construções de um só pavimento e telhados de ardósia. No meio deste pátio erguia-se um pombal, e pombos brancos voavam por todos os lados, outros pousados, alisando as penas com os bicos ou enchendo o ar com seus arrulhos satisfeitos. À volta dos lados do pátio, ela viu gamelas de madeira plantadas com trepadeiras, tendo também percebido evidências mais mundanas de atividade doméstica: uma despensa para carne de caça, grande como um guarda-roupa, algumas latas de lixo, um varal ocupado por nevadas toalhas de chá. Além do pátio havia uma estrada de cascalho e depois relvados aparados, ondulando até uma fileira de árvores. Estas, ainda não ostentando a folhagem, inclinavam-se ao toque do vento marinho, agitando os ramos à brisa fresca.

Parecia não haver ninguém por ali, mas, enquanto observavam, uma porta se abriu e dela emergiu uma jovem com um avental de algodão malva. Judith e Loveday olharam o topo da cabeça dela. A jovem carregava uma tigela de metal com cascas de vegetais, que foram jogadas dentro de uma das latas de lixo.

— São para os porcos da sra. Mudge — sussurrou Loveday com ar importante, como se elas fossem espiãs e não devessem ser pressentidas.

A jovem de avental não olhou para cima. Fechou estrondosamente a tampa da lata de lixo, fez uma pausa para testar o grau de secagem das tolhas de chá, e depois tornou a desaparecer dentro de casa.

— Quem é ela?

— É Hetty, a nova ajudante de cozinha. Ajuda a sra. Nettlebed, nossa cozinheira. Seu marido, o sr. Nettlebed, é o nosso mordomo. Ela tem bom humor, mas ele pode ficar terrivelmente irritado. Mamãe disse que é por causa de seu estômago. O sr. Nettlebed tem uma úlcera.

Um mordomo. Aquilo estava se tornando cada vez mais grandioso. Judith debruçou-se um pouco mais e espiou para baixo.

— Aquele é o estábulo onde você guarda seu pônei?

— Não. Lá é onde estão o compartimento do *boiler*, o galpão de guardar lenha, o depósito de carvão, coisas assim. Também há o banheiro dos jardineiros. Os estábulos ficam um pouco mais distante, não dá para vê-los daqui. Depois do almoço, levo você até lá para que conheça Tinkerbell. Poderá montá-la, se quiser.

— Eu nunca montei — admitiu Judith, ao mesmo tempo não admitindo que tinha medo de cavalos.

— Tinkerbell não é um cavalo, mas *uma* pônei. Tem um temperamento adorável, nunca morde nem dá coices. — Loveday pensou por um momento. — Hoje é sábado, portanto, talvez Walter esteja lá.

— Quem é Walter?

— Walter Mudge. O pai dele cuida das plantações Lidgey... São as plantações aqui de casa, e também ajuda papai a dirigir a propriedade. Walter é muito legal. Tem dezesseis anos. Às vezes aparece nos fins de semana para limpar os cavalos e ajudar o jardineiro. Está juntando dinheiro para comprar uma motocicleta.

— Ele também monta?

— Walter exercita o cavalo de caça de papai, quando ele está sem tempo. Quero dizer, quando tem que atuar como juiz, ir a uma reunião, coisas assim. — Loveday recuou abruptamente a cabeça. — Estou ficando com frio. Venha, vamos desfazer sua bagagem.

As duas fizeram isso juntas. Judith não tinha grande coisa como bagagem, mas tudo devia ser posto em seu correto e importante lugar. O chapéu e o casaco dela foram pendurados no guarda-roupa — o casaco em um grosso cabide forrado de veludo rosa. O interior do guarda-roupa cheirava a lavanda. Depois a camisola foi deixada sobre o travesseiro, o robe pendurado atrás da porta, o pente e a escova arrumados sobre o toucador, roupas limpas guardadas em uma gaveta, a escova de dentes e a toalha de rosto colocadas nos seus devidos lugares no enorme banheiro. O diário e a caneta-tinteiro ela deixou em cima da mesinha-de-cabeceira, juntamente com seu relógio e seu novo livro de Arthur Ransome.

Ao terminarem, Judith olhou em volta e concluiu que suas insignificantes posses pouco impacto haviam produzido no lindo e luxuoso quarto. Loveday, contudo, não tinha tempo a perder com inspeções. Impaciente como sempre, já estava entediada por tais atividades domésticas. Chutou a maleta vazia para debaixo da cama, e disse:

— Tudo pronto! Agora vamos ver se Mary encontrou alguma coisa para você vestir. Não sei a sua opinião, mas se eu não me livrar logo deste uniforme horrível, vou começar a gritar.

Ela deixou o aposento rapidamente e começou a correr de volta para o quarto de brinquedos, enchendo o corredor de atroante barulho, como se desafiasse todos os regulamentos escolares que haviam sido martelados em sua cabeça indócil, porque estava em casa novamente — e em liberdade.

Mary já terminara de passar sua roupa, dobrara a tábua e pusera o ferro para esfriar. Foram encontrá-la ajoelhada diante de um armário alto — o móvel mais imponente ali dentro — com a funda gaveta inferior aberta e várias peças de roupa amontoadas em pilhas bem arrumadas, à volta dela.

Loveday não pôde esperar.

— E então, o que achou? Não é preciso que seja elegante. Qualquer coisa serve...

— O que quer dizer com "qualquer coisa serve"? Não vai querer que sua amiga fique parecendo algo saído de uma liquidação...

— Mary, essa é uma malha *nova*. Athena a usou nos últimos feriados. O que está fazendo nessa gaveta...?

— Boa pergunta. Athena prendeu o cotovelo da manga em um pedacinho de arame farpado. Eu fiz um cerzido, mas acha que ela usaria? Não Athena, a madaminha!

— É maravilhosa, de cashmere. Deixe-me ver...

Mary estendeu a blusa a Loveday, que a jogou para Judith. Esta a pegou no ar, e foi como segurar um pedacinho de paina, tão impalpável e macia era a lã da blusa. Cashmere. Ela nunca tivera uma blusa de cashmere. E esta era vermelho-azevinho, uma de suas cores preferidas.

— ... e agora, aqui temos uma linda blusinha de algodão estampado, com gola Peter Pan. Só Deus sabe por que Athena a pôs de lado! Enjoou dela, sem dúvida. Encontrei também dois shorts, que ela usava no colégio para jogar hóquei. Pensei em guardá-los, achando que poderiam ficar para Loveday.

Mary os entregou para uma inspeção geral. Eram de flanela azul-marinho, pregueados como um saiote. Loveday aprovou.

— Vieram a calhar! Acho que não vai precisar de mais nada, concorda, Judith? Oh, Mary, você é o máximo! — Inclinando-se, ela passou os braços magricelas em torno do pescoço de Mary, quase estrangulando-a em um abraço. — Você é a melhor Mary do mundo. Agora, Judith, vá imediatamente vesti-los, porque eu quero mostrar *tudo por aqui* a você!

Judith levou as roupas emprestadas para o seu quarto. Entrou e trancou a porta. Depositou cerimoniosamente a blusa de cashmere, os shorts e a blusinha de algodão em cima da cama, como fazia sua mãe, quando ia trocar de roupa para uma festa. Na verdade, embora aquele fosse um sábado absolutamente comum, Judith tinha a leve sensação de que *ia* trocar de roupa para uma festa, porque tudo naquela casa tão agradável — a própria atmosfera do lugar — tinha um toque de festa.

Entretanto... e isto era ainda mais importante... por um momento ela se viu sozinha. Mal podia recordar a última vez em que estivera de fato sozinha, sem ninguém para falar ou fazer perguntas, que se intrometesse ou a pressionasse, que lhe dissesse para fazer algo ou que parasse de fazer algo, que tocasse uma sineta ou reclamasse sua atenção. Descobriu que este era o mais maravilhoso alívio. Sozinha! A sós consigo mesma, em seu próprio quarto, cercada de espaço e quietude, de objetos que agradavam aos olhos, de paz. Foi até a janela, abriu-a e debruçou-se no peitoril para ver os pombos brancos e ouvir seus doces arrulhos.

Sozinha. Tanta coisa tinha acontecido, e por tanto tempo... Semanas. Meses até. Natal em Plymouth, toda aquela agitação de desfazer a vida em Riverview House, das compras para o colégio e, finalmente, das despedidas. E então o Santa Úrsula, onde não era possível ter uma vida privada por um só segundo.

Sozinha. Judith percebeu quanta falta lhe fizera o luxo da solidão, compreendeu que seu conforto ocasional sempre lhe seria essencial. O prazer de estar consigo mesma era não apenas espiritual, mas também sensual, como usar seda, nadar sem maiô ou caminhar ao longo de uma praia totalmente vazia, com o sol à retaguarda. A solidão revigorava uma pessoa. Renovava. Judith contemplou os pombos e, apenas por aquele momento, desejou que Loveday não viesse à sua procura. Claro está que sentia apreço por ela, em especial por estar sendo incansavelmente gentil e hospitaleira, mas agora desejava apenas um pouco de tempo para encontrar-se, para reorientar um senso pessoal de identidade.

De muito longe, de uma distante orla boscosa, chegou aos seus ouvidos um eco de tiros. Os homens da casa continuavam abatendo pombos. O som repentino, interrompendo a calmaria, fez com que os pombos brancos voassem precipitadamente de seus poleiros e dessem voltas no ar, mostrando alguma agitação até considerarem seguro uma nova retomada de pouso. Ela os espiou enquanto se ajuntavam, estufavam os peitos nevados e reiniciavam os arrulhos.

Loveday não apareceu. Com certeza estava à procura de alguma peça de roupa convenientemente maltrapilha, diferente o mais que possível da rígida disciplina do uniforme escolar. Assim, após alguns instantes, Judith fechou a janela, despiu o uniforme e, lentamente, saboreando a novidade, enfiou no corpo as peças rejeitadas por Athena Carey-Lewis. Andando para cá e para lá, lavou as mãos (sabonete Chanel) e escovou os cabelos, prendendo-os atrás da cabeça com uma nova fita azul-marinho. Somente então examinou-se diante do comprido espelho na porta do guarda-roupa. Foi algo surpreendente, porque sua aparência havia ficado inteiramente diferente. Sofisticada e dispendiosa. Era outra garota, quase adulta, totalmente nova. Judith via a própria expressão complacente, e não podia deixar de sorrir. Pensou em sua mãe, porque este parecia ser o tipo exato de experiência que ambas deveriam partilhar. Ao mesmo tempo, no entanto, tinha quase absoluta certeza de que dificilmente seria reconhecida por ela.

A porta foi aberta de repente.

— Já está pronta? — perguntou Loveday. — O *que* estava fazendo? Você demorou séculos! Poxa, está com ótima aparência! Deve ter algo a ver com Athena. Ela sempre parece sensacional, mesmo que vista um saco esfarrapado, fica maravilhosa. Talvez encante tudo o que usa, e a mágica permaneça. E então, o que você quer fazer *agora*?

Judith respondeu timidamente que não fazia diferença — o que era verdade — uma vez que não conseguia pensar em mais nada para dizer. Em seu presente estado de euforia, o que quer que lhe fosse sugerido pareceria perfeito.

— Podíamos ir dar uma olhada em Tinkerbell, mas isso talvez demore muito, e logo será hora do almoço. Portanto, vamos explorar a casa e eu lhe mostrarei cômodo por cômodo, para mais tarde ficar sabendo por onde anda.

Judith não errara sobre Loveday, que agora usava ignominiosas calças de montaria, já demasiado curtas para suas finas canelas, e uma suéter na escura tonalidade purpúrea de ameixas maduras. A cor da suéter acentuava o azul-violeta de seus olhos extraordinários, mas ela era tão despida de qualquer tipo de vaidade pessoal, que não devia ter escolhido aquela peça de roupa por este motivo, mas antes por exibir cerzidos nos cotovelos e ter sido tão usada e lavada, que se tornara confortavelmente informe.

— Tudo bem — concordou. — Vamos explorar. Por onde começamos?

— Pelo alto. Desde os sótãos.

Foi o que realmente fizeram. Os apartamentos aninhados sob o teto continuavam indefinidamente — quartos de depósito, quartos de caixas, dois pequenos banheiros e quatro dormitórios.

— Estes são os quartos das empregadas. — Loveday franziu o nariz. — Sempre têm um certo cheiro, de pés e axilas suados...

— Quantas empregadas são?

— Três. Janet é a arrumadeira, Nesta a copeira, e Hetty ajuda a sra. Nettlebed na cozinha.

— Onde dorme a sra. Nettlebed?

— Oh, ela e o marido têm um pequeno apartamento em cima da garagem. Agora, vamos descer pela escada dos fundos. Como você já viu a ala dos hóspedes, podemos começar pelo quarto de mamãe...

— E a gente pode entrar lá?

— Oh, claro que sim. Mamãe não se importa, desde que ninguém mexa nas coisas e nem gaste todos os seus perfumes. — Loveday abriu a porta e passou à frente de Judith. — Não é lindo? Ela acabou de redecorá-lo — um homenzinho cheio de trejeitos veio especialmente de Londres para isso. Papai ficou furioso porque ele pintou o apainelado, mas eu achei muito bom. E você?

O que Judith achou não podia ser descrito em palavras. Ela jamais vira um quarto de dormir tão grande, tão feminino, tão cheio de objetos maravilhosos e sedutores. As paredes eram de tons claros — nem brancas, nem rosa ou pêssego, e reluziam suavemente à luz do sol. Havia reposteiros de grande espessura, inteiramente estampados com rosas e, por dentro deles, cortinas brancas finíssimas e transparentes, que oscilavam tranqüilas à brisa que vinha do mar, penetrando pela janela aberta. A cama de casal, ampla e de um branco imaculado, estava coberta pelo mesmo tecido alvo e transparente, tendo à cabeceira travesseiros rendados e bordados. Acima dela havia um dossel com uma pequena coroa dourada no centro, o que lhe dava a aparência do leito que uma princesa talvez escolhesse para dormir.

— Pois agora dê uma espiada no *banheiro*. Também foi todo reformado...

Sem palavras, Judith a seguiu e observou: lustrosos ladrilhos negros e espelhos de fundo rosado, porcelanas brancas e um espesso tapete também branco. Um tapete no banheiro! Aquilo era o luxo absoluto e final.

— ... e, veja, o espelho dela tem lâmpadas em toda a volta, como no camarim de uma atriz. Quando abrimos os espelhos, atrás deles há prateleiras onde ela guarda sua maquiagem, perfumes e coisas assim.

— O que é isso?

— Isso? Oh, isso é o bidê de mamãe. É francês! Serve para lavar o traseiro.

— Ou os pés.

— Papai ficou *horrorizado*!

As duas começaram a rir como loucas, sacudindo-se de hilaridade. Um pensamento ocorreu a Judith. Controlando o riso, voltou ao quarto florido e perfumado, olhou em torno, mas não encontrou o menor sinal de ocupação masculina.

— E onde seu pai guarda as coisas dele?

— Oh, ele não dorme aqui. Tem seu próprio quarto na outra extremidade do corredor, acima da porta da frente. Ele gosta do sol da manhã e precisa ter um quarto afastado, porque ronca muito e não deixa ninguém dormir. Vamos, quero mostrar-lhe mais...

As duas deixaram aquele quarto encantado e prosseguiram em sua inspeção.

— Este é onde Athena dorme, e o quarto de Edward fica aqui. Estes são banheiros. Agora vem o de Mary, perto do quarto de brinquedos, que antigamente era o quarto de dormir das crianças. Então, ela foi ficando por aqui mesmo. Este é o banheiro do quarto de brinquedos, com uma espécie de pequena cozinha em um recanto, para ela poder preparar chá e outras coisas. Agora vem o meu quarto...

— Eu teria adivinhado.

— Como?

— Pelas roupas no chão e quadros de pôneis na parede.

— E também todas as flâmulas do Clube do Pônei, todos os meus ursinhos de pelúcia... Eu os coleciono desde que nasci. Agora são vinte e todos eles têm nomes. Também aqui estão os meus livros e a minha antiga casa de bonecas, porque Mary disse que não a queria atravancando o quarto de brinquedos. Minha cama fica de frente para *este* lado, porque assim posso ver o sol nascendo de manhã... Venha, vamos indo, porque ainda há montes de coisas para ver. Aqui é o armário da arrumadeira, onde ficam as vassouras e essas coisas. Este é o quarto da roupa branca, e ao lado há mais um quartinho que só é usado quando estamos com muitos hóspedes. — A essa altura, as duas haviam feito o trajeto de um círculo completo, agora estando de volta ao topo da escadaria principal. No lado mais distante do patamar, uma última porta continuava fechada. — ... e aqui é onde papai dorme.

O aposento não era muito espaçoso e, depois do esplendor do restante da casa, parecia austero e algo penumbroso. O mobiliário era pesado e vitoriano, com uma cama de solteiro, estreita e alta. Tudo estava imaculadamente ordenado. As cortinas eram de brocado escuro e, no centro exato de uma cômoda alta, perfeitamente arrumadas, jaziam escovas masculinas com acabamento em marfim. Havia também uma foto de Diana em moldura de prata, porém um pouco mais de natureza pessoal. Aquele era um quarto que nada revelava de si.

— É muito sombrio, não acha? Enfim, papai gosta assim, porque esta é a maneira como sempre foi. Ele detesta mudanças. E gosta de seu banheiro, porque é redondo... fica na torre, entenda, bem acima da entrada. Papai pode ficar em sua banheira antiga e esquisita, de onde percebe quando tem gente chegando e, ouvindo suas vozes, conclui quem são. Se não gosta delas, então continua na banheira, até ouvi-las irem embora. Como pode deduzir, ele não é muito sociável.

— Seu pai sabe que sou uma hóspede? — perguntou Judith, um tanto agitada.

— Oh, céus, claro! Mamãe contaria para ele. Não se preocupe, papai vai gostar de você. Ele só prefere evitar os amigos maçantes *dela*.

Depois disso desceram para o andar de baixo e deram início à última volta. Judith começava a sentir-se atordoada e confusa. Além de faminta. Pareciam ter passado horas, desde o *breakfast*. Loveday, entretanto, era incansável.

— Agora, o saguão que você já viu. Aqui fica o estúdio de papai, e também onde os homens deixam seus agasalhos. Tem ainda este banheiro espetacular, exatamente como num clube para homens. Papai se tranca aqui durante horas pela manhã, depois do *breakfast*, para ficar lendo *Cavalos e Cães de Caça*. Olhe bem, não é impressionante? Mamãe diz que aqui é a sala do trono dele. Afinal, *aqui* também é a sala de bilhar. Às vezes, os homens vêm para cá depois do jantar e ficam horas jogando, até noite alta. De qualquer modo, é uma boa coisa para se fazer, nas tardes chuvosas. E este é o estúdio de papai, e aqui está a sala de refeições... já toda pronta para o almoço, como pode ver. Esta aqui é a sala de estar, mas não costumamos usá-la, a menos que seja uma noite de inverno com frio de rachar. Não levo você à sala de visitas porque irá vê-la de qualquer modo, antes do almoço. Venha conhecer a sra. Nettlebed.

Assim, elas finalmente chegaram à cozinha, o coração de qualquer casa. Era uma cozinha semelhante à maioria das cozinhas na Cornualha, exceto por ser muito mais ampla e porque, no lugar do ubíquo fogão de uso local, havia um outro, moderno, imenso e de cor creme. Fora isso, viam-se ali a mesma e familiar porção de tinta verde-escura nas paredes, a mesma grade de secar roupas ajustada bem alto, junto ao teto, o mesmo armário entulhado de louças e a mesma enorme mesa de superfície lisa, no centro do aposento.

Ali é que se encontrava a sra. Nettlebed, ajeitando frutas glaçadas no topo de um bolo. Era uma mulher baixa e atarracada, com um grande avental rosa, e outro branco sobre ele. Uma touca de algodão branco, que não lhe assentava nem um pouco, descia até quase as sobrancelhas, escondendo sua fisionomia. O rosto dela estava corado, e seus tornozelos haviam inchado, devido à longa permanência em pé. Entretanto, quando Loveday correu em sua direção... "Olá, sra. Nettlebed, somos nós...!", não houve cenhos franzidos nem pedidos para não atrapalhar, pelo amor de Deus, porque ela estava preparando o almoço. Em vez disso, as bochechas redondas da sra. Nettlebed inflaram-se em uma extasiada expressão de puro contentamento. Saltava imediatamente aos olhos que Loveday era a sua queridinha e sua alegria.

— Oh, minha querida! Aí está a minha garotinha! Venha cá e dê um grande beijo na sra. Nettlebed...! — Ela abriu as mãos e estendeu os braços roliços, como uma estrela-do-mar, inclinando-se para frente, a fim de receber o beijo que Loveday imprimiu em seu rosto. — Vejam só o seu tamanho! Como cresceu! Logo estará maior do que eu. Esta é a amiga que você trouxe...

— O nome dela é Judith.

— É um prazer conhecê-la, Judith.

— Como vai?

— Veio para o fim de semana? Bem, será divertido. Grandes aventuras com esta menininha levada!

— O que temos para o almoço, sra. Nettlebed?

— Ensopado de caçador, purê de batata e refogado de repolho.

— Há noz-moscada no repolho?

— Eu jamais faria repolho sem noz-moscada.

— Então, provavelmente vou comê-lo. Os homens já chegaram?

— Acabei de ouvi-los no pátio, contando o que trouxeram. Teremos torta de coelho no almoço de amanhã. Acho que eles estão na sala das armas, limpando-as. Não levarão mais que dez minutos.

— Dez minutos... — Loveday fez uma careta. — Estou morrendo de fome!

Ela foi até o armário, abriu uma lata e tirou dela dois biscoitos para o chá. Deu um para Judith e enfiou o outro na boca.

— Ouça, Loveday...

— Já sei. Vou estragar meu apetite e não provarei nada do seu saboroso almoço. Venha, Judith, vamos encontrar mamãe e ver se ela nos dará um drinque.

Encontraram Diana na sala de visitas, tranqüilamente enrodilhada no canto de um enorme sofá creme, lendo um romance. Estava fumando um fragrante cigarro turco em uma piteira de jade e, na mesinha ao seu lado, achavam-se o cinzeiro e um coquetel. Quando as duas jovens irromperam na sala, perturbando sua quietude, ela ergueu a cabeça e ofereceu um sorriso de boas-vindas.

— Queridas, por fim apareceram. Que ótimo! E então, divertiram-se?

— Sim, rodamos pela casa inteira, vimos cômodo por cômodo e depois fomos dizer olá para a sra. Nettlebed. Agora podemos ganhar um drinque?

— O que quer beber?

Encostada a uma parede, uma mesa espelhada oferecia à vista várias garrafas e copos cintilantes, tudo muito bem arrumado. Loveday foi inspecionar o que havia em oferta.

— Eu gostaria mesmo de um Orange Corona, mas aqui não há nenhum — disse ela.

— Aquela horrível coisa gasosa que deixa a boca alaranjada? Talvez haja alguma na despensa. Toque para Nettlebed, e descubra se ele tem uma garrafa escondida em algum lugar.

A campainha ficava na parede, acima da mesa. Loveday apertou-a com o polegar. Diana sorriu para Judith.

— O que acha da minha querida casa?

— É linda, mas quase posso afirmar que esta sala é a parte mais bonita de todas.

Não havia dúvidas quanto a isso. Apainelada e com o chão encerado salpicado de tapetes, era um aposento cheio de luz do sol e de flores. Ali não havia humildes narcisos, e sim flores mais exóticas colhidas na estufa, todas em tons de púrpura, branco e fúcsia. A um canto, um enorme vaso de porcelana azul e branca exibia um pé de camélias, os galhos escuros e lustrosos cobertos de flores rosa-forte. Os espessos reposteiros e estofamentos eram de brocado creme, estando todos os sofás e poltronas cheios de almofadas de cetim em claros matizes verdes, rosas e azuis, o conjunto dando a impressão de imensos e deliciosos bolos cozidos. Havia revistas perfeitamente alinhadas sobre uma mesa de centro, publicações que não podiam faltar em qualquer casa digna desse nome. *The Tatler*, para mexericos sociais, *The Sketch*, para teatro e balé, *The Illustrated London News*, para eventos atuais, e *The Sporting Dramatic*, para corridas de cavalos. Havia ainda *The Field, Horse & Hound*, os últimos *Vogue* e *Woman's Journal*, assim como uma pilha de jornais diários, com aparência de ainda nem terem sido abertos.

Judith gostaria de permanecer sozinha, ficar contemplando aquilo por muito e muito tempo, captar cada detalhe, porque se nunca mais voltasse àquela casa, teria dela um retrato perfeito na mente. A alta platibanda da lareira era pintada de branco, tendo sobre ela uma fileira de encantadores bibelôs de porcelana — uma banda de macacos da fábrica Meissen. Acima da platibanda pendia um retrato de Diana, seus ombros esguios envoltos em chifon cinza-azulado, um raio de luz transformando em dourado seus cabelos muito claros. Havia riso nos olhos azuis pintados na tela, e um fantasma de sorriso em seus lábios, como se ela e o artista partilhassem o mais íntimo e interessante segredo.

Vendo-a contemplar o retrato, Diana perguntou:

— Gosta dele?

— É *exatamente* igual a você.

Diana deu uma risada.

— Maravilhosamente lisonjeiro. Enfim, de Laszlo sempre foi um bajulador.

A vista através das janelas altas já se tornara familiar. Os formais jardins dispostos em terraços iam descendo e se fundiam com arbustos e prados relvados, pontilhados de vibrantes narcisos. A um lado ficava uma porta-janela dando para um terracinho fechado, privado como um pequeno aposento dentro do jardim. Este era fechado na parte dos fundos por uma estufa e, através dos vidros das janelas, era possível ver-se um jasmineiro-trepadeira em pleno desabrochar e numerosos grupos de vime, desejáveis e antiquados. Tudo aquilo evocava idéias de verão, de banhos de sol, de tardes ociosas e prolongadas bebidas frescas. Ou talvez chá-da-china em xícaras finíssimas e transparentes, com sanduíches de pepino.

Judith estava perdida em imagens sedutoras, quando Loveday chegou ao seu lado.

— Aquele é o lugar preferido de mamãe, não é, mamãe? Ela fica lá e toma banho de sol, sem nenhuma roupa no corpo.

— Somente quando não há ninguém por perto!

— Bem, eu já vi você tomando banho de sol.

— Você não conta.

A essa altura, a porta atrás delas abriu-se silenciosamente e uma voz grave se fez ouvir:

— A senhora chamou, madame?

O sr. Nettlebed. Loveday já contara a ela que o mordomo tinha úlceras estomacais e um ânimo imprevisível, porém nada disso preparou Judith para a aparência distinta e magnífica do homem. Ele era alto, com cabelos brancos e fisionomia simpática, mas de um modo algo melancólico. Mais ou menos como um digno agente funerário. As roupas que vestia confirmavam tal impressão, porque seu paletó, a gravata e as calças eram inteiramente negros. O rosto era pálido e com rugas, os olhos de órbitas fundas, e tão impressionante era o seu porte, que Judith se perguntou como alguém teria a ousadia de pedir-lhe para fazer alguma coisa, muito menos de dar-lhe qualquer tipo de ordem.

— Oh, Nettlebed, obrigada — disse Diana. — Loveday quer alguma coisinha para beber...

— Eu quero Orange Corona, sr. Nettlebed, e não há nenhum na mesa.

Esta exigência foi seguida por um longo e grave silêncio. Nettlebed não se moveu, apenas fixou em Loveday seu olhar frio, como se estivesse espetando uma borboleta morta em um comprido alfinete de aço. Diana ficou calada. O silêncio prosseguiu. Tornou-se desconfortável. Virando a cabeça, Diana olhou para Loveday.

Com uma resignada expressão no rosto, a garota começou tudo outra vez.

— Por favor, sr. Nettlebed, podia ter a gentileza de ver se há algum Orange Corona na despensa?

A tensão foi imediatamente desfeita.

— Certamente — respondeu Nettlebed. — Creio que há um engradado na prateleira da despensa. Irei ver e certificar-me.

Ele começou a retirar-se, mas Diana perguntou:

— Os homens já voltaram, Nettlebed?

— Já, madame. Estão fazendo a limpeza, no quarto das armas.

— Eles tiveram uma boa manhã?

— Vários coelhos e pombos, madame. E duas lebres.

— Céus! Pobre sra. Nettlebed... Quanta coisa para preparar!

— Eu provavelmente a ajudarei, madame.

Ele saiu, fechando a porta atrás de si. Loveday fez uma careta.

— Eu provavelmente a ajudarei, madame — imitou. — Velhote pomposo!

— Loveday — disse Diana, e sua voz se tornara gélida.

— Bem, é assim que Edward o chama.

— Edward devia pensar melhor antes de falar. E quanto a você, sabe perfeitamente que nunca pediu a Nettlebed, ou a quem quer que fosse, que lhe fizesse alguma coisa sem antes dizer "por favor", e depois agradecer, quando a coisa fosse feita.

— Eu apenas esqueci.

— Pois não esqueça mais.

Diana tornou a concentrar-se em seu livro. Judith estava constrangida, intimidada e sem jeito, como se a censura tivesse sido dirigida a ela. Loveday, no entanto, continuava imperturbável. Debruçando-se nas costas do sofá, com a escura cabeça cacheada quase tocando os cabelos lustrosos e dourados da mãe, perguntou:

— O que você está lendo?

— Um romance.

— Como se chama?

— *Intempéries nas Ruas.*

— É sobre o quê?

— O amor. Um amor infeliz.

— Pensei que todo amor fosse feliz.

— Oh, querida, nem sempre... Nem toda mulher é feliz.

Diana estendeu a mão para seu drinque, um pequeno copo triangular de coquetel, cheio de um líquido dourado. No fundo do copo, como um curioso seixo ou alguma estranha criatura marinha, espreitava uma azeitona. Ela tomou um gole e depois deixou o copo na mesa. Nesse momento, a porta da sala de visitas se abriu novamente, porém o homem parado na soleira não era o sr. Nettlebed.

— Papai! — exclamou Loveday, abandonando o lado da mãe e voando para os braços abertos do homem.

— Olá, minha garotinha! — Os dois se abraçaram e beijaram, ele inclinando o corpo para a filha. — Sentimos sua falta. E aqui está você, de volta outra vez...

Ele lhe desmanchou os cabelos, sorrindo para a filha caçula como se ela fosse a criatura mais preciosa sobre a Terra.

(Como Loveday era amada... Por todos. Sentindo-se um tanto deslocada e observando aquela espécie de comportamento demonstrativo que ela própria nunca tinha experimentado, foi difícil para Judith não sentir uma leve pontada de inveja.)

— Diana. — Tendo Loveday pendurada a seu braço como um cachorrinho, ele cruzou a sala até onde estava sua esposa e inclinou-se para beijá-la. — Sinto muito, minha querida, estamos atrasados?

Ela voltou a cabeça, com o intuito de sorrir para o rosto dele.

— Nem um pouco. São apenas quinze para uma. Tiveram uma boa manhã?

— Esplêndida!

— Onde estão Tommy e Jeremy?

— Tommy já está cuidando de si mesmo. E Jeremy se dispôs a limpar minha arma para mim...

— O prestativo rapaz...

Imóvel fora daquele quadro, ouvindo o diálogo dos dois esposos, Judith assumiu deliberadamente uma expressão afável e sorridente, que escondia o choque sentido com a aparência do pai de Loveday. Porque, sendo tão velho, o Coronel Carey-Lewis era uma completa surpresa. Para si mesma, ela decidiu que ele mais parecia pai de Diana do que seu marido, podendo passar facilmente por avô de Loveday. Em realidade, ele exibia a postura ereta de um soldado, movendo-se com as passadas flexíveis e longas do homem perpetuamente ativo, mas os cabelos — ou o que restava deles — eram brancos, ao passo que os olhos, encravados fundo no rosto sulcado de rugas, tinham o tom azul-aguado dos de um idoso homem do campo. As faces castigadas pelo vento eram pálidas, o nariz longo e aquilino pairando acima de um bem aparado bigode militar. Era alto e bastante magro. Estava com um venerável paletó de *tweed* e calças de forte tecido de algodão, presas abaixo dos joelhos. As pernas, finas como de cegonha e calçadas em meias que chegavam aos joelhos, terminavam em rústicos borzeguins marrons, muito bem engraxados.

— Jeremy disse que era o mínimo que podia fazer.

Dito isto, ele endireitou o corpo, livrou-se do agarramento de Loveday, alisou os cabelos com as mãos e se virou para Judith.

— E você deve ser a amiga de Loveday, não?

Ela o fitou nos olhos e viu que ambos eram observadores e afáveis mas, por algum motivo, imensamente tristes. Isso tornava a ser estranho, porque o encontro dele com a esposa e a filha tinha claramente resultado em intensa alegria para os três. Entretanto, ele então sorriu, e parte da tristeza ficou apagada. Moveu-se para ela, de mão estendida.

— Foi muito bom você ter podido vir e ficar.

— O nome dela é Judith — disse Loveday.

— Como vai? — disse Judith, e eles apertaram as mãos formalmente.

Os dedos do pai de Loveday, prendendo os seus, eram secos e ásperos. Judith sentiu o odor suave que emanava do paletó dele e, de maneira instintiva, percebeu que se encontrava tão acanhado quanto ela. Isto a fez sentir grande simpatia por ele, e desejar ardentemente ser capaz de deixá-lo à vontade.

— Loveday cuidou de você direitinho?

— Sim, senhor. Demos uma volta pela casa inteira.

— Ótimo. Agora, você ficará sabendo por onde anda.

Ele hesitou. Não era bom para conversar amenidades e, por sorte, neste momento foram interrompidos pela chegada de um segundo cavalheiro ao mesmo tempo que Nettlebed, este muito rígido sobre os calcanhares, tendo à frente, como uma oferenda votiva, uma garrafa de Orange Corona em uma salva de prata.

— Diana... caímos todos em desgraça, por demorarmos tanto tempo?

— Oh, querido Tommy, não seja tão tolo. Bom dia?

— Muito divertido.

Tommy Mortimer ficou um momento esfregando as mãos, como que satisfeito por estar dentro de casa e não no frio lá fora, ao mesmo tempo em que ansiava por um drinque confortador. Também estava vestido para caçar, com um elegante conjunto de *tweed* e colete amarelo-canário. Tinha um rosto ameninado, bem-humorado e sorridente, a pele lisa, bronzeada e imaculadamente barbeada. Contudo, era difícil avaliar sua idade, porque os cabelos bastos estavam quase brancos. De algum modo, no entanto, isto servia apenas para acentuar a juvenil flexibilidade de seu passo e aquela forma inteiramente teatral de chegar. *Aqui estou eu*, era como se dissesse: *Agora, podemos todos começar a nos divertir de verdade!*

Ele cruzou a sala para depositar um beijo no rosto de Diana, e então voltou suas atenções para Loveday.

— Oh, mas eis aqui a garota levada! Tem um beijo para seu tio honorário? Como vai na escola? Eles já a transformaram em uma pequena dama?

— Oh, Tommy, não me faça perguntas tão bobas!

— Você poderia, pelo menos — disse sua Diana — apresentar Tommy a sua amiga.

— Oh, eu *sinto muito*! — Visivelmente exibindo-se, Loveday começou a exagerar a importância disso. — Esta é Judith Dunbar, que está no colégio comigo, e este, ta-rá, ta-rá, é Tommy Mortimer.

Tommy riu, achando graça na impudência dela.

— Olá, Judith.

— Como vai?

O coronel, no entanto, já tivera o suficiente no capítulo de formalidades triviais. Era hora para um drinque. Empertigado junto à mesa, Nettlebed preparou as bebidas. Martini seco para o sr. Mortimer, cerveja para o coronel, Orange Corona para as jovens. Bebericando preguiçosamente o seu martini, Diana recusou uma segunda dose. Com seu copo na mão, Tommy veio instalar-se no sofá ao lado dela, meio virado a fim de encará-la, com um braço graciosamente colocado ao comprido sobre as almofadas. Judith perguntou-se se ele não seria um ator. Tinha pouca experiência em peças teatrais, porém já vira filmes suficientes espremida no cinema de Porthkerris, ao lado de Heather, para identificar o estudado arranjo dos membros — o braço estendido e as pernas graciosamente cruzadas. Talvez Tommy Mortimer fosse um famoso ídolo de matinês, e ela, em sua ignorância e falta de experiência, não sabia disso. Entretanto, se ele de fato fosse um ator, Loveday certamente lhe teria contado.

Nettlebed, tendo encerrado a preparação dos drinques, retirou-se da sala.

Judith bebericou seu Orange Corona. Era delicioso, borbulhante e forte, muito doce. Esperou que o gás não a fizesse arrotar. Mantendo-se um pouco afastada dos outros, procurou engolir lenta e cuidadosamente, desta maneira evitando qualquer possível embaraço. Concentrada neste problema, não reparou que o último membro do grupo de caçadores entrava na sala.

Ele chegou silenciosamente, calçado em sapatos de sola de borracha, deste modo não sendo igualmente ouvido pelos outros. Era um homem muito mais jovem, de óculos, vestindo roupas de veludo cotelê e uma grossa suéter cor de canela. Parou logo depois de cruzar a porta aberta. Judith sentiu seus olhos sobre ela, ergueu o rosto e viu que ele a olhava, como uma vez ela também o tinha olhado. Por um incrédulo instante, os dois entreolharam-se com certo espanto, e depois ele sorriu. Então não houve mais dúvida, porque tudo nele era inteiramente familiar.

O rapaz cruzou a sala e chegou perto dela.

— É você, não? — indagou. — A garota do trem?

Judith estava tão encantada, que foi incapaz de falar. Assentiu apenas.

— Que extraordinária coincidência! É colega de colégio de Loveday?

Um sorriso começava a se formar no rosto dela. Podia senti-lo nascendo, sem consciente volição de sua parte. Mesmo querendo, não teria evitado sorrir.

Assentiu novamente.

— Como se chama?

— Judith Dunbar.

— Eu sou Jeremy Wells.

Ela finalmente encontrou a própria voz.

— Eu sei. Tinha adivinhado.

— Jeremy! Não vi que havia chegado! — Do sofá, Diana o vira afinal. — Deve ter entrado na ponta dos pés. Fazendo sua própria apresentação a Judith?

Ele riu.

— Não é preciso. Nós já nos conhecemos. Do trem. Vindo de Plymouth.

Imediatamente eles se tornaram o centro das atenções. Todos se mostraram surpresos pela coincidência e quiseram ouvir os detalhes do encontro de ambos. Como haviam ocupado o mesmo compartimento do trem e contemplado, da ponte de Saltash, os navios de guerra lá ancorados, e finalmente a despedida em Truro.

— Como vai sua irmãzinha? Aquela com o boneco-espantalho? — perguntou Jeremy.

— Viajou. Voltou para Colombo com minha mãe.

— Oh, que pena! Eu não sabia. Irá sentir falta delas.

— A essa altura, já devem ter chegado lá. Logo em seguida, farão a mudança para Cingapura. Meu pai tem um novo trabalho.

— Pretende ir e ficar com eles?

— Não, pelo menos durante alguns anos.

A sensação era deliciosa. Era como ser adulta, vestida nas roupas caras de Athena, bebericando um drinque e deixando todos satisfeitos, porque ela possuía um amigo pessoal. Judith continuou lançando olhares disfarçados ao rosto de Jeremy Wells, apenas para certificar-se de que realmente o via ali em Nancherrow, como parte do clã Carey-Lewis, sem, no entanto, deixar de ser ele próprio. Recordou como, no trem, quando ele abriu a janela, a ponta de sua comprida echarpe pousara em seu joelho. Recordou também o momento em que falara a respeito dele com Phyllis. *Era realmente simpático* tinham sido mais ou menos as suas palavras, *e eu gostaria de conhecer alguém como ele.*

E agora, o seu desejo se tornara realidade. Ele estava ali. Agora ela o conhecia adequadamente. Aquilo tinha realmente acontecido...

O som do gongo chamando para o almoço chegou até eles, vindo do saguão. Diana terminou seu drinque, estendeu o copo vazio para Tommy Mortimer, levantou-se, reuniu em torno o seu pequeno grupo, e liderou a caminhada para a sala de refeições.

— Agora — disse o coronel — vai me contar como você e Jeremy se conheceram.

— Eu estava no trem que vinha de Plymouth. Logo depois do Natal. Ocupávamos o mesmo compartimento.

— E o que esteve fazendo em Plymouth?

— Passava dias com minha tia e meu tio. Ele é capitão-engenheiro em Keyham. Nós ficamos com eles durante o Natal.

— Nós... quem?

— Minha mãe, minha irmãzinha e eu. Então ele saltou em Truro, enquanto nós prosseguimos para Penmarron.

— Entendo. Percebeu que Jeremy agora é médico?

— Sim. Ele nos contou. E... esta manhã, Diana me disse que o pai dele é o *seu* médico.

Ela hesitou um pouco ao tratar Diana pelo primeiro nome, de maneira tão familiar, enquanto conversava com o distinto e idoso marido dela, mas o coronel pareceu nem perceber. Provavelmente, já estava por demais acostumado à atitude casual da esposa em relação às formalidades da vida.

— Ele é um bom rapaz. — O coronel olhou um pouco mais para baixo, na mesa, onde Jeremy se sentava. — Grande jogador de críquete. Capitão do time de rúgbi da Cornualha. Eu o vi jogar no ano passado. Fui a Twickenham somente para isso. Um grande acontecimento.

— Diana me falou também sobre isso.

Ele sorriu.

— Nesse caso, não devo ser enfadonho. Agora, fale-me sobre sua família. Eles estão no Oriente?

— Sim, em Colombo.

— Já morou lá?

— Foi onde nasci. Só vim para cá aos dez anos. Minha mãe ia ter Jess, que agora tem quatro anos.

— Seu pai trabalha para o Serviço Civil?

— Não. Seu ramo é a navegação. Trabalha para uma firma chamada Wilson McKinnon. Logo estará sendo transferido para Cingapura, e em breve todos eles irão para lá. — Judith acrescentou: — Na verdade, minha mãe não queria ir, mas espero que acabe gostando do lugar.

— Sim, é o que se pode desejar.

Judith pensou que o coronel estava sendo muito cortês e hospitaleiro, conversando com ela e fazendo-a sentir-se à vontade, como se fosse uma hóspede de fato importante. Ele ocupava a cabeceira da comprida mesa de jantar, com Loveday e Judith sentadas de cada lado. Diana estava na extremidade oposta, tendo Tommy à sua esquerda e Jeremy à direita. Mary Millway, que apareceu quando todos já estavam acomodados, sentou-se entre Jeremy e Loveday. Ela havia penteado os cabelos e empoado o nariz. Estava composta e perfeitamente à vontade, conversando com Jeremy — obviamente seu conhecido de sempre — a quem relatava a última bisbilhotice envolvendo a legendária Athena. Em troca, ele lhe falava de seus progressos e do trabalho no Hospital Saint Thomas.

A refeição, conforme descrita na cozinha pela sra. Nettlebed, não parecera muito interessante, mas a verdade é que estava deliciosa. O cozido do caçador era acastanhado e suculento, condimentado com cogumelos frescos e um molho avinhado; o purê de batata estava cremoso e suave... bom para acompanhar o molho espesso... e o repolho, ligeiramente polvilhado com noz-moscada ralada, estava verde, macio e crocante como nozes. Para beber havia água, ou cerveja para os homens. Após servir os vegetais e ter enchido todos os copos, Nettlebed retirara-se da sala, em passos silenciosos. Judith ficou aliviada ao vê-lo afastar-se. Era-lhe difícil ignorar a gélida presença daquele homem, e seu olhar frio era suficiente para fazer qualquer um usar o talher errado, derrubar um copo com água ou deixar cair no chão um dos guardanapos de linho.

Até então, ela não havia cometido nenhum destes deslizes e, sem Nettlebed esgueirando-se em torno de sua nuca, ela estava começando a se divertir.

— E quanto a você pessoalmente? — perguntou o coronel. — Está dando conta do recado? Consegue divertir-se no Santa Úrsula?

Ela deu de ombros.

— Está tudo bem.

— E sobre os feriados escolares?

— Vou ficar com minha tia Louise.

— Onde é isso?

— Em Penmarron. Perto do campo de golfe.

Foi neste momento que, em torno da mesa, houve um daqueles inexplicáveis silêncios... com todos fazendo uma pausa na conversa em geral. Assim, quando Judith acrescentou, "A casa se chama Windyridge", sua voz foi a única a soar na sala.

Do outro lado da mesa, Loveday começou a dar risadinhas sufocadas.

— Qual é a graça? — perguntou seu pai.

— Eu não a chamaria de Windyridge, mas de Fartyedge — "Gases-soltos"!

Depois disso, ela prorrompeu em esganiçadas gargalhadas e provavelmente teria ficado sufocada com o cozido ou espirrado o que comia, se o coronel não lhe tivesse batido nas costas e, assim, salvo, por um fio, o dia.

Judith ficou embaraçada e apreensiva ao mesmo tempo, esperando uma tempestade de reprimendas ou, na pior das hipóteses, uma ordem furiosa para deixar a sala imediatamente. Usar de semelhante linguagem, e à mesa do almoço!

Entretanto, ninguém pareceu ficar nem um pouco chocado. Todos se divertiram à grande com aquilo, rindo com vontade em torno da mesa, como se Loveday houvesse feito algum comentário inteligentemente engraçado. Apenas Mary Millway murmurou:

— Oh, *francamente*, Loveday!

Mesmo assim ninguém, muito menos Loveday, deu a menor importância a Millway.

Depois que parou de rir e limpou as lágrimas das faces com um lencinho de bordas rendadas, Diana observou, em voz baixa:

— Foi uma verdadeira sorte Nettlebed não estar na sala. Loveday, você realmente passou dos limites, mas foi tão engraçado que, acho eu, isso não vem ao caso.

O primeiro prato foi terminado e a sineta soou, chamando Nettlebed para retirar os já usados. Serviu-se então a sobremesa. Torta de ameixas (em lata) com calda e creme da Cornualha. Tendo cumprido o seu dever para com a hóspede da filha, o coronel voltou a atenção para Loveday, que tinha muito a contar-lhe sobre as iniqüidades do colégio, as injustiças de Deirdre Ledingham, a impossibilidade de aprender álgebra e a hostilidade da Inspetora.

Ele ouviu a rotina assentindo com polida atenção, sem argumentar ou interromper, e Judith adivinhou que, provavelmente, já teria ouvido tudo aquilo antes. Seu respeito por ele aumentou, porque o coronel sem dúvida sabia que, se analisasse qualquer das queixas de Loveday, nenhuma delas revelaria a menor substância. Da mesma forma, ele talvez aceitasse o fato de que sua filha caçula, fosse como fosse, era uma sobrevivente, e que se ela não conseguisse o que queria através da sedução e da lisonja, apelaria pura e simplesmente para a chantagem. Como fizera antes, fugindo de seu primeiro internato e recusando-se terminantemente a voltar para lá.

Judith espalhou uma colherada de creme sobre o caldo de sua sobremesa, enquanto voltava a atenção para outras conversas. Tommy Mortimer e Diana faziam planos para Londres; falavam da próxima temporada londrina, com a Exposição de Flores de Chelsea, Wimbledon, Henley e Ascot. Era fascinante ouvi-los.

— Tenho entradas para a Quadra Central e a Tribuna Real.

— Oh, céus! Terei de comprar alguns chapéus.

— E quanto a Henley?

— Nem me fale! Sempre adoro Henley. Todos aqueles caros velhotes excêntricos com suas gravatas cor-de-rosa...

— Podemos organizar uma reunião. Quando será sua próxima ida à cidade?

— Ainda não decidi. Talvez dentro de umas duas semanas. Irei dirigindo o Bentley. Preciso encomendar uma ou duas roupas, acessórios, coisas assim. E encontrar um decorador que faça alguma coisa em Cadogan Mews, antes que Athena volte da Suíça.

— Conheço um homem maravilhoso. Eu lhe darei seu telefone.

— É muita gentileza sua. Direi a você quando resolver ir.

— Poderemos ir a um teatro, e depois a levarei para cear no Savoy.

— Divino! — Imediatamente, Diana ficou cônscia da presença de Judith. Sorriu. — Sinto muito, estamos sendo enfadonhos, comentando nossos planos. Afinal, este é o seu dia e ninguém está falando com você. Agora, diga-me, o que quer fazer esta tarde? — Ela alteou ligeiramente a voz, exigindo atenção. — O que *todo mundo* quer fazer esta tarde?

Loveday respondeu:

— Eu quero montar Tinkerbell.

— Querida, isto soa um tanto egoísta. E quanto a Judith?

— Judith não se importa em montar. Ela não gosta de cavalos.

— Nesse caso, talvez fosse mais gentil fazer alguma coisa de que *ela* também goste.

— Eu não me incomodo — disse Judith receando alguma espécie de discussão.

Loveday, no entanto, parecia dar pouca importância a discussões, brigas ou qualquer coisa.

— Oh, mamãe, eu *realmente* quero montar Tinkerbell. E você sabe que não é bom para ela deixar de ser exercitada regularmente!

— Não quero que saia por aí sozinha. Talvez papai possa ir com você.

— Ela não estará sozinha — disse o coronel. — O jovem Walter está trabalhando nos estábulos esta tarde. Mandarei um recado para ele, a fim de que tenha os cavalos encilhados e prontos.

— Ora, papai, por que *você* não pode ir comigo?

— Porque, minha garotinha, tenho trabalho a fazer. Cartas a escrever, telefonemas a dar e um encontro com Mudge às quatro horas. — Olhando para a outra extremidade da mesa, ele fitou indulgentemente a esposa. — E você, como vai passar o resto do dia?

— Oh, eu e Tommy já temos ocupação. Convidei os Parker-Browns para um *bridge*. Entretanto, isto ainda não resolve o problema de nossa hóspede... — Judith se sentiu terrivelmente constrangida, como se, de repente, fosse um incômodo estorvo. A situação piorou, quando Diana se virou para Mary Millway. — Talvez, Mary...?

Não obstante, foi interrompida por Jeremy Wells que, até então, permanecera fora da conversa.

— Que tal eu mesmo incumbir-me de Judith? Vamos todos juntos aos estábulos, nós dois apanhamos os cães e descemos até a enseada.

— Ele sorriu para Judith, que ficou tomada de gratidão, porque Jeremy percebera o seu apuro e, com a maior facilidade, viera em seu socorro.

— Gostaria de fazer isso?

— Sim, eu adoraria, mas não precisa se preocupar comigo. Estarei muito bem sozinha.

Claramente grata por ter tudo arranjado, Diana contrariou as débeis objeções de sua hóspede:

— É claro que você não pode ficar sozinha. Acho uma ótima idéia, desde que os pais de Jeremy não se importem por ele passar o dia inteiro aqui. Afinal de contas, você veio apenas para o fim de semana, e eles estarão ansiosos por um pouco de sua companhia...

— Irei para casa depois do chá. De qualquer modo, papai hoje está de plantão, mas teremos a noite para nós.

Diana ficou radiante.

— Bem, isto não é esplêndido? Tudo resolvido e todos felizes. Judith, você vai adorar a enseada, nossa querida prainha particular. Entretanto, vista um casaco ou peça a Mary que lhe arranje um blusão extra, porque junto ao mar sempre faz frio. E, Loveday, não esqueça o seu capacete. Bem, agora, podemos ir todos para a sala de estar e tomar uma xícara de café, não?

O convite, segundo parecia, não incluía as duas garotas. Depois que os adultos se foram, elas ficaram na sala de refeições, ajudando Mary e Nettlebed a tirar a mesa. Somente então subiram ao andar de cima, a fim de se prepararem para suas excursões. Pulôveres extras foram tirados das gavetas para as duas, porém as botas de montaria, as luvas e o capacete de Loveday só apareceram depois de muita procura.

— Odeio este capacete! — exclamou Loveday. — O elástico fica muito apertado debaixo do meu queixo.

Mary, no entanto, foi intransigente.

— Não é nada disso, e você vai usá-lo.

— Não sei por que deveria usá-lo. Um bando de garotas não usa!

— Você não faz parte desse bando, e não queremos vê-la espalhando os miolos em cima de uma pedra, se por acaso cair. Muito bem, aqui está o rebenque e dois *toffees* para colocarem no bolso.

Mary pegou um pote de vidro em cima da platibanda da lareira e distribuiu parcimoniosamente um *toffee* para cada uma.

— E para Jeremy e Walter? — perguntou Loveday.

Mary riu e lhe deu mais dois, depois a botou para andar com um tapinha no traseiro.

— Dêem o fora daqui — disse. — E quando voltarem, terei chá pronto para as duas, aqui, junto ao fogo.

Como cachorrinhos fugindo, as duas dispararam para o andar de baixo e ao longo do corredor que levava à porta da sala de estar. Loveday fez alto diante dela.

— Não vamos entrar aí — sussurrou — pois, do contrário, seremos *apanhadas*. — Abrindo a porta, enfiou apenas a cabeça. — Jeremy! Estamos prontas!

— Encontrarei vocês no quarto de armas — soou a voz dele. — Dentro de um minuto. Levarei Pekoe comigo. Tiger está lá, secando-se, depois de ficar todo molhado esta manhã.

— Certo. Tenha um ótimo *bridge*, mamãe. Até logo mais, papai. — Fechou a porta. — Venha! Vamos passar primeiro pela cozinha e pegar alguns torrões de açúcar para Tinkerbell e Ranger. E se a sra. Nettlebed nos der doces, não conte a ela que Mary já nos deu *toffees*.

A sra. Nettlebed não lhes deu doces, mas pequenos e dourados bolinhos recém-saídos do forno, que acabara de preparar para o chá da sala de visitas. Estavam quentinhos, bons demais para serem guardados, de maneira que Loveday e Judith os comeram prontamente. Após um raide pelo depósito de açúcar, elas se foram.

— E agora, divirtam-se...! — flutuou atrás delas a voz da sra. Nettlebed.

O corredor dos fundos levava ao quarto de armas, que cheirava agradavelmente a graxa, óleo de linhaça, velhos impermeáveis e cães. À volta de todas as paredes havia gabinetes trancados para armas de fogo e caniços de pesca — os arpões e as botas impermeáveis de cano alto, próprias para vadear, ocupavam prateleiras especiais. Tiger cochilava em sua cama, porém as ouvira chegando e já se levantara, pronto para recebê-las e ansioso por um pouco mais de exercício. Era um enorme Labrador negro, de focinho quadrado, olhos escuros e uma cauda que se agitava como um êmbolo.

— Olá, Tiger querido, como vai você? Teve uma bela manhã,

encontrando coelhos mortos e pombos abatidos? — Tiger emitia ruídos satisfeitos no fundo da garganta. Mostrava-se francamente amistoso, o que era uma boa coisa, sendo ele um cão demasiado grande e forte para exibir-se de outro modo. — E agora vai dar um maravilhoso passeio?

— É claro que vai — disse Jeremy, chegando pela porta atrás delas.

Trazia Pekoe debaixo do braço, e o colocou no chão. Enquanto Jeremy vestia o paletó, que tirou de um cabide na parede, os dois cães festejaram-se, Tiger focinhando o pequenino pequinês, e este jazendo de costas e agitando as patas, como se estivesse nadando de barriga para cima. Judith riu.

— Eles juntos são tão engraçados!

— Se são! — exclamou Jeremy, sorrindo. — Vamos, meninas, nada de perder tempo. Walter deve estar esperando.

Saíram dali por uma segunda porta que levava ao pátio lajeado, onde os pombos brancos voejavam em torno do pombal. Era mais ou menos como sair para o inverno, e Judith encolheu-se ante a frialdade do ar. No interior da casa, com o aquecimento central, os cômodos cheios da claridade pálida do sol e do perfume das flores, era fácil imaginar que a cálida primavera finalmente havia chegado, mas bastavam alguns passos no ar invernal, para que imediatamente se desfizesse a ilusão. O dia ainda estava claro, porém um cortante vento leste vinha do mar, de quando em quando soprando nuvens escuras para a face do sol. Judith recordou que, afinal de contas, ainda estavam somente em meados de fevereiro. E, a despeito do agasalho extra, ela tiritava. Jeremy percebeu seus tremores e disse, procurando confortá-la:

— Não se preocupe. Assim que nos movermos, você estará tão quente como uma torrada.

Os estábulos ficavam um pouco distantes da casa, escondidos dos olhos por um pequeno bosque de carvalhos novos diretamente projetado. Uma alameda de cascalhos levava até o arvoredo e, ao se aproximarem, os estábulos surgiram à frente, especificamente construídos e em excelentes condições. Formavam os três lados de um quadrado, com um pátio no meio. Neste pátio, as duas montarias estavam encilhadas e à espera, presas aos aros de ferro incrustados na parede. Tinkerbell e Ranger. Tinkerbell era um pequeno e gracioso pônei cinza, mas Ranger era um baio grande, parecendo a Judith do tamanho de um elefante. Tinha uma aparência aterradoramente forte, com lombos potentes e músculos que estremeciam sob o pelame lustroso e escovado. Chegando ali, ela decidiu manter distância. Poderia afagar o pônei com um tapinha, até mesmo dar-lhe um torrão de açúcar para comer, mas faria uma ampla volta em torno daquele gigante que era a montaria de caça do coronel.

Um rapaz estava ao lado dos animais, ocupado em apertar a cilha do pônei cinzento. Viu que eles chegavam, terminou sua tarefa, deixou cair a aba da sela e ficou esperando, com uma das mãos pousada no pescoço do animal.

— Olá, Walter! — exclamou Loveday.

— Olá.

— Já preparou tudo! Sabia que vínhamos?

— O sr. Nettlebed mandou Kitty trazer o recado. — Ele acenou com a cabeça para Jeremy. — Olá, Jeremy. Não sabia que tinha vindo.

— Tive um fim de semana de folga. Como vão as coisas com você?

— Oh, não de todo ruins. E então, vai vir conosco?

— Não, hoje não. Vamos descer até a enseada. Levarmos os cães conosco. Esta é Judith Dunbar, amiga de Loveday.

Walter virou a cabeça ligeiramente e assentiu para Judith.

— Olá, Judith — falou.

Era um rapaz muito atraente, esguio, moreno e bronzeado de sol como um cigano. Tinha a cabeça coberta de cabelos negros e anelados, os olhos tão escuros como grãos de café. Usava calças de montaria em veludo cotelê, uma camisa grossa listrada de azul e um colete de couro. Em volta do pescoço moreno havia atado um lenço de algodão amarelo. Que idade teria? Dezesseis ou dezessete? Entretanto, parecia mais velho, totalmente amadurecido e já mostrando a sombra escura de uma barba de homem. Fez Judith recordar Heathcliff, em *O Morro dos Ventos Uivantes*, e podia entender perfeitamente por que Loveday ansiava tanto passar a tarde montando Tinkerbell. Ela própria compreenderia a sedução dos cavalos, se tivesse como acompanhante o belo Walter Mudge.

Ao lado de Jeremy, ficou observando Loveday e Walter montarem. Walter rejeitou a oferta de um apoio para o pé, antes de montar, e fez o corpo girar para cima da sela com uma graça fácil, sugerindo que poderia, apenas ligeiramente, estar se exibindo.

— Divirta-se — disse Judith para Loveday.

Loveday ergueu o rebenque.

— Você também — respondeu.

Os cascos dos animais ecoaram no pátio e depois mudaram de som, quando alcançaram a alameda de cascalhos. À fria e viva claridade, os dois cavaleiros faziam um belo quadro. Ambos iniciaram um trote e logo desapareceram por trás do minúsculo bosque de carvalhos, e o ruído dos cascos extinguindo-se.

— Para onde eles vão? — perguntou Judith.

— Provavelmente descerão a alameda para Lidgey e depois subirão até a charneca.

— Isso faz com que eu desejasse gostar de cavalos.

— A gente gosta deles ou não gosta. Venha, está frio demais para ficarmos aqui.

Os dois seguiram o caminho tomado pelos cavaleiros e depois dobraram para a direita, onde a alameda descia através dos jardins, em direção à costa. Os cães dispararam à frente e logo sumiram de vista.

— Eles não se perderão, não é mesmo? — perguntou Judith.

Estava ansiosa e sentindo-se responsável pelo bem-estar dos cães. Jeremy tranqüilizou-a.

— Eles conhecem este caminho melhor do que ninguém. Quando chegarmos à enseada estarão lá, e Tiger até já terá nadado um pouco.

Ele tomou a frente e ela o seguiu, caminhando por uma trilha serpenteante de cascalho que ia em direção ao mar. Os formais gramados e canteiros ficaram para trás. Os dois cruzaram um pequeno portão de ferro forjado; a trilha estreitou-se e mergulhou em uma selva de vegetação semitropical: camélias, hortênsias de floração atrasada, magníficos rododendros, luxuriantes e maciços grupos de bambus, e altas palmeiras de troncos envoltos no que pareciam cabelos negros muito espessos. Bem no alto, galhos pelados de olmos e faias sussurravam ao vento, ocupados por bandos de gralhas crocitantes. Então, um regato surgiu em meio ao mato rasteiro de hera trepadeira, musgos e samambaias, borbulhando e despejando-se por um leito rochoso, ao longo do qual eles caminhavam. Volta e meia a trilha cruzava e tornava a cruzar a água corrente, através de pontes ornamentais de madeira com desenhos de motivos vagamente orientais, os quais faziam Judith pensar em pratos com a estamparia de salgueiros. O rumorejar do regato e o vento nas árvores eram o único som ouvido; os passos ficavam amortecidos por uma grossa mistura de folhas mortas, e somente quando cruzavam as pontes é que as tábuas de madeira vibravam com as pisadas de ambos.

Na última ponte, Jeremy fez alto, esperando que Judith o alcançasse. Ainda não havia sinal dos cães.

— Como está se saindo?

— Muito bem.

— Isso é ótimo. Agora vamos entrar no túnel.

Ele recomeçou a caminhar. Judith olhou e viu que, à frente deles, a trilha ziguezagueante mergulhava em uma caverna de *gunnera*, a monstruosa planta de talos espinhosos e folhas do tamanho de um guarda-chuva. Judith já as tinha visto antes, porém nunca em tão luxuriosa profusão. Elas se erguiam ali, sinistras como criaturas de outro planeta, sendo preciso um pouco do coragem para baixar a cabeça e acompanhar seu guia, a fim de caminhar naquele túnel onde a claridade vinda do céu não podia entrar. Era como estar debaixo d'água, tão úmido era tudo aquilo, tão aquoso e verdejante.

Ela bracejava para caminhar perto dele, os pés deslizando sobre a trilha íngreme.

— Eu não gosto de *gunnera* — disse em voz alta.

Ele olhou para trás e sorriu por sobre o ombro.

— No Brasil — respondeu — as folhas são usadas como abrigo contra a chuva.

— Eu preferiria ficar molhada.

— Já estamos quase saindo do túnel.

De fato, pouco depois emergiam da primeva obscuridade do túnel para a vívida claridade da brilhante tarde invernal. Judith viu então que tinham chegado à borda de uma pedreira em desuso. A trilha se tornou um lance de degraus em ziguezague e toscamente talhados, descendo até a base da pedreira. O regato, cujo rumorejar nunca deixara de ser ouvido, voltava a aparecer agora, para despejar-se da borda do penhasco em iridescente cascata, caindo sobre uma fissura rochosa e verde-esmeraldina pelo musgo e fetos, impregnada de umidade. O ruído da cascata encheu os ouvidos de Judith. Mesembriântemos pendiam das paredes da pedreira; seu piso, entulhado de rochas e pedras grandes, arredondadas pela erosão, com o passar dos anos se tornara um jardim selvagem de amoreiras silvestres e samambaias, emaranhadas madressilvas, hirsutas heras-terrestres e acônitos amarelo-manteiga. O ar adocicava-se com o cheiro de amêndoa do tojo e também com o picante odor de algas marinhas, o que fez Judith perceber que, por fim, estavam perto da praia.

Com algum cuidado, eles fizeram a difícil descida pela improvisada escadaria. No final, a trilha, que agora se reduzira a um estreito caminho, seguia a corrente, contorcendo-se por entre as lúgubres formas das rochas erodidas. Por essa trilha, os dois chegaram ao lado oposto da entrada original da pedreira. Ali, uma rampa lisa e relvada levava a um portão de madeira. A corrente mergulhava em uma galeria e desaparecia; eles escalaram a rampa, chegaram ao portão e desceram para o macadame de uma estrada estreita de fazenda. No lado mais distante da estrada havia um muro baixo de pedra e depois, finalmente, os penhascos e o mar. Ao descerem os terrenos de Nancherrow, eles estavam abrigados pela vegetação, mas agora estavam expostos às fortes rajadas do vento que vinha do sudoeste. O sol surgira de trás das nuvens, o mar era intensamente azul e pontilhado de coroas brancas de espuma. Judith e Jeremy cruzaram a estrada e escalaram o muro distante por meio de um torniquete. Os penhascos não eram a prumo. Uma trilha turfosa descia para as rochas, por entre tojos espinhosos, samambaias e maciços de prímulas silvestres. A maré estava baixa, deixando à vista um encurvado crescente de areia branca. O regato amigo agora ressurgia, escorrendo pelo penhasco e dele para as areias, de onde fluía para o mar por um canal de água doce que dividia a praia em duas. O vento fustigava. Gaivotas grasnavam e revoluteavam acima deles, e o estrondo das ondas era contínuo, batendo na praia e recuando novamente, com um tremendo som sibilante.

Conforme Jeremy havia dito, os cães já estavam lá, Tiger molhado de sua investida no mar e Pekoe cavando um buraco, por ter farejado algum mefítico e sepultado despojo animal. À exceção disso, não havia ninguém à vista. Somente os cães, as gaivotas e eles dois.

— Será que alguém vem até aqui? — perguntou ela.

— Não. Acho que a maioria das pessoas nem suspeita da existência da enseada.

Ele desceu, contornando pedras erodidas e quinas aguçadas, com Judith pouco atrás, esforçando-se em segui-lo. Chegaram por fim a uma ampla prateleira rochosa que pendia sobre a areia, cujas rachaduras estavam incrustadas de cravos-marinhos e amareladas pelos liquens.

— Como pode ver, a praia vai afundando, de maneira que, quando a maré sobe, a água fica com seis metros de profundidade ou mais, transparente como vidro. É excelente para mergulhos. — Jeremy sorriu para ela. — Sabe mergulhar?

— Sei. Meu pai me ensinou, na piscina do Galle Face Hotel.

— Terá de vir aqui no verão e exibir suas proezas. Este é um lugar perfeito. Costumamos fazer piqueniques nesta rocha, sem receio de que a cesta e as garrafas térmicas sejam levadas pela maré alta. Aliás, o ponto é mais ou menos protegido do vento. Não quer sentar-se um pouco?

E foi o que ambos fizeram, mudando um pouco de lugar para encontrar um assento suportável na rocha dura. Judith não sentia mais frio, agora aquecida pela luz ofuscante do sol penetrando em sua suéter grossa, e pela presença indulgente e tranqüila de seu acompanhante.

— Não sei se você conhece a praia em Penmarron — disse ela — mas é muito diferente desta aqui. É grande como um deserto, além de também ser deserta, e quando a gente quer fugir do vento norte, tem que proteger-se nas dunas. Acho-a muito bonita, mas esta é mais... — e ela procurou a palavra adequada.

— Doméstica? — sugeriu Jeremy.

— Sim, é justamente o que eu queria dizer. Fiquei... fiquei contente por trazer-me aqui para vê-la, mas espero que não tenha se sentido na obrigação de fazer isso. Estou bastante acostumada a agir sozinha e me saio muito bem.

— Tenho certeza disso, mas não se preocupe. Eu queria vir. Sempre gostei deste lugar. Talvez por revigorar o espírito. — Ele se sentara com os cotovelos descansando nos joelhos, e contemplava o mar com os olhos apertados, através dos óculos. — Vê os cormorans naquela rocha? Às vezes, quando o tempo esquenta, aparecem focas para tomar sol. Os cães ficam como loucos, sem saber o que fazer com elas.

Os dois permaneceram em silêncio. Judith pensou em Loveday e Walter, a esta altura provavelmente cavalgando nas charnecas, porém a ligeira pontada de inveja sentida ao vê-los partindo, tão ousados e competentes em suas montarias, havia desaparecido. Era melhor estar ali, naquele lugar, na companhia de um homem tão agradável. Estar com ele era quase tão bom quanto estar sozinha.

Após um momento, ela disse:

— Você conhece tudo tão bem por aqui, não é mesmo? Eu me refiro a Nancherrow. E aos Carey-Lewis. Dá a impressão de estar em sua própria casa, com sua própria família. No entanto, não está.

Jeremy virou-se e ficou reclinado sobre os cotovelos.

— Para mim, é uma espécie de segundo lar. Compreenda, há anos que freqüento esta casa. Fiquei conhecendo os Carey-Lewis porque meu pai era o médico da família. Depois, já mais velho, quando comecei a jogar rúgbi e críquete, o coronel me tomou mais ou menos sob sua proteção, dando-me todo tipo de encorajamento e de apoio. É um grande torcedor. Sempre comparece a todos os meus jogos, torcendo pela equipe local. Mais tarde, passou a convidar-me para caçar com ele, o que foi uma grande gentileza, já que meu pai nunca dispunha de tempo para entregar-se a este tipo de esporte e, portanto, jamais conseguia retribuir a hospitalidade do coronel.

— E os filhos? Quero dizer, Athena e Edward. Também são seus amigos?

— Embora bem mais novos do que eu, sim, são meus amigos. Quando Athena começou a ir às suas primeiras danças, eu costumava receber a responsabilidade de ser seu par. Não que ela chegasse a dançar comigo, mas a família me considerava uma pessoa de confiança, capaz de levá-la a festas e trazê-la de volta, sã e salva.

— E não se incomodava por ela não dançar com você?

— Não particularmente. Eu conhecia inúmeras outras garotas.

— Ela é muito bonita, não é?

— Deslumbrante. Como a mãe. Os homens a rodeiam como moscas no mel.

— E Edward?

— Nós dois nos conhecemos muito bem, porque quando eu estudava medicina, estava sempre com pouco dinheiro, de modo que o coronel me ofereceu um emprego de férias. Suponho que, na falta de palavra melhor, poderia ser um emprego de tutor. Edward nunca foi muito apegado aos estudos e precisava de um aprendizado extra que o habilitasse a passar nos exames e finalmente ir para Harrow. Também fui seu professor de tênis e críquete. Além disso, costumávamos ir até Penzance e velejar com o clube de lá. Foi um período magnífico. Assim, como pode ver, passei um bocado de tempo por aqui.

— Entendo.

— O que você entende?

— O motivo de parecer ser parte da família.

— A gente acaba sendo absorvido. E você? Tinha alguma idéia do que a esperava quando foi convidada para este fim de semana em Nancherrow?

— Em realidade, não.

— A primeira impressão é uma experiência e tanto. Entretanto, não acho que você tenha ficado confusa.

— Não. — Ela refletiu nisso. — Não fiquei, mas somente porque todos eles são muito gentis. Se não fossem, penso que seria um pouco amedrontador, porque tudo é tão... rico! Quero dizer, mordomos, pôneis, babás e reuniões para caçar. Na Inglaterra, nunca conheci alguém que tivesse um mordomo. No Ceilão é diferente, porque todo mundo tem criados, ao passo que aqui a maioria só conta com uma cozinheira geral. O Coronel Carey-Lewis é... é imensamente rico?

— Não mais do que qualquer outro grande proprietário de terras da Cornualha...

— Sim, mas...

— O dinheiro é de Diana. Ela era filha única de um cavalheiro muitíssimo rico, chamado Lorde Awliscombe. Quando ele morreu, Diana ficou muito bem de vida.

Segundo parecia, Diana havia sido abençoada em tudo.

— Ela deve ter tido uma fada-madrinha muito especial. Para ser tão bonita, tão rica e sedutora. A maioria das pessoas ficaria feliz com uma só dessas coisas. E não apenas bonita, mas ainda tão jovem. Mal se pode acreditar que já tenha filhos crescidos.

— Diana só tinha dezessete anos, quando casou com Edgar.

— Edgar. É o nome do coronel?

— Sim. Ele é muito mais velho do que Diana, claro, mas adorou-a a vida inteira e finalmente a conquistou. Tem sido um grande casamento.

— Se ele a ama tanto, não se importa com pessoas como Tommy Mortimer?

Jeremy deu uma risada.

— Você acha que ele deveria importar-se?

177

Judith ficou embaraçada, como se houvesse dado a impressão de ser terrivelmente moralista.

— Não, claro que não. Apenas parece... ele parece... — Ela atrapalhou-se. — Fiquei pensando se não seria um ator.

— Por causa de todos aqueles gestos expansivos e da voz melíflua? Bem, é fácil enganar-se. Tommy Mortimer não é ator, mas joalheiro. Sua família é dona da casa Mortimer's, os negociantes de prata em Regent Street. É onde as pessoas vão comprar presentes de casamento imensamente caros, anéis de noivado e coisas assim. Minha mãe esteve lá uma vez, mas apenas para que lhe furassem as orelhas. Disse que saiu sentindo-se uma milionária.

— Ele não é casado? Tommy Mortimer, quero dizer.

— Não. Seu grande propósito é amar apenas Diana, mas acho que, na verdade, ele gosta de ser solteiro e namorar para passar o tempo, pois sempre relutou em desistir de sua liberdade. Entretanto, é um grande amigo de Diana. Cuida dela, quando ela desaparece em uma viagem a Londres, e costuma vir aqui de tempos em tempos, se tem necessidade de relaxar um pouco e de respirar um ar mais puro.

Entretanto, era difícil compreender aquilo.

— O coronel *não* se importa?

— Não creio que se importe. Eles planejaram suas próprias vidas, cada um tem seus interesses pessoais. Diana possui uma pequena casa em Londres, e precisa escapar para a cidade grande periodicamente. Edgar odeia Londres, só indo lá para ver seu corretor ou assistir a um jogo de críquete no Lord's. E ele nunca se hospeda na casa de Diana, preferindo ficar em seu clube. É, essencialmente, um homem do campo. Sempre foi. *Sua* vida é Nancherrow, isto significando as lavouras e a propriedade, suas caçadas e seus faisões, além de também gostar um pouco de pescar salmões em Devon. Aliás, sendo um magistrado, tem assento no Conselho do Condado. É um homem permanentemente ocupado. Por outro lado, como já disse, é muito mais velho do que Diana. Mesmo que quisesse, ele não conseguiria acompanhá-la no tipo de divertimentos que ela aprecia.

— E que divertimentos são esses?

— Ora, fazer compras e jogar bridge, jantar fora em Londres, ir a clubes noturnos, concertos e teatros. Ela o levou a um concerto certa vez, e ele dormiu a maior parte do tempo. A idéia do coronel sobre uma boa música é "Se você fosse a única garota no mundo" ou então "Terra de esperança e de glória".

Judith deu risadas.

— Eu gosto dele — falou. — Tem um rosto tão bondoso!

— Ele *é* bondoso. Também é terrivelmente tímido. Entretanto, você parece ter encontrado muito sobre o que falar, e quebrou o gelo com ele...

A essa altura, o tranqüilo interlúdio dos dois foi encerrado abruptamente. Parecendo já terem tido o suficiente de areia e de mar, os cães vieram à procura deles, subindo trabalhosamente pelas rochas. Tiger estava ensopado de sua segunda natação, e o pêlo de Pekoe ficara incrustado de areia úmida. O comportamento de ambos certamente indicava que estavam fartos de correr por ali e que desejavam continuar a caminhada. Ao mesmo tempo, o sol desaparecera atrás de uma grande e sinistra nuvem, o mar ficara cinzento e o vento esfriara. Sem sombra de dúvidas, chegara a hora de saírem dali.

Eles não voltaram pelo mesmo caminho da vinda, ou seja, através dos jardins. Em vez disso, seguiram pela alameda da fazenda e caminharam ao longo da praia por uns dois quilômetros ou mais, depois internando-se nas terras da propriedade. Subiram por um íngreme vale, onde carvalhos inclinados pelo vento formavam um túnel e acompanhavam o curso de um rio raso. Quando chegaram ao alto do vale, viram-se precisamente na charneca, mas a servidão de passagem os conduziu de volta a Nancherrow, através de campos cheios de gado leiteiro que pastava. Entre as pastagens, ao invés de portões havia antigos torniquetes, lajes de granito cruzando valas profundas.

— Antigas grades inglesas para o gado — comentou Jeremy, tomando a frente durante a passagem por estes obstáculos. — São muito mais eficientes do que portões, porque passantes e excursionistas não podem deixá-las abertas.

Tiger enfrentou as lajes sem a menor dificuldade, mas Pekoe estacou diante da primeira e teve que ser levado no colo sempre que surgia alguma.

Eram quase cinco horas e a tarde ia morrendo, quando finalmente chegaram à casa. Agora as nuvens enchiam definitivamente o céu e o sol se fora, e a claridade começou a diminuir. Judith estava cansada. Quando cobriam o último trecho, perguntou:

— Será que Loveday já voltou?

— É bem provável. Walter não se arriscaria a ser apanhado pela escuridão.

A essa altura, até os cães vinham arrastando as patas, porém já estavam bem perto de casa. As árvores rareavam, o caminho encurvava-se, e a casa surgiu à vista, com luzes brilhando nas janelas e vidros da porta principal. Entretanto, não foi por ali que eles entraram, mas por onde tinham vindo, dando a volta pelos fundos e atravessando o quarto de armas.

— Norma da casa — explicou Jeremy. — Nada de cães na parte principal, enquanto não estiverem secos. Caso contrário, os sofás e tapetes ficariam em perpétuo estado de sujeira.

Ele encheu de água fresca as tigelas esmaltadas e ficou ao lado, vendo os cães beberem. Finalmente saciados, os dois animais sacudiram-se e foram instalar-se em suas cestas, satisfeitos.

— Muito bem — disse Jeremy — vamos procurar Mary. Ela deve estar à nossa espera, com sua chaleira no fogo. Quero lavar as mãos. Encontro-a no quarto de brinquedos.

Judith subiu exausta para o seu quarto. Entretanto, ele agora estava diferente. Não mais uma novidade, e sim, um ar familiar. Ela voltava para Nancherrow, não a estava vendo pela primeira vez. Era um dos ocupantes, aceita, e este era o *seu* quarto. Despiu a grossa suéter e a jogou sobre a cama, depois foi para o *seu* banheiro, onde usou o sabonete perfumado e enxugou as mãos em sua toalha de banho. Em seguida, escovou os cabelos, emaranhados pelo vento, prendendo-os com firmeza para trás. No espelho, suas faces estavam rosadas pelo exercício e o ar puro. Bocejou. Aquele fora um dia longo, e ainda não terminara. Apagando a luz, Judith saiu em busca do chá.

Jeremy chegara lá primeiro e já estava sentado à mesa com Mary e Loveday, passando manteiga em um quente bolinho de creme.

— Não sabíamos para onde vocês *foram* — disse Loveday, quando Judith se reuniu a eles. — Levaram séculos ausentes. Eu e Mary já pensávamos que precisaríamos mandar um grupo de busca procurá-los. — Judith puxou uma cadeira e sentou-se à mesa. Era uma bênção sentar-se. O fogo crepitava, e Mary cerrara as cortinas contra o anoitecer. — Gostou da enseada?

— É muito bonita.

— Como quer o seu chá? — perguntou Mary. — Com leite e sem açúcar? Vai precisar de uma xícara bem forte, depois de caminhar tanto. Acabei de dizer a Jeremy que não devia ter levado você tão longe.

— Não me importo. Até gostei. E você, divertiu-se com seu pônei, Loveday?

Sim, Loveday tivera uma tarde perfeita, com aventuras de sobra, e Tinkerbell havia saltado um portão de quatro barrotes. Ranger se assustara com um saco velho, agitado pelo vento em uma sebe espinhosa, mas Walter tinha sido formidável, conseguindo controlar o pânico do animal e tranqüilizando-o novamente.

— Cheguei a pensar que íamos ter o mais *terrível* desastre! — E, no alto da charneca, haviam galopado por quilômetros, fora celestial, e o ar estava tão puro, que podiam avistar o infinito. E tudo tinha sido celestial, absolutamente celestial, ela mal podia esperar para sair com Walter outra vez. — Com ele é muito mais divertido, porque papai é sempre tão *cauteloso*!

— Espero que Walter não enfrente riscos — disse Mary, consternada.

— Oh, Mary, você se preocupa demais. Sabe muito bem que sei tomar conta de mim mesma.

Finalmente pararam de comer e beber, fartos de bolinhos quentes, bolos gelados glaçados, biscoitos amanteigados e sanduíches. Não conseguiam comer mais nada. Jeremy recostou-se na cadeira e espreguiçou-se com vontade. Judith receou que a cadeira desmontasse sob o peso dele, porém ela continuou intacta.

— Eu não queria, mas tenho que ir andando. Caso contrário, não chego em casa a tempo para o jantar.

— Pensar em comer outra refeição, depois de todos esses bolinhos, é uma coisa que não consigo imaginar — disse Loveday.

— Fale por si mesma!

Ele ficou de pé, quando então a porta se abriu e Diana entrou.

— Bem, aqui estão todos vocês, tagarelando e parecendo muito à vontade!

— Seu chá já foi servido, sra. Carey-Lewis?

— Sim, e os Parker-Browns já se foram, porque precisam comparecer a um coquetel. Os homens estão de cabeça enterrada nos jornais. Jeremy, você parece prestes a nos deixar.

— Receio que sim. Preciso ir andando.

— Foi ótimo vê-lo aqui. Recomendações minhas a seus pais...

— Bem, obrigado pelo almoço e tudo o mais. Vou enfiar a cabeça na porta e despedir-me do coronel e de Tommy.

— Faça isso. E volte logo, sem demora.

— Não sei quando vai ser possível, mas eu adoraria. Adeus, garotas. Adeus, Judith. Foi muito bom encontrar você novamente. Adeus, Mary... — Ele a beijou. — E Diana... — Beijou-a também; foi até a porta, abriu-a, ergueu a mão e saiu.

— Ele nunca foi dos que perdem tempo — disse Diana com um sorriso. — Um rapaz tão cativante... — Ao falar, ela foi instalar-se no canto do sofá do quarto de brinquedos, perto do fogo. — E vocês, meninas, querem descer para o jantar ou preferem uma ceia aqui mesmo, com Mary?

— Se descermos para jantar teremos de trocar de roupa? — perguntou Loveday.

— Oh, querida, que pergunta mais tola! É claro que sim!

— Então, acho melhor ficarmos por aqui e comermos ovos estrelados ou coisa parecida.

Diana ergueu as sobrancelhas bem-feitas.

— E quanto a Judith?

— Eu adoro ovos estrelados — disse Judith — e não tenho um vestido para mudar.

— Bem, se é o que ambas preferem, direi a Nettlebed. Kitty pode trazer uma bandeja para vocês. — Ela enfiou a mão no bolso de seu cardigan verde-claro, de lá tirando os cigarros e o isqueiro dourado. Acendeu um e puxou um cinzeiro para perto. — Judith, e quanto àquela linda caixa que trouxe com você? Prometeu mostrá-la para mim depois do chá. Traga-a para cá, e nós a veremos agora.

Assim, os cerca de dez minutos seguintes foram passados em mais uma exibição dos encantos da caixa de cedro e da complexidade da pequenina fechadura. Diana se mostrou gratamente encantada, admirou cada aspecto do tesouro de Judith, abriu e fechou as gavetinhas, e prometeu-lhe uma coleção de conchas africanas para encher uma delas.

— Você poderia usá-la como caixa de jóias. Guardaria todos os seus anéis e tesouros. Ficariam tão seguros como em um cofre.

— Não tenho anéis. Nem tesouros.

— Você os adquirirá. — Diana baixou a tampa da caixa pela última vez e pressionou a tranqueta. Sorriu para Judith. — Onde vai guardá-la?

— Suponho que em casa de tia Louise... Posso levá-la para lá, na metade do período letivo.

— Claro — disse Loveday. — A velha e antipática Inspetora não cede nem um canto de seu armário da Cruz Vermelha!

— Por que não a deixa aqui? — perguntou Diana.

— *Aqui?*

— Sim. Em Nancherrow. No seu quarto. Então, sempre que vier, a caixa estará esperando por você.

— Mas... — (Ela ia ser convidada novamente, era tudo em que podia pensar. A visita de agora não seria a única. Ia ser convidada a voltar.) — Bem, não seria um estorvo?

— De maneira nenhuma! E da próxima vez que vier, deverá trazer algumas roupas e deixá-las aqui também, exatamente como se esta fosse sua outra casa. Assim, não terá que ficar andando por aí com as roupas rejeitadas por Athena.

— Eu adorei usá-las. Nunca tive um pulôver de *cashmere*.

— Então, deve ficar com ele para você. Vamos pendurá-lo em seu armário. Será o começo do seu guarda-roupa de Nancherrow.

Lavinia Boscawem, que há muito e muito tempo aceitara o fato de que pessoas demasiado idosas necessitavam de pouco sono, jazia em sua macia cama de casal, com a cabeça voltada para a janela, contemplando o céu noturno iluminar-se com o alvorecer. As cortinas estavam divididas, puxadas ao máximo para os lados, porque ela sempre acreditara que o escuro, tudo lá fora, com seu céu estrelado e os cheiros e sons noturnos, eram preciosos demais para ficarem ocultos.

As cortinas eram muito velhas... não tanto quanto a própria sra. Boscawem, mas tão velhas quanto os anos vividos na Dower House — quase cinqüenta. A claridade do sol e o uso as tinham desbotado e corroído; o recheio espesso assomava aqui e ali, como a lã de uma ovelha idosa, ao passo que a trança sobre as sanefas, assim como as elaboradas fitas para prendê-las se tinham soltado e pendiam em pequenas ondulações esfiapadas. Pouco importava. Um dia tinham sido bonitas, ela as escolhera e as amara. Aquelas cortinas a veriam ir-se deste mundo.

Nessa manhã não chovia. Lavinia era grata por isso. Chovera demais no inverno e, embora aos oitenta e cinco ela tivesse parado de subir e descer ladeiras até a aldeia ou de sair em prolongadas e saudáveis caminhadas, continuava sendo agradável poder ir até o jardim, e lá passar uma ou duas horas cuidando das plantas ao doce ar puro, protegendo as roseiras ou fazendo apertadas tranças com folhas de narcisos, depois que as flores douradas houvessem definhado. Para esta última tarefa, Lavinia contava com uma espécie de genuflexório de couro, idealizado por seu sobrinho Edgar e feito especialmente para ela, na serraria da propriedade. Tinha um coxim de borracha para proteger seus velhos joelhos da umidade, e robustos pegadores bons para agarrar, quando ela queria erguer-se e ficar novamente em pé. Um dispositivo tão simples e ao mesmo tempo tão prático. Mais ou menos como Edgar, a quem Lavinia sempre amara como se filho fosse, posto que nunca tinha sido abençoada com uma família própria.

O céu empalideceu. Prometia um belo dia frio. Um domingo. Ela recordou que Edgar e Diana viriam para o jantar, trazendo consigo Loveday, Tommy Mortimer e a colega de escola de Loveday. Tommy Mortimer era um velho conhecido, encontrado nas inúmeras ocasiões em que abandonava Londres e escapava para um fim de semana campestre, em Nancherrow. Sendo amigo de Diana, atencioso, afetivo e fonte de um interminável suprimento de floreados cumprimentos, a princípio Lavinia tivera fundas suspeitas dele, imaginando escabrosas intenções e, por causa de Edgar, ressentia-se da permanência daquele homem nas proximidades da esposa de seu sobrinho. Entretanto, com o passar do tempo, Lavinia chegara a conclusões próprias sobre Tommy Mortimer, percebendo que ele não significava nenhuma ameaça ao casamento de quem quer que fosse. Assim, foi capaz de achar graça nas maneiras extravagantes dele e chegara a apreciá-lo bastante. Quanto à colega de Loveday, esta ainda lhe era desconhecida, mas seria interessante descobrir que espécie de garota aquela criança travessa e mimada escolheria para passar um fim de semana em sua casa.

De qualquer modo, aquele era um acontecimento. Para o jantar, haveria dois patos novos, vegetais frescos, um suflê de limão e nectarinas em conserva. Na prateleira da despensa havia um excelente

Stilton. Lavinia devia falar a Isobel para não esquecer de resfriar o vinho branco do Reno.

Isobel. Em sua velhice, Lavinia tinha poucos aborrecimentos. Na maturidade, chegara à conclusão de que era inútil preocupar-se com questões sobre as quais não tinha controle. Isto chegava a incluir sua própria e eventual morte, o tempo e a maneira infeliz como as coisas pareciam estar indo na Alemanha. Desta maneira, após ler consciensiosamente os jornais, entretinha a mente em outras coisas e nada a afastava de tal decisão. Ora precisava encomendar uma nova roseira, podar a budléia, ou então eram os livros para sua biblioteca e cartas que chegavam de velhos amigos, além do que devia enviar a eles. Isto sem falar do progresso na confecção de sua tapeçaria e na conferência diária com Isobel, a respeito da boa administração geral de sua casa de poucos problemas.

Isobel, no entanto, *era* um certo aborrecimento. Tendo apenas dez anos menos do que Lavinia, na realidade estava ficando incapacitada para cozinhar e cuidar de tudo o que constituíra sua vida durante quarenta anos. De quando em quando, Lavinia reunia coragem e abordava o tema da aposentadoria, porém Isobel sempre ficava imensamente agitada e ofendida, como se sua patroa estivesse querendo livrar-se dela. Após tais ocorrências, eram inevitáveis um ou dois dias de convivência com certa carranca. Não obstante, alguma coisa fora providenciada, e agora a esposa do carteiro vinha da aldeia e subia a colina todas as manhãs. Empregada para fazer o "trabalho pesado", ela aos poucos fora se infiltrando além das portas da cozinha e assumira o restante do serviço da casa — encerar assoalhos, escovar as lajes do pórtico e, de um modo geral, manter tudo brilhando, cheirando bem e arrumado. A princípio, Isobel tratara esta boa alma com frio desdém, e muito podia ser dito em favor da mulher do carteiro, por haver suportado um longo período sem receber qualquer cooperação e, finalmente, ter conseguido anular a hostilidade de Isobel, além de torná-la sua amiga.

Entretanto, ela não vinha aos domingos, de modo que o jantar significaria muito trabalho para Isobel. Lavinia gostaria de poder ajudá-la um pouco — não que pudesse fazer grande coisa, pois era incapaz até mesmo de preparar um ovo cozido. O orgulho de Isobel, no entanto, estava permanentemente em jogo, de maneira que, se ninguém interferisse, no fim de contas tudo terminaria bem, em todos os sentidos.

Um melro cantou em algum lugar do jardim. No andar de baixo, uma porta foi aberta e fechada. Lavinia espreguiçou-se sobre sua pilha de travesseiros com fronhas de linho, depois virou-se a fim de esticar a mão para seus óculos, que estavam em cima da mesa-de-cabeceira. Era um móvel bastante grande, do tamanho de uma pequena secretária, devido ao número de pequenos, mas importantes objetos que precisavam ficar ao seu alcance. Seus óculos, um copo d'água, uma lata de biscoitos para chá, um bloquinho de papel e um lápis de ponta afiada, para o caso dela ter alguma idéia brilhante no meio da noite... Havia ainda uma fotografia de Eustace Boscawen, seu falecido marido — de olhar fixo e consternado, em sua moldura de veludo azul — a Bíblia dela e o livro que estava lendo, *Barchester Towers*. Talvez o lesse pela sexta vez, mas Trollope era um homem tão estimulante! Lê-lo era como ter alguém nos dando a mão e guiando-nos mansamente de volta a um passado mais ameno. Ela se esforçou para pegar os óculos. Enfim, disse para si mesma, pelo menos não tenho um par de dentaduras sorrindo para mim, de dentro de um copo d'água. Lavinia orgulhava-se de seus dentes. Quantas velhas, aos oitenta e cinco anos, ainda podiam contar com os próprios dentes? Ou, de qualquer modo, com a maioria deles? E os dentes que ela havia perdido ficavam no fundo da boca, não aparecendo a falha. Lavinia ainda era capaz de sorrir e dar risadas, sem receio de embaraçar quem quer que fosse, com a careta de uma falha de dente ou uma dentadura mal ajustada.

Ela olhou para o relógio. Sete e meia. Isobel estava vindo para cima. Podia ouvir os degraus rangerem, os velhos passos cruzando o patamar. Uma batida por pura formalidade, a porta se abriu e ela apareceu, trazendo em uma bandeja o copo matinal de água quente de Lavinia, no qual boiava uma rodela de limão. Era uma antiga tradição que não devia continuar — Lavinia podia perfeitamente passar sem ela. Isobel, contudo, levara cinqüenta anos servindo o limão quente matinal, e não pretendia parar agora.

— Bom-dia — disse ela. — Está fazendo muito frio.

Arranjando espaço na mesa, depositou ali a bandeja. Suas mãos eram enrugadas e vermelhas, os nós dos dedos inchados pela artrite, e ela usava o vestido de algodão azul, tendo sobre ele um avental branco, com peitilho. Nos velhos tempos, costumava cobrir a cabeça com uma volumosa e horrenda touca de algodão branco, porém Lavinia finalmente a convencera a abandonar aquele distintivo de servilidade. Isobel ficara com aparência bem melhor sem a touca, revelando uma cabeleira ondulada e grisalha, puxada para trás em um pequeno coque, preso com enormes grampos negros.

— Oh, obrigada, Isobel.

Isobel cruzou o quarto para fechar a janela, mas, ao fazê-lo, cortou o som dos trinados do melro, expulsando-o para o exterior. Suas meias eram pretas; os tornozelos inchados sobravam acima de gastos sapatos presos com correias. Ela é que devia estar na cama, saboreando bebidas mornas e confortadoras, levadas por outra pessoa. Lavinia desejou não se sentir sempre tão culpada.

Disse, movida por um impulso:

— Espero que você não tenha que trabalhar demais hoje. Acho que devíamos parar de ter almoços para muita gente.

— Não, não comece com isso outra vez! — Isobel ajeitou as cortinas nervosamente, acrescentando em seguida: — Do jeito como fala, até parece que estou a ponto de morrer e ser enterrada.

— Longe de mim tal intenção! — exclamou Lavinia. — Quero apenas ter certeza de que você não se cansará além da conta.

Isobel deu uma risada desdenhosa.

— Não é provável que isso aconteça. De qualquer modo, está tudo encaminhado. Deixei a mesa posta ontem à noite, quando a senhora fazia sua ceia em uma bandeja, e já preparei todos os vegetais. A couve-de-bruxelas está uma beleza, com apenas um leve congelado, e um tantinho crocante. Agora vou descer para fazer o suflê. Aquela Loveday não ficaria satisfeita comigo se não houvesse suflê.

— Você a mima demais, Isobel, exatamente como todos os outros.

Isobel fungou.

— Se quer saber, todas as crianças Carey-Lewis foram mimadas, mas parece que isso não fez nenhum mal a elas. — Inclinando-se, ela recolheu o roupão de Lavinia, em lã fina, que escorregara da poltrona para o chão. — E nunca aprovei aquilo deles mandarem Loveday para aquela escola... Então, de que adianta ter filhos, se a gente os manda para quilômetros de distância?

— Certamente acharam que era o melhor para ela. De qualquer modo, isso agora é passado, e ela parece dar-se bem no Santa Úrsula.

— É bom sinal ela ter trazido uma amiga para casa. Se Loveday está fazendo amigas, também não pode ser expulsa.

— Você está certa. Enfim, devemos lembrar que isso nada tem a ver conosco.

— Talvez, mas podemos ter nossas opiniões, não podemos? — Tendo firmado sua posição, Isobel caminhou para a porta. — Quer um ovo frito para o *breakfast*?

— Obrigada, minha boa Isobel, isso seria ótimo.

Isobel saiu. Seus passos distanciaram-se, enquanto descia cautelosamente a escada encurvada. Lavinia a imaginou pisando nos degraus, um de cada vez, com a mão firmando-se no corrimão. O senso de culpa não desaparecia, mas o que fazer? Nada podia ser feito. Bebeu a limonada quente, pensou no concorrido almoço, e decidiu usar seu vestido azul novo.

O comportamento de Loveday, na manhã seguinte, deixou perfeitamente claro que a tia-avó Lavinia era uma das poucas pessoas — ou talvez a única — com capacidade de exercer alguma espécie de influência sobre sua caprichosa personalidade. Para começar, saiu da cama bem cedo para lavar os cabelos, e depois vestiu sem nenhuma objeção as roupas que Mary já lhe preparara de véspera: um vestido de lã xadrez, com gola e punhos de um branco alvíssimo, meias-soquetes brancas e sapatos pretos de couro, com correias e botões.

Ao encontrá-la no quarto de brinquedos, onde Mary lhe secava e escovava os cabelos, Judith começou a preocupar-se com a própria aparência. Ver Loveday tão incomumente bonita e elegante fez com que se sentisse realmente patética, algo semelhante a uma parenta pobre. A suéter vermelho-papoula de *cashmere* era tão apropriada como sempre, mas...

— Não posso sair para almoçar de short, posso? — apelou para Mary. — E o uniforme é tão feio... Não quero ir de uniforme...

— É claro que não irá. — Mary se mostrava compreensiva e prática como sempre. — Vou dar uma olhada nas roupas de Athena e ver se encontro uma saia bonita para você. Poderá usar, de empréstimo, um par de soquetes brancas de Loveday, iguais às que ela está calçando, e lustrarei seus sapatos para você. Então, ficará tão elegante e vistosa como um *penny* novo... Vamos, fique quieta, Loveday, pelo amor de Deus! Do contrário, nunca vamos secar essa cabeleira.

A saia, surripiada descaradamente do armário de Athena, era do tipo escocês, com correias de couro e fivelas na cintura.

— Os saiotes escoceses são coisas adoráveis — observou Mary. — Não importa o quanto a pessoa seja gorda ou magra, sempre é possível ajustá-los ao corpo.

Ajoelhando-se, ela envolveu a saia em torno da cintura de Judith e firmou as correias. Loveday olhou-a, e deu uma risada.

— É mais ou menos como afivelar a cilha de Tinkerbell...— disse.

— Nada disso. Você bem sabe como Tinkerbell se infla toda, como um pequeno balão. Pronto! Ficou perfeito. E o comprimento também está correto. Bem no meio do joelho. E, no xadrez da saia, há um toque de vermelho que combina com o de sua blusa. — Ela sorriu e voltou a ficar em pé. — Está muito bonita. Podia passar por parenta do rei... Muito bem, agora tire os sapatos, e Mary os deixará tão reluzentes, que poderá ver seu rosto refletido neles.

Nas manhãs de domingo, o café da manhã em Nancherrow não acontecia antes das nove horas, mas, mesmo assim, quando o grupo do quarto de brinquedos surgiu na grande sala de refeições, os outros já se encontravam lá, ocupados com mingau quente e salsichas grelhadas. A sala estava banhada pela claridade matinal do sol de inverno, e havia no ar um cheiro delicioso de café fresco.

— Sinto muito estarmos atrasadas... — desculpou-se Mary.

— Já nos perguntávamos o que estariam fazendo — disse Diana, na cabeceira mais distante da mesa.

Ela usava um conjunto de saia e casaco em flanela cinza-clara, de corte tão perfeito, que a deixava esbelta como uma gata siamesa. Uma blusa de seda azul lhe transformava os olhos em safiras. Nas orelhas tinha brincos de pérola e diamantes, na base do pescoço cintilavam três fios de pérolas.

— Levamos muito tempo para aprontar-nos.

— Não tem importância. — Diana sorriu para as garotas. — Vendo um par tão elegante, posso compreender perfeitamente. Você se saiu com brilhantismo, Mary...

Loveday foi beijar o pai. Ele e Tommy Mortimer estavam igualmente formais, usando ternos com colete, camisas de colarinho engomado e gravatas de seda. O coronel largou o garfo, a fim de ficar com a mão livre para abraçar a filha.

— Eu mal a reconheço — falou. — Uma verdadeira *lady*, usando um vestido. Já começava a esquecer como eram as suas pernas...

— Oh, papai, não seja tolo! — Falando sério, mas sem conseguir esconder o ar dengoso, Loveday acrescentou: — E olhe só, seu velho guloso, tem *três salsichas* no prato! Espero que tenha deixado algumas para nós...

Mais tarde, ainda pela manhã, os cinco cobriram a curta distância até Rosemullion, todos confortavelmente instalados no enorme Daimler do coronel. Para a igreja, Diana colocara um chapéu de feltro cinzento com aba e um pequenino véu; como o dia, embora brilhante e ensolarado, estava frio, ela havia acrescentado uma pele de raposa prateada ao redor dos ombros.

O carro ficou estacionado junto ao muro do cemitério e eles entraram em fila no passadiço, juntamente com todas as outras pessoas da aldeia, caminhando por entre as lápides antigas e os vetustos abetos. A igreja era pequenina e muito, muito velha, ainda mais velha, pensou Judith, do que a existente em Penmarron. Devido à sua grande antiguidade, ela parecia ter afundado na própria terra, de modo que, do sol lá fora, os fiéis passaram para um ambiente de gélida penumbra, que exalava um odor de pedra úmida, de carunchos e de mofados livros de orações. Os bancos eram duros e horrorosamente desconfortáveis. Quando se sentaram no banco da frente, um sino de timbre desafinado começou a soar na torre, muito alto acima deles.

Às onze e quinze, o serviço começou. Demorou muito, porque o vigário, o sacristão e o órgão eram todos, exatamente como a igreja, extremamente idosos e quase sempre ficavam bastante desnorteados. A única pessoa que parecia saber o que fazia era o Coronel Carey-Lewis, que se dirigiu agilmente até o púlpito para ler o excerto bíblico, leu-o, e depois se dirigiu agilmente de volta a seu banco. Um divagante sermão foi devidamente proferido, cujo tema permaneceu obscuro do princípio ao fim; foram cantados três hinos; foi feita uma coleta (dez xelins de cada adulto e meia coroa de Judith e Loveday), e finalmente dada a bênção, o que encerrou tudo.

Após a friagem úmida da igreja, emergir para o sol fora uma sensação positivamente cálida. Lá fora, eles aguardaram por alguns instantes, enquanto Diana e o coronel trocavam algumas palavras com o vigário, cujos ralos cabelos brancos a brisa agitava sem cessar, e cuja batina esvoaçava e agitava-se como um lençol pendurado no varal. Outros fiéis, a caminho de casa, levavam a mão aos chapéus e cumprimentavam respeitosamente:

— Bom-dia, coronel. Bom-dia, sra. Carey-Lewis...

Entediada, Loveday começou a saltar para cima e para baixo em uma lousa tumular coberta de liquens.

— Oh, vamos embora — disse, puxando a manga do pai. — Estou com fome...

— Bom-dia, coronel. Que dia agradável...

Por fim, todos partiram e chegou a hora de irem também. O coronel, entretanto, consultou seu relógio.

— Temos dez minutos de folga — anunciou. — Portanto, vamos deixar o carro aqui e caminhar. Um pouco de exercício fará bem a todos nós e abrirá o apetite para o almoço. Vamos, meninas...

Eles partiram, tomando a estreita e serpenteante estrada que, da aldeia, subia a colina. Altos muros de pedra erguiam-se de um e outro lado, cobertos de hera, com olmos elevando-se para o céu límpido, os galhos mais altos tomados por gralhas crocitantes. A ladeira empinou-se e todos ficaram um tanto resfolegantes.

— Se soubesse que íamos caminhar — disse Diana — eu não teria calçado meus sapatos de saltos mais altos.

Tommy passou um braço por sua cintura.

— Devo tomá-la nos braços e carregá-la?

— Eu dificilmente acharia tal atitude muito decorosa.

— Então, limitar-me-ei a *apressá-la* para continuar em frente. E pense apenas em como a volta será esplêndida. Todos poderemos descer a ladeira correndo. Ou deslizando sobre os fundilhos, como os que escorregam em tobogãs.

— Pelo menos isso daria assunto para comentários gerais.

Ignorando tais gracejos, o coronel caminhava à frente em largas passadas, abrindo caminho. A estrada dobrou novamente em ângulo reto, mas parecia que ali, na íngreme esquina, tinham chegado por fim ao seu destino. E tudo isso porque surgiu um portão aberto no muro alto, no lado direito da estrada. Além do portão, uma estreita alameda encurvava-se mais além, entre bordas relvadas de canteiros e sebes de escalônias, podadas com perfeição. Era de fato um alívio pisarem novamente em solo horizontal, apesar da trilha coberta de seixos, que tornavam ruidosa a caminhada.

Tommy Mortimer seguia em frente desajeitadamente. Exercícios físicos não eram uma de suas paixões, a menos que estivesse empunhando uma raquete de tênis ou uma arma para caçar.

— Você acha — perguntou, ansioso — que me será oferecido um gin com um pouquinho de *bitter*?

— Você já almoçou aqui antes — recordou-lhe Diana vivamente. — Tomou um *sherry*, talvez um Madeira. E nada de pedir um gim com *bitter*!

Ele suspirou, resignado.

— Minha cara menina. Por você, eu beberia cicuta. Admito, no entanto, que o Madeira tem toques de Jane Austen.

— Nem Jane Austen e nem o Madeira lhe farão qualquer mal.

O pequeno grupo dobrou a curva da sebe de escalônias, e a Dower House surgiu diante deles. Não era uma construção grande nem imponente, mas possuía uma certa dignidade de estilo que imediatamente causava impressão. Era uma casa quadrada, simétrica e sólida, em rebocadura rústica de cal, com janelas góticas, um teto de telhas cinzentas de ardósia e um pórtico de pedra, amenizado por clematites. Erguida ali, aconchegada no abrigo da colina, tinha o aspecto de uma propriedade que voltara as costas ao mundo, dormitando secretamente através da passagem dos anos, por um tempo mais demorado do que se pudesse recordar.

Não houve necessidade de bater à porta ou de fazer soar uma sineta. Quando o coronel aproximou-se, uma porta interna foi aberta e uma mulher idosa surgiu no pórtico. Usava um uniforme de criada de sala, com avental de musselina e uma touca do mesmo tecido, firmemente colocada sobre a cabeça grisalha e rematada com fitas de veludo.

— Imaginei que viriam diretamente para cá. Estamos prontas e esperando.

— Bom-dia, Isobel.

— 'Dia, sra. Carey-Lewis... Um belo dia, mas ainda friorento — disse Isobel, em voz esganiçada, com forte sotaque da Cornualha.

— Lembra-se do sr. Mortimer, Isobel?

— Claro que me lembro. Bom-dia, senhor. Entrem, e poderemos fechar a porta. Querem tirar seus agasalhos? Por Deus, Loveday, como está crescendo! E esta é a sua amiga? Judith? Dê-me suas peles, sra. Carey-Lewis, e as deixarei em lugar seguro...

Desabotoando o capote verde da escola, Judith olhou em torno disfarçadamente. As casas de outras pessoas eram sempre fascinantes. Assim que se cruzava a entrada pela primeira fez, podia-se captar o ambiente e descobrir algo sobre a personalidade das pessoas que ali moravam. Riverview, embora sendo uma residência provisória e mal mobiliada, significara o lar simplesmente porque sua mãe sempre estava lá, porque era onde ela brincava com Jess, porque podia estar na cozinha, anotando listas de compras para Phyllis ou fortificada em sua poltrona junto à lareira, tendo à volta todas as suas poucas e lindas posses. Windyedge, por outro lado, sempre parecia um tanto impessoal, mais semelhante a um clube de golfe, ao passo que Nancherrow, sob a influência de Diana, transformava-se em luxuoso apartamento londrino, porém em enorme escala campestre.

A Dower House, contudo, possuía um impacto que Judith nunca experimentara antes. Entrar naquela casa era, realmente, como recuar no tempo. Tão antiga — certamente pré-vitoriana — tão perfeitamente proporcionada e de maneira tão admirável que, acima do murmúrio das vozes, era claramente audível o lento tique-taque do relógio de pé. O piso do saguão era lajeado em ardósia e coberto por tapetes, dele partindo uma airosa escadaria circular, encurvada sob uma janela gótica com cortinas de linho cor de trigo. Havia também um cheiro fascinante, uma mistura de idade, polidor de móveis antigos e flores, com um fraco subtom de pedra úmida e adegas frias. Ali não havia aquecimento central, apenas um fogo vivo crepitando na lareira e um quadrado de luz solar, enviezado através do piso, após cruzar uma porta aberta.

— ... a sra. Boscawen está na sala de estar...

— Obrigada, Isobel.

Enquanto Isobel levava os agasalhos para o andar de cima, Diana tomou a dianteira do grupo e caminhou para a porta aberta.

— Tia Lavinia! — Sua voz era calorosa, com legítimo prazer. — Aqui estamos todos nós, exaustos após caminharmos ladeira acima. Edgar quis que viéssemos a pé. A senhora é um amor, para tolerar semelhante invasão...

— Então, foram todos à igreja! Como são bondosos! Eu não fui, achando que não conseguiria suportar nem mais um daqueles sermões do vigário. Loveday, sua travessa, venha dar-me um beijo... e meu caro Edgar! E Tommy! Que esplêndido, vê-lo novamente...

Judith ficou para trás, não só por estar acanhada, mas por haver tanta coisa para olhar. Uma sala de paredes claras, inundada pela dourada luz do sol, que penetrava por janelas altas dando para o sul. Cores suaves, em tons rosados, cremes e verdes, agora desbotados, porém nunca muito vivos. Uma comprida estante de livros entulhada de volumes encadernados em couro; um gabinete espelhado, em nogueira, contendo um conjunto de pratos de porcelana Meissen com estamparia de frutas; um ornado espelho veneziano acima da platiban-da branca da lareira. Nesta, crepitava um pequeno fogo de carvões, e a claridade solar diminuía o brilho das chamas, porém cintilava em brilhantes arco-íris nas gotas facetadas de um candelabro de cristal. E havia flores, muitas flores. Lírios, com seu perfume embriagador. Era tudo um deslumbramento.

— ... Judith.

Com um sobressalto, percebeu que Diana já dissera o seu nome. Que horror, se a sra. Boscawen a julgasse mal-educada ou descuidada!

— Sinto muito...

Diana sorriu.

— Você está parecendo hipnotizada. Aproxime-se e cumprimente. — Ela estendeu o braço, indicando a Judith que se adiantasse para juntar-se a eles. Pousou a mão em seu ombro. — Tia Lavinia, esta é a amiga de Loveday, Judith Dunbar.

De repente, ela ficou sem fala. A sra. Boscawen esperava, sentada muito ereta em uma poltrona de encosto baixo, meio virada para a claridade, com o vestido de lã azul caindo em dobras até os tornozelos. Era velha... devia ter mais de oitenta anos ou talvez mais. Abaixo da superfície empoada de talco, suas faces eram um emaranhado de rugas e, ao lado dela, bem ao alcance, jazia uma bengala de ébano com castão de prata. Velha. Espantosamente velha. Entretanto, os desbotados olhos azuis cintilavam de interesse, não sendo difícil perceber-se que, um dia, havia sido muito bonita.

— Minha querida... — A voz dela era clara e apenas um pouquinho trêmula. Tomou a mão de Judith na sua e a segurou. — Que ótimo, você poder ter vindo com os outros! Talvez não seja muito excitante, mas eu adoro conhecer novos amigos.

Loveday disse, sem-cerimônia:

— O motivo de eu ter convidado Judith a vir e ficar, foi porque toda a sua família está em Colombo e ela não tinha nenhum outro lugar para onde ir.

Diana franziu o cenho.

— Oh, Loveday, isso dá a impressão de ter sido um convite feito com demasiada frieza. Sabe que convidou Judith por querer que ela viesse. Não me deu sossego, enquanto não telefonei para a srta. Catto.

— Bem, afinal, esse foi *um* dos motivos.

— É muito cortês de sua parte — tranqüilizou-a tia Lavinia. Ela sorriu para Judith. — Colombo, entretanto, parece ficar muito distante.

— Eles estão lá somente por algum tempo. O suficiente apenas para fecharem a casa e se mudarem para Cingapura. Meu pai tem um novo posto lá.

— Cingapura! Parece muito romântico. Nunca estive lá, mas um primo meu, que trabalhou na equipe do governador-geral, afirmava ser um dos lugares mais interessantes que conhecera. Havia festas o tempo todo. Sua mãe irá divertir-se como nunca... Venha e encontre onde sentar-se. Que dia maravilhoso! Eu não suportava mais aninhar-me junto ao fogo. Edgar, quer servir os drinques? Faça com que todos tenham um *sherry*. Temos dez minutos de folga, antes que Isobel toque seu gongo. Diana, minha querida, que notícias tem de Athena? Ela já voltou da Suíça?

Havia uma longa almofada na base da janela. Atenta a tudo em redor, Judith foi ajoelhar-se nela e olhou acima do fundo teto da varanda que dava para o jardim, o qual descia enladeirado e jazia mais além. Ao pé do gramado havia uma pequena mata de pinheiros de Monterey e, através de seus galhos mais altos, desenhava-se a distante linha azul do horizonte. Semelhante panorama, aquela justaposição das escuras coníferas e de um mar aparentemente estival, dava a ela a incrível, extraordinária sensação de ter aportado em terra; era como se todos do grupo tivessem sido magicamente transportados de Nancherrow para uma *villa* italiana, banhada pelo sol de alguma terra do sul e construída no ponto mais alto de uma colina acima do Mediterrâneo. A ilusão a encheu de estonteante prazer.

— Gosta de jardins? — Era a voz da velha senhora, dirigindo-se a ela novamente.

— Gosto especialmente deste — respondeu Judith.

— Tocou no meu ponto fraco. Depois do almoço, vestiremos agasalhos e daremos uma volta lá fora.

— Poderemos mesmo?

— *Eu* não irei com vocês — interrompeu Loveday. — Está muito frio e já vi esse jardim um milhão de vezes.

— Não creio que mais alguém queira vê-lo — observou gentilmente tia Lavinia. — Como você, Loveday, eles conhecem o jardim perfeitamente. Entretanto, isso não impedirá que eu e Judith arranjemos um tempinho para uma ligeira caminhada e um pouco de ar fresco. Além disso, poderemos conversar, conhecer-nos melhor. Bem, como está se saindo, Edgar? Ah, o meu *sherry*. Obrigada. — Ela ergueu o cálice. — E obrigada a todos vocês, muito obrigada, por estarem aqui.

— Judith. — Atrás dela, o coronel disse seu nome. Judith se virou. Ele sorriu. — Limonada.

— Oh, obrigada.

Ela estava sentada onde estivera ajoelhada, agora de costas para a janela, e esticou o braço para pegar o copo da mão dele. Do lado contrário, Loveday — que por algum motivo desejara partilhar uma larga poltrona com Tommy Mortimer e se sentara espremida ao lado dele — também recebera uma limonada. Através do pequeno espaço que as separava, ela captou o olhar de Judith e seu rosto travesso desabrochou em um sorriso. Imediatamente pareceu tão maliciosa e tão bela, que o coração de Judith, também imediatamente, transbordou de afeição. Era afeição e também gratidão, porque Loveday já partilhara tanto com ela. E agora, justamente por causa de Loveday é que estava ali.

— ... e estes são os meus primeiros bulbos começando a brotar, acônitos, crocos precoces e galantos. Como pode ver, o lugar aqui é muito protegido, tanto que, no dia de Ano Novo, costumo vir ao jardim para descobrir como minhas plantinhas estão se saindo. Então, jogo fora todos aqueles horrendos azevinhos secos, e surpreendo um punhadinho de nada de pequeninos brotos, suficientes apenas para encher uma casca de ovo. Nesses momentos, sinto que o ano começou de fato e que a primavera está a caminho.

— Pensei que a gente devia esperar até a véspera do dia de Reis para jogar fora os azevinhos. Que flor rosada é aquela...?

— Chama-se *Viburnum fragrans*. Tem o perfume do verão e brota subitamente no meio do inverno. E aqui está a minha budléia, até agora parecendo meio tristonha, para no verão transformar-se em um chamariz de borboletas. Está bastante grande, não? E imagine que só a plantei há dois ou três anos...

As duas continuaram caminhando lado a lado, descendo pela alameda forrada de cascalhos. Fiel à sua palavra, tia Lavinia não esquecera o prometido e, terminado o almoço, enviara os outros de volta à sala de estar para que se distraíssem da melhor maneira que pudessem, enquanto ela e Judith deixavam a casa para uma pequena excursão ao ar livre. Para esta expedição, ela pusera um par de rústicas botas de jardinagem e uma enorme capa de *tweed* sem mangas, também amarrando uma echarpe sobre a cabeça. A bengala ajudava-a a manter o passo firme e era útil para apontar.

— Como você pode ver, minha terra desce até a base da colina. Bem lá no fundo fica a horta, e os pinheiros escoceses marcam as minhas divisas no lado sul. Tudo estava construído em plataformas ou terraços, quando viemos para cá, mas eu queria um jardim em compartimentos, como aposentos ao ar livre, cada um com suas próprias características, formando algo inesperado e secreto. Assim, plantamos sebes de escalônias e alfeneiros, além de trabalharmos os portais em arcos. A trilha prende a atenção, não acha? Faz a pessoa desejar explorar e descobrir o que se esconde mais além. Venha. Eu lhe mostrarei. Você vai ver. — Elas cruzaram o primeiro portal em arco. — O meu roseiral. Todas são roseiras antigas. Esta é Rosamunde, a roseira mais velha de todas. Agora parece um pouco caída, porém quando floresce, as pétalas se tingem de branco e rosa. São como menininhas em vestidos de festa.

— Há quanto tempo a senhora mora aqui?

Lavinia tornou a fazer uma pausa, e Judith concluiu que era particularmente agradável estar na companhia de um adulto que parecia não ter a menor pressa, além de sentir-se feliz em conversar, como se dispusesse de todo o tempo do mundo.

— Quase cinqüenta anos agora. Entretanto, saiba que, quando criança, o meu lar foi Nancherrow. Não a casa de Diana, mas a casa velha, a que se incendiou. Meu irmão era o pai de Edgar.

— Quer dizer que a senhora sempre viveu na Cornualha?

— Nem sempre. Meu marido era um *King's Counsel** e depois foi Juiz Itinerante. Moramos primeiro em Londres, depois em Exeter, mas sempre voltávamos a Nancherrow nas férias e feriados.

— A senhora também trazia seus filhos?

— Minha querida, nós nunca tivemos filhos. Edgar e Diana são os meus filhos, e os filhos deles são como netos para mim.

— Oh, céus, que pena!

— Por quê? Porque nunca tive filhos? Bem, se quer saber, toda tristeza tem a sua própria recompensa. E talvez eu fosse um desastre como mãe. De qualquer modo, não vamos lamentar o que é passado. De que estávamos falando?

— Do seu jardim. E sua casa.

— Oh, sim. A casa. (Este é o lilás rosa mais bonito. Procuro não deixar que cresça demais e fique com o talo muito fino.) A casa. Compreenda, era a Dower House de Nancherrow… Minha avó viveu aqui, quando era tão velha quanto eu. E quando meu marido aposentou-se, deixando de ser Juiz Itinerante, nós a alugamos, desligada da propriedade, e mais tarde conseguimos comprá-la. Fomos muito felizes aqui. Foi onde morreu meu marido, repousando tranqüilamente em uma espreguiçadeira no jardim, ao lado da casa. Era verão, e bastante

---

* Título honorífico concedido a advogados na Inglaterra. (N. da T.)

quente. Bem, agora chegamos ao jardim das crianças. Acho que você vai gostar mais deste. Loveday já lhe falou sobre a Cabana?

Perplexa, Judith sacudiu a cabeça.

— Não — respondeu.

— Bem, suponho que ela não falaria. Afinal, Loveday não chegou a brincar muito por aqui. A Cabana nunca foi dela do modo como foi de Athena e de Edward. Talvez por ser muito mais nova do que eles, sem nenhum irmão ou irmã com quem partilhar as brincadeiras.

— É uma casa de Wendy?

— Espere para ver. Meu marido mandou construí-la, porque Athena e Edward costumavam passar muito tempo conosco. Ficavam aqui dias inteiros e, quando mais velhos, tiveram permissão para dormir nela. Algo muito excitante e bem mais divertido do que uma tenda, se quer saber. E então, de manhã, eles preparavam o próprio café da manhã...

— A Cabana tem um *fogão*?

— Não, porque tínhamos pavor de incêndio e de que as crianças morressem carbonizadas. Entretanto, há uma lareira de tijolos, muito segura, que Athena e Edward usavam para fritar bacon e ferver água em chaleiras de lata. Venha, vamos dar uma olhada nela. Trouxe a chave em meu bolso, apenas para o caso de você querer vê-la por dentro...

Ela seguiu na frente e Judith acompanhou-a, tomada de ansiosa expectativa. Cruzaram a entrada para a sebe de alfeneiros, desceram um lance de degraus de pedra e chegaram a um pequeno pomar de macieiras e pereiras. Ali a relva era áspera e comprida, mas em redor dos nodosos troncos das fruteiras havia maciços de galantos e lírios azuis, enquanto os primeiros rebentos de narcisos e lilases abriam caminho através da terra fértil, como espadas verdejantes. Claramente, antes de muito tempo, tudo ali se tornaria uma primaveril confusão de amarelo e de branco. Mais acima, sobre um ramo desfolhado, um melro trinava a plenos pulmões. Do lado contrário do pomar via-se a Cabana, erguida em um recanto abrigado. Havia sido construída como uma cabana de troncos, o teto alcatroado e com telhas de madeira, exibindo duas janelas a cada lado de uma porta pintada de azul. Na frente havia uma varanda larga, com degraus de madeira e corrimão em obra de talha. Não era uma casinha de tamanho adequado a crianças, mas uma construção na qual adultos podiam entrar e sair sem precisarem baixar a cabeça e tampouco agachar-se em cadeirinhas minúsculas.

— E quem vem aqui agora? — perguntou Judith.

Tia Lavinia riu.

— Você me parece desolada.

— Bem, ela tem um ar tão agradável, tão secreto... Devia haver sempre gente brincando nela, ser bem cuidada...

— Oh, mas ela é bem cuidada. Eu faço isso. Mantenho a Cabana arejada e fresca, e todos os anos faço com que receba uma boa camada de creosoto. Ela é bem construída e, portanto, inteiramente seca.

— Não sei por que Loveday nunca me falou nela.

— Loveday nunca se interessou em brincar de casinhas. Ela prefere andar pelos estábulos e estar com seu pônei. Enfim, isso não é o pior. Aliás, de tempos em tempos *há* crianças por aqui. A escola dominical de Rosemullion sempre realiza seu piquenique anual neste pomar, e então a Cabana ganha vida novamente, embora sejam freqüentes as brigas mais terríveis, porque os meninos querem usá-la como uma fortaleza de peles-vermelhas, e as meninas preferem brincar de papai e mamãe. Veja, aqui está a chave. Vá abrir a porta para mim, e eu lhe mostrarei o interior.

Judith apanhou a chave e adiantou-se, mergulhando sob os galhos desordenados das macieiras. Subiu os dois degraus da varanda. A chave entrou maciamente na fechadura e girou sem esforço. Ela moveu a maçaneta e a porta se abriu para dentro. Havia o cheiro agradável de creosoto, e ela passou para o interior. Não estava de todo escuro, porque havia uma terceira janela na parede dos fundos. Judith viu os dois beliches, construídos a cada lado, sob a inclinação do teto, a mesa de madeira e as duas cadeiras; as estantes de livros, o espelho, o retrato emoldurado de um campo de campainhas azuis, o tapete gasto sobre o chão. Um caixote de acondicionar laranjas, virado ao contrário, funcionava perfeitamente como armário de cozinha e tinha prateleiras com peças variadas de louça, uma chaleira suja de fuligem e uma frigideira enegrecida. Cortinas de xadrez azul pendiam das janelas e, nos beliches, havia colchas e almofadas azuis. Acima de sua cabeça, um lampião de parafina pendia de um gancho incrustado na viga mestra do telhado. Ela imaginou a Cabana no escuro, com o lampião aceso e as cortinas cerradas. Um tanto tristonha, ocorreu-lhe o pensamento de que talvez, aos quatorze anos, fosse velha demais para brincadeiras tão inocentes.

— E então, o que acha disto?

Virando-se, Judith viu tia Lavinia parada na soleira.

— É perfeito.

— Imaginei que você ficaria enfeitiçada. — A velha senhora fungou, cheirando o ar. — Nenhuma umidade. Apenas um pouco frio. Pobre casinha, precisa de visitantes. Precisamos de bebês, não é mesmo? Uma nova geração. — Ela olhou em torno. — Vê algum sinal de ratos? Esses terríveis ratos-do-campo às vezes entram aqui, fazem buracos nas colchas e constroem ninhos nos colchões.

— Quando eu era pequena — com uns dez anos —, acho que venderia minha alma por uma casa de brinquedo como esta.

— Um ninho todo seu? Outro ratinho-do-campo...

— Creio que sim. Dormiria aqui, em uma noite de verão. Sentindo o cheiro da relva úmida. Olhando para as estrelas.

— Loveday nunca sonharia em dormir aqui sozinha. Disse que haveria ruídos esquisitos e fantasmas.

— Não costumo sentir medo de ficar fora de casa. Entretanto, casas escuras às vezes podem ser bastante amedrontadoras.

— E também solitárias. Talvez seja por isso que passo tanto tempo em meu jardim. Bem... — Tia Lavinia ajustou a echarpe na cabeça e apertou as dobras da capa contra o corpo. — Acho que está esfriando demais. Talvez seja hora de voltarmos para junto dos outros. Já devem estar pensando no que aconteceu conosco... — Ela sorriu. — Consegue adivinhar o que Loveday estará fazendo enquanto nos espera? Seguramente, jogando pega-varetas com o sr. Mortimer.

— Pega-varetas? Como pode saber?

— Porque é o que ela sempre faz quando vem visitar-me. Apesar de sua indocilidade, Loveday é uma escrava da tradição. Fico contente por você ser amiga dela. Acredito que é uma boa influência para ela.

— Não posso impedi-la de ser travessa na escola. Loveday está sempre levando pontos negativos por causar desordem.

— Sim, ela é muito travessa... mas encantadora. Aliás, receio que esse encanto de Loveday termine provocando a sua queda. Bem, tranque a porta e vamos embora daqui.

*Colégio Santa Úrsula
Domingo, 23 de fevereiro*

*Queridos mamãe e papai,
    Sinto muito não ter escrito uma carta no último domingo,
mas passei fora o fim de semana e não tive tempo. A srta. Catto
foi muito gentil, dando permissão para que eu fosse à casa dos
Carey-Lewis com Loveday.*

Judith fez uma pausa, mastigou a ponta da caneta e enfrentou um dilema. Ela amava os pais, mas conhecia-os bem, desta maneira estando a par de suas inofensivas deficiências. Isso tornava difícil descrever-lhes Nancherrow, apenas porque fora tudo tão incrivelmente maravilhoso, e também por recear que eles não compreendessem.

Seus pais nunca haviam experimentado um estilo de vida tão glamouroso e tampouco tinham amigos donos de casas imponentes, que aceitassem o luxo e o dinheiro como coisas naturais. Residindo no Extremo Oriente e limitados pelas estritas convenções da soberania britânica na Índia, eles haviam absorvido rígidas linhas de distinção de classes, condições sociais e raciais, e prioridade profissional, sendo a regra não-falada aquela de que cada um conhece o próprio lugar, alto ou baixo, nele devendo permanecer.

Assim, se terminasse exaltando a beleza e o encanto de Diana Carey-Lewis, Molly Dunbar — nunca a mais segura das mulheres — poderia desconfiar que estivessem sendo feitas comparações, que sua filha finalmente a considerava ao mesmo tempo feia e desinteressante.

Da mesma forma, se entrasse em detalhes elaborados sobre o tamanho e grandiosidade de Nancherrow, dos jardins e das terras, dos cavalos nos estábulos, do corpo de empregados, do grupo de caça e do fato de o Coronel Carey-Lewis ser um magistrado, além de juiz, então seu pai é que, à sua maneira algo rabugenta, poderia sentir-se pouco magoado.

E se ela incluísse a vida social que prosseguira por todo o fim de semana, os coquetéis casuais, a tarde de bridge, as refeições formais, etc., poderia dar a impressão de vangloriar-se em algum sentido, até mesmo de estar indiretamente criticando a mãe e o pai por seu sistema de vida simples e despretensioso. E a última coisa que Judith desejaria era magoá-los de alguma forma. De uma coisa, no entanto, tinha certeza. Não mencionaria Tommy Mortimer, pois do contrário eles entrariam em pânico, decidiriam que Nancherrow era um antro de iniqüidades e escreveriam para a srta. Catto, determinando que sua filha nunca mais voltasse lá. O que era inconcebível. Assim, ela precisava de algum ponto de referência, um evento que pudesse partilhar. A inspiração funcionou: Jeremy Wells, surgindo lá de maneira tão inesperada e desistindo de sua tarde para colocá-la sob sua asa e mostrar-lhe a enseada. Era mais ou menos como se ele viesse em seu socorro por uma segunda vez. Tendo-o como assunto sobre o qual escrever, o restante da carta seria fácil. Judith puxou o papel de cartas mais para perto e recomeçou sua escrita, as palavras voando pelas linhas.

A casa chama-se Nancherrow, e aconteceu a coisa mais extraordinária. Apareceu lá um rapaz, convidado para passar o dia caçando pombos com o Coronel Carey-Lewis; chamava-se Jeremy Wells, e era aquele jovem médico que conhecemos no trem de Plymouth para Truro, após termos ficado com os Somerville. Não foi muita coincidência? É um rapaz muito agradável, sendo seu pai o médico da família. No sábado de tarde, Loveday montou seu pônei Tinkerbell, de modo que ele se ofereceu gentilmente para um passeio comigo, e fomos até a costa. É um lugar muito rochoso, com praias pequeninas. Sem a menor semelhança com Penmarron.

Na manhã do domingo, fomos todos à igreja em Rosemullion, depois disso indo almoçar com a sra. Boscawen, que é tia do Coronel Carey-Lewis. Ela é muito idosa e a casa em que mora é antiqüíssima. Chama-se Dower House. É cheia de coisas fora de moda, e ela tem uma empregada chamada Isobel, que há anos trabalha lá. A casa fica no alto de uma colina, de modo que a gente pode avistar o mar, e tem um jardim descendo enladeirado, todo em terraços e sebes. Um dos terraços é um pomar, com uma linda casinha de madeira para as crianças brincarem. Na realidade, é uma casinha de tamanho normal e com mobília adequada, mas Jess simplesmente adoraria brincar nela. A sra. Boscawen (tive de chamá-la tia Lavinia) convidou-me a ver a casinha, depois do almoço. Pudemos conversar, e ela se mostrou muito simpática. Espero poder voltar lá um dia.

A sra. Carey-Lewis disse que posso voltar a Nancherrow e ficar lá, o que foi muito gentil da parte dela. Já escrevi uma carta agradecendo a hospitalidade. Semana que vem será a metade do período letivo, e vou para Windyridge. São quatro dias de folga, de sexta-feira a segunda. Recebi um postal de tia Louise. Ela virá buscar-me de carro na manhã de sexta-feira, e iremos a Porthkerris, comprar a bicicleta.

Levei minha caixa chinesa para Nancherrow, e achei melhor deixá-la lá por enquanto, já que na escola não há lugar nenhum onde guardá-la. A sra. Carey-Lewis deu-me algumas conchas de caurim para pôr em uma das gavetinhas.

Os estudos vão bem e, nas dez questões da prova de História, acertei sete. Estamos agora estudando Horace Walpole e o Tratado de Utrechet. Estou ansiosa para saber sobre a casa nova em Orchard Road, Cingapura. Vocês devem ter sentido muito não poderem levar Joseph e a Ama.

Muitas saudades minhas e beijos para Jess,

Judith

Ela estava em Windyridge, em pé diante da janela de seu quarto, vendo o panorama do campo de golfe e a baía distante, porém não conseguia enxergar nada com muita nitidez, por estar tudo afogado em uma chuva suave e insistente. Além disso, seus olhos teimavam em encher-se de lágrimas idiotas e infantis porque, de repente, sentia a mais angustiante saudade de casa.

Isso era estranho, porque estava na metade do período letivo e ainda não passara por depressão semelhante desde que Molly lhe dissera o último adeus, quando a deixara no Santa Úrsula. Na escola, de certo modo não houvera tempo para sentir saudades de casa, porque sempre tinha muito a fazer, muito a cumprir, muito a aprender, e a pensar e recordar; eram tantas as pessoas que se agitavam ao seu lado, tantos os sinos tocando para alguma coisa, tudo intercalado por turnos de copiosos e obrigatórios exercícios que, quando afinal chegava a hora de ir para a cama, aquele clássico momento de chorar a sós, estava sempre cansada demais para fazer outra coisa além de reservar um ou dois momentos para ler, para então pegar rapidamente no sono.

Em Nancherrow, quando falara dos pais e de Jess durante alguma conversa, respondendo gentilmente a polidas perguntas, não sentira pontadas de saudade e nem carência afetiva. Na verdade, durante aquele mágico fim de semana, mal pensara nos pais, era como se eles fossem parte de um mundo desaparecido, que cessara temporariamente de existir. Ou talvez porque ela, usando as roupas de Athena Carey-Lewis, assumira alguma nova identidade que nada tinha a ver com família — tornara-se uma pessoa absorvida apenas no presente e na próxima coisa excitante que ia acontecer.

Agora, pensava em Nancherrow de maneira anelante, desejando estar lá com Loveday, naquele lugar cheio de sol, de flores e de luz, em vez de na casa sem alma de tia Louise, plantada sobre a colina, tendo por companhia apenas três mulheres de meia-idade. Era então que o senso comum vinha em seu socorro, porque toda a Cornualha estava encharcada de chuva, e Nancherrow certamente estaria sofrendo com o resto. Houvera muito pessimismo no dormitório, quando tinham acordado para enfrentar o tempo instável, de maneira que impermeáveis e botas de borracha foram considerados a indumentária do dia. Às dez da manhã, as internas emergiram pela porta principal e, desviando-se das poças no chão, caminharam para os vários carros à espera de conduzi-las para os feriados de meio período letivo. Sempre pontual, tia Louise estava lá em seu velho Rover, porém ainda não chegara nenhum carro para Loveday, e ela se tinha queixado amargamente de ser forçada a esperar, em pé, até que surgisse alguém.

(De certa forma, isso tinha sido uma boa coisa, porque Judith não sentia a menor vontade de apresentar tia Louise a Diana. As duas senhoras pouco teriam em comum e, sem dúvida, tia Louise faria comentários sarcásticos sobre a sra. Carey-Lewis, durante todo o trajeto para casa.)

Apesar do tempo, no entanto, a manhã fora bastante agradável.

Elas haviam parado em Penzance para algumas compras, indo ao banco retirar algum dinheiro para o fim de semana de Judith. (Entretanto, nenhum daquele dinheiro seria gasto na bicicleta, porque tia Louise prometera pagar por ela.) Depois foram à livraria, folhearam bastantes livros, e Judith comprou uma nova caneta-tinteiro, porque uma garota pedira a sua emprestada e a deixara com a pena imprestável. Em seguida, tomaram café com bolinhos em uma casa de chá, e então voltaram para casa. A viagem em meio à chuva, sentada ao lado de tia Louise, que fazia mudanças e pressionava com força o sapato bem engraxado sobre o acelerador, havia sido arrepiante, para dizer-se o mínimo. Judith fechava os olhos e esperava a morte instantânea quando tia Louise ultrapassava um pesado ônibus em uma curva ou aumentava a velocidade ao aproximar-se do cimo estreito de uma colina, sem a menor idéia do que poderia estar vindo pelo outro lado. Por fim, acabaram chegando a Penmarron, e a saudade de Riverview, de sua mãe e de Jess começara a apertar quando atravessaram a aldeia, porque lhe parecia de todo errado continuarem pela estrada principal, em vez de tomarem a curva que, através de alamedas, descia até o estuário e a estação ferroviária. Quando chegaram a Windyridge, também isso tivera um cunho de todo errado, porque lá estava a casa, erguendo-se diante delas por entre o nevoeiro em movimento, com o jardim bem cuidado, mas sem árvores, nada ali apto a oferecer qualquer espécie de boas-vindas ou de consolo.

Hilda, a empregada, viera até a porta para ajudar a carregar as malas.

— Vou levá-las para cima — anunciou.

Judith seguiu-lhe as pernas calçadas em grossas meias pretas de algodão e, embora conhecesse a casa tão bem como conhecera Riverview, esta era a primeira vez que ia ficar lá. Era uma sensação estranha e alienada, a casa parecia não ter o cheiro certo, e imediatamente ela ansiou estar em qualquer outro lugar do mundo. Menos ali.

O que ela sentia não resultava de qualquer razão prática; tudo não passava de um torvelinho emocional, um pânico de não se encontrar no lugar certo. Porque seu quarto — o antes dormitório extra de tia Louise — era muito bonito, com os seus pertences trazidos de Riverview perfeitamente dispostos ou guardados em armários e gavetas. Sua secretária estava ali, com seus livros em uma estaante. E havia flores sobre o toucador. Nada mais, porém. No entanto, o que mais ela desejaria? O que mais poderia preencher o terrível vazio que lhe dava a sensação de ter um enorme buraco no coração?

Hilda havia feito algumas observações banais sobre o tempo enfarruscado, a proximidade do banheiro, o fato de que o almoço era à uma da tarde, e então foi embora. Deixada a sós, Judith foi até a janela e sucumbiu àquelas lágrimas ridículas.

Sentia falta de Riverview, de sua mãe, de Jess e de Phyllis. Sentia falta dos panoramas, sons e cheiros familiares. Do jardim enladeirado e do pacífico estuário, enchendo e vazando com as marés, do dia rompido pelo tranqüilizante apito do trenzinho a vapor. Do modesto encanto da sala de estar cheia de flores, do barulho das panelas de Phyllis na copa, enquanto ela preparava verduras para o almoço, e do perpétuo acompanhamento da voz estridente de Jess. Os cheiros eram ainda mais ansiados e nostálgicos. A asseada mistura de Vim e do sabonete de lavanda Yardley que emanava do banheiro; o cheiro adocicado da sebe de alfeneiros, perto da porta principal da casa, e o salitrado odor de algas marinhas, na maré vazante. E os cheiros que vinham da cozinha, cheiros que davam água na boca, quando se chegava em casa morrendo de fome. Um bolo no forno ou cebolas fritando...

Isso não era saudável. Não, não era. Riverview era passado agora, a casa fora alugada a outra família. Sua mãe, seu pai e Jess tinham atravessado oceanos, estavam no outro lado do mundo. Chorar como um bebê não os traria de volta. Encontrou um lenço e assoou o nariz. Então desfez as malas, andando de cá para lá no quarto, abrindo gavetas e portas, localizando roupas e encontrando alguma coisa para usar que não fosse uniforme. Nada de suéteres de *cashmere* nesta casa. Apenas uma saia antiga e um pulôver de lã, lavado tantas vezes, que não dava mais urticária. Escovou os cabelos e isto a acalmou, enquanto procurava pensar em coisas agradáveis. A bicicleta nova, a ser comprada esta tarde em Porthkerris. Quatro dias de liberdade, longe do colégio. Poderia pedalar até a praia e caminhar na areia. Talvez fosse ver o sr. Willis. Telefonaria para Heather e faria alguns planos com ela. A perspectiva de rever Heather era suficiente para alegrar qualquer um. Aos poucos, sua infelicidade dissipou-se; prendeu os cabelos atrás da cabeça com um laço de fita, e desceu em busca de tia Louise.

Durante o almoço, que constou de costeletas, molho de hortelã e compota de maçãs, tia Louise mostrou certo curioso interesse pela visita de Judith aos Carey-Lewis.

— Eu nunca estive lá, mas ouvi dizer que o jardim é simplesmente espetacular.

— Sim, é mesmo, e cheio de coisas lindas. Há hortênsias aos lados da entrada para carros, seguindo a alameda até o alto. Também há camélias e outras coisas. E eles têm uma pequena praia particular.

— Como é a garota?

— Loveday? É mimada, mas ninguém parece dar grande importância. Tem uma ama muito simpática, chamada Mary, que passa a ferro toda a roupa da casa.

— Você está ficando com idéias acima do seu nível social.

— Não é nada disso. Foi diferente, mas agradável.

— O que achou da sra. Carey-Lewis? Ela é mesmo tão fútil quanto a sua reputação?

— Ela tem uma reputação?

— Se tem! Está sempre indo a Londres ou fazendo pequenas viagens ao sul da França. E possui amigos de fama um tanto duvidosa.

Judith pensou em Tommy Mortimer e, mais uma vez, decidiu que seria prudente nem mesmo mencioná-lo. Em vez disso, respondeu:

— Havia lá um homem muito simpático, chamado Jeremy Wells. É médico. Eu e mamãe o conhecemos no trem, quando voltávamos de Plymouth. Viajamos no mesmo compartimento. Ele não estava hospedado em Nancherrow, apenas passava o dia.

— Jeremy Wells?

— A senhora o conhece?

— Não, mas todos sabem quem é, por causa de suas façanhas esportivas. É capitão do time de rúgbi da Cornualha e jogou por Cambridge. Marcou três tentos em seu último jogo da Universidade. Lembro-me de ter lido a respeito no jornal. O herói do dia.

— Ele também joga críquete. O Coronel Carey-Lewis é que me contou.

— Bem, você esteve convivendo com celebridades! Espero que não ache isto aqui muito tedioso.

— Na verdade, estou muito ansiosa para comprar a bicicleta.

— Iremos comprá-la esta tarde. Disseram-me que a Pitway's é a melhor loja em Porthkerris, portanto, é lá que compraremos. Além disso, o sr. Pitway tem um furgão, e faremos com que ele a entregue aqui, o mais breve possível. Não acho que você mesma deva trazê-la para casa, pedalando pela estrada principal, enquanto não conseguir manobrá-la por completo. Poderá treinar na aldeia e aprender a esticar o braço, quando for dobrar uma esquina. Não gostaria de escrever para sua mãe, contando que se acidentou debaixo das rodas de um caminhão.

Ela riu, como se isso fosse uma grande piada, e Judith riu também, embora não achasse nem um pouco de graça.

— Quanto ao resto do fim de semana, esperemos que pare de chover, porque então você poderá sair e passear por aí. Receio que no domingo eu tenha de abandoná-la, porque passarei o dia inteiro jogando golfe. Além disso, Edna e Hilda irão lá em casa para alguma comemoração, porque parece que uma velha tia está fazendo oitenta anos, e elas precisam ajudar com o chá. Assim, você fará tudo sozinha, porém tenho certeza de que saberá como divertir-se.

A perspectiva de um dia sozinha tinha lá seus atrativos, porém seria ainda melhor passar o domingo vazio com a família Warren. Judith respondeu:

— Se a senhora não se importa, eu poderia telefonar para Heather. Talvez eu fosse à casa dela no domingo. Ou ela viria aqui.

— A pequena garota Warren? Acho uma boa idéia. Você decide. É bom rever velhos amigos. Bem, quer um pouco mais de maçã? Não? Então toque a sineta para Hilda vir tirar a mesa. Tomarei minha xícara de café e partiremos para Porthkerris pelas duas e meia. Estará pronta?

— Sim, claro — respondeu Judith, mal podendo esperar.

A chuva continuou, incessante. Através dela, tia e sobrinha rodaram para Porthkerris, cuja aparência não podia ser mais melancólica, com as sarjetas inundadas e o porto cheio de um sombrio mar cinzento. A Loja de Bicicletas Pitway's ficava ao pé da colina, e tia Louise estacionou o Rover em uma aléia vizinha. As duas entraram na loja, que exalava um cheiro de borracha, de óleo e couro novo. Lá dentro havia bicicletas por todos os lados, desde as menores e próprias para crianças, às de corrida, com guidons audaciosamente virados para baixo. Judith considerou estas últimas um tanto decepcionantes, porque pedalar com a cabeça enfiada entre os joelhos, sem poder olhar para mais nada além da estrada, certamente anulava por completo a finalidade do exercício.

O sr. Pitway apresentou-se, usando um enorme avental cáqui, e teve início a grande decisão. Por fim, concordaram todos em uma Raleigh verde-escura com selim preto. Ela possuía um protetor de corrente, três velocidades, excelentes e grossos punhos de borracha e sua própria bomba para encher os pneus, além de uma bolsinha atrás do selim, contendo ferramentas e uma pequena lata de óleo. Custava exatamente cinco libras, e tia Louise tirou sua carteira com intrepidez, da qual foi extraindo as notas.

— E agora, sr. Pitway, quero que a bicicleta seja entregue o mais rápido possível. O que me diz nesta tarde?

— Bem, no momento estou sozinho na loja...

— Bobagem. O senhor pode pedir a sua esposa que vigie a fortaleza por meia hora. É só enfiar a bicicleta em seu furgão e entregá-la. Windyridge, Penmarron.

— Sim, sei onde a senhora mora, porém...

— Esplêndido! Tudo combinado, então. Espero-o por volta das quatro da tarde. Estaremos ansiosas por sua chegada. — Ela já fizera metade do trajeto até a porta de saída. — E obrigado pela ajuda.

— Obrigado — disse o impotente sr. Pitway — pela preferência...

Ele manteve a palavra, claramente intimidado por tia Louise. À tarde o tempo havia melhorado um pouco e, embora os céus ainda continuassem carregados e o mundo encharcado, gotejante, a chuva obsequiosamente cessara e, quando às cinco para as quatro o furgão azul cruzou os portões de Windyridge, Judith, que estivera vigiando sua chegada, correu para fora e ajudou o sr. Pitway a desembarcar a preciosa carga. Tia Louise, que também ouvira o barulho do furgão, aproximou-se pisando firme, apenas para certificar-se de que tudo estava em ordem e que a bicicleta não fora amassada ou danificada durante sua curta jornada. Por uma vez, ela nada encontrou de anormal. Agradeceu ao sr. Pitway e deu-lhe meia coroa, pelo trabalho e pelo gasto de gasolina. Ele recebeu a gorjeta com ar constrangido, mas agradecido, e esperou que Judith subisse na bicicleta e desse umas duas voltas pelo caminho que circundava o gramado. Tocou então em seu boné, entrou no furgão e foi embora.

— Bem — disse tia Louise. — O que você achou?

— É absolutamente perfeita! Oh, obrigada, tia Louise! — Debruçando-se sobre o guidom, ela plantou um beijo inesperado na face da tia. — É a bicicleta mais linda, o presente mais adorável. Vou cuidar muito bem dela, e ela é a melhor coisa que *já* tive!

— Lembre-se de sempre guardá-la na garagem e de nunca deixá-la na chuva.

— Oh, eu não deixarei. Nunca! E vou agora mesmo dar uma volta. Pedalar pela aldeia.

— Sabe como os freios funcionam?

— Eu sei como tudo funciona.

— Pois então, vá. Divirta-se!

E com isso, entrou em casa, de volta ao seu tricô, ao seu chá da tarde e ao romance que estava lendo.

Era o próprio paraíso, era como voar. Deslizando ladeira abaixo e pedalando através da aldeia, tornou a ver todos os pequenos estabelecimentos comerciais que tinha na memória e os chalés familiares da rua principal. Judith deixou para trás a agência dos correios e o *pub*, passou pela esquina que levava ao vicariato e, então, em marcha de roda livre, em tremenda velocidade, desceu a colina arborizada que levava aos mais distantes limites do estuário, onde a rodovia elevada encurvava-se até o outro lado da água. Passou para a alameda que circundava a fazenda de violetas e continuou pedalando, espargindo água das poças por onde passava, ao longo da via acidentada que corria paralela à pequena linha ferroviária. O lugar ali era sempre abrigado, e as margens voltadas para o sul estavam pontilhadas de prímulas silvestres. O desbotado céu acinzentado não fazia muita diferença, os grossos pneus da bicicleta pareciam apenas roçar o solo cheio de poças e ressaltos, e ela estava entregue a si mesma, inteiramente livre, transbordando de inesgotável energia como se, caso lhe pedissem, pudesse viajar até os confins do mundo. Judith sentia vontade de cantar, e então, não havendo ninguém que a ouvisse, ela cantou.

Os ventos estão soprando,
As neves estão nevando,
Mas posso enfrentar a tempestade...

O fim da alameda e as primeiras casas. As grandes e importantes casas de Penmarron, com seus secretos e sombreados jardins confinados por altos muros de pedra. Pinheiros assomando acima dos muros, bem altos, ruidosos de gralhas grasnando. A estação da estrada de ferro. Riverview House.

Ela premiu os freios e parou, equilibrando-se com um dos pés no chão. Não fora sua intenção ir até ali, porém era como se a bicicleta houvesse decidido o próprio itinerário, à maneira de um cavalo de confiança, e a levara até o antigo lar, sem qualquer volição consciente de sua parte. Ergueu os olhos para a casa. Tudo estava bem. Era uma sensação pungente, mas não de todo insuportável. O jardim parecia bem tratado, porque os narcisos precoces estavam florindo no pomar. E alguém pendurara um balanço de criança em uma das macieiras. Era bom saber que havia crianças morando lá.

Após um momento, ela seguiu em frente, pedalando sob as árvores e deixando para trás a nascente onde água pura fluía para uma poça que sempre havia sido um bom lugar para pegar girinos e rãs. A trilha seguia para o alto e desembocava na estrada principal, perto da igreja. Por um instante Judith pensou em descer até a praia e visitar o sr. Willis, mas estava ficando tarde — o dia começava a morrer e ela não tinha faróis na bicicleta. Da próxima vez em que fosse a Porthkerris, compraria um par. Um grande farolete dianteiro e um menor, vermelho, para a traseira. Naquele momento, contudo, era hora de voltar para casa.

A estrada subia pela colina, com relvados de um lado e, do outro, o campo de golfe. Pedalando furiosamente, Judith logo descobriu que a subida era mais íngreme do que poderia imaginar, mesmo sua bicicleta dispondo das três velocidades. Por fim, ficou sem fôlego. Nas imediações da sede do clube, desistiu e desmontou, resignando-se em empurrar a bicicleta pelo restante do trajeto. Ocorreu-lhe que, talvez por isso, elas fossem conhecidas como "bicicletas de empurrar"...

— Ei, você!

Judith parou e se virou, a fim de ver quem chamara. Um homem cruzava o portão da sede do clube e descia os degraus que levavam à estrada. Estava trajado para o golfe, com calças largas que iam até abaixo dos joelhos e um pulôver amarelo. Usava um boné de *tweed* em um ângulo algo devasso, o que lhe conferia uma aparência ligeiramente suspeita, como a de um desonesto apostador profissional.

— Ou muito me engano — disse ele — ou você deve ser Judith.

— Sou eu mesma — respondeu ela, sem a menor idéia de quem pudesse ser ele.

— Sua tia me disse que você passaria o fim de semana aqui. Uma curta folga do colégio. — O homem tinha compleição corada, usava bigode, e seus olhos eram brilhantes e astutos. — Você não me conhece, porque nunca nos vimos. Coronel Fawcett. Billy Fawcett. Um velho amigo de Louise, da Índia. *Agora*, sou seu vizinho mais próximo.

Judith recordou-se.

— Oh, sim, já me lembro. Ela falou a seu respeito a mamãe e a mim. Foi amigo do tio Jack.

— Exatamente. Do mesmo regimento, lá no alto da Fronteira Noroeste. — Ele olhou para a bicicleta. — É sua?

— Sim, é a minha bicicleta nova. Tia Louise a comprou hoje para mim. Tem três velocidades, mas mesmo assim não consegui pedalar ladeira acima, então resolvi empurrá-la.

— Eis o pior das bicicletas, mas devo dizer que é uma bela máquina. Está caminhando? Eu a acompanharei, se for possível...

Era bastante aborrecido ter sua solidão perturbada, mas ela respondeu:

— Sim, claro.

Os dois então recomeçaram a caminhada, lado a lado, ele acertando o passo com ela.

— Estava jogando golfe? — perguntou Judith.

— Apenas treinava um pouco, sozinho. Preciso melhorar meu jogo, antes de poder enfrentar sua tia em algum tipo de competição.

— Ela é muito boa, eu sei.

— Uma golfista esplêndida! Lança a bola como poucos. E tem uma pontaria espetacular. Como se sente, de volta a Penmarron...?

Continuaram conversando pelo resto do caminho, de maneira polida e afetada. Quando alcançaram a curva que levava a Windyridge e aos bangalôs que jaziam além, a alameda estava nivelada, Judith poderia ter montado em sua bicicleta e ido embora. Sim, poderia, deixando o Coronel Fawcett para trás, mas achou tal atitude um tanto rude, de modo que continuou andando.

Na entrada de Windyridge ela parou de novo, esperando que ele se despedisse e fosse embora, porém o Coronel não parecia ansioso em encerrar aquele encontro. Agora estava bastante escuro, e a luz se infiltrava para o crepúsculo, através das cortinas fechadas da sala de estar de tia Louise. Evidentemente, o coronel Fawcett se sentia tentado por este tácito convite. Hesitante, ele fez uma demorada exibição de puxar o punho do pulôver e apertar os olhos para consultar o relógio de pulso.

— Cinco horas e quinze. Bem, como tenho alguns momentos de folga, por que não sigo com você e cumprimento Louise? Há um ou dois dias que não a vejo...

Judith não soube como objetar a isso e, por outro lado, supunha que sua tia não se incomodaria. Assim, prosseguiram juntos, cruzaram o portão e continuaram pelo caminho de cascalhos. Ela parou junto à porta da frente.

— Preciso guardar minha bicicleta na garagem — disse.

— Não se preocupe. Posso entrar sozinho.

Foi o que fez. Sem tocar a sineta e nem mesmo bater na vidraça da porta interna. Apenas a abriu e chamou, com um grito:

— Louise!

Ela devia ter dado alguma resposta, porque Fawcett entrou e fechou a porta. A sós, Judith fez uma careta para ele. Não tinha certeza de haver simpatizado com ele, e certamente não aprovava o seu comportamento arrogante. Enfim, talvez tia Louise gostasse dele, não se incomodando se irrompia em sua casa, de maneira inesperada e sem ser convidado. Pensativa, conduziu sua bicicleta para a garagem e a acomodou com certo cuidado, bem fora do alcance do Rover. Com tia Louise na direção, nunca se sabia o que podia acontecer.

Demorando-se propositadamente, ela fechou as portas da garagem e passou o ferrolho. Relutava em entrar. Tudo estaria bem, se pudesse esgueirar-se para seu quarto e lá ficar até a partida do Coronel Fawcett, mas a disposição das peças da casa não permitia a fuga. Teria que entrar pela porta da frente e deparar com eles dois, no saguão de tia Louise, de onde não seria possível retirar-se sem ser abertamente rude.

Encontrou-o já instalado junto ao fogo, como se sempre estivesse estado ali. Tia Louise, com sua bandeja do chá da tarde já recolhida por Hilda, preparava um drinque para o visitante.

— E como pretendem passar o fim de semana? — Ele havia sorvido o primeiro e grande gole, aninhando o copo amorosamente na mão, entre os dedos de pêlos eriçados. — Fizeram planos? Os criados estarão trabalhando?

Tia Louise retornou ao tricô. Não preparara um drinque para si mesma, porque era cedo demais, e o sol ainda não se pusera. Ela era severa consigo própria sobre tais regras. Vivendo sozinha, tinha que ser assim.

— Ainda não falamos muito a respeito. Estarei jogando golfe no domingo com Polly e John Richards, além de com um amigo e hóspede deles. É membro do Rye, e aparentemente um golfista muito bom...

— Então, como irá passar seu dia? — perguntou Billy Fawcett, virando os olhos para Judith.

— Provavelmente visitarei uma amiga em Porthkerris. Vou telefonar para ela.

— Não deve ser agradável, ficar andando sozinha por aí. Se precisar de um pouco de companhia, estou sempre disponível.

Judith fingiu não ter ouvido a insinuação. Tia Louise trocou de agulhas.

— Seria ótimo se a sra. Warren ficasse com Judith no domingo, porque Hilda e Edna também estarão fora. Talvez fosse um tanto monótono, ficar na casa vazia.

— Sempre posso sair de bicicleta.

— Não, se a chuva estiver caindo. Você precisa de uma daquelas capas de chuva que as pessoas usam e chegam até os tornozelos. E nesta época do ano, só Deus sabe o tempo que irá fazer!

Billy Fawcett largou seu copo e, torcendo o corpo ligeiramente, enfiou a mão no bolso da calça, em busca do maço de cigarros e do isqueiro. Acendeu um cigarro, e Judith reparou nos dedos manchados de nicotina. O bigode dele parecia algo estorricado, como se tivesse sido muito bem defumado.

— Que tal uma ida ao cinema? — sugeriu ele, de repente. — Estive em Porthkerris esta manhã, e vi que estão passando *O picolino*. Fred Astaire e Ginger Rogers. Deve ser um filme excelente. Por que não irem as duas comigo? Amanhã à noite. Eu convido, claro.

Tia Louise pareceu um pouco surpresa. Talvez aquela fosse a primeira vez que Billy Fawcett se oferecia para pagar *alguma coisa*.

— É muito gentil de sua parte, Billy. E quanto a você, Judith? Gostaria de ir ver *O picolino*? Ou talvez já tenha visto o filme?

Judith ainda não o tinha visto, mas há séculos ansiava assistir àquele filme. Em uma revista de cinema que Loveday contrabandeara para o dormitório vira fotos de um par glamouroso, rodopiando e deslizando numa pista de dança, ela em um esvoaçante vestido com plumas. Uma das garotas do quinto período já vira duas vezes o filme em Londres, apaixonara-se por Fred Astaire, e tinha uma jovial fotografia dele colada dentro da capa de seu grosso caderno de notas.

Por outro lado, ela preferiria ir ao cinema apenas com Heather; juntas, as duas poderiam chupar balas de hortelã e sufocariam satisfeitas na abafada escuridão.

Entretanto, não seria a mesma coisa em companhia de tia Louise e Billy Fawcett.

— Não, eu ainda não o vi.

— Gostaria de ir? — perguntou tia Louise.

— Gostaria. — Não havia muito a dizer. — Sim, eu adoraria.

— Ótimo! — Billy Fawcett deu um tapa no joelho coberto de *tweed*, aprovando uma bem tomada decisão. — Então, está combinado. Quando iremos? À sessão das seis da tarde? Lamento, mas você terá que bancar a motorista, Louise, porque meu calhambeque anda tossindo um pouco. Tive de deixá-lo na garagem.

— Muito bem. Se você chegar aqui às cinco e meia, estaremos prontas para ir. Foi muita gentileza sua.

— Um prazer. Acompanhar duas damas encantadoras... Quem desejaria mais?

Ao falar, ele pegou seu drinque, bebeu o uísque e empertigou-se na poltrona, fumando com o copo vazio na mão. Tia Louise ergueu as sobrancelhas.

— Mais uma dose, Billy?

— Bem... — Ele contemplou o copo vazio, como que surpreso ao vê-lo em tão triste estado. — Já que insiste...

— Sirva-se você mesmo.

— E quanto a você, Louise?

Ela olhou para o relógio.

— Apenas um pouquinho. Obrigada.

Assim, ele se levantou e foi até a bandeja de drinques para preparar as bebidas. Ao observá-lo, Judith refletiu que Billy Fawcett parecia assustadoramente à vontade naquela casa. Interrogou-se sobre o bangalô dele, concluindo que, sem dúvida, seria horrível, melancólico e frio. Talvez ele fosse muito pobre, não podendo sustentar chamas caras na lareira, garrafas de uísque, governantas residentes e todos os confortos da vida que solteirões solitários precisam. Talvez devido a isso é que ele parecesse insinuar-se na existência ordenada e opulenta de tia Louise. Talvez... horror dos horrores... ele estivesse, à sua maneira, *cortejando* sua tia, com casamento em mente.

A idéia era tão tenebrosa, que Judith mal conseguia pensar nela. No entanto, por que não? Ele era um velho conhecido de Jack Forrester, e saltava aos olhos que tia Louise apreciava sua companhia, caso contrário já o teria despachado há muito tempo. Ela não era do tipo que suportava tolos de bom grado. Assim, talvez apenas começasse sentindo pena dele e, com a passagem do tempo, o relacionamento simplesmente evoluíra. Tais coisas podiam acontecer.

— Aqui está, minha querida...

Judith observou-a cuidadosamente, mas ela aceitou o drinque à sua maneira prática de sempre, depois colocando-o na mesa ao seu lado. Nada de olhares furtivos ou de sorrisos secretos. Judith relaxou ligeiramente. Tia Louise era demasiado sensata para tomar quaisquer decisões temerárias — e o que haveria de mais temerário do que qualquer espécie de compromisso com um velho pobretão e beberrão como Billy Fawcett?

— Obrigada, Billy.

Boa e velha tia Louise... Judith decidiu esquecer seus instintivos temores, expulsá-los da mente. Não obstante, descobriu que a idéia, uma vez plantada, havia ganho raízes, fazendo-a saber que não havia meios de ignorar suas possibilidades. Cabia-lhe apenas observar e esperar.

Na manhã seguinte, Judith ligou para Heather. A sra. Warren atendeu, emitiu alguns ruídos de satisfação e boas-vindas ao perceber quem estava na linha, e então foi chamar a filha.

— Judith!

— Olá!

— O que está fazendo?

— Este é o fim de semana de metade do termo letivo. Estou com tia Louise.

— Conseguiu a bicicleta, conseguiu?

— Sim. Nós a compramos ontem, na loja do sr. Pitway. É formidável. Dei um longo passeio ontem à tarde. Estou apenas precisando de faroletes.

— Qual é a marca?

— Raleigh. É verde-escura. Três velocidades.

— Que ótimo!

— Quero ver você. Será que poderia ser amanhã? Posso ir até sua casa?

— Oh, que droga!

— O que há de errado?

— Vamos aproveitar o fim de semana para ir a Bodmin, visitar minha avó. Papai foi pegar o carro, e estaremos partindo dentro de uns cinco minutos. Só estarei de volta no domingo, já tarde da noite.

— Oh, mal posso acreditar! — O que ouvia era muito desapontador. — Por que você teria de viajar *logo* neste fim de semana?

— Já estava tudo planejado. E eu nem sabia que você viria em casa! Podia ter-me avisado, Judith.

— Terei também a segunda-feira de folga.

— Não vai dar. Na segunda-feira estarei de volta à escola. Poderia vir para o chá na segunda-feira?

— Impossível, porque tenho de voltar para o Santa Úrsula às quatro da tarde.

— Oh, mas que contratempo! — exclamou Heather. — Francamente, estou angustiada. Queria tanto ver você! Saber tudo o que tem acontecido... Como é o colégio? Já fez amizades, fez?

— Sim, com uma ou duas pessoas. Não chega a ser ruim.

— Sente falta de sua mãe?

— Às vezes, mas não adianta ficar pensando.

— Será que já chegaram lá? Em Colombo, quero dizer. Já recebeu alguma carta?

— Recebi várias. Eles estão bem, está tudo certo com Jess.

— Elaine perguntou por você outro dia. Agora posso dar alguma notícia a ela. Ouça, nós nos veremos nos feriados da Páscoa.

— Combinado.

— Quando é que começam os seus feriados?

— Na primeira semana de abril.

— Pois bem, ligue para mim logo que chegar, e combinaremos alguma coisa. Mamãe disse que você pode vir e dormir umas duas noites conosco.

— Diga a ela que irei, que adorarei ir.

— Tenho que me despedir agora, Judith. Papai está buzinando, mamãe já pôs o chapéu, e agora está andando de um lado para o outro.

— Tenha um bom fim de semana com sua avó.

— Você também. E não esqueça. Estaremos juntas na Páscoa!

— Não vou esquecer.

— *Bye!*

Ela desligou e, murcha, foi contar a má notícia para a tia.

— Os Warrens vão ficar dois dias em Bodmin, com a avó de Heather. Portanto, não estarão aqui amanhã.

— Oh, céus! Que desapontador! Não fique triste, vocês poderão encontrar-se nos próximos feriados. E, com um pouco de sorte, amanhã será um lindo dia sem chuva. Se for, pedirei a Edna que lhe prepare uma cesta de piquenique, e você sairá com sua bicicleta. Talvez possa ir até a praia. Ou subir até Veglos Hill. Todas as prímulas silvestres já terão desabrochado lá no alto, e então poderá trazer-me o primeiro buquê da estação.

— Sim, acho que sim...

Entretanto, ela continuava desapontada. Afundou em uma poltrona, com as pernas esticadas à frente do corpo, e passou pela boca alguns fios de cabelo que haviam escapado da fita que os prendia. Pensou no domingo vazio, e esperou que tia Louise não falasse a Billy Fawcett sobre a mudança de planos. Abriu a boca para dizer isso, pensou a respeito, decidiu o contrário e tornou a fechar a boca. Era melhor ficar calada. Era melhor não deixar escapar nenhum vislumbre de sua instintiva antipatia pelo inofensivo e velho sujeito, tão visivelmente considerado um amigo íntimo por tia Louise.

Após outra manhã chuviscando, a tarde de sábado desabrochou para um sol que aparecia e desaparecia por trás de pesadas nuvens empurradas do mar para terra. Tia Louise anunciou que faria um pouco de jardinagem, e então Judith foi ajudá-la, arrancando ervas daninhas da terra macia e encharcada, depois retirando dali, em um carrinho de mão, a madeira seca que tia Louise podara de várias roseiras e arbustos. Só entraram às quatro e meia da tarde, mas havia tempo de sobra para lavarem as mãos, arrumarem-se e tomarem uma xícara de chá, antes que Billy Fawcett cruzasse o portão e subisse o caminho de cascalhos, ansioso e pronto para a ida ao cinema.

Os três entraram no Rover, com Billy no banco dianteiro, e puseram-se a caminho.

— O que as duas estiveram fazendo hoje? — ele quis saber.

— Jardinagem — informou tia Louise.

Ele se virou no assento, sorriu para Judith e ela lhe viu os dentes amarelados, os olhinhos brilhantes.

— Não chega a ser um feriado, se a *memsahib* põe você para trabalhar.

— Eu gosto de jardinagem — respondeu Judith.

— E quanto a amanhã? Conseguiu falar com sua amiga?

Judith olhou pela janela e fingiu não ter ouvido, então ele repetiu a pergunta.

— Chegaram a combinar alguma coisa?

"Não realmente", foi tudo quanto ela pôde pensar em dizer, rezando para que tia Louise ficasse de boca fechada e o assunto fosse esquecido. Sua tia, no entanto, desprevenida e sem desconfiar de nada, deu todo o serviço.

— Infelizmente, Heather estará fora no fim de semana. De qualquer modo, não importa muito, porque elas poderão encontrar-se nos feriados.

Judith sabia que tia Louise agira inocentemente, mas, ainda assim, sentia vontade de gritar com ela.

— Sendo assim, você mesma terá de preencher seu tempo, não? Bem, se quiser um pouco de companhia, eu moro logo abaixo, descendo a estrada.

Billy Fawcett virou-se para a frente de novo, e Judith, rude como Loveday, esticou a língua para a nuca do homem. Ele poderia tê-la visto pelo retrovisor, mas, ainda que visse, ela pouco estaria ligando.

Nesse entardecer, enquanto entravam na cidadezinha após descerem a colina, Porthkerris apresentava uma face muito diferente da melancólica que exibira na manhã do dia anterior. O céu clareara e os últimos raios do sol poente banhavam todas as velhas casas de pedra com uma luminosidade rosa-dourada, dando-lhes um pálido toque translúcido de conchas marinhas. A brisa cessara, o mar estava prateado e imóvel, e, no grande crescente da praia, muito abaixo da estrada, um homem e uma mulher caminhavam lado a lado, deixando para trás uma linha dupla de pegadas sobre a superfície lisa e firme da areia.

Enquanto o carro descia para o labirinto de ruas estreitas, de uma porta aberta evolou-se o cheiro de batatas fritas e de peixe acabado de fritar, presente nas noites de sábado. Billy Fawcett ergueu a cabeça e farejou, dilatando as narinas, como um cão perseguindo um odor.

— Isso dá água na boca, não? Peixe e batatas fritas. Depois do cinema, talvez pudéssemos comer um peixe, o que acham?

Tia Louise, contudo, não achou uma boa idéia. Talvez por não querer nenhuma discussão sobre a conta e quem a pagaria.

— Não esta noite, Billy. Edna está esperando que eu e Judith voltemos para casa e vai servir-nos uma ceia fria. — Claramente, Billy Fawcett não foi convidado a partilhar do frugal festim. No fundo, Judith chegou a sentir certa pena dele, mas então tia Louise acrescentou: — Em outra ocasião, talvez.

Isto tornou as coisas um pouco menos rudes. Ela se perguntou o que ele teria para cear. Provavelmente um uísque com soda e um saco de batatas fritas. Pobre velhote. Ainda assim, estava contente por tia Louise não o ter convidado para voltar a Windyridge. Imaginou que, quando o filme terminasse, ela já estaria farta da companhia dele.

Tia Louise estacionou o carro perto do banco, e eles atravessaram a rua até o cinema. Não havia fila, mas muitas pessoas estavam entrando. Billy Fawcett adiantou-se e parou diante da bilheteria, a fim de comprar as entradas. Tia Louise e Judith ficaram olhando as lustrosas fotos em preto-e-branco que promoviam o filme. Era evidente que ia ser muito romântico, divertido e glamouroso. Um arrepio de expectativa percorreu a espinha de Judith, mas tia Louise apenas fungou.

— Espero que não seja uma tolice.

— Aposto que irá adorar, tia Louise.

— Está bem. Enfim, apreciarei as belas melodias.

As duas afastaram-se do painel das fotografias, e notaram que Billy Fawcett desaparecera de vista.

— Onde terá ele se metido *agora*? — exclamou tia Louise, como se ele fosse um cão em um piquenique.

Billy Fawcett apareceu quase em seguida, porque tinha ido a uma loja de jornais ao lado, comprar uma pequena caixa de bombons.

— Eu tinha que fazer a coisa com classe, certo? Lamento tê-las deixado esperando. Agora podemos entrar.

O interior do cinema — que em outros tempos havia sido um mercado de peixe — estava apinhado e abafado como sempre, exalando o forte cheiro do desinfetante que era empregado regularmente ali dentro, para o caso de possíveis pulgas. Uma jovem munida de lanterna elétrica os conduziu a seus assentos, mas não precisou acendê-la, porque as luzes ainda estavam acesas. Judith estava prestes a entrar na fila de poltronas, mas Billy Fawcett interveio:

— Suponho que primeiro a sua tia, Judith. Queremos que ela fique confortavelmente instalada.

Isso significava que ela ficaria sentada entre os dois, com tia Louise à sua esquerda e Billy Fawcett à direita. Assim que se acomodaram, já sem os agasalhos, ele abriu a caixa de bombons e os ofereceu. Os bombons tinham um sabor um pouco mofado, mas provavelmente por terem permanecido anos na prateleira da loja de jornais.

As luzes foram amortecidas. Eles viram os *trailers* do próximo filme... Um excitante faroeste, aparentemente na América do Sul. *O forasteiro do Rio.* Uma atriz loura, vestindo pitorescos andrajos, mas com a maquiagem intata, abria caminho através do capim-dos-pampas, forcejando e ofegante. O herói, em um imenso *sombrero*, cruzava um rio montado em seu cavalo branco enquanto girava um laço acima da cabeça. "A ser brevemente exibido neste cinema. Próxima semana. A oportunidade de sua vida. Não perca!"

— Eu o perderei — declarou tia Louise. — Parece uma droga.

Depois veio o noticiário. *Herr Hitler* exibindo-se em seu uniforme, assistindo a um desfile. O Rei britânico falando para construtores navais após o lançamento de um navio ao mar, no norte da Inglaterra. Depois alguns interessantes instantâneos de filhotes de cães, em uma exposição canina. Após o noticiário, houve uma Sinfonia Absurda sobre um esquilo americano e então, finalmente, *O picolino*.

— Já não era sem tempo! — exclamou tia Louise. — Pensei que nunca mais ia começar.

Judith, no entanto, mal a ouvia. Enterrada fundo em sua poltrona, de olhos grudados à tela, foi capturada pela velha e familiar magia, em uma absorção total pelo som e visão da história sendo contada. E, antes de muito tempo, lá estava Fred Astaire em um palco, rodopiando e sapateando o número de *O picolino*, andando, dando voltas, fazendo malabarismos com sua bengala, mas sempre dançando. Então, a trama adquiria densidade, ele conhecia Ginger Rogers, partia atrás dela e os dois cantavam "Que belo dia para apanhar chuva", tornando a dançar, só que agora juntos. Em seguida, ele e Edward Everett Horton acabavam envolvidos, ambos trajados de maneira igual e às voltas com uma pasta de executivo, enquanto Ginger Rogers pensava que Fred Astaire era Edward Everett Horton e ficava furiosa, porque Edward Everett Horton era casado com sua melhor amiga, Madge...

Foi neste momento que Judith ficou cônscia de estar acontecendo algo esquisito. Billy Fawcett parecia inquieto, remexendo-se no assento e volta e meia distraindo-lhe a atenção. Ela mudou de posição ligeiramente, a fim de dar mais espaço para as pernas dele, mas, ao fazer isso, sentiu uma coisa sobre seu joelho. E essa coisa era a mão de Billy Fawcett, que ali havia pousado como que por engano, mas que continuava no mesmo lugar, pesada e desconfortavelmente quente.

O choque desta realidade destruiu toda a sua concentração, todo o seu prazer. *O picolino*, com seu brilho e encanto, simplesmente deixou de existir. O diálogo, as piadas, os risos não foram mais ouvidos. Ela continuou a encarar a tela, mas nada via, porque qualquer intenção de acompanhar o enredo do filme desapareceu de sua mente, ao deparar-se com uma alarmante e totalmente inesperada crise. O que devia fazer? Saberia ele que tinha a mão sobre seu joelho? Teria pensado que a descansava no braço estreito que dividia as apertadas poltronas de veludo? Deveria ela dizer-lhe? E se dissesse, ele retiraria a mão?

Foi então que os dedos dele se crisparam, apertaram e começaram a massagear, fazendo-a compreender que a intrusão não era acidental, mas planejada. Acariciante, a mão dele moveu-se mais para cima, por baixo da saia dela, subindo em sua coxa. Em mais um instante, os dedos chegariam à sua calcinha. Na penumbra do cinema, no abafado recinto, ela permaneceu em aterrorizado horror, perguntando-se até onde ele iria, o que lhe competia fazer para acabar com aquilo, por que aquele homem agia assim, e como conseguiria alertar tia Louise...

Na tela estava acontecendo algo divertido. A platéia, incluindo tia Louise, dava seguidas gargalhadas. Acobertada por este som, Judith fingiu ter deixado cair alguma coisa, deslizou para fora de seu assento e ficou de joelhos, apertada na densa escuridão entre as duas fileiras de poltronas.

— Afinal de contas — tia Louise reclamou — o que faz você aí?

— Perdi meu prendedor de cabelo.

— Não me pareceu que estivesse usando um.

— Bem, eu estava, mas agora o perdi.

— Pois esqueça-o por enquanto, poderemos encontrá-lo quando o filme terminar.

— Psst! — fez alguém, da fila traseira. — *Não podem calar a boca?*

— Sinto muito.

Com alguma dificuldade, ela se contorceu novamente para seu assento, desta vez tão encolhida para o lado da tia, que o braço da poltrona incrustou-se em suas costelas. Agora, certamente ele perceberia o quanto fora inconveniente e a deixaria em paz.

Não foi, porém, o que aconteceu. Mais cinco minutos, e a mão estava lá novamente, como uma criatura rastejante e nojenta, que nenhuma quantidade de jornais, enrolados apertadamente, seria capaz de matar. Acariciando, movendo-se, subindo...

Ela ficou bruscamente em pé. Tia Louise mostrou-se exasperada, o que era natural.

— Judith, por Deus!

— Preciso ir ao toalete — sussurrou Judith.

— Eu lhe disse que fosse, antes de sairmos de casa.

— *Psst! Há mais gente vendo o filme; por que não se calam?*

— Sinto muito. Tia Louise, deixe-me passar.

— Vá pelo outro lado. É muito mais rápido.

— Eu quero ir por *este* lado.

— *Bem, vá logo ou sente-se; está estragando o prazer dos outros!*

— Sinto muito.

Ela foi, espremendo-se contra os joelhos de tia Louise e os joelhos de todos os outros irritados e incomodados membros da platéia que ocupavam a mesma fila de poltronas. Judith caminhou rapidamente pelo corredor escuro e chegou à cortina nos fundos que dava para o pequeno e sujo toalete feminino. Entrando, ela trancou a porta e permaneceu no malcheiroso recinto, quase chorando de desgosto e desespero. O que aquele homem horrível queria? Por que tinha de tocá-la? Por que não a deixava em paz? Ela não se importava de perder o filme. A mera idéia de voltar para a sala de projeção dava-lhe calafrios. Seu maior desejo era sair dali para o ar puro, voltar para casa e nunca, nunca mais ter de ver aquele homem ou falar com ele novamente.

"Vamos ao cinema", sugerira ele, sem pestanejar, deixando tia Louise acreditar que fazia o convite por pura generosidade. Billy Fawcett enganara sua tia, o que o tornava não só astuto, como perigoso. Era incompreensível o motivo dele haver acariciado seu joelho e deslizado os dedos odiosos por sua coxa acima, porém isso somente a fazia sentir-se mais ultrajada, porque era horrível. Desde o início não simpatizara muito com Billy Fawcett, achando-o simplesmente um ser patético e ridículo. Agora sentia-se também ridícula, ao mesmo tempo que aviltada. E aviltada a tal ponto, que sabia ser impossível algum dia poder contar para tia Louise o que acontecera. A simples idéia de fitar os olhos da tia e dizer *Billy Fawcett tentou enfiar a mão em minha calcinha* era suficiente para deixá-la ardendo de vergonha.

Uma coisa era certa. Ela retornaria à sala de projeção e no mesmo sentido em que saíra de lá, não sossegando enquanto tia Louise não se levantasse, ocupasse o lugar que fora seu ao lado de Billy Fawcett e a deixasse sentar-se em sua própria poltrona. Isto podia ser conseguido se permanecesse em pé e discutindo, além de contar com a ajuda do irritado casal que se sentava atrás deles. Constrangida pela situação, tia Louise seria forçada a concordar com o seu pedido. Se depois disso ficasse aborrecida, exigindo saber o que Judith estaria pensando, que aquela não era maneira de comportar-se, etc., etc., não era caso para se preocupar. Judith fingiria não perceber a irritação da tia porque, indiretamente, toda aquela situação era culpa dela própria. Afinal de contas, Billy Fawcett era *seu* amigo, ela poderia ter-se sentado prazerosamente ao lado dele — e Judith tinha certeza absoluta de que, acontecesse o que acontecesse, ele não ousaria subir a mão até a calcinha de tia Louise.

O céu, que estivera límpido com uma brilhante lua cheia, escureceu subitamente e um vento elevou-se de nenhures, açoitando a casa e uivando em torno dela sobre a colina, com a voz de fantasmas extraviados. Ela jazia na cama. Estava aterrorizada e encarava o espaço quadrado da janela, à espera do que estava inevitavelmente para acontecer, mas ignorando o que fosse. Sabia que se saísse da cama e corresse para a porta — sua única esperança de escapar — iria encontrá-la trancada. Acima do ruído do vento podia ouvir passos sobre o cascalho e depois um som surdo, como se o topo de uma escada de mão tivesse sido encostado ao peitoril da janela. Começava a acontecer. Ele estava vindo, subindo a escada, silenciosamente como um gato. Ela fitava a janela e seu coração estrondeava, mas permanecia imóvel porque nada havia que pudesse fazer. Ele estava vindo, com suas malignas intenções, seus olhos maniacamente faiscantes e seus dedos quentes, tateantes. Estava perdida, pois ainda que gritasse, sabia que som algum lhe escaparia da boca, que ninguém a ouviria. Ninguém viria em seu socorro. Então, enquanto olhava, petrificada, a cabeça dele assomou acima do peitoril e, embora fosse escuro, ela podia distinguir-lhe cada traço do rosto, e ele estava sorrindo...

Billy Fawcett.

Judith sentou-se na cama e gritou, tornou a gritar, e ele continuava lá, mas agora já era dia, era de manhã e ela estava acordada. A terrível imagem permaneceu por apenas um segundo, então dissipou-se misericordiosamente, e não havia nenhuma escada, apenas a sua janela aberta e a claridade matinal mais além.

Um sonho, ou melhor, um pesadelo. Seu coração ribombava como um tambor, pelo terror e realidade da imaginação superexcitada.

Aquietou-se pouco a pouco. Sua boca estava seca. Bebeu do copo de água junto à cama. Recostou-se nos travesseiros, trêmula e exausta.

Pensou no momento de encarar tia Louise, acima do bacon e dos ovos. Esperava que ela não continuasse aborrecida sobre a noite anterior e a desastrosa ida ao cinema. O sonho aterrador de Judith havia esmaecido, porém o problema prático de Billy Fawcett era tão real e imediato como jamais imaginara; jazia em seu coração como um peso, e ela sabia que nenhuma dose de reflexão sobre o fracasso de sua saída noturna resolveria este problema e que, considerá-lo, tampouco adiantaria coisa alguma.

"Vamos ao cinema." Tão gentil e bem-intencionado... No entanto, o tempo todo ele estivera planejando *aquilo.* Havia iludido as duas, isto o tornando um velhaco e, portanto, um inimigo a ser levado em conta. A violação dele era incompreensível. Judith sabia apenas que, de algum modo, tudo se mesclava a sexo, desta maneira sendo horrível.

Desde o início não o achara simpático... não como o caro sr. Willis ou mesmo o Coronel Carey-Lewis, com quem se entrosara de imediato... mas simplesmente algo de uma caricatura — ridículo. E agora, o terrível é que também ela se sentia ridícula, ao portar-se como uma idiota. Claro que havia tia Louise a ser levada em consideração. Billy Fawcett era um velho conhecido, um elo com Jack Forrester e seus dias tranqüilos na Índia. Contar a ela seria destruir-lhe a confiança e terminar com a amizade dos dois. E Judith, embora angustiada, não sentia o menor desejo de ser tão cruel.

Tia Louise havia sido muito bondosa sobre a desastrosa visita ao cinema. Não dissera palavra, senão quando estavam ambas de volta a Windyridge e sozinhas. Terminado o filme, e depois que a platéia permanecera de pé para a rangente reprodução em disco de *"God Save the King"*, haviam saído para a fria e ventosa escuridão. Apertados no Rover, retornaram a Penmarron. Billy Fawcett mantivera uma desenvolta conversa durante todo o trajeto, repetindo e recordando trechos interessantes dos diálogos do filme, e assobiando as melodias.

"Estou pondo minha cartola
E atando uma gravata branca..."

Judith olhava para a cabeça dele, sentado no banco dianteiro, e gostaria de vê-lo morto. Quando se aproximavam dos portões de Windyridge, ele disse:

— Louise, minha cara, deixe-me descer aqui e irei andando para casa. Foi ótimo ter-nos levado em seu carro. Eu me diverti muito.

— Nós também, Billy. Não concorda, Judith? — O carro parou, ele abriu a porta e desceu. — E obrigada pelo convite.

— Foi um prazer, minha cara. Até mais ver, Judith.

Ele ainda teve a audácia de enfiar a cabeça pela janela e piscar-lhe um olho. Depois a porta se fechou ruidosamente e Billy Fawcett seguiu seu caminho. Tia Louise fez a curva para cruzar o portão. Estavam em casa.

Ela não estava realmente zangada, mas apenas intrigada, sem saber o que, afinal de contas, dera em Judith.

— Você se portou como uma maluca. Pensei que estivesse como uma pulga ou coisa assim, para pular como alguém atacado da Dança de São Vito. Perder coisas, deixar coisas caírem, para em seguida incomodar toda uma fileira de estranhos que procuravam apenas divertir-se! E todo aquele empenho em ficar na *minha* poltrona! Confesso que jamais vi semelhante comportamento em minha vida.

O que ela dizia era totalmente razoável. Judith procurou desculpar-se, disse que o mítico prendedor de cabelo tinha sido o seu favorito e que a ida ao toalete fora altamente essencial. Que só pedira para trocar de lugares, ao pensar que assim pouparia à tia o incômodo de ter os joelhos espremidos com sua passagem, bem como o risco de possivelmente machucar-lhe as pernas. Na realidade, havia apenas pensado no bem-estar da tia, ao fazer tal sugestão.

— Meu bem-estar!... Gostei disso, e justo com aquele casal da fila de trás dirigindo-me todo tipo de palavras ofensivas e ameaçando chamar a polícia...

— Eles não fariam tal coisa.

— A questão não é essa. Foi muito embaraçoso.

— Sinto muito.

— E eu até estava gostando bastante do filme. Não pensei que o apreciasse, mas foi bem interessante.

— Achei que também foi divertido — mentiu Judith levemente porque, de fato, após iniciado o manuseio em sua coxa, não conseguia recordar mais nada do filme. Acrescentou, esperando dissipar qualquer possível suspeita de tia Louise: — Foi muita gentileza do Coronel Fawcett levar-nos ao cinema.

— Sim, foi. Pobre coitado, sua situação é bastante desagradável. A pensão que recebe é uma ninharia...

A discussão parecia ter chegado ao fim. Após tirar o chapéu e o casaco, tia Louise preparou para si mesma um revigorante uísque com soda e, de copo na mão, encaminhou-se para a sala de refeições. Lá, Edna lhes deixara carneiro frio e beterrabas em fatias, sua idéia de uma pequena e adequada ceia para depois do cinema.

Judith, entretanto, não tinha fome. Estava simplesmente morta de cansada. Brincou com o pedaço de carneiro em seu prato e bebeu um pouco d'água.

— Você está bem? — perguntou tia Louise. — Parece terrivelmente pálida. O excitamento deve ter sido demais para você. Por que não vai para a cama?

— A senhora não se importaria?

— Nem um pouquinho.

— Sinto muito sobre tudo que aconteceu.

— Não vamos mais falar nisso.

Agora, na manhã seguinte, Judith sabia que não haveria mais comentários a respeito dos eventos da véspera. Era grata por isso mas, ainda assim, sentia-se infeliz. Não somente infeliz, mas impura, em brasa e desconfortável. Contaminada pelo inqualificável Billy Fawcett, e também fisicamente suja, como se seu corpo tivesse absorvido o cheiro de mofo do abafado cineminha e do fétido toalete para onde acudira, a fim de ficar livre daquela mão infame. E seus cabelos cheiravam a fumaça de cigarro, o que era repugnante. Na noite anterior estivera cansada demais para tomar um banho, mas não rejeitaria um agora. Decisão tomada, jogou para um lado os lençóis amarrotados e caminhou até o banheiro, para abrir as torneiras ao máximo.

Foi um banho maravilhoso, escaldando de quente e tão meticuloso quanto possível. Ela ensaboou cada pedacinho de si mesma, lavando também os cabelos. Após enxugar-se, perfumou-se com talco, escovou os dentes e sentiu-se bem melhor. De volta ao quarto, chutou para um lado toda a roupa usada na véspera — a qual mais tarde passaria aos cuidados de Hilda — e procurou outras, limpas. Roupas de baixo e meias limpas, além de uma saia bem passada. Uma blusa diferente e um pulôver cinza-rosado. Esfregou os cabelos com a toalha e depois os penteou para trás da cabeça. Calçou os sapatos, atou os cordões e foi para o andar de baixo.

Tia Louise já fazia o *breakfast*. Comia torradas amanteigadas com café. Estava vestida para o golfe, um traje de *tweed* e um cardigan, abotoado sobre uma saia-calça. Os cabelos, presos em uma redinha, estavam imaculados. Quando Judith chegou, ela ergueu os olhos.

— Pensei que tinha dormido demais.

— Sinto muito. Resolvi tomar um banho.

— Eu tomei o meu ontem à noite. Não sei por que, mas quando vou ao cinema sempre termino me sentindo absolutamente suja. — O comportamento estranho de Judith parecia ter sido perdoado e esquecido. Ela estava alegre, satisfeita porque ia jogar. — E então, dormiu bem? Sonhou com Fred Astaire?

— Não. Não sonhei.

— Meu favorito era o ator que fingia ser um sacerdote. — Judith serviu-se de ovos, bacon e sentou-se. — O fato de ser *inglês* o tornava muito divertido.

— A que horas irá jogar golfe?

— Combinei encontrá-los às dez. Provavelmente iniciaremos uma meia hora mais tarde, e depois almoçaremos no clube. E quanto a você? — Tia Louise deu uma olhada para a janela. — O dia parece bastante promissor. Quer sair em sua bicicleta ou existe algo mais que gostaria de fazer?

— Não. Acho que *subirei* até Veglos e procurarei prímulas para a senhora.

— Direi a Edna que lhe prepare um sanduíche e o ponha em uma mochila. Talvez uma maçã e uma garrafa de refresco de gengibre. Ela e Hilda sairão às dez e meia para o aniversário da tia. Um primo virá buscá-las em seu carro. Engraçado. Nunca pensei que elas *tivessem* um primo dono de um carro. Eu gostaria que esperasse até elas partirem, para levar com você a chave dos fundos. Eu levarei a chave da frente e, desta maneira, ficaremos independentes uma da outra. Antes de sair, quero certificar-me de que todas as janelas foram trancadas. A gente nunca sabe. Com pessoas tão esquisitas perambulando por aí... Antigamente, eu nem pensava em trancar as portas, mas então a sra. Battersby foi assaltada, de modo que é melhor prevenir. Aliás, seria bom você levar uma capa de chuva, para o caso de chover. E volte para casa antes do escurecer.

— Terei de voltar. A bicicleta não tem faróis.

— Que esquecimento! Devíamos ter pensado nisso, quando a compramos. — Ela encheu sua segunda xícara de café. — Bem, então está tudo resolvido, não?

Levantou-se e, levando a xícara de café, saiu da sala, foi até a cozinha e falou com Edna, a quem deu ordens sobre o piquenique de Judith.

Mais tarde, de sapatos fechados e usando uma boina, com os tacos de golfe acomodados no banco traseiro do Rover, tia Louise partiu para o clube de golfe, após trancar firmemente a porta da frente ao sair. Judith acompanhou-a até o carro e depois entrou pela cozinha. Edna e Hilda envergavam seus melhores trajes para a momentosa festa de aniversário.

Hilda usava um capote bege, inteiramente abotoado, e um chapéu de aba. Edna pusera sua roupa domingueira: capote, saia e uma boina escocesa púrpura, na qual pregara um broche. Das duas irmãs, ela era a menos favorita de Judith, com suas queixas intermináveis sobre as varizes e os pés cansados, além de possuir uma notável aptidão para sempre ver o lado mais sombrio de qualquer situação. Fazê-la dar uma risada era como extrair sangue de uma pedra. Não obstante, era uma criatura de bom coração, e o piquenique de Judith havia sido rapidamente preparado, já estando à espera em cima da mesa da cozinha, dentro de uma pequena mochila.

— Muito obrigada, Edna. Espero não ter dado muito trabalho.

— Não demorei quase nada. Sanduíche de patê de carne. Sua tia disse que você vai levar a chave da porta dos fundos. Deixe-a aberta para quando voltarmos. Chegaremos por volta de nove horas.

— Nossa! Que festa de aniversário demorada!

— Haverá muita coisa para a gente lavar e arrumar.

— Tenho certeza de que será divertido.

— Bem, espero que seja mesmo — respondeu Edna, lugubremente.

— Ora, vamos, Edna! — censurou Hilda. — Todos vão estar lá! Nós nos divertiremos como nunca!

Edna, no entanto, apenas meneou a cabeça.

— Eu sempre disse que oitenta anos são muita idade. E a tia Lily, enfiada em sua cadeira, com os tornozelos tão inchados que mal consegue ficar em pé! Ainda por cima, gorda! Precisando de duas pessoas para levá-la ao banheiro! Eu antes queria já estar debaixo da terra do que ficar em semelhante estado.

— Não temos o direito de escolha — observou Hilda. — Seja como for, ela ainda gosta de dar suas boas risadas. Disse que ficou com dor nos lados, de tanto rir, quando seu velho bode comeu toda a roupa lavada da sra. Daniel, pendurada no varal...

A discussão poderia eternizar-se, mas foi encerrada prontamente pelo primo chegando em seu carro. Como duas galinhas desorientadas, as irmãs entraram em ação imediatamente, pegando suas bolsas e guarda-chuvas, a lata contendo o bolo que haviam assado e o buquê de narcisos enrolado em um pedaço de jornal.

— Até amanhã.

— Divirtam-se.

Judith ficou olhando enquanto as duas saíam, cheias de excitamento, subiam para o sacolejante veículo e partiam. Acenou para elas, e as duas acenaram de volta. O cano de descarga cuspia nuvens de fumaça negra e, logo depois, todos haviam desaparecido.

Ela estava sozinha.

E Billy Fawcett sabia disso. O espectro da presença dele, espreitando de seu bangalô logo abaixo da estrada, significava que não havia tempo a perder. Ela pegou sua capa de chuva pendurada em um cabide no vestiário, enrolou-a e a enfiou na mochila. Com a alça da mochila passada no ombro, saiu pela porta dos fundos e a fechou cerimoniosamente a chave. Na garagem, guardou a enorme chave junto com as chaves de fenda de sua bolsa de ferramentas. Depois empurrou a bicicleta para o caminho de cascalho, deu uma rápida olhada em torno para certificar-se de que ele não se encontrava à vista em nenhum lugar, montou na bicicleta e começou a pedalar velozmente.

Era mais ou menos como escapar. De maneira furtiva, rápida e sigilosa. Entretanto, o mais terrível era que, enquanto Billy Fawcett estivesse pelos arredores, assim é que sempre teria de ser.

***

Veglos Hill distava pouco mais de seis quilômetros de Penmarron, sendo um ponto de referência conhecido, apesar de sua pouca altitude. Caminhos estreitos levavam ao alto da colina e ao seu redor, onde tudo era constituído de charnecas, pequenas propriedades, e carvalhos e pilriteiros de pouca altura, contorcidos e deformados pelos ventos constantes. Sobre seu topo achatado havia dólmens rochosos, enormes blocos arredondados de granito empilhados uns sobre os outros, como um coque gigantesco de cabelos. O caminho para o alto ficava além de um muro circundante de pedra. O sopé da colina era coberto de um matagal denso de fetos, sarças e giestas, com trilhas turfosas que serpenteavam para o alto, cortando essa cerrada vegetação. Havia flores silvestres em abundância. Campainhas-do-monte, celidônias e prímulas, sendo que, no verão, as valas transbordavam com as espiraladas campânulas das dedaleiras.

No entanto, aquele era um local antigo, atmosférico. Nas encostas superiores da colina, na pastagem dos dólmens, podiam ser discernidos os remanescentes de habitação, os círculos de cabanas do homem da idade da pedra. Em um dia chuvoso, com o nevoeiro elevando-se do oceano e os apitos de neblina dos barcos do Pendeen gemendo através do negrume, não era difícil imaginar-se que os fantasmas daqueles trigueiros homenzinhos ainda estivessem na posse de Veglos; apenas estavam invisíveis, mas permaneciam vigilantes.

Quando moravam em Riverview House, as Dunbars por vezes iam à colina Veglos durante a primavera, ou mesmo em setembro, quando as amoras-pretas estavam no ponto de serem colhidas. Era sempre uma expedição para um dia inteiro, e como a colina ficava longe demais para as perninhas de Jess cobrirem todo o trajeto, a mãe delas tomava coragem e as levava no pequeno Austin. Phyllis sempre ia também, e todas elas, até mesmo Jess, carregavam alguma coisa para o piquenique.

Judith recordava tais ocasiões como dias particularmente felizes.

Agora, no entanto, pela primeira vez vinha ali de bicicleta, e o trajeto era cansativo, enladeirado a maior parte do tempo. Finalmente ela chegou, e a colina estava bem à sua frente, além do muro de pedras. O acesso à trilha de subida era feito através de um apertado torniquete no muro, isto significando que a bicicleta não podia ir mais além. Assim, Judith abandonou-a naquele ponto, meio escondida pelos fetos e tojos, passou a mochila pelo ombro e iniciou a longa caminhada colina acima.

O dia estava frio, mas de tempo firme, com nuvens velejando

233

através do céu pálido e uma difusa cerração manchando o horizonte. A turfa estava molejada e suave sob seus pés e, enquanto subia, ela parava de quando em quando para recuperar o fôlego e ver como a região campestre se exibia, estendendo-se à sua frente como um mapa. O mar abarcava tudo no lado norte, a baía azul encurvando-se para o farol distante. No lado sul, cintilando na bruma, ficavam Mount's Bay e o Canal da Mancha.

Por fim Judith chegou ao alto, com os dólmens elevando-se acima dela. A escalada final era por essa face rochosa, tinha que procurar pontos de apoio para os dedos dos pés e das mãos, desviar-se das ravinas espinhosas, e por fim emergir no topo, ali sendo fustigada pelo vento e tendo o mundo inteiro a seus pés. Era quase uma da tarde e, agachando-se para o abrigo no solo relvado de uma rocha amarelada pelos liquens, ela sentiu o sol quente em seu rosto.

Era tudo muito tranqüilo e solitário, tendo por companhia apenas o som do vento e o trinado dos pássaros. Judith descansou e contemplou, tomada por um senso de realização, enquanto procurava orientar-se. Viu a região campestre, perfeitamente dividida em propriedades e assemelhando-se a uma colcha de retalhos — fazendas pequeninas que a distância reduzia ao tamanho de brinquedos; um homem arando, atrás de um cavalo, com uma nuvem de gaivotas brancas em seus calcanhares. O Lizard esmaecera na claridade difusa, mas ela podia discernir os pálidos contornos de Penzance, a torre da igreja e a cúpula do banco. Além de Penzance, o litoral estirava-se perdendo de vista. Judith pensou na estrada que seguia ao longo dos penhascos, levando a Rosemullion e Nancherrow. Pensou em Loveday, e perguntou-se como estaria ela passando o dia. Pensou em Diana.

Desejou que Diana estivesse ali, naquele momento. Apenas Diana. Sentada ao seu lado, sem ninguém mais para ouvir, permitindo que lhe fizesse confidências, que lhe contasse sobre Billy Fawcett e solicitasse um conselho. Podia pedir a Diana que lhe dissesse o que, afinal, competia a ela fazer. Porque mesmo no topo da colina Veglos, Billy Fawcett continuava a persegui-la como um cão de caça. Parecia que ela podia pedalar e caminhar até ficar fisicamente exausta e quase morrendo de cansaço, sem que nada acalmasse as sempre presentes e incessantes ansiedades, que eram como um louco torvelinho dentro de sua cabeça.

O pior era não ter ninguém a quem contar. Durante toda a manhã, sua mente subconsciente estivera matutando sobre cada possível confidente, porém nunca encontrando uma resposta.

Mamãe. Fora de questão. Havia um mundo entre ambas. E mesmo que ela estivesse *aqui*, em Riverview, Judith sabia ser sua mãe basicamente ingênua demais, demasiado vulnerável para enfrentar um dilema tão chocante. Ela ficaria agitada, teria um de seus acessos histéricos, e a situação, em vez de melhorar, pioraria.

Phyllis. Agora trabalhando para a sra. Bessington, em Porthkerris. Judith, no entanto, ignorava onde morava a sra. Bessington, e não conseguia imaginar-se tocando uma sineta, encarando a mulher desconhecida e solicitando uma entrevista com sua cozinheira.

Tia Biddy, então. Tia Biddy ouviria, provavelmente teria ataques de riso e depois ficaria indignada, entraria em contato com tia Louise e precipitaria uma briga. O relacionamento entre suas duas tias nunca fora íntimo, e soltar a novidade para tia Biddy seria mais ou menos como soltar um gato entre canários. Nem era bom pensar na carnificina resultante e em suas conseqüências.

Heather. Ou Loveday. Bem, ambas eram mais novas do que ela e tinham sua mesma ingenuidade. Elas apenas ficariam boquiabertas, dariam risadinhas ou fariam um monte de perguntas irrespondíveis, que a nada de positivo levariam.

Assim sendo, toda a responsabilidade retornava a ela própria. Teria que enfrentar Billy Fawcett sozinha, fosse por que meio fosse, decente ou sujo. E se fossem confirmados os seus piores temores, se por algum motivo não imaginado tia Louise perdesse a cabeça, sucumbisse às lisonjas daquele homem e concordasse em casar com ele, então ela, Judith, deixaria Windyridge, faria as malas e iria para Plymouth, ficar com tia Biddy. Enquanto ele continuasse em seu bangalô, pouco mais abaixo na estrada, ela admitia que saberia mantê-lo na linha. Entretanto, à primeira suspeita de que Billy Fawcett estava prestes a tornar-se o sr. Louise Forrester e tomar posse de Windyridge, então ela desapareceria dali.

Desta maneira, fora alcançada uma espécie de decisão. Com penosa resolução, Judith tentou expulsar tudo aquilo da mente e encontrar divertimento em sua expedição solitária. Explorar os dólmens exigia um certo tempo, de maneira que ela comeu o que levara para o piquenique e ficou sentada em meio àquele escasso calor, até algumas nuvens cobrirem a face do sol e o tempo começar a esfriar. Recolhendo a mochila, começou a descer para onde os pequenos vales turfosos estavam tomados pelas prímulas silvestres. Ela começou a colher as flores, amarrando os ramos com fios de lã, quando ficavam grossos demais para segurá-los. Agachada, começou a sentir-se rígida. Levantou-se ao completar o terceiro buquê, desta maneira aliviando as cãibras dolorosas dos ombros e joelhos. Erguendo os olhos, notou o céu negro que se movia do oeste, e decidiu que bem depressa ia começar a chover, portanto já sendo hora de tomar o rumo de casa. Abriu a mochila, retirou a capa de chuva e a vestiu. As prímulas foram colocadas lá dentro, sobre os restos de seu piquenique. Depois afivelou as correias, pendurou a mochila às costas e desceu a trilha correndo, em direção ao lugar onde deixara a bicicleta escondida.

Tinha coberto apenas metade do trajeto para a aldeia, quando o céu adquiriu uma cor de granito e a chuva desabou. O aguaceiro foi chegando pouco a pouco, mas como um dilúvio, de modo que em poucos minutos ela estava quase que inteiramente molhada. Não importava. Na realidade, era até divertido pedalar com a chuva batendo no rosto e o cabelo escorrendo água pela nuca, enquanto a bicicleta abria caminho, desajeitada, por entre as poças. Subiu a ladeira (íngreme demais para pedalar, o que a forçou a empurrar a bicicleta), depois cruzou a aldeia, em seguida ganhando a estrada principal. Foi ultrapassada por carros e pelo ônibus local que seguia com dificuldade para Porthkerris, os rostos dos passageiros esmaecidos além das vidraças embaçadas. Fazia frio e, com a chuva, levantara-se um vento cortante, porém Judith estava radiosa pelo esforço e pelo exercício, embora as mãos estivessem enregeladas.

Windyridge, finalmente. Judith seguiu pela alameda, cruzou o portão e subiu o caminho do jardim. Na garagem, estacionou a bicicleta gotejante, tirou do porta-ferramentas a chave da porta dos fundos e correu para a casa. Agora tomaria um banho quente, penduraria as roupas no varal móvel da cozinha e prepararia uma xícara de chá.

Era bom estar dentro de casa. Havia calor na cozinha, que parecia muito quieta sem Edna e Hilda. Somente o velho relógio tiquetaqueava na parede, e as brasas quentes sussurravam no fogão, ao vento que chegava pela chaminé. Judith despiu a capa encharcada e a deixou cair sobre uma cadeira. Encontrou vidros vazios de geléia e colocou as prímulas dentro deles, para se dessedentarem e se recuperarem da viagem. Deixando os vidros de geléia e a mochila em cima da mesa da cozinha, ela então cruzou o corredor e subiu para o andar de cima.

Foi quando o telefone em cima da cômoda do corredor começou a tocar. Ela deu meia-volta e foi atender, mas antes que pudesse dizer alguma coisa, alguém falou no outro extremo do fio.

— Judith?

Ela ficou gélida.

— É você, Judith? Aqui é Billy Fawcett. Estive à sua procura, e vi quando chegou em casa. Fiquei um pouco preocupado com você neste temporal. Pensei em ir até aí saber como está. — A voz dele soava um pouco preocupada. Talvez já houvesse estado às voltas com sua garrafa de uísque. — Irei até aí e tomaremos uma xícara de chá juntos. — Ela mal ousava respirar. — Judith? Judith, está me ouvindo...?

Ela repôs suavemente o fone no gancho. A ligação foi desfeita. Judith ficou imóvel, com a calma do desespero, mas a mente em cristalina limpidez. Billy Fawcett à espreita. Entretanto, ela estava muito bem. Graças à querida, queridíssima tia Louise, a porta da frente e todas as janelas do andar de baixo encontravam-se trancadas. Somente a porta dos fundos que ela deixara no trinco...

Voltou correndo para a cozinha e a copa, recuperou a chave do lado de fora, bateu a porta e a trancou por dentro. O mecanismo antiquado, bem azeitado, encaixou-se no lugar. No térreo, agora, tudo estava bem. Sim, mas... e no andar de cima...? Judith disparou novamente pelo corredor e pela escada, subindo dois degraus ao mesmo tempo, porque não havia um segundo a perder. Na noite anterior, em seu pesadelo, ele se munira de uma escada de mão e a apoiara contra o peitoril de sua janela. O sonho mau retornou-lhe à mente, com todo o seu horror. A cabeça e os ombros dele assomando, silhuetados contra a noite, o sorriso de dentes amarelados, e aqueles olhos astutos...

As janelas estavam abertas nos quartos e no patamar. Judith correu de quarto em quarto, fechando e puxando o ferrolho de cada janela. O quarto de tia Louise foi o último e, enquanto forcejava com o ferrolho, ela viu, através da cortina de chuva, Billy Fawcett de impermeável e gotejante, cruzar o portão do jardim e avançar em passos rápidos pelo caminho de cascalho. Antes que ele pudesse vislumbrá-la, ela se jogou sobre o tapete e, como um tronco, rolou para a penumbra estreita e abafada de baixo da enorme cama de mogno de tia Louise.

Seu coração disparava, era difícil respirar.

Estive à sua procura. Vi você chegar em casa. Ela o imaginou em sua janela, segurando o copo de uísque e possivelmente um par de binóculos, como que escondido em seu forte da fronteira indiana, à procura de afegãos para matar. Espionando, ele tinha esperado. E esperando, sua paciência fora recompensada. Além disso, sabia que ela estava inteiramente sozinha.

Por entre o ruído da chuva, ela ouvia o som dos passos dele no cascalho do caminho. Depois a batida com o punho fechado, na porta da frente. O tilintar da sineta na cozinha, esganiçando-se através da casa vazia. Ela permaneceu imóvel.

— Judith! Eu sei que você está aí!

Ela tapou a boca com o punho. Recordou a janelinha da despensa, sempre aberta, e ficou um momento aterrorizada. Entretanto, o instinto comum veio em seu socorro, porque só um bebê de tenra idade poderia espremer-se através daquela abertura e, de qualquer modo, a pequenina janela era vedada por uma tela de arame fino, para impedir que vespas e moscas-varejeiras entrassem ali.

Os passos dele moveram-se em outra direção, perderam-se em torno da lateral da casa, não sendo mais ouvidos. Billy Fawcett ia tentar a porta dos fundos. Ela recordou a fechadura daquela porta, mais apropriada a uma masmorra, e isso deu-lhe coragem.

Continuou em silêncio, escutando, os ouvidos tão sensíveis quanto os de um cão desconfiado. Havia somente o tamborilar da chuva e o tiquetaquear sussurrante do relojinho de cabeceira de tia Louise. Judith esperou. Depois do que pareceu uma eternidade, Billy Fawcett retornou à porta da frente, suas pisadas fazendo o cascalho ranger.

— Judith! — O grito soara abaixo da janela, e ela quase pulou com o susto. Encharcado e frustrado, ele estava claramente perdendo a paciência e desistindo de qualquer tentativa para mostrar-se simpático ou amistoso. — Acha que isto é uma brincadeira? Pois está muito enganada. Desça e deixe-me entrar...

Ela não se moveu.

— *Judith!*

Ele agora renovava o assalto à porta da frente, martelando a madeira sólida com a fúria de um demente. De novo, vindo da cozinha, chegou até ela o impaciente tilintar da sineta.

Por fim cessou a estridência da peça na porta. Houve um prolongado silêncio. O vento gemeu, fustigando as janelas, sacudindo as vidraças. E ela ficou grata pelo vento, pela chuva incessante, porque certamente ele não agüentaria ficar lá fora para sempre, sem chegar a lugar algum, ficando encharcado. Sem dúvida, logo estaria molhado como uma esponja, admitiria a derrota e iria embora.

— Judith!...

Agora, entretanto, era um gemido. Um último e triste grito de apelo. Billy Fawcett estava perdendo a esperança. Ela não respondeu. Então o ouviu dizer, bem alto, para um homem que só tinha a si mesmo com quem falar:

— Oh, que droga, que merda de inferno!

Depois ouviu os passos dele arrastando-se pelo cascalho durante um momento, para em seguida as pisadas tomarem a direção do portão. Finalmente ia embora. Finalmente a deixaria em paz.

Judith esperou, até os passos se tornarem quase inaudíveis. Então rolou de debaixo da cama, engatinhou para a janela e, sob a proteção das cortinas de tia Louise, deu a mais desconfiada e cautelosa olhada. Ele já cruzava o portão e, acima do topo da sebe de escalônias, podia ver o alto da cabeça dele, enquanto caminhava pesadamente de volta ao seu bangalô.

Ele se fora. O alívio a deixou fraca como um bebê; sentia-se como um balão de gás inteiramente flácido, um pedaço de borracha colorida, franzido e frouxo. Seus joelhos bambearam, e ela afundou para o chão. Durante um momento, simplesmente deixou-se ficar na mesma posição. Tinha vencido a escaramuça, porém aquela havia sido uma amarga vitória, que a deixara por demais exaurida e amedrontada, para que pudesse sentir qualquer espécie de triunfo. E estava com frio. Continuava molhada do passeio de bicicleta e tiritava, mas suas pernas não tinham forças para sustentá-la de pé, ir ao banheiro, colocar o tampão no ralo da banheira e abrir a torneira de água quente.

Ele se fora. De repente, tudo ficou superior às suas forças, e Judith sentiu o rosto crispar-se como o de um felino. Inclinando a cabeça contra o lado duro e polido do toucador de tia Louise, ela deixou que as lágrimas deslizassem silenciosamente por suas faces abaixo.

Na tarde seguinte, tia Louise a levou de carro para o Santa Úrsula. Judith estava novamente trajando o uniforme escolar, e a folga de metade do período letivo chegara ao fim.

— Espero que você tenha se divertido.

— Oh, eu me diverti muito, obrigada.

— Foi uma pena eu ter que deixar você no domingo, mas sei que nunca foi uma garota que precise de companhia o tempo todo. Ainda bem. Não suporto crianças exigentes. Infelizmente não pôde estar com Heather Warren, mas faremos algum plano para os feriados da Páscoa.

Judith não queria pensar nos feriados da Páscoa. Limitou-se a dizer:

— Eu realmente gostei da minha bicicleta.

— Cuidarei dela para você.

Não podia pensar em mais nada para dizer porque, de fato, a bicicleta havia sido a única coisa boa que acontecera durante o fim de semana, e agora seu único desejo era voltar à normalidade, à rotina e ao ambiente familiar do colégio.

A única coisa que Judith verdadeiramente lamentava era não ter procurado o sr. Willis. Tivera tempo e oportunidade na parte da manhã, porém encontrara desculpas para não ir e deixara a chance escapar. A amizade, bem sabia, devia ser constante. De algum modo, no entanto, até mesmo isso Billy Fawcett conseguira estragar.

O Regresso

Colégio Santa Úrsula
8 de março de 1936

Queridos mamãe e papai,
Fiquei novamente uma semana sem escrever, porque estive com tia Louise durante os feriados de meio período letivo. Obrigada pela carta que me enviaram. Estou ansiosa por notícias de Cingapura e da casa nova em Orchard Road. Tenho certeza de que deve ser maravilhosa, e em breve vocês estarão acostumados com a temperatura um pouco mais quente. Deve ser curioso terem rostos amarelos de chineses à sua volta, em vez das faces negras dos tamis. Pelo menos, mamãe não precisará dirigir um carro, nunca mais.

O tempo no fim de semana não foi dos melhores. Tia Louise comprou a bicicleta para mim. É uma Raleigh verde. Como no domingo ela tinha se comprometido a jogar golfe com alguns amigos, fui de bicicleta a Veglos Hill, fazer um piquenique. Lá havia uma quantidade imensa de prímulas. Telefonei para Heather, mas não pude vê-la, porque ela ia a Bodmin, ver a avó.

Já havia falado o suficiente sobre o fim de semana. Nada mais podia ser dito com segurança. Entretanto, a carta ainda não estava apropriadamente longa, de maneira que ela se esforçou em prosseguir.

Foi muito interessante voltar à escola e ver Loveday novamente. Athena voltou da Suíça e esteve em Nancherrow durante o fim de semana. Ela levou um amigo, mas Loveday me disse que ele era terrivelmente maçante, nem de longe tão simpático como Jeremy Wells.
Recebam todo o amor da

Judith

Polly e John Richards, os amigos golfistas de Louise, formavam um casal que pertencera à Marinha e que, na aposentadoria, tinha voltado as costas para Alverstoke e Newton Ferrars, preferindo comprar uma sólida casa de pedra perto de Helston, com três acres de jardins e espaçosas edificações externas. O pai de Polly Richards havia sido um bem-sucedido cervejeiro, e parte de seu dinheiro certamente chegara até a filha, porque ela e o marido mantinham um estilo de vida muito menos restrito do que a maioria de seus contemporâneos reformados, dispondo de meios para empregar um casal que cuidava deles, uma diarista para a limpeza e um jardineiro em tempo integral. O casal de empregados tinha o nome de Makepeace, sendo o homem um ex-contramestre chefe. O jardineiro era um indivíduo calado e taciturno, que trabalhava de manhã ao anoitecer, quando então punha as ferramentas de lado e se enfurnava na toca de texugo, que era a sua cabana, construída bem além das estufas de plantas.

Liberados das ocupações domésticas, os Richards podiam desfrutar de uma intensa vida social. Mantinham um iate em Saint Mawes, e passavam os meses de verão inteiramente ocupados em velejar pelas águas fluviais do sul da Cornualha e disputando várias regatas. Durante o resto do ano recebiam um permanente fluxo de hóspedes e, quando não estavam velejando ou recebendo visitantes, costumavam rumar para os campos e as mesas de *bridge* do Clube de Golfe de Penmarron. Desta maneira é que haviam conhecido Louise e se tinham tornado bons amigos, no correr de muitas disputas amistosas nos campos de golfe.

Polly telefonou para Louise. Após algumas amenidades, ela entrou no assunto.

— Sei que está terrivelmente em cima da hora, mas você poderia vir jogar bridge amanhã à noite? Isso mesmo, amanhã; quarta-feira, vinte e dois.

Louise consultou sua agenda. Além de uma ida ao cabeleireiro, tinha o resto do tempo disponível.

— É muita gentileza convidar-me. Irei com muito prazer.

— Oh, você é o máximo! Recebemos um velho colega de John, e ele está ansioso por um joguinho. Será que poderia estar aqui às seis? É um pouco cedo, mas podemos jogar uma partida antes do jantar e, assim, você não voltaria para casa muito tarde. Sei perfeitamente que o trajeto é uma droga...

A conversa vivaz de Polly combinava bem com sua vida de velejadora, sendo lendárias as pragas claramente audíveis que proferia, quando seu barco rumava para alguma bóia de balizamento, navegando de vento em popa, mareado à bolina cerrada, através das cinzentas águas picadas do estreito de Falmouth.

— Não se preocupe com isso. Estarei ansiosa por ir.

— Então, vejo você amanhã.

Sem dizer mais nada, Polly desligou.

Era uma longa distância dirigindo, mas valia a pena o esforço, como Louise bem sabia. Foi uma noite esplêndida. O amigo de John Richards era general da Marinha Real, um homem simpático, de olhar malicioso, que dizia muito sobre ele próprio. Os drinques foram pródigos. O jantar e o vinho, excelentes. Além disso, Louise esteve com boas cartas o tempo todo, e soube jogá-las impecavelmente. Disputada a última rodada, foi estabelecido o escore e pequenas quantias de dinheiro trocaram de mãos. Louise pegou sua bolsa e guardou o que havia ganho. Quando o relógio da lareira bateu dez horas, ela pressionou o fecho da bolsa com um estalo e anunciou que era hora de ir para casa. Pediram-lhe para ficar e jogar mais uma rodada — uma para o trajeto — mas, embora tentada, ela estava decidida a ir e recusou gentilmente os convites.

No saguão, John ajudou-a a vestir seu casaco de peles e, após as despedidas, acompanhou-a na noite escura e úmida, até vê-la seguramente acomodada atrás do volante de seu carro.

— Está tudo bem com você, Louise?

— Melhor do que nunca.

— Dirija com cuidado.

— Muito obrigada. Foi uma noite esplêndida.

Ela começou a dirigir, com os limpadores de pára-brisa indo e vindo, a estrada à frente cintilando liquidamente à claridade dos faróis, negra como cetim. Dirigiu via Marazion, em direção a Penzance, mas ao aproximar-se da curva que a levaria à auto-estrada principal para Porthkerris, decidiu impulsivamente que em uma noite tão desagradável e com um trajeto tão longo pela frente, seria preferível ir pelo caminho mais curto, a estrada estreita que subia para a charneca. Era uma estrada desconfortável, serpenteante e marginada por sebes altas, com curvas fechadas e subidas bruscas, mas ela a conhecia bem, não haveria trânsito e sua jornada encurtaria em pelo menos oito quilômetros.

Tomada a decisão, Louise dobrou para a esquerda, em vez de para a direita, e momentos mais tarde tornava a dobrar, iniciando a íngreme subida pelo bosque que levava às charnecas solitárias. O céu estava negro e não se via uma só estrela.

Seis quilômetros à frente de Louise, e viajando na mesma direção, Jimmy Jelks seguia para Pendeen, ao volante de um desengonçado caminhão. Seu pai, Dick Jelks, ganhava a vida em uma castigada e pequena propriedade arrendada naquela vizinhança, criando porcos e galinhas, cultivando batatas e brócolis, e sendo conhecido como o dono da fazenda mais sórdida do distrito. Jimmy estava com vinte e um anos, morava na fazenda e era oprimido pelos pais, além de ser o alvo predileto de cada piada cruel, mas como carecia de inteligência ou de aptidão para namorar, parecia improvável que um dia escapasse àquela vida.

Nessa tarde viajara bem cedo para Penzance, levando um carregamento de brócolis que seria vendido no mercado. Deveria voltar para casa assim que encerrasse sua incumbência a contento, mas seu pai andava com ânimo irascível e, por isso, além de estar com dinheiro no bolso, ele foi tentado a matar o tempo vagando pelo mercado e conversando com qualquer pessoa que se desse ao trabalho de dirigir-lhe a palavra. Eventualmente, e ansiando por companhia, cedera à tentação da porta aberta da taberna "Cabeça do Sarraceno", e lá ficara até a hora de fechar.

Seu progresso, agora, não era acelerado. Abaixo dele, o velho caminhão chocalhava e gemia. Dick Jelks o comprara de um negociante de carvão, já em quarta mão, e desde o início o veículo tinha sofrido todo tipo de achaque mecânico. Uma vez abertas, as portas recusavam-se a fechar direito, as maçanetas não se mantinham no lugar e caíam, os pára-lamas haviam sucumbido à ferrugem, e a grade do radiador estava firmada com voltas e voltas de arame. Dar partida no motor era uma recorrente batalha de vontades, envolvendo uma alavanca a ser girada, um enorme esforço físico e freqüentemente dolorosos machucados, como polegares torcidos ou agonizantes pancadas sobre o joelho. Mesmo quando afinal estrebuchava para a vida, o caminhão permanecia decididamente inamistoso, recusava-se a aceitar uma mudança de marcha além da segunda, fervia constantemente, estourava os pneus antigos e soltava descargas com tão explosiva força, que qualquer pessoa azarada o bastante para estar nas proximidades arriscava-se a ser vítima de um instantâneo ataque cardíaco.

Nessa noite, como passara a tarde inteira na chuva, o caminhão tinha um comportamento ainda mais teimoso que de costume. Os faróis, nunca muito brilhantes, pareciam estar perdendo força e exibiam apenas uma luminosidade de vela para clarear o caminho à frente. Além disso, o motor tossia constantemente, como um tuberculoso, sufocando e ameaçando parar de todo. Ranger dolorosamente, enquanto subia e descia o terreno ondulante da charneca, era uma tarefa quase demasiada para ele. Após conseguir escalar uma íngreme ladeira e chegar ao solo nivelado mais além, o veículo finalmente expirou. Os faróis morreram, o motor tossiu seu último alento e as rodas, exaustas, giraram para a parada derradeira.

Jimmy puxou o freio de mão e xingou. No exterior, tudo era negrume e chuva. Ele ouviu a pouca intensidade do vento, viu o ponto de luz em uma distante casa de fazenda, e concluiu que estava longe demais para ser-lhe de alguma utilidade. Erguendo a gola do paletó, ele pegou a manivela de arranque, desceu para a estrada, foi até a frente do caminhão e preparou-se para a batalha. Foi somente depois de ter girado a manivela por cinco minutos, de machucar o osso da canela e arrancar sangue dos nós dos dedos, que a verdade aflorou ao seu cérebro aturdido. A bateria tinha arriado, e o maldito caminhão não ia entrar em movimento novamente. Quase chorando de raiva e de frustração, ele jogou a manivela de arranque dentro da cabine, bateu a porta com força para fechá-la e, de mãos enfiadas nos bolsos, os ombros encurvados contra a chuva, preparou-se para caminhar os mais de quatro quilômetros até Pendeen.

Rumando para casa, Louise Forrester sentia excelente disposição de ânimo. Estava satisfeita por haver escolhido este trajeto, gostava do desafio da jornada, do solitário isolamento daquela estrada campestre sem iluminação, e era gratificante saber-se a única pessoa fora de casa tão tarde e em uma noite tão inconveniente. Além do mais, ela adorava dirigir, e sempre ficava estimulada pela sensação de estar no controle, dona da situação, por trás do volante de seu carro potente. Acelerando, ficou fisicamente inebriada pela reação do motor, e experimentou o excitamento de um homem jovem, ao manobrar o Rover em curvas estreitas e apertadas, sem ao menos reduzir a velocidade. Tudo isso a deixava eufórica. Pensou na canção, mas como não se lembrava da letra, decidiu improvisar por conta própria:

> *Você me dá euforia,*
> *Dirigindo tão acelerado,*
> *Com minha vida no passado...*

"Estou me portando tão voluvelmente", disse para si mesma, "como aquela frívola criatura, Biddy Somerville". Entretanto, esta havia sido uma agradável noite. A estimulante jornada para casa através das charnecas vazias era uma das formas ideais de encerrar o dia. Um esplendor. Ela nunca fora mulher de fazer as coisas pela metade.

A estrada mergulhou à sua frente, descendo para um pequeno vale em cujo fundo ela cruzou uma pequena ponte arqueada de pedra, para em seguida recomeçar a subir. Louise engrenou uma terceira marcha e, com os faróis apontando para o céu, o poderoso carro enfrentou a ladeira e logo alcançou o topo, como um cavalo em corrida de obstáculos.

O pé dela ainda pisava com força o acelerador. Louise viu o caminhão, às escuras e abandonado, mas somente numa fração de segundo antes de bater contra ele. O ruído ensurdecedor do choque, do metal que se rasgava e dos vidros estilhaçando-se foi horrendo, porém ela não teve consciência de nada. O impacto a jogou para diante, arrancando-a do assento e lançando-a contra e através do pára-brisa. Na conseqüente autópsia, o médico da polícia emitiu a opinião de que a sra. Forrester tivera morte instantânea.

Entretanto, era impossível ter certeza. Isto porque, talvez durante meio minuto após o choque, não muito acontecera. Apenas estilhaços de vidro espargidos na margem da estrada e uma roda, enviesada no ar, cessando lentamente de girar. Na escuridão, na chuva e no isolamento não houvera testemunhas do desastre, portanto ninguém tinha ido buscar socorro e tampouco o trouxera. Os destroços, sem iluminação, dilacerados e retorcidos a ponto de ser quase impossível identificá-los, simplesmente estavam *lá*, insuspeitados — dois veículos destroçados, entrelaçados como um casal de cães copulando.

E então, com alarmante brusquidão e um estrondo que ribombou pela noite escura como estentórea trovoada, o tanque de gasolina do Rover incendiou-se e explodiu, as chamas irrompendo, consumindo e manchando de escarlate o negrume dos céus. Como um farol de alerta, a conflagração iluminou o mundo, e uma nuvem escura de malcheirosa fumaça se lançou através do céu, contaminando o suave ar molhado com o fedor de borracha queimada.

Deirdre Ledingham abriu a porta da biblioteca.

— Oh, então *aí* está você... — disse ela.

Judith ergueu os olhos. Era uma tarde de quinta-feira e, tendo um período livre, ela fora à biblioteca ler alguma coisa que a auxiliasse no ensaio de literatura inglesa que devia escrever sobre Elizabeth Barrett Browning. Entretanto, sua atenção fora desviada para o último exemplar do *The Illustrated London News*, que a srta. Catto considerava educativo e todas as semanas era entregue no Santa Úrsula. Suas páginas abrangiam uma grande diversidade de temas, assim como de notícias: arqueologia, horticultura e artigos sobre a natureza, cobrindo o estilo de vida de criaturas trepadoras em árvores e pássaros de nomes como o maçarico-de-bico-torto, de cauda-raiada. Judith, contudo, não era das mais fervorosas em zoologia, e tinha estado absorta por um perturbador relato da criação e desenvolvimento da Juventude Hitlerista na Alemanha. Segundo parecia, tal movimento pouco tinha em comum com os Escoteiros, que aparentemente nada faziam de mais sinistro além de montar tendas, acender fogueiras e cantar "Debaixo do frondoso castanheiro". Pelo contrário, os jovens alemães assemelhavam-se a soldados, usavam calções curtos, casquetes militares e nos braços ostentavam faixas com a suástica. Suas atividades, inclusive, pareciam arrogantes e belicosas. Havia a foto de um grupo de atraentes jovens louros que despertara um especial pressentimento em Judith. Sim, porque todos eles deviam estar jogando críquete, futebol ou subindo em árvores, mas, ao invés disso, marchavam em alguma cerimônia cívica, compenetrados e bem treinados como um pelotão de soldados profissionais. Ela tentou imaginar como se sentiria, caso tal parada desfilasse em passo-de-ganso pela Market Jew Street. A perspectiva era inconcebivelmente terrível. Entretanto, os rostos fotografados da multidão que assistia ao desfile dos jovens mostravam apenas prazer e orgulho. Tudo indica, portanto, que era isso o que as pessoas comuns da Alemanha *queriam...*

— Estive procurando você em toda parte.

Judith fechou a *Illustrated London News.*

— Por quê? — perguntou.

À medida que as semanas do período letivo passavam, a rotina escolar se tornava tão familiar como um lar, sua confiança aumentara, e ela perdera parte do temor respeitoso que sentia em relação a Deirdre Ledingham. Encorajada por Loveday, que não temia ninguém, Judith decidira que a mandona auto-importância de Deirdre às vezes chegava a ser ridícula. Como observava Loveday freqüentemente, ela não passava de uma aluna a mais, apesar de todo o seu ar de autoridade, de seus distintivos e de seu busto farto.

— Por quê? — perguntou novamente.

— A srta. Catto quer vê-la em seu estúdio.

— De que se trata?

— Não faço a menor idéia, mas é melhor que não a deixe esperando.

<hr>

Depois daquela primeira entrevista, Judith não sentia mais temor da srta. Catto, mas, ainda assim, respeitava-a o suficiente para fazer o que lhe era dito. Empilhou os livros, colocou a tampa em sua caneta-tinteiro e então foi ao lavatório lavar as mãos e pentear o cabelo. Pronta, e somente ligeiramente apreensiva, ela bateu à porta do estúdio da srta. Catto.

— Entre.

Ela estava lá, sentada à sua mesa, exatamente como antes. A diferença era que hoje o dia se mostrava sombrio e nublado, não havia sol, e as flores na mesa dela eram anêmonas, em vez de prímulas. Judith gostava de anêmonas, com seus tons rosados, purpúreos e verde-mar. Todas as fortes cores frias do espectro.

— Judith...

— Deirdre me disse que queria falar comigo, srta. Catto.

— Sim, minha querida. Aproxime-se e sente-se.

Uma cadeira a esperava. Judith sentou-se, de frente para a srta. Catto. Desta vez não houve preliminares. A diretora foi direta ao assunto.

— O motivo de ter mandado chamá-la nada tem a ver com a escola e nem com seu trabalho. Trata-se de algo bem diferente. No entanto, receando que possa ser uma espécie de choque para você, gostaria de prepará-la... Compreenda... É sobre sua tia Louise...

Judith parou de ouvir. Soube imediatamente o que a srta. Catto pretendia dizer-lhe. Tia Louise ia casar-se com Billy Fawcett. Suas palmas ficaram pegajosas, e ela quase podia sentir o sangue fugindo do rosto. O pesadelo ia tornar-se realidade. A coisa que rezara para que nunca acontecesse, estava acontecendo...

A voz da srta. Catto continuou. Falta de atenção era um pecado capital. Judith procurou controlar-se, tentou concentrar-se no que dizia sua diretora. Era algo sobre a noite anterior.

— ... dirigindo para casa, por volta de onze da noite... ela estava sozinha... não havia ninguém por perto...

A verdade aflorou. Ela falava sobre tia Louise e seu carro. Nada tinha a ver com Billy Fawcett. Tia Louise, dirigindo a toda velocidade como sempre, os pneus chiando nas curvas, afugentando ovelhas ou galinhas com um aperto de sua buzina. Só que agora, segundo parecia, sua sorte falhara.

— Ela está bem, não está, srta. Catto? — Tia Louise no hospital local, com uma atadura na cabeça e o braço na tipóia. Isso era tudo. Apenas ferida. — Ela está bem?

— Oh, Judith, não... Lamento, mas ela não está bem. Houve um acidente fatal. Sua tia teve morte instantânea.

Judith ficou olhando para a srta. Catto, seu rosto tomado por desafiante descrença, por saber que algo tão violento e fatal, simplesmente não podia ser verdade. Então viu a dor e a compaixão nos olhos da srta. Catto, e soube que, de fato, era verdade.

— Era o que eu tinha para dizer-lhe, minha querida. Sua tia Louise está morta.

Morta. Acabada. Para sempre. Morta era uma palavra terrível. Como a última batida de um relógio ou o estalo de uma tesoura cortando um fio.

Tia Louise.

Ouviu-se respirando fundo, e sua respiração parecia um estreme-cimento. Perguntou muito calmamente, querendo saber:

— Como foi que aconteceu?

— Já lhe disse. Uma colisão.

— Onde?

— No alto da estrada velha que passa pela charneca. Havia um caminhão avariado na estrada. Estava parado e abandonado. De luzes apagadas. Ela se chocou contra a carroceria do caminhão.

— Estava dirigindo muito depressa?

— Não sei.

— Ela sempre foi uma motorista terrível. Gostava de dirigir depressa. De ultrapassar coisas.

— Creio que, provavelmente, este acidente não foi culpa dela.

— Quem a encontrou?

— Houve um incêndio. Foi visto e alertaram a polícia.

— Morreu mais alguém?

— Não. Sua tia estava sozinha.

— De onde ela estava vindo?

— Parece que tinha ido jantar com amigos. Perto de Helston.

— Com o comandante e a sra. Richards. Ela costumava jogar golfe com eles. — Judith pensou em tia Louise dirigindo para casa através da escuridão, da maneira como havia dirigido vezes incontáveis antes. Olhou para a srta. Catto. — Quem contou para a senhora?

— O sr. Baines.

Judith não identificou o nome.

— Quem é o sr. Baines?

— É o procurador de sua tia em Penzance. Creio que também cuida dos assuntos de sua mãe.

Ela recordou-se, então, do sr. Baines.

250

— Mamãe sabe que tia Louise foi morta?

— O sr. Baines telegrafou para seu pai. Naturalmente, escreverá uma carta em seguida. E eu, claro está, escreverei para sua mãe.

— E quanto a Edna e Hilda? — perguntou Judith, pela primeira vez mostrando aflição na voz.

— Quem são elas?

— A cozinheira e a arrumadeira de tia Louise. As duas são irmãs. Estavam com ela há anos... ficarão muito abaladas.

— Sim, acredito que estejam. Nenhuma delas percebeu que sua tia não havia voltado para casa. A primeira suspeita foi quando uma das duas subiu, levando a bandeja com o chá da manhã, e descobriu que a cama não tinha sido desfeita.

— O que elas fizeram?

— Muito sensatamente telefonaram para o vigário. Então, o chefe de polícia local foi vê-las e comunicou a triste notícia. Naturalmente, as duas ficaram muito angustiadas, mas resolveram continuar juntas em casa de sua tia, pelo menos por enquanto.

A idéia de Hilda e Edna, sozinhas e chorosas na casa vazia, uma consolando a outra e bebendo xícaras de chá, era mais triste do que qualquer outra coisa. Sem tia Louise, a vida delas não teria rumo nem propósito. Sim, porque seria difícil conseguirem outros empregos, não sendo elas jovens nem animadas como Phyllis, mas de meia-idade e solteironas, sem qualquer meio de sustento próprio. E se não conse-guissem novos empregos, onde iriam viver? O que fariam? As duas eram inseparáveis. Jamais se separariam.

— Haverá um funeral? — perguntou.

— Claro — respondeu a srta. Catto. — No devido tempo.

— Eu terei de ir?

— Somente se quiser. Entretanto, acho que deveria ir. E, natural-mente, eu a acompanharei, estarei ao seu lado o tempo todo.

— Nunca estive em um funeral.

A srta. Catto ficou em silêncio. Depois levantou-se, saiu de trás de sua mesa e caminhou até a janela, diante da qual ficou parada, como que em busca de conforto, a beca negra em torno de seu corpo, parecendo um xale. Por um momento olhou pela janela, para o jardim úmido e nevoento, uma visão que, concluiu Judith, não oferecia qualquer espécie de consolo.

Parecia que a srta. Catto era da mesma opinião.

— Que dia mais triste — comentou ela. Virou-se da janela e sorriu. — Os funerais fazem parte da morte, Judith, assim como a morte faz parte da vida. É algo desolado para alguém de sua idade enfrentar, mas que acontece a todos nós. E você não estará só, porque estou aqui para ajudá-la a suportar semelhante provação. A aceitar o fato. Porque a morte é realmente parte da vida; aliás, a única coisa da vida sobre a qual podemos ter certeza absoluta. Entretanto, tais palavras de consolo soam demasiado banais, quando a tragédia nos ataca tão de perto e tão subitamente. Você está sendo muito corajosa e desprendida. Pensando nos outros. Entretanto, não se sinta constrangida. Não guarde seu pesar para si mesma. Sei que sou sua diretora, mas neste momento sou uma amiga sua. Pode dizer o que quiser, o que estiver pensando. E não se envergonhe de chorar.

As lágrimas, no entanto, assim como seu alívio, jamais haviam estado tão distantes.

— Eu estou bem.

— Boa garota! Sabe o que acho? Acho que seria agradável tomarmos uma xícara de chá. Você gostaria?

Judith assentiu. A srta. Catto foi até o lado da lareira e fez soar uma sineta.

— É o clássico remédio para tudo, não? — disse. — Uma boa xícara de chá quente. Nem sei como não pensei nisso antes. — Em vez de voltar a sentar-se atrás de sua mesa, ela preferiu uma pequena poltrona junto à lareira. O fogo estava preparado, mas não aceso e, sem dizer palavra, a srta. Catto pegou uma caixa de fósforos, inclinou-se para diante e acendeu um deles, que aproximou do jornal amassado e dos gravetos secos. Recostando-se no assento, espiou as chamas se firmarem e lamberem os carvões. Então acrescentou: — Vi sua tia apenas umas duas vezes, porém gostei muito dela. Não era mulher de evasivas. Sabia preocupar-se, ser capaz. Uma pessoa de fato. Senti-me inteiramente despreocupada, sabendo que você estava sob os cuidados dela.

Isso, de modo inteiramente natural, conduziu a conversa à pergunta vital. Judith olhou para fora, através da janela, e tentou dar à voz o tom mais casual que pôde.

— E para onde eu irei agora?

— Precisamos conversar a respeito.

— Tenho a tia Biddy.

— É claro. A sra. Somerville, que mora em Plymouth. Sua mãe me falou tudo sobre os Somervilles, de maneira que tenho o endereço e telefone deles. Compreenda, Judith, quando os pais residem no estrangeiro, precisamos ter contato com todos os parentes próximos. Do contrário, nossa responsabilidade realmente seria demasiada.

— Tia Biddy sempre disse que eu poderia ficar com ela, se quisesse. Ela já sabe sobre tia Louise?

— Ainda não. Eu quis falar primeiro com você, mas comunicarei a ela.

Houve uma batida à porta.

— Entre — disse a srta. Catto.

Uma das copeiras assomou com a cabeça.

— Oh, Edith, que bom ter vindo. Poderia trazer-nos uma bandeja com chá? Duas xícaras, e talvez alguns biscoitos.

A jovem disse que voltaria num segundo e retirou-se. A srta. Catto continuou, como se não tivesse havido qualquer interrupção.

— Gostaria de passar os feriados com sua tia Biddy?

— Sim, claro que sim. Gosto demais dela e do tio Bob. Eles são muito agradáveis e bondosos, mas o fato é que não ficarão para sempre em Plymouth. Cedo ou tarde deixarão Keyham, e tio Bob provavelmente voltará para o mar. Tia Biddy falou sobre comprar uma casinha. Eles nunca tiveram uma casa que considerassem sua de verdade...

A voz de Judith calou-se, e a srta. Catto perguntou:

— Existe mais alguém?

— Sim, a sra. Warren. Heather Warren foi minha melhor amiga na Escola de Porthkerris. O sr. Warren é merceeiro, e minha mãe apreciava muito todos eles. Tenho certeza de que, um dia, poderia visitá-los e ficar com eles.

— Bem, seja como for. — A srta. Catto sorriu. — Estudaremos alguma coisa. Lembre-se apenas de que está cercada de amigos. Ah, aí está a nossa bandeja! Obrigada, Edith; deixe-a em cima da mesa... E agora, Judith, por que não abandona essa cadeira desconfortável e vem sentar-se aqui, perto do fogo...?

Bem, disse Muriel Catto para si mesma, o pior está feito, foi comunicada a triste notícia e a menina pareceu tê-la aceitado, manteve a compostura. Por duas vezes, em sua carreira de diretora, ela tivera que desempenhar tão ingrata tarefa — comunicar a uma de suas meninas o falecimento de um pai ou de uma mãe, algo que sempre a deixava sentindo-se uma assassina. Sim, porque o mensageiro torna-se o assassino. Enquanto as palavras fatais não são pronunciadas, o ente querido em questão continua vivo, acordando, dormindo, cuidando de sua vida, dando telefonemas, escrevendo cartas, caminhando, respirando, enxergando. O que matava era dar a notícia.

Desde o início da carreira, ela estabelecera normas rígidas para si mesma: imparcialidade e nem sombra de favoritismos. Judith, no entanto, de maneira inconsciente derrubara tais defesas e, mesmo sendo uma pessoa estritamente não-maternal, a srta. Catto achava difícil ignorar este especial interesse e voltar as costas ao apelo da menina. Judith estava bem ajustada no Santa Úrsula e parecia popular com as colegas, apesar de sua criação e antecedentes muito diferentes. Era uma estudante consistente e satisfatória, além de mostrar boa atuação nos jogos. A conexão Carey-Lewis havia sido um prêmio, e a própria inspetora não encontrara motivos para queixar-se de seu comportamento.

E agora a morte da tia. Um trauma que poderia muito bem fazer o barco naufragar, provocar um fundo retraimento, uma terrível perturbação interior. Enquanto permanecia sentada à sua mesa, externamente composta, mas interiormente tomada de apreensão, à espera de que a menina batesse à porta do estúdio, Muriel Catto ficara mortificada ao ver-se quase desejando que tão dolorosa tragédia tivesse acontecido a qualquer outra aluna do colégio.

Não se tratava apenas do fato de Judith estar tão isolada, com a família no estrangeiro e sem irmãos para consolo ou companhia. Era algo que tinha a ver com *ela*. Com sua estóica aceitação da longa separação (nem uma só vez se entregara a lágrimas ou teimosias). Pelo contrário, era de uma desarmante franqueza, além de mostrar certa doçura de ânimo que devia ser nata, pois, como bem sabia a srta. Catto, esta era uma qualidade que não podia ser ensinada.

Ao mesmo tempo, ela achava encantadora a aparência de Judith. Claro que a menina possuía todas as desvantagens naturais da meia adolescência, como as pernas compridas e desajeitadas, os ombros ossudos, as sardas, e orelhas muito grandes. De algum modo, no entanto, tais fatores nela não eram desgraciosos, ao contrário, acentuavam-lhe o ar juvenil. E ainda havia mais. Olhos que eram realmente belos. Cinza-azulados e enormes, orlados de cílios cheios e escuros, as pupilas límpidas como água cristalina. E, como acontecia a muitas meninas mais novas, cada pensamento íntimo espelhava-se em seu rosto expressivo, como se ela nunca tivesse aprendido a arte do despistamento. E a srta. Catto rezava para que jamais aprendesse.

As duas tomaram o chá quente e confortador, enquanto conversavam, não sobre tia Louise, mas sobre Oxford, onde a srta. Catto havia passado a infância.

— ... um lugar maravilhoso para a gente ser criada. Uma cidade de torres sonhadoras, sinos, bicicletas, jovens e infinito saber. Tínhamos uma velha casa na Banbury Road, muito grande e confortável, com um jardim murado e uma amoreira. Meu pai era professor de Filosofia. Minha mãe também era acadêmica, vivia escrevendo, trabalhando ou mergulhada em pesquisas. Durante o período letivo, a casa era invadida por um fluxo permanente de estudantes, indo e vindo em busca de preceptores, e sempre me lembro da porta da frente como perpetuamente aberta, a fim de que ninguém precisasse tocar a sineta. Em conseqüência, cada aposento era varrido por correntes de ar. — Ela sorriu. — Há um certo cheiro, claro que há... um cheiro ambiental, na casa onde moramos quando crianças. E às vezes tornamos a sentir esse cheiro, de maneira inconsciente — livros velhos, polidor e móveis antigos, o bolor úmido de pedra vetusta; de repente, sem saber como, estamos de volta àquela casa, temos novamente oito anos de idade...

Judith tentou imaginar a srta. Catto com oito anos de idade, mas foi impossível. Respondeu:

— Sei o que a senhora quer dizer. Em Colombo, nossa casa cheirava a mar, porque vivíamos à beira do oceano, no jardim havia uma árvore de flor-do-templo e, à noite, ela espalhava um perfume muito doce e forte. No entanto, também havia outros cheiros. De desinfetante e de ralos, além da coisa que a ama costumava esguichar para matar insetos.

— Insetos? Que horror! Odeio insetos. E lá havia muitos?

— Oh, sim! Mosquitos, aranhas e formigas vermelhas. Às vezes, cobras, também. Certa ocasião apareceu uma no jardim, e papai a matou com um tiro de rifle. E *tik polongas*, que se escondiam no banheiro. Vinham pelos ralos. Precisávamos tomar o máximo cuidado, porque são serpentes muito venenosas.

— Realmente assustador. Não sou muito corajosa no tocante a cobras...

— Havia encantadores de serpentes no Pettah, quando íamos fazer compras. Eles ficam sentados de pernas cruzadas na grama e tocam flautas. As serpentes costumavam empinar-se para o alto, saindo de suas cestas. Mamãe os odiava, mas eu adorava vê-los. — Judith pegou outro biscoito e o comeu pensativamente. Depois disse: — Nunca estive em Oxford.

— Eu acho que você deveria ir lá. Para a Universidade, quero dizer. Isto significaria permanecer aqui e matricular-se, mas, conhecendo suas aptidões escolásticas, creio que não teria dificuldades em passar no exame e conseguir entrar para Oxford.

— Quanto tempo terei de ficar lá?

— Três anos. No entanto, que oportunidade seria para você! Não consigo pensar em nada mais mágico do que dispor de três anos para imergir-se em conhecimentos... mas nada de álgebra ou zoologia, matérias pelas quais você parece não sentir muito interesse... mas talvez de literatura inglesa e filosofia.

— Isso ficaria muito caro?

— Ficaria, sim; porém nenhuma das melhores coisas da vida custa barato.

— Não me agrada pedir uma coisa que estaria fora das posses de meus pais...

A srta. Catto sorriu. Disse:

— Foi apenas uma sugestão. Uma idéia. Temos tempo de sobra para fazer planos. E agora, gostaria de mais uma xícara de chá?

— Não, muito obrigada. Foi tudo ótimo.

Houve um silêncio. Agora, muito mais relaxado. O chá havia sido uma boa idéia. As cores naturais de Judith haviam voltado, o pior do choque estava superado. Chegara o momento de falar. De, aos poucos, conduzir a conversa para a pergunta que a srta. Catto sabia ter de ser feita.

— Se você quiser — disse — sempre poderá usar meu telefone daqui, para falar com qualquer de suas amizades. Apenas dê-me algum tempo de ligar para a sra. Somerville e deixá-la a par da situação, mas talvez você queira falar com Edna, com Hilda ou alguma de suas amigas em Penmarron.

Com o rosto voltado para as chamas na lareira, Judith vacilou por um instante, mas depois meneou a cabeça.

— Não, acho que não quero. Pelo menos, por enquanto. De qualquer modo, foi muita gentileza sua.

— Creio que provavelmente o sr. Baines desejará vê-la e falar com você, mas isso será para daqui a um dia ou mais. Então, já estaremos a par dos preparativos que foram feitos para o funeral.

Judith inalou uma respiração funda, depois a expeliu. Respondeu, vacilante:

— Está bem.

A srta. Catto recostou-se em sua poltrona.

— Preciso perguntar-lhe mais uma coisa — disse. — Por favor, não pense que estou me intrometendo, e não precisará responder, se não quiser. Bem, eu tive a impressão de que, ao começar a contar-lhe o que tinha acontecido... você... você pensava que fosse algo completamente diferente. Claro que posso estar enganada. — Houve um longo silêncio. Judith continuou olhando fixamente para o fogo. Então ergueu a mão e começou a torcer uma mecha de cabelo que escapara da fita para prendê-lo. — Havia alguma coisa que a preocupava? O que a fez parecer tão amedrontada?

Judith mordeu o lábio, depois murmurou algo.

— Desculpe-me — disse a srta. Catto — mas não ouvi direito.

— Eu pensei que ela ia casar.

Apanhada inteiramente de surpresa, a srta. Catto mal podia acreditar no que ouvira.

— Casar? Você pensou que a sra. Forrester ia casar? Com quem imagina que ela ia casar?

— Com o Coronel Fawcett.

— E quem é o Coronel Fawcett?

— É um vizinho dela. — De maneira tocante, Judith emendou-se. — Era um vizinho dela. Um velho amigo dos tempos da Índia.

— E você, talvez, não quisesse que sua tia casasse com ele.

— Não.

— Você não gosta dele.

— Eu o odeio. — Desviando a cabeça do fogo, ela fitou diretamente os olhos da diretora. — Ele era horrível. Se casasse com tia Louise, iria morar na casa dela. Eu sei. Eu não o queria lá.

Compreendendo prontamente a situação, a srta. Catto permaneceu fria. Aquele não era um momento para simpatia emocional.

— Ele a incomodou?

— Sim.

— O que foi que ele fez?

— Ele nos levou ao cinema e botou a mão no meu joelho.

— Oh, entendo.

— Fez isso duas vezes. E a mão dele ficou subindo pela minha perna.

— Você contou para a sra. Forrester?

— Não. — Judith negou com a cabeça. — Eu não podia contar para ela.

— Em seu lugar, acho que eu também não poderia contar. É uma situação muito difícil. — A srta. Catto sorriu, de algum modo mascarando sua fúria íntima contra o mundo desagradável e repugnante dos velhos lúbricos. Acrescentou: — Em Cambridge, costumávamos chamá-los de bolinadores ou puxadores de ligas.

Judith arregalou os olhos.

— Está querendo dizer... está dizendo que aconteceu com a *senhorita*?

— Todas nós, alunas novas, éramos consideradas presa fácil. Aprendemos rapidamente a evitar táticas e a desenvolver nossas próprias defesas. Claro está que éramos muitas, havia a segurança dos números e o conforto de termos confidentes. Em seu caso, contudo, não havendo essa segurança, deve ter sido muito pior.

— Eu não sabia o que fazer.

— Sim, imagino que não soubesse mesmo.

— Não *acredito* que ela teria casado com ele, mas depois que a idéia me entrou na cabeça, não consegui livrar-me dela. Estava sempre lá. Não sabia como agir.

— Bem, aí está uma coisa com a qual não terá mais de preocupar-se. De maneira muito drástica e trágica, seu problema foi resolvido. Dizem que de qualquer situação, por mais devastadora que seja, sempre resulta algum bem. E foi uma boa coisa você ter contado para mim. Agora, poderá colocar em perspectiva todo esse lamentável episódio.

— Se formos ao funeral, é certo que ele estará lá.

— Não tenho dúvidas quanto a isso. E você irá apontá-lo para mim. Dirá: "Aquele é o Coronel Fawcett", e eu terei o prazer de atingi-lo na cabeça com a minha sombrinha.

— Faria isso *de verdade*?

— Provavelmente não. Imagine as manchetes no *Western Morning News*: "Diretora local ataca coronel reformado." Não seria uma publicidade das melhores para o Santa Úrsula, concorda? — Não se tratava bem de uma piada, mas, pela primeira vez, ela viu Judith sorrir e dar uma risada, espontaneamente. — Já está melhor. E agora — ela olhou para seu relógio — você precisa ir andando e eu devo prosseguir com tudo que tenho para fazer. Está em cima da hora para os jogos. Penso que você gostaria de conversar um pouco com Loveday. Pedirei a Deirdre para dizer à srta. Fansahw que vocês duas podem faltar ao hóquei, para ficarem juntas por algum tempo. Dêem uma volta pelos jardins, subam em uma árvore ou sentem-se no solário. Você se sentirá melhor, depois que contar tudo para Loveday.

— Não vou contar a ela sobre o Coronel Fawcett.

— Não. Creio que devemos guardar isso conosco. — Ela se levantou da poltrona e, no mesmo instante, Judith levantou-se também. — Agora, está terminado. Sinto muito sobre sua tia, mas você soube como aceitar o golpe. E não fique apreensiva sobre seu futuro, porque isso é responsabilidade minha. Posso garantir-lhe que está em boas mãos.

— Sim, srta. Catto. E obrigada. Obrigada também pelo chá.

— Pode ir agora... — Entretanto, quando Judith cruzou a porta, ela voltou ao de sempre. Era novamente a Diretora — ... e lembre-se de não correr no corredor.

Sábado, 28 de março

Residência do capitão-engenheiro
Keyham Terrace
Keyham
Plymouth

Minha querida, pobre Judith

Acabei de falar longamente ao telefone com a simpática srta. Catto, que me pareceu muito amiga e solidária. Minha querida, estou sofrendo com você — o que aconteceu à pobre Louise foi algo absolutamente terrível; ela sempre dirigiu como um cocheiro furioso, mas nunca imaginei que algum mal pudesse resultar disso. Louise me parecia uma criatura indestrutível e, embora eu nunca tivesse dito palavras muito gentis sobre ela, sei que era uma boa pessoa, apesar de, às vezes, ter uma língua ferina. Disse-me a srta. Catto que seus pais já foram informados e que irá escrever para sua mãe. Ela também quis saber se eu e Bob podíamos ficar com você nos feriados da Páscoa, mas acontece que estamos às voltas com problemas. Seus dois avós adoeceram e venho tentando ficar de olho neles. Além disso, também estou procurando casa em Devon para comprar, a fim de podermos ter alguma espécie de permanência em nossas vidas. Creio ter encontrado uma, porém precisará ser reformada antes de nos mudarmos para lá. Afinal, seu tio Bob deixará Keyham em junho e se juntará ao HMS Resolve, que está baseado em Invergordon, no Cromarty Firth, a mais de mil e quinhentos quilômetros no distante norte. Lá só há chuva, saiotes escoceses e as bolsas de peles que eles usam diante dos saiotes. Como não se trata de um serviço no litoral, terei de viajar para lá e procurar uma outra casa — agora alugada — para poder estar com seu tio.

Com toda essa confusão, você verá que não nos será possível tê-la conosco durante os feriados da Páscoa, mas no verão já estaremos mais ou menos estabelecidos e, por favor — por favor — venha ficar conosco então. A srta. Catto assegurou-me que cuidará bem de você, e parecia tão sensata ao falar, que me deixou despreocupada sobre seus feriados, mas muitíssimo ansiosa para vê-la no verão.

Minha queridinha, lamento tanto que isto tenha acontecido! Mande dizer-me quando será o funeral, embora não seja muito provável o meu comparecimento. Meu pai está doente de novo, e minha mãe tem-se esforçado demais para cuidar dele. Ela chora o tempo todo por alguém que a ajude, isto me levando a tentar encontrar alguma espécie de governanta residente que cuide dos dois velhos.

Tio Bob junta-se a mim, quando lhe enviamos a nossa amizade. Ele diz para você manter-se de queixo erguido.

Muitos beijos,

Tia Biddy

Domingo, 5 de abril

Queridos mamãe e papai,

Sei que receberam um telegrama, e que tanto a srta. Catto como o sr. Baynes escreverão para vocês. Foi muitíssimo triste o que aconteceu com tia Louise e sentirei uma enorme falta dela, por ter-se mostrado tão gentil comigo. Durante a metade do período letivo, quando fui para Windyridge pela primeira vez, senti uma saudade imensa de vocês, porém isso logo passou, porque tia Louise foi demasiado bondosa comigo, nunca se exasperando com coisa alguma. Sei o quanto ela era imprudente como motorista, mas a srta. Catto disse que não foi a culpada pelo acidente, porque o caminhão contra o qual se chocou estava simplesmente abandonado, bem no alto da ladeira.

Em relação a mim, por favor, não se preocupem. Eu poderia ter ido passar os feriados da Páscoa com a tia Biddy, mas ela atualmente está muito ocupada com a casa nova que comprou e, além disso, o avô Evans está doente. Entretanto, estou certa de que poderia ficar alguns dias com os Warrens, de Porthkerris e, por outro lado, a srta. Catto sugeriu-me ir a Oxford e ficar no casarão em que vivem os seus pais. Eu gostaria muito de ir, porque a srta. Catto acha que tenho possibilidade de prestar exames e conseguir vaga na Universidade de Oxford, de modo que seria interessante ver a cidade. Então, poderei ficar com tia Biddy durante os feriados do verão.

Lamento muito por Edna e Hilda, mas talvez elas encontrem outro emprego em que possam estar juntas. Foi horrível ser informada sobre tia Louise, porque um desastre de carro é algo tão violento e, além disso, ela não era muito idosa. A srta. Catto disse que a morte faz parte da vida, mas, ainda assim, a gente não quer que ela chegue com tanta rapidez.

O funeral foi na quinta-feira passada. A srta. Catto me disse que eu não precisaria ir, se não quisesse, mas decidi que seria melhor ir. Fui de uniforme, e a inspetora fez uma faixa de luto para eu colocar no braço. A srta. Catto disse que me levaria, mas o sr. Baines chegou em seu carro e levou nós duas. Ele foi muito gentil conosco, e eu me sentei no banco da frente, ao seu lado. O serviço foi celebrado na igreja de Penmarron. Havia muita gente lá, a maioria desconhecida para mim. Entretanto, chegamos juntamente com os Warrens. A sra. Warrens deu-me um forte abraço, apresentou-se à srta. Catto e disse que eu poderia ficar com eles nos feriados, sempre que quisesse. Não acham que, realmente, foi muita gentileza dela?

Na igreja, cantamos "Chegou ao fim, Senhor, o dia que Tu deste", e havia muitas flores por todos os lados. O vigário falou coisas lindas sobre tia Louise. Hilda e Edna se sentaram logo atrás de nós e choraram, mas o primo delas estava lá, com seu carro, e as levou embora quando o serviço terminou. As duas vestiam-se de preto e pareciam sentir imensamente a falta de tia Louise.

Depois do serviço, saímos todos acompanhando o ataúde. Era um dia muito frio, mas de céu azul, com um vento gelado do norte vindo do mar. No cemitério, toda a relva nascida no alto dos muros era sacudida pelo vento, podia-se sentir o cheiro do mar e ouvir as ondas. Ainda bem que não estava chovendo.

Foi terrível ver o ataúde baixar à terra e saber que tia Louise estava nele. O vigário deu-me um pouco de terra para deixar cair na sepultura, a srta. Catto jogou um buquê de prímulas, e o sr. Baines uma rosa. Achei um gesto delicado da parte dele; devia saber o quanto tia Louise gostava de rosas. Só então eu compreendi que ela realmente estava morta, para sempre. Em seguida, nós nos despedimos de todos os presentes e voltamos a Penzance. O sr. Baines nos levou — a mim e à srta. Catto — para almoçar no The Mitre, porém fiquei pensando no dia em que nós duas almoçamos lá, mamãe, isto me fez sentir sua falta e desejar que você estivesse lá.

A maioria dos moradores da aldeia compareceu ao funeral, e eu falei com a sra. Berry. Também falei com a sra. Southey, e ela me beijou, ou melhor, espetou-me o rosto, com aqueles pêlos que tem em cima do lábio.

Judith parou aqui, um pouco atrapalhada. As lembranças do funeral eram confusas. Outros rostos conhecidos surgiam de quando em quando diante de seus olhos, mas era difícil dar-lhes um nome. Billy Fawcett também comparecera, porém ela não desejava nem mesmo escrever-lhe o nome. Tinha-o observado, no final do serviço, quando saíra para o corredor central seguida pela srta. Catto, a caminho da porta principal. Ele estava em pé, bem no fundo da igreja. Judith o olhou, e viu que ele também a olhava. Com uma nova coragem, garantida pela presença de sua diretora, ela o encarou, fazendo com que baixasse os olhos. Antes dele fazer isso, no entanto, Judith percebeu-lhe no rosto uma expressão de puro ódio, dirigida a ela. As portas aferrolhadas de Windyridge não tinham sido perdoadas e nem esquecida a humilhante retirada dele. Entretanto, ela pouco se importava. No cemitério, Billy Fawcett não estava entre os que se achavam à beira da sepultura. Ofendido e truculento, ele fora embora, e Judith ficou grata por esse pequeno favor. Aquele homem, no entanto, era um espectro insistente, que ainda assombrava os seus sonhos. Agora, sem tia Louise para animá-lo, para fazer-lhe companhia e despejar uísque grátis em sua garganta sedenta, ele talvez caísse em si, talvez fosse embora da Cornualha e encontrasse outro lugar onde passar seus anos crepusculares. Quem sabe a Escócia? Lá havia montes de campos de golfe. Judith gostaria que ele fosse para a Escócia, e que nunca, nunca mais tornasse a vê-lo novamente. Enfim, talvez ele não *conhecesse* ninguém na Escócia; em realidade, era um ser tão horrível, que ela não conseguia imaginá-lo tendo um só amigo em algum lugar. Assim, o mais provável era que continuasse exatamente onde estava, enfiado no seu bangalô alugado, perambulando pela sede do clube em Penmarrom como um cão perdido e, de quando em quando, indo em seu carro a Porthkerris, a fim de fazer as compras essenciais às necessidades da vida. Billy Fawcett sempre estaria por ali, e Judith tinha o pressentimento de que jamais se libertaria inteiramente de sua odiosa figura, até chegar o dia em que ele esticasse as canelas e morresse. Tiritando no vento do cemitério, encontrou tempo para desejar que tinha que ser *ele* quem devia estar baixando para sempre naquela sepultura, e não tia Louise. Era tudo tão terrivelmente injusto! Por que tia Louise tinha sido levada para a eternidade quando ainda no auge de sua existência útil e ocupada, enquanto aquele velho e repugnante bolinador continuava vivo, poupado para prosseguir com suas nefandas atividades?

Eram pensamentos inadequados para uma ocasião tão triste, tão desalentadora. Foi então que viu o sr. Willis, e ficou de tal modo satisfeita em vê-lo ali, que expulsou Billy Fawcett de sua mente. O sr. Willis se mantinha respeitosamente a alguns passos de distância, não desejando invadir a tristeza pessoal de quem quer que fosse. Barbeado e limpo, usava um reluzente terno azul um tanto apertado e um colarinho que parecia prestes a sufocá-lo. Segurava seu chapéu-coco, e Judith, que permanecera de olhos secos durante todo o funeral, ficou comovida até as lágrimas, percebendo a evidente trabalheira a que ele se entregara. Antes de sair do cemitério, ela deixou a srta. Catto e o sr. Baines, que trocavam algumas palavras com o vigário, e abriu caminho através dos tufos relvosos entre as lápides antigas, a fim de cumprimentar o velho amigo.

— Sr. Willis...

— Oh, minha querida! — Ele colocou o chapéu, para tirá-lo do caminho, e tomou as duas mãos dela nas suas. — Que coisa mais terrível foi acontecer! Você está bem, não está?

— Sim, estou bem. Muito obrigada por ter vindo.

— Foi um enorme choque saber do ocorrido. Estive no *pub*, no anoitecer de quinta-feira, e foi quando Ted Barney me contou. Mal pude acreditar... aquele retardado, o Jimmy Jelks...

— Sr. Willis... não fui vê-lo nos feriados de meio período letivo. Não sabe o quanto lamento. Eu queria ir... mas... de algum modo... acabei não indo. Espero que não fique aborrecido...

— Em absoluto. Reconheço que você tinha muito o que fazer, e é um longo trajeto até o *ferry*.

— Prometo ir, da próxima vez em que for a Penmarron. Tenho muita coisa para contar ao senhor.

— Como vão sua mãe e Jess?

— Que eu saiba, perfeitamente bem.

— Quem cuidará de você agora?

— Oh, a tia Biddy, em Plymouth, segundo espero. Ficarei bem.

— A tragédia já é ruim o bastante, porém esta foi uma sina cruel para você. Mesmo assim, a Morte ataca, e não há muito o que possamos fazer, há?

— Não. Não há muito. Agora preciso ir, sr. Willis. Eles estão esperando. Fiquei muito contente em vê-lo.

Ainda estavam de mãos dadas. Ela olhou para o sr. Willis e viu os olhos dele se encherem de lágrimas subitamente. Inclinando-se, beijou a face áspera, que cheirava a sabonete Lifebuoy e a tabaco, tudo misturado.

— Adeus, sr. Willis.

— Adeus, minha garota.

Recordar tudo isso era bastante triste, porque ela talvez nunca mais voltasse a Penmarron, e aquela despedida no funeral bem poderia ser para sempre. Judith recordou fatos ainda mais recuados no tempo, evocou as muitas tardes roubadas e felizes, passadas na companhia dele. Eram dias magníficos, quando ele se recostava contra o casco apodrecido de um barco a remo, fumava seu cachimbo e contava casos amigavelmente, enquanto esperava que a maré subisse e os barcos de carvão se movessem sobre os bancos de areia. Também havia os dias chuvosos e frios de inverno, ainda melhores, porque então eles iam para a pequena cabana e bebiam chá, feito na velha estufa bojuda.

Bem, este não era o momento para ficar entregue a recordações, porque precisava terminar sua carta.

Por um ou dois momentos, ficou indecisa, quanto a mencionar ou não a presença do sr. Willis no funeral. Sua amizade com ele sempre fora mantida oculta de sua mãe, como um segredo, em parte por não querer interferências, mas também por causa da duvidosa condição social da chamada sra. Willis. Então pensou — oh, bolas! — afinal de contas, nas atuais circunstâncias, o sr. Willis e sua vida particular não eram mais importantes do que uma tempestade em copo d'água. Ele era seu amigo, e assim continuaria sendo. Se sua mãe lesse nas entrelinhas e chegasse a alguma conclusão oculta e sinistra, somente dentro de seis semanas Judith receberia a resposta desta carta. E, até lá, o mundo inteiro poderia ter mudado.

Por outro lado, ela queria escrever sobre o sr. Willis.

O sr. Willis também esteve lá. Lembra-se dele? É o homem que manobra o ferry e trabalha para a Superintendência do Porto. Estava muito elegante e usava chapéu coco. Perguntou por você e por Jess. Achei que foi muita bondade dele ir ao funeral, de barba feita, bem vestido e tudo isso.

Amanhã à tarde o sr. Baines virá ao colégio, falar comigo sobre o que ele chama "assuntos de família". Penso que deve ter a ver com o colégio e coisas assim, embora nem de longe imagine o que isto signifique. Espero que ele não use palavras compridas que eu não entenderia, e só desejo que seja capaz de ajudar Edna e Hilda a encontrarem outro emprego.

Desejo que você esteja bem, e que papai não se entristeça demais com a morte de tia Louise. A srta. Catto me disse que a morte foi tão rápida, que ela nem chegou a perceber o que aconteceu. Disse também que ela adorava dirigir, porém isso não consola muito, quando você agora está tão longe e as duas se queriam tanto. Por favor, não fique preocupada comigo. Entraremos em férias na sexta-feira, 10 de abril.

Um monte de beijos,

Judith

— Oh, aí está você, Judith...

Presumivelmente com a permissão da srta. Catto, o sr. Baines já se instalara atrás da mesa dela, a qual tinha ocupado com sua pasta e um monte de documentos. Era um homem muito alto, de cabelos mosqueados como um *terrier* de pelame áspero, e enormes óculos com aros de chifre. Em seu terno de *tweed* e camisa xadrez, era o próprio epítome de um bem-sucedido procurador rural. Sua firma, da qual era um dos sócios mais antigos, há muito fora estabelecida em Penzance e tinha escritórios em uma invejável casa no estilo Regência, em Alverton. Judith sabia disso, porque todos os domingos a fila de alunas do Santa Úrsula passava por ali a caminho da igreja e, além disso, sabedora também de que a firma era dos advogados da família Dunbar, ela sempre encontrara tempo para admirar as encantadoras proporções da casinha e para ler os nomes antigos — Tregarthen, Opie & Baines — na incrivelmente polida placa de latão ao lado da porta de entrada. Não obstante, só ficara conhecendo o sr. Baines no dia do funeral de sua tia Louise, quando então ele se mostrara extremamente cortês e gentil, levando-as em seu carro, depois convidando-as a almoçar no *The Mitre* e, de um modo geral, tornando aquele dia melancólico o mais suportável que lhe fora possível. Em vista disso, ela agora tinha a sensação de que o gelo social já fora rompido, o que era uma boa coisa. Judith não fazia idéia do que ele tinha para dizer-lhe, mas, pelo menos, não precisariam iniciar um conhecimento, podendo dispensar as polidas formalidades consumidoras de tempo que, segundo imaginava, seriam a norma em tais ocasiões.

— Como tem passado?

Ela respondeu que muito bem, e ele saiu de trás da mesa, para puxar-lhe uma cadeira para que se sentasse. Depois o sr. Baines tornou a ocupar o trono atrás da mesa da srta. Catto e a ficar novamente com seus papéis.

— Em primeiro lugar, e antes de mais nada, quero deixá-la despreocupada quanto a Edna e Hilda. Creio ter encontrado uma colocação para elas com uma velha cliente minha que mora perto de Truro. Providenciarei uma entrevista para as duas irmãs e acho que, se ficarem nesse emprego, sentir-se-ão muito felizes e com conforto. Trata-se de uma senhora sozinha, mais ou menos da idade da sra. Forrester, sendo as condições de trabalho bastante agradáveis. — Ele sorriu. Quando sorria parecia muito mais jovem, inclusive até mesmo atraente. — Assim sendo, não precisará mais preocupar-se com elas.

— Oh, muito obrigada! — exclamou Judith, sentindo-se imensamente grata. — O senhor foi perspicaz. Esta parece a solução perfeita para elas. E sei que as duas desejariam continuar juntas.

— Assim, já temos um problema resolvido. E agora, sabe que passei um cabograma para seu pai, comunicando-lhe o ocorrido com a sra. Forrester? Bem, faz uns dois dias recebi um cabo de volta, e ele lhe manda lembranças. Disse que escreverá para você. Já escreveu para seus pais?

— Sim, e contei a eles tudo sobre o funeral.

— Fez bem. Deve ter sido triste escrever essa carta. — Ele moveu um ou dois papéis, colocando-os em ordem. Por um momento, deu a impressão de não saber como começar. — Bem, apenas para eu ficar sabendo. Quantos anos tem? Quatorze? Quinze?

Era uma pergunta singular.

— Farei quinze em junho.

— Oh, sim. Minha filha mais velha tem apenas oito. Começará a estudar no Santa Úrsula o ano que vem. É uma sorte você já estar matriculada aqui. Obterá uma excelente educação. Eu e a srta. Catto estivemos conversando, e ela a considera uma promissora candidata para a universidade. — Ele sorriu. — Gostaria de ir para a universidade?

— Na verdade, não pensei nisso ainda. Receio que seja terrivelmente caro.

— Sim — respondeu o sr. Baines. — Eu compreendo. — Houve um silêncio, mas antes que se tornasse desconfortável, ele readquiriu o domínio próprio, puxou uma pasta em sua direção, pegou sua caneta-tinteiro, e disse: — Muito bem, vamos aos negócios.

Judith esperou polidamente.

— Antes de morrer, sua tia redigiu um testamento completo. Providenciou generosos donativos para Hilda e Edna. Tudo o mais, todos os seus bens, ela deixou para você.

Judith continuou esperando.

O sr. Baines tirou os óculos. Sem eles, seus olhos se franziram, de um modo perscrutador.

— Todas as suas posses mundanas — acrescentou.

Judith recuperou a voz.

— Isso dá a impressão de muita coisa.

— E é muita coisa — disse gentilmente o sr. Baines.

— Tudo para mim?

— Tudo para você.

— Mas... — Ela sabia que se portava idiotamente, porém o sr. Baines estava sendo muito paciente. Ele esperou, observando-a. — Bem, mas por que eu? Por que não meu pai? É o irmão dela.

— Seu pai tem um emprego sólido, uma carreira, com um salário regular, uma promoção recente, e segurança futura.

— Sei, mas eu... bem, pensei que pessoas como tia Louise, senhoras sozinhas, costumassem deixar seu dinheiro para obras de caridade ou lares de gatos. Ou para o clube de golfe. O clube de golfe estava sempre tendo partidas de *whist* ou tardes de bridge, a fim de custear um novo aquecimento central, vestiários ou coisas assim.

O sr. Baines permitiu-se um sorriso.

— Talvez sua tia Louise houvesse decidido que os vestiários eram perfeitamente adequados.

Era quase como se ela não entendesse.

— Mas, por que *eu*...?

— Ela não tinha descendência própria, Judith. Não teve filhos. Não possuía dependentes. Nem família. No correr dos anos, sua tia me contou muito sobre si mesma. No seu tempo de jovem, as moças não tinham empregos ou carreiras e bem poucas eram estimuladas a freqüentar uma universidade. Se a moça fosse bonita e rica, isso na verdade não importava, mas para as filhas da classe média, as jovens comuns, a única perspectiva de qualquer espécie de vida era o casamento. Sua tia não era rica nem bonita. Ela mesma me contou isso. Na Inglaterra fazia pouco sucesso com os rapazes, de maneira que, eventualmente, os pais a embarcaram para a Índia, a fim de encontrar um marido. Ela recordava este episódio sem rancor, mas também como uma espécie de humilhação. Sua tia foi somente uma das muitas jovens... sem compromisso com algum rapaz, inúmeras delas até atraentes, que cruzaram o mundo com uma idéia em mente.

— O senhor quer dizer, casarem-se?

— O pior era serem conhecidas, coletivamente, como a Frota Pesqueira, porque estavam partindo para pescar maridos.

— Tia Louise odiaria isso.

— No caso dela, a história teve um final feliz, porque terminou casando-se com Jack Forrester e partilhou com ele muitos anos felizes. Ela teve sorte, mas conheceu outras que não se saíram tão bem.

— O senhor acha que tia Louise lamentava não ter tido filhos?

— Não, não creio nisso.

— Então, o que está tentando dizer-me?

— Oh, céus, parece que não estou me saindo muito bem, não é mesmo? O que estou tentando dizer-lhe é que sua tia Louise a estimava muito. Penso que via um grande potencial em você. Não a queria passando pelo mesmo que havia passado. Desejava que você tivesse o que ela nunca teve. A independência de ser uma pessoa independente, de tomar as próprias decisões, de fazer essas coisas quando jovem, tendo ainda a vida inteira pela frente.

— Oh, mas ela conseguiu. Casou com Jack Forrester e viveu tempos maravilhosos na Índia.

— Sem dúvida. Para ela, deu certo. Entretanto, sua tia não queria que você, jamais na vida, tivesse que enfrentar esse risco.

— Estou compreendendo.

Tudo aquilo começava a parecer um tanto assoberbante, algo como uma responsabilidade. Inclusive, preocupante.

— O senhor poderia repetir tudo novamente? Sobre as posses mundanas, quero dizer.

— Claro. Sua tia Louise deixou para você a casa e tudo quanto ela contém. Entretanto, mais importante ainda, os investimentos de seu capital.

— Oh, mas o que farei com a casa dela?

— Penso que deve ser posta no mercado e investida a soma de dinheiro resultante. Procure entender que sua tia Louise era uma senhora de posses. E estou querendo dizer *muitas* posses.

— *Rica?*

— Usemos a palavra "abastada". "De recursos" seria outro bom termo. Ela a deixou substancialmente provida. Você provavelmente não tem idéia do quanto sua tia possuía, pois, embora levasse uma vida confortável, era sem qualquer espécie de ostentação.

— Sim, mas... — Aquilo era intrigante. — Os Dunbar nunca foram ricos. Mamãe e papai viviam falando em economizar, e sei que meu enxoval escolar foi terrivelmente caro...

— A fortuna da sra. Forrester não provinha de dinheiro dos Dunbar. Jack Forrester foi um militar, mas também um homem de consideráveis posses particulares. Não tinha irmãos nem irmãs, de maneira que deixou tudo para a esposa. Sua tia. E ela, por seu turno, deixou para você.

— O senhor acha que, quando casou, tia Louise sabia que ele era rico?

O sr. Baines riu.

— Se quer saber, acho que ela não fazia a mais remota idéia.

— Então, deve ter sido uma agradável surpresa para ela.

— Foi uma agradável surpresa para você?

— Eu não sei. É difícil imaginar o que, exatamente, tudo isso significa. — Ela franziu a testa. — Sr. Baines, papai sabe a respeito disso tudo?

— Ainda não. Eu queria contar primeiro a você. Naturalmente, eu o farei conhecedor da situação, assim que voltar ao meu escritório. Enviarei um cabograma a seu pai. E, quanto ao significado de tudo isso, eu lhe direi agora. — Ele falava com certo alívio. — Significa segurança e independência pelo resto de sua vida. Você poderá cursar a universidade e, se casar, não precisará ficar dependente de seu marido. A Lei sobre a Propriedade da Mulher Casada garante que você estará sempre no controle de seus próprios negócios, que será capaz para lidar com eles e manejá-los pessoalmente, da maneira como lhe convier. A perspectiva a deixa alarmada?

— Um pouco.

— Não há necessidade. O dinheiro é bom, mas somente tanto quanto a pessoa que o possui. Ele pode ser desperdiçado e gasto ou pode ser usado prudentemente, para valorizar e aumentar. Entretanto, por ora você não terá de preocupar-se com responsabilidades. Até completar vinte e um anos, a herança será deixada sob custódia e administrada por curadores. Eu serei um deles, e pensei que poderíamos pedir ao Capitão Somerville que se juntasse ao time.

— O tio Bob?

— Não parece uma boa idéia?

— Sim. — Obviamente, o sr. Baines tinha feito muito bem o seu dever de casa. — É claro.

— Redigirei uma minuta. Nesse meio tempo, providenciarei uma espécie de mesada para você. Agora que está por conta própria, precisará comprar roupas, livros, presentes de aniversário para amigos... todas as pequenas despesas que os pais ou tutores normalmente fazem. Você é jovem demais para ter um talão de cheques, porém em mais um ano poderá solicitar um. Então, talvez uma conta de poupança postal. Deixe por minha conta.

— Fico muito grata ao senhor.

— Você poderá fazer compras. Todas as mulheres querem ir às compras. Tenho certeza de que deve estar ansiosa por alguma coisa.

— Levei séculos querendo uma bicicleta, mas tia Louise me comprou uma.

— Não há mais nada?

— Bem... *estou* economizando para comprar uma vitrola, mas ainda não consegui juntar grande coisa.

— Você poderá comprar uma vitrola — disse o sr. Baines. — E uma pilha de discos.

Ela ficou fascinada.

— Poderei mesmo? Seria permitido? O senhor deixaria?

— Por que não? Afinal, é um pedido bastante modesto. Não haveria alguma coisa na casa da sra. Forrester que quisesse conservar? Ainda é muito nova para que fique sobrecarregada com imóveis ou um punhado de móveis, mas talvez alguma pequena peça de porcelana ou um belo relógio...?

— Não. — Já tinha a sua escrivaninha, seus livros e sua bicicleta (em Windyridge). Sua caixa chinesa (em Nancherrow). Bens extras podiam apenas tornar-se uma carga. Ela pensou no porta-guarda-chuvas de pata de elefante, no tapete de pele de tigre, nos chifres da corça, nos troféus de golfe do tio Jack, e soube que não desejava nenhum deles. Windyridge fora uma casa cheia das memórias de outra pessoa. Nada lá dentro tinha qualquer significado para ela. — Não. Lá não existe nada que eu queira conservar.

— Muito bem. — Ele começou a juntar seus documentos. — Tudo certo. Nenhuma pergunta mais?

— Acho que não.

— Se pensar em alguma coisa, pode telefonar para mim. De qualquer modo, certamente ainda teremos outro encontro, e eu poderei fornecer-lhe detalhes...

A porta do estúdio foi aberta nesse momento, e a srta. Catto se juntou a eles, seu manto negro esvoaçando, tendo sob o braço a pilha costumeira de cadernos de exercícios. Judith ficou em pé instintivamente. A srta. Catto olhou para ela, depois para o sr. Baines.

— Estarei interrompendo? Dei-lhe tempo suficiente?

O sr. Baines também ficou em pé, muito mais alto do que elas duas.

— Houve tempo de sobra. Ficou tudo explicado, embora não discutido. Poderá tomar posse novamente de seu estúdio. E obrigado por permitir que o usássemos.

— O que me diz de uma xícara de chá?

— Obrigado, mas devo retornar a meu escritório.

— Muito bem. Judith, não se vá ainda. Quero falar com você.

O sr. Baines guardara os documentos em sua pasta e agora afivelava a correia. Depois saiu de trás da mesa.

— Adeus então, Judith — disse ele, inclinando-se benevolentemente para ela. — Por enquanto.

— Adeus, sr. Baines.

— E obrigado mais uma vez, srta. Catto.

Judith foi abrir a porta, e o sr. Baines saiu. Ela tornou a fechá-la e se virou para sua diretora. Houve um momento de pausa.

— E então? — perguntou depois a srta. Catto.

— Então, o quê, srta. Catto?

— Como se sente, sabendo que a universidade não é mais um problema financeiro, porque a segurança simplifica tanto a vida?

— Eu nunca soube que tia Louise fosse uma mulher abastada.

— Aí estava uma de suas maiores qualidades. Uma total falta de pretensão. — A srta. Catto deixou os cadernos sobre sua mesa, depois inclinou-se contra ela, os olhos ficando nivelados aos de Judith. — Creio que sua tia lhe fez um grande cumprimento. Ela sabia que você não é, que nunca será uma tola.

— O sr. Baines disse que eu posso comprar uma vitrola.

— É o que você quer?

— Estou juntando dinheiro para comprar uma. E uma coleção de discos, como os do tio Bob.

— Você está certa. Ouvir música só perde para a leitura. — Ela sorriu. — Tenho mais novidades para você. Acho que, esta noite, irá escrever em seu diário, "Hoje foi o meu dia de sorte". Falei com minha mãe ao telefone e ela ficou encantada com a idéia de você passar parte dos feriados da Páscoa — ou mesmo todos eles — em nossa casa de Oxford. Entretanto, você recebeu outro convite e deverá sentir-se inteiramente à vontade para aceitá-lo, se quiser. Tive uma longa conversa, de novo por telefone, com a sra. Carey-Lewis. Ela ficou muito chocada ao saber da morte da sra. Forrester... leu a notícia e o relato do funeral no *The Cornish Guardian*, e ligou para mim em seguida. Disse que, naturalmente, você deve passar os feriados da Páscoa, todos eles, em Nancherrow. Sua casa tem espaço de sobra, ela gostou muito de você e para eles seria uma grande honra se aceitasse seu convite. — A srta. Catto fez uma pausa, e então sorriu. — Você parece tão surpresa! Também está contente?

— Estou. Estou, mas, sua mãe...

— Oh, minha querida, você seria muito bem-vinda em Oxford. A qualquer momento. Entretanto, penso que Nancherrow provavelmente será mais divertido. Sei o prazer que você e Loveday sentem na companhia uma da outra. Assim, por uma vez, não pense em mais ninguém, além de em si mesma. Faça o que *quiser* fazer. De fato.

Nancherrow. Um mês em Nancherrow, com os Carey-Lewis. Era como ser convidada para férias no Paraíso, algo impensado e jamais imaginado, porém ao mesmo tempo Judith sentiu pavor de comportar-se de modo ingrato ou rude.

— Eu... eu não sei o que dizer...

Reconhecendo seu angustiante dilema, a srta. Catto tomou o assunto em suas eficientes mãos. Risonha, falou:

— Que decisão para tomar! Neste caso, por que não a tomo em seu lugar? Vá a Nancherrow durante a Páscoa e, mais tarde, talvez possa passar alguns dias com todos nós em Oxford. Pronto! É um compromisso. A vida é feita de compromissos. E não se censure nem um pouco por querer tanto ir a Nancherrow. Aquele é um lugar de sonhos e, tenho certeza, o coronel e a sra. Carey-Lewis são os mais gentis e generosos dos anfitriões.

— Sim. — Pronto, estava dito. — Sim, eu gostaria de ir.

— Pois então vá. Falarei com a sra. Carey-Lewis e aceitarei em seu nome, condicionalmente.

Judith franziu a testa.

— Condicionalmente?

— Preciso acertar as coisas com sua mãe. Obter a permissão dela. Entretanto, posso enviar um cabograma e obter a resposta em um dia ou pouco mais.

— Tenho certeza de que ela permitirá.

— Eu também. — Judith, entretanto, continuava de testa franzida. — Há algo mais que a preocupa?

— Não, é apenas que... todas as minhas coisas... Tudo o que tenho está na casa de tia Louise.

— Mencionei isto para a sra. Carey-Lewis, e ela respondeu que eles cuidarão do assunto. O coronel enviará um dos caminhões da propriedade à casa da sra. Forrester, no qual seus pertences irão para Nancherrow. A sra. Carey-Lewis me disse que você já tem seu quarto lá, inclusive uma ou duas coisas suas, e jura que existe espaço de sobra para qualquer coisa mais.

— Inclusive minha secretária e minha bicicleta?

— Inclusive sua secretária e sua bicicleta.

— É como se eu estivesse indo *morar* com eles.

— Para onde quer que vá, Judith, precisará ter uma base, o que não significa que ficará impedida de aceitar outros convites. Quer apenas dizer que, enquanto estiver crescendo, sempre terá um lar para onde voltar.

— Não sei como alguém possa ser tão generoso.

— As pessoas são generosas.

— Eu realmente quero ir a Oxford. Um dia.

— Você irá. Apenas uma coisa mais. Devido à generosidade de sua tia, e porque um dia você será uma mulher de recursos, jamais deverá pensar que, ao aceitar generosidade e hospitalidade, ao mesmo tempo está aceitando caridade. Você é totalmente independente. Dispor de segurança financeira, na realidade é um engrandecimento de vida, pois trata-se de algo que lubrifica suavemente as rodas da existência. Lembre-se, no entanto, de uma coisa: falar de dinheiro, comentar seu excesso ou sua falta, é de extrema vulgaridade. A pessoa se vangloria ou se lamenta, o que não predispõe a uma boa conversa. Compreende o que estou querendo dizer?

— Compreendo, srta. Catto.

— Boa garota. A coisa mais importante a lembrar, e pela qual deve ser grata, é que sua tia lhe legou não apenas os seus bens mundanos, mas um privilégio concedido a poucos. Esse privilégio é o direito de ser você mesma. Uma entidade. Uma pessoa. Alguém capaz de viver a vida segundo os próprios termos, sem precisar dar satisfações a quem quer que seja. Você provavelmente só avaliará isto quando for mais velha, mas garanto que um dia perceberá a importância do que eu lhe estou dizendo. Bem, agora tenho deveres de história para corrigir, e você precisa cuidar de suas obrigações. — A srta. Catto consultou seu relógio de pulso. — Três e quinze. Perdeu sua última aula, mas ainda não está na hora dos jogos, de modo que pode dispor de algum tempo livre. Vá até a biblioteca e leia um pouco...

A mera idéia de ir à biblioteca já era claustrofóbica; a sala abafada e meio escura, com a claridade infiltrando-se pelas janelas fechadas, o cheiro de livros antigos, o pesado silêncio... (Falar era proibido.) Se ela tivesse que ir para a biblioteca e ficar lá dentro, certamente sufocaria. Com a coragem do desespero, disse:

— Srta. Catto...

— O que é?

— Em vez de ir para a biblioteca... o que eu gostaria mesmo, mais do que qualquer outra coisa, é ir a algum lugar, apenas ficar sozinha. Quero dizer, sem a companhia de mais ninguém. Eu gostaria de ir ver o mar, pensar, acostumar-me a tudo o que aconteceu. Somente por uma hora, até a hora do chá. Se eu pudesse descer até o mar...?

Apesar de toda a sua compostura, a srta. Catto sobressaltou-se visivelmente com um pedido tão audacioso e insólito.

— Ir até o *mar? Sozinha?* Bem, isso quer dizer caminhar através da cidade.

— Sei que não temos permissão para isso, mas eu não poderia... só esta vez? Por favor, não falarei com ninguém, não comerei doces nem nada assim. Quero apenas ter um pouco de... — Ela ia dizer *paz*, mas achou a palavra um tanto banal, de modo que a substituiu por "tempo comigo mesma". — Por favor! — repetiu.

Contra todo o instinto, a srta. Catto sabia reconhecer um grito do coração. Entretanto, ainda assim ela vacilava. Isto significava infringir uma de suas normas escolares mais estritas. A menina seria vista, as pessoas comentariam...

— Por favor.

Com muita relutância, a srta. Catto acabou cedendo.

— Está bem, mas será apenas esta vez e nunca mais! E só concordo porque você tem muito em que pensar, e acho que precisa de tempo, sim, para refletir sobre os acontecimentos. Entretanto, não conte para ninguém, nem mesmo para Loveday Carey-Lewis que lhe dei essa permissão. E deverá estar de volta antes da hora do chá. E nada de entrar em cafés para comprar sorvetes!

— Eu prometo.

A srta. Catto suspirou fundo.

— Pois então vá, mas acho que devo estar louca.

— Não, não está louca, srta. Catto — disse Judith.

E escapou do estúdio de sua diretora, antes que ela mudasse de idéia.

Judith cruzou os portões do colégio, saindo para uma tarde pálida e tranqüila, não muito clara, mas com as nuvens de certo modo iluminadas pelo sol oculto. Não havia vento, porém do sul vinha uma aragem branda, sem forças até mesmo para mover os ramos das árvores. A maioria das árvores mostrava rebentos, mas algumas continuavam peladas, e a quietude era tamanha, que um cão latindo ou o som do motor de um carro sacudiam o entardecer como um eco. Ela caminhou, e a cidadezinha estava deserta. Mais tarde, quando as escolas ficassem vazias, o ar se encheria com os chilreios, a tagarelice das crianças indo para casa, correndo pelas calçadas e chutando pedras para as sarjetas. A esta hora, no entanto, havia apenas alguns retardatários fazendo compras, esperando ônibus ou espiando na vitrine dos açougueiros, procurando decidir o que comprar para a refeição da noite. No assento de pedra à entrada do banco, dois velhos estavam sentados em silenciosa comunhão, apoiados em suas bengalas. Quando o relógio do banco deu a meia hora, um bando de pombos ergueu-se nos ares e revoluteou agitadamente por alguns momentos, antes de voltarem todos a acomodar-se, para se empertigarem e ficarem alisando as penas.

Os pombos a fizeram pensar em Nancherrow, e o melhor de tudo era saber que tornaria a ir lá, desta vez para passar todos os feriados da Páscoa; e agora ia não porque Loveday pedira aos pais, mas porque

Diana e o Coronel Carey-Lewis a tinham convidado, tinham gostado dela, tinham desejado a sua volta. Ela tornaria a ocupar o quarto rosa que — Diana prometera — sempre seria seu, com janelas dando para o pátio e os pombos, um quarto onde sua caixa chinesa a esperava. E ela usaria as roupas de Athena, de novo tornando-se aquela outra pessoa.

O estranho, no entanto, era que mesmo agora ela se sentia como aquela outra pessoa, porque tudo estava diferente. Nas ruas quietas, sem nenhuma criança ou adolescente à vista, sua solidão mudava o ambiente e o senso de tudo. Prédios familiares apresentavam-se sob uma luz inteiramente nova, como se ela jamais houvesse estado antes na pequena cidade, e davam-lhe a sensação de estar explorando uma localidade estrangeira pela primeira vez. Era como possuir um terceiro olho, capaz de perceber luz, sombra, pedra e forma; uma alameda inesperada, o salto de um gato negro em disparada. Nas vitrines, via-se passando vestida com o casaco de *tweed* verde-garrafa e o horrível chapéu que a proclamavam uma aluna do Santa Úrsula. Interiormente, no entanto, sentia-se aquela pessoa real, aquele esguio ser adulto que usava blusas de *cashmere* e que um dia emergeria, como uma borboleta escapando de sua crisálida.

Ela dobrou a esquina da Chapel Street, ao lado das lojas de antiguidades, do *The Mitre Hotel* e da loja de tapetes, em cujo exterior eram vistos rolos em pé de tapetes e linóleos. O homem que vendia móveis de segunda mão estava sentado em uma poltrona junto à porta de sua loja, fumando um cachimbo e esperando clientes que, hoje, evidentemente não apareceriam. Quando Judith passou, ele tirou o cachimbo da boca, inclinou a cabeça para ela, disse "Olá", e ela teria parado para um dedo de prosa, se não se lembrasse da promessa feita à srta. Catto.

No final da Chapel Street, uma rampa com piso de lajes descia para o porto. A maré oleosa estava alta, e os barcos pesqueiros moviam-se suavemente, como que respirando, seus mastros em nível com a estrada. Havia um forte cheiro de peixe, de plantas lançadas à praia e de maresia. Nas docas, homens trabalhavam, preparando linhas para a pesca noturna.

Judith observou-os por um momento. Pensou em tia Louise e tentou sentir-se sinceramente grata, embora triste, mas era incapaz de sentir alguma coisa em profundidade. Pensou no que significava ser rica. Não, rica, não. O sr. Baines condenara essa palavra vulgar. Muito abastada, ele havia dito. Eu sou muito abastada. Se quisesse, poderia comprar... provavelmente aquele barco de pesca. Entretanto, Judith não desejava um barco de pesca mais do que desejaria um cavalo. Em vista disso, o que desejaria, acima de tudo? Raízes, talvez. Um lar, uma família, um lugar para onde ir, que fosse permanente. Ela desejava o senso de pertencer. Não de apenas hospedar-se com os Carey-Lewis, a tia Biddy, a srta. Catto ou mesmo a jovial família Warren. Entretanto, nem todo o dinheiro do mundo poderia comprar raízes, e Judith sabia *disso* — se é que sabia de alguma coisa — e então procurou imaginar outras loucas extravagâncias. Um carro. Quando tivesse idade suficiente, compraria um carro. Ou uma casa, o que era uma nova e sedutora fantasia. Não Windyridge, com a qual, enfim, nunca simpatizara muito, mas um celeiro de granito ou um chalé de pedra, com uma palmeira no jardim. Teria a frente para o mar e uma escada externa, com gerânios marginando todos os degraus. Gerânios em vasos de cerâmica. E gatos. E um ou dois cachorros. E, no interior, um fogão-estufa como o do sr. Willis, onde ela cozinharia coisas.

Isso, contudo, estava no futuro. O que seria, *no momento*? Ela poderia comprar uma vitrola, mas certamente haveria outros desejos caros a serem realizados. Por fim, terminou decidindo que talvez mandaria cortar o cabelo, em um estilo parecido ao de Ginger Rogers. E compraria meias verdes até os joelhos para usar no colégio, em vez das grossas meias compridas de algodão. Ainda teria oportunidade de ir à Casa Medways e comprar as meias, ela mesma. Com o seu dinheiro.

Judith deixou para trás o porto e os barcos. Caminhou ao longo do mar, passou perto da piscina ao ar livre e chegou ao passeio público. Ali havia abrigos onde, protegidas do vento, as pessoas podiam sentar-se e dar de comer crostas de pão às gaivotas esfomeadas. No lado mais distante da estrada havia hotéis, brancos como bolos de casamento, cujas janelas vazias encaravam o mar fixamente. Debruçando-se na enfeitada balaustrada de ferro, ela contemplou a praia pedregosa mais abaixo e as águas prateadas do mar represado. Pequeninas ondas vinham quebrar-se na praia e eram novamente sugadas, arrastando em sua esteira um punhado de seixos. Era uma praia desinteressante, nem por sombras tão espetacular como Penmarron ou tão bonita como a enseada em Nancherrow, mas o mar era constante e imutável, como o melhor e mais confiável tipo de amigo. Aquela visão a fazia sentir-se forte o bastante para tentar esclarecer parte da imensa confusão daquele dia.

O direito de ser você mesma, uma entidade, uma pessoa. Esta era a srta. Catto, com seu diploma de M.A. pela Universidade de Cambridge, Inglaterra, e sua auto-suficiência, sua ardorosa independência. Talvez ela seguisse o exemplo da srta. Catto. Cursaria a universidade com brilhantismo, conquistaria um diploma pela maneira regular ou então com honra,* e tornar-se-ia uma diretora. No fundo, contudo, ela não desejava ser diretora. Da mesma forma como não desejava ser uma esposa.

Se se casar, nunca preste contas de nada a seu marido. Este era o sr. Baines, que presumivelmente sabia tudo sobre tais assuntos. Entretanto, o casamento e suas complicações eram algo que, no momento, não entravam nos pensamentos de Judith. Ela estava certa de que isso envolvia coisas tendo a ver com uma cama de casal, e a recordação das mãos rastejantes de Billy Fawcett (embora o episódio tivesse sido colocado em enérgica perspectiva pela própria srta. Catto) ainda permanecia vívida o suficiente para impedi-la de pensar em qualquer espécie de contato físico com homens. Naturalmente, quando uma mulher se casa, é claro que o homem deve ser muito especial, porém mesmo assim, nada no casamento — oculto na própria e total incompreensão dela — apresentava a menor probabilidade de prazer.

Talvez jamais se casasse, porém não sendo isso um problema imediato, pouco adiantaria preocupar-se muito a respeito. Por ora, tudo consistia em analisar uma coisa de cada vez. Os feriados da Páscoa em Nancherrow, e depois o retorno ao colégio. Estudos durante mais dois anos e, após isso, com um pouco de sorte, uma viagem a Cingapura. De novo a família — mamãe, papai e Jess — mais o adorável e ofuscante sol do Oriente, os cheiros das ruas e os perfumes da noite, o aveludado escuro dos céus, que pareciam estojos de jóias repletos de estrelas de diamantes... Após Cingapura, talvez a Inglaterra novamente. Oxford ou Cambridge. Pedalando sua bicicleta nos lugares

---

* Sistema voluntário de normas escolares, permitindo que o aluno realize provas sem vigilância, confiando os examinadores no sentimento de honra dos examinados. (N. da T.)

altos ou passeando nos barcos impelidos por uma vara, no rio que passava nos fundos de algumas faculdades da universidade. Sua imaginação ficou escassa de imagens. Ela se viu bocejando.

Estava exausta. Cansada de ser adulta, com todas as decisões e dilemas dos adultos. Sentia falta de Loveday. Queria dar risadinhas sufocadas e cochichar com ela, combinar planos para quando estivessem juntas em Nancherrow. Além do mais, também estava com fome, de modo que foi um alívio ouvir, às suas costas e vindo do alto da cidadezinha, o som do relógio do banco batendo as quatro da tarde. Era hora de voltar, caso quisesse tomar seu chá. Pão com manteiga, geléia, se tivesse sorte, e bastante bolo. De repente, o chá em companhia de Loveday pareceu muitíssimo tentador. Dando as costas para o mar, ela cruzou a estrada e iniciou uma caminhada rápida pelo comprido passeio público, de volta ao colégio.

Acima de todas as coisas, Diana Carey-Lewis odiava escrever cartas. Até mesmo garatujar um cartão em agradecimento a um convite para jantar ou para um fim de semana era uma tarefa que ela habitualmente adiava o máximo possível, sendo quase todos os seus negócios do dia-a-dia levados a efeito através daquela admirável invenção — o telefone. Edgar, no entanto, insistia que ela simplesmente tinha que escrever à mãe de Judith, Molly Dunbar.

— Por que tenho de escrever a ela?

— Porque você tem de oferecer suas condolências pela morte da sra. Forrester, e porque seria apenas cortês e polido garantir a ela que cuidaremos de sua filha.

— Tenho certeza de que ela não precisa de nenhuma garantia minha. A srta. Catto já fez tudo o que era correto, ao seu modo costumeiro e sem falhas.

— Não é essa a questão, Diana querida. Você *mesma* deve escrever. Tenho certeza de que a sra. Dunbar está aguardando alguma espécie de contato, e cabe a você tomar a iniciativa.

— Por que não posso telefonar para ela?

— Em Cingapura? Porque não pode!

— Eu poderia mandar um cabograma. — Ela pensou a respeito e começou a dar risadinhas. — O que acha de

"Sua filha está bem cuidada,
Nada receie, portanto.
Com doces alimentada,
E aquecida, eu lhe garanto...?

Edgar, contudo, não achou divertido.

— Não seja ridícula, Diana.

— Por que *você* não escreve? Sabe muito bem que odeio escrever cartas.

— Porque é *você* que deve fazer isso. Escreva esta manhã, encerre logo o assunto e procure agir com tato, ser gentil e solidária.

Assim, ali estava ela, pobre mártir, sentada à sua secretária e reunindo energias para executar a tediosa tarefa. Com relutância, estendeu a mão para uma folha de seu papel de cartas, espesso, azul e gravado em relevo, depois pegou sua caneta-tinteiro de pena larga e começou a escrever. Após começar, e com uma crescente sensação de virtuosidade, ela foi cobrindo folha após folha de papel com sua caligrafia enorme e quase ilegível. Afinal de contas, não adiantava fazer as coisas pela metade.

Nancherrow,
Rosemullion,
Cornualha, sexta-feira, 10 de abril

Prezada sra. Dunbar

Lamentei profundamente, quando li no jornal a notícia da morte de sua cunhada, a sra. Forrester. Não a conheci pessoalmente, mas posso bem compreender o seu choque e a sua tristeza, ao ser informada do fato. Para mim é difícil escrever sobre tais assuntos, uma vez que não fomos apresentadas formalmente, mas saiba que eu e meu marido enviamos à senhora e ao sr. Dunbar a nossa mais sincera solidariedade por sua trágica perda.

Nós já nos encontramos, contudo. Apenas uma vez, quando estivemos comprando o enxoval escolar para nossas filhas, na Medways, em Penzance. Lembro-me bem da ocasião, e espero que a senhora não se imagine recebendo uma carta enviada por uma total estranha.

Convidei Judith a vir passar as férias da Páscoa conosco. Já a tivemos em nossa casa durante um fim de semana, e ela foi uma hóspede encantadora, além de companhia perfeita para a minha travessa Loveday. Nossa casa é grande, com muitos quartos de hóspedes, e Judith já se sente à vontade em meu simpático quarto rosa, que de agora em diante passará a ser seu, pelo tempo que quiser. Edgar, meu marido, já tomou providências para que os pertences de Judith sejam trazidos de Windyridge para cá. Um dos homens irá até lá com um caminhão da propriedade, e tenho certeza de que as empregadas da sra. Forrester, que ainda estão na casa, ajudarão a embalar as roupas dela e o que mais for preciso.

Eu lhe prometo que sua filha será muito querida e tratada com afeição. Entretanto, não a reteremos conosco, pois sei que ela tem parentes em Plymouth, bem como avós em Devon, os quais provavelmente desejará visitar. Há também uma antiga amiga de escola em Porthkerris, e sei que igualmente a srta. Catto ficaria feliz recebendo-a em sua casa, em Oxford, em qualquer ocasião. Entretanto, é bom para Judith saber que tem alguma espécie de segurança, e Edgar e eu faremos o possível para que ela se sinta assim.

Por favor, não pense que, pelo fato de estar aqui, Judith nos cause problemas ou trabalhos a mais. Temos empregados suficientes, e Mary Millyway, que foi ama de Loveday, ainda vive conosco. Ela fica de olho nas meninas, além de cuidar de seu bem-estar, e se estou em Londres, o que acontece freqüentemente, então a minha querida Mary Millyway é muito mais responsável do que eu jamais poderia ser.

Se estou em Londres, o que acontece freqüentemente...

A concentração de Diana dispersou-se. Largando a caneta, recostou-se na cadeira e, através da janela, contemplou o brumoso jardim de abril, os narcisos agitados pelo vento, o verdor recente das árvores, o mar enevoado. Com os feriados da Páscoa quase em cima dela, precisamente agora não era o momento mais indicado para escapar, *porém ela levara muito tempo sem ir a Londres e, de repente, como uma droga, Diana simplesmente ansiava pela partida.*

Londres significava sofisticação, excitamento, velhos amigos, lojas, teatros, galerias de arte, música. Jantar no *Berkeley* e no *Ritz*, ir de carro a Ascot, no Dia da Taça de Ouro, almoçar de maneira clandestina no *The White Tower* com o marido de alguma outra mulher ou dançar pela madrugada no *Mirabel*, no *Bagatelle* ou no *Four Hundred.*

A Cornualha era, naturalmente, o lar. Nancherrow, no entanto, pertencia a Edgar. A Cornualha era a família, filhos, criados, convidados. Londres, ao contrário, era dela própria, de mais ninguém. Diana havia sido filha única, com uma fortuna imensa e pais idosos. Quando seu pai morreu, a propriedade dele em Gloucestershire e a casa alta em Berkeley Square foram herdadas, juntamente com seu título, Lorde Awliscombe, por um primo afastado. Entretanto, por ocasião do casamento aos dezessete anos com Edgar Carey-Lewis, parte do considerável dote de Diana incluíra o chalé de Cadogan Square. "Você irá morar na Cornualha", havia dito seu pai, "mas imóveis são sempre um bom investimento. E, às vezes, faz sentido possuir um canto só seu." Ela não questionou o raciocínio por trás de tal declaração, mas nunca deixara de ser grata pela previsão e percepção do pai. Por vezes ela costumava perguntar-se se teria sobrevivido sem isso, porque somente lá, dentro dos muros miniaturais de sua casinha, é que conseguia realmente sentir que pertencia a si mesma.

Um trecho de música deslizou por sua mente. Uma anelante canção de Noel Coward, a cujo som ela e Tommy Mortimer haviam dançado durante sua última noite, no Quaglio's.

> *Eu acredito*
> *Que quanto mais você amar um homem,*
> *Mais dará seu coração*
> *E mais terá a perder...*

Diana suspirou. Quando os feriados da Páscoa terminarem, prometeu a si mesma, eu irei. Levarei Pekoe e irei a Londres, dirigindo o meu Bentley. Aí está algo para pensar. Algo com que sonhar. A vida não tem sentido, se não houver algo por que ansiarmos. Animada pela perspectiva, ela tornou a pegar a caneta e acomodou-se para terminar sua carta a Molly Dunbar.

Por favor, não se preocupe nem um pouco. Judith será feliz, tenho certeza. Durante os feriados mais prolongados, a casa está sempre cheia de amigos e com a família; se ela adoecer ou acontecer algum imprevisto, eu lhe comunicarei o fato imediatamente.

Espero que esteja gostando de Cingapura e de sua nova casa. Deve ser maravilhoso um clima quente o tempo todo.

Com os meus melhores votos de felicidades,

Cordialmente,

Diana Carey-Lewis!

Pronto, tarefa encerrada. Ela passou o mata-borrão sobre sua assinatura, releu as folhas escritas, depois as dobrou em um grosso maço e as envelopou. Passou a língua na aba gomada e a colou pressionando com o punho. Em seguida escreveu o endereço que a srta. Catto lhe havia ditado pelo telefone.

Tudo feito. Dever cumprido. Edgar ficaria deliciado com ela. Diana levantou-se da secretária, Pekoe desenovelou-se de seus pés e, juntos, os dois saíram do quarto, desceram o comprido corredor e chegaram ao saguão. Ali, na mesa redonda no centro do piso, havia uma salva de prata expressamente para recolher correspondência. Diana jogou a carta na salva. Cedo ou tarde alguém, provavelmente Nettlebed ou Edgar, veria a carta, colocaria um selo e a poria no correio.

Eu acredito
Que quanto mais você amar um homem,
Mais dará seu coração
E mais terá a perder.

Tudo feito. E, dentro de um mês, ela estaria seguindo para Londres. Subitamente de coração leve, ela inclinou-se, tomou Pekoe nos braços e lhe beijou o topo da cabeça lisa e suave.

— E você irá comigo — prometeu a ele.

Dito isto, ambos cruzaram a porta da frente e saíram para o frio e úmido frescor da manhã de abril.

Colégio Santa Úrsula
Sábado, 11 de abril de 1936

Queridos mamãe e papai,

Obrigada por enviarem o cabograma à srta. Catto, dizendo que posso passar a Páscoa com os Carey-Lewis. Como eu já lhes contei, a srta. Catto foi muito gentil ao sugerir que eu poderia ficar com seus pais em Oxford, porém preferiu adiar o convite, dizendo que poderei ir lá em outra ocasião, que ela não ficaria ofendida. Em realidade, foi a própria srta. Catto quem tomou a decisão por mim.

Hoje é o primeiro dia dos feriados da Páscoa, são dez e meia da manhã e continuo aqui, mas alguém de Nancherrow virá apanhar-me às onze. Minha bagagem já está toda do lado de fora da porta principal, mas como não chove, então está tudo bem. É curioso a gente ficar na escola com apenas algumas pessoas da equipe; o ambiente se transforma, e estou escrevendo esta carta na Sala de Estar das Alunas, e sou a única pessoa aqui dentro. Estar por conta própria torna tudo muito mais agradável, como se eu fosse uma pessoa crescida, e não apenas uma garota. O curioso é que tudo fica também com um cheiro muito diferente — não aquele das pessoas ou do pó de giz — exceto o fedor do cachimbo do homem dos serviços gerais. Ele aparafusa maçanetas nas portas, conserta janelas e fuma seu fedorento cachimbo o tempo todo.

Não fui ontem para casa, com Loveday, porque o sr. Baines quis levar-me a Truro para comprar uma vitrola. Ele me disse que já comunicou a vocês a grande gentileza de tia Louise, deixando-me um legado em seu testamento. Ainda nem consigo acreditar que seja verdade, e vou demorar algum tempo para acostumar-me a isso. Sinto um pouco por Jess, mas acho que, no momento, ela ainda é pequena demais para ficar contrariada a respeito de algo assim. De qualquer modo, o sr. Baines veio ontem à tarde e me levou de carro a Truro. Nunca estive lá antes. É uma cidade bonita e muito antiga, com uma catedral e inúmeras ruazinhas estreitas, o final do rio formando curvas, com barcos ancorados. Muitas árvores descem até a beira da água, e vi lá o palácio do Bispo. Depois de fazermos as compras (a vitrola e três discos), fomos tomar chá no "Leão Vermelho", e ele explicou que preciso ter uma mesada. Então, abriu uma conta de poupança postal para mim, na qual irá depositar cinco libras a cada mês.

Parece-me uma quantia exorbitante, e acho que não a gastarei, em vez disso poupando-a para ganhar os juros. O sr. Baines explicou-me tudo isso. É um homem muito educado, de de modo que não me sinto nem um pouco acanhada em sua companhia. Depois disso voltamos a Penzance, ele me levou até sua casa e conheci sua família. Havia um bando de crianças pequenas fazendo o barulho mais terrível, e o bebê cuspia o pão com manteiga, além de derrubar seu leite. Ainda pior do que Jess, em suas maiores pirraças. Ele acha que Windyridge deve ser vendida. Já encontrou outro emprego para Edna e Hilda, e...

— Judith! — chamou a inspetora, em sua costumeira e mandona agitação. — Pelo amor de Deus! Estive à sua procura em todo canto. O que está fazendo? O carro de Nancherrow já chegou e eles estão esperando. Vamos, apresse-se!

Tão rudemente interrompida, Judith levantou-se de súbito, procurando juntar as folhas de sua carta e enroscar a tampa da caneta-tinteiro ao mesmo tempo.

— Sinto muito, inspetora. Eu escrevia para minha mãe...

— ... nunca vi ninguém assim. Não há tempo para terminar, então adie a carta e venha comigo. Já pegou seu capote e o chapéu? Todos os seus pertences...?

A impaciência dela era contagiosa. Judith enfiou de qualquer jeito a carta inacabada dentro de sua pasta, guardou a caneta-tinteiro e ocupou-se com os fechos. A inspetora juntou tudo, quase antes da pasta estar fechada. E quando Judith vestiu o capote e enfiou o chapéu na cabeça, ela já estava a caminho, uma azáfama de avental engomado, cruzando a porta e descendo o comprido corredor encerado. Judith precisou andar depressa, a fim de emparelhar com ela. Desceram a escada, cruzaram o refeitório, o vestíbulo, e saíram pela porta da frente.

Houve apenas uma fração de segundo para Judith admitir que fazia uma bela manhã, com o céu de um azul límpido e nuvens velejando, além do cheiro suave da chuva que caíra durante a noite. Sua bagagem já fora acomodada no carro, que esperava no centro do caminho de cascalhos, em esplêndido isolamento. Não o Daimler e nem o Bentley, mas um velho furgão de enormes proporções, apainelado em madeira e de chassi bem acima do chão, como um ônibus. Ao lado dele, encostados ao capô e conversando em boa camaradagem, duas figuras masculinas. Uma era Palmer, um dos jardineiros de Nancherrow, usando suas velhas roupas de trabalho e, em deferência à ocasião, um desgastado quepe de motorista. O outro era um estranho, jovem e louro, vestindo um pulôver branco de gola pólo e calças de veludo cotelê. Um estranho. Entretanto, ao ver a inspetora e Judith emergindo através da porta, ele afastou o corpo do furgão e cruzou o caminho de cascalho para encontrá-las. Quando chegou perto, Judith percebeu que não era um estranho, em absoluto, porque o reconheceu pelas muitos fotos que o retratavam, em Nancherrow. Aquele era Edward. O irmão de Loveday. Edward Carey-Lewis.

— Olá — disse ele, estendendo a mão. — Você é Judith. Como vai? Eu sou Edward.

Ele tinha os olhos azuis da mãe e traços fortes, atarracados. Estatura de adulto, ombros largos, mas ainda com um rosto juvenil de garoto, porque a pele era bronzeada, muito lisa e de compleição viçosa, o sorriso amistoso revelando espontaneamente os dentes alvos e regulares. A despeito da informalidade de suas roupas, dos velhos e cambaios sapatos de couro, ele exalava uma encantadora limpeza, tipo uma camisa lavada e pendurada ao sol para secar. Seu aparecimento ali era tão inesperado e tão glamourosamente adulto, que Judith desejou não ter enfiado seu hediondo chapéu com tanta pressa e dispor de tempo para pentear o cabelo. Entretanto, polidamente, apertou a mão dele.

— Olá.

— Pensávamos que você tinha esquecido de vir. Chegamos muito cedo, eu sei, mas temos que fazer algumas coisas em Penzance. Muito bem, está tudo no carro. Podemos ir?

— Sim, naturalmente. Adeus, inspetora.

— Adeus, meu bem. — Por trás dos óculos, os olhos da inspetora cintilaram com o excitamento despertado por um fugidio contato com a vida da classe superior; o furgão, o motorista, o rapazinho simpático e seguro de si. — Bem, tenha boas férias.

— Sim, eu terei, e desejo o mesmo para a senhora...

— Obrigado por encontrá-la, inspetora... — Desenvolto, Edward incumbiu-se da situação, aliviando a inspetora da pasta de Judith, que ela ainda segurava, e depois, com um toque de mão nas costas, indicando à jovem que entrasse no furgão. — E — acrescentou ele, por sobre o ombro — diga à srta. Catto que tomaremos conta dela direitinho.

Entretanto, a inspetora não voltou logo para dentro. Ficou parada à porta, o avental e o véu agitando-se à brisa, olhando enquanto eles subiam para o furgão, batiam as portas com força e iam embora. Olhando para trás, enquanto desciam sacolejando pela alameda marginada de rododendros, Judith ainda a viu lá, esperando, até que o volumoso veículo finalmente desaparecesse de vista.

Acomodando-se em seu lugar, ela tirou o chapéu.

— Nunca vi a inspetora tão amistosa.

— Pobre velhota... Provavelmente, será a coisa mais excitante que irá acontecer-lhe durante todo o dia. — Uma mecha de cabelos louros lhe caiu na testa, ele ergueu a mão e a jogou para trás. — Desculpe por sermos nós que fomos apanhá-la, mas papai tinha uma reunião ou coisa assim, e mamãe levou Loveday a um acampamento do clube de pôneis. Ficamos um tempo incrível embarcando aquele infeliz pônei, mas Walter Mudge foi com elas, de modo que mamãe não terá nada demasiado árduo para fazer, quando chegarem lá.

— Onde é que eles foram?

— Oh, eu não sei. Parece-me que é uma grande propriedade, lá do outro lado de Falmouth. Você gosta de cavalos?

— Não particularmente.

— Ainda bem! Um na família já é mais do que suficiente. Pessoalmente, gosto mais de ficar longe deles. Uma extremidade morde, a outra escoiceia, e eles são tremendamente desconfortáveis no meio. Por isso é que eu e Palmer estamos aqui. Você conhece Palmer, não?

Judith olhou para a nuca vermelha de Palmer.

— Já o vi em Nancherrow, mas acho que nem mesmo fomos apresentados.

— Acertou — disse Palmer, por sobre o ombro. — Sei tudo a seu respeito. Veio para ficar um pouco?

— Sim. Durante os feriados da Páscoa.

— Vai ser muito bom. Junte-se à multidão, é o que sempre digo.

— Dentro de mais um mês — explicou Edward — eu mesmo poderei ir buscá-la, porque então já estarei dirigindo. Legalmente, quero dizer. Já dirijo por Nancherrow, mas só poderei sair para a auto-estrada quando tiver dezessete anos. É um tremendo tédio, mas nada posso fazer, especialmente tendo um pai respeitador da lei, que ainda por cima é magistrado. Assim, tive que convocar Palmer para essa pequena excursão e deixar que ele fizesse o que fosse preciso.

— Eu não conhecia este furgão.

— É, acho que não conhecia mesmo. Ele só aparece em emergências ou ocasiões especiais. Tem uns trinta anos de idade, mas papai não se desfará dele, porque o acha duplamente conveniente como lugar para almoçar, durante suas caçadas em dias chuvosos. Ele também é bom para apanhar gente nas estações e carregar suprimentos, quando a casa está cheia. Você se incomoda, se não formos logo para casa? Preciso ir à Medways tirar medidas para um novo *tweed* e pareceu-me uma boa idéia matar dois coelhos de uma só cajadada. Importa-se de ficar perambulando um pouco?

— Não.

De fato, ela até ia gostar muito, porque perambular um pouco significava mais tempo passado na companhia daquele sedutor jovem.

— Não vai demorar muito. Você pode fazer algumas compras. Papai me deu uma nota de cinco libras e disse que eu poderia levá-la para almoçar. Ele falou qualquer coisa sobre *The Mitre*, mas eu acho este restaurante velho e formal. Além disso, fico um pouco aborrecido com rosbife e molho, de maneira que pensei se poderíamos escolher outro lugar. — Ele inclinou o corpo para diante. — Palmer, como é o nome daquele *pub*, em Lower Lane?

— Não pode levar a garota para um *pub*, Edward. Ela é menor de idade.

— Podemos fingir que é mais velha.

— Não nesse uniforme de colégio, você não pode fazer isso.

Edward olhou para Judith. Ela desejou não enrubescer. Entretanto, ele disse apenas:

— Tem razão, acho que não posso mesmo.

Sentiu-se um animal, sendo examinado detidamente e considerado ainda impróprio para participar de uma corrida.

— *Você* pode ir a um *pub*, se quiser — replicou. — Eu comeria um sanduíche dentro do carro.

Ao ouvi-la, ele riu.

— Que garota acomodada você é! Bem, evidentemente não irá ficar sentada no carro. Encontraremos algum lugar formidável, que não seja *The Mitre*.

Judith nada respondeu. *The Mitre* sempre fora sua idéia de um lugar realmente caro e especial, aonde ser levada para almoçar. Agora, no entanto, parecia não apenas maçante, mas formal, ao passo que Edward tinha outras e certamente mais animadas idéias. Enfim, a qualquer lugar que fossem, ela esperava ser capaz de lidar com a situação, pedindo a bebida adequada, não deixando o guardanapo cair ou tendo que ir ao toalete no meio da refeição. Ser convidada para almoçar com Edward Carey-Lewis, sem dúvida era bem diferente de ser convidada para almoçar com o sr. Baines, mas, apesar de todas estas íntimas ansiedades, era impossível não se sentir excitada.

A essa altura estavam no centro da cidade, rodando ao longo da Alverton, em direção à Greenmarket.

— Eu gostaria que nos deixasse perto do banco, Palmer. Poderia voltar para apanhar-nos no mesmo lugar, dentro de duas horas.

— Está bom para mim. Tenho duas incumbências a fazer para o coronel.

— E também irá comer alguma coisa?

Palmer pareceu divertir-se com a sugestão.

— Não se preocupe comigo.

— Está bem. E de uma coisa tenho certeza: você não é novo demais para o *pub*.

— Eu nunca bebo quando estou trabalhando.

— Bem, eu acredito, mas a maioria, não. Aqui está perfeito, Palmer. Deixe-nos descer.

Edward inclinou-se diante de Judith e abriu a porta. Por um momento, ela hesitou entre colocar ou não o chapéu outra vez. Usar um chapéu com o uniforme da escola era uma regra inquebrável, e jamais ousaria ficar de cabeça descoberta em época de aulas. Agora, entretanto, já estava em férias, sentia-se irresponsável e temerária. Por outro lado, quem a veria, e quem — chegada a hora de cuidar do que importava — se incomodaria? Assim, o odioso chapéu foi abandonado e deixado no piso do furgão. O imponente veículo começou a rodar, afastando-se rua abaixo. Judith e Edward ficaram espiando, depois deram meia-volta e caminharam juntos pela calçada movimentada e cheia de sol, em direção à Casa Medways.

Era curioso voltar lá. O mesmo interior sombrio, os balcões polidos, as empregadas de golas altas. Entretanto, estava diferente. Porque da vez anterior, ela entrara ali com sua mãe, ambas embrenhando-se às apalpadelas pelo caminho que levava a uma nova vida de separação e ao Colégio Santa Úrsula. E, naquele dia, ela vira Diana e Loveday Carey-Lewis pela primeira vez. Sem ao menos saber seus nomes, observara-as disfarçadamente, atônita pelo companheirismo das duas e pela beleza, pelo encanto de Diana. Na ocasião, não houvera a menor intuição, a mais remota idéia de como se tornaria íntima daquelas duas intrigantes e borboleteantes personalidades.

No entanto, acontecera. E aqui estava ela, menos de um ano mais tarde, entrando casualmente na loja com o glorioso irmão mais velho de Loveday, e já aceita como membro do clã Carey-Lewis. O crédito, contudo, não era todo seu, e ela sabia disso. De um modo extraordinário, as circunstâncias tinham assumido o controle de sua vida. Há bem pouco tempo atrás, o futuro nada mais prometia além de despedir-se da família e conformar-se submissamente com quatro anos de colégio interno e tia Louise. Não obstante, tia Louise tinha morrido, e sua ausência abrira as portas de Nancherrow para sua sobrinha, permitindo-lhe perspectivas de oportunidades e possibilidades que pareciam estender-se para sempre.

— Bom-dia, Edward.

Suas profundas e um tanto perturbadoras reflexões foram interrompidas, de modo bastante oportuno, pelo aparecimento do alfaiate saindo de um penumbroso aposento dos fundos. Alertado, o homem já estava preparado para entregar-se ao trabalho, com sua fita métrica pendendo do pescoço e a cabeça calva reluzindo como que polida.

— Bom-dia, sr. Tuckett.

Ele e Edward apertaram-se as mãos. Pelo visto, a ocasião era de tradicional formalidade. Os olhos do sr. Tuckett foram até Judith. Ele franziu a testa.

— Esta não é a jovem Loveday, pois não?

— Céus, não! É sua amiga, Judith Dunbar. Está hospedada em Nancherrow.

— Bem, isso explica. Achei que não podia ser Loveday. Muito bem. O coronel falou comigo esta manhã pelo telefone, e disse que você estava a caminho. *Tweeds* para caçar, disse ele.

— Correto. Minhas roupas infelizmente não me cabem mais.

O sr. Tuckett olhou para Edward e permitiu-se a sombra de um sorriso.

— Sim, percebo o que quer dizer. Devem estar alimentando-o bem, no lugar em que você se encontra. E agora, quer escolher o *tweed* primeiro ou tiramos logo as medidas?

— Vamos primeiro às medidas. Para terminar de uma vez.

— Perfeitamente. Se quiser acompanhar-me...

— Você ficará bem, Judith?

— Claro. Estarei esperando.

— Encontre uma cadeira.

Entretanto, quando eles desapareceram no santuário do sr. Tuckett, discretamente situado por trás de uma cortina preta, ela subiu ao andar de cima, ao departamento escolar, e comprou três pares de meias terminando nos joelhos, para que nunca mais, a menos que ordenada, tivesse que usar novamente as grossas meias compridas de algodão marrom. Por algum motivo, este pequeno gesto de desafiadora independência a deixou muito mais segura de si. Satisfeita, desceu prontamente para o andar de baixo, encontrou uma cadeira e acomodou-se nela, a fim de esperar por Edward.

Foi uma longa espera, mas, eventualmente, os dois apareceram de trás da cortina, Edward ainda vestindo o suéter.

— Lamento ter demorado — desculpou-se ele.

— Está tudo bem.

O sr. Tuckett apressou-se em explicar:

— Precisei refazer todas as medidas anteriores. Agora, as medidas são para um homem. Este traje de Edward para caçada irá durar-lhe um bom tempo.

Em seguida foi a vez de escolherem o *tweed*, o que durou quase que o mesmo tempo das medidas. Surpreendentemente, Edward era bastante exigente. Foram trazidos grossos livros de amostras, empilhados em cima do balcão e devidamente folheados. Houve muita discussão sobre as relativas vantagens do *tweed* Harris e do *tweed* Yorkshire. O padrão seria em dentículo, espinha de peixe ou ele preferia um tecido liso? As amostras foram folheadas, estudadas e novamente folheadas. Por fim, Edward fez sua escolha — um tecido escocês à prova de espinheiros, em um tom verde-lama, com um pálido axadrezado vermelho-fulvo. Considerando a escolha, Judith aprovou-a.

— A cor se confundirá com você, tornando-o praticamente invisível no matagal rasteiro, sendo também perfeita para comparecer a um almoço ou ir à igreja.

O sr. Tuckett ficou radiante.

— Exatamente, senhorita. — Ele dobrou a ponta da amostra do *tweed* escolhido, prendendo-a com um alfinete. — Farei o pedido imediatamente e começarei a trabalhar assim que o tecido chegar. Teremos o seu traje de caça pronto antes que os feriados terminem. E agora, há mais alguma coisa de que esteja precisando? Camisas? Gravatas? Meias? — Ele baixou a voz discretamente. — Roupas de baixo?

Edward estava bem abastecido. Chegara o momento de ir embora. O sr. Tuckett acompanhou-os até a porta, com tantos floreios e dignidade como o próprio Nettlebed. Depois despediu-se deles.

A salvo na calçada, Edward soltou um suspiro de alívio.

— Ufa! Terminou! Agora, vamos tomar um drinque e comer alguma coisa.

— Pensei que você se divertisse escolhendo a roupa.

— Até certo ponto, mas demora muito.

— Eu adorei o *tweed*.

— De qualquer modo, melhor que o padrão denticulado. Pelo menos não ficarei com a aparência de um corretor de segunda categoria. Venha, vamos indo...

Ele colocou a mão sob o cotovelo de Judith e a guiou através da rua, escapando por pouco de dois carros e uma bicicleta.

— Para onde vamos? — perguntou Judith, caminhando mais depressa para emparelhar com ele, ao seguirem pela calçada.

— Não sei. Encontraremos algum lugar.

O que ele encontrou foi um *pub*, mas com um jardim, de modo que Judith não precisou entrar no bar. Era um jardim muito pequeno, com um muro baixo de pedra, por cima do qual se tinha uma boa visão do porto e do além-mar. Havia algumas mesas e cadeiras ao acaso, sendo o lugar razoavelmente abrigado do vento e, portanto, não muito frio. Edward acomodou sua acompanhante em uma das mesas e perguntou-lhe o que queria beber. Ela preferiu Orange Corona, que continuava sendo a sua favorita. Edward riu e entrou no prédio, inclinando a cabeça para não esbarrar no portal baixo. Voltou pouco depois, com o refrigerante de laranja para ela, uma caneca de cerveja para ele e um cardápio de almoço, escrito a mão em uma cartolina surrada pelo uso.

— Receio que isto aqui não seja tão sofisticado como *The Mitre*, mas, pelo menos, ficamos livres daqueles sussurros insuportáveis, rompidos apenas pelo som de arrotos ou, pior ainda, pelo raspar de leve dos talheres nos pratos. Ele franziu a testa para a lista de pratos e baixou os cantos da boca em uma careta exagerada. — Carne recheada em massa. Salsichas e purê. Pastelões da Cornualha feitos em casa. Vamos aos pastelões!

— Tudo bem.

— Você gosta de pastelão?

— Adoro.

— Para sobremesa, poderá pedir bolo de amêndoas, geléia ou um sorvete. Também feitos em casa.

— Não haverá espaço, quando eu terminar a massa.

— Provavelmente não.

Ele ergueu os olhos, quando uma mulher de avental saiu do *pub* para saber o que eles iam comer. Edward fez o pedido com ares de grande importância, que desmentiam seus dezesseis anos. Maravilhada, Judith o achou, de fato, extraordinariamente sofisticado.

— Queremos os pastelões.

— Num momentinho. — Ele sorriu para a mulher, e ela acrescentou: — Meu bem.

Ali era um bom lugar para ficar. Edward tinha razão. Muito melhor do que *The Mitre*. Judith não sentia frio, porque estava de capote, e era divertido sentar-se ao ar livre, com o céu acima da cabeça, as nuvens arrastando-se e as gaivotas revoluteando, deslizando, fazendo sua ronda interminável em torno dos mastros e conveses dos barcos pesqueiros. A maré estava alta e, na extremidade mais distante da baía, o Monte de São Miguel parecia flutuar sobre o mar azul, as ameias do castelo tão nítidas, como que recortadas no ar transparente.

Recostando-se em sua cadeira, ela bebericou o refrigerante. Perguntou:

— Quando foi que você chegou?

— Há dois ou três dias. Athena continua na Suíça. Só Deus sabe se ou quando ela virá para casa.

— Eu não sabia que você tinha voltado.

— Por que deveria saber?

— Loveday podia ter-me contado.

— Vã esperança! Ela não pensa em mais nada além daquele infeliz Tinkerbell. — No outro lado da mesa de madeira, ele sorriu de repente. — Você gosta da perspectiva de passar um *mês inteiro* em Nancherrow ou isso a deixa deprimida?

Judith teve a perspicácia de perceber que estava sendo espicaçada.

— Não. Nada de ficar deprimida.

O sorriso dele desapareceu. Subitamente sério, falou:

— Mamãe me contou sobre sua tia ter perdido a vida daquela maneira. Um horror. Eu sinto muito. Deve ter sido um choque e tanto para você.

— Sim, foi, mas infelizmente ela nunca dirigiu com muito cuidado.

— Eu fui à casa dela — disse ele.

— Você foi *lá*?

— Fui. Eu e Palmer fomos incumbidos de pegar o caminhão da

propriedade e trazer nele todas as suas coisas. Era o meu primeiro dia de liberdade, e trabalhei como um cão.

— Foi muito gentil de sua parte.

— Não tive muita opção.

— Como... como Windyridge parecia?

— Um tanto ermo.

— Edna e Hilda estavam lá?

— Está falando das duas empregadas? Sim, estavam ainda no controle e nos ajudaram a carregar suas coisas. Encontramos tudo pronto e embalado. Trabalho bem feito.

— Aquela sempre foi uma casa erma... — Judith gostaria de perguntar-lhe se vira Billy Fawcett rondando por lá, espiando tudo o que acontecia, mas decidiu ser melhor não fazer perguntas. Coçou o nariz. — ... e cheia das curiosas relíquias da vida de tia Louise na Índia. Peles, patas de elefante e tambores de cobre.

— Não cheguei a entrar nessa parte da casa, de modo que não posso comentar as preferências dela.

— E as minhas coisas?

— Creio que Mary Millyway cuidou delas. Arrumou seus pertences, provavelmente tirou suas roupas das malas... Mamãe me disse, muito firmemente, que o quarto rosa agora é seu.

— Ela tem sido gentil demais.

— Mamãe nem liga. Além do que, ela gosta de muita gente em casa. — Ele ergueu os olhos. — Oh, viva, aí vêm os nossos pastelões! A fome já começava a me deixar fraco.

— Pois aí está, meu bem. — Os pratos foram deixados diante dos dois. — Acabe com eles e não haverá muita coisa errada com você.

De fato, os pastelões eram enormes, fumegantes e cheirosos. Judith pegou uma faca e cortou o seu em dois. Pedaços fervilhantes de carne e batata escorregaram para fora, por entre as dobras do pastelão. Ela sentiu o cheiro de cebola e ficou com água na boca. Uma brisa levantou-se do mar e lhe jogou o cabelo no rosto. Atirando-o para trás, Judith sorriu para seu acompanhante.

— Estou muito contente — falou, em um surto de alegria que era quase felicidade — por não termos ido comer no *The Mitre*.

Quando voltavam para Nancherrow, descendo rapidamente a ladeira que levava a Rosemullion, Edward teve outra de suas brilhantes idéias.

— Vamos visitar a tia Lavinia — disse. — Ainda não a vi, e talvez possamos convencer Isobel a dar-nos uma xícara de chá.

— Ainda estou entupida de pastelão.

— Eu também, mas que diferença faz? — Inclinando-se para frente, ele bateu no ombro sólido de Palmer. — Ei, Palmer, você não vai ter que voltar ao trabalho, vai?

— Trago aqui as coisas que o coronel pediu. Ele está esperando. Eu disse que viria direto para cá.

— Nesse caso, você pode subir a ladeira e desembarcar-nos. Depois voltaremos para casa a pé.

— Você manda.

— Certo. Então, vamos. — Edward jogou para trás o cabelo que lhe caía na testa. — Você gostaria de ir lá, não, Judith? Tia Lavinia está sempre disposta a uma conversa.

— Se é o que você quer, sim, naturalmente, mas... Será que tia Lavinia não se incomoda, se aparecermos lá sem avisar?

— Ela não se incomoda. Sempre adorou boas surpresas.

— São apenas três e meia. Talvez esteja descansando.

— Ela nunca descansa — informou Edward, laconicamente.

De fato, tinha toda razão, porque tia Lavinia não estava descansando. Foram entrando na casa, sem nada mais do que um "Com licença! " e a encontraram em sua sala de estar banhada de sol, sentada diante da secretária e pondo a correspondência em dia. Na lareira crepitava uma pequena chama e, como antes, o encantado aposento brilhava e cintilava de claridade refletida. Quando a porta foi aberta de súbito, ela se virou na cadeira, erguendo a mão para tirar os óculos. Ao ser tão rudemente perturbada, sua expressão foi de uma leve surpresa, porém durou apenas um segundo. Reconhecer Edward em pé diante dela fez suas feições se encherem de contentamento.

— Meu querido! — exclamou, largando a caneta. — Que esplêndida surpresa! Edward! Não sabia que você estava em casa.

Ela estendeu um braço, ele aproximou-se para abraçá-la e beijá-la. Judith reparou que ela agora estava vestida bem menos formalmente do que para aquele almoço de domingo, usando uma saia encorpada de *tweed*, meias grossas e sapatos esportivos. Um comprido cardigan abotoava-se sobre uma blusa de seda creme, revelando um brilho de corrente de ouro e de um fio de pérolas.

— Resolvemos dar uma chegadinha aqui. Estamos vindo de Penzance, a caminho de Nancherrow. Pedimos a Palmer que nos deixasse aqui e depois voltaremos andando para casa.

— Céus, que energia! E Judith também... Melhor ainda! Em seu uniforme do colégio. Acabou de chegar? Que agradável surpresa para mim! Bem, agora sentem-se os dois e fiquem à vontade. Edward, conte-me tudo o que andou fazendo... Há quanto tempo voltou?

A velha senhora recostou-se em sua cadeira, Edward puxou uma banquetinha baixa e Judith foi sentar-se na janela, de onde ficou contemplando os dois e ouvindo, ficando a par da vida em Harrow e da possibilidade dele tornar-se Chefe do Internato, e da vitória ou da derrota do time de rúgbi. Ela o interrogou sobre resultados de exames e a possibilidade de ir para Oxford ou Cambridge. Depois falaram de amigos comuns, e do rapaz que Edward trouxera para passar os feriados de verão em casa, deixando Judith maravilhada com o fato de uma criatura daquela idade ser tão astuta e interessada. Era incrível como uma pessoa que nunca tivera família própria pudesse ser tão perceptiva em relação à geração mais jovem, tão a par dos aspectos realmente importantes na vida dessa geração. Concluiu que talvez fosse por ela ter estado sempre profundamente envolvida com os filhos dos Carey-Lewis, e também porque eles nunca lhe haviam permitido que ficasse fora de contato.

Finalmente ela já tinha ouvido tudo, estava contente e precisava apenas ficar atualizada.

— E vocês dois, o que andaram fazendo hoje?

Edward lhe contou. Sobre terem ido apanhar Judith no Santa Úrsula, comentou a ida ao alfaiate, a fim de tirar medidas para o novo traje, e falou dos pastelões comidos no jardim do pequeno *pub*.

— Oh, como os invejo! Nada mais delicioso do que um bom pastelão comido ao ar livre. Bem, imagino que estejam com fome novamente... — Ela ergueu o punho do cardigan e consultou o pequeno relógio de ouro. — Quase quatro da tarde. Por que não dá um pulo até a cozinha, Edward querido, e pede a Isobel para trazer-nos uma bandeja de chá? Com alguma sorte, ela pode ter um resto de bolo amanteigado para nós. Ou talvez torradas quentes e outros quitutes, quem sabe?

— Excelente idéia. Eu já me perguntava quando é que a senhora tocaria no tema do chá...

Edward ficou em pé, espreguiçou-se com vontade e partiu em busca de Isobel. Assim que a porta se fechou atrás dele, tia Lavinia se virou para Judith.

— Agora posso falar com você. — Ela pôs os óculos e inspecionou detidamente sua visitante. Tinha ficado séria outra vez. — Eu não queria falar na frente de Edward, mas fiquei muito chocada, quando soube que sua tia havia perdido a vida naquele terrível acidente de carro. Você está bem?

— Sim, estou.

— Por que tinha de acontecer uma coisa tão trágica, principalmente com você, que tem a família no estrangeiro...?

— Teria sido bem pior se todos não tivessem sido tão gentis. A srta. Catto, o sr. Baines, e Diana. Todo mundo, enfim.

— Diana tem um espírito muito generoso. E o mais importante é você ter-se tornado tão bem-vinda em Nancherrow. Foi um grande consolo para mim, quando ela me falou dos planos que tinha a seu respeito. Então, parei de me preocupar com você. Isso significa que conta com um lar amoroso para quando aqui vier, e que nada é insuportável se tiver uma espécie de família, ainda que não seja a sua própria.

Judith achou que era necessário explicar.

— Na realidade, eu tenho alguns parentes neste país: minha tia Biddy e o tio Bob. São excelentes criaturas, mas justamente agora ela está bastante ocupada com uma nova casa, sem falar que tanto meu tio Bob quanto meu primo Ned estão na Marinha. Entretanto, sempre vão em casa e sei que também sempre posso estar com eles. Contudo, mesmo assim, estar em Nancherrow torna tudo diferente.

— E que casa tão aconchegante! Há sempre coisas acontecendo por lá. Às vezes penso que o pobre Edgar fica bastante confuso. Tenho certeza de que será feliz lá, querida Judith. E lembre-se: se por algum motivo sentir-se um pouco triste, deprimida ou solitária, se quiser falar sobre coisas ou apenas discutir problemas, estou sempre aqui. Na

Dower House. Aliás, depois de anos casada com um advogado, tornei-me excelente ouvinte. Você não vai esquecer, não é mesmo?

— Não, senhora. Não vou esquecer.

— Bem, posso ouvir Edward voltando. Eu o mandei à cozinha porque Isobel o adora e, como geralmente só tenho o meu chá depois das quatro e meia, não desejaria que houvesse um rosto rabugento matutando na cozinha. Para Edward, no entanto, ela preparará torradas e petiscos ligeiros. E, no resto do dia, ficará exibindo sorrisos de felicidade.

Nancherrow,
No mesmo dia, porém mais tarde.

Agora posso terminar a carta. Como vêem, estou aqui, de volta ao meu mesmo quarto, só que agora é meu de verdade, porque tenho nele todas as minhas coisas. Elas me parecem inteiramente à vontade, e Mary Millyways moveu a cama, a fim de ganhar espaço para minha secretária e meus livros. São seis da tarde, temos um belo anoitecer e, além da minha janela, posso ouvir os pombos no pátio. Se esticar a cabeça bem para fora da janela, posso até ouvir o mar.

Foi uma surpresa e tanto. Edward, o irmão de Loveday, apareceu no colégio para trazer-me, com um dos jardineiros dirigindo o furgão do Coronel Carey-Lewis. Fomos a Penzance e à Medways, porque ele precisava tirar medidas para um novo traje, e depois saímos para almoçar. Na volta, visitamos tia Lavinia — a sra. Boscawen, na Dower House — tendo tomado chá com ela. Comemos torradas quentes com o chá, e depois fomos para casa caminhando, a distância sendo bem maior do que me lembrava, de modo que foi um alívio finalmente chegar. Edward é muito simpático. Tem quase dezessete anos, estuda em Harrow e irá para Oxford, creio, quando deixar a escola. Ele é que foi a Windyridge apanhar todas as minhas coisas. Viu Edna e Hilda, que continuam lá, mas já tendo um novo emprego providenciado.

Ainda não estive com Loveday e Diana, porque foram a uma reunião em um clube de pôneis e ainda não voltaram. Também não vi o Coronel Carey-Lewis. Estive apenas com Mary Milly-ways, que me ajudou a desembalar todas as minhas roupas e a colocá-las nos lugares. Mais tarde, quando descer para jantar, verei todos eles.

Por favor, mamãe, escreva logo e me conte tudo o que tem feito, a fim de que eu possa imaginar. Peça também a papai que tire alguns instantâneos de Jess, para que eu veja se ela está crescendo. Quero saber se está indo para a escola ou tendo aulas. Mande contar também se o boneco-espantalho continua vivo ou se já foi comido por alguma serpente!

Esta carta parece um tanto confusa, mas é porque há muito para contar. As coisas têm mudado tão depressa, que às vezes fica bastante difícil memorizá-las, e de tempos em tempos me vejo pensando se não teria esquecido de contar-lhes alguma coisa. Eu gostaria de estar aí e poder falar a respeito de tudo isso. Suponho que crescer sempre envolve um pouco de solidão.

Recebam muitos beijos e, por favor, não se preocupem. Eu estou bem.

Judith

1938

Em Cingapura, no bangalô da Orchard Road, Molly Dunbar acordou com um sobressalto, suada de pânico, consumida por algum medo incompreensível e inominável. Quase em lágrimas, perguntou-se, *O que há de errado? O que aconteceu?* Era ridículo, porque ainda nem escurecera. A tarde ia pelo meio, e o enorme mosquiteiro continuava dobrado e preso ao teto alto. Sesta. Nada de espíritos maléficos, de serpentes ou intrusos noturnos. Não obstante, seus dentes estavam cerrados, a respiração curta e irregular, o coração disparado como nas batidas de um tambor. Por um ou dois momentos, ela simplesmente permaneceu rígida, esperando o ocorrer do fosse-o-que-fosse. Entretanto, nada ocorreu. O pânico amainou lentamente. Um pesadelo, talvez, porém qualquer sonho — caso tivesse havido um — fugira-lhe da mente. De maneira deliberada, ela procurou normalizar a respiração, forçou os músculos tensos ao relaxamento. Após um pouco, o terror irracional evaporou-se, e o abismo por ele deixado se foi enchendo lentamente com uma espécie de passivo e exausto alívio.

Então, não era nada. Apenas sua própria imaginação, voando em todas as direções, como de hábito, mesmo quando ela descansava, na segurança de seu próprio quarto de dormir, com o marido ao lado. Seus olhos moveram-se pelo ambiente familiar, buscando tranqüilidade e alguma sorte como consolo. Paredes brancas, piso de mármore; seu toucador, vestido de musselina branca e franzida, o elaborado guarda-roupa de teca, maravilhosamente trabalhado e esculpido. Poltronas de ratan e uma cômoda de cedro. Após esta, uma porta aberta dava para o quarto de vestir de Bruce e, no teto alto, revolviam-se as pás do ventilador de madeira, sacudindo o ar pesado para uma semelhança de frescura. Duas lagartixas encolhiam-se na parede oposta, quietas e inanimadas como broches bizarros espetados em uma lapela.

Molly olhou para seu relógio. Três horas de uma tarde de abril, e o calor era tão úmido, tão intenso, que se tornava quase insuportável. Ela estava nua por baixo de um fino penhoar de linho, e suas faces, seu pescoço, os cabelos e o final das costas encontravam-se salpicados de suor. No lado oposto da cama, Bruce dormia, ressonando levemente. Virando a cabeça, ela o fitou e invejou-lhe a capacidade de dormir, sem dar importância ao calor sufocante da tarde tropical. Molly sabia, no entanto, que ele acordaria às quatro em ponto, sairia da cama, tomaria uma ducha e, de roupas limpas, voltaria para o escritório, para trabalhar por mais duas ou três horas.

Ela espreguiçou-se, fechou os olhos, mas tornou a abri-los quase imediatamente. Era impossível ficar mais um só segundo deitada ali, acordada. Cautelosamente, para não acordar o marido, sentou-se e girou as pernas sobre o lado da cama, aconchegando ao corpo o leve penteador e enfiando os pés nos chinelos de tiras finas. Pisando suavemente, cruzou o quarto e passou pelas portas de persianas que davam para a varanda. Esta era ampla e sombreada, contornando todo o perímetro do bangalô, e seu teto inclinado impedia que os raios do sol passassem para o interior. Também ali, os ubíquos ventiladores giravam mais acima. Na extremidade mais distante, ao lado das portas abertas da sala de estar, agrupavam-se mesas e cadeiras. Era uma sala de descanso ao ar livre, onde Molly passava muito do seu tempo. Vasos pintados de azul e branco estavam cheios de hibiscos e laranjeiras em flor. Além da sombra da varanda, o jardim ardia sob um céu que o calor esbranquiçava. Nem uma só brisa agitava a palmeira, o *frangipani* ou a flor-da-floresta, mas enquanto ela esteve ali, um rato trepador escalou a haste de uma buganvília, provocando um chuveiro de flores. As pétalas flutuaram no ar e pousaram lentamente nos degraus da varanda.

Tudo estava profundamente silencioso. Jess, os criados e os cães continuavam dormindo. Molly caminhou ao longo da varanda, as solas de couro dos chinelos batendo contra o piso de madeira. Lá, ela afundou em uma das poltronas compridas de ratan, e deixou os pés pousados no banquinho apropriado para descansá-los. Ao longo desta poltrona havia uma mesa de junco, onde se reuniam todas as pequenas necessidades de sua vida ociosamente sedentária: seu livro, o estojo de costura, revistas, correspondência, a agenda (muito importante) e seu bordado. Naquele dia, como sempre, ali havia um exemplar do *Times* londrino, publicado três semanas atrás, que Bruce providenciara para que lhe fosse enviado da Inglaterra, em uma base regular. Ele dizia gostar de ler o que considerava "um noticiário adequado", embora Molly desconfiasse de que tudo quanto seu marido lesse, em qualquer profundidade, fossem os resultados do rúgbi e os escores do críquete.

Normalmente, ela não lia *The Times*. Agora, no entanto, por falta de algo melhor a fazer, apanhou o jornal, desdobrou-o e o abriu. A data era quinze de março, e as manchetes saltaram diante de seus olhos como um espectro no escuro, porque, a doze de março, a Alemanha Nazista ocupara a Áustria.

Era uma notícia velha, naturalmente, porque eles já tinham sabido da ocupação através do rádio, três semanas antes, quase assim quando tivera lugar o chocante evento. Bruce, no entanto, embora taciturno, não comentara muito sobre o assunto, e Molly lhe ficara grata por isso, pois significava que podia, simplesmente, eliminá-lo da cabeça. De nada adiantava ficar pessimista. Talvez acontecesse alguma coisa que fizesse tudo voltar ao normal. Por outro lado, sempre havia muito mais em que ocupar seus pensamentos, como providenciar para que Jess tivesse suas aulas, elaborar cardápios com a cozinheira e manter atualizados os seus compromissos sociais. Estes últimos, em particular, ela considerava por demais exigentes.

Agora, no entanto... sozinha e sem ser observada, não havendo ninguém para comentar suas reações, ela reuniu coragem e resistiu à tentação de jogar para um lado as terríveis notícias. Havia uma foto. Hitler passando de carro com toda pompa pelas ruas de Viena, o veículo flanqueado por tropas germânicas, as calçadas tomadas pelas multidões. Ela estudou os rostos naquelas multidões e ficou perplexa porque, embora alguns espelhassem claramente o horror do que finalmente acontecera, muitos se mostravam jubilosos, aplaudindo o novo líder e erguendo bandeiras com a negra suástica do nazismo. Era incompreensível. Como algum patriota poderia receber bem semelhante invasão? Buscando alguma resposta a esta pergunta, ela começou a ler o relato de como tudo acontecera e, uma vez iniciada a leitura, não conseguiu mais interrompê-la, porque as palavras sombrias e a prosa comedida lhe prenderam a atenção, desenhando um quadro extraordinariamente vívido da ultrajante sujeição. Era fato consumado. E Molly perguntou-se, "se fora permitido que isto acontecesse, o que poderia, então, acontecer em seguida?"

Nada muito bom. Em Londres, no Parlamento, os ânimos eram sombrios. Winston Churchill discursara na Câmara dos Comuns. Durante anos ele havia sido tratado como uma espécie de Cassandra, pregando a ruína e a destruição, enquanto outros cuidavam diligentemente dos próprios negócios. Agora, no entanto, parecia que tivera razão o tempo todo, e seus avisos tangiam como dobre de finados: "... a Europa é confrontada com um programa de agressão... a única escolha em aberto... submeterem-se ou adotarem-se medidas eficazes..."

Já era o bastante. Ela dobrou o jornal e o deixou cair no chão, ao seu lado. Medidas eficazes significavam guerra. Até uma tola como ela podia compreender a implicação. As nuvens tempestuosas que tinham surgido acima do horizonte da vida singela de Molly, ainda antes dela deixar a Inglaterra e zarpar para Colombo, não se tinham dissipado nem desaparecido, mas aumentado, acumulado. E agora ameaçavam escurecer a Europa inteira. E a Inglaterra? E Judith?

Judith. Molly sabia que devia envergonhar-se. Ela podia pensar nos outros, em nações já violadas e pessoas suprimidas, porém, acima de tudo, em sua mente estava a segurança de sua filha. Se houvesse uma guerra na Europa, se a Inglaterra fosse envolvida, então o que aconteceria a Judith? Não deveriam mandar buscá-la, imediatamente? Esquecer o colégio, abandonar todos os planos que haviam feito para ela e trazê-la para Cingapura, com toda a conveniente rapidez? A guerra jamais os alcançaria ali. Ficariam todos juntos novamente, e Judith estaria salva.

Contudo, ainda quando a idéia lhe ocorria, ela já estava certa de que Bruce não concordaria. Ardoroso defensor do Governo, Conservador fanático e leal patriota, ele não imaginaria nenhuma situação em que a Inglaterra pudesse ficar em perigo mortal, invadida ou subjugada. Se ela argumentasse, seu marido lhe lembraria a inexpugnabilidade da linha Maginot, a esmagadora superioridade da Marinha Britânica e o poder global do Império Britânico. Judith estaria perfeitamente a salvo. Era ridículo sentir pânico. Devia parar de ser tão tola.

Ela sabia de tudo isso, por já tê-lo ouvido antes. Quando Louise Forrester perdera a vida naquele terrível desastre automobilístico e tinham recebido o cabograma do sr. Baines, comunicando o trágico evento, o primeiro instinto de Molly não fora prantear Louise, mas preocupar-se com Judith. Sentira-se decidida a comprar passagem no primeiro navio para a Inglaterra, a fim de estar com a filha abandonada. Bruce, no entanto, embora transtornado pela notícia da morte da irmã, tivera uma postura intensamente britânica, guardando para si mesmo o que sentia, sem perder a coragem e com os pés bem firmes no chão. Pior ainda, ele insistira com sua angustiada esposa, que não adiantava agir precipitadamente. Judith estava em um colégio interno, a srta. Catto tinha o controle da situação e Biddy Somerville encontrava-se ao alcance, se houvesse necessidade. O retorno emocional da mãe não tornaria as coisas mais fáceis para Judith. Seria melhor deixá-la em paz, prosseguindo com seus estudos, e que os eventos seguissem seu curso natural.

— Oh, mas ela não tem um *lar*! Não tem para onde ir!

Molly debulhara-se em lágrimas, porém Bruce permanecera inflexível.

— Que bem você lhe faria? — interrogou ele, perdendo a paciência.

— Eu estaria *com* ela...

— Quando finalmente chegasse lá, esta crise teria terminado e você ficaria de mãos abanando.

— Você não compreende...

— Não. Não compreendo. Portanto, acalme-se. Escreva uma carta para ela. E não mostre uma ansiedade exagerada. Os filhos odeiam pais que agem assim em relação a eles.

Nada houve que ela pudesse fazer, porque não dispunha de dinheiro próprio, e Bruce não iria à companhia de navegação reservar sua passagem e pagar por ela. Assim, Molly estava impotente. Esforçou-se ao máximo para enfrentar a situação, mas as duas ou três semanas seguintes foram um período de angústia, de ânsia pelo contato físico com Judith, de vontade de ver-lhe o rosto suave, de abraçá-la, ouvir sua voz, consolá-la e aconselhá-la.

Por fim, Molly acabou percebendo que seu marido estivera espantosamente certo. Se ela tivesse viajado, somente em cinco ou seis semanas estaria ao lado da filha e, durante esse período, todos os problemas se resolveriam miraculosamente por si mesmos, o vácuo deixado pela morte de Louise tendo sido preenchido por esta bondosa, embora desconhecida família chamada Carey-Lewis.

A virtual adoção de Judith foi cumprida de maneira metódica e diligente. A srta. Catto escreveu, fornecendo em essência uma excelente referência sobre o coronel e a sra. Carey-Lewis, acrescentando que, em sua opinião, a hospitalidade proposta por aquele casal só poderia ser benéfica para Judith. Ela havia feito boa amizade com a jovem Loveday Carey-Lewis, a família estava radicada havia muito no lugar, desfrutava de grande respeito no campo, e a sra. Carey-Lewis havia manifestado, com profunda sinceridade, o desejo de ter Judith em sua casa.

Então, na esteira da carta da srta. Catto chegara outra, da própria sra. Carey-Lewis, escrita em uma caligrafia enorme e quase ilegível, porém no mais caro, timbrado e espesso papel de cartas azul. Molly não deixou de ficar impressionada e lisonjeada; após decifrar o manuscrito, sentiu-se comovida e desarmada. E, estava bem claro, Judith havia provocado uma excelente impressão. Molly permitiu-se uma boa dose de orgulho. Tudo que poderia fazer agora era apenas desejar que sua filha não ficasse deslumbrada pela magnificência do que, evidentemente, era uma propriedade de endinheirados aristocratas rurais.

Nancherrow. Ela recordou aquele dia na Casa Medways, quando vira Diana Carey-Lewis pela primeira e única vez. As vidas de ambas haviam-se tocado apenas por um momento — navios passando na noite — porém ela ainda retinha uma vívida imagem da mãe bonita e jovem, da filha de rosto radioso e roupas surradas, e do pequinês com sua coleira escarlate. Ao perguntar quem era aquela mulher, tinham-lhe respondido, "É a sra. Carey-Lewis. Sra. Carey-Lewis, de Nancherrow".

Tudo ficaria bem. Não se tratava de vacilar, não havia motivo para reservas. Molly escreveu em resposta, agradecida e aquiescendo, esforçando-se ao máximo para sufocar a indigna sensação de estar abrindo mão de Judith.

Bruce ficou presunçoso.

— Eu não lhe disse que tudo se resolveria?

Molly considerou sumamente irritante a atitude do marido.

— Agora é fácil falar assim. O que teríamos feito, se os Carey-Lewis não surgissem em cena?

— Para que fazer suposições? Está tudo acertado. Eu sempre achei que Judith poderia cuidar de si mesma.

— De que modo saberia? Você ficou cinco anos sem vê-la! —

Irritada com ele, Molly tornou-se mordaz. — Aliás, não acho que Judith deva passar todo o seu tempo em Nancherrow. Afinal de contas, Biddy ainda mora lá e adoraria recebê-la, em qualquer ocasião.

— Eles precisam organizar a própria vida.

Molly ficou amuada por um momento, não querendo que ele tivesse a última palavra.

— Acontece apenas que não posso deixar de sentir que a perdi para estranhos.

— Oh, pelo amor de Deus, pare de angustiar-se! Procure ser grata!

Assim, ela havia suprimido seus leves toques de ressentimento e inveja. Afirmava resolutamente para si mesma que tivera muita sorte, e procurava concentrar-se em ser grata, em escrever cartas para a filha. Isso fora dois anos antes — Judith faria dezessete anos agora, no próximo junho — mas, durante todo esse tempo, rara era a semana em que não chegava a Orchard Road um grosso envelope, sobrescritado com a letra dela. Eram cartas longas, amorosas, muito queridas, contendo todas as notícias que qualquer mãe desejaria ouvir. Cada uma delas era lida e relida, saboreada, para finalmente ser arquivada em uma grande caixa de papelão marrom, no fundo do guarda-roupa de Molly. Nada menos do que a vida de Judith estava contida naquela caixa; um virtual registro de tudo quanto lhe acontecera, desde aquele dia inesquecível em que ela e sua mãe se tinham dito o último adeus.

As primeiras cartas eram todas sobre o colégio, as aulas, a bicicleta nova e a vida em Windyridge. Depois, o choque da morte de Louise; seu funeral, a primeira menção ao sr. Baines e a surpreendente notícia da herança de Judith. (Nenhum deles jamais percebera a extensão das posses de Louise. Entretanto, era bastante satisfatório saber que Judith jamais teria que pedir dinheiro a um marido, um dos aspectos menos agradáveis da vida conjugal.)

Depois, foram as primeiras visitas a Nancherrow, a gradual absorção de Judith pelo clã Carey-Lewis. Aquilo equivalia mais ou menos à leitura de uma novela, repleta de personagens... filhos, amigos e parentes, não se falando em mordomos, cozinheiras e babás. Pouco a pouco, no entanto, Molly classificou todos os vários indivíduos e, depois disso, não ficou tão difícil acompanhar o enredo.

A seguir, novamente mais notícias escolares. Concertos e peças, partidas de hóquei, resultados de provas e uma branda epidemia de sarampo. Um Natal com Biddy e Bob em sua nova casa em Dartmoor; feriados de metade do período letivo com os Warrens, em Porthkerris. (Molly ficou satisfeita em saber que Judith continuava amiga de Heather. Seria triste se ela ficasse importante demais para os velhos amigos.) Então, uma viagem de verão a Londres com Diana Carey-Lewis e Loveday. Ficaram na casinha de Diana e houve uma positiva rodada de compras e almoços, culminando com uma ida a Covent Garden, para verem Tatiana Riabouchinska dançar com o Ballet Russo.

Todas as experiências e divertimentos de uma jovem comum, em crescimento. E Molly, sua mãe, estava perdendo tudo isso. Era tão injusto, disse para si mesma, com uma pontada de ressentimento. Tudo estava errado. Não obstante, sabia que não se achava isolada. Sua angústia era partilhada por milhares de outras esposas e mães britânicas. Fosse em Cingapura ou na Inglaterra, a pessoa nunca se sentia no lugar certo, estava sempre ansiando pelo outro. Detestando o frio e as chuvas da Pátria e sonhando com o sol; ou então, como ela agora, contemplando os jardins de Orchard Road torrando-se ao sol, mas vendo apenas a alameda em Riverview em um entardecer nevoento, com Judith voltando para casa, após descer na pequena estação ferroviária. Caminhando, depois avistando a mãe, pressionando o rosto contra o dela e dizendo seu nome. Tocar. Às vezes, Molly encostava ao rosto as folhas das cartas de Judith, porque as mãos de sua filha haviam tocado o papel; era o mais perto dela que já conseguira chegar.

Ela suspirou. Às suas costas, dentro de casa, o bangalô começava a despertar para a vida. A voz doce da *amah* no quarto de Jess, despertando a criança. A sesta chegara ao fim. No lado contrário do gramado, surgiu o rapaz que cuidava do jardim, trazendo diligentemente um regador transbordante. Logo Bruce emergiria, pronto para retornar ao escritório, e mais tarde seria a hora do chá. O bule de prata, os sanduíches de pepino, as finas meias rodelas de limão. Que vergonha, se Ah Lin, o mordomo, encontrasse sua senhora sentada ali, vestida apenas com seu penhoar! Ela devia fazer sua parte, retornar ao quarto, tomar uma ducha, vestir-se, pentear-se e então apresentar-se novamente como uma respeitável *mensahib*.

Entretanto, antes que pudesse fazer este esforço inaudito, Jess veio ao seu encontro, fresca e limpa em um vestidinho sem mangas, os cabelos muito louros e lisos como seda, em resultado das ministrações da *Amah* com a escova.

— Mamãe!

— Oh, querida!

Molly estendeu um braço para envolver a filha caçula em um abraço e plantar-lhe um beijo no alto da cabeça. Agora com seis anos, Jess tinha crescido, ficara alta e esguia no calor de Cingapura, como uma flor que aprecia o calor e a umidade. O rostinho tinha perdido algumas de suas curvas de bebê, porém os olhos continuavam redondos e muito azuis, as bochechas, os braços nus e as pernas exibindo um leve bronzeado, com a tonalidade deliciosa de ovos castanhos, postos pouco antes.

Sua chegada fez Molly sentir uma pontada de culpa, pois estivera tão concentrada pensando em Judith que, por um ou dois momentos, a filha menor lhe escapara inteiramente da mente.

— Como está você? — A culpa tornava sua voz especialmente amorosa. — Parece tão bonita e fresquinha!

— Por que está com essa roupa de dormir?

— Porque estive deitada e ainda não me vesti.

— Nós vamos ao clube para nadar?

Reunindo seus pensamentos, Molly recordou planos já feitos.

— Sim, é claro que vamos. Eu tinha esquecido.

— E depois podemos jogar croqué?

— Não esta tarde, benzinho. Não haverá tempo. Tenho de voltar para casa e aprontar-me para jantar fora.

Jess aceitou tal informação totalmente imperturbável. A essa altura já se conformara com o fato de seus pais saírem na maioria das noites. Quando não saíam, eles recebiam visitantes em casa. Mal havia uma noite em que ficassem sozinhos.

— Aonde você vai?

— A uma Noite de Convidados, no Quartel de Selaring. O coronel convidou-nos.

— O que você vai usar?

— Acho que o meu vestido novo de voal lilás. Aquele que a costureira terminou semana passada. O que você acha?

— E se eu for olhar no seu guarda-roupa e ajudar você a escolher um vestido?

Jess sentia um grande interesse por roupas, e passava muito tempo andando pela casa com os sapatos de salto alto da mãe ou envolvendo-se em colares.

— Que excelente idéia! Venha, vamos logo, antes que Ah Lin me pegue nestes trajes.

Ela girou as pernas por sobre o lado da comprida poltrona, apertando o penhoar modestamente contra o corpo. Jess segurou-lhe a outra mão e seguiu em frente saltitando, ao longo da varanda. O pequeno rato trepador ainda estava ocupado nos galhos da buganvília, de maneira que as pétalas continuavam planando para o chão, indo empilhar-se onde haviam caído antes, em uma profusão de magenta.

Houvera uma época em que Judith tinha ficado desiludida com o Natal. Isto acontecera durante os anos em Riverview, quando a falta de entusiasmo de Molly Dunbar pela festividade anual, sua relutância em enfeitar a casa com azevinho e até mesmo o desinteresse pela comida tradicional haviam gerado uma desagradável sensação de anticlímax. Em vista disso, por volta de quatro da tarde do dia de Natal, Judith estava pronta para retirar-se com seu novo livro, e contente porque o dia já quase chegara ao fim.

Claro está que a culpa não cabia inteiramente a Molly. As circunstâncias eram difíceis para ela. Não tendo facilidade para fazer amizades, e sem parentes jovens para encher a casa, ficava difícil organizar um torvelinho social de alegria para suas duas filhas pequenas. Sem o apoio moral de um marido que se vestisse de Papai Noel, recheasse meias e trinchasse perus, sua natureza passiva levava a melhor, e ela terminava adotando a linha de menor resistência.

Entretanto, juntamente com muitas outras coisas, agora tudo isso mudara. Três Natais tinham chegado e ido embora, desde aquelas épocas singularmente sem festividades, em Riverview; cada um diferente do outro e, em retrospectiva, cada um ainda melhor do que o anterior. Primeiro, aquelas duas semanas em Keyham com tia Biddy e tio Bob. Haviam sido feriados que muito tinham contribuído para devolver a confiança de Judith na magia da comemoração. Depois, o primeiro Natal em Nancherrow, com a casa cintilante de enfeites e entulhada de presentes. Todos os Carey-Lewis reuniram-se, além de mais um bom número de outras pessoas, sem que a alegria jamais fosse interrompida, a partir da véspera de Natal e do Serviço de Meia-noite, na igreja, até a longa caminhada para casa, após a ida à reunião da Caçada local, no feriado do dia 26. E Diana tinha dado a Judith seu primeiro vestido longo, em tafetá azul-pálido, que ela usara no jantar de Natal, depois valsando com o coronel, em giros e giros pelo piso da sala de estar.

No ano anterior, 1937, ela fora ficar com os Somervilles, não em Keyham, mas em sua nova casa de Dartmoor. Ned e um amigo, um jovem subtenente do seu navio, haviam estado lá. Caíra bastante neve, eles tinham passeado de trenó e, certa noite, foram de carro a Plymouth, para uma festa memorável no Salão dos Oficiais, em um dos cruzadores de Sua Majestade.

Agora, seria novamente a vez de Nancherrow e, aos dezessete anos, Judith estava tão excitada ante a perspectiva como uma criança de pouca idade, contando os dias que faltavam para o encerramento do período letivo. Através de Loveday, que continuava indo para casa todos os fins de semana, ela recolhia, nas manhãs de segunda-feira, migalhas de adoráveis informações referentes a planos concebidos, festas programadas e hóspedes a serem convidados.

— Vamos ter a casa mais cheia do que nunca. Mary Millyways está contando lençóis como louca, e a sra. Nettlebed enterrou-se até o pescoço em tortas, pudins e bolos. Nem sei dizer como é delicioso o cheiro da cozinha! Ela cheira a temperos, parece embriagada com *brandy*... E Athena está vindo de Londres, e Edward vai para Arosa esquiar, mas prometeu estar de volta a tempo.

Esta última parte causou um leve tremor de ansiedade no coração de Judith, porque seria terrível ele não estar presente. Edward era um adulto agora, tinha deixado Harrow e cursara seu primeiro período letivo de calouro em Cambridge. Tornar a vê-lo era parte do excitamento e da ansiedade que ela experimentava. De fato, era uma grande parte. Judith não o amava, claro. Amor era algo que se sentia por atores de cinema, ídolos de matinê ou outros entes seguramente inatingíveis. A presença dele, no entanto, adicionava tanta vida e encanto a qualquer ocasião, que era difícil imaginar qualquer espécie de comemoração sendo completa em sua ausência.

— Espero que ele esteja. E quanto a Jeremy Wells?

— Mamãe não disse. Ele provavelmente estará trabalhando ou ficará com os pais. Entretanto, aposto como aparecerá em casa a qualquer momento. Ele sempre faz isso. E mamãe convidou os Pearsons, de Londres. São uma espécie de primos em segundo grau de papai, mas bem jovens... Acho que terão uns trinta anos. Chamam-se Jane e Alistair, fui dama-de-honra deles, quando se casaram. Na capela de Santa Margarida, Westminster. Foi *chiquérrimo*. Eles agora têm dois filhos, que também virão, com sua ama.

— Como se chamam as crianças?

— Camilla e Roddy. — Loveday coçou o nariz. — Não é odioso o nome Camilla? Soa como roupas íntimas. Os dois são bem pequenos. Deus queira que não fiquem berrando o tempo todo!

— O mais provável é que sejam bonzinhos.

— De uma coisa estou certa: nenhum deles entrará em meu quarto.

— Eu não me importaria. A ama ficará de olho neles.

— Mary disse que se ela começar a deixar a sala de brinquedos de pernas para o ar, saberá como agir. Oh, e no sábado, eu e papai fomos até as plantações, escolher uma árvore...

Uma sineta tocou e não houve tempo para mais conversas. Judith seguiu para sua aula de francês transbordando de contentamento porque, em realidade, tudo fazia prever que aquele seria o melhor Natal de todos.

Nesse ínterim, e com a chegada do Advento, no Santa Úrsula o Natal assumiu uma nota convenientemente religiosa. Na reunião da manhã, as alunas cantaram hinos próprios da data.

> *"Oh, vinde, oh, vinde, Emanuel,*
> *Resgatar a cativa Israel..."*

e no exterior os dias eram curtos, e longas as noites escuras. Nas aulas de arte foram desenhados cartões de Natal e feitas decorações de papel. No período de música, eram praticadas canções natalinas, o coro lutando com as variações melódicas terrivelmente difíceis de *"The First Nowell"* e *"O Come All Ye Faithful"*. Houve então a festa anual, com um tema diferente a cada ano. O deste ano era "Fantasias", os trajes sendo feitos de papel e não custando mais do que cinco xelins. Na máquina de costura da inspetora, Judith costurou alguns babados de papel crepom em uma roupa de cigana e, com fios, pendurou aros de cortina em suas orelhas, à maneira de brincos. Loveday limitou-se a unir com cola um monte de jornais, colocou seu boné de montar e anunciou-se como o jornal *The Racing News*. Sua fantasia dilacerou-se durante os animados jogos que disputaram, de maneira que passou o resto do anoitecer vestida com o calção azul-marinho e a camisa velha que tinha usado por baixo de todas as camadas do *The Daily Telegraph*.

Até o tempo maquinou para somar-se ao estabelecimento da estação, tornando-se cortantemente frio, algo incomum para aquela temperada garra da Inglaterra, cercada pelo mar. Ainda não nevara, porém a geada transformava os gramados em prata e endurecia a tal ponto os campos de jogos, que todos os esportes foram cancelados. Nos jardins, palmeiras e arbustos semitropicais congelados pendiam lastimosamente, sendo difícil imaginar que pudessem recuperar-se de sua cruel experiência.

Não obstante, surgiram coisas mais importantes em que pensar. Por fim, a derradeira manhã do período letivo, o anual Serviço de Canções Natalinas na capela, e depois, a ida para casa. Na camada de cascalho espalhada diante da porta principal, já havia um conjunto de carros, táxis e ônibus, nos quais partiria o tagarela grupo de estudantes. Após despedirem-se da srta. Catto e lhe desejarem um Feliz Natal, Judith e Loveday, com os braços cheios de livros e oscilantes sacolas de sapatos, escaparam para o frio cortante, para a liberdade. Palmer estava lá, com o furgão já carregado. As duas entraram, e o veículo começou a rodar.

Em Nancherrow, encontraram os preparativos já em pleno andamento: lareiras acesas por todos os lados e o enorme pinheiro erigido no saguão. Elas ainda cruzavam a porta principal, e Diana já estava à espera, descendo apressadamente a escada para recebê-las, tendo uma guirlanda de azevinho em uma das mãos e um comprido festão de ouropel na outra.

— Oh, minhas queridinhas, aí estão vocês, sãs e salvas! Não está um frio de matar? Fechem a porta e deixem a friagem lá fora. Não pensei que fossem chegar tão depressa. Judith, meu bem, que prazer vê-la! Meu Deus, acho que você cresceu!

— Quem está aqui? — perguntou Loveday.

— Até agora, somente Athena, e ainda nem uma palavra de Edward. De qualquer modo, isso apenas significa que ele está se divertindo. Os Pearsons chegam esta noite. Virão dirigindo de Londres, coitadinhos. Espero que não haja muita neblina nas estradas.

— E sobre Nenny, Camilla e Roddy?

— Querida, não a chame de "Nenny". Essa é uma piada particular. Todos virão amanhã, de trem. Tommy Mortimer chegará no dia seguinte; está sendo sensato, porque também preferiu o trem. É um bocado de gente a esperar na estação.

— Certo, mas onde está todo mundo?

— Papai e Walter Mudge levaram o trator e o trailer. Foram buscar mais azevinhos para mim. Athena está escrevendo cartões de Natal.

— Ela ainda não mandou seus cartões de Natal? Eles nunca chegarão em tempo aos destinatários!

— Oh, sei lá! Talvez ela apenas escreva Feliz Ano Novo. — Diana pensou nisto e deu uma risadinha. — Ou até mesmo, Feliz Páscoa! E agora, queridas, eu preciso continuar. O que mesmo estava fazendo? — Como que em busca de inspiração, ela olhou para o azevinho e o ouropel que segurava. — Enfeitando corredores, acho eu. Tanta coisa a fazer! Por que não vão procurar Mary? — Ela já tomava a direção da sala de estar. — ... desfaçam as bagagens. Instalem-se. Eu as verei na hora do almoço...

Sozinha em seu quarto rosa, após ter-se orientado, checado seus pertences e passado alguns momentos gelados pendurada para fora da janela aberta, a primeira coisa que Judith fez foi mudar de roupa, tirar o uniforme e vestir roupas adequadas e confortáveis de adulto. Uma vez feito isto, dispôs-se a desfazer as malas, e estava de joelhos ao lado de uma maleta aberta, procurando uma escova de cabelo, quando ouviu a voz de Athena chamando seu nome.

— Estou aqui!

Ela parou de procurar a escova e virou o rosto para a porta aberta. Ouviu os passos rápidos e leves. Athena surgiu em seguida.

— Apenas passei para dizer olá, seja bem-vinda, e tudo o mais. — Ela entrou no quarto e atirou-se languidamente sobre a cama de Judith.

Sorriu. — Acabei de ver Loveday, portanto, sabia que você tinha vindo. Como está tudo?

Judith ficou de cócoras.

— Muito bem — respondeu.

De todos os membros da família Carey-Lewis, Athena era quem Judith conhecia menos e, em resultado, nos primeiros encontros sempre ficava ligeiramente contida e um pouco acanhada. Não que ela não fosse amistosa, divertida ou de convívio fácil, porque Athena era tudo isso. Entretanto, era uma criatura tão sensacionalmente sedutora e sofisticada, que o impacto de sua presença era atordoante. Por outro lado, nem sempre ela estava em Nancherrow. Após seus bailes de debutante e idas à Suíça, tornara-se agora inteiramente adulta e ficava a maior parte do tempo em Londres, aninhada na casinha da mãe em Codogan Mews, e levando a vida de prazeres de um sibarita. Ela nem ao menos tinha um emprego adequado (dizia que um emprego interferiria com arranjos adoráveis e imprevistos) e, quando questionada sobre sua ociosidade, limitava-se a sorrir de maneira encantadora e murmurava algo sobre um baile de caridade que estava ajudando a organizar ou uma exposição para lançar algum pintor ou escultor escrofuloso, cuja obra incompreendida ela declarava admirar.

Sua vida social parecia ser "nunca parar". Os homens zumbiam à sua volta, eram as proverbiais abelhas em torno do pote de mel, e sempre que estava em Nancherrow, Athena passava grande parte do tempo ao telefone, acalmando pretendentes apaixonados, prometendo entrar em contato assim que retornasse a Londres ou então inventando alguma improvável história sobre o motivo de, no momento, não estar disponível. Certa vez, o coronel se vira forçado a comentar que ela já o pusera doente e de cama tantas vezes, que era espantoso ainda não ter morrido.

Judith, no entanto, era solidária. De certo modo, devia significar uma terrível responsabilidade possuir tanta beleza. Compridos cabelos louros, uma pele sem mácula e enormes olhos azuis, franjados de cílios negros. Athena era alta como a mãe, esguia e de pernas compridas. Usava batom muito vermelho e unhas também muito vermelhas, estando sempre vestida com maravilhosas roupas novas, na última moda. Agora, como estava no campo, usava calças compridas de corte masculino, uma blusa de seda e um casaco de pêlo de camelo, de enchimento nos ombros e com um broche de diamantes cintilando na lapela. Judith não tinha visto aquele broche antes, e imaginou que devia ser o último presente de algum apaixonado. Aí estava outro detalhe sobre Athena. Ela vivia ganhando presentes. Não somente no Natal e aniversários, mas o tempo todo. E não apenas flores e livros, mas jóias e berloques para seu bracelete de ouro, além de pequenas e caras peles de marta e vison. Sentada ali na cama, ela enchia o quarto com a romântica fragrância de seu perfume, e Judith imaginou o enorme frasco de vidro talhado, pressionado na mão dela por algum homem enlouquecido para tê-la, e descuidadamente colocado em seu toucador, ao lado das dúzias ou mais de outros frascos.

Entretanto, apesar de tudo isso, ela era muito simpática, muito generosa quanto a emprestar roupas ou dar conselhos sobre cabelos e, por alguma razão, de maneira alguma presunçosa. Os homens — Athena dava a entender, sem realmente dizer isso — na realidade eram tediosos, e ela sempre ficava satisfeita em escapar às atenções deles, para passar algum tempo (mas não muito) com a família.

Agora, ela dobrava as pernas e ficava bem acomodada para uma conversa.

— Estou adorando a cor dessa blusa de malha. Onde foi que a conseguiu?

— Em Plymouth, no Natal passado.

— Claro. Você não esteve conosco, não é mesmo? Sentimos sua falta. E como vai no colégio? Não fica francamente repugnada com tudo aquilo? Eu quase enlouqueci de tédio quando tinha dezessete anos. E todos aqueles regulamentos horrorosos! Não importa, você logo estará livre e poderá escapar para Cingapura. Edward disse que só percebeu o quanto Harrow era ridículo, após sair de lá. Acho que Cambridge abriu todo um mundo novo para ele.

— Vo... você o tem visto ultimamente?

— Sim. Ele foi a Londres e passou uma noite comigo, antes de partir para Arosa. Tivemos momentos ótimos, com bifes, champanha e muitas novidades para serem postas em dia. Sabe o que ele está fazendo? Nem vai acreditar. Meu irmão se juntou ao Clube de Aviação Universitário e está aprendendo a pilotar um avião. Não acha que é terrivelmente corajoso e heróico da parte dele?

— Sim, acho — respondeu Judith.

Era absolutamente sincera. A mera idéia de aprender a pilotar um avião chegava a ser aterradora.

— Ele adora voar. Disse que é a coisa mais mágica do mundo. Flutuar no céu como uma gaivota e poder contemplar todos os pequenos campos de cultivo...

— Você acha que ele virá para o Natal?

— Por que não? Acabará aparecendo por aqui quando a gente menos esperar. O que vai usar para as comemorações do Natal? Tem alguma coisa nova?

— Bem... sim, tenho. Não é exatamente um traje novo, porém ainda não o usei.

— Se não o usou, então é novo. Diga-me como é.

— É um modelo de sari. Mamãe o mandou para o meu aniversário, e sua mãe ajudou-me a fazer um desenho de como ficaria. Depois o levamos à costureira de Diana, e ela o aprontou.

Judith sentia-se desinibida, discutindo roupas com Athena em um jeito tão adulto. Loveday nunca falava sobre roupas, assunto que a entediava, além de pouco estar ligando para a aparência. Athena, pelo contrário, imediatamente ficou interessada.

— Parece sensacional. Posso vê-lo? Está aqui?

— Está. No guarda-roupa.

— Oh, mostre-me!

Judith ficou em pé e foi abrir o guarda-roupa. Então procurou o cabide acolchoado em que pendurara o precioso vestido, envolto em papel de seda negro.

— O papel é para impedir que o fio dourado escureça. Não sei bem por quê — explicou, enquanto removia o papel de seda. — Foi muitíssimo difícil desenhar, porque queríamos usar o bordado nas orlas do vestido, mas Diana deu um jeito...

A última folha de papel de seda voou para o chão e o vestido foi revelado. Judith o suspendeu diante do corpo, abrindo as saias para mostrar sua largura. Era uma seda tão fina que não tinha peso, parecia leve como o ar. Em torno da bainha e dos punhos das pequeninas mangas, a orla dourada do motivo bordado cintilava com a luz refletida. Athena ficou boquiaberta.

— Querida, é divino! — exclamou. — E que cor! Não é turquesa e nem azul. Absolutamente perfeito! — Judith sentiu-se corar de satisfação. Era tranqüilizador ver Athena, particularmente ela, mostrar tão legítimo entusiasmo. — E quanto aos sapatos? — perguntou ela. — São dourados ou azuis?

— Dourados. Uma espécie de sandálias.

— É claro. E você deve usar jóias de ouro. Brincos enormes. Tenho exatamente os tipos que lhe servem e vou emprestá-los. Deus do céu, você vai entontecer cada homem na sala. Sua roupa é simplesmente espetacular, e estou morta de inveja. Agora, enrole seu vestido outra vez nos papéis de seda e guarde-o, antes que os bordados comecem a escurecer ou seja o que for.

Ela ficou sentada e espiando, enquanto Judith, com certa dificuldade, ia envolvendo o sari em camadas de papel de seda e o guardava na segurança do guarda-roupa. Athena deu um enorme bocejo e olhou para o relógio de pulso.

— Céus, quinze para uma! — exclamou. — Não sei quanto a você, mas eu estou morrendo de fome. Vamos descer, antes que Nettlebed comece a bater seu gongo. — Levantando-se graciosamente da cama, ela correu a mão pelos cabelos lustrosos, deu-se por pronta e esperou. — Você não adiantou muito o trabalho de guardar suas coisas. Eu sou a culpada, por interrompê-la. Não importa. Poderá terminar mais tarde. Não é maravilhoso, saber que temos feriados pela frente, dias e dias de feriados? E todo o tempo do mundo!...

Judith foi despertada pelo vento, um vendaval que se formara durante a noite e agora gemia, vindo do mar, fustigando a janela e fazendo-a chocalhar. Ainda estava escuro. Antes de ir para a cama, ela abrira apenas um pouquinho da janela, mas agora a ventania sacudia as cortinas, fazendo-as dançar como espectros, de modo que um momento depois Judith saiu da cama e, tiritando com o ar gélido, fechou a janela e puxou o ferrolho. Ainda assim o madeirame chocalhava, mas as cortinas estavam imóveis. Ligando o abajur de cabeceira, viu que eram sete da manhã. O alvorecer ainda não começara a clarear a manhã tempestuosa, de maneira que ela tornou a saltar para a cama quente e puxou o edredom por sobre os ombros. A essa altura, acordada de todo, ficou quieta, pensando com ansiedade no dia que tinha pela frente, e recordando a noite anterior. Nancherrow ia se enchendo aos poucos. Os últimos convidados, Jane e Alistair Pearson, tinham chegado em tempo para o jantar, após sobreviverem a uma longa e friorenta viagem de carro desde Londres. Toda a família afluíra ao vestíbulo para recebê-los, e houve abraços e beijos sob os ramos pesados da cintilante e feericamente iluminada árvore de Natal. Os recém-chegados formavam um atraente par, parecendo mais novos do que realmente eram, e trazendo consigo um toque de sofisticação londrina — ele em seu sobretudo azul-marinho e cachecol de foulard, ela em um traje escarlate, com gola branca de pele. Havia amarrado um lenço de seda sobre os cabelos, mas no ambiente aquecido da casa desatou-o e, ao tirá-lo, os cabelos caíram escuros e soltos contra a pele suave da gola.

— ... oh, querida... — Diana estava visivelmente eufórica. — ... que bom tornar a vê-la! Foi uma viagem muito difícil?

— A estrada estava terrivelmente derrapante, mas Alistair nem pestanejou. Pensamos que fosse nevar. Graças a Deus não trouxemos as crianças e a babá conosco. Ela ficaria morta de medo.

— Onde está sua bagagem? No carro?

— Sim, e trouxemos também um milhão de embrulhos para serem colocados debaixo da árvore...

— Traremos tudo para dentro. Onde está Nettlebed? Nettlebed!

Nettlebed, contudo, já estava por perto, tendo chegado da cozinha.

— Não se preocupe, senhora. Eu cuidarei de tudo.

E foi, evidentemente, o que ele fez, e os Pearsons foram devidamente instalados no enorme quarto com a cama de casal de quatro colunas, onde, neste momento, presumivelmente continuavam dormindo. A menos que, como Judith, houvessem sido perturbados pela tempestade.

Esta não mostrava o menor sinal de amainar. Outra súbita rajada assaltou a casa, com a chuva salpicando e deslizando pelas vidraças. Judith esperava que não continuasse assim pelo resto do dia, porém o tempo era a menor de suas preocupações. Muito pior era o fato de que, embora os embrulhos já estivessem se acumulando sob a árvore, ela ainda não comprara um só presente para ninguém. Agora, entretanto, bem desperta e quieta, levou algum tempo matutando no assunto. Então saiu da cama, vestiu o robe e foi sentar-se à sua secretária, onde iniciou uma lista. Em uma comprida fileira, escreveu dezessete nomes. Dezessete presentes a comprar e somente três dias pela frente, antes do grande dia. Não havia tempo a perder. Elaborou um plano rapidamente, escovou os dentes e lavou o rosto, passou a escova nos cabelos, vestiu-se, e desceu para o andar de baixo.

Agora eram oito da manhã. Em Nancherrow, o *breakfast* começava às oito e meia, porém ela sabia que o Coronel Carey-Lewis, desejando um pouco de tranqüilidade, costumava levantar-se cedo, a fim de comer seus ovos e bacon em silêncio e ler a miscelânea do jornal da véspera que, no dia anterior, não tivera tempo nem oportunidade para examinar.

Abriu a porta da sala de refeições, e lá estava ele, sentado em sua cadeira à cabeceira da mesa. Sobressaltado, o coronel baixou o jornal e ergueu os óculos, a expressão claramente aborrecida pela interrupção. No entanto, ao ver Judith, seu semblante modificou-se polidamente, mostrando um ar de satisfação. Ela pensou, não pela primeira vez, que o Coronel Carey-Lewis era, provavelmente, o homem mais cortês que já conhecera.

— Judith...

— Sinto muito. — Ela fechou a porta. Havia um fogo de gravetos aceso na lareira, e as brasas desprendiam um cheiro acre, amargo. — Sei que estou interrompendo sua leitura e que o senhor não gostaria de conversar agora, mas estou com um problema, e achei que talvez pudesse ajudar-me.

— Oh, mas é claro! De que se trata?

— Bem, acontece que...

— Não, não me diga nada, enquanto não tiver comido alguma coisa. Então discutiremos o seu problema. Nunca se deve tomar decisões com o estômago vazio.

Ela sorriu, sentindo-se tomada de afeição por ele. Naqueles anos em que vinha freqüentando Nancherrow, Judith passara a estimar profundamente o coronel, e o relacionamento dos dois em pouco tempo perdera a timidez inicial para tornar-se, se não íntimo, pelo menos bastante agradável. Quanto a ele, se não a tratava como uma das próprias filhas, então certamente a considerava uma sobrinha favorita. E, assim, ela foi obedientemente até o aparador, onde se serviu de um ovo cozido e uma xícara de chá, em seguida retornando à mesa, para sentar-se ao lado dele.

— Muito bem. O que há?

Ela explicou.

— São os presentes de Natal. Não comprei nenhum. No colégio era impossível, e antes de eu vir para cá não houve chance. Enviei os de minha família há meses, claro, porque é a única maneira de chegarem em Cingapura a tempo, mas isso foi tudo. Então, acabei de fazer agora há pouco uma lista, e preciso de dezessete presentes para todos daqui.

— Dezessete? — Ele pareceu um tanto surpreso. — Somos mesmo tantos assim?

— Bem, seremos, no dia de Natal.

— E o que deseja que eu faça?

— Bem, nada, realmente. Eu só queria saber se algum carro irá a Penzance, porque assim eu aproveitaria a viagem e faria minhas compras. Não quis falar nada para Diana, porque ela já está tão ocupada aqui, com seus convidados chegando e tudo o mais... Entretanto, imaginei que *o senhor* talvez pudesse dar um jeito.

— Fez muito bem em procurar-me. Diana está girando como um pião. É impossível conseguir-se uma palavra sensata da parte dela. — Ele sorriu. — Por que não irmos nós dois a Penzance, esta manhã?

— Oh, mas eu não estava sugerindo que o senhor me levasse...

— Eu sei disso, mas como tenho mesmo de ir ao banco, posso perfeitamente ir esta manhã, em vez de em qualquer outra. — Ele ergueu a cabeça, a fim de observar pela janela mais um assalto de chuva e vento, vindos do mar. — Não há muita coisa mais que se possa fazer em um dia como este.

— O senhor precisa *realmente* ir ao banco?

— Sim, eu realmente preciso ir. Como você sabe, não sou muito amigo de fazer compras, de modo que todos os meus entes queridos recebem como presente de Natal um envelope com uma quantia em dinheiro. É algo tão falho de imaginação, que tento tornar a coisa mais excitante, pedindo ao banco que as notas sejam recentes, estalando de novas. São as que deverei apanhar esta manhã.

— Oh, mas o senhor levaria apenas uns minutos fazendo isso, enquanto eu precisarei de pelo menos duas horas! Não gostaria de vê-lo parado, esperando por mim...

— Posso dar uma chegada ao clube, ler os jornais, ver alguns amigos e, chegado o momento, tomar um drinque. — Ele ergueu o punho e olhou o relógio. — Se não quisermos perder tempo, poderemos estar em Penzance por volta de dez horas, o que nos daria tranqüilidade para, sem muita pressa, estarmos de volta a tempo para o almoço. Temos que combinar um ponto de encontro. Sugiro o *The Mitre Hotel*, ao meio-dia e meia. Assim, você terá duas horas e meia para fazer suas compras. Quando Diana tem que comprar alguma coisa, duas horas não bastam. Nem para começar. Ela precisa de meio dia para escolher um chapéu.

Era tão raro ele fazer qualquer tipo de piada, que Judith sentiu vontade de abraçá-lo, mas se conteve.

— Oh, o senhor é muito gentil — disse para ele. — Fico muito agradecida. Resolveu um problema e tanto para mim.

— Você nunca deve guardar os problemas consigo mesma. Prometa-me isso. E fique certa de que apreciarei sua companhia. Agora, seja uma boa menina e ponha-me mais uma xícara de café...

Em Penzance, o tempo não estava melhor. Aliás, parecia até pior. As ruas estavam praticamente alagadas e os bueiros transbordavam, entupidos com restos de lixo e pequenos ramos quebrados das árvores.

Compradores em apuros lutavam com guarda-chuvas, somente para tê-los virados pelo avesso, enquanto chapéus eram arrancados das cabeças e rolavam para longe, levados pelo vento. De vez em quando, telhas desalojadas dos tetos escorregavam para baixo e estilhaçavam-se nas calçadas, e tão escura era a manhã, que no interior das lojas e escritórios havia luzes acesas em pleno dia. Era possível ouvir-se distintamente o súbito estrondo das ondas da maré alta rebentando na praia, e qualquer conversa girava em torno de desastres: casas inundadas, árvores caídas e a vulnerabilidade da piscina, da calçada de tábuas junto à praia, e do porto.

A sensação era de estar-se sitiado, porém não deixava de ser excitante. Calçada com botas de borracha, envolta em uma capa negra de oleado e com um gorro de lã puxado até as orelhas, Judith arrastava-se de loja em loja, aos poucos ficando mais e mais carregada de embrulhos, pacotes e sacolas.

Às onze e meia, viu-se na W.H. Smiths, a papelaria, onde comprou presentes para todos, menos para Edward. Deixara-o por último, por dois motivos: não conseguia imaginar o que comprar para ele e não tinha certeza absoluta de que Edward realmente passasse o Natal em Nancherrow. *Ele virá de Arosa*, prometera Diana, porém nunca se podia ter *certeza*, e Judith ansiava tanto tornar a vê-lo, que havia ficado profundamente supersticiosa sobre tudo aquilo. Era mais ou menos como levar uma sombrinha a um piquenique, como proteção na hipótese de uma chuvarada. Se ela não lhe comprasse um presente, então o mais provável era que Edward chegasse e não houvesse nada para dar-lhe como lembrança do Natal. Entretanto, se comprasse, talvez estivesse tentando a Providência e, tão certo como dois e dois são quatro, no último momento ele decidiria ficar em Arosa com os amigos. Podia imaginar o telegrama da Suíça sendo entregue em Nancherrow; Diana abriria o envelope e leria a mensagem em voz alta: LAMENTO MUITÍSSIMO, MAS PASSAREI NATAL AQUI. VEJO VOCÊS ANO NOVO. Ou algo parecido. Talvez...

— Quer me deixar passar, por favor?

Suas morosas reflexões foram perturbadas por uma irritada senhora que, com uma caixa de papel de cartas, tentava chegar ao balcão.

— Sinto muito...

Judith juntou seus pacotes e moveu-se para um lado, mas o pequeno incidente a trouxe de volta à realidade. Claro que devia comprar um presente para Edward. Se ele não viesse para o Natal, poderia dar-lhe a lembrança mais tarde. Cercada por pilhas de maravilhosos livros novos, pensou em comprar-lhe um, mas depois decidiu o contrário. Ao invés disso... Sentindo-se mais forte e decidida, tornou a mergulhar no vento e na chuva, rumando para a Market Jew Street, na direção da Casa Medways.

Até mesmo esta loja antiquada, em geral tranqüila e um tanto maçante, havia sido tocada pelo entusiasmo da data. Sinos de papel pendiam das luzes e havia mais fregueses que de costume — donas de casa comprando sensatas meias de lã cinzenta para os maridos ou indecisas quanto ao tamanho do colarinho de uma nova camisa. Judith, contudo, não pretendia comprar meias para Edward e tinha certeza de que ele possuía camisas de sobra. Debatendo o problema, com água gotejando de sua capa de chuva em uma pequena poça no meio do piso encerado, ela poderia ter ficado ali para sempre, se o mais idoso dos vendedores não se aproximasse. Então, vendo-o à sua frente, Judith foi forçada a decidir-se.

— Um cachecol?

— É para um presente de Natal?

— Sim. — Ela pensou a respeito. — Quero alguma coisa de cor viva. Nada de azul-marinho ou cinza. Vermelho, talvez.

— O que me diz de xadrez? Temos alguns bonitos cachecóis de xadrez. Entretanto, são de cashmere e bastante caros.

Cashmere. Um cachecol de cashmere xadrez. Imaginou Edward com esse artigo de luxo em torno do pescoço, preso por um nó descuidado.

— Não me importo se for um pouco caro — disse.

— Bem, então podemos dar uma espiada, não?

Ela escolheu o cachecol mais vivo, vermelho e verde, com um toque de amarelo. O vendedor afastou-se a fim de embrulhá-lo, e ela pegou seu talão de cheques e a caneta, à espera de que ele voltasse. Em pé junto ao balcão, olhou em torno com certa afeição, embora aquela loja antiga, de ambiente penumbroso, fosse o mais improvável local com recordações importantes. No entanto, ali é que pusera os olhos pela primeira vez em Diana Carey-Lewis e Loveday; ali é que estivera naquele dia tão especial com Edward, ajudando-o a escolher seu traje de *tweed* — e depois ele a levara para almoçar.

— ... pronto, senhorita, aqui está.

— Obrigada.

O vendedor havia embrulhado o cachecol em papel de presente.

— E aqui tem a sua nota...

Judith preencheu o cheque. Enquanto fazia isso, a porta da rua se abriu às suas costas. Houve uma rajada de vento momentânea, depois a porta foi novamente fechada. Ela assinou seu nome, destacou o cheque e o entregou.

Uma voz pronunciou o seu nome, atrás dela. Sobressaltada, deu meia volta e se viu face a face com Edward.

O silêncio provocado pelo choque durou apenas um instante, para ser quase imediatamente substituído por um salto jubiloso de seu coração. Ela podia sentir o sorriso que se espalhava no rosto, o queixo caído, em estupefação.

— *Edward!*

— Surpresa, surpresa!

— Oh, mas o que você está *fazendo*...? Como foi que *conseguiu*...? O que está *fazendo* aqui?

— Vim procurar você.

— Pensei que ainda estivesse em Arosa.

— Voltei esta manhã. Cheguei de Londres no trem noturno.

— Mas...

— Escute — ele pousou a mão no braço dela e deu uma leve sacudida — não podemos falar aqui. Vamos sair. — Edward olhou para a enormidade de sacolas e embrulhos que a rodeavam. — Tudo isto é seu? — perguntou, incrédulo.

— São compras de Natal.

— Já terminou?

— Terminei agora.

— Então, vamos.

— Para onde?

— Para *The Mitre*. Para onde mais? Não foi lá que combinou encontrar-se com papai?

Ela franziu a testa.

— Foi, mas...

— Tudo será explicado.

Ele já reunia os embrulhos e, com as duas mãos cheias, abriu caminho para a porta. Rápida, ela recolheu os poucos pacotes deixados no balcão, e apressou-se em alcançá-lo. Edward empurrou com o ombro a pesada porta envidraçada e ficou esperando Judith passar. Então, viram-se nas ruas castigadas pela chuva, de cabeças agachadas contra o vento, cruzando a avenida com a costumeira falta de atenção e cuidado da parte dele, e descendo Chapel Street com pressa, diretos para o calor e abrigo do velho *The Mitre Hotel*. Uma vez no interior, ele a guiou para o saguão, que cheirava a cerveja e cigarros da noite anterior, mas onde havia um fogo bem-vindo e nem uma viva alma para perturbá-los.

Começaram a acomodar-se. Edward reuniu todos os pacotes dela em uma arrumada pilha no chão e, feito isso, disse:

— Vamos, tire essa capa encharcada e aqueça-se. Devo pedir café?

Provavelmente terá um gosto horrível mas, com um pouco de sorte, estará quente.

Olhando em torno, ele encontrou um botão ao lado da lareira e foi apertá-lo. Judith desabotoou a capa e, na falta de melhor lugar, deixou-a nas costas de uma cadeira de espaldar reto, onde permaneceu pingando lentamente, como uma torneira avariada, sobre o desbotado tapete turco. Tirando o gorro de lã, ela sacudiu a cabeça, para soltar os cabelos úmidos.

Um garçom muito idoso surgiu à porta.

— Nós gostaríamos de beber café, por favor — disse Edward. — Bastante café. Talvez dois bules. E biscoitos.

Judith encontrou um pente na bolsa e tentou dar um jeito nos cabelos. Havia um espelho acima da lareira e, ficando na ponta dos pés, ela conseguiu ver sua imagem refletida. Viu seu rosto, as faces rosadas pelo vento e os olhos que cintilavam como estrelas. A felicidade transparece, pensou. Largando o pente, virou-se para Edward.

Ele tinha uma aparência maravilhosa; não barbeado, mas maravilhoso. Muito queimado de sol, o corpo rijo e em forma. Após pedir o café, Edward se livrara do encharcado casaco de esquiar, sob o qual usava calças de veludo canelado e uma suéter azul-marinho, de gola enrolada no pescoço. As calças estavam escuras, devido ao molhado, e quando ele se aproximou do fogo crepitante, começaram a fumegar suavemente com o calor.

— Você está ótimo — disse ela.

— Você também.

— Não sabíamos que estava vindo para casa.

— Oh, não passei telegrama ou coisa assim, mas é claro que viria. Não perderia o Natal nem por todo o esqui do mundo. E se anunciasse *quando* ia chegar, mamãe armaria uma confusão e tanto sobre esperar na estação, etc., etc., etc. É melhor dar as caras sem prazo de chegada, em especial quando a gente vem da Europa. Nunca se sabe se pegaremos o trem ou se a barca fará a travessia.

Judith compreendeu o ponto de vista dele e decidiu que era uma excelente filosofia. Entretanto, perguntou:

— E quando foi que chegou aqui?

Ele enfiou a mão no bolso da calça para pegar os cigarros e o isqueiro. Judith precisou esperar a resposta, fornecida depois do cigarro aceso. Edward soprou uma nuvem de fumaça e sorriu para ela.

— Já lhe disse. Pelo trem noturno. Cheguei às sete desta manhã.

— Sem ninguém para esperá-lo na estação.

Ele olhou em torno, procurando onde sentar-se. Escolheu uma antiga cadeira de braços que empurrou através do tapete, a fim de ficar bem perto do fogo. Depois deixou o corpo arriar nela.

— E então, o que você fez?

— Achei que era um tanto cedo para começar a ligar para casa, exigindo transporte. Como sou sovina demais para pagar um táxi, deixei toda a minha bagagem na estação e caminhei até o clube de papai, onde fiquei batendo na porta até alguém me deixar entrar.

— Não sabia que era membro do clube de seu pai.

— Não sou, mas eles me conhecem, e depois que contei uma história lacrimosa, deixaram-me entrar. E quando expliquei que levara dois dias viajando, que estava exausto e sujo, permitiram que usasse um banheiro e lá fiquei mergulhado em água quente por uma hora. Mais tarde, uma simpática senhora preparou-me um *breakfast*.

Judith estava francamente admirada.

— Edward, que temeridade a sua!

— Para mim, foi antes um plano inteligente. Tive um lauto café da manhã. Bacon, ovos, salsichas e chá muito quente, escaldante. E, para meu espanto, justamente quando terminava meu pantagruélico festim — fazia doze horas que não comia — quem haveria de aparecer, senão papai?

— Ele ficou tão surpreso quanto você?

— Exatamente.

— Você é terrível. Ele podia ter tido um ataque do coração.

— Oh, não diga tolices. Papai ficou contentíssimo em me ver. Sentou-se, tomamos mais chá juntos, ele me contou que trouxera você à cidade para suas compras de Natal e que a encontraria às doze e meia. Assim, fui procurá-la e apressá-la.

— Por que pensou na Medways?

— Bem, você não estava em nenhuma outra loja, de modo que acabei chegando lá. — Ele sorriu. — E acertei.

Ao pensar nele, em meio a um tempo tão rigoroso, andando por

Penzance à sua procura, Judith ficou profundamente comovida, afogueada por uma cálida excitação.

— Podia muito bem ter continuado no aconchego do clube, lendo um jornal.

— Eu não sentia vontade de ficar no aconchego de mais nada. Já tinha passado tempo demais sentado em trens abafados. E agora, fale-me de você...

Antes que ela pudesse responder, no entanto, o idoso garçom surgiu, trazendo uma bandeja com bules, xícaras e pires, e dois biscoitos extraordinariamente pequeninos em um prato. Edward tornou a meter a mão no bolso da calça e conseguiu um punhado de moedas, que entregou a ele.

— Fique com o troco.

— Obrigado, senhor.

Depois que ele se foi, Judith ficou de joelhos no surrado tapete da lareira e serviu o café nas xícaras. Era forte, tinha um cheiro curioso, mas pelo menos estava quente.

— ... o que andou fazendo consigo mesma? — insistiu ele.

— Não muita coisa. Apenas estudando.

— Céus, lamento por você! Não importa, logo terá terminado e ficará surpresa, perguntando-se como conseguiu suportar. E Nancherrow?

— Ainda no mesmo lugar.

— Garota desmiolada, quero saber o que está acontecendo. Quem está lá?

— Todo mundo, imagino, agora que você chegou.

— E quanto a amigos e parentes?

— Os Pearsons, de Londres. Chegaram ontem à noite.

— Jane e Alistair? Ótimo, eles são boa gente.

— Parece que os filhos deles e a babá chegam ao anoitecer, de trem.

— Oh, bem, creio que não podemos fugir disso; todos nós temos que carregar uma pequena cruz.

— Tommy Mortimer também vem para o Natal, mas não tenho certeza de quando.

— Ele é inevitável. — Edward imitou a voz melíflua de Tommy Mortimer: — Diana, minha queridinha, um martinizinho?

— Oh, vamos, ele não é tão ruim assim!

— Se quer saber, simpatizo bastante com o velhote excêntrico. E Athena, não exibiu nenhum afogueado pretendente?

— Não desta vez.

— Isso, pelo menos, é motivo de comemoração. Como está tia Lavinia?

— Ainda não a vi. Só ontem é que voltei do Santa Úrsula. Entretanto, sei que ela irá para o jantar de Natal.

— Majestosa em veludo negro, a querida velhinha... — Ele bebeu um pouco de café e coçou o rosto. — Céus, que café horroroso!

— Fale-me sobre Arosa.

Ele deixou a xícara no pires com um gesto desdenhoso, barulhento, ficando claro que não beberia mais.

— Formidável — respondeu. — Todos os reboques trabalhando e sem gente demais. Uma neve fantástica e sol o dia inteiro. Esquiávamos durante o dia e dançávamos a maior parte da noite... há um novo bar, o *Die Drei Husaren*, que todos freqüentam. Em geral, saíamos de lá às quatro da madrugada. — Ele cantarolou: — "As garotas foram feitas para o amor e os beijos, e quem sou eu para discordar?" Fazíamos a banda tocar esta música todas as noites.

Fazíamos. Nós. Quem seria "nós"? Judith conteve uma indigna pontada de inveja.

— Quem estava com você? — perguntou.

— Oh, apenas amigos de Cambridge.

— Deve ter sido formidável.

— Você nunca esquiou?

Ela negou com a cabeça.

— Nunca — respondeu.

— Eu lhe ensinarei.

— Athena me disse que você está aprendendo a voar.

— Já aprendi. Já tenho meu brevê de piloto.

— Dá medo?

— Não. É pura beatitude. Sentimo-nos invioláveis. Super-humanos.

— É difícil?

— Fácil como dirigir um carro, e milhões de vezes mais fascinante.

— Mesmo assim, acho que você é incrivelmente corajoso.

— Oh, claro — implicou ele — o intrépido homem-pássaro original. — De repente, afastou o punho da suéter e deu uma olhada no relógio de pulso. — Meio-dia e quinze. Papai logo estará aqui, a fim de levar-nos para casa. O sol já cruzou o meio do céu, portanto, tomemos uma taça de borbulhante.

— Champanha?

— Por que não?

— Não seria melhor esperarmos seu pai chegar?

— Por quê? Ele detesta champanha. E você, também não gosta?

— Nunca bebi champanha.

— Então, este é um bom momento para começar.

E antes que Judith fizesse alguma objeção, ele ficou em pé e foi novamente apertar o botão junto à lareira, chamando o garçom.

— Oh, mas... no meio do *dia*, Edward?

— Naturalmente! Um dos encantos do champanha é que pode ser bebido a qualquer hora do dia ou da noite. Meu avó costumava chamá-lo de Eno dos ricos. Por outro lado, conhece algum modo melhor de nós dois começarmos o Natal?

Sentada em seu toucador, inclinada ansiosamente para o espelho, Judith aplicou rímel aos cílios. Era a primeira vez que usava rímel, porém seu presente de Athena no Natal havia sido um belo estojo de cosméticos Elizabeth Arden, de maneira que o mínimo que poderia fazer, em agradecimento, era tentar lidar com as complexidades da maquiagem. Havia um pequeno pincel na caixa do rímel, o qual ela havia molhado na torneira, em seguida fazendo uma espécie de pasta. A sugestão de Athena tinha sido a de que cuspisse sobre o rímel — isso o faria durar mais tempo, justificou ela — mas cuspir parecia demasiado repugnante, de modo que Judith preferira a torneira.

Eram sete horas do anoitecer do Natal, e agora ela se vestia para o clímax do jantar natalino. Tinha enrolado o cabelo com grampos que a deixaram com cachinhos em toda a cabeça, limpado o rosto com o novo creme de limpeza e passado base. Finalizara com um pó-de-arroz deliciosamente perfumado. O rouge estava fora de discussão, porém o rímel era um desafio; por sorte conseguiu manejá-lo a contento, sem espetar o pincel no olho, com conseqüências possivelmente fatais. Ao terminar, recostou-se no assento, procurando não piscar, e esperou que o rímel secasse. Seu reflexo a encarava, de olhos arregalados como uma boneca, porém maravilhosamente melhorado. Judith ficou pensando por que ainda não havia experimentado o rímel.

Enquanto esperava, ela ouvia. Além da porta fechada, a casa estava cheia de diminutos e distantes sons. Um chocalhar de pratos, vindo da cozinha, e a voz mais alta da sra. Nettlebed, chamando o marido. Mais longe ainda, os fracos compassos de uma valsa. *O Conde de Luxemburgo*. Devia ser Edward, testando a vitrola, para o caso de sua mãe resolver que dançariam após o jantar. E então, bem mais próximo dela, ruídos de água correndo e esganiçadas vozes infantis vindo do banheiro, onde a babá dos Pearsons devia estar preparando para a cama as crianças aos seus cuidados. Os dois pequeninos estavam exaustos, superexcitados após o longo dia e, de quando em quando, as vozes infantis passavam para choros e gemidos, quando implicavam e brigavam um com o outro, provavelmente a poder de tapas. Judith permitiu-se uma pontada de solidariedade com a babá dos Pearsons, que estivera atrás daquelas crianças o dia inteiro. A essa altura devia estar ansiosa para que ambas caíssem inconscientes em suas camas, a fim de que ela pudesse ir para o quarto de brinquedos, pôr para o alto os tornozelos inchados e mexericar com Mary Millyway.

O rímel parecia seco. Judith tirou os grampos, escovou o cabelo e ajeitou as extremidades em um brilhante estilo pagem. Agora, o vestido. Despiu o robe e foi para a cama, onde estendera o traje azul-borboleta, à espera deste exato momento. Ergueu-o, sentiu-o tão leve como o ar, passou-o por cima da cabeça, enfiou as mãos nas mangas e então a seda fina assentou-se sobre o corpo. Abotoou o botãozinho atrás do pescoço e fechou o zíper da cintura. Era um pouco comprido, mas assim que calçou as novas sandálias de salto, o problema ficou resolvido. Ou quase. Aparafusou nos lóbulos das orelhas os brincos de ouro que Athena tivera a gentileza de emprestar-lhe. Passou o novo batom — Coral Rose — o novo perfume, e estava pronta.

Judith ficou em pé e, pela primeira vez, examinou-se no comprido espelho no centro do guarda-roupa. Estava tudo bem. Aliás, estava tudo maravilhoso, porque sua aparência era de fato ótima. Alta, esguia e, mais importante de tudo, adulta. Dezoito anos, finalmente. E o vestido era um sonho. Ela deu uma volta, e as saias flutuaram ao seu redor, exatamente como as de Ginger Rogers; exatamente da maneira como flutuariam, se Edward a convidasse para dançar. Judith rezou para que ele a convidasse.

Hora de ir. Desligando as luzes, ela saiu do quarto, avançou pelo corredor, e o tapete espesso estava macio sob as solas finas de suas sandálias. Pela porta do banheiro evolavam-se odores vaporosos de sabonete Pears, e ela ouviu a voz da babá, censurando, "De que adianta serem tão tolos?" Pensou em dar uma olhada para dizer boa-noite, mas resolveu em contrário, pois Roddy e Camilla poderiam começar o berreiro novamente. Desceu pela escada dos fundos e caminhou para a sala de estar. A porta permanecia aberta. Judith respirou fundo e entrou. Tinha a sensação de dirigir-se para o palco, em uma peça do colégio. O enorme aposento de cores pálidas dançava com a luz do fogo na lareira, das lâmpadas e dos cintilantes enfeites de Natal. Viu tia Lavinia, majestática em veludo negro e diamantes, já acomodada em uma cadeira de braços ao lado da lareira, com o coronel, Tommy Mortimer e Edward em pé à sua volta. Eles seguravam copos e conversavam, de modo que não perceberam a sua chegada. Tia Lavinia, no entanto, avistou-a imediatamente, e ergueu a mão em um breve gesto de boas-vindas, isto fazendo com que os três homens se virassem, querendo ver quem os interrompera.

A conversa cessou. Por um instante, houve silêncio. Hesitante, ainda na porta, foi Judith quem o rompeu.

— Fui a primeira a descer?

— Santo Deus, é Judith! — exclamou o coronel, sacudindo a cabeça, admirado. — Minha querida, eu nem a reconheci!

— Que aparição simplesmente encantadora! — exclamou Tommy Mortimer por sua vez.

— Não sei por que todos parecem tão surpresos — censurou tia Lavinia. — Claro que ela está bonita... e essa cor, Judith! Exata a de um martim-pescador.

Edward, contudo, nada disse. Apenas largou o copo, cruzou a sala até ela e tomou-lhe a mão na sua. Judith ergueu os olhos, fitou o rosto dele e soube que Edward não precisaria dizer nada, porque seus olhos já haviam dito tudo. Por fim ele falou:

— Estávamos bebendo champanha.

— *De novo?* — implicou ela, e ele riu.

— Venha e junte-se a nós.

Mais tarde, nos anos vindouros, sempre que Judith recordava aquele jantar de Natal de 1938, em Nancherrow, era mais ou menos como olhar para uma pintura impressionista: todas as arestas agudas diluíam-se na suavidade da luz das velas e da vertigem do champanha ligeiramente além da conta. O fogo estava aceso; troncos chamejavam e crepitavam, mas esbatendo móveis, paredes apaineladas e escuros retratos, que recuavam e se fundiam, tornando-se não mais do que um penumbroso pano de fundo para a mesa festiva. Candelabros de prata enfileiravam-se no centro da mesa, juntamente com ramos de azevinho, estalos escarlates, pratos de nozes, de frutas e chocolates. Sobre o mogno escuro haviam sido dispostos serviços individuais e guardanapos de linho branco, a prataria mais elaborada da família e copos de cristal, finos e transparentes como bolhas de sabão.

No tocante às dez pessoas em torno da mesa, Judith jamais esqueceria como haviam sido exatamente colocadas e como estavam vestidas. Os homens, naturalmente, em trajes a rigor, *dinner jackets*, camisas engomadas e alvas como neve, e gravatas-borboleta pretas. O coronel preferira um colarinho alto, que o fazia parecer como que saído diretamente da moldura dourada de alguma tela vitoriana. Quanto às mulheres, havia a sensação de que todas haviam combinado antecipadamente, como na realeza, para terem certeza de que nenhuma cor destoaria e que nenhuma dama presente sobrepujaria as demais.

O coronel ocupava a cabeceira, em sua costumeira e enorme cadeira Carver, com Nettlebed pairando às suas costas, e tia Lavinia à sua direita. Judith sentava-se entre ela e Alistair Pearson; além dele estava Athena, parecendo uma deusa do verão, em um vestido branco sem mangas, de tecido lustroso. Do outro lado do coronel estava Jane Pearson, brilhante como um periquito, em sua cor vermelha predileta, com Edward ao seu lado esquerdo. Isto significava que Edward sentava-se de frente para Judith. De tempos em tempos, quando erguia o rosto ela captava o olhar dele, e Edward sorria como se ambos dividissem algum esplêndido segredo, enquanto erguia a taça para ela e bebia champanha.

Junto dele estava sua irmã mais nova. Aos dezesseis anos, Loveday vivia a transição de ser adolescente e tornar-se adulta, mas, por algum motivo, esse incômodo estado não a perturbava nem um pouco. Ela continuava voltada para a equitação e passava muito de seus dias nos estábulos, mexendo com uma coisa e outra, cuidando da limpeza e da alimentação dos animais, na companhia de Walter Mudge. As roupas eram tão sem importância para ela como sempre tinham sido; calças de montaria manchadas e amarrotadas constituíam o seu traje habitual, juntamente com qualquer suéter velha encontrada no armário de roupas em desuso que havia no quarto de brinquedos. Esta noite, Loveday não usava qualquer jóia; os anelados cabelos escuros continuavam à vontade como sempre, e o rosto expressivo, com aqueles admiráveis olhos violeta, mostrava-se inocente de maquiagem. Seu vestido, no entanto — seu primeiro vestido longo, escolhido por Diana em Londres e dado a ela como um dos seus presentes de Natal — era puro encantamento. Em organdi, no vívido tom verde das folhas novas da faia, de cava bem funda nos ombros, era fartamente franzido à volta do pescoço e da bainha da saia. A própria Loveday ficara seduzida por ele e o vestiu sem uma palavra de queixa, o que constituiu um enorme alívio para todos, em particular Mary Millyway, que conhecia melhor do que ninguém a teimosia de sua "menina".

Tommy Mortimer sentava-se ao lado de Loveday, e então, na extremidade oposta da mesa, estava Diana, em um justo vestido de cetim cor de aço. Quando ela se movia ou a luz incidia nas dobras do tecido, este tom alterava-se sutilmente, de modo que às vezes parecia azul e, em outras, cinzento. Com este traje, ela usava pérolas e diamantes, sendo o único toque de cor o oferecido por suas unhas e o batom escarlates.

Havia o zumbido das conversas, depois as vozes elevando-se, à medida que o vinho e o delicioso festim se prolongavam. Primeiro, róseas fatias de salmão defumado, finas como papel; depois peru, bacon, salsichas, batatas assadas, brotos e cenoura na manteiga, molho de pão, geléia de uva-do-monte, caldo de carne, espesso e escuro, enriquecido com vinho... Quando os pratos foram levados da mesa, o vestido de Judith começava a parecer desconfortavelmente apertado, porém é claro que ainda havia mais por vir. O pudim de Natal da sra. Nettlebed, sua manteiga com conhaque, seus pastéis com recheio de frutas cristalizadas e pratos de grosso creme da Cornualha. Em seguida, nozes a serem partidas, tangerinas doces e pequenas para serem descascadas e ruidosos estalinhos a serem puxados e detonados. O jantar formal degenerou em festa de crianças, com chapéus de papel que não assentavam bem e colocados tortos na cabeça, piadas sofríveis e adivinhações a serem lidas em voz alta.

Finalmente tudo terminou, e chegou o momento em que as damas se retirariam. Levantando-se da mesa, agora entulhada de papel rasgado, embalagens de chocolate, cinzeiros e cascas quebradas de nozes, elas encaminharam-se para a sala de estar, onde tomariam o café. Diana seguiu na frente. Antes de deixar a sala, contudo, parou junto do marido e inclinou-se para beijá-lo.

— Dez minutos — disse a ele. — É todo o tempo de que dispõe para o seu vinho do Porto. Caso contrário, a noite ficará em pedaços.

— E como passaremos o resto dela?

— Dançaremos o tempo todo, claro. O que mais faríamos?

E, de fato, quando os homens se juntaram a elas, Diana já organizara tudo: sofás e poltronas puxados para um lado, os tapetes enrolados e a vitrola provida com seus discos dançantes prediletos.

A música era outra coisa que Judith sempre lembraria; as melodias daquela noite, daquele ano. *Smoke Gets in Your Eyes, You're the Cream in My Coffee, Deep Purple e D'Lovely.*

> *A lua nasceu,*
> *O firmamento brilha,*
> *E se quiser ir andando, meu bem,*
> *Será formidável, muito bom, maravilhoso...*

Esta, Judith dançou com Tommy Mortimer, um tão excelente dançarino, que ela nem teve de pensar no que seus pés deveriam fazer. Então foi a vez de Alistair Pearson, agora sendo muito diferente, porque tudo quanto ele fez foi marchar animadamente com ela em torno da sala, como se estivesse usando um aspirador de pó. Depois desta música houve uma valsa, em homenagem a Lavinia, que a dançou com o coronel. Foram o melhor par a exibirem-se para os demais, por serem os únicos que sabiam como inverter os rodopios adequadamente. A velha senhora ergueu com uma das mãos as pesadas saias de veludo de seu vestido, revelando sapatos com fivelas de diamantes, os pés movendo-se e girando com a leveza e vitalidade da jovem que ela um dia fora.

Valsar era uma atividade que deixava os participantes sequiosos. Judith serviu-se de um suco de laranja e, ao afastar-se da mesa, encontrou Edward ao seu lado.

— Deixei o melhor por último — disse ele. — Já cumpri minha obrigação com todas os amigos e parentes. Agora, venha e dance comigo.

Ela largou o copo e foi para os braços dele.

Só olhei para você
E mais nada eu fiz
Mas meu coração parou.

O coração dela, contudo, não havia parado, como dizia a letra da música. Batia tão forte, que Judith tinha a impressão de que Edward podia ouvi-lo. Ele a mantinha abraçada bem junto do corpo e cantava suavemente as palavras da canção em seu ouvido. Ela desejou que a música continuasse para sempre, nunca parando. Entretanto, teria que chegar ao fim, e então os dois separaram-se.

— Agora você pode beber seu suco de laranja — disse Edward, e foi buscar a bebida para ela.

Por um momento houve uma espécie de parada, como se todos estivessem começando a sentir-se um pouco cansados e ansiosos por uma pausa. Exceto Diana. Na opinião dela, todos os instantes deviam ser preenchidos e, quando a música recomeçou, foi com aquele velho clássico *Jealousy*. Ela prontamente foi até a cadeira de braços onde Tommy Mortimer estava reclinado e, tomando-o pela mão, fez com que se levantasse. Prestimoso como sempre, ele a puxou para si e os dois, sozinhos no piso, dançaram o tango.

Fizeram isto com a eficiência de profissionais, mas também de modo bastante satírico, com os corpos muito juntos e os braços rígidos, espichados para o alto. Cada passo, cada pausa ou volteio eram exagerados e, sem sorrir, eles se fitavam intensamente, olhos nos olhos. Foi uma extraordinária performance, mas igualmente muito engraçada e, nos acordes finais de plangentes guitarras, o par encerrou seu número de maneira triunfante, com Diana inclinada para trás e sustentada pelo braço de Tommy, ele debruçado apaixonadamente para ela, cuja loura cabeça quase tocava o chão. Só então, quando Tommy a deixou ereta sobre os próprios pés, em meio a uma tempestade de aplausos, é que Diana desatou em gargalhadas. Foi sentar-se ao lado de tia Lavinia, que enxugava as lágrimas de hilaridade que lhe tinham brotado dos olhos.

— Diana, minha querida, seu tango foi brilhante, mas manter-se tão séria foi o melhor de tudo. Você devia estar no palco. Oh, céus, nem me lembro de quando me diverti tanto, mas já é quase meia-noite. De fato, eu devia dizer que está amanhecendo e voltar para casa.

Tentando não parecer muito ansioso, o coronel adiantou-se prontamente.

— Eu a levarei de carro.

— Odeio interromper a reunião — ela deixou que o coronel a ajudasse a levantar-se da poltrona — mas o melhor momento de retirar-se é quando estamos nos divertindo de fato! Agora o meu xale, por favor, acho que está no saguão... — A velha senhora fez a volta do salão, beijando e dizendo boa-noite. À porta, virou-se. — Diana querida... — Soprou um último beijo. — Que noite perfeita! Telefonarei de manhã.

— Durma bem, tia Lavinia, e tenha um bom descanso.

— Também é o meu desejo. Boa noite para todos. Boa noite!

Ela se foi, escoltada pelo coronel. A porta se fechou atrás deles. Diana esperou um momento, depois virou-se e inclinou o corpo para acender um cigarro. Por um momento, a atmosfera ficou estranha, como se todos eles fossem crianças e deixados por conta própria, sem adultos que estragassem seu divertimento.

De cigarro aceso, Diana olhou para seus convidados.

— O que faremos agora?

Ninguém pareceu ter qualquer sugestão inteligente.

— Já sei! — De repente, o sorriso dela foi radioso. — Vamos brincar de Sardinhas!

Ainda bebericando champanha, Athena soltou um resmungo.

— Oh, mamãe! Cresça!

— Por que não Sardinhas? Não brincamos disso há séculos. Todos sabem como é, não sabem?

Alistair Pearson disse que brincara de Sardinhas anos antes, mas que esquecera as normas. Será que alguém poderia...? Foi Edward quem explicou.

— Uma pessoa se esconde. Contamos até cem e então todos vão procurá-la. Quem a encontrar fica calado. Apenas ocupa o mesmo esconderijo e fica lá, até que todos se comprimam em uma cesta de lavanderia, um guarda-roupa ou seja qual for o esconderijo. O último a esconder-se é o pateta.

— Oh, sim — disse Alistair, não parecendo muito entusiasmado. — Lembro-me agora.

— A única regra é que devemos todos ficar no andar de baixo — declarou Diana. — Há espaço de sobra e, se subirmos, alguém poderá acordar as crianças...

— Ou enfiar-se na cama com a babá...

— Oh, *Edward*!

— Por engano, é claro.

— Tudo bem, mas como — perguntou Alistair, teimosamente decidido a receber amplas explicações — escolheremos a pessoa que se esconderá primeiro?

— Escolheremos por cartas. As mais altas serão de espadas, e a carta de maior valor ganha.

Diana foi até sua mesa de *bridge*, abriu uma gaveta e pegou um baralho. Em seguida arrumou as cartas com as faces voltadas para baixo, em um desajeitado leque, e foi parando diante de cada pessoa, a fim de que todos escolhessem suas cartas. Judith virou a face da sua para cima. Era o ás de espadas.

— Sou eu — disse ela.

Loveday foi incumbida por Diana de apagar todas as luzes.

— Todas as luzes acesas na casa? — perguntou ela.

— Não, querida, esqueça a do patamar do andar de cima. Caso contrário, a babá pode entrar em pânico e haverá gente caindo escada abaixo.

— Bem, mas isso quer dizer que podemos *enxergar*.

— Muito pouco. Depressa, vá apagar as luzes!

— Bem — disse Edward. — Daremos a você uma dianteira, enquanto contamos até cem, Judith. Depois iremos à sua procura.

— Em qualquer lugar no andar térreo?

— Excetuando-se as cozinhas, creio. Acho que os Nettlebeds ainda não terminaram por lá. Fora isso, esconda-se onde quiser.

Loveday voltou para junto deles.

— Está tudo escuro e fantasmagórico — anunciou, com certa satisfação. — Mal se enxerga alguma *coisa*.

Judith sentiu-se invadida por um tremor de ansioso medo. Era ridículo, mas desejaria que a carta mais alta tivesse sido escolhida por qualquer dos outros. Jamais admitira para alguém o quanto ficava nervosa com esse tipo de jogo, e sempre achara uma espécie de provação a brincadeira de esconde-esconde no jardim, porque em geral levava a maior parte do tempo querendo ir ao banheiro.

Entretanto, nada havia que pudesse fazer, além de tomar coragem e seguir em frente.

— Muito bem, vamos começar! Atenção, Judith. Preparada? Vá!

Eles já tinham iniciado a contagem, antes mesmo dela cruzar a porta. *Um, dois, três...* Judith fechou a porta às suas costas e ficou espantada ante a escuridão absoluta que a envolveu. Era como estar com a cabeça dentro de um saco de veludo grosso. Sentiu pânico, enquanto sua mente procurava algum esconderijo onde agachar-se, antes que todos viessem, como sabujos, latindo em sua busca. Estremeceu, mas, do outro lado da porta, eles ainda contavam. *Treze, quatorze, quinze...* Aos poucos, no entanto, seus olhos foram ficando acostumados ao escuro, conseguiam distinguir, no outro extremo do saguão, a débil claridade que se filtrava do alto da escada, vinda da lâmpada acesa no andar de cima, perto da porta do quarto de brinquedos.

Isso já melhorava a situação. E não havia tempo a perder. Ela avançou, cautelosa como se fosse cega, vacilante e temendo esbarrar em alguma cadeira ou mesa. Onde esconder-se? Queria orientar-se, avaliar distâncias. Conhecia tudo ali perfeitamente, mas agora o ambiente era de todo confuso. Deu os primeiros passos temerosos e calculou sua posição. À direita ficava a pequena sala de estar e, mais além, a sala de refeições. No lado oposto, estavam a sala de bilhar e o estúdio do coronel. À medida que cruzava o saguão, a luminosidade pálida que vinha do andar de cima a guiava para a frente. Judith moveu-se para a esquerda, sua mão tocou a parede, e ela deixou que o ornamento da cornija a guiasse. Tropeçou em uma mesa, sentiu o roçar frio de folhas contra seu braço nu. Então, a moldura de uma porta. Seus dedos tatearam o apainelado maciço, encontraram a maçaneta e a torceram. Então, empurrando a porta, esgueirou-se para o interior.

341

A sala de bilhar. Escuríssima agora. Suavemente, fechou a porta após entrar. Captou o odor familiar, de reps antigo e cheirando a mofo, mesclado a fumaça de charuto. Trapaceando, tateou pelo interruptor elétrico e o ligou. A mesa de bilhar, coberta por seus protetores de poeira, ficou imediatamente banhada em luz. Tudo estava arrumado e em ordem; os tacos dispostos de pé em seus suportes, prontos para o próximo jogo. Não havia fogo na lareira, mas os pesados reposteiros de brocado estavam bem cerrados. Caindo em si, Judith apagou a luz e cruzou rapidamente o amplo aposento, seus pés não produzindo nenhum som sobre o espesso tapete turco.

As janelas altas da sala tinham um peitoril alto e fundo, onde às vezes, em uma tarde chuvosa, ela e Loveday encarapitavam-se para assistir a algum jogo em andamento, enquanto tentavam registrar os resultados. Não era um esconderijo muito imaginativo, porém não conseguia pensar em outro, e os segundos corriam velozes. Empurrou um reposteiro para o lado, recolheu as saias compridas e acomodou-se no peitoril. Então, rapidamente, tornou a puxar as cortinas, fechando-as bem e ajeitando-lhes as dobras, a fim de recuperarem a aparência natural de antes e impedirem que qualquer fugidio raio de luz denunciasse sua presença ali.

Pronto. Conseguira. Estava escondida. Movendo-se de lado, recostou os ombros contra as persianas. O frio era terrível, como se estivesse num compartimento diminuto e gélido, porque as vidraças estavam geladas, e os reposteiros espessos não deixavam passar calor algum dos radiadores. Lá fora, o céu estava escuro, pontilhado de nuvens cinzentas que se separavam de vez em quando, revelando o piscar das estrelas. Judith olhou para a escuridão do exterior e viu as silhuetas das árvores invernais, inquietas, sacudindo as copas ao vento. Não reparara no vento antes, mas, agora, tiritando, estava bem cônscia dele, que espreitava na borda das janelas, como algo pedindo licença para entrar.

Um som. Judith ergueu a cabeça para ouvir. Muito além, uma porta se abriu e uma voz soou mais alto:

— Estamos *indo*! Logo chegaremos!

Tinham encerrado a contagem. Agora, estavam no seu encalço, farejando-a, caçando-a. Ela pensou em ir ao banheiro, mas então, com firmeza, decidiu expulsar tal idéia da mente. Queria que todos a encontrassem, antes que morresse de frio.

Esperou. A espera parecia eternizar-se. Mais vozes. Passos. Uma risada feminina. Os minutos passavam. Então, muito suavemente, uma porta se abriu e voltou a fechar-se. A porta da sala de bilhar. Judith ficou intensamente cônscia da presença indefinida de outra pessoa, o que de pronto a aterrorizou. Entretanto, não houve nenhum som. O tapete grosso abafaria qualquer som, porém ela teve a súbita certeza de que os passos vinham em sua direção. Conteve a respiração, não querendo trair-se. Então, um reposteiro foi puxado suavemente, e Edward sussurrou:

— Judith?

— Oh! — Foi um involuntário suspiro de alívio, porque a espera e a tensão haviam terminado. — Estou aqui — sussurrou de volta.

Ele se içou levemente para o fundo peitoril, tornando a cerrar as cortinas. Edward estava ali, alto, sólido e muito próximo. Além de quente.

— Sabe como a encontrei?

— Não deve falar. Eles ouviriam.

— Sabe?

— Não.

— Eu a farejei.

Judith sufocou uma risadinha nervosa.

— Que horror!

— Não. Formidável. Seu perfume.

— Estou congelando.

— Está um frio danado. Aqui, neste lugar. — Ele a puxou para si e começou a esfregar-lhe rapidamente os braços arrepiados, como se enxugasse um cão. — Meu Deus, você está *gelada*! E agora? Sente-se melhor?

— Sim. Estou melhor.

— É como estar em uma casinha, não? Com uma parede, uma janela e apenas espaço suficiente entre ambas.

— Está ventando lá fora. Eu não sabia que havia vento esta noite.

— Sempre venta à noite. É um presente do mar. Esta noite é um presente de Natal.

Ao dizer isso, e sem acrescentar mais nada, ele passou os braços em torno dela, apertou-a bem contra o corpo e a beijou. Judith sempre imaginara que ser beijada pela primeira vez, adequadamente, por um homem, seria algo espantoso, estranho, além de uma experiência com a qual precisaria ficar acostumada. O beijo de Edward, no entanto, era firme e competente, de maneira alguma estranho, apenas maravilhosamente confortador e, de um modo obscuro, aquilo com que ela estivera sonhando durante meses.

Ele parou de beijá-la, mas continuou a abraçá-la, apertando-a contra o peito esfregando a face na dela, sussurrando-lhe ao ouvido.

— Fiquei a noite inteira querendo fazer isso. Desde que você surgiu à porta, parecendo... aquilo que tia Lavinia disse... um lindo martim-pescador.

Afastando-se, Edward baixou os olhos para ela.

— Como é que um patinho engraçado transformou-se em um belo cisne?

Ele sorriu, e havia claridade suficiente para ver seu sorriso. Judith sentiu a mão cálida mover-se de seu ombro, descer-lhe pelas costas, acariciar-lhe a cintura e as coxas, através das dobras finas do vestido de seda azul. Então, Edward tornou a beijá-la, mas foi diferente desta vez, porque ele tinha aberto a boca, a língua a forçava a entreabrir os lábios, e agora aquelas mãos abarcavam seus seios, pressionavam sua carne macia...

E tudo retornou. Misericordiosamente esquecido durante tanto tempo, o horror retornou, e ela estava outra vez no cinema, naquele cineminha escuro e sujo, com a mão de Billy Fawcett em seu joelho, tateando, violando sua privacidade, abrindo caminho...

A reação de pânico foi puramente instintiva. O que tinha sido agradável e delicioso, de repente ficou ameaçador, de nada adiantando dizer a si mesma que este era *Edward*, porque não fazia diferença quem fosse; ela apenas sabia que não poderia lidar com esta intrusão sexual. Não a queria agora, como não a quisera e nem fora capaz de lidar com ela quando tinha quatorze anos. Mesmo querendo, seria impossível conter-se agora e, erguendo os braços bruscamente, empurrou o peito de Edward com força.

— *Não*!

— Judith!

Ela sentiu a perplexidade na voz dele; encarou-o e viu o cenho franzido de espanto. Repetiu:

— Não, Edward! — Sacudiu a cabeça violentamente. — Não!

— Por que o medo? Sou eu, Judith!

— Eu não quero. Você não devia...

Ela o empurrou, ele a soltou. Judith recuou, de maneira que seus ombros estavam novamente pressionados contra a dureza das persianas. Por um momento, nenhum deles falou. O silêncio pairou entre ambos, acompanhado somente pelo uivo do vento. Aos poucos, o pânico idiota e irracional que ela sentia foi cedendo, e percebeu que as pancadas velozes de seu coração recuperavam o ritmo normal. *O que foi que eu fiz?*, perguntou a si mesma, cheia de vergonha, porque quisera tanto ser adulta, e agora mostrava o comportamento de uma desajeitada e aturdida imbecil. Billy Fawcett. De repente, sentiu vontade de gritar com raiva de si mesma. Pensou em tentar explicar tudo a Edward, mas compreendeu que jamais diria alguma coisa.

— Eu sinto muito — disse afinal, de um modo pateticamente inadequado.

— Não gostou de ser beijada?

Era evidente que Edward ficara absolutamente confuso. Judith encontrou tempo para pensar se alguma garota já o tratara daquela maneira. Edward Carey-Lewis, o jovem privilegiado e rico, a quem provavelmente nunca, em toda a sua vida, alguma pessoa já dissera *não*.

— A culpa foi toda minha — disse ela tristemente.

— Pensei que fosse o que você queria.

— Eu queria... quero dizer... Oh, não sei!

— Não suporto vê-la tão tristonha... — Edward deu um passo para ela, mas, movida por algum desespero, Judith ergueu as mãos, impedindo a aproximação dele. — O que foi?

— Oh, nada. Não tem *nada* a ver com você.

— Então...

Ele parou. Virou a cabeça para ouvir. Além das cortinas, a porta da sala de bilhar fora aberta e fechada suavemente. Estavam prestes a ser descobertos, e agora era tarde demais para qualquer explicação. Desesperada, Judith ergueu os olhos para o perfil de Edward, dizendo a si mesma que o havia perdido para sempre. Não houve tempo de pronunciar uma só palavra. A cortina foi puxada para um lado.

— Achei que vocês só podiam estar aqui — sussurrou Loveday.

Edward inclinou-se para ajudá-la a encarapitar-se no peitoril da janela e juntar-se a eles.

Nessa noite, o antigo sonho repetiu-se. O pesadelo que ela imaginara sepultado e esquecido para sempre. Estava no seu quarto em Windyridge, com a janela aberta, as cortinas agitadas pelo vento, e Billy Fawcett subia pela escada de mão, a fim de atacá-la. Novamente paralisada pelo terror, ela observava e esperava que a cabeça dele assomasse acima do peitoril, com os olhinhos brilhantes e sagazes, o sorriso de dentes amarelados. E quando ele chegou, ela despertou sobressaltada, suando de medo, para em seguida sentar-se bruscamente na cama, com a boca aberta em um grito silencioso.

Era como se ele tivesse triunfado. Billy Fawcett estragara tudo para ela. De algum modo fantástico e horripilante, confundira-o com Edward, cujas mãos se tinham tornado as daquele homem, assim ressuscitando todas as suas básicas inibições — e ela era demasiado jovem e demasiado inexperiente para saber como manejá-las.

Judith jazia em seu quarto escuro de Nancherrow, e chorou contra o travesseiro, porque amava muito Edward e agora havia arruinado tudo. Nada voltaria a ser como antes outra vez.

Entretanto, ela havia esquecido como era Edward. Pela manhã, ainda dormindo, foi acordada por ele. Ouviu a batida suave, e a porta se abriu.

— Judith?

Estava escuro, porém a luz do teto foi subitamente acesa, ofuscando-lhe os olhos com seu intenso clarão. Isto a despertou de todo e sentou-se na cama, pestanejando e confusa.

— Judith.

Era Edward. Ela o encarou entorpecidamente. Viu-o de barba feita, vestido, olhar límpido, disposto para o novo dia, nem parecendo que tinha ido para a cama às três da madrugada.

— O que foi?

— Não fique tão assustada.

— Que horas são?

— Nove.

Ele foi até a janela, puxou as cortinas para os lados, e o quarto inundou-se com a claridade cinzenta daquela manhã de fins de dezembro.

— Dormi além da conta.

— Não tem importância. Todos estão dormindo além da conta esta manhã.

Ele caminhou até a porta para apagar a luz e depois, sem a menor cerimônia, sentou-se na beira da cama dela.

— Precisamos conversar — falou.

As recordações da véspera afluíram vivamente.

— Oh, Edward...

Judith tinha a impressão de que tornaria a sucumbir a lágrimas incontroláveis.

— Não fique tão angustiada. Tome... — Inclinando-se, Edward pegou no chão o robe que tinha escorregado da cama. — Vista-o, do contrário morrerá de frio. — Ela assim fez, enfiando os braços nas mangas e apertando o robe à volta do corpo. — Dormiu bem?

Ela recordou o sonho horrivelmente familiar.

— Muito bem — mentiu.

— Fico contente em saber. Agora, ouça: fiquei rememorando tudo o que houve, e por isso é que estou aqui. O que aconteceu ontem à noite...

— A culpa foi minha.

— Ninguém teve culpa. Talvez eu tenha julgado mal a situação, porém não vou desculpar-me porque, segundo penso, não tenho motivos para pedir desculpas. Exceto, talvez, por esquecer o quanto você ainda é jovem. Vestida como adulta e com aparência tão sedutora, tive a impressão de que havia crescido de todo em um minuto. Entretanto, claro está, isso não pode acontecer com ninguém. É apenas aparência, nada mais. Não houve mudança interior.

— Está enganado. — Judith baixara os olhos e fitava seus dedos, que dobravam a aba do lençol. — Eu quis que me beijasse. Quis dançar com você, depois quis que me beijasse. E então, estraguei tudo.

— Quer dizer que não me odeia?

Ela ergueu o rosto e fitou os francos olhos azuis de Edward.

— Não — respondeu. — Gosto demais de você para odiá-lo.

— Sendo assim, vamos esquecer o que houve, certo?

— Foi por isso que veio aqui e me acordou?

— Não de todo. Eu queria apenas ter certeza de que nos entenderíamos. Porque nunca deverá haver qualquer tensão ou desentendimento entre nós. Não por sua causa ou por mim, mas em consideração a todos os demais na casa. Ainda ficaremos todos juntos por alguns dias, e nada seria mais incômodo do que qualquer espécie diferente de atmosfera, de silêncios forçados, comentários importunos ou expressões sombrias. Compreendeu o que estou dizendo?

— Compreendi, Edward.

— Minha mãe é muitíssimo perspicaz no que diz respeito ao relacionamento dos outros. Não a quero lançando longos olhares desconfiados para você ou me forçando a dar respostas. Não vai ficar tristonha pelos cantos, fazendo uma imitação de *Lady de Shallot**?

— Não, Edward.

— Boa menina!

Judith não respondeu a isso, porque não conseguia pensar em algo para dizer. Apenas ficou quieta na cama, estremecida por desencontradas emoções.

Seu alívio era imenso. Alívio porque Edward não pretendia ignorá-la e desprezá-la pelo resto da vida; por ele ainda querer falar com ela e permanecerem amigos. E por ele não a considerar uma assanhadinha de duas caras. (Judith aprendera esta sofisticada frase com Heather Warren, que a aprendera com seu irmão Paddy. Paddy tinha uma namorada por quem era apaixonado, mas de quem jamais conseguira alguma coisa, apesar dela tingir o cabelo, usar saias muito curtas e ter modos provocantes. *Ela é uma maldita assanhadinha*, ele finalmente tinha dito à irmã, para em seguida entregar-se a um acesso de fúria. Na primeira oportunidade, Heather havia transmitido tão fascinante informação a Judith, deixando perfeitamente claro que, para os homens, tal comportamento significava menos do que nada.)

Portanto, um alívio. De qualquer modo, ela também se sentia tocada pelo bom senso de Edward. Ele fora movido principalmente pela preocupação com a mãe e seus convidados para as festividades do Natal, mas, sem dúvida, também pensando um pouquinho nela, Judith.

— Você tem toda razão, é claro — disse.

— Ótimo — replicou ele. — Lealdades de família?

— Eles não são minha família.

— São quase...

Tais palavras a encheram de amor por ele. Erguendo os braços,

---

* Título de um poema de Tennyson. A sina da dama em questão é similar a Elaine, donzela dos tempos do rei Artur, que definha e morre de amor por Lancelot. (N. da T.)

puxou-o para bem perto e beijou-lhe a face escanhoada. Ele cheirava a colônia e essência de limão. O pesadelo com Billy Fawcett evolara-se novamente, afugentado por Edward e pela claridade da manhã, tendo o amor voltado para o lugar ao qual pertencia. Judith recostou-se nos travesseiros.

— Já fez seu *breakfast*?

— Ainda não. Esclarecer assuntos pareceu-me mais importante.

— Estou faminta — disse Judith e, um tanto para sua surpresa, verificou que era verdade.

— Você fala como Athena. — Edward levantou-se da cama. — Vou descer. Quanto tempo vai demorar?

— Dez minutos.

— Estarei esperando.

1939

De acordo com a tradição, o Dia da Entrega de Prêmios no Santa Úrsula acontecia durante a última semana de julho, no último dia do período letivo do verão, e no fim do ano escolar. Era uma ocasião de grande cerimônia, seguindo um padrão de procedimento já consagrado pelo tempo. Reunião de pais e alunas no Grande Salão, um ou dois discursos, entrega de prêmios, o hino do colégio, uma bênção do bispo, e depois o chá da tarde, servido no refeitório ou no jardim, segundo a clemência do tempo. Encerrada a cerimônia, escapavam todos, indo para casa gozar as férias de verão.

O fraseado do convite para esta função anual também era imutável.

Os Dirigentes do Colégio Santa Úrsula para Moças e a Srta. Muriel Catto (M.A. Cambridge) ... Dia da Entrega de Prêmios... Grande Salão às 14:00... Por favor, estejam em seus lugares às 13:45... RSVP para a Secretária da Diretora...

Um belo cartão, grosso, de bordas douradas, em rebuscada escrita. Quase como uma Convocação Real, pensavam alguns pais.

Entretanto, eles compareciam respeitosamente, obedientemente no horário indicado. Faltando dez minutos para duas da tarde, o magnífico salão apainelado em carvalho ficava apinhado de gente e extremamente quente, apesar das janelas abertas em todos os lados, porque orações haviam sido atendidas e, além das portas, florescia um perfeito dia de verão, sem uma nuvem no céu. Em geral, o Grande Salão era um lugar austero, com correntes de vento e gélido como uma igreja sem aquecimento, tendo como decoração apenas um vitral representando o martírio de São Sebastião, alguns Quadros de Honra e um ou dois brasões. Hoje, no entanto, ele borbulhava inteiramente de flores, folhagens e vasos de plantas trazidos das estufas, cujo odor, pairando pesadamente no ar quente, se tornava quase sufocante.

Na extremidade norte do salão havia um palco elevado, flanqueado por dois lances de degraus de madeira que partiam do auditório. Era dali que a srta. Catto comandava as Preces Matinais, em pé atrás de seu atril, transmitia diariamente instruções, repreendas e, de um modo geral, mantinha sua escola mais ou menos firme sobre os pés. Hoje, no entanto, o palco tinha a parte da frente orlada por um perfeito canteiro de vasos de pelargônios em flor e exibia uma espaçada fila de cadeiras semelhantes a tronos, tudo à espera dos que ali se acomodariam. Era a chegada deste grupo ilustre — o Bispo, o Presidente da Diretoria, o Governador do Condado, *Lady* Beaseley (que tinha sido coagida a entregar os prêmios), e a srta. Catto — que os reunidos no Grande Salão agora esperavam.

Dois terços da platéia eram compostos de pais e famílias, todos trajados com esmero. As mães usavam chapéus para reuniões ao ar livre e luvas brancas, vestidos com estamparias florais e sapatos de salto. Os pais geralmente apresentavam-se em ternos escuros, com exceção de uns poucos em uniforme militar, aqui e ali. Os irmãos e irmãs menores usavam macacões de linho ou algodão e fitas nos cabelos ou roupas marinheiras de passadeiras brancas e sapatos engraxados de branco. Seus protestos podiam ser claramente ouvidos, enquanto choramingavam lamentosamente, queixando-se do calor e do tédio.

Edgar e Diana Carey-Lewis faziam parte desta multidão, assim como o sr. Baines, o advogado e sua esposa. As crianças Baines de menos idade não estavam presentes. Tinham ficado prudentemente em casa, aos cuidados de sua babá.

O restante do auditório, na parte da frente do salão, era ocupado pelas alunas: primeiro as menores, em bancos infantis, com as mais velhas ao fundo. Todas usavam os uniformes de gala regulamentares, de mangas compridas em tussor creme, e meias de seda, pretas e compridas. Somente as alunas muito pequenas tinham permissão para usar soquetes brancas. No final de cada fileira de alunas sentava-se um membro da equipe, em trajes formais e envergando sua beca negra. Entretanto, até mesmo essas peças arcaicas mostravam-se francamente glamourosas, porque cada mestra usava os respectivos capelos acadêmicos cujas dobras, cuidadosamente arranjadas, revelavam os forros de seda em vermelho-rubi, verde-esmeralda ou azul-safira.

Sentada na última fileira dos assentos destinados às alunas, Judith ergueu o punho da manga a fim de consultar o relógio. Dois minutos para as duas. A qualquer momento chegariam os ocupantes do palco, até então reunidos no estúdio da srta. Catto e de lá convocados por Freda Roberts, a Garota Líder. Judith era monitora, porém não tinha sido líder. Recordando a temida Deirdre Ledingham, ela era eternamente grata por esta pequena bênção.

Atrás dela, um garotinho remexeu-se, incomodado.

— Quero beber alguma coisa — gemeu ele, e foi prontamente silenciado.

Ela se encheu de pena do menino. O Dia da Entrega de Prêmios sempre constituía uma provação, e estar com dezoito anos, saber que este era de fato o término da permanência no colégio e seu último Dia da Entrega de Prêmios, de maneira alguma tornava aquilo mais suportável. Os trajes de tussor eram pesados e sufocantes, ela podia sentir gotas de suor começando a brotar nas axilas e atrás dos joelhos. Procurando desviar o pensamento de seu desconforto pessoal, começou a fazer uma lista mental de eventos positivos e alegres que tinham acontecido ou estavam prestes a acontecer.

O mais importante era que, com um pouco de sorte, seria aprovada no exame de aptidão para a universidade. Os resultados só seriam publicados mais tarde no ano, porém a srta. Catto estava confiante, já tendo iniciado arranjos a fim de que Judith fosse para Oxford.

Entretanto, mesmo que tudo isto funcionasse, ficaria adiado durante um ano, porque em outubro já fora reservada passagem em um navio P & O de partida para Cingapura. Finalmente ela ficaria dez meses reunida com a família. *Uma coisa de cada vez*, havia dito para si mesma durante todos aqueles anos, debruçada no gradil do passadiço de tábuas à beira do mar, em Penzance, enquanto contemplava as ondas verdes que vinham quebrar-se na praia de seixos. *Termine o colégio, passe nos exames, e então vá para o Extremo Oriente, ficar com mamãe, papai e Jess.* Jess estava agora com oito anos. Judith mal podia esperar para ver todos eles.

Mais imediatamente, havia outras coisas boas. O fim dos dias letivos, a liberdade e as férias de verão. Para estas, ela havia feito planos: duas semanas de agosto a serem passadas em Pothkerris, com Heather Warren e seus pais e, mais tarde, talvez uma visita a tia Biddy. As datas para esta última ainda não haviam sido fixadas. "Basta um telefonema, dizendo quando você quer vir", Biddy escrevera-lhe em uma carta. "O convite permanece em aberto, portanto, deixo a data a seu critério."

Caso contrário, Nancherrow. O que significava Edward.

Sentada no abafado salão do colégio, Judith se sentiu inundada por ditosa antecipação. Os eventos do Natal, os interrompidos avanços de Edward por trás das cortinas fechadas na sala de bilhar, sua infantil rejeição àquelas carícias e a maneira subseqüente como ele manejara a infeliz situação tinham afinal inclinado os pratos da balança no relacionamento dos dois e, em segredo, ela lhe abrira o coração, apaixonando-se perdidamente. Era difícil imaginar como um homem, tão atraente e desejável, poderia ser também tão compreensivo e paciente. Por causa dele, o inofensivo incidente, que poderia ter precipitado um constrangimento bastante destrutivo, nem chegara a ser percebido e deslizara para o esquecimento como água correndo por baixo de uma ponte. Gratidão e admiração faziam parte do amor que ela sentia. A propinqüidade... (Judith procurara a palavra no dicionário. "Proximidade", havia lido. "Parentesco próximo") ... tinha ficado ainda mais forte.

A separação também desempenhara um papel. Como o vento, ela apagava uma pequena vela, mas que produzia uma chama forte que queimava com ainda maior brilho. Judith não via Edward desde janeiro. Ele passara os feriados da Páscoa em um rancho do Colorado, a convite de um colega de turma, um inteligente e jovem americano que ganhara uma bolsa de estudos para Cambridge. Os dois rapazes tinham viajado no *Queen Mary*, partindo de Southampton para Nova York, e depois viajando de trem até Denver. Tudo isso parecia incrivelmente aventureiro e, embora Edward não fosse muito dado a escrever cartas, enviara a ela dois cartões-postais com fotos muito vívidas das Montanhas Rochosas e de peles-vermelhas vendendo cestas. Ela guardava tão preciosas recordações entre as páginas de seu diário, juntamente com um instantâneo roubado do álbum de retratos de Loveday. Se Loveday percebera o desaparecimento da foto, nada havia dito. E agora, neste exato momento, Edward encontrava-se no sul da França, tendo ido diretamente de Cambridge para lá com um grupo de amigos jovens, hospedando-se todos na *villa* da tia de um deles.

Quando Diana contou a elas esta última trama, teve acessos de riso e sacudia a cabeça em perplexidade, mas claramente deliciada pela evidência da popularidade de seu querido filho.

— É extraordinária a maneira como ele tem sorte! Não somente arranja amigos ricos, como todos eles parecem ter casas nos lugares mais exóticos. E, para cúmulo, ainda o convidam a suas casas. Isso pode ser ótimo para Edward, porém é um pouco triste para nós. Enfim... felizmente, ele virá passar em casa um pouquinho do verão.

Judith não se importava. Antecipação era ficar ansiosa para tornar a ver Edward, e tudo fazia parte da alegria.

A outra coisa tremendamente excitante que tinha acontecido fora o sr. Baines haver-lhe dito que poderia comprar um pequeno carro para seu uso. Ela estivera aprendendo a dirigir durante os feriados da Páscoa sem Edward e, incrivelmente, havia sido aprovada no primeiro teste de direção. Em Nancherrow, contudo, era um tanto difícil encontrar algo para dirigir. O Bentley de Diana e o Daimler do coronel estavam fora de cogitação, por serem ambos muito grandes. Além disso, ela ficava apavorada à idéia de alguma batida, por insignificante que fosse. Havia ainda o furgão para uso da família, antiquado e enorme, mas, dirigi-lo, deveria ser como dirigir um ônibus.

Ela havia explicado sua dificuldade ao sr. Baines.

— ... acontece apenas que, se quero ir comprar alguma coisa em Penzance, preciso esperar até que alguém mais saia de carro e me dê uma carona, o que nem sempre é conveniente para a maioria das pessoas.

Ele se mostrara bastante compreensivo.

— Sim, eu entendo — respondera ele, e ficara calado, considerando o problema. Então, decidiu. — Se quer saber, Judith, creio que devia ter um carro para seu uso. Já tem dezoito anos, é perfeitamente responsável. E, claro está, poderia movimentar-se à vontade, sem se tornar uma carga para os Carey-Lewis.

— *É mesmo?* — Ela mal acreditava no que ouvira. — Um carro... para mim? Um carro meu?

— Você gostaria, não?

— Oh, mais do que tudo, porém nunca imaginei que o senhor sugerisse tal coisa. E se tiver um carro, eu realmente cuidarei dele, vou lavá-lo, colocar gasolina e tudo o mais. E quero usá-lo. Ficava tão frustrada, quando mamãe não dirigia o Austin porque tinha medo... Havia um mundo de lugares maravilhosos que poderíamos ter visitado, tantas coisas lindas para ver, como jardins e praias secretas... Entretanto, nunca fomos!

— Você fará essas coisas?

— Não necessariamente, mas é maravilhoso saber que *posso* fazê-las, se tiver vontade. Há também uma coisa que eu faria, e que há séculos me preocupa. Trata-se de Phyllis, a moça que trabalhava para nós em Riverview. Ela arranjou outro emprego em Porthkerris, mas depois casou com o namorado e foram morar em Penden. Ele é mineiro. A companhia de mineração deu uma casinha para morarem, e agora ela tem um bebê. Realmente, eu gostaria muito de ir vê-la. Se tivesse um carro, poderia visitá-la.

— Phyllis. Sim, lembro-me de Phyllis, abrindo a porta para mim quando fui ver sua mãe. Estava sempre sorrindo.

— Ela é um amor de pessoa. Uma de minhas melhores amigas. Mantivemos contato escrevendo cartões postais e cartas uma para a outra, porém nunca mais a vi, desde que me despedi dela há quatro anos. Mesmo quando fiquei uma temporada em Porthkerris foi impossível, porque só havia um ônibus por semana e, de bicicleta, ficava muito longe.

— Chega a ser ridículo, não é mesmo? — disse o sr. Baines, mostrando certa solidariedade. — Vivemos neste pequeno condado e, no entanto, tão distantes uns dos outros como criaturas na lua. — Ele sorriu. — Você ter um carro e, por causa dele, independência, parece-me uma necessidade, não um luxo. Enfim, não é coisa para já. Primeiro termine o colégio, seja aprovada em seus exames para a universidade, e voltaremos a considerar a questão. Terei uma conversa com o capitão Somerville.

E assim ficara a situação. Entretanto, Judith estava cheia de esperanças, porque não podia imaginar seu tio Bob dizendo *não*.

Ocorreu-lhe que talvez, com alguma sorte, teria o carro *antes* de ficar com os Warrens, assim podendo ela mesmo dirigi-lo até Porthkerris. Loveday também havia sido convidada a hospedar-se na alegre casa em cima da mercearia, mas ainda não aceitara porque tinha um novo pônei para treinar; além disso pretendia tomar parte em várias gincanas e eventos, com esperanças de ser a vencedora. Entretanto, se fosse apresentada à tentação adicional de um carro só delas para a viagem, era bem possível que mudasse de idéia e fosse, nem que apenas por alguns dias. A idéia de cruzar o condado com a amiga em um carrinho esporte de dois assentos, com as malas empilhadas no banco traseiro, era tão estonteante, que gostaria de partilhá-la com Loveday ali mesmo. Entretanto, ela ocupava um assento duas fileiras adiante, de modo que o assunto teria de esperar.

Aos dezessete anos, Loveday estava também deixando o Santa Úrsula para sempre. Nunca havia sido feita monitora e, academicamente, não fora além de submeter-se aos exames para obter seu Certificado Colegial, mas deixara bem claro aos tão longamente sofredores pais que, sem Judith, o Santa Úrsula seria intolerável.

— Bem, querida, mas o que faremos com você? — perguntara Diana, com certa perplexidade.

— Eu vou ficar em casa.

— Você não pode, seimplesmente, *mofar* aqui. Vai virar um repolho!

— Irei para a Suíça, como Athena.

— Oh, mas você sempre disse que *nunca mais* devíamos enviá-la para longe!

— A Suíça é diferente.

— Bem, acho que poderia ir. Não que isso tenha feito grande bem a Athena. Tudo quanto ela aprendeu foi esquiar e apaixonar-se por seu instrutor.

— É por isso que eu quero ir.

Ao ouvi-la, Diana explodiu em uma cascata de risadas e abraçou sua filha caçula, dizendo que ia pensar no assunto.

Duas da tarde. Houve uma pequena agitação nos fundos do salão, e todos se puseram, agradecidamente, de pé. Por fim a cerimônia ia começar. Judith refletiu que aquilo era como um casamento, com todas aquelas flores, os presentes em suas melhores roupas, as mães abanando-se com impressos de hinos, e a noiva prestes a surgir pelo braço do pai. Tão forte foi essa ilusão que, quando o Bispo liderou a pequena procissão corredor abaixo, ela quase esperou que um órgão começasse a tocar alguma coisa.

Entretanto, é claro, não havia nenhuma noiva. Em vez disso, o grupo assumiu seus lugares no palco. O Bispo adiantou-se e fez sua breve oração. Todos se sentaram. A cerimônia continuou.

Discursos. (O presidente da Diretoria deitou uma falação que parecia eterna, mas a srta. Catto foi ativa, breve, inclusive um tanto divertida, provocando uma ou duas bem-vindas e espontâneas risadas.)

Entrega de prêmios. Judith pensou que poderia conseguir o Prêmio Sênior de Inglês, e assim foi. Depois, tornou a levantar-se para receber o Prêmio Sênior de História, uma dádiva que nem remotamente tinha esperado. Por fim, o prêmio derradeiro. A cobiçada Taça Carnhayl.

Judith conteve um bocejo. Sabia muito bem quem ganharia a Taça Carnhayl: Freda Roberts, que vivia correndo servilmente de um lado para outro, além de bajular todas as professoras.

A Taça Carnhayl, explicava a srta. Catto em sua voz clara, era entregue anualmente à aluna que, pelo voto popular de toda a equipe de professores, mais contribuíra para a escola. Não se tratava simplesmente de trabalho acadêmico, mas daqueles três essenciais Cs: Capacidade, Caráter e Comedimento. E a vencedora deste ano era... Judith Dunbar.

Judith sentiu sua boca pender, escancarada, de maneira incrível e inconveniente. Alguém deu-lhe uma cutucada nas costelas, sussurrando:

— Vá logo, imbecil!

Com dificuldade, ela ficou de pé pela terceira vez e, de joelhos bambos, foi receber o prestigiado troféu. Tão pouco firmes estavam suas pernas, que tropeçou enquanto subia os degraus, por pouco não se estatelando no chão.

— Bem merecido — disse *Lady* Beazeley com radioso sorriso.

Judith pegou a taça, fez uma mesura e retornou ao seu lugar sob uma tempestade de aplausos, tendo as faces, bem o sabia, vermelhas como beterrabas.

Então, finalmente o Hino do Colégio. Já em seu posto, a professora de música executou um acorde em seu piano, todos ficaram de pé e oitocentas vozes cantaram juntas, elevando-se até o teto.

Aquele que for corajoso
Ao enfrentar os reveses,
Que então possa, com firmeza,
O Mestre seguir.

O poder da música sempre afetara Judith profundamente, em um instante deixando seu estado de ânimo entre as efêmeras emoções da tristeza e da alegria. Agora, ela chegava ao final de uma era, sabia que nunca mais voltaria a ouvir as palavras familiares do grande poema de Bunyan, sem recordar cada detalhe do momento presente. A tarde quente de verão, o perfume das flores, o grande coro das vozes. Era difícil decidir se estava feliz ou triste.

Senhor, já que a nós tu defendes
Com o teu Espírito,
Sabemos que, no final,
A vida iremos herdar.

Feliz. Ela estava feliz. Com a flexibilidade da juventude, seu estado de ânimo ganhou as alturas. E, cantando, ocorreu-lhe outro jubiloso pensamento. De posse da Taça Carnhayl, ela estava agora em firme posição para também tomar posse de seu novo carro, antes de partir com Loveday para a visita a Porthkerris. Iriam juntas para lá. Duas amigas que tinham cumprido sua etapa escolar. Adultas.

Então, fogem as fantasias
Não temerei o que possam dizer
Trabalharei noite e dia
E um peregrino serei.

O Dia da Entrega de Prêmios chegou ao fim, todos partiram, o colégio e o dormitório ficaram desertos. Somente Judith ficou para trás, sentada em sua cama, examinando o conteúdo de sua bolsa de mão e matando tempo até as seis da tarde, quando tinha uma entrevista no estúdio da diretora, a fim de despedir-se da srta. Catto. Sua bagagem e a mala escalavrada já estavam a caminho de Nancherrow, no porta-mala do Daimler do coronel. O sr. Baines se prontificara a apanhá-la mais tarde, após encerrada a entrevista com a srta. Catto, e a levá-la à residência dos Carey-Lewis. O tempo passado com ele durante tal trajeto, sem dúvida seria uma excelente oportunidade para pleitear a conquista de seu carro novo.

Após terminar com a bolsa de mão, ela cruzou o dormitório e foi debruçar-se no peitoril da janela aberta. Dali podia avistar os gramados vazios, descendo em ondulações até as quadras de tênis e o matagal. Todos os traços da festividade ao ar livre já haviam desaparecido, enquanto as sombras começavam a alongar-se através dos relvados pisados. Judith evocou a tarde em que vira tudo aquilo pela primeira vez — o dia em que estivera ali com sua mãe para uma olhadinha particular. Em retrospectiva, os quatro anos intermediários tinham voado mais depressa do que ela poderia ter imaginado, mas, em certos sentidos, aquela tarde do passado parecia ter acontecido há anos-luz.

Cinco minutos para as seis. Hora de ir andando. Ela se virou para o dormitório vazio, pegou sua bolsa de mão e desceu para o térreo. A grande escada estava solitária e tudo parecia estranhamente silencioso. Não havia o tagarelar de vozes, nenhum clangor de sinetas ou qualquer distante dedilhar de escalas vindo da sala de música, quando algumas alunas faziam seu treinamento. Ela bateu à porta do estúdio, a srta. Catto disse "Entre" e, ao entrar, Judith não encontrou sua diretora sentada atrás da mesa de trabalho, mas acomodada em uma cadeira de braços, voltada para a janela alta e com os pés descansando sobre uma banquetinha. Estivera lendo *The Times*, mas quando Judith apareceu, dobrou-o e o deixou cair no chão, a seu lado.

— Judith... Aproxime-se. Não vou me levantar daqui, porque estou exausta.

Ela já se livrara da toga e do capelo, que deixara em cima da escrivaninha, e sua aparência era bastante diferente, sem aqueles distintivos do posto. Agora era possível admirar-se seu vestido toalete de seda e observar-lhe as pernas, bem torneadas em finas meias de seda. Seus sapatos azuis-marinhos de festa tinham pequenos saltos e fivelas de prata. Confortavelmente relaxada após seu trabalhoso dia, ela se mostrava feminina e atraente ao mesmo tempo, ocorrendo a Judith que, de fato, era uma pena o sr. Baines já ter esposa e filhos.

— Não é de admirar que esteja exausta. A senhora não parou o dia inteiro!

Outra cadeira de braços fora colocada em posição e, entre elas, estava a mesinha baixa, sobre a qual havia uma salva de prata com uma garrafa de *sherry* e três copinhos. Judith viu aquilo e franziu o cenho. Nunca houvera nem mesmo cheiro de vinho naquela sala. A srta. Catto notou sua estranheza e sorriu.

— Os três copos são para nós duas e o sr. Baines, quando ele chegar. Entretanto, não vamos esperar por ele. Sirva um copo para cada uma de nós, meu bem, e depois sente-se.

— Eu nunca bebi *sherry*.

— Bem, este é um dia especial para que comece. E eu penso que fará bem a nós duas.

Em vista disso, ela serviu os dois copos e depois acomodou-se na segunda cadeira de braços. A srta. Catto ergueu seu copo.

— A você e ao seu futuro, Judith!

— Obrigada.

— E, antes que me esqueça, parabéns por ter ganho a Taça Carnhayl. Lembre-se de que foi votação quase unânime, não tendo absolutamente nada a ver comigo.

— Foi uma grande surpresa para mim... Pensei que a Taça seria de Freda Roberts. Aliás, quase levei uma queda, subindo aqueles degraus tortos...

— Bem, não chegou a cair, e isto é tudo o que importa. E agora, qual é o programa para as férias...?

O *sherry* estava bom. Aquecia, fez Judith sentir-se cômoda e à vontade. Cruzou as pernas, algo que jamais ousara fazer antes, e contou seus planos para a srta. Catto.

— Inicialmente, voltarei para Nancherrow. Depois irei a Porthker-ris, onde ficarei duas semanas, a convite da sra. Warren.

— Com sua amiga Heather. — A srta. Catto nunca esquecia nomes.
— Você vai gostar disso.

— Sim, vou, e eles também convidaram Loveday, porém ela ainda não resolveu se vai.

A srta. Catto riu.

— Bem típico. Será que ela não se sente um pouco acanhada?

— Não, não é isso. É por causa de seu novo pônei. Ela já esteve em Porthkerris comigo, antes. Fomos lá uma vez, apenas durante um dia, mas em outra ocasião passamos todo um fim de semana.

— E Loveday distraiu-se?

— Demais. Foi uma surpresa para mim.

— Três amigas às vezes não são um número muito bom.

— Eu sei, mas Loveday e Heather se deram muitíssimo bem. O sr. e a sra. Warren acharam Loveday uma excelente pessoa. Os irmãos de Heather implicaram com ela e a arreliaram, mas Loveday adorou tudo, retribuindo à altura.

— Foi ótimo para ela afastar-se do ambiente um tanto rarefeito do lar. Pôde ver como vivem outras pessoas e ajustar-se ao estilo delas.

— Estou *torcendo* para que ela vá e que eu possa levá-la, em meu próprio carro. O sr. Baines não lhe disse nada a respeito?

— Ele falou qualquer coisa.

— Foi idéia dele. Eu disse que precisava ser independente e que talvez, se fosse aprovada em minhas provas para a univ... — Judith vacilou, não desejando parecer esnobe ou presunçosa. — Bem, agora que ganhei a Taça Carnhayl...

Compreensiva, a srta. Catto riu.

— Oh, eu devia ter imaginado! Pretende apanhá-lo desprevenido. Independência! Que formidável... Bem, conte-me mais. E depois, o que fará?

— Provavelmente ficarei algum tempo com tia Biddy. Tio Bob está no mar, e Ned se juntou à Ark Royal, de modo que ela ficará feliz tendo alguém como companhia. Pensamos ir a Londres por um ou dois dias, quando ela me ajudaria a comprar algumas roupas para Cingapura. Não posso chegar lá mal vestida.

— É claro que não. Prometa-me apenas uma coisa. Não se apaixone durante sua permanência em Cingapura e nem se case por lá, porque assim nunca terá a oportunidade de tentar a Universidade novamente.

— Srta. Catto, não tenho a menor intenção de estar casada nos próximos *séculos*. Pelo menos, não antes dos vinte e cinco anos.

— Ótimo para você. E fique atenta aos romances de bordo. Nunca vivi nenhum, mas ouvi dizer que são letais.

— Não me esquecerei.

A srta. Catto sorriu.

— Sentirei sua falta — disse a Judith. — Entretanto, trata-se da sua vida, do momento em que deverá mover-se, tomar suas próprias decisões e estabelecer suas próprias normas, em vez de mais alguém estabelecê-las para você. Lembre-se apenas de que a coisa mais importante é ser verdadeira consigo mesma. Se ficar atenta a isto, não cometerá grandes erros.

— A senhora tem sido sempre tão bondosa...

— Minha cara criança, que tolice! Estou simplesmente cumprindo o meu dever.

— Não. É mais do que isso. E eu sempre me senti mal por nunca ter aceito o convite para ficar com seu pai e sua mãe em Oxford. Eu gostaria realmente de ter ido e de conhecê-los, mas, de algum modo...

Ela vacilou. A srta. Catto riu.

— Você encontrou uma família adotiva para si mesma. Foi um arranjo infinitamente mais conveniente e satisfatório. Afinal de contas, não há muita coisa que uma diretora possa proporcionar, no sentido de orientação. O senso de lar, de pertencer, precisa vir de mais alguém. Olhando agora para você, eu diria que a sra. Carey-Lewis fez um excelente trabalho. Entretanto, também acho que é hora de retornar à sua verdadeira família. Assim sendo...

A conversa foi interrompida neste momento por uma firme batida na porta e logo depois pela chegada do sr. Baines.

— Não estou interrompendo...?

— Em absoluto — respondeu a srta. Catto.

Ele deu um tapinha no ombro de Judith.

— Seu motorista, apresentando-se para trabalhar. Terei vindo cedo demais?

Em sua poltrona, a srta. Catto sorriu para ele.

— Estávamos tomando uma revigorante dose de *sherry*. Sente-se e junte-se a nós por um momento.

363

O sr. Baines concordou, sentou-se e aceitou seu drinque, enquanto acendia um cigarro que lhe dava uma aparência incomumente vigorosa. Conversaram. Durante a festividade ao ar livre, ele já felicitara Judith pela conquista da Taça Carnhayl e, evidentemente, não via motivos para voltar ao assunto, porém foi caloroso em elogios para a srta. Catto e para o sucesso, o bom andamento geral do dia.

— Sem a menor dúvida, fomos abençoados com o tempo — observou ela. — Eu só desejaria que alguém omitisse o discurso anual do Presidente da Diretoria. Quem quer ficar ouvindo um relato detalhado do ataque de carunchos nos caibros da capela? Ou da epidemia de sarampo no termo letivo da Páscoa?

O sr. Baines riu.

— É uma espécie de compulsão. Quando ele se levanta para falar, nas reuniões do Conselho do Condado, todos se preparam para um cochilo reparador...

Finalmente chegou o momento de encerrarem a conversa. Os copinhos de *sherry* foram esvaziados e o sr. Baines olhou para seu relógio.

— Penso que é hora de irmos.

Os três levantaram-se.

— Não irei vê-la partir — a srta. Catto disse a Judith. —- Odeio ficar acenando em despedida. Entretanto, mantenha contato comigo, e, por favor, deixe-me saber o que está fazendo.

— Certamente.

— E tenha ótimas férias de verão.

— Farei o possível.

— Adeus, minha querida.

— Adeus, srta. Catto.

As duas trocaram um aperto de mão. Não se beijaram. Elas nunca haviam se beijado. Judith deu meia-volta e saiu da sala da diretora. O sr. Baines a seguiu, fechando a porta atrás de ambos. A srta. Catto foi deixada a sós. Ficou em pé durante um momento, pensativa e imóvel; depois recolheu o jornal que deixara cair no chão, quando Judith ali entrara. Dia após dia as notícias iam ficando mais graves. Agora, dois mil guardas nazistas, que se acreditava estarem armados, já se tinham movido para Dantzig. Cedo ou tarde Hitler invadiria a Polônia, assim como anexara a Tchecoslováquia e a Áustria. Isso significaria outra guerra, e toda uma nova geração com uma perspectiva de vida rica e compensadora estava para ser sugada, dizimada por esse aterrador conflito.

Ela dobrou o jornal com perfeição e o deixou sobre a escrivaninha. A srta. Catto bem sabia ser necessário permanecer forte e resoluta, porém era em momentos como este, exatamente quando Judith a deixava para sempre, que a tragédia de semelhante desperdício fazia seu coração dar-lhe a sensação de que estava sendo dilacerado.

Sua toga e seu capelo continuavam onde os tinha deixado. Ela os recolheu e fez deles uma espécie de bola que apertou contra si, como que em busca de conforto. O Dia da Entrega de Prêmios era uma carga anual obrigatória que sempre a deixava exaurida, mas mesmo assim não havia motivos para que se sentisse tão desolada, tão angustiada. Lágrimas repentinas afloraram-lhe aos olhos e, quando desceram pelas faces, ela enterrou o rosto no bolorento tecido negro, silenciosamente enfurecida contra esta guerra iminente, em um lamento pelos jovens, por Judith e por oportunidades que ficariam perdidas para sempre.

Era agosto, uma chuvosa manhã de segunda-feira. Uma chuva de verão, leve e molhando tudo, caía sobre Nancherrow. Chegando do suleste, nuvens baixas e cinzentas obscureciam os penhascos e o mar, enquanto árvores copadas inclinavam-se e gotejavam. Os ralos engoliam a água, as calhas gorgolejavam e a lavagem de roupa semanal fora adiada por um dia. Ninguém se queixava. Após um longo período de tempo quente e seco, aquela suave friagem era bem-vinda. A chuva caía com incessante firmeza, sendo gratamente absorvida pelas flores, frutos e vegetais sedentos. O ar se enchia com o odor incomparável da terra recentemente umedecida.

Com Tiger em seus calcanhares, Loveday chegou ao pátio passando pela copa, deu alguns passos e parou um instante, a fim de farejar o ar e encher os pulmões com aquela doce e revigorante frescura. Usava botas de borracha e um velho impermeável por cima do short e da suéter listrada de algodão que vestia, porém tinha a cabeça nua. Quando começou a caminhar em direção à fazenda Lidgey, a chuva desceu sobre seus cabelos, fazendo com que os anéis escuros se encrespassem mais apertadamente do que nunca.

Ela caminhou pela trilha que levava aos estábulos, porém desviou-se antes de chegar lá e tomou a acidentada alameda que seguia para a charneca. Aqui, os muros antigos e cheios de liquens eram separados da alameda por uma vala funda, agora cheia d'água, e o tojo crescia em espinhosas touceiras, avivadas por flores amarelas cheirando a amêndoas. Também havia uma profusão de dedaleiras e malvas rosa-pálido, assim como emaranhados de madressilvas silvestres, acompanhando a alameda em toda a sua subida, com o granito escuro da rocha pintalgado de retalhos aveludados de líquens cor de açafrão. Além do muro havia pastos, nos quais pastavam as vacas leiteiras Guernsey do sr. Mudge, o capim exibindo um verde brilhante, entre as cristas irregulares de pedregulhos escondidos, em forma de baleia. Mais acima, gaivotas, voando para terra com o vento, revoluteavam e grasnavam.

Loveday gostava de chuva. Era algo a que se acostumara e que a deixava em estado de euforia. Tiger corria à frente e ela o seguia, apressando o passo para manter-se a par de seu entusiasmo. Após alguns momentos, ficou acalorada e desabotoou o impermeável, deixando que se agitasse em torno de seu corpo e às suas costas, como um inútil par de asas. Continuou em frente, e a alameda ziguezagueou, ia para um lado e para o outro, subindo a colina. Lidgey ficava logo à frente, porém Loveday não a podia ver por causa da neblina. Isso não importava, pois sabia que a fazenda estava lá, assim como conhecia todos os recantos de Nancherrow — terras de cultivo e a propriedade — como a palma de sua mão. Os acres de terra pertencentes a seu pai eram o seu mundo e, mesmo vendada, Loveday sabia que encontraria o caminho certo para qualquer local da propriedade. Inclusive para o túnel formado pelas guneras, através da pedreira, chegando aos penedos e à enseada.

Por fim, a última curva da alameda, e a casa da propriedade Lidgey surgiu indistintamente entre a neblina, acima e à frente dela — sólida e atarracada, tendo à volta edificações da fazenda, estábulos e chiqueiros. A janela da cozinha da sra. Mudge brilhava como uma vela amarela, porém isso não era de admirar, em vista das penumbrosas condições; mesmo nos dias mais brilhantes, a cozinha da sra. Mudge tendia a ser um cômodo pouco iluminado.

Loveday escalou o portão que levava ao pátio e parou um instante, a fim de recuperar o fôlego. Tiger já disparara à sua frente, de maneira que ela cruzou o portão e atravessou o pátio lamacento, tomado pelo cheiro forte de excremento de gado. No meio do pátio havia uma estrumeira de pedra cheia desse excremento, o qual fumegava suavemente enquanto era curtido, até ficar no ponto para adubar as lavouras, misturando-se ao solo enquanto a terra fosse arada. Por ali, as galinhas castanhas da sra. Mudge cacarejavam e ciscavam à procura de comida. No alto da parede da estrumeira, um belo galo espichou-se nas pernas, distendeu as asas e cocoricou a plenos pulmões. Loveday abriu caminho através das lajes escorregadias, passou por um segundo portão e entrou no jardim da casa. Um caminho de seixos levava à porta da frente. Ali ela descalçou as botas de borracha e, de meias nos pés, entrou na casa.

O teto era baixo, e o pequeno vestíbulo, sombrio. Uma escada de madeira subia para o andar de cima. Ela pousou o polegar no ferrolho de ferro da porta da cozinha e o puxou. Ao abrir a porta, foi tomada pelo cheiro cálido dos petiscos da sra. Mudge. Sopa de verduras e pão quente.

— Sra. Mudge?

A sra. Mudge estava lá, em pé diante da pia, descascando batatas e, como sempre, rodeada por uma certa bagunça. Estivera abrindo massa em uma ponta da mesa da cozinha, mas como o aposento também funcionava como sala de estar, a outra extremidade da mesa estava tomada por jornais, catálogos de sementes, brochuras para ferreiros e contas aguardando pagamento. Perto do fogão havia botas por limpar, acima das quais pendiam toalhas de chá. Roupas lavadas ocupavam uma grade, puxada para o teto por uma polia, onde as ceroulas do sr. Mudge ficavam em franca evidência. Havia também um guarda-louça pintado de azul, as prateleiras entulhadas, não somente de peças desencontradas de louça, mas de postais antigos, pacotes de pílulas vermífugas, cartas velhas, coleiras de cão, uma seringa, um antiquado telefone e uma cesta com ovos incrustados de lama, esperando ser lavados. As galinhas da sra. Mudge não se preocupavam com o lugar em que punham seus ovos, e um lugar favorito para procurá-los era nos fundos do canil do cão-pastor.

Loveday mal reparou na bagunça. A cozinha Lidgey sempre tivera essa aparência, e ela gostava disso. De certo modo, ficava bastante aconchegante. E a sra. Mudge também estava confortavelmente desmazelada, ladeada por frigideiras escurecidas, pratos de alimento para as galinhas e todas as panelas e terrinas de seu labor matinal, que ainda não tinham sido lavadas. Usava um avental que a envolvia por inteiro e calçava botas de borracha. Ela ficava de botas o tempo todo, porque estava constantemente entrando e saindo de casa, ora jogando restos de comida para as galinhas, catando gravetos para o fogo ou trazendo da lavanderia pesadas cestas de roupa suja, de maneira que dificilmente valeria a pena tirá-las dos pés. O piso lajeado e os tapetes surrados eram bastante sujos, porém a sujeira não aparecia muito, e o sr. Mudge, assim como o seu filho Walter, desde que fossem bem cuidados e bem alimentados, não tinham queixas a fazer. Assim, questões tão triviais como essas jamais os preocupavam. (Não obstante, Loveday sabia que a leiteria, pela qual a sra. Mudge era a única responsável, estava sempre higienicamente imaculada, escovada e desinfetada. O que, levando-se em conta o número de pessoas que bebiam aquele leite e comiam aquela manteiga e o creme, talvez fosse simplesmente justo.)

A sra. Mudge virou-se da pia, segurando uma batata em uma das mãos e, na outra, sua letal faca, uma afiadíssima e velha faca de trinchar.

— Loveday! — Como sempre, parecia deliciada. Nada havia que ela apreciasse tanto como uma inesperada interrupção. Era uma boa desculpa para pôr a chaleira no fogo, fazer um bule de chá e trocar mexericos. — Bem, esta é mesmo uma agradável surpresa!

A sra. Mudge era desdentada. Tinha dentaduras postiças, porém só as usava quando com visitas ou em ocasiões como a Festa da Igreja, certa de que teria inúmeros problemas com migalhas de bolachas. Ser desdentada fazia com que parecesse muito velha, embora na verdade fosse até bem jovem, com quarenta e poucos anos. Seus cabelos eram lisos e escorridos. Na cabeça tinha um boné marrom, que usava tão constantemente como as botas de borracha, e pelo mesmo motivo.

— Fez toda essa caminhada com um tempo tão horrível?

— Eu trouxe Tiger. A senhora se incomoda se ele entrar?

Era uma pergunta tola e absolutamente desnecessária, porque Tiger já tinha entrado, sacudira o pelame molhado e farejava o balde onde a sra. Mudge reservava a comida dos porcos. Ela o xingou alegremente e simulou dar-lhe um pontapé, de modo que ele recuou para o capacho surrado perto do fogão e ali acomodou-se, começando a limpar-se com lentas e molhadas lambidas.

Loveday despiu sua capa de chuva e a deixou sobre uma cadeira. Depois, estendendo a mão, pegou um pedacinho de massa crua e a comeu. A sra. Mudge cacarejou jocosas risadas.

— Nunca vi ninguém gostar de massa crua.

— É deliciosa.

— Não vai querer uma xícara de chá?

Loveday disse que queria, não por desejá-la na realidade, mas porque bebê-la com a sra. Mudge fazia parte da tradição.

— Onde está Walter?

— Nas lavouras com o pai. — A sra. Mudge largou as batatas e encheu a chaleira, a fim de pô-la para ferver. — Você queria vê-lo?

— Bem, ele não estava nos estábulos esta manhã, e quando cheguei lá, ele tinha soltado os cavalos.

— Ele foi bem cedo para os estábulos, ora se foi, porque o pai precisava dele para consertar um dos muros. Duas vacas fugiram para a estrada esta noite, as idiotas. O que você queria com Walter?

— Apenas dizer-lhe uma coisa, mas a senhora pode dar o recado. Acontece que vou amanhã para Porthkerris e ficarei uma semana por lá, de modo que ele terá de fazer tudo para os cavalos. De qualquer modo, há bastante feno e troquei toda a comida esta noite.

— Eu digo a ele. Vou ficar dando em cima dele, para que não se esqueça. — Erguendo a mão, a sra. Mudge pegou na prateleira a sua latinha de chá decorada com retratos da Realeza, e depois o bule de chá castanho, no lado do fogão. — Por que vai a Porthkerris?

— Vou ficar com os Warrens. Eu e Judith. Eles me convidaram também. Judith vai passar duas semanas lá, e quase deixei de ir, mas então pensei que podia ser bem divertido. Entretanto, fico aborrecida em deixar o novo pônei, mas papai achou que eu *devia* ir. Por outro lado, e a senhora nem vai acreditar, sra. Mudge, eu e Judith vamos de carro, sozinhas! Ela saiu hoje com o sr. Baines, o advogado, que vai ajudá-la a comprar um carro. E Judith só tem dezoito anos! Não acha que é uma garota de muita sorte? E vai ser um carro novo em folha, também. Nada de segunda mão!

369

Chocalhando xícaras e pires, a sra. Mudge fez uma pausa, boquiaberta, ao ouvir a novidade.

— Um carro *dela mesma*? Mal dá para acreditar, não é verdade? E duas mocinhas, viajando por conta própria! Só espero que não sofram algum desastre e morram. — Após ter feito o chá, a sra. Mudge tirou de um pote de cerâmica um bolo de açafrão, do qual começou a cortar generosas fatias. — Os Warrens? Será aquele Jan Warren, o merceeiro?

— Exatamente. Ele tem uma filha chamada Heather. Era amiga de Judith na escola de Porthkerris. E Heather tem dois irmãos muitíssimo atraentes, chamados Paddy e Joe.

A sra. Mudge deixou escapar um grasnido.

— *Oh...* Então é por isso que você vai!

— Oh, não diga bobagens, sra. Mudge, claro que não é por isso que eu vou!

— Eu não os conheço bem, claro, mas os Warrens são parentes distantes meus. Daisy Warren era prima da minha tia Flo. Tia Flo casou-se com o tio Bert. São uma grande família, os Warrens. E Jan Warrens era um *perigo* quando jovem, selvagem como um bode, nunca pensamos que ele criasse raízes.

— E ele continua sendo uma pessoa que gosta de arreliar os outros...

A sra. Mudge serviu o chá, puxou uma cadeira e acomodou-se para uma boa conversa.

— O que mais anda acontecendo em sua casa? Continuam com muitos hóspedes?

— Pelo contrário. Papai, eu e Judith somos os únicos por lá. Athena ainda está em Londres e Edward está levando um vidão no sul da França, de modo que, como sempre, não sabemos quando voltará para casa.

— E sua mãe?

Loveday fez uma careta.

— *Ela* foi ontem para Londres. Dirigindo o Bentley. E levou Pekoe.

— Ela foi para *Londres*? — exclamou a sra. Mudge, parecendo muito admirada. — Com todos vocês vindo para casa, e no meio das férias?

Diana-Carey Lewis, aliás, já havia feito semelhante coisa antes. No entanto, embora sentindo um pouco a ausência da mãe, Loveday imaginava compreendê-la.

— Aqui para nós, sra. Mudge, eu acho que ela se sentia um tanto deprimida e infeliz. Precisava mudar de ares. Athena sempre a anima, e eu acho que mamãe queria uma mudança.

— E o que fez sua mãe querer essa mudança?

— Bem, admitamos que tudo anda um pouco deprimente, não concorda? Quero dizer, as notícias, todo mundo falando em guerras, Edward alistando-se na Reserva da Real Força Aérea... Bem, eu acho que isso a amedronta. Papai também não anda nada conversador, e faz questão de ouvir todos os boletins noticiosos do começo ao fim, e estão cavando em Hyde Park para a construção de abrigos antiaéreos, e ele insiste em que todos nós seremos intoxicados por gases. Não está sendo nada divertido conviver com a realidade. Assim, ela apenas fez a mala e se foi.

— Por quanto tempo sua mãe pretende ficar fora?

— Oh, não sei. Uma semana. Talvez duas. O tempo que achar necessário, suponho.

— Bem, se ela está tão perturbada assim, é melhor mesmo que fique fora do caminho. Quero dizer, não é como se ela fosse *necessária*, entende? Não com os Nettlebeds e Mary Millyway na casa, para ficarem de olho em tudo. — A sra. Mudge sorveu um longo e ruidoso gole de chá, depois pensativamente afundou sua fatia de bolo no chá que restava na xícara. Ela gostava assim, tudo macio e encharcado, devido à falta dos dentes. — Não sei não... Em realidade, o momento não é bom para nenhum de nós. Enfim, suponho que Walter não terá de ir. Trabalhos de fazenda são uma ocupação preservada, é o que diz o pai dele. Sozinho, ele não conseguiria tocar esta propriedade para diante.

— E se Walter quiser alistar-se?

— *Walter*? — A voz da sra. Mudge estava cheia de orgulhoso desdém. — Ele não se apresentaria como voluntário. Jamais gostou que alguém lhe dissesse o que fazer. Esse foi um motivo dos problemas que teve na escola, tudo por causa das normas e regulamentos. Não posso imaginar Walter dizendo "Sim, senhor" para qualquer sargento-instrutor. Não. Será melhor que fique aqui. Teria mais utilidade.

Loveday terminou o chá. Olhou para seu relógio de pulso.

— Bem, acho melhor eu ir andando. Há mais uma coisa. Preciso levar uma lata extra de creme, porque a sra. Nettlebed está em falta e quer fazer uma geléia de framboesa para o jantar. Foi mais para isto que vim aqui, e para falar a Walter sobre minha ida a Porthkerris.

— Bem, há creme de sobra na leiteria. Sirva-se à vontade, mas não se esqueça de trazer minha lata de volta.

— Não poderei trazer porque viajo amanhã, mas direi à sra. Nettlebed.

<hr/>

A leiteria estava fria e brilhava de limpeza, exalando o cheiro do sabão carbólico com que a sra. Mudge esfregava o chão ladrilhado. Loveday encontrou o creme e uma lata esterilizada, que encheu com uma concha de cabo comprido. Recusando-se a entrar, Tiger gania diante da porta aberta, mas quando ela tornou a surgir no pátio, ele se entregou a êxtases de prazer, dando excitadas corridas em círculo, como se imaginasse haver sido abandonado para sempre. Após ser chamado de idiota, Tiger sentou-se e sorriu para ela.

— Vamos, imbecil, temos que ir para casa!

Ela cruzou o pátio e escalou o portão, depois sentou-se na trave de cima por um instante. Enquanto trocava idéias com a sra. Mudge, surgira uma brisa que fizera a chuva diminuir um pouco. Em algum lugar acima das nuvens, o sol estava brilhando, e alguns raios infiltravam-se para a terra, como sempre parecia acontecer nas ilustrações da Bíblia. A neblina, como uma cortina transparente, começava a dividir-se, permitindo um vislumbre do mar quieto e prateado.

Loveday pensou em Walter e na guerra iminente. Sentiu-se grata por ele não ter que deixar Nancherrow para ser soldado, porque Walter era parte de Nancherrow, parte de tudo que ela havia conhecido a vida inteira, e uma mudança a aterrorizava. Por outro lado, gostava dele. Walter era rude, boca-suja, e corriam boatos de que começava a passar tempo demais no *pub* de Rosemullion ao anoitecer, mas, ainda assim, era uma constante na existência dela, um dos poucos rapazes que conhecia e com o qual se sentia inteiramente à vontade. Desde que iniciara o preparatório para estudos superiores, Edward estivera trazendo amigos para ficar em casa, mas para Loveday era como se fossem produto de um mundo diferente, com suas arrastadas vozes de membros das classes superiores e, por vezes, seu lânguido comportamento. Enquanto ela se ocupava nos estábulos ou montava em companhia de Walter ou de seu pai, eles estiravam-se em espreguiçadeiras ou jogavam um tênis não muito vigoroso. Além disso, suas conversas à mesa do jantar versavam inteiramente sobre pessoas que ela não conhecia, que jamais veria e nem desejaria ver.

Apesar das maneiras selvagens, ela achava Walter imensamente atraente. Às vezes, quando ele escovava um dos cavalos ou carregava feno, ela o observava disfarçadamente e se sentia encher de satisfação ante a força e flexibilidade do corpo dele, os braços musculosos e queimados, os olhos escuros e os cabelos negríssimos. Walter era como um belo cigano saído de um livro de D.H. Lawrence, e em seus primeiros albores de sexualidade física, Loveday sentia uma espécie de funda pontada no estômago, gerada pela presença dele. Acontecia mais ou menos a mesma coisa com os rapazes Warren, em Porthkerris. Com suas falas típicas da Cornualha, suas brincadeiras rudes e suas implicâncias, nem por um momento Loveday ficava acanhada ou entediada com eles. Ocorreu-lhe que talvez esta sua preferência pelas... ela procurou a palavra certa. Classes inferiores era horrível. Iletradas, era pior. Acertou com autênticas. Sua preferência por pessoas autênticas tinha algo a ver com a maneira pela qual fora criada, mimada e paparicada a vida inteira, dentro do seguro paraíso de Nancherrow. Fosse lá como fosse, aquele era o seu segredo, não partilhado nem com Judith e nem com Athena.

Walter. Loveday pensou na guerra. Querendo ou não, a cada noite todos eles ouviam o noticiário das nove horas, e a cada noite os eventos mundiais pareciam estar piorando. Era como testemunhar a ereção de um desastre monumental — um terremoto ou um terrível incêndio — sem que ninguém fosse capaz de fazer alguma coisa para evitá-lo. As badaladas do Big Ben, marcando as nove horas, tinham começado a soar para Loveday como as trombetas do Juízo Final. Estava muito mais preocupada com a perspectiva da guerra do que poderia supor qualquer familiar seu, porém ainda não começara a imaginar como seria, em particular dentro do contexto de seu próprio lar, de sua família e do mundo imediato de seus entes queridos. Loveday nunca fora muito boa para imaginar coisas, sempre tinha sido uma inutilidade nos ensaios e composições. Haveria bombas, despejadas por aviões negros, explosões e casas desmoronando? Ou o exército alemão desembarcaria em algum lugar, talvez em Londres, e marcharia através do país? Viriam eles à Cornualha? E se viessem, como cruzariam o Tamar, que tinha apenas uma ponte para a estrada de ferro? Talvez eles construíssem pontões especiais ou cruzassem o rio em botes a remo, mas isso *parecia* um tanto primitivo.

E se eles viessem, o que aconteceria? Quase todos os homens de seu conhecimento — e certamente todos os amigos de seu pai — tinham uma arma com a qual abatiam faisões e coelhos, também servindo para livrar do sofrimento algum cão ou cavalo machucado. Se todos se armassem e fossem ao encontro dos alemães, então os invasores certamente não teriam a menor chance. Ela evocou a antiga canção da Cornualha, entoada a plenos pulmões pelas multidões nas arquibancadas, durante os jogos de rúgbi no condado.

> *E terá Trelawney de morrer, meus rapazes,*
> *E terá Trelawney de morrer?*
> *Quarenta mil, então, da Cornualha*
> *Deverão saber por que motivo.*

Impaciente, Tiger latia para ela. Loveday suspirou, expulsou da mente os pensamentos sombrios e desceu do portão, começando a trotar pela acidentada alameda, com a lata de creme balançando para cá e para lá. A fim de animar-se, ela pensou no dia seguinte, na viagem a Porthkerris para ficar com os Warren. Tornar a ver Heather, Paddy e Joe. Sentar-se na praia apinhada e tomar sorvetes. E o carro novo de Judith... Talvez fosse um pequeno MG conversível. Ela mal podia esperar para ver o carro novo.

Com tudo isso em mente, ela, quando por fim chegou em casa, já estava novamente com o ânimo em alta.

O Regresso

9 de agosto de 1939
Porthkerris.

Queridos mamãe e papai,
    Peço desculpas por haver levado tanto tempo sem escrever. Tentarei dar todas as notícias com a máxima rapidez, a fim de que esta carta não fique da espessura de um jornal. Como podem perceber, estou em Porthkerris com os Warren, e Loveday também veio. Ela hesitou um pouco, porque tem um novo pônei, chamado Fleet, que está sendo treinado para participar de gincanas, mas finalmente decidiu vir, apenas por uma semana, o que é ótimo para todos nós. Ficaremos um tanto apertados na casa, mas a sra. Warren parece não ligar, porque Paddy agora está trabalhando no barco pesqueiro de seu tio e passa um bom tempo fora de casa. Assim, Loveday ficou com a cama dele e eu estou no quarto de Heather. Ela também deixou a escola e agora vai fazer um curso de secretariado, aqui mesmo em Porthkerris, para então talvez ir a Londres e lá conseguir um emprego.
    O tempo tem estado simplesmente maravilhoso, e há muitos visitantes em Porthkerris, de short e sandálias. Joe arrumou um emprego na praia: limpa as tendas de praia e coloca as cadeiras para banhistas no lugar adequado.
    Ontem, quando fomos nadar, ele surripiou sorvetes grátis para todas nós. Agora há uma nova garota trabalhando na mercearia. Chama-se Ellie, e parece ter uns dezesseis anos. Ela pinta os cabelos de louro com água oxigenada, mas, embora parecendo tão tola, a sra. Warren disse que é a melhor assistente que já tiveram, e que aprendeu a lidar com a caixa-registradora em um piscar de olhos.
    É curioso saber que não terei de voltar mais para o colégio. Ainda não tive qualquer notícia sobre as provas de admissão à Universidade, claro, porém ganhei os prêmios distribuídos para História e Inglês, no Dia da Entrega de Prêmios, o que foi ótimo, além ser a mais votada para a Taça Carnhayl, isto sim, uma surpresa tão grande, que me deixou de pernas bambas. Entretanto, valeu a pena ganhar, pois, por causa disso, o sr. Baines e tio Bob entraram em acordo e me deixaram comprar um carro

para mim, como uma espécie de recompensa. Então, eu e o sr. Baines fomos à garagem, em Truro, e escolhemos o carro. É um pequeno Morris azul-escuro, de quatro assentos, um encanto! Eles também tinham um carro esporte conversível, porém o sr. Baines disse que se eu tivesse que levantar e baixar a capota (o que eu não faria, é claro), provavelmente quebraria meu pescoço, e ele achou o Morris mais apropriado. Seja como for, eu simplesmente adorei o carro, e voltei para Nancherrow dirigindo-o eu mesma, por todo o trajeto através de Camborne, Redruth e Penzance, tendo o sr. Baines me seguido em seu carro, como uma espécie de escolta! Foi a melhor coisa que já possuí, desde que tia Louise comprou minha bicicleta; tão logo possa, estarei rodando para Pendeen, para ver Phyllis e seu bebê. Darei notícias dela em minha próxima carta.

Afinal, a compra do carro significou que eu e Loveday pudemos vir para cá às nossas custas, em vez de precisarmos usar o furgão de caça de Nancherrow, com alguém mais dirigindo. É impossível descrever como nossa viagem foi divertida, rodando por conta própria, bem devagar, saboreando o passeio! Fazia um dia espetacular, todas as sebes estavam salpicadas de dedaleiras, e viemos pela estrada que passa na charneca, vendo o mar, do azul mais profundo, à distância. Nós cantamos bastante.

Pouco antes de partirmos, Diana Carey-Lewis viajou a Londres e ficará lá algum tempo. O Coronel Carey-Lewis pareceu um tanto melancólico, quando ela lhe disse que se ausentaria, porém ele anda de fato deprimido sobre tudo, nunca esquece de ler os jornais e de ouvir rádio. Acho que o pobre homem está simplesmente com os nervos abalados. Contudo, afinal ele se conformou, viu-a partir e lhe disse que procurasse divertir-se. De fato, ele só pode ser o mais encantador e menos egoísta dos maridos, e quem iria censurá-lo por estar preocupado pela maneira como andam as coisas? Imagino como deve ser angustiante para um homem que durante toda a última guerra lutou nas trincheiras. Fico feliz sabendo que vocês estão em Cingapura e longe disso tudo. Enfim, aí estarão a salvo do que possa ocorrer na Europa.

*Preciso terminar. Loveday e Heather querem ir à praia, e a
sra. Warren preparou-nos uma cesta de piquenique. Já sinto o
cheiro de bolinhos saídos do forno. Pode-se pensar em alguma
coisa melhor do que comê-los após nadar um pouco? Eu não
posso.*

*Como sempre, envio todo o meu amor para vocês. Farei o
possível para breve escrever novamente.*

Judith

Ao contrário de Nancherrow, na casa dos Warren as horas das refeições
eram, por necessidade, questões informais. Com dois homens trabalhando e partindo em horas diferentes, o café da manhã era um festim
bastante móvel e, por outro lado, o sr. Warren já estava em sua
mercearia e Joe na praia, muito antes de quaisquer das jovens terem
saído da cama. Por volta do meio-dia, a sra. Warren servia o almoço a
seu marido, sempre que houvesse uma pausa nos negócios e ele
conseguisse escapar de suas peças de bacon, sacos de chá e quilos de
manteiga. Uma vez que estava de pé desde manhã cedo, ele precisava
sentar-se por algum tempo, passar os olhos pelo jornal local e tomar
um prato fundo de sopa, com uma fatia de pão e queijo, juntamente
com uma xícara de chá. Enquanto seu marido comia, a sra. Warren
passava roupas, fazia um bolo, lavava o chão da cozinha ou ficava
diante da pia descascando quilos de batatas, ouvindo sociavelmente
enquanto ele lia trechos de notícias, como os escores do críquete ou
quanto o Instituto Feminino de Saint Enedoc conseguira de lucro na
Feira Traga & Compre. Após terminar o chá, ele enrolava e fumava
um amarfanhado cigarro, voltava ao trabalho, e então era a vez da folga
de Ellie. Ela não gostava de sopa. Preparava sanduíches de patê de
carne e devorava biscoitos de chocolate, enquanto contava para a sra.
Warren o que Russell Oates lhe dissera, quando ambos tinham ficado
na fila do cinema — e a sra. Warren achava que ela devia fazer uma
ondulação permanente no cabelo? Era uma jovem volúvel e louca por
rapazes, mas a sra. Warren a conhecia desde menininha na escola de

Porthkerris, e apreciava sua companhia. Também gostava de Ellie porque era ativa, trabalhadora, esperta e sempre amistosa com os fregueses.

— Esta semana vai passar um filme de Jeanette MacDonald — Ellie contou para ela. — Com Nelson Eddy. Sempre achei os dois um pouco melosos, mas a música é bonita. Vi James Cagney semana passada, era uma fita horrível de *gangsters* e coisas assim, em Chicago.

— Não consigo entender como você agüenta ver tanto tiroteio e matanças, Ellie.

— É excitante. E quando fica sangrento demais, eu apenas me agacho na poltrona.

Loveday ficou lá durante a semana, sendo uma constante fonte de surpresa para Judith a maneira como ela se ajustava e se adaptava à vida na casa apinhada em cima da mercearia, tão diametralmente diversa, em todos os sentidos, do ambiente em que tinha sido criada. Os Carey-Lewis eram "aristocratas rurais"... não adiantava fugir dessa expressão de sonoridade tão incômoda. E Loveday havia sido criada em decorrência, mimada e com as vontades atendidas, cercada por babás e mordomos dedicados, idolatrada por pais extasiados. Não obstante, desde sua primeira visita a Porthkerris, quando ambas ainda estavam no colégio, Loveday ficara fascinada pelos Warren e por tudo sobre eles. Ela adorou a novidade de viver bem no centro de uma movimentada cidadezinha, de cruzar a porta diretamente para a estreita rua lajeada que descia para o porto. Quando o sr. Warren ou Joe começavam a arreliá-la, respondia no mesmo tom, e no referente à sra. Warren, aprendera a arrumar a cama em que dormia, a ajudar na lavagem dos pratos e a pendurar a roupa lavada no pátio atrás da lavanderia. A mercearia, sempre cheia de fregueses, era uma diversão permanente, e ela achava inestimável a liberdade desfrutada pela filha e pelos filhos dos Warren. "Eu agora vou sair", era tudo o que alguém tinha de gritar do alto da escada, e ninguém perguntava para onde ou quando estaria de volta.

Entretanto, o que mais a encantava era o divertimento na praia cheia de gente, onde ela, Judith e Heather passavam a maior parte do tempo. Os dias continuavam mostrando-se perfeitos, com uma brisa fresca e céus sem nuvens, as areias avivadas por tendas listradas e guarda-sóis de praia, ruidosas com alegres reuniões de veranistas aproveitando as férias. Diana comprara para Loveday um novo maiô, um duas-peças, ao qual ela acrescentara um par de óculos escuros, que lhe permitiam encarar ousadamente os outros, sem ser percebida. Como Judith desconfiava, Loveday esperava também que eles a fizessem parecer uma artista de cinema. Tão esguia, bronzeada e encantadoramente bonita, era inevitável que atraísse olhares admirativos, não demorando muito para que algum rapaz jogasse uma bola de praia casualmente em sua direção, a fim de que então fosse travado um novo conhecimento. Mal passava um dia sem que as três fossem convidadas a juntar-se em um jogo semelhante ao beisebol ou para nadar até a balsa e tomar banho de sol sobre a encharcada forração de fibra de coqueiro.

A enseada de Nancherrow jamais seria tão divertida.

Entretanto, o tempo voava e, quase antes de perceberem, chegara o último dia da permanência de Loveday. A refeição da noite, na casa dos Warren, era o único momento em que toda a família — e mais alguém que acaso estivesse lá, precisando ser alimentado — se reunia em torno da comprida e escovada mesa na cozinha da sra. Warren, para conversar, rir, discutir, implicar e, em geral, ficar a par dos assuntos do dia. Nunca houvera qualquer sugestão de trocar-se de roupa ou de vestir-se algo mais formal. Uma apressada lavagem de mãos era tudo quanto se esperava, e todos ocupavam seus lugares com as roupas que tinham usado o dia inteiro, os homens com camisas de colarinho aberto, e a sra. Warren ainda usando seu avental.

A refeição era servida às seis e meia e, embora nunca menos do que um festim, tradicionalmente mencionava-se como "o chá". Era servida uma perna de carneiro, uma galinha ou peixe grelhado, juntamente com batatas amassadas e tostadas, três pratos de vegetais, molhos e picles, e potes de caldo escuro e suculento. Para "depois", havia geléias e tortas, pratos de creme e então um bolo feito em casa ou biscoitos e queijo, tudo acompanhado por grandes xícaras de chá forte.

Nesta noite, havia apenas a família. Os Warren, marido e mulher, Joe e as três jovens, de braços nus e frescas nos vestidos sem manga de algodão, que tinham posto sobre os maiôs, após um dia na praia.

— Sentiremos sua falta — disse o sr. Warren para Loveday. — Esta casa não será a mesma coisa sem você para nos deixar malucos...

— Você tem mesmo que ir? — perguntou a sra. Warren, algo tristonha.

— Sim, é preciso. Prometi a Fleet que voltaria, e há um mundo de trabalho para fazermos juntos. Só espero que Walter a esteja montando, pois do contrário, ficará fogosa e brava como quê.

— Bem, afinal você aqui tomou um bocado de sol — sorriu o sr. Warren. — O que não dirá sua mãe, vendo-a voltar para casa negra como uma indiazinha?

— Mamãe foi passar um tempo em Londres, portanto, não estará em casa. E se estivesse, morreria de inveja. Ela vive tentando bronzear-se. Às vezes toma banho de sol, mas sem vestir nada.

Joe ergueu as sobrancelhas.

— Então, diga a ela que venha à nossa praia. Poderíamos contentar-nos com um ou dois espetáculos extras.

— Oh, não diga asneiras! Ela não faz isso em praias cheias. É apenas em caráter privado, às vezes no jardim ou sobre as rochas.

— Não deve ser tão privado assim, se você sabe do assunto. Costuma ficar espionando?

Loveday jogou nele um pedaço de pão, a sra. Warren levantou-se com dificuldade e foi colocar a chaleira para ferver.

Ela partiu na manhã seguinte, conduzida por Palmer no furgão de caça de Nancherrow. Não era aquele o veículo mais conveniente para as ladeiras empinadas, ruas estreitas e esquinas em ângulo reto de Porthkerris, de maneira que, quando finalmente chegou, Palmer estava um tanto ou quanto afogueado, porque tinha perdido por completo a direção naquele labirinto de alamedas lajeadas. O fato de chegar à porta da Mercearia Warren foi mais devido à sorte do que a um bom serviço.

De qualquer modo, ele chegou lá. As malas de Loveday estavam empilhadas no andar térreo e através da mercearia, tendo surgido todos à calçada para vê-la partir, entre uma profusão de beijos, abraços e promessas de voltar o quanto antes.

— Quando é que você volta? — perguntou ela a Judith, debruçada à janela aberta do furgão.

— Talvez no domingo de manhã. Ligo para você confirmando. Dê lembranças minhas a todo mundo.

— Eu darei... — Estremecendo, o furgão ganhou vida e se moveu, afastando-se em gigantesca dignidade. — Adeus! Adeus!

Ficaram todos acenando, mas apenas por um momento, porque quase imediatamente o enorme veículo dobrou a estreita esquina junto à Praça do Mercado e desapareceu.

A princípio ficou um pouco estranho, sem Loveday. Como todos os membros da família Carey-Lewis, ela possuía o dom de acrescentar um certo encanto inesperado a qualquer reunião. Por outro lado, também foi interessante ter apenas Heather por companhia, poder recordar os velhos tempos e velhos amigos ou ter de explicar penosamente a ela quem era fulano-de-tal ou quando tal-e-tal coisa havia acontecido.

Sentadas à mesa da cozinha e tomando chá, elas discutiram como passariam o dia, tendo decidido contra a ida à praia de Porthkerris porque, embora Loveday não tivesse desejado fazer outra coisa, a ausência dela oferecia uma boa oportunidade para viajarem um pouco mais além.

— Afinal de contas, estou com o carro. Vamos rodar para algum lugar realmente inacessível.

Ainda estavam indecisas sobre onde irem, quando a sra. Warren se juntou a elas, subindo a escada para um descanso do trabalho na mercearia, e fez a decisão por ambas.

— Por que não vão a Treen? De carro não é muito longe, e os penhascos estarão maravilhosos em um dia como este. Provavelmente não verão uma só alma por lá. De qualquer modo, é um pouco trabalhoso descerem até a praia, mas vocês têm o dia inteiro pela frente, não é mesmo?

Desta maneira, elas foram a Treen, através de Pendeen, pela estrada de Land's End e, depois, por Saint Just Bowling. Judith lembrou-se de Phyllis.

— Devo ir visitá-la qualquer dia. Ela mora num lugar perto daqui, mas não sei bem onde. Terei de escrever-lhe uma carta, porque certamente não há telefone.

— Poderá visitá-la esta semana. E, se quiser, também podemos ir a Penmarron.

Judith franziu o nariz.

— Não, eu não gostaria.

— Deixa você com saudades de casa, não é?

— Francamente, não sei. Apenas não quero arriscar-me. — Ela pensou na pequena estação ferroviária, em Riverview e, talvez, em uma visita ao sr. Willis. Entretanto, estas eram lembranças felizes, havendo outras que ficariam melhor estando sepultadas. — Talvez seja melhor apenas lembrar do jeito como era tudo.

Em Treen, estacionaram o carro perto do *pub* e cruzaram os campos, levando às costas as mochilas com os apetrechos de banho e de piquenique. Aquele era mais um dia com abelhas zumbindo nas campânulas e a claridade do sol difundida pelo calor, tremeluzindo sobre um preguiçoso mar cor de jade. Os penhascos eram tremendamente altos, e a enseada em forma de foice jazia muito abaixo deles, mas elas conseguiram fazer a longa e um tanto arriscada descida pela trilha do desfiladeiro. Quando finalmente chegaram à praia, foi como se estivessem abandonadas em uma ilha deserta, porque não havia ninguém mais à vista.

— Nem mesmo precisamos usar maiôs — observou Heather.

Assim, elas se despiram e, nuas, correram para as ondas suaves, com a água gelada e macia como seda. Nadaram até sentirem frio demais para continuarem mais tempo na água. Então emergiram e caminharam pela areia dura em busca das toalhas, secaram-se e depois jazeram sobre as rochas, tomando banho de sol.

Conversaram. Heather confessou que agora tinha um namorado à altura, chamado Charlie Lanyon, filho de um próspero negociante de madeiras em Marazion. Conhecera-o em um Jantar de Críquete, mas mantinha Charlie mais ou menos em segredo da família, porque não suportaria as inevitáveis implicâncias fraternas, tão logo Joe descobrisse a amizade dos dois.

— Charlie é um amor de pessoa. Não apenas *atraente*, mas *bonito* de verdade. Tem belos olhos e um sorriso encantador.

— O que você faz com ele?

— Vou ao "Palais de Danse", ao *pub*, lá tomamos um copo de cerveja... Ele tem carro e, em geral, encontramo-nos perto da parada do ônibus.

— Um dia terá de levá-lo em sua casa.

— Eu sei, mas ele é um tanto tímido. Estamos deixando isso para mais tarde.

— Ele trabalha com o pai?

— Não. Está na escola técnica em Camborne. Tem dezenove anos, mas pretende envolver-se no negócio de madeira.

— Parece ser uma pessoa e tanto.

Heather sorriu.

— E é mesmo — respondeu.

Jazendo de costas, Judith fez sombra nos olhos com a mão e ficou calada. Por um momento, deliberou se contaria ou não a Heather sobre Edward. Já que sua amiga lhe fizera uma confidência, achava-se na obrigação de retribuir, mas depois decidiu que não. Por algum motivo, o que sentia por Edward era precioso demais e também demasiado tênue para ser dividido com qualquer pessoa, inclusive Heather. Judith sabia que ela jamais trairia uma confiança, porém segredos, uma vez ditos, estavam soltos para sempre.

O sol estava bastante forte; seus ombros e coxas começavam a queimar. Com dificuldade, ela rolou o corpo e se deitou sobre o estômago, procurando acomodar-se da melhor maneira possível sobre a duríssima platibanda rochosa.

— Vocês pretendem ficar noivos? — perguntou.

— Não. De que adianta um noivado? Se houver guerra, suponho que ele será convocado, e então ficaríamos anos sem nos ver. Por outro lado, não quero casar-me e ficar carregada de filhos. Não por enquanto. Isso a gente pode fazer a qualquer momento.

De repente, ela começou a rir.

— O que é tão engraçado?

— Acabei de me lembrar daquela Norah Elliot, do que ela nos contou atrás do galpão das bicicletas. Sobre como os bebês começam...

Judith também se lembrava perfeitamente e foi sacudida pelo riso.

— ... e nós achamos que ela tinha sido repugnante, que inventara tudo aquilo, e que só alguém tão horrível como Norah Elliot poderia pensar em algo tão medonho.

— E, no final das contas, ela estava absolutamente certa...

Quando finalmente as duas contiveram a hilaridade, depois que enxugaram as lágrimas dos olhos, Heather perguntou:

— Quem contou para *você*?

— O quê? Sobre sexo?

— Sim. Quanto a mim, fiquei sabendo por mamãe. No seu caso, entretanto, sua mãe não estava presente.

— A srta. Catto me contou. Contou para a minha classe inteira. Isso tinha o nome de Educação Física.

— Poxa, deve ter sido embaraçoso.

— Curiosamente, não foi nada disso. E como todas nós também estudávamos biologia, o assunto não chegou a ser surpresa.

— Mamãe foi muito delicada. Disse que a coisa não *parecia* muito agradável, mas que amar alguém a tornava realmente especial. Sabe como é. Emoções e tudo isso.

— Você se sente assim, em relação a Charlie?

— Eu não quero ir para a cama com ele, se é o que quer saber...

— Não. Eu quero saber... você o ama?

— Não dessa maneira. — Heather pensou a respeito. — Não se trata disso. Não quero sentir-me presa.

— Então, o que você quer? Ainda um emprego em Londres?

— Eventualmente. Gostaria de ter um pequeno apartamento, um salário adequado...

— Posso vê-la em um vestido preto de gola branca, sentada no colo do chefe e taquigrafando uma carta.

— Não me sentarei no colo de nenhum chefe, pode ter certeza.

— Não sentiria falta de Porthkerris?

— Claro que sentiria, mas não vou ficar aqui pelo resto da vida. Conheço garotas de sobra, às voltas com uma penca de filhos e sem nunca terem saído da cidade. Eu quero ver o mundo. Gostaria de ir ao estrangeiro. Como a Austrália.

— Para sempre?

— Não. Não para sempre. Eventualmente, eu sempre voltaria. — Heather sentou-se e bocejou. — Está um pouco quente, não acha? Estou faminta. Vamos comer alguma coisa.

Passaram o dia inteiro ao sol, em cima das rochas, na areia e no mar. A maré encheu durante a tarde, ocupando a praia candente, de modo que as ondas fracas não pareciam tão frias. Elas ficaram boiando, encarando o céu e embaladas pelo doce balanceio das ondas de verão. Por volta de quatro e meia da tarde, parte do calor já deixara o sol, isto fazendo com que as duas decidissem encerrar o passeio e iniciar a longa escalada para o alto dos penhascos.

— É uma pena a gente ir embora — lamentou-se Heather, enquanto punham os vestidos de algodão e enchiam as mochilas com as coisas de banho e restos do piquenique. Virando-se para contemplar o mar que, à claridade alterada assumira miraculosamente uma tonalidade diferente, agora não mais cor de jade, porém de forte água-marinha azul, ela disse: — Se quer saber, nunca mais será deste jeito. Nunca mais. Apenas nós duas, este lugar e nesta época. As coisas só acontecem uma vez. Nunca pensou nisso, Judith? Parece bobagem, claro, porém nunca mais será *exatamente* a mesma coisa.

Judith entendia perfeitamente.

— Eu sei — respondeu.

Heather inclinou-se e jogou a mochila para as costas, enfiando os braços nus através das alças.

— Em frente, então! Escalar a montanha!

De fato, foi uma longa e exigente escalada, embora não tanto assustadora quanto a descida até a praia. Chegarem ao topo sem qualquer contratempo foi um imenso alívio, e então fizeram alto por um momento, enquanto recuperavam o fôlego. De pé sobre a espessa relva turfosa, elas baixaram os olhos para a enseada deserta, depois contemplando os penhascos imutáveis e o vazio, tranqüilo mar.

As coisas só acontecem uma vez.

Heather tinha razão. *Nunca mais será deste jeito.* Judith perguntou-se quanto tempo levaria antes que voltassem novamente a Treen.

Às seis da tarde estavam de volta a Porthkerris, queimadas de sol, com a pele salgada e exaustas. A mercearia já ostentava seu aviso de "*Fechado*", mas a porta estava aberta e elas entraram. Encontraram o sr. Warren em mangas de camisa, registrando nos livros os negócios do dia. Quando as duas apareceram, ele ergueu a cabeça de suas colunas de números.

— Ora vejam só quem está chegando! Tiveram um bom dia?

— Perfeito... fomos a Treen.

— Eu sei. Sua mãe me disse. — Os olhos dele pousaram em Judith. — Telefonaram para você, há coisa de uma hora atrás.

— Para *mim*?

— Para você. Ele quer que ligue em resposta. — Baixando a caneta, o sr. Warren procurou em sua mesa. — ... aqui está. Eu anotei. — Estendeu a ela o pedaço de papel no qual estavam escritas três palavras: "Ligar para Edward." — Ele disse que você sabe o número.

Edward. Judith sentiu-se transbordar de alegria, como uma esponja seca encharcada de água. A felicidade elevou-se das solas de seus pés até o topo da cabeça, e ela pôde sentir o sorriso repuxando-lhe os cantos da boca. Edward.

— De onde ele ligou?

— Não falou. Disse apenas que estava em casa.

Heather estava surpresa.

— Quem é, Judith?

— Oh, apenas Edward Carey-Lewis. Pensei que ainda estivesse na França.

— Então, é melhor ligar logo para ele. — Judith hesitou. O telefone que ficava sobre a mesa do sr. Warren era o único da casa. Hearth percebeu sua hesitação. — Papai não se importa, não é, papai?

— Claro que não. Fique à vontade, Judith.

Ele se levantou. Judith estava profundamente constrangida.

— Oh, por favor, não precisa sair. Nada há de particular. É apenas Edward.

— Já encerrei aqui por ora. Posso fazer o resto mais tarde. Vou subir e tomar uma cerveja...

Com os olhos negros cintilando, Heather disse:

— Vou servi-la para você. Dê-me sua mochila, Judith, e pendurarei suas roupas molhadas no varal...

Com sutileza consumada, eles a deixaram sozinha. Judith ficou olhando enquanto os dois subiam juntos a escada. Depois sentou-se na cadeira do sr. Warren, atrás da mesa, ergueu o fone do antiquado telefone e forneceu à telefonista o número de Nancherrow.

— Alô? — Era Edward.

— Sou eu — respondeu ela.

— Judith?

— Acabei de chegar. O sr. Warren deu-me o seu recado. Pensei que você ainda estivesse na França.

— Não. Voltei na última quinta-feira, para encontrar uma casa praticamente vazia. Sem mamãe, sem Judith e sem Loveday. Eu e papai temos levado uma existência de solteirões.

— Oh, mas Loveday já voltou!

— Sim, porém dificilmente a vejo. Ela passou a tarde inteira nos estábulos, treinando o novo pônei.

— Divertiu-se muito na França?

— Foi espetacular. Quero contar-lhe a respeito. Quando é que volta?

— Dentro de mais uma semana.

— Não posso esperar. Que tal esta noite? Eu podia ir de carro a Porthkerris e convidá-la a sair para um drinque ou qualquer coisa. Os Warren não se importariam?

— É claro que não se importariam.

— Muito bem, então digamos oito horas. Como vou encontrá-la?

— Desça a colina e tome a direção do porto. A Mercearia Warren fica bem atrás da velha Praça do Mercado. A porta da loja estará trancada, mas há uma entrada lateral sempre aberta e você poderá usá-la. É uma porta pintada de azul-vivo, com maçaneta de latão.

— Imperdível. — Ela podia ouvir o sorriso na voz dele. — Oito horas. Até lá.

Edward desligou. Ela ficou quieta um momento, sonhadora e sorridente, repassando tudo o que ele havia dito e cada nuance na voz dele. Edward ia chegar. Queria contar-lhe sobre a França. *Não posso esperar.* Ele queria vê-la. Ia chegar.

Teria que mudar de roupa, tomar um banho, lavar a cabeça para tirar o sal. Não havia tempo a perder. Mobilizada para a ação, ela saltou da cadeira e disparou escada acima, nem percebendo o quanto eram íngremes os degraus, subindo dois de cada vez.

Ela estava em seu quarto e passava o batom, quando ouviu o carro dobrar a esquina e parar diante das venezianas fechadas da mercearia.

Largando o batom, correu até a janela aberta, debruçou-se no peitoril e viu, muito abaixo dela, o Triumph azul-escuro e as pernas compridas de Edward, que saía do carro. Ele fechou a porta atrás de si, com uma batida suave.

— Edward!

Ao ouvir a voz, ele parou e então olhou para cima, uma figura minimizada pelo ângulo visual de Judith.

— Você parece Rapunzel — disse ele. — Desça.

— Irei em seguida!

Ela voltou ao quarto, pegou a bolsa branca de correia sobre o ombro, deu um último e rápido olhar ao seu reflexo no espelho antes de sair, correu escada abaixo, cruzou a porta azul e chegou à rua, onde compridas sombras espichavam-se nas lajes do calçamento, ainda quentes do calor do dia. Recostado contra o reluzente capô de seu carro, ele a esperava. Edward estendeu os braços, Judith correu para eles e os dois se beijaram, primeiro em uma face, depois na outra. Ele usava calças de linho ferrugem, sapatilhas e uma camisa azul e branca, aberta no pescoço. Tinha as mangas enroladas até os cotovelos, e estava muito queimado, os cabelos descorados pelo sol mediterrâneo.

— Você está maravilhoso — disse ela.

— Você também.

A aparência informal de Edward tranqüilizou-a. Resistira à tentação de usar um traje formal e, depois do banho, enfiara um vestido de algodão em listras azuis e brancas. As pernas estavam nuas, os pés em sandálias brancas.

— Estou com inveja — disse ele. — Acho que você conseguiu um bronzeado melhor do que o meu.

— Tivemos um tempo formidável.

Edward afastou-se do carro e ficou ereto, com as mãos nos bolsos da calça, o rosto erguido para a fachada da alta e estreita casa de pedra.

— Que lugar esplêndido para ficar!

— A casa é construída em andares — explicou Judith. — Há três deste lado, mas somente dois nos fundos. Suponho que seja porque, como o restante da cidade, tenha sido construída sobre uma colina. A cozinha fica no primeiro andar, com uma porta que dá para um pátio nos fundos. É lá que a sra. Warren cultiva suas plantas em vasos e pendura a roupa lavada. Ela não tem jardim.

— Não estou convidado a entrar?

— Sim, claro, desde que queira. Contudo, agora não há ninguém aí, além de mim. Há uma feira de verão no campo de rúgbi, e Heather foi lá com os pais, andar de carrossel, arremessar cocos e ganhar prêmios.

— Elefantes de pelúcia cor-de-rosa?

Judith riu.

— Exatamente. E Joe, é o irmão de Heather, saiu para passar a noite com amigos.

— Então, aonde iremos? Qual é o local noturno da moda nesta temporada?

— Eu não sei. Suponho que poderíamos tentar o "Guincho Corrediço".

— Uma ótima idéia. Faz anos que estive lá. Vamos ver o que está acontecendo. Quer ir de carro ou caminhamos?

— Vamos andar. Nem vale a pena levar o carro.

— Neste caso, *en avant*!

Os dois partiram, descendo a ruela estreita que dobrava na Casa do Barco Salva-vidas e chegava ao porto. Um pensamento ocorreu a Judith:

— Você comeu alguma coisa?

— Por quê? Estou com aparência de faminto?

— Não é isso, mas sei muito bem que o jantar em Nancherrow é às oito. Assim, presumo que você não esteve presente a ele.

— Tem razão. Não comi e nem preciso. Concluí que, lá em casa, todos nós comemos demais. Suponho que tudo tenha a ver com a culinária da sra. Nettlebed. Não posso imaginar por que meus pais não são gordos como barris de banha, mas a verdade é que mastigam alimentos quatro vezes ao dia e jamais ganham um só grama de peso.

— Tudo tem a ver com uma coisa chamada metabolismo.

— Onde foi que aprendeu uma palavra tão comprida?

— Oh, no Santa Úrsula fomos muito bem educadas.

— *Fomos* muito bem educadas — repetiu Edward. — Não é maravilhoso saber que tudo ficou para trás agora? Eu mal podia acreditar quando finalmente deixei Harrow. Costumava ter pesadelos sobre voltar para lá e acordava durante a noite suado de apreensão.

— Ora, vamos, não pode ter sido assim tão ruim! Aposto como sente um nó na garganta, quando ouve vozes de garotos cantando velhas canções da escola.

— Não, não sinto, mas admito que possa sentir, quando estiver com cinqüenta anos.

Eles dobraram a esquina da Casa do Barco Salva-vidas e continuaram ao longo da rua do porto. Era um anoitecer tão dourado e acolhedor, que a rua ainda estava apinhada; havia veranistas por toda parte, caminhando sem pressa junto à borda do molhe, parando para debruçar-se na balaustrada e observar os barcos pesqueiros; lambendo sorvetes ou comendo peixe e batatas fritas de cones de papel. Sabia-se que eram visitantes, porque usavam roupas bastante peculiares, estavam vermelhos como camarão por causa do sol desacostumado, e falavam com sotaques de Manchester, Birmingham e Londres. A maré estava alta, e o céu cheio de gaivotas gulosas. Alguns dos velhos residentes que ainda moravam em casas junto do porto tinham levado cadeiras de cozinha para fora das portas e nelas se sentavam, vestidos de preto e falando em voz muito alta, enquanto aproveitavam o último calor do dia e apreciavam o mundo que passava à sua frente. Fora do "Guincho Corrediço", um grupo de jovens veranistas, ruidosos e queimados de sol, bebia cerveja em torno de uma mesa de madeira.

Edward fez uma careta.

— Espero que não esteja cheio demais. Na última vez que estive aqui era inverno, e só havia um ou dois velhotes no interior, desfrutando de um pouco de paz longe das esposas. Enfim, vamos dar uma espiada lá dentro.

Ele entrou na frente, encurvando a cabeça abaixo do deformado lintel da porta. Em seus calcanhares, Judith internou-se na penumbra e imediatamente foi tomada pelo cheiro da cerveja, de bebidas alcoólicas e de acalorada humanidade, juntamente com nuvens de fumaça de cigarros e da estridência de vozes joviais. Não havia admitido para Edward, porém aquela era sua primeira ida ao "Guincho Corrediço", porque se tratava de um *pub* que os homens da família Warren reservavam estritamente para si próprios. Agora, ela olhou em torno com certa curiosidade, procurando descobrir o que havia de tão especial no lugar.

— Está pior do que pensei — comentou Edward. — Devemos dar o fora ou ficar?

— Vamos ficar.

— Está bem. Tome posição aqui e garanta uma mesa, caso alguma fique livre. Vou pegar as bebidas. O que vai querer?

— Um *shandy*.* Ou uma cidra. Não faz diferença.

— Eu lhe trarei um *shandy*.

Ele se foi, abrindo habilidosamente caminho para o bar, e ela o viu afastar-se usando os ombros para forçar passagem, ao mesmo tempo mostrando-se muitíssimo polido "Sinto muito... Perdão... Com licença..."

Ele já se aproximava do enlouquecido *barman* quando, por um golpe de sorte, o grupo que estivera ocupando uma mesa sob uma pequenina vigia que fazia as vezes de janela começou a reunir-se como que para ir embora. Com uma rapidez que a ela mesma surpreendeu, Judith chegou junto do grupo em um instante.

— Desculpem-me, mas estão indo embora?

— Isso mesmo. Temos que subir a colina até a nossa pensão. Vai querer a mesa?

— Seria bom poder sentar-me.

— Claro. Isto aqui até parece o "Buraco Negro" de Calcutá.

Eram quatro pessoas e demoraram algum tempo, mas Judith permaneceu bem perto, precavida contra intrusos. Assim, tão logo o grupo afastou-se, ela deslizou para o estreito banco de madeira e deixou a bolsa ao seu lado, marcando um lugar para Edward.

Quando ele voltou, carregando sua caneca de cerveja e o copo dela, mostrou-se deliciado com a esperteza de Judith.

— Que garota inteligente você é! — exclamou. Pousou cuidadosamente as bebidas em cima da mesa e depois deslizou no banco, ao lado dela. — Como foi que conseguiu? Fez caretas para afugentar os ocupantes?

— Nada disso. Eles iam mesmo embora. Voltaram para a pensão onde se hospedam.

— Uma sorte e tanto! Seria terrível termos de ficar em pé o tempo todo...

---

* Mistura de cerveja e gengibirra. (N. da T.)

— Eu nunca havia reparado que o "Guincho Corrediço" era tão *pequeno*.

— Pequeníssimo. — Edward pegou um cigarro e o acendeu. — No entanto, todo mundo quer vir para cá. Há inúmeros outros *pubs* na cidade, porém imagino que todos os visitantes achem pitoresco este lugar. O que, sem dúvida, não deixa de ser. Enfim, céus, está lotado! Não há espaço nem mesmo para um humilde jogo de dardos. O jogador provavelmente acertaria o olho de alguém. Seja como for — ele ergueu sua caneca — à nossa! É tão bom ver você novamente... Passou muito tempo.

— Desde o Natal.

— Tanto assim?

— Bem, você esteve na América durante toda a Páscoa.

— É verdade.

— Fale-me sobre a França.

— Foi esplêndido...

— Aonde você esteve?

— Em uma *villa* nas colinas atrás de Cannes. Perto de uma aldeia chamada Silence. Muito rural. Cercada por vinhedos e olivais. A *villa* tinha um terraço coberto de vinhas, onde todos fazíamos as refeições, e no jardim havia uma pequena piscina gélida, formada por um regato que descia do topo da montanha. Também havia cigarras, gerânios cor-de-rosa e, dentro de casa, pairava um cheiro de alho, óleo de bronzear e cigarros Gauloise. O paraíso.

— De quem era a *villa*?

— De um casal idoso muito simpático, chamado Beath. Penso que ele tinha algo a ver com o Ministério das Relações Exteriores.

— Quer dizer que você *não* os conhecia?

— Nunca os tinha visto antes na vida.

— Então, como...

Edward suspirou e forneceu uma laboriosa explicação.

— Fui a Londres, a fim de comparecer a uma festa com Athena. Foi onde conheci uma divertida garota e, no correr do jantar, ela me contou que os tios eram donos dessa *villa* no sul da França. Acrescentou que fora convidada a hospedar-se lá, podendo levar um ou dois amigos.

— Edward, você é o...

— Por que está rindo?

— Porque somente você seria capaz de ir a uma festa em Londres e terminar passando duas semanas no sul da França.

— Pensei que fosse muito inteligente de minha parte.

— Ela deve ter sido terrivelmente bonita.

— As *villas* do sul da França tendem a tornar bonitas as garotas. Da mesma forma como uma espetacular conta bancária deixa as mulheres mais hediondas sexualmente atraentes. Para um determinado tipo de homem, é claro.

Ele estava troçando. Ela sorriu. No Natal, quando Edward lhe falara sobre seus feriados na Suíça, Judith fora incapaz de conter uma pontada de ciúme das garotas desconhecidas que haviam esquiado em companhia dele e com as quais dançara noites sem fim ao som das melodias de Richard Tauber. *Garotas eram feitas para serem amadas e beijadas.* Agora, contudo, talvez porque ela estivesse bem mais velha e muito mais segura de si, não sentiu ciúmes em absoluto. Afinal de contas, ao voltar para Nancherrow e não a encontrando, ele prontamente entrara em contato e viera ao seu encontro. Isso parecia indicar que ela era um *pouco* importante na vida dele, que Edward não entregara o coração a outra, não o deixara no sul da França.

— E o que aconteceu depois, Edward?

— Como assim?

— Você disse que o convite incluía um ou dois amigos.

— Sim, isso mesmo. Ela havia combinado com uma amiga, porém todos os rapazes que gostariam de convidar já estavam comprometidos com outros arranjos. Desta maneira... — Ele deu de ombros. — Ela me convidou. E sendo dos que nunca rejeitam uma boa oferta, aceitei prontamente, antes que ela mudasse de idéia. "Traga um amigo", ela disse, e então sugeri este cara chamado Gus Callender.

Era a primeira vez que Judith ouvia esse nome.

— Quem é ele?

— Um escocês moreno e compenetrado, originário das agrestes Highlands. É meu colega em Pembroke, estuda engenharia, mas só cheguei realmente a conhecê-lo este verão, quando ambos ficamos com quartos no mesmo andar. É um sujeito bastante tímido e reservado, mas incrivelmente simpático. Pensei logo nele, certo de que não teria feito nenhum plano para as férias. Pelo menos, nenhum impossível de ser modificado.

— E ele se ajustou ao resto do grupo na casa?

— Claro! — exclamou Edward, parecendo surpreso por Judith chegar a questionar seu impecável julgamento social. — Nunca duvidei disso. Uma das garotas ficou loucamente apaixonada por seu jeitão concentrado. Callender lembra Heathcliff, e a sra. Beath vivia me dizendo que o achava um *encanto*. Além disso, ele tem dotes artísticos, o que acrescentava uma dimensão extra. Pintou uma tela da *villa*, mandou emoldurá-la e deu aos Beath, como presente de agradecimento. Eles ficaram felicíssimos.

Judith concluiu que esse Callender tinha uma personalidade bem pouco interessante.

— Engenheiro e artista... Uma mistura curiosa.

— Nem tanto. Pense em todos aqueles desenhos técnicos. Geometria é algo muitíssimo complicado. Aliás, parece que há boas probabilidades de você vir a conhecê-lo. Depois que voltamos para casa e finalmente chegamos em Dover, convidei-o a vir a Nancherrow comigo, porém ele tinha que retornar à sua sombria Escócia e ficar algum tempo com o pai e a mãe idosos. Não falou muito sobre a família, mas tive a impressão de que não devem ser os mais excitantes pais do mundo.

— Então, por que há boas probabilidades de que eu o conheça?

— Porque ele talvez venha mais tarde. Pareceu bastante tentado pela idéia. Não chegou a aceitar prontamente o convite, mas é óbvio que ele nunca aceita coisa alguma prontamente. — Edward olhou para Judith e a viu rindo. Franziu a testa. — Qual é a graça?

— Espero que ele não seja sem queixo e maçante, porque então Loveday o crucificaria.

— Loveday é uma pedra no sapato. E, naturalmente, Gus tem queixo. Todos os escoceses têm queixos.

— Ele nunca esteve na Cornualha?

— Nunca.

— Se for pintor, então ficará fascinado, como acontece com todos os outros, e nunca mais quererá ir embora.

— Conhecendo Gus, creio que a carreira dele está segura. É consciencioso demais para entregar-se a coisas secundárias. Tradicionalmente, os escoceses sentem um profundo respeito pela educação.

Daí por que eles são tão espertos e inventam coisas como capas impermeáveis, pneus infláveis e estradas macadamizadas.

Judith, entretanto, já tinha falado o suficiente sobre Gus Callender.

— Fale-me mais sobre a França. E sobre a viagem de carro para o sul. Foi bonita?

— Foi grande viajar para o sul, porém a volta nada teve de muito divertida. Depois de Paris, as estradas para Calais parecem congestionadas pelo trânsito e tivemos que esperar meio dia por uma vaga no *ferry*.

— Por que isso?

— Puro pânico. Nervosismo sobre a guerra. Todas as pequenas famílias inglesas passando férias na Bretanha e na Bélgica decidiram interromper subitamente sua permanência e correr para casa.

— O que achavam que possa acontecer?

— Não sei. Talvez o exército alemão irrompendo subitamente na Linha Maginot e invadindo a França. Ou outra coisa qualquer. Azar dos hoteleiros. Você precisava ver as caras melancólicas do sr. e sra. Du Pont, do Hôtel du Plage, vendo seu pão com manteiga rodarem estrada afora, de volta à Inglaterra...

— A situação está *mesmo* tão ruim assim, Edward?

— Se quer saber, bastante ruim. O pobre e velho papai está cheio de apreensões.

— Eu sei. Penso que foi este o motivo de sua mãe ter fugido para Londres.

— Ela nunca foi de enfrentar fatos cruéis. É excelente para mantê-los à distância, porém não sabe o que fazer, em se tratando de enfrentá-los. Ela telefonou ontem à noite, querendo saber se estamos todos sobrevivendo sem sua presença e para dar notícias de Londres. Athena arranjou namorado novo. Chama-se Rupert Rycrift e está na Guarda dos Dragões Reais.

— Nossa, que elegante!

— Eu e papai fizemos apostas sobre quanto tempo irá durar. Cinco libras cada um. Vou pegar outra cerveja. E quanto a você?

— Ainda não terminei o meu.

— Não deixe ninguém tomar o meu lugar.

— Não deixarei.

Ele se foi, tornando a abrir caminho com dificuldade até o bar, e Judith ficou sozinha. Isto não importava nem um pouco, porque havia muita coisa e um bocado de gente para olhar. Uma freqüência bastante heterogênea, decidiu. Dois ou três homens idosos, claramente moradores do lugar, estavam firmemente instalados nos bancos de madeira que flanqueavam a lareira. Tinham as mãos engelhadas abraçando preguiçosamente canecas de cerveja e conversavam entre si, com tocos de cigarro colados aos lábios inferiores. Judith achou que deviam estar sentados ali desde que a casa abrira e, sem dúvida, não tinham feito outra coisa.

Havia também um bom grupo de pessoas, provavelmente hóspedes dos grandes hotéis na colina, mas dedicando algum tempo a visitar o "Guincho Corrediço" e observar como viviam os nativos. Falavam com o tom de voz desdenhoso das classes superiores e pareciam totalmente deslocados ali dentro, mas enquanto Judith os observava, pareceram decidir que já haviam tido o suficiente, porque terminaram seus drinques, largaram os copos vazios e prepararam-se para ir embora.

A partida do grupo criou um vazio não imediatamente preenchido, o que permitiu a ela uma clara visão do recinto até o banco situado no extremo oposto. Havia um homem lá, sentado sozinho, com um copo pela metade à sua frente. Olhava para ela. Fixamente. Judith viu os olhos que não piscavam, o bigode caído e manchado de nicotina, o boné de *tweed* puxado para diante, tapando quase toda a testa. Abaixo das sobrancelhas eriçadas, o olhar aquoso era impassível. Ela estendeu a mão para seu *shandy*, tomou um gole, mas logo largou o copo, porque sua mão começara a tremer. Podia sentir o coração disparando no peito e o sangue fugir do rosto, como água em um ralo.

Billy Fawcett.

Nunca mais o tinha visto nem soubera dele, desde o dia do funeral de sua tia Louise. À medida que os anos passavam — e agora, os quatorze anos pareciam estar a um mundo de distância — o trauma da adolescência fora desaparecendo aos poucos. Nunca, porém, desaparecera por completo. Ultimamente, mais velha e melhor informada, chegara inclusive a tentar compreender um pouco as patéticas aberrações sexuais daquele homem, porém havia sido algo quase impossível e de nada adiantara. Aliás, a recordação dele quase destruíra seu relacionamento com Edward e, naturalmente, Billy Fawcett era o motivo de nunca ter desejado voltar a Penmarron.

O Regresso

Durante suas visitas iniciais aos Warren, enquanto ainda estudante, vivera no terror de encontrar Billy Fawcett por acaso — talvez na rua, saindo do banco ou do barbeiro. Entretanto, o cenário aterrorizante jamais se tornara realidade e, pouco a pouco, enquanto os anos passavam, seus temores abateram-se e ela ganhou coragem. Talvez ele houvesse se mudado de Penmarron, abandonando seu bangalô e o clube de golfe para ir morar no interior. Talvez — que maravilhoso pensamento — estivesse morto.

Entretanto, ele não estava morto. Estava ali, no "Guincho Corrediço". Sentado no outro extremo do recinto e encarando-a, os olhos queimando como dois seixos brilhantes no rosto corado. Judith olhou em torno, procurando Edward, mas ele estava espremido no bar, pegando sua cerveja, sem que ela pudesse gritar por ajuda. *Oh, Edward, volte*, pediu silenciosamente. *Volte logo!*

Edward, no entanto, demorava-se trocando alguns comentários amistosos com o homem ao seu lado. E agora, Billy Fawcett se punha de pé, pegava seu copo e caminhava pelo piso ladrilhado em direção aonde estava Judith, petrificada como um coelho hipnotizado por uma serpente. Ela o viu chegar e ele parecia o mesmo, apenas um pouco mais decrépito, de sapatos cambaios e empobrecido. Tinha as faces congestionadas e riscadas por veias purpúreas.

— Judith...

Ele estava ali, firmando-se com a velha mão nodosa no encosto de uma cadeira. Ela nada disse.

— Importa-se se a acompanho? Permite que me sente? — Ele puxou a cadeira da mesa e baixou-se cautelosamente sobre o assento. — Eu a vi — disse. — Reconheci-a assim que cruzou a porta. — Seu hálito recendia a fumo velho e uísque. — Você cresceu.

— Sim.

Edward aproximava-se. Ela ergueu os olhos em um mudo apelo de ajuda. Um tanto confuso, Edward ficou visivelmente contrariado com a presença daquele velhote estranho e arruinado na mesa deles.

— Olá — disse polidamente, porém não havia muita amizade em sua voz e a expressão era circunspecta.

— Meu caro rapaz. Peço que me desculpe... — A palavra demorou um pouco a ser dita, de maneira que Billy Fawcett tentou novamente. — ... desculpe por interromper, mas Judith e eu somos velhos amigos.

Tínhamos que trocar algumas palavras. Meu nome é Fawcett. Billy Fawcett. Ex-coronel do Exército da Índia. — Ele encarou Edward. — Creio que ainda não tivemos o prazer... — disse, a frase extinguindo-se antes de completada.

— Edward Carey-Lewis — disse Edward, mas sem estender a mão.

— É um grande prazer conhecê-lo. — Buscando em torno algo com que ocupar as mãos, Billy Fawcett percebeu seu uísque, tomou um grande gole e depois bateu com o copo de volta à mesa. — E de onde é você, Edward?

— Rosemullion. Nancherrow.

— Não me é familiar, caro rapaz. Não ando muito por aí ultima-mente. O que faz para viver?

— Estou em Cambridge.

— Aquelas altas e deleitosas torres, hein? Bem lembradas colinas azuladas... Eu trabalhei muito nos domínios do ouro... — Seus olhos apertavam-se, como se estivessem arquitetando algum plano. — Será, Edward, que teria consigo algum cigarro? Parece que os meus aca-baram.

Silenciosamente, Edward tirou do bolso seu maço de Players e o ofereceu a Billy Fawcett. Com certa dificuldade, ele conseguiu extrair um, para em seguida remexer em um bolso bambo e exibir um isqueiro metálico de letal aparência. Foi-lhe preciso certa concentração para girar a rosca, produzir uma chama e então aplicá-la à ponta do cigarro — agora parecendo um pouco inclinada — porém finalmente conse-guiu. Deu uma longa tragada, tossiu aterradoramente, sorveu outro bom gole de uísque e então fincou os cotovelos na mesa, dando a impressão de que pretendia continuar ali para sempre.

Seu tom ficou confidencial.

— Judith foi minha vizinha — disse para Edward. — Com sua tia Louise. Em Penmarron. Tivemos grandes momentos. Uma mulher maravilhosa, Louise. Minha melhor amiga. Aliás, minha única amiga. Sabe, Judith? Caso não tenha percebido, eu provavelmente teria casado com Louise. Ela me dedicava uma boa parte de seu tempo, antes de você aparecer. Éramos bons amigos. Senti uma falta terrível dela, quando se matou naquele carro que tinha. Uma falta infernal. Nunca me senti tão só. Abandonado.

Sua voz engasgou-se. Ele ergueu uma mão sarapintada e limpou uma lágrima que escorria. Tinha alcançado a fase lamuriosa da embriaguez, solicitando compreensão e cheio de pena de si mesmo. Judith fixou os olhos em seu *shandy*. Não queria olhar para Billy Fawcett, e a vergonha, a consternação, impediam que olhasse para Edward.

Billy Fawcett divagou.

— Para você, no entanto, foi diferente, não foi, Judith? Você não ficou nada mal, hein? Arrebanhou tudo. Sabia de onde é que lhe vinha o pão. Nem se importou comigo. Estragou tudo para mim. Nem ao menos me dirigiu a palavra no funeral de Louise. Ignorou-me. E ficou com tudo. Louise sempre disse que cuidaria de mim, porém não me deixou um miserável níquel. Nem mesmo um dos velhos e malditos troféus de golfe de Jack. — Ele meditou nesta injustiça durante um momento, depois soltou o tiro. — Espertalhonazinha conivente! — Um pouco de saliva voou no ar e pousou sobre a mesa, bem perto da mão de Judith.

Seguiu-se um longo silêncio, e então Edward remexeu-se ligeiramente em sua cadeira. Depois ele disse, em voz comedida:

— Você não deseja ouvir mais esta sujeira, não é, Judith?

Ela meneou a cabeça.

— Não.

Edward ficou de pé sem pressa, agigantando-se acima do velho bêbado.

— Acho melhor o senhor ir embora — disse polidamente.

Billy Fawcett ergueu o rosto apoplético, com uma expressão de confusa descrença, enquanto encarava o rapaz.

— Ir embora? Seu frangote pretensioso, só vou embora quando terminar, e ainda não terminei.

— Oh, mas já terminou. Terminou o seu uísque e terminou de insultar Judith... Agora, vá!

— Dane-se! — replicou Billy Fawcett.

A resposta de Edward a isto foi agarrar a gola do frouxo paletó de Billy Fawcett e puxar até deixá-lo em pé. Quando o velho encerrou seus protestos... "não ouse encostar as mãos em mim... não ouse... tratar um homem como um qualquer... Vou denunciá-lo por isso..." Edward já o tinha puxado da mesa, depois o empurrado através da porta e da saída do *pub*. Soltou-o sobre a rua lajeada, onde Billy

Fawcett, sufocado e de pernas bambas, arriou na sarjeta. Havia um bocado de gente em torno e todos testemunharam a humilhação.

— Não volte mais aqui — avisou Edward. — Nunca mais mostre sua cara nojenta neste lugar!

Mesmo caído na sarjeta, entretanto, Billy Fawcett ainda possuía uma fagulha de luta.

— Seu maldito bastardo! — berrou. — Eu nem terminei o meu drinque!

Ao ouvi-lo, Edward tornou a entrar no bar, recolheu o copo com o resto de uísque, levou-o para a rua e despejou o conteúdo no rosto de Billy Fawcett.

— Agora terminou — disse — portanto, vá para casa.

Depois disso, Billy Fawcett perdeu os sentidos.

Descendo sem pressa a Rua dos Peixes em sua volta para casa, após passar algumas horas da noite na companhia de seu amigo Rob Padlow, Joe Warren desembocou na rua do porto, nas alturas do "Guincho Corrediço", bem a tempo de testemunhar uma cena que lhe prendeu a atenção. Paradas no local, numerosas pessoas mostravam expressões variadas de choque e espanto, pois havia um velho bêbado jazendo de costas na sarjeta, e um jovem alto e louro, em mangas de camisa, que lhe despejava uísque na cabeça, antes de tornar a entrar no *pub* em largas passadas.

Joe não pretendia entrar no "Guincho Corrediço", mas fatos tão dramáticos exigiam uma investigação. O velho embriagado parecia ter desmaiado, de modo que ele apressou o passo e seguiu o rapaz louro ao interior do *pub*, onde seu espanto aumentou ainda mais, ao encontrá-lo sentado à mesa abaixo da janela, e na companhia de Judith.

Judith estava branca como um lençol.

— O que foi que aconteceu? — perguntou Joe. Ela ergueu a cabeça, viu-o parado ali, e tudo quanto pôde fazer foi sacudir a cabeça. Os olhos dele se voltaram para o rapaz que a acompanhava. — Você é o irmão de Loveday?

— Exatamente. Edward.

— Eu sou Joe Warren. — Ele puxou a cadeira da qual Billy Fawcett fora removido tão a contragosto, e sentou-se. — O que andou fazendo? — perguntou brandamente a Edward.

— Ele é um velho bêbado agressivo, de maneira que o ajudei a ir tomar um pouco de ar fresco. Então, xingou-me e disse que queria terminar seu drinque. Fiz-lhe a vontade. Isso foi tudo.

— Bem, ele agora está "morto" para o mundo. Importunou Judith? — Joe franziu a testa, ao olhar para ela. — Parece um tanto pálida. Está tudo bem com você?

Judith respirou fundo e exalou o ar com força. Estava decidida a não tremer, não chorar ou portar-se como uma idiota, em nenhum sentido.

— Sim, está tudo bem. Obrigada, Joe.

— Você conhece o velho bêbado?

— Conheço. É Billy Fawcett.

— E *você*? — perguntou Edward a Joe. — Também o conhece?

— Apenas de vista, porque ele aparece aqui no *pub* duas ou três vezes por semana. Contudo, em geral é bastante dócil. Ninguém precisou jogá-lo na rua antes. Ele a importunou, Judith?

— Oh, Joe, já está tudo terminado.

— Bem, você parece a ponto de desmaiar. — Joe levantou-se. — Vou trazer-lhe um drinque. Não me demoro.

Ele se foi, antes de Judith poder detê-lo. Ela se virou para Edward.

— E ainda nem terminei este... — murmurou, com ar infeliz.

— Creio que Joe tinha algo mais forte em mente. Diga-me, aquele sapo velho era mesmo amigo de sua tia?

— Sim, era.

— Ela devia estar louca.

— Não se trata disso. Apenas era generosa. Ela e o marido o conheciam dos velhos tempos, quando estavam todos na Índia. Acho que se sentia um tanto responsável por ele. Os dois jogavam golfe. Ele mora em um horrível bangalozinho em Penmarron. Oh, Edward, como ele irá chegar em casa?

— Eu o deixei cercado de espectadores boquiabertos. Espero que algum deles seja suficientemente insensato para ter pena do velhote.

— Não *devíamos* fazer alguma coisa?

— Não.

—Sempre imaginei que ele quisesse casar-se com tia Louise —disse ela. — Billy Fawcett estava atrás da casa confortável que ela possuía, claro, além de seu dinheiro e seu uísque.

— Dá para supor que ele sempre foi apreciador do álcool.

— Eu o odiava.

— Pobre Judith, que horrível!

— E ele...

Judith pensou na mão de Billy Fawcett, rastejando por sua perna acima e perguntou-se como, afinal, poderia explicar aquilo a Edward e fazê-lo compreender. Nesse momento, contudo, Joe voltou para junto deles e a oportunidade ficou perdida. Ele estendeu o cálice de *brandy*.

— Beba isto e se sentirá melhor.

— Joe, quanta gentileza! E, por favor, não conte nada para seus pais, está bem? Tudo já acabou. Não quero que fiquem sabendo.

— Eu nada vi que mereça comentários. Apenas um velho bêbado em uma sarjeta. Um sujeito que nada tinha a ver com você. Acho bom dar uma olhada e saber o que está acontecendo.

Após falar, ele saiu, para voltar pouco depois com a notícia de que algum caridoso transeunte sentira pena e telefonara pedindo um táxi. Billy Fawcett fora colocado no veículo e já estava a caminho de casa. Após transmitir sua mensagem, Joe anunciou que ia para casa.

— Posso pagar-lhe um drinque? — sugeriu Edward.

— Não, obrigado, já bebi tudo o que devia. Agora, preciso de minha cama e de meu sono de beleza. Boa noite, Judith.

— Boa noite, Joe. E obrigada, mais uma vez.

— Faça o favor de engolir esse *brandy*, meu bem...

Joe foi embora. Por um momento, nada foi dito. Judith sorveu sua bebida e sentiu-a arder como fogo em sua garganta, mas desceu confortavelmente para seu estômago e ajudou a aquietar o pânico em seu coração.

Ao lado dela, Edward acendeu outro cigarro e puxou o cinzeiro para perto.

— Acho que você está precisando falar, não está? — disse por fim. —Porque, se estiver, estou perfeitamente preparado para ouvir. — Ela nada respondeu, limitando-se a contemplar as próprias mãos. — Você o odiava. Certamente, não apenas porque ele tinha uma queda para a bebida.

— Não. Não foi nada disso.

— Então, o que foi?

Ela começou a contar e, após começar, viu que não era tão difícil como imaginara. Falou na partida de Molly e de Jess, na mudança de Riverview e, conseqüentemente, a sua entrega aos cuidados de Louise Forrester. Depois contou sobre o aparecimento de Billy Fawcett em cena, a amizade aparentemente íntima dele com Louise.

— Antipatizei com ele desde a primeira vez que o vi. Havia algo tão... — ela franziu o nariz — ... tão espalhafatoso nele... E estava sempre sorridente, muito alegre e... de algum modo, não inspirava confiança.

— Sua tia não percebia isso nele?

— Não sei. *Naquela época* fiquei apavorada à idéia dela casar com ele, mas agora, refletindo melhor, tenho certeza absoluta de que tia Louise jamais faria algo tão imbecil.

— Então, o que aconteceu?

— Ele nos levou ao cinema. Estava passando *O Picolino*. Tive que me sentar ao lado dele, que começou a alisar e apertar minha perna. — Ela olhou para Edward. — Eu tinha quatorze anos, Edward, não fazia a menor idéia do que ele pretendia. Entrei em pânico e fugi do cinema. Em casa, tive uma terrível discussão com tia Louise. — Ela franziu a testa. — Você não está com vontade de rir, está?

— Não estou. Prometo não rir. Você contou para sua tia?

— Oh, eu simplesmente não poderia. Não sei por quê. Eu apenas *não podia*.

— Isso é tudo?

— Não.

— Pois bem, conte-me o resto.

Ela então falou sobre o domingo chuvoso em que ficara sozinha e tinha ido de bicicleta a Veglos, a fim de permanecer longe de Billy Fawcett.

— Ele costumava vigiar-nos, de seu bangalô. Posso apostar como tinha binóculos. Sabia que eu estava sozinha em casa naquele dia, porque tia Louise, em sua inocência, deixara o fato escapar. De qualquer modo, quando voltei para casa...

— Não me diga que ele estava à sua espera!

— ... mal havia entrado e ele telefonou, dizendo que já vinha. Então, tranquei todas as portas e janelas, corri para o andar de cima e fiquei escondida debaixo da cama de tia Louise. Durante uns dez minutos ele gritou, xingou, esmurrou portas, tocou campainhas e tentou alcançar-me, enquanto eu continuava embaixo da cama, absolutamente aterrorizada. Nunca senti tanto medo desde então. Tive pesadelos com ele. Ainda tenho, às vezes. É sempre o mesmo pesadelo: ele está entrando em meu quarto. Sei que é infantil, mas quando o vi esta noite, fiquei simplesmente petrificada de terror...

— E eu sou a primeira pessoa a quem conta tudo isso?

— Não. Depois que tia Louise morreu, contei para a srta. Catto.

— O que ela disse?

— Oh, foi muito delicada, mas bastante realista. Disse apenas que ele não passava de um velho degenerado, e que eu não devia pensar mais naquilo. Entretanto, não se pode controlar o que acontece dentro de nossa cabeça, não é? Se fosse possível fazer alguma coisa física, como assassinar Billy Fawcett ou esmagá-lo como a uma barata, isso talvez facilitasse as coisas. Entretanto, fico impotente, se minha psique dá saltos como um idiota aos berros, sempre que o nome desse homem vem à baila ou eu me lembro dele.

— Foi o que aconteceu no Natal, quando a beijei atrás das cortinas da sala de bilhar?

Judith ficou tão constrangida pela recordação, por Edward apenas mencionar o incidente, que podia sentir o rubor, como fogo, esgueirando-se para suas faces.

— Não foi *nem um pouco* como Billy Fawcett, Edward. Nem pense nisso. Foi apenas que, quando você... você me tocou... tudo deu errado.

— Acho que você ficou traumatizada.

Ela se virou para ele, quase chorando de desespero.

— E por que não consigo livrar-me disso? Não quero viver dessa maneira pelo resto da vida. E continuo com medo dele, porque me odeia demais...

— Por que ele a odeia tanto?

— Porque eu não o deixaria aproximar-se de mim. E porque tia Louise, quando morreu, me deixou todo o seu dinheiro.

— Entendo. Eu não sabia disso.

— Recomendaram-me que nunca dissesse a ninguém. Não que seja um segredo, mas porque a srta. Catto disse que era vulgar falar sobre dinheiro. Sua mãe sabe, naturalmente, e seu pai também, mas isso é tudo.

— Um *monte* de dinheiro?

Judith assentiu, a contragosto.

— Oh, mas é absolutamente maravilhoso!

— Sim, é como diz. Isto significa que posso comprar presentes para as pessoas e agora tenho o meu próprio carrinho.

— E, por causa disso, Billy Fawcett nunca a perdoará?

— Ele esteve no funeral de tia Louise. Naquele dia, dava a impressão de que gostaria de matar-me.

Agora, Edward sorriu.

— Se apenas o querer matasse, todos nós há muito estaríamos mortos. — Ele amassou o toco do cigarro, passou os braços em torno dela e inclinou-se para beijar-lhe a face. — Querida Judith... Que tempestade tão desagradável em um copinho d'água! Quer saber a minha opinião? Acho que você precisa de um catalisador, de qualquer espécie. Não me pergunte qual, mas de repente pode acontecer algo que dissipará seus temores e a deixará livre de todo esse tormento. Não deve permitir que uma recordação infeliz se coloque entre você e o amor. É uma garota doce demais para isso. E nem todo homem será tão constante e paciente como eu.

— Oh, Edward, não sabe o quanto lamento...

— Nada existe para lamentar. Apenas, lembre-se de contar-me quando tudo isso tiver ficado para trás. E agora, creio que realmente devo levá-la para casa. Foi uma noite bastante movimentada.

— O melhor de tudo foi ter *você* aqui.

— Quando é que volta para Nancherrow?

— No domingo da próxima semana.

— Estaremos à sua espera.

Edward levantou-se e esperou até ela conseguir sair do apertado banco. No exterior, a noite começava de fato. O sol já se fora, escondendo-se atrás do mar, e o céu ostentava uma tonalidade escura de azul-safira. Pequenas ondas lambiam o molhe, e o porto estava tomado pelas luzes-guias dos barcos pesqueiros. Ainda havia bastante gente por ali, aproveitando a quentura deixada pelo crepúsculo e relutando em encerrar o dia indo para casa. Billy Fawcett, no entanto, já se fora.

Edward tomou o braço de Judith e, juntos, caminharam lentamente de volta ao lugar em que deixara seu carro.

Ele telefonou na manhã seguinte. Judith estava na cozinha, ajudando a sra. Warren com a louça do café da manhã, quando surgiu Ellie, após subir correndo a escada que vinha da mercearia.

— Telefone para você, Judith. Ele disse que é Edward.

— Edward! — A sra. Warren exibiu um ar malicioso. — Ele não perde tempo!

Judith fingiu não ter ouvido. Sem tirar o avental de listras azuis e brancas, desceu ao andar de baixo e entrou no escritório do sr. Warren.

— Edward?

— Bom-dia.

— São apenas nove horas. Por que está telefonando?

— Queria perguntar se você dormiu bem.

— Oh, que bobagem! Claro que dormi. Lamento o que aconteceu ontem à noite, mas não chegou a ser um contratempo grande que eu não pudesse controlar. Chegou bem em casa? Ora, mas que pergunta idiota, é claro que chegou.

— Sim, cheguei. Só que... — ele vacilou. — Este é o outro motivo de meu telefonema. A verdade é que estamos às voltas com um ligeiro pânico por aqui.

O coração de Judith ficou apertado.

— Aconteceu alguma coisa?

— Não, quero dizer, pelo menos por enquanto. Tia Lavinia passou mal esta noite. Aparentemente, esteve fazendo jardinagem anteontem e demorou mais do que o costumeiro, de modo que pegou um resfriado. Foi para a cama, mas seu estado piorou e agora declarou-se uma pneumonia. A pobre Isobel ligou para Mary Millyway, e o médico está indo e vindo. Também há uma enfermeira cuidando da velhinha o tempo todo, mas a verdade é que estamos um tanto preocupados. Tudo aconteceu muito de repente.

— Oh, Edward, isso é terrível... — Tia Lavinia lhe parecera indestrutível. — Ela não vai morrer, vai?

— Bem, tia Lavinia é muito idosa. Todos temos que morrer um dia, mas nenhum de nós deseja que a hora dela já tenha soado.

— Sua mãe está em casa?

— Papai ligou para ela ontem à noite, já bem tarde. Mamãe deve chegar hoje.

— E quanto a Athena? Athena *adora* tia Lavinia!

— Athena partiu para a Escócia com Rupert Rycroft... Creio que eles viajaram no começo da semana. Ficamos indecisos entre dizer ou não a ela, mas papai decidiu que, se o pior acontecer e Athena nem mesmo ficar sabendo que tia Lavinia estava doente, bem, ela nunca o perdoará. Ele conseguiu o número do telefone com mamãe e fez uma ligação interurbana para algum vale remoto qualquer, mas Athena já havia partido para as montanhas e o único recurso foi deixar-lhe um recado.

— Pobre Athena. Você acha que ela virá em casa?

— Não sei. É uma viagem e tanto. Ainda vamos ver.

— E Loveday? Ela está bem?

— Perfeitamente bem. Um pouco lacrimosa, mas Mary Millyway é o próprio consolo maternal, e Loveday estará ótima, assim que mamãe estiver novamente em casa.

— Você já foi ver tia Lavinia?

— Papai esteve lá. Ela o reconheceu, mas é evidente que se encontra bem mal. Se eu conseguir o sinal verde, talvez vá à Dower House com ele à tarde.

— A situação não me parece muito esperançosa.

— Não fique desanimada. A velhinha é um osso duro de roer. O mais provável é que ainda enterre todos nós.

— Posso voltar hoje para Nancherrow, se isso for de alguma ajuda.

— Aí está uma coisa que não deve fazer. Só lhe contei, imaginando que poderia ficar aborrecida se ninguém contasse. Sei que seus sentimentos por tia Lavinia são bem semelhantes aos de todos nós, mas não interrompa suas férias. Nós a veremos domingo que vem ou qualquer outro dia. E, incidentalmente, Gus também estará aqui. Havia um recado para mim, quando cheguei ontem à noite. Virá da Escócia de carro e já se encontra a caminho.

— Oh, *Edward*! Que ocasião imprópria para mais visitantes! Você não poderia avisá-lo?

— Não. Não sei onde ele está. Provavelmente Birmingham ou qualquer outro lugar aborrecido. Será impossível interceptá-lo.

— Pobre homem. Vai chegar para uma espécie de pandemônio.

— Oh, ficará tudo bem. Ele é um sujeito de boa natureza. Saberá compreender.

Judith concluiu que os homens — inclusive Edward — às vezes podiam ser bem pouco sensíveis. Ele passara a vida inteira convidando amigos para Nancherrow, aceitando como naturais o rebuliço doméstico e a organização que tais prolongadas visitas envolviam. Agora, ela podia fazer um retrato mental da pobre Mary Millyway, de braços com uma crise na família, o suficiente para ocupar-lhe todo o tempo, mas tendo que enfrentar uma tarefa extra: alertar a sra. Nettlebed para o fato de que haveria mais uma boca a ser alimentada, apanhar roupas de cama limpas nos armários onde eram guardadas, incumbir Janet de aprontar um dos quartos vagos, providenciar toalhas e sabonetes novos, checar cabides no guarda-roupa e prover a lata na mesa de cabeceira com biscoitos para chá.

— Talvez eu *devesse* voltar.

— De maneira nenhuma! Eu a proíbo, ouviu bem?

— Está certo. Entretanto, sinto muito por vocês. Dê lembranças minhas a todos. Abrace seu pai por mim.

— Farei isso. E não fique preocupada.

— Um abraço para você também.

— O mesmo, em retribuição. — Ela podia sentir o riso na voz dele. — Até breve, Judith.

***

Ao volante de seu Lagonda verde-escuro, Gus Callender deixou Okehampton para trás e subiu com ímpeto a íngreme ladeira que o levaria para fora daquela cidadezinha-sede de feira de gado, para penetrar na região mais alta que tinha pela frente. Era uma clara manhã de agosto, e ventava muito, tudo em torno de Guy era agradavelmente novo e desconhecido, porque nunca antes viajara por aquelas partes. Tratava-se de uma verdejante zona rural de pastagens e campos onde já fora feita a colheita, jazendo dourada ao sol dos fins de verão. Na distância, frisas de olmos antigos marcavam os limites das sebes de árvores.

Ele já levava dois dias dirigindo, sem pressa de chegar, apreciando a liberdade de estar sozinho e o satisfatório desempenho de seu possante carro. (Gus comprara o Lagonda um ano atrás, com o dinheiro ganho em seu vigésimo primeiro aniversário, sendo aquele o melhor presente que já tivera.) Abandonar o lar havia sido um pouco difícil, é claro, pois seus pais achavam que, já tendo passado aquelas duas semanas na França, ele se daria por satisfeito em estar com eles durante o resto das férias. Entretanto, Gus explicara, bajulara e prometera voltar sem demora, de modo que sua mãe acabou encarando a situação da melhor maneira possível, e despediu-se dele corajosamente, acenando o lenço como se fosse uma pequena bandeira. A despeito de todas as suas resoluções, no entanto, ele fora momentaneamente tomado por um ridículo senso de culpa, mas assim que se viu fora de vista conseguiu expulsar aquilo da mente sem grande dificuldade.

Gus dirigiu de Deeside a Carlisle, depois de Carlisle a Gloucester. Agora cobria a última parte da longa jornada. Depois da Escócia (chuvosa) e das Midlands (nubladas), era como chegar a um mundo inteiramente novo, banhado de sol e pastoral. No topo da comprida colina, Dartmoor surgiu à vista, os desérticos quilômetros de elevações cheias de penhascos e brejos mudando sutilmente de cor, quando encapeladas sombras de nuvens rolavam na paisagem, sopradas pelo vento que vinha do oeste. Ele viu as formas curvilíneas de encostas que pareciam saltar para o céu, o verde-esmeralda dos pântanos, os dólmens de granito, esculpidos pelo vento em esculturas primevas e, ainda assim, singularmente modernistas. Seu olho de pintor foi capturado, e seus dedos comichavam por lápis e pincéis. Ele gostaria de fazer alto de vez em quando, de tentar captar de algum modo, para sempre, este lugar e esta luminosidade em seu bloco de desenho.

Entretanto, sabia que, se parasse, lá permaneceria pelo resto do dia, quando era aguardado em Nancherrow durante o correr daquela tarde. A pintura podia esperar. Ele pensou na França e no quadro que pintara da deliciosa *villa* dos Beath. Ao pensar na *villa*, começou a cantar a canção que sempre seria o tema daquelas férias, ouvida no rádio ou tocada na vitrola, enquanto tomavam banho de sol ao lado da piscina ou ficavam sentados na varanda durante os azulados entardeceres, bebendo vinho, contemplando o sol que se escondia atrás das montanhas do Midi, e as luzes de Silence, acendendo-se de uma em uma, cintilando no lado oposto da colina como enfeites de Natal em uma árvore escura.

> *O mar*
> *Visto a dançar no seio de golfos claros*
> *Tem brilhos argentinos*
> *O mar*
> *Cintila mutante*
> *Na chuva.*

Lauceston. Gus rodou por uma pontezinha e percebeu que já cruzara os limites do condado. Estava na Cornualha. À frente estendia-se a vastidão da Charneca Bodmin. Em algum lugar por lá havia um *pub* chamado Jamaica Inn. Eram onze e meia da manhã e, por um momento, ele vacilou entre parar lá para um drinque e comer alguma coisa ou seguir em frente. Optou pela segunda alternativa. Em vez de parar, aceleraria para Truro. Diante dele espichava-se a estrada vazia. Gus acelerou e entregou-se a uma desacostumada e não característica euforia.

> *O mar*
> *No céu de estio confunde*
> *Seus alvos carneiros*
> *Com os anjos tão puros...*
> *O mar, pastor do azul*
> *Infinito...*

Truro dormitava em seu vale, ao sol do meio-dia. Aproximando-se, ele avistou a torre da catedral e o brilho prateado da água marginada de árvores. Entrou na cidade, rodou para a ampla rua principal, estacionou diante do "Leão Vermelho", entrou e caminhou para o bar. O interior estava muito escuro, apainelado em madeira, cheirando a cerveja, mas fresco. Um ou dois homens de idade sentavam-se por ali, lendo jornais e fumando seus cachimbos, mas Gus preferiu instalar-se no bar e, tendo pedido sua dose de cerveja, perguntou ao *barman* se era possível comer alguma coisa.

— Não. Nós não servimos refeições aqui embaixo. Para comer alguma coisa, terá de subir ao refeitório.

— Preciso reservar mesa?

— Mandarei um recado para o chefe dos garçons. Está sozinho?

— Sim, estou.

O *barman* pousou sobre o balcão a cerveja que ele pedira.

— Está viajando?

— Sim. Tenho o meu carro lá fora.

— Vem de muito longe?

— Na verdade, venho. De Aberdeen.

— Aberdeen? Isso fica lá na Escócia, não? Uma viagem puxada. Há quanto tempo está rodando?

— Dois dias.

— Cobriu um bocado de chão. Ainda falta muito?

— Estou perto do fim. Irei além de Penzance.

— Fica na direção de Land's End, não?

— Mais ou menos isso.

— Mora na Escócia?

— Moro. Nascido e criado lá.

— Pois se me permite dizer, não tem o menor sotaque. Tivemos um escocês aqui, faz um ou dois meses, oriundo de Glasgow, e eu não conseguia entender uma palavra do que ele dizia.

— Os nativos de Glasgow têm sotaque muito forte.

— Sem dúvida. Forte de verdade.

Dois novos clientes cruzaram a porta, o *barman* pediu licença, deixou Gus e foi servi-los. Sozinho, Gus pegou seu maço de cigarros e acendeu um. No fundo do bar, atrás das prateleiras de garrafas, a parede era forrada por um espelho. Em suas lodosas profundidades, além das garrafas, fragmentos de seu próprio reflexo devolviam-lhe o olhar. Um jovem de cabelos negros, parecendo — decidiu ele — mais velho do que realmente era. Olhos escuros, cabelos escuros, pele pálida, barbeado. Usava uma camisa azul de algodão e tinha ao pescoço um lenço fazendo às vezes de gravata, mas mesmo esta informalidade em nada contribuía para amenizar a imagem de um indivíduo sério. Inclusive, sombrio.

Alegre-se, sujeito taciturno!, disse para seu reflexo. *Você está na Cornualha. Conseguiu! Finalmente chegou aqui!* Como se seu reflexo já não soubesse. *Cobriu um bocado de chão,* havia observado o *barman,* porém dissera uma verdade mais sutil do que poderia perceber.

Gus ergueu o copo para si mesmo. *Você cobriu um bocado de chão.* Depois bebeu a cerveja fresca, de sabor silvestre.

Edward Carey-Lewis fora o primeiro que começara a chamá-lo de Gus, e o apelido pegara. Antes disso ele havia sido Angus, o filho único de pais idosos. Seu pai, Duncan Callender, tinha sido um sagaz e bem-sucedido homem de negócios de Aberdeen, que se elevara de um começo humilde à custa do próprio esforço. Quando da chegada de Angus a este mundo, seu pai já amealhara uma sólida fortuna no negócio de aparelhamento para barcos. No correr dos anos, os interesses dele também se tinham diversificado, incluindo um negócio de ferragens por atacado e grandes investimentos imobiliários na cidade, como prédios de apartamentos para alugar e ruas de casas geminadas para moradores de baixa renda.

A infância de Angus transcorrera no coração de Aberdeen, em uma sólida casa de granito no centro de um pequeno terreno murado. O terreno era gramado na frente do prédio e também nos fundos, onde ficava o varal de roupas lavadas, com um pequeno trecho de terra onde sua mãe cultivava feijão e couve. Era um pequeno mundo, para um garotinho que ali se sentia absolutamente feliz.

Entretanto, Duncan Callender não estava satisfeito. Chegara até aquela condição graças ao seu trabalho árduo, honestidade e justeza, tendo merecido o respeito de empregados e colegas, porém isso não era o bastante. Ele acalentava ambições para o filho único, estando determinado a criá-lo e educá-lo como um cavalheiro.

Desta maneira, quando Angus fez sete anos, a família mudou-se. Da casa confortável e despretensiosa que fora o lar até então, transferiram-se para uma enorme mansão vitoriana em uma aldeia às margens do rio Dee. Dali, Duncan Callender seguia diariamente de trem para seu escritório em Aberdeen, enquanto Angus e a mãe ficavam sozinhos, procurando tirar o melhor proveito da situação. Após as ruas da cidade,

O Regresso

com suas lojas e os familiares bondes sacolejantes, aquelas colinas majestosas e os grandes vales de Deeside eram, não só estranhos, como aterradores — e a nova moradia o era apenas um pouquinho menos, com sua imensidão de enfumaçadas vigas de carvalho e vitrais, tapetes axadrezados e lareiras onde seria possível assar-se um boi, se alguém tivesse tal desejo.

Além disso, para dirigir tão maciço sistema, tivera de ser contratada uma numerosa criadagem. Se antes a sra. Callender conseguira dar boa conta dos serviços domésticos e culinários, agora esperava-se que desse ordens a uma equipe residente de seis empregados e dois jardineiros, um dos quais morava na casinhola junto ao portão de entrada. Ela era uma devotada esposa e mãe, porém de natureza simples, o que lhe tornava uma penosa provação estar sempre lutando para manter as aparências.

Em Aberdeen, ela se sentia à vontade; conhecia seu próprio lugar no mundo e havia segurança na dignidade de um lar modesto e bem dirigido. Em Deeside, no entanto, sentia-se inteiramente deslocada. Havia perdido sua identidade. Era uma tarefa quase impossível comunicar-se com os moradores da aldeia, isto a convencendo de que os rostos severos e as frases monossilábicas em resposta aos seus tateantes avanços provavam que eles a tinham em baixa conta, não estando impressionados pela riqueza e estilo de vida daqueles recém-chegados.

Os outros vizinhos dela, as antigas famílias nobres que tinham vivido em seus castelos e propriedades durante gerações, eram ainda mais aterrorizantes, e tão estranhos como os seres de um outro planeta. *Lady* Isto e o Marquês Aquilo, com seus narizes aquilinos e seus murchos *tweeds*. A sra. Huntingdon-Gordon, que criava cães labradores e reinava como um general em uma arcaica fortaleza na colina. E o Major-general Robertson, que aos domingos lia as lições na igreja, dando a sensação de latir ordens para a batalha e nunca se preocupando em baixar a voz, ainda que estivesse sendo rude com o ministro.

Foi um período bastante difícil, porém não durou muito tempo para Angus. Aos oito anos de idade, ele foi despachado para um internato, um caro colégio preparatório em Perthshire, o que virtualmente encerrou sua infância. A princípio, os colegas implicavam e debochavam dele, fosse por seu sotaque de Aberdeeen, por seu *kilt* ser comprido demais, por usar o modelo errado de caneta-tinteiro — e,

413

como se tornou o primeiro da classe, ganhou o apelido de "queima-pestanas". Não obstante, era um garoto musculoso, bom no futebol e, após arrancar sangue do nariz do valentão entre os alunos menores, à vista de todos que se encontravam no pátio de recreio, foi deixado em paz e rapidamente ajustou-se. Quando voltou a Deeside para os feriados do Natal, tinha crescido cinco centímetros, e seu sotaque era algo perdido no passado. A mãe chorou em segredo pelo filho que sabia ter perdido, porém Duncan Callender ficou deliciado.

— Por que não convida algum de seus novos colegas para vir aqui? — ele havia perguntado.

Giles, entretanto, fingira nada ter ouvido, preferindo escapulir da sala para ir andar de bicicleta fora de casa.

Terminados os anos de ensino preparatório, transferiu-se para Rugby, onde ganhou a reputação de atleta completo. Foi neste período que descobriu as alegrias da Sala de Arte e um dom latente para desenhar e pintar, uma aptidão que nunca julgara possuir. Com o incentivo de um compreensivo professor de arte, ele começou a encher um caderno de desenho, enquanto isso desenvolvendo seu próprio estilo. Eram desenhos a lápis, coloridos em pálidas tonalidades... os campos de jogos, um aluno trabalhando em uma roda de oleiro, um professor caminhando apressado em um pátio ventoso, a caminho de sua sala de aula com um punhado de livros sob o braço, a toga negra esvoaçando como polpudas asas negras...

Certo dia, folheando um exemplar de *The Studio*, leu um artigo sobre os pintores da Cornualha, a Escola Newlyn. Ilustrando o escrito, havia uma lâmina colorida de um trabalho de Laura Knight: uma jovem em pé sobre uma rocha, contemplando o mar. O mar era azul-pavão, porém a jovem usava uma suéter, de maneira que a temperatura não devia ser tão quente, e seus cabelos eram ruivo-acobreados, presos em uma trança única que lhe caía sobre um ombro.

Com a atenção despertada, ele leu o artigo e, por algum motivo, ficou com a imaginação em chamas. Cornualha. Talvez pudesse tornar-se um artista profissional e instalar-se na Cornualha, como tantos já haviam feito antes. Usaria roupas bizarras manchadas de tinta, deixaria o cabelo crescer, fumaria cigarros Gitanes, e sempre teria à sua volta uma jovem fascinada e dedicada, de tendências domésticas, é claro, mas bonita. Ela viveria em sua companhia num chalé de pescador ou talvez em um celeiro adaptado, com uma escada externa de blocos de granito e uma porta pintada de azul, havendo em torno gerânios escarlates em vasos de cerâmica...

A ilusão era tão real, que ele quase sentia o calor do sol e o cheiro do ar marinho carregado com o perfume de flores silvestres. Contudo, era tudo uma fantasia. Erguendo o rosto, contemplou, através da sala de arte deserta e de uma janela alta, um céu invernal dos condados centrais do país. Uma fantasia de escolar. Ele jamais seria pintor profissional, porque já se comprometera com matemática e física, encaminhava-se para a Universidade de Cambridge e, de lá, sairia engenheiro.

De qualquer modo, sonhos e fantasias eram por demais preciosos para serem totalmente abandonados. Pegando seu canivete, destacou cuidadosamente a lâmina colorida. Enfiou-a em uma pasta que continha alguns dos seus próprios desenhos e, ignorando a consciência, fez a reprodução desaparecer como que por encanto. Mais tarde, montou-a e emoldurou-a, tornando a jovem desconhecida da Cornualha uma interessante decoração para as paredes de seu estúdio.

Rugby também expandiu sua experiência em outras direções. Embora por demais reservado para fazer amigos íntimos, ele era uma figura popular, sendo convidado vez por outra a passar parte das férias e feriados na casa de campo de outras pessoas, no Yorkshire, em Wiltshire ou Hampshire. Tais convites eram aceitos polidamente, ele era acolhido com gentileza e fazia o possível para não cometer nenhuma gafe social óbvia.

— E de onde vem você? — perguntava-lhe uma senhora, durante a primeira xícara de chá.

— Da Escócia.

— Rapaz de sorte! De que região da Escócia?

— Meus pais têm uma propriedade em Deeside.

E então, antes que ela começasse a falar sobre pesca de salmões, tambores rufando junto ao Dee e galos silvestres das charnecas, ele mudava de assunto e pedia uma fatia de bolo de gengibre. Depois disso, com alguma sorte o tema não voltaria mais à baila.

Após tais visitas, a volta para casa invariavelmente tinha algo de um anticlímax. A verdade é que ele se distanciara dos pais idosos, a casa hedionda parecia-lhe claustrofóbica e os dias intermináveis eram interrompidos somente pela chegada de demoradas e tediosas refeições. As atenções amorosas da mãe o asfixiavam, e o orgulho e o interesse constrangedores do pai somente pioravam a situação.

Entretanto, nem tudo era sombrio. Ao completar dezessete anos, ele recebeu uma dádiva inesperada, embora sendo também uma confusa graça divina. Parecia ter corrido pelos arredores a nota de que o rapaz Callender, apesar da nítida desvantagem de seus pais, não apenas era atraente, como perfeitamente apresentável e, caso alguma anfitriã estivesse necessitando de um homem disponível... Começaram então a chegar convites impressos, solicitando a presença de Angus em várias funções, às quais seus pais não eram convidados. Eram festas com danças escocesas e bailes de verão, onde suas parceiras tinham nomes como *Lady* Henrietta McMillan ou Honorável Camilla Stokes. A essa altura, ele já dirigia carro e, ao volante do imponente Rover do pai, comparecia obedientemente a estes eventos formais, vestindo com correção o traje a rigor das Highlands, de camisa branca engomada e gravata preta. Seu treinamento naquelas casas de campo do Yorkshire, Wiltshire e Hampshire agora se revelava útil, permitindo-lhe enfrentar a formalidade de jantares de gala, seguidos por danças que entravam pela madrugada — sorrir, mostrar-se atencioso para com as pessoas certas — desta maneira conquistando a aprovação geral.

Não obstante, tudo aquilo possuía certa semelhança com uma representação. Ele continuava sendo quem era, sem nenhuma ilusão sobre seu ambiente ou filiação. Dirigindo pela longa estrada na volta para casa após um destes bailes, em meio à paisagem penumbrosa e vazia, com o céu clareando ao primeiro toque do alvorecer, ocorria-lhe o pensamento de que, a partir dos sete anos de idade e depois que a família deixara Aberdeen para sempre, era-lhe impossível recordar algum lugar onde se sentira confortavelmente em um lar. Certamente, não na casa de seu pai. Nem na escola. E tampouco nas hospitaleiras casas de campo do Yorkshire, Wiltshire e Hampshire, onde havia sido tão bem acolhido. Por mais que se divertisse, sempre havia a sensação de estar à margem, observando os demais. E ele queria pertencer, queria ser parte.

Um dia, talvez isso acontecesse. Como amar alguém. Ou ouvir uma voz. Ou entrar em um aposento estranho e identificá-lo imediatamente, mesmo que nunca o tivesse visto antes na vida. Um lugar onde ninguém precisaria condescender, onde ele não teria que ser rotulado, etiquetado. Onde fosse bem-vindo, simplesmente por ser ele próprio. "Angus, meu caro! Como foi bom ter vindo, e como é formidável ver você!"

Tal estado de coisas, no entanto, iria melhorar inesperadamente. Passados os instáveis anos de adolescência que, para Gus, foram mais penosos e difíceis do que para a maioria de seus contemporâneos, Cambridge foi uma revelação, ao mesmo tempo que uma liberação. Desde o primeiro momento, achou ser aquela a cidade mais encantadora que já conhecera, e Trinity um sonho de arquitetura. Durante as primeiras semanas iniciais, passou muito do seu tempo de lazer simplesmente caminhando, aprendendo pouco a pouco o seu rumo através das ruas e pátios antigos, imemoriais. Criado como presbiteriano, comparecia ao culto dominical em King's Chapel pela mera alegria de ouvir o coro, e foi onde teve contato, pela primeira vez, com o gregoriano "Miserere". Nesse momento, ele se sentiu invadir por um júbilo irracional, enquanto ouvia as vozes dos alunos pairando em alturas que certamente seriam inatingíveis, exceto e talvez para os anjos.

Após algum tempo, à medida que se foi familiarizando com seu novo ambiente, o impacto visual de Cambridge espicaçou-lhe o instinto de pintor e, antes de muito tempo, seu caderno de desenho estava cheio de rápidos esboços feitos a lápis. Trechos das margens do rio orladas de salgueiros, nos fundos dos prédios da universidade, a Ponte dos Suspiros, os pátios internos de Corpus Christi, as torres gêmeas de King's College, silhuetadas contra a imensa abóbada celeste acima da planura dos pântanos... Para ele, foi um desafio o próprio tamanho e a pureza de proporções e perspectivas. Os brilhantes matizes do céu, dos relvados, os vitrais, a folhagem de outono, tudo lhe gritava um pedido para ser posto no papel. Ele se sentiu circundado, não somente por profundos poços de aprendizado, mas também por uma beleza não pertencente à natureza que, espantosamente, havia sido criada pelo homem.

Sua faculdade era a Pembroke e seu estudo a engenharia. Edward Carey-Lewis também estudava na Pembroke, porém inglês e filosofia. Os dois haviam sido calouros na mesma época, o período letivo de *Michaelmas* — as festas de São Miguel, 29 de setembro — em 1937, mas somente no último período de seu segundo ano é que ambos se conheceram e tornaram-se amigos. Havia motivos para isto. Como estudavam matérias diferentes, tinham professores também diferentes. Seus quartos situavam-se em partes distintas de Pembroke, de modo que ficava excluída a possibilidade da conversa normal e casual de vizinhos de acomodações. Por outro lado, enquanto Gus jogava críquete e rúgbi, Edward parecia não demonstrar qualquer interesse por jogos de equipe, preferindo passar a maior parte de seu tempo no Clube de Aviação da Universidade, esforçando-se em conquistar o brevê de piloto.

Em vista disso, seus caminhos raramente se cruzavam, mas era inevitável que Gus visse Edward pelos arredores. Podia ser no extremo oposto do Refeitório da Faculdade, nas ocasiões formais em que todos os calouros eram convocados para jantar com certa cerimônia. Ou descendo a Rua Trinity em seu Triumph azul-escuro, sempre com uma ou duas belas garotas ao lado. Por vezes era divisado entre um *pub* apinhado, membro de algum grupo ruidoso, em geral aquele que pagava a conta de uma rodada de drinques. E a cada encontro, Gus admirava-se por achá-lo ainda mais agraciado, confiante, atraente e satisfeito consigo mesmo. Uma instintiva antipatia (nascida da inveja? — nem para si mesmo ele admitiria isto) transformou-se em aversão, mas, com nata discrição, Gus guardou seus sentimentos para si mesmo. Não havia por que fazer inimigos e, por outro lado, ele jamais havia trocado uma palavra com o indivíduo em questão. Acontecia apenas que, nele, havia algo bom demais para ser verdadeiro. Edward Carey-Lewis. Homem nenhum podia ter tudo. Deveria haver algum defeito oculto, porém não cabia a Gus descobrir qual.

Assim, ele deixou tudo como estava e concentrou-se nos estudos. O inconstante destino, no entanto, tinha outra coisa em mente. No período letivo de verão em 1939, Gus Callender e Edward Carey-Lewis receberam quartos no mesmo pavimento em Pembroke, além de partilharem uma cozinha em miniatura, conhecida como "cozinha de acampamento". No final de certa tarde, quando fervia uma chaleira para um bule de chá, Gus ouviu passos subindo a escada de pedra às suas costas, os quais depois faziam uma pausa diante da porta aberta. Em seguida, ouviu uma voz:

— Olá!

Virando-se, ele viu Edward Carey-Lewis parado na soleira, com uma mecha de cabelos louros caída na testa e o comprido cachecol da faculdade enrolado em torno do pescoço.

— Olá — respondeu.

— Você é Angus Callender.

— Exatamente.

— Edward Carey-Lewis. Parece que somos vizinhos. Que tal seus aposentos?

— Não tenho queixas.

— Preparando chá? — perguntou Edward descaradamente.

— Sim. Aceita?

— Você tem alguma coisa para comer?

— Tenho. Bolo de frutas.

— Ótimo. Estou morrendo de fome.

Assim, Edward foi para o quarto de Gus e os dois sentaram-se diante da janela aberta, bebendo chá em canecas. Gus fumou um cigarro e Edward comeu a maior parte do bolo de frutas. Conversaram. Sobre nada em particular, mas, dentro de quinze minutos, Gus percebia que, no tocante a Edward Carey-Lewis, estivera redondamente enganado, porque seu vizinho de quarto não era esnobe e nem imbecil. Seus modos francos e a expressão sincera dos olhos azuis eram absolutamente genuínos, e sua autoconfiança não se originava de uma criação refinada, mas do fato de ser claramente ele próprio, de não se considerar melhor nem pior do que qualquer dos seus contemporâneos.

Com o bule vazio e o bolo quase terminado, Edward levantou-se e começou a bisbilhotar os aposentos de Gus, lendo os títulos de seus livros ou folheando alguma revista.

— Gosto da sua pele de tigre posta diante da lareira.

— Comprei-a em uma loja de quinquilharias.

Agora, Edward olhava para os quadros de Gus, indo de um para outro, como um homem pretendendo comprar.

— Bonita aquarela. Onde é isso?

— O Distrito dos Lagos.

— Você tem uma coleção e tanto aqui. Comprou todos os quadros?

— Não. Eu os pintei. Eu mesmo os fiz.

Edward virou a cabeça e ficou olhando para ele, boquiaberto.

— São mesmo obras suas? Mas que sujeito talentoso você é! Que bom saber que, se for reprovado nos exames finais, poderá ganhar a vida sempre manejando os pincéis. — Ele voltou à sua inspeção. — Não faz pinturas a óleo?

— Faço. Às vezes.

— Esta aqui é coisa sua?

— Não — admitiu Gus. — Fico envergonhado em dizer, mas eu a destaquei das páginas de uma revista, quando estava na escola. Gosto tanto desse quadro, que o levo comigo para todo canto e o penduro onde possa contemplá-lo.

— Foi a garota bonita que enfeitiçou sua mente de garoto ou foram as rochas e o mar?

— Acho que a composição como um todo.

— Quem é o artista?

— Laura Knight.

— Isto é a Cornualha — disse Edward.

— Eu sei, mas como pode afirmar?

— Não poderia ser nenhum outro lugar.

Gus franziu a testa.

— Você conhece a Cornualha?

— Devo conhecer, porque moro lá. Sempre morei. É minha terra natal.

Após um momento, Gus exclamou:

— Que extraordinário!

— O que é extraordinário?

— Não sei ao certo. Acontece que sempre senti um enorme interesse pelos pintores da Cornualha. Acho surpreendente que tantas pessoas incrivelmente talentosas se reunissem em um lugar tão remoto, mas, ainda assim, permanecessem tão influentes.

— Não entendo muito disso, porém Newlyn está transbordando de artistas. Há colônias deles. São como camundongos.

— Já conheceu algum deles?

Edward negou com a cabeça.

— Não creio. Penso que sou um tanto ignorante no que se refira a arte. Em Nancherrow temos muitas telas sobre temas esportivos e sombrios retratos de família. Você deve saber como são. Ancestrais pendurados nas paredes, ao lado de seus cães. — Ele pensou por um momento. — Com exceção do de minha mãe, que foi pintado por de Lászió. É um quadro maravilhoso. Está colocado na sala de estar, acima da lareira. — De repente, Edward pareceu perder o interesse. Sem-cerimônia, bocejou com vontade. — Céus, como estou cansado! Acho que vou tomar um banho. Obrigado pelo chá. Gostei de seus aposentos. — Encaminhou-se para a porta, abriu-a e então se virou. — O que vai fazer hoje à noite?

— Não muita coisa.

— Alguns de nós iremos de carro a Grantchester para um drinque no *pub* de lá. Quer ir conosco?

— Eu gostaria muito. Obrigado.

— Baterei à sua porta às quinze para as sete.

— Está bem.

Edward sorriu.

— Até lá então, Gus.

Gus pensou não ter ouvido bem. Edward já saía do quarto.

— Como foi que me chamou?

A cabeça de Edward assomou pela abertura da porta.

— Gus.

— Por quê?

— Suponho que penso em você como Gus. Não o imagino como Angus. Angus tem cabelos vermelhos, sapatões de solas muito grossas e volumosas calças presas abaixo dos joelhos, feitas de *tweed* amarelo-avermelhado.

Gus não se conteve e riu.

— É bom tomar cuidado. Eu venho de Aberdeenshire.

Edward, entretanto, não se deu por achado.

— Neste caso — replicou — você sabe bem do que estou falando.

Após dizer isto, ele desapareceu de cena, fechando a porta atrás de si.

Gus. Ele era Gus. E Edward possuía tal influência, que depois daquela primeira noitada, ele nunca mais foi chamado por outro nome.

De repente, sentiu uma fome devoradora. No andar de cima, no refeitório cheio apenas pela metade — bolorento, velho-mundo, tapetes turcos e toalhas de mesa engomadas, vozes murmurantes acima do cauto retinir de talheres — ele saciou a fome com sopa, carne cozida com cenouras e pudim. Então, sentindo-se um novo homem, pagou a conta e escapou novamente para o ar livre. Caminhou por alguns momentos pelas calçadas de laje até encontrar uma livraria, onde entrou e comprou um mapa rodoviário da região oeste da Cornualha. De volta ao carro, acendeu um cigarro, abriu o mapa e planejou sua rota. Nancherrow. Pelo telefone, Edward dera-lhe algumas vagas instruções, mas agora, trabalhando na escala de uma polegada por milha, Gus decidiu que somente um imbecil não encontraria o caminho. De Truro até Penzance, e depois pela estrada litorânea que levava a Land's End. Seu dedo traçou a rota deslizando pelo papel rígido e parou em Rosemullion, claramente marcada com igreja, rio e ponte. Depois vinha Nancherrow, a palavra escrita em itálico, uma linha pontilhada indicando a estrada de aproximação, um diminuto símbolo representando a casa. Era bom encontrá-la ali, registrada por algum geógrafo culto. Isso tornava real o seu destino, não era apenas um nome casualmente pronunciado, nem uma fantasia de sua imaginação. Dobrando o mapa, deixou-o ao seu lado, ajeitou o cigarro e ligou o motor.

Recomeçou a viagem, descendo a erma espinha dorsal do condado, onde saltava aos olhos a evidência de falecidas minas de estanho, com velhas casas de máquinas e escoras desfazendo-se. Nada agradável à vista. Quando chegaria ao mar? Ele estava impaciente pelo mar. Finalmente a estrada fez uma curva ladeira abaixo, à sua frente, e a zona rural começou a mudar. À direita surgiu uma fileira de dunas arenosas em forma de outeiros, em seguida um fundo estuário, para finalmente ser recompensado pela primeira visão do Atlântico. Nada mais do que um vislumbre de ondas verdes quebrando-se em um banco de areia. Além do estuário, a estrada encurvava-se para o interior, e havia pastagens cheias de gado leiteiro, assim como terrenos estendendo-se para o sul com plantações, todos aqueles campos demarcados por irregulares muros de pedras que pareciam ter estado ali desde sempre. Palmeiras cresciam nos jardins de chalés, as casas tinham as paredes caiadas oxidadas pelo tempo, e alamedas estreitas destacavam-se da estrada principal, aprofundando-se em vales arborizados, convidativamente sinalizados por nomes obscuros ou de santos. Tudo parecia dormitar ao sol quente do entardecer. As árvores lançavam sombras escuras que salpicavam o macadame escuro, e havia um extraordinário toque de imemorialidade no ambiente, como se ali sempre fosse verão, com folhas que jamais caíam daquelas árvores antigas, e as suaves curvaturas das terras cultivadas nunca tendo conhecido o cruel açoite dos temporais de inverno.

Pouco mais tarde, Gus viu à frente, cintilando em um clarão de luz difusa, o outro mar, a vasta amplidão da Baía da Montanha, um brado de azul, o horizonte esfumaçado. Um grupo de pequenas embarcações estava na água, talvez uma regata. Impelidos pela brisa, os barquinhos navegavam muito próximos, as velas escarlates enfunadas, rumando para alguma distante bóia de balizamento.

E aquilo era penetrantemente familiar, como se ele já houvesse visto tudo antes, e agora a visão simplesmente retornasse para um lugar há muito conhecido e profundamente amado. *Sim. Sim, tudo está aqui. Exatamente da maneira como sempre foi. Exatamente da maneira como eu sabia que seria.* O braço protetor do molhe do porto, o agrupamento de barcos com mastros altos, o ar animado pelo grasnido das gaivotas. Um pequeno trem a vapor, sacolejando para fora de uma estação e ganhando a curva do litoral. Uma fileira de casas no estilo Regência, de janelas piscando à vívida claridade, jardins transbordando de pés de magnólia e camélia em flor. E, acima de tudo, fluindo pela janela aberta do carro, o cheiro forte, fresco e salitrado das algas marinhas e do mar aberto.

> *O mar*
> *Que os embalou*
> *Ao longo de golfos claros*
> *E de uma canção de amor...*
> *O mar*
> *Meu coração embalou*
> *Para a vida...*

Tudo fazia parte do todo. Ele se sentiu como um homem retornando às suas raízes. Era como se tudo quanto já fizera, cada lugar onde vivera, houvesse sido tão-somente um tempo de espera, uma intermissão. Era algo estranho, mas, analisando bem, devia ser um lugar que talvez o acolhesse sorridente, de braços abertos.

— Gus! Que bom ver você!

Tão visivelmente satisfeito estava ele, que todas as reservas evaporaram-se.

— Digo-lhe o mesmo.

— Peço desculpas por tudo isto...

— Eu é que devia desculpar-me...

— Você? Desculpar-se por quê?

— Bem, tenho a impressão de que não devia estar aqui.

— Oh, não diga asneiras. Eu o convidei...

— Seu mordomo me falou sobre sua tia estar muito doente. Tem certeza de que minha presença não será inconveniente?

— Sua presença aqui não faria diferença alguma, de uma forma ou de outra. Exceto que ajudará a animar-nos. E quanto a tia Lavinia, ela parece estar resistindo bem. É uma velhota tão teimosa e durona, que me recuso a acreditá-la capaz de fazer outra coisa. E então, foi uma viagem muito longa? Quanto tempo levou? Espero que consiga alguma espécie de boas-vindas, e que Loveday não o deixe entregue a si mesmo. Dei a ela sérias instruções para tomar conta de você.

— E sua irmã se saiu muito bem. Descemos até a enseada.

— As maravilhas nunca cessam! Geralmente, ela nunca é muito social. Agora, venha e conheça meu pai e Mary... — Edward se virou para os outros e parou, franzindo a testa com certa perplexidade. — Bem, parece que Mary desapareceu. — Deu de ombros. — Espero que tenha ido alertar a sra. Nettlebed para que ponha a chaleira no fogo. Bem, enfim, conheça meu pai. Papai!

O coronel estava em absorta conversa com a filha, o que Gus não estranhava em absoluto, porque simplesmente testemunhava, embora pela primeira vez, uma experiência que se tornara de todo identificável através dos artistas da Cornualha, cuja obra havia estudado e seguido com tanta avidez. Laura Knight, Lamorna Birch, Stanhope, Elizabeth Forbes e incontáveis outros. Também recordava sua fantasia da meninice, nascida na sala de arte em Rugby: a de ir morar na Cornualha, abraçar a vida boêmia e pintar. Comprar um chalé branco, banhado pelo sol, e plantar gerânios à entrada. Ele sorriu, lembrando que a fantasia tinha incluído uma vaga e indefinida companhia feminina. Não era nenhuma pessoa em particular e nunca dera a ela um rosto, porém essa criatura teria de ser jovem, é claro, além de bonita, excepcional como modelo a ser pintado e excelente cozinheira. Sua amante, naturalmente. Enquanto dirigia, Gus tinha dado risadas pela inocência de sua perdida juventude e por achar graça dos inofensivos sonhos do menino simplório que então havia sido. Depois cessara de rir daquilo, porque agora que estava *aqui*, agora que realmente *chegara*, os sonhos pareciam perfeitamente viáveis, de maneira alguma fora dos limites da possibilidade.

Essas recordações o tinham acompanhado enquanto atravessava a cidade e saía para campo aberto pelo lado oposto. Havia subido uma ladeira, empinada como o teto de uma casa e, alcançado o topo, vira que o terreno tornava a modificar-se abruptamente. Os campos das isoladas propriedades estendiam-se e subiam até as charnecas de tonalidade acobreada, coroadas por dólmens rochosos. À esquerda o mar era onipresente, mas agora seu odor picante estava sufocado pelo cheiro adocicado e musgoso de torrentes e pauis, enquanto chegava aos seus ouvidos, vindo de muito longe, o toque prolongado e borbulhante de um sino anunciando que era hora de recolher.

Havia também o outro sonho, há muito esquecido e expulso da mente, mas que de súbito surgia pungente e muito real outra vez: o de que um dia chegaria a uma casa, a um lugar nunca visitado antes, e lá, instantaneamente, absolutamente, saberia que ele pertencia, como nunca pertencera, à sombria mansão de Deeside ou aos lares hospitaleiros de seus colegas de estudos. Cambridge era o mais próximo que conseguira chegar desta fantasia em particular, porém Cambridge era uma universidade, um centro de aprendizado, uma extensão do colégio. Não era de um refúgio que ele precisava, mas de um recanto do mundo no qual pudesse fincar raízes, um lugar para onde retornar, sabendo que sempre o encontraria lá, imutável, sem exigências, cômodo e confortável como um par de sapatos velhos. Um lugar seu. *Gus. Caro Gus. Você voltou.*

Há muito esquecido. Isso mesmo. Devaneios eram a prerrogativa dos muito jovens. Com certa firmeza, Gus expulsou tudo isso da cabeça e concentrou-se novamente na tarefa imediata de não perder o rumo. Foi então que avistou uma encruzilhada de estradas e um poste sinaleiro de madeira, tendo impresso o nome "Rosemullion", isto o fazendo perceber que havia apenas mais uns quinze quilômetros a percorrer — e o senso comum voou pela janela, sendo substituído pelo irracional excitamento do garoto voltando do colégio para as férias em casa. O retorno ao lar. E isto em si era peculiar porque, para Gus, o *retorno ao lar* jamais havia sido um pensamento que o enchesse de muito prazer. Pelo contrário, esse retorno se tornara uma espécie de penoso dever que cumpria com forte relutância, voltando lealmente para estar com os pais, mas nunca ficando mais do que uns dois dias, antes de começar a procurar, desesperadamente, qualquer desculpa que lhe permitisse partir. Seu pai e sua mãe eram idosos, de costumes arraigados e pateticamente orgulhosos do filho único, porém isso, por algum motivo, somente piorava as coisas. Não que Gus se envergonhasse deles em qualquer sentido. A verdade era que até sentia orgulho dos dois, e do pai em particular. Entretanto, tornara-se distanciado do velho, pouco tinha em comum com ele, ressentindo-se por ter que procurar coisas para dizer e esforçar-se a fim de manter a conversa mais banal. E tudo isso acontecia porque o valente Duncan Callender decidira que o filho se tornaria um cavalheiro; insistira em uma dispendiosa educação particular, desta maneira afastando Gus de si próprio, enviando-o para um mundo que ele e sua esposa jamais haviam conhecido e que nunca chegariam a conhecer.

Era uma cruel situação. Irônica. Entretanto, não tinha sido Gus que erigira a barreira que jazia entre eles. Mesmo antes de haver deixado Rugby, ele se forçara a entrar em acordo com a incômoda situação e a sua própria consciência intranqüila para, finalmente e com firmeza, liberar-se de todo o senso de culpa. Isto era importante, pois, do contrário, acabaria passando o resto da vida tendo pendurada ao pescoço uma pedra de moinho de culpa.

Loveday colhia framboesas, trancada no viveiro de frutas. Era bom ter alguma coisa para fazer, porque tudo agora estava horrível demais. A ansiedade e o medo pela sorte de tia Lavinia impregnavam a casa como uma nuvem carregada, afetando tudo e todos. No tocante a seu pai, aquilo assumira prioridade inclusive sobre o noticiário e, ao invés de ouvir as notícias no rádio, ele agora passava todo o tempo disponível ao telefone: falando com o médico, com Diana em Londres, recebendo recados que Athena mandava da Escócia e providenciando enfermeiras diárias e noturnas, a fim de que a doente tivesse atendimento constante na Dower House. Houvera alguma discussão quanto a tia Lavinia dever ser removida para o hospital, mas finalmente ficou decidido que os transtornos da viagem em ambulância e a angústia de ver-se em ambiente estranho fariam mais mal do que bem. Assim, ela permaneceria tranqüilamente onde estava, em sua própria casa e na sua própria cama.

Aquela era a primeira experiência de Loveday com a possibilidade de uma doença mortal. As pessoas morriam, é claro. Entretanto, não os seus familiares tão próximos. Não tia Lavinia. De quando em quando, Loveday fazia um esforço real para imaginar a vida sem a velha senhora, porém ela constituíra sempre uma tal parte de Nancherrow, fora tão forte e benevolente a sua influência na família inteira, que era impossível pensar em tal hipótese. Aliás, não suportava ter tais pensamentos.

Seguindo ao longo da fileira de estacas, colhia as doces frutinhas vermelhas com as duas mãos e, deixando-as cair na cesta grosseira que prendera com um barbante em torno da cintura. Era de tarde, o dia estava brilhante e ensolarado, mas um vento irritante soprava do mar e, para proteger-se, vestira uma velha suéter de críquete pertencente a Edward, já amarelada e cerzida. Era uma peça muito comprida e ficava pendurada sobre sua saia de algodão, mas o sol lhe batia nos ombros, quente através da lã grossa da suéter, e Loveday agradecia seu fraterno conforto.

Ela estava entregue a si mesma, porque depois do almoço seu pai, Edward e Mary Millyway tinham subido até a Dower House. O coronel dera um jeito para falar com o médico, Edward ia ficar com tia Lavinia durante algum tempo, e Mary os acompanhara a fim de fazer companhia à pobre Isobel, com quem tomaria chá na cozinha. Talvez Isobel é que estivesse mais necessitada de consolo do que qualquer um deles. Ela e tia Lavinia tinham vivido juntas por mais de quarenta anos. Se a velha senhora morresse, provavelmente Isobel não demoraria muito a acompanhá-la.

— E quanto a você, minha querida? — perguntou o coronel a Loveday. — Não quer ir conosco?

Ela caminhara até o pai, passara os braços pela cintura dele e apertara o rosto contra a frente de seu colete. Ele compreendeu e a abraçou com força.

— Não — disse ela, em voz sufocada. Se o pior acontecesse, desejava recordar tia Lavinia do jeito como era, alerta, graciosa, unindo-se a todas as brincadeiras da família. Não queria imaginar uma velha idosa e enferma, acamada, escapando ao convívio deles. — Ela está tão mal assim? Eu preciso ir?

— Não. Acho que não há necessidade.

Loveday chorou, o pai a beijou e secou-lhe os olhos com seu enorme e imaculado lenço de linho branco. Eram todos muito gentis com ela. Edward apertou-a nos braços, dizendo:

— De qualquer modo, é preciso que haja alguém aqui, quando Gus aparecer. Ele estará chegando a qualquer momento esta tarde, e seria falta de hospitalidade não haver ninguém para recebê-lo. Você será o comitê de recepção "eu sozinha".

Ainda fungando, Loveday não gostou muito da idéia.

— Vou ter que ficar matando tempo pela casa?

Mary deu uma risada.

— Não, claro que não. Faça o que tiver vontade. Tenho certeza de que Fleet apreciaria um bom galope.

Desta vez, no entanto, Loveday não sentia vontade de montar Fleet. Desejava permanecer dentro dos limites de Nancherrow, onde se sentia a salvo e segura.

— Já fiz Fleet galopar ontem — respondeu.

— Então, talvez possa colher framboesas para a sra. Nettlebed. Ela quer fazer geléia. Poderia ajudá-la a lavar e pesar as frutas.

Não era uma perspectiva muito excitante, mas era melhor do que não fazer nada. Loveday suspirou.

— Está bem — disse.

— Esta é a minha garotinha — disse Mary, dando-lhe um leve abraço e um beijo. — E daremos lembranças suas a tia Lavinia, dizendo-lhe que tão logo melhore um pouco você irá vê-la. E, lembre-se, sua mãe volta hoje de Londres. Certamente estará cansada de dirigir e angustiada, mas não queremos que chegue em casa e encontre apenas caras tristes. Pense nela e procure não se preocupar além da conta.

Assim, Loveday tinha ido colher framboesas. Levou algum tempo para encher as duas cestas que a sra. Nettlebed lhe dera, mas finalmente ambas ficaram transbordando de frutas maduras e perfeitas. Comera algumas, mas não muitas. Agora, com uma pesada cesta em cada mão, foi abrindo caminho pelo folhudo corredor entre as estacas, e depois saiu do viveiro de frutas, trancando-o cuidadosamente ao passar. Assim, nenhum pássaro conseguiria entrar lá, entupir-se de frutas e depois encontrar a morte enquanto se debatia contra as grades do viveiro, tentando voar para a liberdade.

Na cozinha, encontrou a sra. Nettlebed fazendo a cobertura de um bolo de chocolate com montes de volutas e pedacinhos de frutas cristalizadas. Colocou as cestas em cima da mesa.

— E então, o que acha disso, sra. Nettlebed?

A sra. Nettlebed mostrou-se gratamente apreciativa.

— Formidável. Você é realmente um encanto.

Debruçando-se sobre a mesa, Loveday enfiou o dedo na tigela que continha a cobertura do bolo e o lambeu. Concluiu que o sabor do chocolate não combinava com o de framboesas.

— Agora, olhe para você, Loveday! Está lastimável, com a roupa cheia de gravetos e suco de framboesa. Devia ter posto um avental.

— Oh, não tem importância. É somente roupa velha. Quer que a ajude a preparar a geléia?

— Agora não há tempo. Farei isso mais tarde. Aliás, você tem coisa melhor a fazer, porque o moço chegou.

— O convidado de Edward! — O coração de Loveday quase parou. Colhendo as framboesas, tinha esquecido o incômodo amigo de seu irmão, que vinha para ficar. — Oh, que droga, ele já está aqui? Pensei que só chegasse depois de Edward vir para casa. — Ela franziu o nariz. — E como é ele?

— Não faço a menor idéia. Nettlebed o recebeu e o levou para seu quarto. Deve estar lá agora, desfazendo as malas. Será melhor você subir, dizer-lhe como vai e dar-lhe as boas-vindas.

— Nem mesmo me lembro do nome dele...

— É sr. Callender. Gus Callender.

— Tenho *mesmo* que ir? Eu preferia muito mais fazer geléia.

— Oh, Loveday! Vá fazer o que é preciso!

Ao falar, a sra. Nettlebed deu um leve tapa no traseiro de Loveday, pondo-a em movimento. Ela se foi, relutante. Subiu a escada e seguiu pelo corredor que levava ao quarto do hóspede. Na metade do trajeto, viu que a porta dele estava aberta. Loveday alcançou-a e parou, hesitante. Ele estava lá, em pé e de costas para ela, com as mãos enfiadas nos bolsos, olhando pela janela aberta. A bagagem fora empilhada sobre o porta-bagagem de madeira aos pés da cama, porém as malas continuavam fechadas e ele parecia não se ter dado ao trabalho de desfazê-las. Os pés dela, enfiados em tênis surrados, não tinham produzido som algum no corredor atapetado, e Loveday percebeu que nem de longe havia sido pressentida, o que a deixou um tanto acanhada e pouco à vontade. Podia ouvir o arrulhar dos pombos, no pátio mais abaixo. Após um momento, decidiu-se.

— Olá — falou.

Sobressaltado, ele deu meia-volta. Por um instante, encararam-se através do quarto, e então o rapaz sorriu.

— Olá — respondeu.

Loveday estava desconcertada. Este convidado não era o que esperava. O que esperava era um clone dos vários jovens que Edward havia trazido para casa durante as férias e feriados escolares. Todos pareciam ter sido cortados pelo mesmo molde, e ela achara difícil apreciar qualquer deles. Este aqui, no entanto, tinha origem inteiramente diversa, e ela de imediato reconheceu o fato. Antes de mais nada, parecia mais velho do que Edward, mais maduro e experiente. Amorenado e magro, de expressão séria. Interessante. Não era alguém que fizesse comentários cretinos e nem que a tratasse — a irmãzinha de Edward — como uma imbecil. Até então, Walter Mudge e Joe Warren haviam sido seus padrões para a espécie de homem que começava a achar perturbadoramente atraente, ambos de espalhafatosa masculinidade e maneiras simples. Curiosamente, Gus Callender parecia um pouco com ambos: tinha os mesmos cabelos e olhos escuros, porém era mais alto, menos musculoso do que Walter ou Joe, e quando sorria seu rosto modificava-se por completo, ele perdia a aparência de seriedade.

De repente, ela deixou de sentir-se acanhada.

— Você é Gus Callender.

— Exato. E você deve ser Loveday.

— Lamento não haver mais ninguém aqui, além de mim. E *eu* estive colhendo framboesas.

Entrando no quarto, Loveday encarapitou-se na cama alta.

— Tudo bem. Seu mordomo...

— O sr. Nettlebed.

— ... já me deu as boas-vindas.

Loveday olhou para a bagagem dele.

— Parece que ainda não tirou muita coisa das malas.

— É verdade. Para ser franco, eu me perguntava se deveria.

— O que quer dizer?

— O sr. Nettlebed deu-me a entender que estão com problemas. Uma doença na família. E que Edward foi visitar a tia...

— Tia-avó Lavinia. Sim, ela está com pneumonia. E é incrivelmente velha, o que torna tudo um tanto preocupante.

— Não é um momento muito bom para terem hóspedes em casa. Pensando bem, acho que eu deveria dar o fora diplomaticamente.

— Oh, *não deve* fazer isso! Edward ficaria muito aborrecido e desapontado. De qualquer modo, tudo está pronto para você, e estamos todos preparados, de maneira que não faria muita diferença, faria?

— Eu desejaria apenas que Edward tivesse telefonado para mim e explicado a situação. Eu jamais teria vindo.

— Ele não poderia, porque faz muito pouco tempo que tia Lavinia adoeceu. Além disso, Edward não sabia onde você estaria, até que ponto tinha viajado. Seja como for, não se preocupe com isso. Esteja você aqui ou não, a situação continua a mesma. — Isto não soara muito amistoso. — Se eu deixar você escapar, todos ficarão furiosos comigo. E eu sei que mamãe gostaria de conhecê-lo. Ela esteve em Londres, mas está vindo hoje de carro, por causa da tia Lavinia. Papai está tendo uma conversa com o médico, e Mary Millyway foi tentar consolar Isobel. Quanto a Judith, bem, ela é minha amiga, fica muito tempo aqui em casa, mas por enquanto ainda está em Porthkerris. — A essa altura, Gus começava a ficar um tanto perplexo, como seria de esperar. Loveday fez um esforço para explicar a situação. — Mary Millyway foi minha babá, é um encanto de pessoa, faz tudo que se possa imaginar... e Isobel é a velha empregada de tia Lavinia.

— Entendo.

— Todos estarão de volta a tempo para o chá, e então você poderá ver Edward. Que horas são?

Ele olhou para seu relógio, em ouro maciço com correia de couro em torno do pulso magro.

— Precisamente três da tarde.

— Bem... — Ela refletiu. — O que você gostaria de fazer? — Não estava sendo muito hospitaleira. — Tirar suas coisas das malas? Ou sair para uma volta, alguma coisa assim?

— Eu gostaria de tomar um pouco de ar. Posso desfazer minhas malas mais tarde.

— Então, desceremos até a enseada. Você poderá nadar, se tiver vontade, mas há um vento irritante soprando. A água fria não me incomoda, mas detesto sair dela para um vento frio.

— Então, não vamos nadar.

— Tudo bem, daremos uma volta. Tiger foi com papai, do contrário poderíamos levá-lo conosco. — Ela deslizou de cima da cama. — É uma trilha um tanto inclinada e escorregadia para o mar. Você tem sapatos com sola de borracha? Ou talvez um pulôver? Pode ser um pouco desagradável no alto dos penhascos.

Ele sorriu do jeito mandão dela.

— Muito bem, tenho as duas coisas. — Gus havia jogado uma suéter no encosto de uma cadeira, uma peça de lã azul-escura e convenientemente grossa. Recolheu-a, atirou-a nos ombros e amarrou as mangas em torno do pescoço, como um cachecol. — Mostre o caminho — disse para Loveday.

Sendo ele um hóspede de primeira vez, ela não o levou pela escada dos fundos, mas ao longo do corredor, depois pela escada principal e a porta da frente. O carro dele ficara estacionado diante da casa e, distraída pelo veículo, Loveday parou para admirá-lo.

— Céus, que carro espetacular! É terrivelmente veloz?

— Pode ser.

— Parece novo em folha. Faróis reluzentes e tudo o mais.

— Já o tenho há coisa de um ano.

— Eu gostaria de dar uma volta nele, quando for possível.

— Será um prazer.

Os dois começaram a caminhar. Contornaram a quina da casa e então o vento caiu sobre eles, cortante e salitrado. Mais acima, enormes nuvens brancas corriam pelo céu de puríssimo azul. Seguiram pelos terraços gramados e depois ganharam a trilha, por entre os cerrados bosques de arbustos e incongruentes palmeiras, em direção ao mar.

Após algum tempo, a trilha ficou estreita demais para caminharem lado a lado, e então seguiram em fila indiana, Loveday à frente, andando cada vez mais depressa, em passo acelerado e forçando seu companheiro a alguma concentração e uma boa dose de esforço físico, a fim de poder acompanhar seus pés que pareciam voar. Gus perguntou-se se ela estaria agindo assim de propósito, querendo troçar dele que procurava segui-la de perto, enquanto baixava a cabeça durante a travessia pelo túnel de guneras e depois escorregando, escorregando sempre, ao descer os íngremes degraus que levavam à base da pedreira. Em seguida, pela pedreira e pelo portão; uma alameda que levava a alguma fazenda, e uma pedra formando degraus para cruzar uma vedação (algo parecido a uma corrida de obstáculos), para finalmente chegar aos penhascos.

Ela o esperava, em pé na turfa relvosa e manchada de púrpura pelo tomilho. Turbulento, o vento sacudia-lhe a saia de algodão e a inflava em torno das longas pernas bronzeadas. O seu rosto animado e seus olhos cor de violeta estavam à beira da gargalhada quando ele chegou ao seu lado, ofegando ligeiramente.

— Você corre como um coelho — comentou Gus, quando recuperou o fôlego.

— Nem tanto. Você manteve a velocidade.

— Tem muita sorte por eu não ter sofrido algum dano físico irreparável. Pensei que íamos sair para dar uma volta, não para uma corrida de maratona.

— Oh, mas valeu a pena. Admita que valeu!

Quando olhou, Gus viu o mar azul-turquesa, a faixa de praia e os gigantescos vagalhões que se quebravam contra as rochas ao pé dos penhascos. As ondas sibilavam como espuma e jatos de sabão, em iridescentes explosões líquidas, saltando seis ou mais metros no ar. Era tudo extremamente revigorante e simplesmente espetacular. Então Loveday estremeceu.

— Está com frio? — perguntou ele.

— Um pouco. Em geral descemos até as rochas, mas agora a maré está alta e ficaríamos encharcados pelos respingos.

— Pois então não vamos.

Assim, em vez de descerem, os dois encontraram abrigo do vento atrás de uma pedra monumental, amarelada pelos liquens e ervas-pinheiras. Loveday acomodou-se sobre uma espessa almofada de turfa, dobrou os joelhos e passou os braços em torno deles, encolhendo-se na suéter para acumular mais calor. Gus estirou-se ao lado dela, de pernas espichadas e o peso suportado pelos cotovelos.

— Assim está melhor. Não podemos ver o mar, mas podemos ouvi-lo e, pelo menos, não ficamos ensopados. — Fechando os olhos, ela virou o rosto para o sol. Disse, após um momento: — Está *muito* melhor. Mais quente agora. Eu gostaria que tivéssemos trazido alguma coisa para comer.

— Se quer saber, não estou com fome.

— Eu estou. Sempre tenho fome. Athena também. Acho que ela virá para casa. Por causa da tia Lavinia. Ela está na Escócia. Você mora na Escócia, não?

— Moro.

— Em que parte?

— Aberdenshire. Em Deeside.

— Perto de Balmoral?

— Não muito.

— E sua casa é perto do mar?

— Não. Apenas do rio.

— Bem, mas rios não são o mesmo que o mar, são?

— Não. Nem um pouquinho.

Loveday ficou em silêncio, pensando nisto, enterrando o queixo nos joelhos.

— Acho que eu não conseguiria viver longe do mar.

— Não é tão ruim assim.

— É pior do que ruim. É uma tortura.

Ele sorriu.

— Acha mesmo?

— Acho. E tenho certeza porque, quando estava com uns doze anos, fui mandada para um colégio interno em Hampshire e quase morri. Deu tudo errado. Eu me sentia deslocada. Era tudo com o formato errado, as casas, as sebes, até mesmo o céu. E eu sempre tinha a sensação de que o céu estava pousado no alto de minha cabeça, empurrando-me para baixo. Tive dores de cabeça terríveis. Acho que morreria, se tivesse que continuar lá.

— Você não continuou?

— Não. Agüentei meio período e então vim para casa. Fugi. Desde então tenho ficado aqui.

— A escola?

— Em Penzance.

— E agora?

— Deixei a escola.

— Ficará só nisso?

Ela deu de ombros.

— Não sei. Athena foi para a Suíça. Eu poderia ir para lá também. Só que, se houver uma guerra, será impossível.

— Entendo. Que idade você tem?

— Dezessete.

— Muito nova para ser convocada.

— Convocada para quê?

— Para a guerra. Prestação de serviços. Fabricar munições.

Loveday pareceu horrorizada.

— Não vou ficar diante de uma esteira rolante fazendo balas. Se não for para a Suíça, não irei para lugar nenhum. Se houver uma guerra, vai ser bastante difícil mostrar bravura e coragem mesmo *aqui*. Em Nancherrow. Claro está que eu não conseguiria ser brava nem corajosa em Birmingham, Liverpool ou Londres. Em vez disso, enlouqueceria!

— Não necessariamente — disse Gus.

Ele agora procurava tranqüilizá-la, quase lamentava ter tocado no assunto. Ela ficou pensativa por um instante, depois perguntou:

— Você acha que vai haver guerra?

— Provavelmente.

— O que acontecerá a você?

— Serei convocado.

— Imediatamente?

— Sim. Estou no Exército Territorial. Os Gordon Highlanders. O regimento de minha terra natal. Juntei-me ao batalhão em 1938, depois que Hitler invadiu a Checoslováquia.

— O que significa ser um Territorial?

— Um soldado profissional em tempo parcial.

— Você foi treinado?

— Até certo ponto. Duas semanas em um acampamento de treinamento a cada verão. Agora sou plenamente capaz de disparar uma arma e matar o inimigo.

— Desde que ele não o mate primeiro.

— Sim. É um caso a pensar.

— Edward vai para a Real Força Aérea.

— Eu sei. Suponho que se possa dizer que ambos tivemos a intuição de uma catástrofe iminente.

— E quanto a Cambridge?

— Se formos convocados, então não poderemos voltar. Nossos exames finais terão de esperar.

— Pelo fim da guerra?

— Suponho que sim.

Loveday suspirou.

— Que desperdício! — Ela meditou sobre isto. — Em Cambridge, todos pensam como você e Edward?

— De maneira nenhuma. As atitudes políticas variam amplamente entre os estudantes. Alguns têm simpatias pela esquerda, mas não demasiadamente, porque não dão o passo final e nem se tornam comunistas de fato. Dentre estes, os mais corajosos já desapareceram, foram lutar na Espanha.

— Realmente corajosos!

— Sim, muito. Não particularmente sensatos, porém de uma incrível coragem. Há ainda outros para quem a resposta é o pacifismo, e aqueles que se portam como um bando de avestruzes, enfiando as cabeças na areia e agindo como se nada de errado pudesse acontecer um dia. — Ao pensar nisso, ele riu de repente. — Há um sujeito impossível, chamado Peregrine Haslehurst...

— Não acredito! Ninguém pode ter um nome desses!

— Pois eu lhe garanto que pode. Volta e meia, se fica curto de dinheiro, ele me procura e permite condescendentemente que lhe empreste algum ou lhe pague um drinque. Sua conversa não passa do trivial, mas se forem discutidos assuntos mais sérios, ele sempre me choca com sua atitude francamente jovial, quase demente. Como se uma nova guerra não encerrasse mais perigos do que uma partida de críquete ou do *Wall Game* em Eton, que foi onde Peregrine estudou quando menino.

— Talvez ele esteja apenas fingindo. Talvez esteja realmente tão apreensivo quando todos nós.

— Está aludindo ao sangue-frio inglês? Ao sujeito que não entrega os pontos? Ao gênio da exposição abrandada dos fatos?

— Sei lá. Acho que sim.

— São características que considero francamente irritantes. Fazemme pensar em Peter Pan, esvoaçando com sua espadinha para dar combate ao Capitão Gancho.

— Eu odiei Peter Pan — disse Loveday. — Eu simplesmente odiei aquele livro.

— Que curioso, eu também! *Morrer será uma incrivelmente grande e espetacular aventura.* Deve ser a linha mais idiota que um homem já escreveu.

— Não creio que morrer seja nem um pouquinho aventuroso. E também não creio que seja a opinião de tia Lavinia. — Loveday ficou calada, pensando em tia Lavinia, que, por um ou dois momentos, chegara a esquecer. Perguntou: — Que horas são?

— Quatro e meia. Alguém devia comprar um relógio para você.

— Eles compram, mas eu sempre perco. Talvez devêssemos voltar. — Ela estirou as pernas compridas e ficou abruptamente em pé, de súbito impaciente para ir embora dali. — Os outros logo estarão em casa. Espero que nada terrível tenha acontecido.

Gus refletiu que qualquer comentário a esse respeito pareceria vazio e sem significado, portanto, nada disse. Fora agradável ficar sentado ao sol, sentindo o calor da rocha, mas ela se pôs de pé e sentiu a fustigada do vento, frígido e penetrando na lã grossa de sua suéter.

— Muito bem, podemos ir andando, mas que tal manter os passos em velocidade razoável?

Ele falava alegremente, sabendo que suas palavras pouco tinham de piada. Não que isso importasse, porque Loveday parecia não estar ouvindo. Ela havia feito uma pausa, virada de costas para ele, como que relutante em abandonar os penhascos, as gaivotas e o mar tempestuoso, para voltar à realidade. E nesse momento, Gus viu, não Loveday, mas a jovem de Laura Knight, o quadro que havia removido sub-repticiamente das páginas de *The Studio*, tanto tempo atrás. Até as roupas, os sapatos de tênis gastos, a saia listrada de algodão, a antiga suéter de críquete (encantadoramente manchada de sumo de framboesa) eram os mesmos. Só os cabelos eram diferentes. Não havia nenhuma trança castanho-avermelhada caída sobre um ombro, como uma pesada corda. Em vez disso, havia a desgrenhada cabeleira de Loveday, semelhante a um crisântemo de reluzentes anéis, agitada pelo vento.

Lentamente, eles fizeram a caminhada em sentido inverso, seguindo pela trilha onde Gus se lançara atrás dela, com a rapidez possível. Agora, Loveday parecia não sentir muita pressa. Cruzaram a base da pedreira e iniciaram a subida dos degraus que levavam ao topo do penhasco xistoso. Continuaram subindo através do matagal, parando de vez em quando para respirar, para uma pausa em uma das pequenas pontes de madeira, enquanto admiravam o riachinho correr para longe, abaixo de seus pés. Quando finalmente emergiram do meio das árvores e a casa surgiu, pairando acima deles, Gus estava acalorado pelo exercício. Os abrigados jardins banhavam-se ao sol, estendendo-se para baixo através de gramados recentemente aparados. Ele parou por um instante a fim de tirar a suéter, passá-la por sobre a cabeça e pendurá-la ao ombro. Loveday esperou, enquanto Gus fazia isso. Ele a fitou nos olhos, e ela sorriu.

— Isso é um bocado irritante — disse ela, quando recomeçaram a andar — porque em um dia quente de verdade, quando a gente chega até aqui tudo o que realmente quer é nadar mais um pouco...

Loveday se calou de repente. Um som lhe chegara ao ouvido. Seu sorriso morreu e ela ficou muito quieta, ouvindo. Gus também ouviu, de muito longe, o ruído do motor de um carro que se aproximava. Então viu o majestoso Daimler emergindo das árvores no final da alameda de veículos, cruzando o piso de cascalhos e fazendo alto ao lado da casa.

— Eles voltaram. — Quando vinha da enseada, tagarelando inconseqüentemente, Loveday parecera bastante alegre, porém agora sua voz transbordava de apreensão. — Papai e Edward voltaram. Oh, o que terá acontecido... — Então, abandonando Gus, começou a correr, disparou através do gramado e subiu os degraus dos terraços. Ele a ouviu gritando para os recém-chegados: — Por que todos demoraram tanto? O que aconteceu? Está tudo bem...?

Rezando para que assim fosse, Gus continuou a caminhar, em passos deliberadamente lentos. Sua confiança desaparecera de repente, e ele se viu desejando estar em outro lugar que não aquele, que nunca tivesse vindo. Naquelas circunstâncias, Edward tinha todos os motivos para esquecer por completo seu amigo de Cambridge, a quem tão casualmente convidara para sua casa; e, ao vê-lo, seria compelido a simular prazer com sua chegada. Por um momento, Gus desejou ardentemente ter seguido seu instinto original, que fora o de tornar a levar as malas para o carro e ir embora dali. Loveday é que o persuadira a ficar. Com certeza, enganosamente. Esta, sem a menor dúvida, não era a hora de ser um hóspede desconhecido.

Entretanto, agora era tarde demais para modificar a situação. Lentamente, ele subiu a ampla escada de pedra que dividia em partes iguais o terraço do topo, e caminhou em frente, ao nível do solo. O Daimler estava ali, estacionado ao lado de seu próprio carro, com as portas ainda abertas. Seus ocupantes formavam um pequeno grupo, mas, ao avistar Loveday, Edgar aproximou-se dela e estava fazendo o possível para consolá-la e tranqüilizá-la. Entretanto, ao ouvir que Edward o chamava, ele parou de falar, ergueu o rosto, avistou Gus e então pôs Loveday delicadamente de lado. Caminhou para os dois, seus sapatos de couro cru fazendo o cascalho ranger, alto, vestindo *tweed* e magro como um espantalho. Se o coronel fazia reservas sobre um estranho vir ficar sob seu teto naquele particular e inoportuno momento, guardou-as para si mesmo. Gus viu apenas a expressão gentil de seus olhos claros e o sorriso tímido de sincero prazer.

— Gus, este é meu pai, Edgar Carey-Lewis. E, papai, este é Gus Callender.

— Como tem passado, senhor?

O coronel estendeu a mão, que Gus tomou na sua.

— Gus, meu caro rapaz — disse o pai de Edward — como foi bom ter vindo, e que prazer recebê-lo!

Na manhã seguinte, às dez horas, Edward Carey-Lewis ligou para a Mercearia Warren, em Porthkerris, e pediu para falar com Judith.

— Quem eu digo que quer falar com ela? — perguntou uma desconhecida voz feminina, com forte sotaque da Cornualha.

— Apenas Edward.

— Um momento.

Ele esperou. *Judith está aí? Telefone para ela!* A voz de mulher, presumivelmente gritando de um lance de escada, chegou distante até ele, através do fone. Continuou esperando. Ela veio.

— Alô? — A voz estava cheia de ansiedade. — Edward?

— Bom-dia.

— O que está havendo?

— Tudo bem. Tenho boas novas.

— Tia Lavinia?

— Ela parece ter vencido a crise. Recebemos notícias de Dower House. Aparentemente, tia Lavinia acordou esta manhã, perguntou à enfermeira da noite o que fazia sentada perto de sua cama, e exigiu uma xícara de chá.

— Oh, eu nem *acredito*!

— Em vista disso, papai e mamãe apressaram-se em ir vê-la e checar a situação geral. Achei que seria bom ligar para você.

— Oh, vocês todos devem estar tão *aliviados*! A querida velhinha...

— Deveria dizer "perversa velhinha", por ter-nos dado tanto susto. E todo mundo voando de todos os pontos cardeais, vindo para cá! Mamãe chegou ontem à noite, parecendo absolutamente exausta, e Athena mais Rupert já estão vindo da Escócia. Como aconteceu com Gus, ignoramos em que ponto eles se encontram, de modo que não podemos telefonar, dizendo para darem meia-volta e voltarem para Auchnafechle ou seja lá onde é que estavam. A coisa toda transformou-se em um completo circo.

— Isso não importa. O principal é que ela vai melhorar.

— Quando é que você volta?

— No domingo.

— Se ela puder receber visitas, eu a levarei para vê-la.

— Domingo de manhã. Estarei de volta no domingo de manhã.

— Está combinado então. Como vai?

— Começando a desejar que estivesse com todos vocês.

— Não deseje demais. É quase a mesma coisa que viver em pleno Piccadilly Circus. Enfim, sinto falta sua. Sem você, há um vazio aqui em casa.

— Oh, Edward...

— Vejo você no domingo de manhã.

— Até lá. E obrigada por telefonar.

Rupert Rycroft dormiu demais em sua primeira manhã. Quando acordou, abriu os olhos e ficou encarando a parede oposta com perplexidade, ainda desorientado. Houvera viagens além da conta e muitas camas estranhas em tão curto espaço de tempo. Agora, vendo a extremidade de latão dos pés da cama, um papel de parede listrado e cortinas fartamente floridas, meio abertas na janela, não conseguia imaginar onde, infernos, poderia estar.

Entretanto, foi apenas por um instante. A recordação logo chegou ao cérebro. Cornualha. Nancherrow. Finalmente trouxera Athena para casa, após percorrer o país de alto a baixo — e somente ele dirigira, durante todo o tempo. De quando em quando, sem grande entusiasmo, Athena oferecera-se para tomar o volante, mas ele preferira controlar a situação, e aquele carro era-lhe demasiado precioso para ser confiado às mãos de outra pessoa. Mesmo de Athena.

Rupert puxou um braço nu de sob as cobertas e apanhou seu relógio. Dez horas. Deixou-se cair sobre o travesseiro, com um grunhido. Que horror! Entretanto, ao levá-lo a seu quarto, o coronel havia dito:

— O *breakfast* é às oito e meia, mas durma o quanto quiser. Estaremos ao seu dispor, quando acordar.

Então, algum mecanismo automático no cérebro de Rupert havia feito o que lhe fora dito. O que significava a mesma coisa, de maneira algo inversa, como saber que deveria participar da parada às sete e meia da manhã, por pior que fosse a ressaca resultante da festa na noite anterior.

Eles haviam chegado à meia-noite, e somente os pais de Athena estavam lá para recebê-los, porque todos os outros já tinham ido dormir. Bem desperta e falante pela maior parte do trajeto, Athena mergulhara em profundo silêncio durante mais ou menos a última hora da jornada. Rupert sabia que ela ansiava pela chegada e também a temia. Evidentemente, Athena ansiava estar lá, segura no seio da família, mas temendo ouvir a terrível notícia que poderiam dar-lhe. Era uma ansiedade tão íntima e pessoal, que ele preferiu ficar calado e deixá-la em paz, sem querer intrometer-se.

No final do dia, entretanto, acabaram sabendo que tudo terminaria bem, que a idosa tia tão enferma estava a caminho da recuperação, que enfim não havia nenhum risco de expirar. O galante sacrifício de Rupert de uma semana de caça ao galo silvestre, assim como o esforço daquela maratona para trazer Athena de volta à família, tinham sido em vão. Tudo desnecessário. Era algo difícil de aceitar, porém ele manteve a expressão teimosamente jovial.

Athena, no entanto, estava felicíssima, o que era natural. Ficou parada junto à mãe no alto e iluminado saguão de Nancherrow, houve abraços em profusão, trocas de palavras carinhosas, explicações, frases inacabadas e imensa satisfação, tudo soando como uma positiva colisão de emoções.

— Nem posso acreditar...

— Viajar tanto para chegar aqui...

— ... tinha tanto medo de que ela fosse morrer...

— Oh, minha querida...

— ... rodamos o dia inteiro...

— Tão cansada...

— ... ela vai mesmo melhorar...?

— ... assim espero. Que longa viagem! Talvez não devêssemos ter-lhe contado...

— ... eu tinha que estar aqui...

— ... estragar seus feriados...

— ... não importa... nada importa...

Rupert já conhecia Diana Carey-Lewis. Ela estivera com a filha na casinha de Cadogan Mews, quando ele chegara para levar Athena à Escócia. Então pensara — e continuava pensando — que elas mais pareciam irmãs do que mãe e filha. Esta noite, e em hora tão avançada, Diana já estava sensatamente envolta em um robe de lã rosa que chegava ao chão, porém o coronel permanecia inteiramente vestido. Acima das cabeças das duas mulheres incoerentemente felizes, Rupert procurou encontrar os olhos de seu anfitrião; viu o muito usado *dinner-jacket* de veludo, a gravata-borboleta de seda e percebeu uma confortável familiaridade. Como seu próprio pai, era claro que o coronel mudava de roupa todas as noites para o jantar. Agora ele vinha ao seu encontro, de mão estendida.

— Edgar Carey-Lewis. Não imagina o quanto foi gentil, trazendo Athena em casa para nós. E agora isto pode parecer-lhe que todos os seus esforços foram desperdiçados por uma causa vazia...

Ele era tão apologético e tão compreensivo, que Rupert sufocou seu aborrecimento particular e fez o melhor que pôde para tranqüilizar o homem mais velho.

— Nem pense nisso, senhor. É um caso de tudo está bem quando termina bem.

— É muito generoso de sua parte. De qualquer modo, sempre resta um certo desapontamento por haver perdido sua caçada. — E então, candidamente, com talvez uma inadequada fagulha de interesse nos olhos pálidos, perguntou: — Diga-me, que tal com os galos silvestres?

— Tivemos dois dias excelentes.

— Quantas peças abateram?

— Mais de sessenta pares. Não podia ser melhor.

— Suponho que agora está ansioso em voltar, não?

Rupert negou com a cabeça.

— Não valeria a pena, senhor. Convidaram-me por apenas uma semana.

— Sinto muito. Nós estragamos tudo.

— Não pense mais nisso.

— Bom, você é mais do que bem-vindo aqui. Fique pelo tempo que quiser. — Ele olhou aprovadoramente para Rupert. — Devo dizer que está aceitando muito bem a situação. Em seu lugar, eu estaria mascando os tapetes... E agora, que tal um último drinque antes de dormir?

Dez horas da manhã. Rupert pulou da cama e foi abrir as cortinas inteiramente. Viu-se olhando para um pátio de piso lajeado, inundado pelos arrulhos de pombos de caudas brancas em forma de leque; havia potes de gerânios e um varal cheio de alvíssima roupa lavada que se agitava à brisa. Além do pátio ele viu canteiros com cercaduras gramadas e, a média distância, um maciço de copado arvoredo. Inclinando-se para fora da janela e espichando um pouco o pescoço, foi recompensado com a visão do horizonte azul. Estava tudo banhado pelos puros raios de sol de uma perfeita manhã estival e, filosoficamente, ele decidiu que, se não podia estar abatendo galos silvestres em Glenfreuchie, então este lugar era a melhor coisa seguinte. Afastando-se da janela, Rupert bocejou e espreguiçou-se com vontade. Sentia uma fome devoradora. Encaminhou-se para o banheiro e começou a fazer a barba.

O andar térreo parecia um tanto desconcertante, pois parecia não haver ninguém por lá. Entretanto, após um pequeno reconhecimento do terreno, Rupert descobriu a sala de refeições, ocupada por um cavalheiro alto e pomposo, que claramente devia ser o mordomo. Nettlebed. Athena falara de Nettlebed.

— Bom-dia — disse ao entrar.

O mordomo virou-se do aparador, onde estivera rearrumando pratos na chapa quente.

— Bom-dia, senhor. Capitão Rycroft, pois não?

— Exatamente. E você é Nettlebed.

— Eu mesmo, senhor.

Rupert adiantou-se e os dois trocaram um aperto de mão.

— Estou terrivelmente atrasado.

— O coronel disse que lhe recomendara dormir bastante, senhor. Entretanto, tenho certeza de que gostaria de comer alguma coisa... Aqui temos bacon e salsichas. Se quiser um tomate frito, a sra. Nettlebed terá prazer em prepará-lo. E café. Ou prefere chá...?

— Não. Café está ótimo. — Rupert olhou para a mesa, uma grande e comprida extensão de mogno, com apenas um solitário serviço posto a um lado. — Parece que sou o último.

— Falta apenas Athena, senhor. E a sra Carey-Lewis disse que só a esperasse na hora do almoço.

— Claro. Ela estará precisando dormir.

Rupert serviu-se de bacon e salsichas, e Nettlebed despejou seu café.

— Foi uma longa viagem, senhor?

— Por todo o comprimento do país. Diga-me, onde estão todos os outros?

Nettlebed explicou.

— O coronel e a sra. Carey-Lewis subiram até Dower House... Eles vão lá todas as manhãs visitar a sra. Boscawen e certificar-se de que a enfermeira tem tudo sob controle. Edward levou Mary Millyway de carro até Penzance, a fim de fazer algumas compras para a casa e recolher suprimentos para a sra. Nettlebed. E Loveday saiu com o sr. Callender, em busca de algum lugar pitoresco onde ele possa fazer seus desenhos.

— Quem é o sr. Callender?

— Sr. Gus Callender, senhor. Amigo de Edward, de Cambridge. Aparentemente, ele é uma espécie de artista amador.

— E também está hospedado aqui? Vocês têm uma casa bastante cheia para dirigir. Não é de admirar que Edward tenha ido em busca de rações.

— Nada além do costumeiro, senhor — assegurou-lhe Nettlebed modestamente. — Eu e a sra. Nettlebed estamos acostumados com uma casa cheia.

— Então, o que me sugere que eu faça depois que terminar meu café e até que Athena apareça?

Nettlebed permitiu-se um sorriso, apreciativo da segurança do jovem cavalheiro.

— Os jornais da manhã estão na sala de espera, senhor. E sendo uma manhã tão agradável, talvez queira lê-los fora da casa, ao ar livre. Encontrará cadeiras de jardim fora das portas-janelas. Não preferiria um pouco de exercício? Uma caminhada, possivelmente...?

— Não. Acho que o exercício pode esperar. Ficarei ao sol, folheando os jornais.

— Uma excelente idéia, senhor.

***

Ele apanhou *The Times* na sala de estar, levou-o para fora, mas terminou não o lendo. Em vez disso, acomodou-se em uma comprida cadeira de vime e, através de olhos semicerrados, ficou contemplando a agradável perspectiva do jardim. O sol era cálido e um pássaro trinava em algum lugar. Mais abaixo, um jardineiro aparava a grama da quadra de tênis, seguindo em linha reta e jogando para trás chumaços de verde.

Rupert perguntou-se se, mais tarde, esperariam que ele jogasse. Então, parou de pensar no tênis, e meditou na questão de Athena.

Recordando, achou difícil imaginar como chegara a este dilema, algo que se transformara no que menos esperava e no momento mais inconveniente. Estava com vinte e sete anos, era oficial de cavalaria, capitão nos Dragões da Guarda Real e um homem que sempre apreciara e resguardara sua vida razoavelmente movimentada de solteiro. Era iminente uma nova guerra, na qual seria fatalmente envolvido e despachado para algum lugar esquecido por Deus, a fim de ser metralhado, baleado, ferido ou, possivelmente, morto. E, neste exato momento, a última coisa de que precisava era casar-se.

Athena Carey-Lewis. Ele e dois amigos de seu Regimento tinham ido de carro de Long Weedon a Londres, para uma festa. Era um frio anoitecer de inverno e uma aconchegantemente iluminada sala de estar térrea, em Belgravia. E, quase imediatamente, ele a tinha visto no outro lado da sala, achando-a de uma beleza sensacional. Naturalmente, ela estava enfronhada em uma conversa com um indivíduo gordo e de aparência vazia que, ao dizer alguma piada tola, a fez rir, um sorriso que penetrou nos olhos de Rupert. Um sorriso que era encantamento, com um nariz ligeiramente de forma errada e olhos azuis que eram como jacintos muito escuros. Rupert mal podia esperar para dar-se a conhecer. Mais tarde, e não prematuramente, sua anfitriã os apresentou.

— Athena Carey-Lewis, meu querido. Sem dúvida já a conhecia, não é mesmo? Não? Athena, Rupert Rycroft. Ele não é fantástico? Musculoso e queimado de sol. E com o copo vazio!

Depois da festa, Rupert desembaraçou-se dos amigos e a pôs em seu carro. Foram ao "The Mirabelle", depois ao "The Bagatelle", e somente por ter de estar em Northamptonshire e formar na parada das sete e meia da manhã, é que por fim ele a levou para casa, deixando-a à porta da casinha em Cadogan Mews.

— A casa é sua?

— Não, de minha mãe.

— Ela está aí?

— Não. Não há ninguém. Entretanto, você não pode entrar.

— Por que não?

— Porque eu não quero que entre. E porque você tem que voltar para Northamptonshire.

— Poderei vê-la novamente?

— Não sei.

— Posso telefonar para você?

— Se quiser, tudo bem. Somos os únicos Carey-Lewis na lista. — Athena depositou um beijo na face dele. — Adeus.

E antes que Rupert pudesse detê-la ou mesmo acompanhá-la, ela já tinha descido do carro, cruzado o pequenino jardim, aberto a porta da frente, entrado e fechado a porta firmemente às suas costas. Ele ficou quieto por um instante, os olhos fixos naquela porta, perguntando-se, de modo algo estonteado, se não teria imaginado todo o encontro. Em seguida, com um profundo suspiro, pôs o carro em movimento e afastou-se ruidosamente, descendo o Mews e cruzando o arco do final. Chegou a Long Weedon em cima da hora da parada matinal.

Telefonou, porém nunca houve qualquer resposta. Escreveu uma carta, um cartão-postal, mas não foi retribuído. Por fim, em uma manhã de domingo, apresentou-se à entrada da casinha, bateu à porta com o punho fechado e, quando Athena a abriu, usando um robe de seda e de pés descalços, ele lhe jogou um buquê de flores, dizendo:

— Voe comigo para Gloucestershire.

— Por que Gloucestershire? — perguntou ela.

— Porque é lá que eu moro.

— Por que não está em Northamptonshire, treinando cavalos?

— Porque estou aqui e só terei de apresentar-me lá ao anoitecer de amanhã. Por favor, venha.

— Tudo bem — respondeu Athena tranqüilamente. — E o que esperam que eu faça?

Ele não entendeu bem.

— Nada.

— Não foi o que eu quis dizer. Falei sobre a espécie de roupas. Sabe como é. Uma roupa para um baile, outra para caminhadas em terrenos lamacentos, talvez um vestido mais formal para o chá, entendeu?

— Traje de montaria.

— Eu não monto.

— Nunca?

— Nunca. Odeio cavalos.

O coração de Rupert ficou opresso, porque sua mãe não falava nem pensava em outra coisa. Entretanto, a opressão não foi demasiada, e ele insistiu.

— Alguma coisa para jantar e alguma coisa para a igreja — foi tudo que lhe veio à cabeça.

— Céus, que momentos agitados teremos! Sua mãe já sabe que eu vou?

— Dei-lhe um aviso de última hora. Disse que talvez levasse você comigo.

— Ela não vai simpatizar comigo. Mães nunca simpatizam. Não tenho assunto para conversar.

— Meu pai vai adorá-la.

— Isso em nada melhora a situação. Pelo contrário, apenas cria problemas.

— Athena, por favor. Deixe-me entrar e esperar, enquanto você faz as malas. De nada adianta ficarmos discutindo.

— Não estou discutindo. Procuro apenas avisá-lo de que posso ser o mais rotundo fracasso.

— Enfrentarei esse problema, quando ele surgir.

A visita de Athena a Gloucestershire não foi um sucesso. O lar familiar de Rupert era Taddington Hall, uma vasta construção vitoriana incrustada em jardins de austera formalidade. Além destes ficavam os terrenos da propriedade, as pastagens, as plantações de consumo local, a floresta cultivada, um riacho de trutas e a extensão de terras onde era praticada a caça aos faisões, lugar famoso pelo número de aves mortas que despencavam anualmente do céu. O pai dele, Sir Henry Rycroft, era Governador do Condado, coronel de seu antigo Regimento, *Master* de cães para a caça à raposa e Presidente dos Conservadores locais, além de dirigir o Conselho do Condado e ter assento no tribunal, como Juiz de Paz. Lady Rycroft também era ativa em seu comitê de obras e, quando não estava organizando as Escotistas, o pequeno hospital sem corpo médico residente ou a Junta Local de Educação, ocupava-se em pescar, fazer jardinagem e ir à caça da raposa. O aparecimento de Athena constituiu uma espécie de choque para os progenitores de Rupert e, quando ela não se apresentou à hora marcada para o *breakfast*, a mãe decidiu interrogar o filho.

— O que ela está fazendo?

— Dormindo, suponho.

— Certamente deve ter ouvido a sineta.

— Não sei. Quer que eu vá acordá-la?

— Nem pense em semelhante coisa!

— Está bem, não irei.

Seu pai intrometeu-se.

— O que a moça *faz*?

— Eu não sei. Nada, suponho.

— Afinal, quem *é* ela? — insistiu Lady Rycroft. — Quem são seus pais?

— Você não deve conhecê-los. São da Cornualha.

— Nunca vi uma moça tão indolente. Ontem à noite, ficou apenas *sentada*. Devia ter trazido algum *trabalho* para fazer.

— Está falando de tapeçaria? Não acredito que ela saiba como enfiar uma agulha.

— Nunca pensei, Rupert, que você andasse de amores com uma moça tão *inútil*.

— Eu não ando de amores com ela, mamãe.

— E ela *não monta*. Que extraordinário... Eu diria que...

Nesse momento, contudo, a porta se abriu e Athena surgiu à vista, usando calças compridas de flanela cinza e uma suéter azul-clara de lã angorá, parecendo tão bonita quanto um pufe para pó-de-arroz.

— Olá — disse ela. — Eu não sabia em que sala seria servido o *breakfast*. A casa é tão grande, que acho que me *perdi*...

Não. De maneira alguma foi um sucesso. Sendo o mais velho de dois filhos, Rupert estava destinado a herdar Taddington, e sua mãe tinha fortes e imutáveis idéias sobre o tipo de moça com quem ele deveria casar. A primeira prioridade era de que fosse bem-nascida e bem-relacionada. Afinal de contas, ele era capitão nos Reais e, em tal regimento, a condição social das esposas era imensamente importante. Em seguida, algum dinheiro não seria de desprezar, embora não houvesse — pelo menos ainda — nenhuma necessidade dele se lançar à caça de uma herdeira. A aparência da moça pouco importava em realidade, desde que possuísse o tipo certo de voz e um decente par de ancas para gerar futuros Rycroft do sexo masculino e, desta maneira, assegurar a continuidade da linhagem. Naturalmente devia ser boa montando um cavalo, e capaz — quando chegado o momento — de lidar com a administração de Taddington, a casa desconexa e de difícil manejo, assim como com os acres de jardim, todos idealizados segundo a vasta e ostentosa escala tão querida dos vitorianos.

Athena era a própria antítese do sonho do casal.

Rupert, contudo, não se preocupou. Não estava apaixonado por Athena e tampouco pensava casar com ela. Não obstante, ficara encantado pela aparência dela, por sua conversa ligeiramente tola e sua mera imprevisibilidade. Por vezes ela o enlouquecia; em outras, ele se sentia tocado até o coração pela infantil falta de malícia que nela percebia. Athena parecia não notar o efeito que produzia nele, sendo bastante provável que desaparecesse em um fim de semana com algum outro rapaz, que sumisse sem avisar para esquiar em Zermatt ou fosse visitar uma velha amiga em Paris.

Finalmente, com a chegada de agosto, ele conseguiu que Athena se definisse.

— Tenho uma longa folga em breve — disse-lhe, sem mais preâmbulos — e fui convidado a caçar galos silvestres. Em Perthshire. Eles disseram que você também pode ir.

— Eles, quem?

— Os Montague-Crichton. Jamie Montague-Crichton e eu fomos colegas em Sandhurst. Os pais dele são criaturas excelentes, e possuem este maravilhoso pavilhão de caça bem no alto de Glenfreuchie. Um lugar onde só há montanhas, urzes e fogueiras de turfa ao anoitecer. Diga que irá.

— Terei que montar um cavalo?

— Não, apenas caminhar um pouco.

— E choverá?

— Com alguma sorte, não, mas se chover, você pode ficar dentro de casa, lendo um livro.

— Na realidade, não me interessa fazer o que quer que seja. Apenas detesto quando os outros esperam que eu faça coisas.

— Eu sei. Eu compreendo. Então, venha. Será divertido.

Ela hesitou, mordendo o rosado lábio inferior.

— Quanto tempo teremos de ficar lá?

— Uma semana.

— E no fim da semana você ainda estará de folga?

— Por que pergunta?

— Farei uma troca com você. Se eu for à Escócia em sua companhia, depois irá à Cornualha comigo? E ficará hospedado em Nancherrow, conhecerá mamãe, papai, Loveday e Edward? E os queridos cachorros e todas as pessoas que eu realmente estimo?

Rupert não só foi apanhado de surpresa, como ficou imensamente satisfeito por este convite não solicitado. Athena lhe demonstrara tão pouco encorajamento, aceitara o seu teimoso interesse com tanta naturalidade, que ele nunca podia afirmar se ela apreciava sua companhia ou simplesmente o tolerava. A última coisa que esperaria era aquele convite para a casa dela.

Com certo esforço, dissimulou o seu prazer. Ficar muito contente poderia assustá-la, fazê-la mudar de idéia. Fingiu considerar a proposta, e então disse:

— Sim. Sim, acho que poderia fazer isso.

— Oh, que ótimo! Sendo assim, irei a esse lugar com você.

— Glenfreuchie.

— Por que os lugares escoceses sempre têm nomes que soam como espirros? Precisarei sair e comprar um monte de *tweeds* que espetam a pele?

— Apenas uma boa capa de chuva e um par de sapatos adequados. Além de um ou dois vestidos de baile para danças das Highlands.

— Nossa, que imponência! Quando é que você quer ir?

— Partirei de Londres no dia 15. Sendo uma viagem longa, precisaremos de algum tempo.

— Passaremos a noite a caminho de lá?

— Se você quiser.

— Quartos separados, Rupert.

— Tem a minha palavra.

— Tudo bem, eu irei.

Glenfreuchie foi um sucesso, na mesma proporção em que Taddington foi um fracasso. O tempo esteve perfeito, o céu do mais puro azul, e a urze deixava as montanhas purpúreas. No primeiro dia, Athena caminhou quilômetros alegremente, ficou ao lado de Rupert no toco de árvore de onde ele espreitava a presa, e mantinha a boca fechada quando lhe dizia para ficar calada. O restante do grupo de caça era composto de pessoas amistosas e informais, de maneira que, como nada era esperado de sua parte, Athena desabrochou como uma flor. No jantar daquela noite, ela usou um vestido longo azul-escuro que transformava seus olhos em safiras, deixando mais ou menos apaixonados todos os homens presentes. Rupert transbordava de orgulho.

Para surpresa dele, na manhã seguinte ela acordou cedo e animada, pronta para mais um dia na montanha. Não desejando que Athena se cansasse além da conta, ele lhe disse, quando ela se sentou à mesa da sala de refeições e consumiu um enorme *breakfast*:

— Você não precisa ir.

— Não quer que eu vá?

— Mais do que tudo, porém de maneira alguma ficaria magoado se você preferisse passar o dia aqui, ou mesmo a manhã. Poderá ir ao nosso encontro com as cestas do almoço.

— Muito obrigada, mas não quero ser uma cesta de almoço. E também não quero que você me trate como uma violeta definhando.

— Não pensei que estivesse agindo assim.

Para o primeiro levantamento da caça do dia, coube a Rupert o ponto de tocaia mais alto, isto envolvendo uma escalada quase semelhante a montanhismo, porque subiram com dificuldade uma longa e intimidante encosta, por entre a urze que chegava à altura dos joelhos. Era outra gloriosa manhã de agosto. O ar límpido se enchia com o som do zumbido das abelhas e dos pintarroxos da urze trinando a plenos pulmões, unidos ao espadanar de pequenos regatos manchados de turfa, descendo ladeira abaixo aos borbotões até se juntarem ao rio, no sopé do vale profundo. De tempos em tempos, eles faziam alto para refrescar os pulsos e banhar o rosto na torrente fria como gelo até que, acalorados e suados, finalmente chegaram ao topo. Então, todo aquele tremendo esforço foi recompensado pela vista que puderam descortinar dali. Uma brisa fresca soprava de noroeste, enviada pelas encostas azul-ameixa das distantes Grampians.

Mais tarde, no local de espreita com Athena ao seu lado, Rupert esperou silenciosa e pacientemente, com o restante dos caçadores. Ao norte, escondidos dos pontos de tocaia por uma dobra das montanhas, uma linha de batedores marchava através da charneca fervente, armados com bandeiras, pedaços de pau e uma boa dose de xingamentos, tangendo os bandos de galos silvestres adiante deles. As aves ainda não tinham surgido à vista, mas era um clássico momento de intensa excitação, e Rupert foi subitamente invadido por uma sensação de total e dilacerante felicidade, o tipo de êxtase irracional que nunca mais experimentara, desde quando garotinho.

Virando-se, ele se inclinou impulsivamente e beijou o rosto de Athena. Ela riu.

— Por que isso?

— Não faço a menor idéia.

— Devia estar concentrado, não beijando.

— A questão é...

Lá de baixo, da linha de batedores, chegou um brado de "Para o alto!" e um solitário galo silvestre voejou lentamente para cima. Entretanto, quando Rupert endireitou o corpo, levantou a arma e atirou, era tarde demais. A ave conseguira escapar, ilesa. Do meio dos batedores, chegou uma voz claramente audível no ar parado.

— Maldito tolo!

— Eu lhe disse que devia concentrar-se — falou Athena, cheia de si.

Naquele anoitecer, retornaram ao pavilhão de caça às seis horas, queimados de sol e exaustos. Cambaleando no último trecho da trilha que vinha da colina, Athena disse:

— Quero ir direta para um farto banho quente, marrom-escuro e cheirando a fumaça de turfa. Então, me deitarei na cama e provavelmente acabarei dormindo.

— Eu a acordarei.

— Faça isso. Eu odiaria faltar ao jantar. Estou faminta.

— Jamie disse algo sobre uma dança campestre esta noite.

— Não é um *baile*?

— Não. Apenas tapetes enrolados para junto das paredes e discos de vitrola.

— Céus, quanta energia! O único problema é que não sei danças campestres.

— Eu posso ensinar.

— Você sabe dançar?

— Sinceramente, não.

— Que lástima! Vamos estragar a alegria geral.

— Você não estragaria coisa nenhuma. E, hoje, nada estragará este dia.

Famosas últimas palavras! Assim que entraram, a sra. Montague-Crichton, que não acompanhara o grupo na montanha por estar ocupada com deveres domésticos, desceu a escada e aproximou-se deles.

— Athena... Oh, minha querida, eu sinto muito, porém telefonaram de sua casa. — Athena imobilizou-se imediatamente, e Rupert viu a cor fugir-lhe do rosto. — Era seu pai. Apenas para comunicar-lhe que a sra. Boscawen está muito doente. Ele me explicou que ela é bastante idosa. E achava que talvez você quisesse ir para casa.

Foi a reação de Athena a essa mensagem que mudou tudo para Rupert. Porque, como uma criança, ela prorrompeu em lágrimas. Ele jamais vira qualquer jovem tão instantaneamente desatinada e entregue a tão ruidoso choro, algo que deixou bem preocupada a sra. Montague-Crichton, pois, sendo escocesa, era de opinião que sentimentos pessoais não deviam ser demonstrados abertamente em público. Percebendo isto, Rupert passou um braço em torno de Athena, levou-a com firmeza para o quarto dela, no andar de cima, e trancou a porta ao entrar, na esperança de que isto abafasse o som de seus soluços.

Ele chegara a esperar que ela se jogasse na cama com o rosto enfiado no travesseiro e se entregasse ao pesar, mas, ainda soluçando e fungando, Athena já tirava a mala do guarda-roupa, jogava-a aberta sobre a cama e a enchia de roupas apanhadas aos punhados nas gavetas, as quais arrumava de qualquer maneira. Rupert nunca vira ninguém fazer isso antes, exceto nos filmes.

— Athena...

— Eu tenho que ir para casa. Pegarei um táxi. Tomarei um trem.

— Mas...

— Você não compreende. É a tia Lavinia. Papai nunca ligaria para cá, se pensasse que ela ia se sair bem dessa. E, se ela morrer, eu simplesmente não conseguirei suportar, porque ela tem estado lá *para sempre*. Também não poderei suportar saber que papai e mamãe estão infelizes, sem mim lá para ser infeliz com eles!

— Athena...

— Tenho que ir, imediatamente. Seja bonzinho e informe-se sobre trens, suponho que partindo de Perth. Veja se consigo um compartimento com leito ou coisa assim. Qualquer coisa. Oh, por que eu tinha de estar tão longe agora?

Isto fez Rupert sentir que, de certo modo, poderia ser o culpado. A angústia de Athena o desnorteava, era terrível vê-la tão infeliz.

— Eu a levarei... — disse.

Ele esperava uma reação de soluçante agradecimento a uma incrivelmente desprendida sugestão, mas Athena, imprevisível como sempre, ficou bastante irritada e impaciente.

— Oh, não seja *absurdo*! — Ela abrira as portas do guarda-roupa e estava puxando peças dos cabides. — É claro que você não pode. Você está aqui. — Jogando as roupas em cima da cama, foi em busca de outras. — Caçando galos silvestres. Foi para isso que veio. Não pode simplesmente ir embora e deixar o sr. Montague-Crichton com um caçador de menos. Seria demasiado descortês. — Ela embolou o vestido longo azul e o enfiou em um canto da mala. Depois, virando-se para ele, declarou, com ar trágico: — E você está se divertindo intensamente — declarou, com ar trágico. Tinha os olhos marejados de lágrimas — ... e bem sei como esteve ansiando por isto... durante... tanto... *tempo*...

O que dizia era a pura verdade, porém em nada melhorava a situação, de modo que ele a tomou nos braços e a deixou chorar. Estava absolutamente perplexo. Vendo Athena sempre tão trivial e alegre, jamais a imaginara capaz de semelhante intensidade emotiva, de tamanho amor, tanto envolvimento com os parentes mais chegados. De algum modo, talvez houvesse mantido tais sentimentos deliberadamente escondidos dele, mas agora Rupert sentia que estava presenciando o lado oculto da face dela, a pessoa integral que era Athena.

Seu lenço estava imundo, coberto de suor e de graxa da arma, de modo que pegou uma toalha de rosto e entregou a ela, para assoar o nariz e enxugar os olhos.

— Eu a levarei — tornou a dizer. — Iríamos mesmo para a Cornualha; portanto, isto significa apenas que chegaremos lá um pouco antes do que pretendíamos. Explicarei aos Montague-Crichton e sei que eles compreenderão. Entretanto, preciso tomar um banho e vestir roupas limpas. Sugiro que faça o mesmo. Depois disso partiremos, assim que você ficar pronta...

— Não sei por que está sendo tão gentil...

— Não sabe? — Ele sorriu. — Estas coisas acontecem!

E, mesmo para si próprio, isto parecia uma coisa estúpida a dizer. Em realidade, era a declaração do ano.

<hr>

Todos se mostraram muitíssimo simpáticos e compreensivos. O carro de Rupert foi tirado da garagem e trazido para a porta da frente. Alguém pegou as malas de ambos e as colocou no porta-malas. Jamie prometeu telefonar para Nancherrow e comunicar ao pai de Athena o que estava acontecendo. A sra. Montague-Crichton preparou sanduíches e encheu uma garrafa térmica.

— ... apenas para o caso de precisarem...

Feitas as despedidas, por fim eles partiram, descendo a longa estrada do vale que levava à auto-estrada. Athena havia parado de chorar, mas dizia queixosamente, olhando pela janela:

— Estava tudo caminhando tão bem... Mal cheguei aqui, e já estamos indo embora...

— Nós voltaremos — disse ele.

Suas palavras, no entanto, soavam tão vazias para ambos, que ela não deu resposta.

Quando afinal cruzaram a fronteira entre Escócia e Inglaterra e aproximavam-se de Scotch Corner, a noite já caíra e Rupert sabia que, se não dormisse, provavelmente terminaria cabeceando de sono ao volante e jogando os dois na vala ao longo da estrada.

— Acho que devíamos parar no hotel por esta noite — disse. — Partiremos amanhã bem cedo e, com um pouco de sorte, faremos o resto da viagem sendo ainda dia.

— Tudo bem.

Ela parecia esgotada, e ele colocou um sorriso na voz, a fim de tentar alegrá-la.

— Quartos separados.

Athena ficou calada. Após um momento, disse:

— É o que você quer?

As palavras dela o fizeram estremecer de leve.

— Não é o que *você* quer?

— Não necessariamente.

A voz dela era muito casual, sem comprometimentos. Encarava a estrada escura à frente deles, além do comprido facho dos potentes faróis do carro.

— Você não me deve nada — disse ele. — E sabe disso.

— Não estou pensando em você. Estou pensando em mim.

— Tem *certeza* de que é o que quer?

— Não estou com o ânimo mais conveniente para ficar sozinha.

— Então, sr. e sra. Smith.

— Sr. e sra. Smith.

E assim eles dormiram juntos, a fadiga de ambos e o desejo dele amenizados no conforto anônimo e impassível de uma enorme cama de casal. E a última pergunta, aquela ainda não feita, ficou respondida, pois nessa noite ele descobriu que Athena, apesar de todos os seus envolvimentos sentimentais, sua fieira de admiradores, seus rápidos fins de semana em Paris, ainda era virgem. Semelhante descoberta foi a coisa mais tocante, mais maravilhosa que jamais acontecera a ele; era como se, gratuitamente, ela lhe tivesse ofertado um presente inestimável que, sabia ele, guardaria bem perto de si, entesourado, pelo resto de sua vida.

Daí o dilema. Por assim dizer, um dilema que se esgueirara por trás dele, mas com o seu subconsciente sabendo que estava lá, aproximando-se, pronto para atacar de súbito a qualquer momento, enquanto ele ficara dizendo a si próprio o tempo todo, vigorosamente, que Athena era apenas mais um relacionamento, mais uma garota. Mentiras. De que adiantava mentir para si mesmo, quando a verdade é que seria insuportável qualquer espécie de existência sem ela? Athena havia, de fato, se tornado o seu futuro.

Pronto. Assunto encerrado. Aceito. Ele inspirou fundo e deixou todo o ar escapar de uma vez, em um longo suspiro de alívio.

— Você parece muito melancólico.

Rupert virou a cabeça, e Athena estava ali, em pé junto às portas-janelas, sorrindo para ele. Usava um vestido sem mangas de linho creme e, em torno da cintura estreita, amarrara uma echarpe salpicada de creme e azul, como para o críquete.

— Você parece uma estrela de matinê fazendo uma entrada — replicou ele. — Alguém pretende jogar tênis?

— E você parece o Juízo Final em pessoa, só que bastante cômodo. Não se levante. — Ela saiu para o gramado e puxou uma segunda cadeira de jardim para perto de onde ele estava. Sentou-se de lado, encarapitada, de modo a encará-lo. — O que motivou o suspiro?

Estendendo o braço, ele lhe segurou a mão.

— Talvez fosse um bocejo. Você dormiu bem?

— Como nunca.

— Só esperávamos vê-la à hora do almoço.

— O sol me acordou.

— Já fez seu *breakfast*?

— Tomei uma xícara de café.

— Na verdade, eu não estava bocejando. Estava pensando.

— Então era o que fazia? Parecia terrivelmente cansativo.

— Eu estava pensando que talvez devêssemos casar-nos.

Athena pareceu um tanto chocada. Após um instante, exclamou:

— Oh, céus!

— É uma sugestão tão terrível assim?

— Não. Acontece apenas que surgiu em um momento curioso.

— O que há de curioso sobre isto?

— Não sei. Na realidade, tudo. Tia Lavinia morrendo e depois não morrendo, nós dois disparando estrada afora da Escócia para cá... Enfim, eu sinto que não sei ao certo o que vai acontecer em seguida. Exceto que parecemos oscilar à beira de uma horrível guerra.

Era a primeira vez que Rupert a ouvia emitir uma séria e ponderada afirmativa sobre a situação na Europa. Durante todo o tempo que haviam passado juntos, ela mostrara um ar tão superficial, tão alegre e doce, que ele nunca tocara no assunto, simplesmente por não querer estragar nada, por desejar vê-la continuando daquele jeito.

— Isso a amedronta? — perguntou agora.

— É claro que amedronta. A própria idéia me deixa trêmula. E eu odeio *esperar*. E ficar ouvindo os noticiários. É como ver areia escorrendo por uma ampulheta, enquanto cada dia se torna mais e mais nebuloso e sem esperanças.

— Se vale como consolo, estamos todos juntos nisso.

— Eu me angustio por pessoas como meu querido pai. Ele já passou por tudo isso antes, e mamãe diz que está ficando desesperado, embora se esforce ao máximo para esconder o que sente. Não por causa dele, mas por todos nós. Principalmente Edward.

— É por causa da guerra... que você receia o casamento?

— Eu não disse isso.

— Pode imaginar-se como esposa de um oficial do exército?

— Não, não posso, mas isto não significa que a idéia me desagrade.

— Seguir o rufar dos tambores?

— Se o que tememos acabar acontecendo, penso que não haverá muito rufar de tambores para seguir.

— É verdade. Assim, por enquanto não tenho muito a oferecer-lhe, exceto e provavelmente anos de separação. Se acha que não poderá enfrentar isso, compreenderei perfeitamente.

Ela respondeu, com absoluta segurança:

— Oh, eu poderia enfrentar *isso* com facilidade.

— Então, o que não consegue enfrentar?

— Oh, coisas absurdas, que você certamente não acharia importantes.

— Experimente dizer-me quais são.

— Bem... Não estou querendo ser rude nem criticar coisa alguma, mas acho que não me ajustei muito bem em sua família. Admita, Rupert, eu não causei a melhor das impressões.

Ele foi compreensivo.

— Minha mãe é um tanto autoritária, bem sei, porém nada tem de tola. É capaz de tirar o melhor proveito de qualquer situação. E quanto a eu herdar Taddington, assumir a responsabilidade que isso implica, com um pouco de sorte ainda vai demorar décadas. Também respeito meus pais, porém nunca fui intimidado por eles.

— Nossa, você é corajoso! Está querendo dizer que voaria, contra a vontade deles?

— Estou querendo dizer que pretendo casar com alguém a quem ame, não com a *Lady* Chefe dos Cães de Caça à Raposa e nem com uma possível candidata dos Conservadores.

Por algum motivo, isso a fez rir e, de repente, ela se tornava a sua querida Athena de novo. Rupert passou a mão em torno do pescoço dela, puxou-a para bem perto e a beijou. Ao terminar de beijá-la, ela disse:

— Tenho certeza de que não me encaixo em nenhuma dessas categorias.

Ele tornou a recostar-se na cadeira.

— O que resolve uma das coisas absurdas. Qual é a próxima objeção?

— Promete que não rirá?

— Prometo.

— Bem, a questão é que, na realidade, eu nunca quis casar.

— Nunca quis casar ou estar casada?

— Casar. Quero dizer, bodas, coisas assim. Odeio cerimônias de casamento. Nem gosto de ir a elas. Sempre me dão a sensação de serem uma terrível provação para todos. Particularmente para a pobre noiva.

— Pensei que o dia do casamento fosse o sonho de toda jovem.

— Não para mim. Já compareci a muitos, fosse como dama de honra ou convidada, porém são sempre a mesma coisa, exceto que cada um parece um pouquinho mais extravagante e pretensioso do que o outro. Como se a idéia geral fosse superar o último desempenho, exibindo um espetáculo ainda mais dispendioso e teatral. Além disso, casamentos exigem meses de organização, há acessórios, listas de convidados, tias idosas com recados sobre a lua-de-mel, e a obrigação de aceitar-se como dama de honra a prima de alguém, que costuma ser francamente horrorosa. Não se falando em centenas de medonhos presentes de casamento. Torradeiras, vasos japoneses e quadros que, nem em um milhão de anos, a gente desejaria pendurar na parede. Fora o tempo que se gasta escrevendo hipócritas cartas de agradecimento, com os dedos cruzados. Todos ficam tensos, infelizes, e há uma infinidade de choros. O milagre é que qualquer pessoa ainda enfrenta a cerimônia de um casamento, porém aposto como a maioria das moças tem colapsos nervosos na lua-de-mel...

Ele ouviu tudo isso pacientemente, até que Athena afinal ficou sem fôlego. O discurso dela foi seguido por um longo silêncio. Em seguida ela disse, com ar birrento:

— Eu avisei que era um motivo absurdo.

— Não — respondeu Rupert. — Não o acho nem um pouco absurdo. Contudo, creio que se concentrou no não-essencial. Estou falando de toda uma existência, ao passo que você aponta um único dia. Uma tradição. Pela maneira como o mundo está indo, penso que temos todo o direito de jogar a tradição pela janela.

— Odeio dizer isto, Rupert, mas minha mãe ficará arrasada.

— Claro que não ficará! Ela a ama e saberá compreender. Agora, já abordamos todos os pontos, os prós e os contras. E quanto ao casamento em si, chegada a conjuntura, em realidade ninguém precisará estar lá, além de nós dois.

— Está mesmo falando sério?

— Claro que estou.

Athena ergueu a mão dele e a beijou. Quando ergueu o rosto para fitá-lo novamente, Rupert viu que os olhos dela estavam brilhantes de lágrimas não derramadas.

— Que tolice sentir vontade de chorar! Enfim, eu nunca pensei que isso pudesse acontecer: que tivesse um grande amigo e um amante, ambos sendo uma única pessoa. Você é o meu amante de Scotch Corner, Rupert. Dá a impressão de algo para comer, não? Contudo, a parte do grande amigo é a mais importante, por ser a que dura mais tempo.

— É verdade — disse-lhe Rupert, e precisou esforçar-se para manter a voz firme, tão comovido estava pelas lágrimas dela, e tão cheio de amor protetor. — Isso é o que realmente importa.

— Você tem um lenço?

Ele lhe passou o lenço limpo, e ela assoou o nariz.

— Que horas são, Rupert?

— Quase meio-dia.

— Eu gostaria que já fosse hora do almoço. Estou morrendo de fome.

Foi somente no sábado, último dia de sua permanência em Porthkerris, que Judith partiu para Pendeen, a fim de ver Phyllis. Os motivos do adiamento eram vários. Claro está que ela *queria* ver Phyllis, de maneira alguma achava que isto significasse cumprir um dever; apenas havia muita coisa acontecendo, e os dias corriam com alarmante velocidade. Havia ainda a complicação de comunicar-se com ela e o tempo que levaria para entrar em contato por carta. Judith enviara a Phyllis um cartão-postal, sugerindo uma ou duas datas, e finalmente recebeu a resposta dela, escrita em uma folha de papel pautado, retirada de um caderno.

> *Sábado seria o melhor dia. Venha por volta de três horas e tomaremos chá. Moro a pouco mais de quilômetro e meio depois de Pendeen. Na fila de casas da esquerda. Número dois. Cyril está em Geevor, no turno do fim de semana, mas eu e Ana estaremos esperando. Beijos. Phyllis.*

— Sábado. É o meu último dia! — protestou ela para Heather. — Oh, que pena, eu devia ter marcado isso antes.

— Não se preocupe. Mamãe quer ir a Penzance comprar um chapéu para o casamento de Daisy Parson, e, se eu não for com ela, voltará para casa com alguma coisa parecendo um urinol. Nós duas podemos fazer alguma coisa ao anoitecer. Pediremos a Joe que nos leve ao "Palais de Danse".

O Regresso

Assim, na tarde de sábado Judith estava a caminho, subindo a colina em seu carro, a fim de sair da cidade. Deixou lojas e sua antiga escola para trás, assim como fileiras de casas em terraço, cada fileira um pouco mais alta do que a vizinha. A baía e o porto sumiram atrás dela, e logo alcançava a encruzilhada de estradas indicando a direção para Land's End.

O tempo continuava excelente, quente e ensolarado, mas um vento cortante soprava do mar, e o Atlântico estava coroado de espumas brancas nas ondas. As nuvens velejavam pelo céu, e quando o carro prosseguiu, subindo para a charneca em terceira velocidade, ela viu as sombras disparando através das colinas castanho-avermelhadas. Do topo, a vista era espetacular — os baixios de verdejantes terras cultivadas, penhascos distantes, tojo amarelo, salientes promontórios, o límpido horizonte e o mar índigo. Por um momento, ficou tentada a parar ao lado da estrada, baixar o vidro da janela e apenas contemplar tudo aquilo por um instante, mas Phyllis a esperava e não havia tempo a perder. *Moro a pouco mais de quilômetro e meio depois de Pendeen. Na fila de casas da esquerda.* Não era difícil seguir as indicações de Phyllis porque, uma vez tendo cruzado Pendeen e passado pela Mina Geevor, onde estava o pobre Cyril neste momento, trabalhando no subsolo profundo, o ambiente rural mudava abruptamente, tornando-se ermo. Primevo, quase proibitivo. Nada mais de pequenas e encantadoras propriedades em meio a campos de pastagens verdejantes, rendilhados por muros de pedra que datavam da Idade do Bronze. Agora não havia uma só árvore à vista, nem mesmo entortada pelo vento.

As moradias dos mineiros no terreno em plataformas, quando Judith chegou lá, eram um ponto isolado e irracional, no meio de nenhures. As construções davam a idéia de uma fila de paredes de tijolos, acimentadas juntas e depois derrubadas ao acaso, sendo em seguida abandonadas onde haviam caído. Cada parede de tijolos possuía no térreo uma porta e uma janela, havendo outra janela no andar de cima. O telhado de todas as casas era de ardósia cinzenta. Separavam-se da estrada por um muro de pedras, e depois por pequenos e comprimidos jardins à frente. O jardim da número dois exibia uma faixa de grama áspera, alguns amores-perfeitos e uma profusão de ervas daninhas.

Judith desceu do carro, pegou o buquê de flores e os pequenos embrulhos que trouxera para Phyllis, abriu um portão desconjuntado e começou a cruzar a passagem que dividia o pequeno jardim. Entretanto, estava apenas a meio caminho, quando a porta se abriu e Phyllis correu a recebê-la, trazendo nos braços a pequenina Anna.

— Judith! Fiquei espiando pela janela, esperando você chegar. Pensei que pudesse ter perdido o caminho. — Phyllis olhou para a estrada, com ar incrédulo. — Esse carro é seu? Não pude acreditar, quando você disse que viria em seu carro. É lindo! Nunca vi nada tão *novinho...*

Ela estava mudada. Não exatamente envelhecida, mas perdera peso e, com ele, parte de seu frescor. A saia e a blusa larga tricotada dançavam no corpo, como se um dia tivessem pertencido a alguém de tamanho muito maior. Os cabelos lisos pareciam secos como palha. Os olhos, no entanto, brilhavam de excitamento e nada era capaz de apagar-lhe o sorriso.

— Oh, Phyllis!

As duas abraçaram-se. Em todos os anos passados, Jess nos braços de Phyllis é que impedira o seu abraço. Agora era Anna que se interpunha entre elas, mas não o suficiente para atrapalhar, exceto por mostrar uma expressão profundamente desaprovadora. Judith achou graça.

— Ela parece achar que estamos fazendo algo terrivelmente errado. Olá, Anna! — Anna a encarou sinistramente. — Que idade ela tem?

— Oito meses.

— É uma gracinha rechonchuda.

— E tem vontade própria. Vamos, entre, o vento está impossível, e não queremos ficar aqui fora, com todos os vizinhos olhando...

Dando meia-volta, ela tornou a cruzar a entrada da casa e Judith a seguiu, entrando diretamente para uma salinha que, sem dúvida, era o único espaço para receber alguém. Pela janela penetrava pouca claridade, de maneira que lá dentro era um tanto escuro, mas um fogão da Cornualha mantinha o aposento quente, e uma ponta da mesa havia sido cuidadosamente arrumada para o chá.

— Eu lhe trouxe algumas coisinhas... — disse Judith, depositando os embrulhos na ponta livre da mesa.

— *Oh, Judith*! Não era preciso... — Os olhos de Phyllis, no entanto, brilhavam de feliz expectativa ao pensar nas surpresas inesperadas. — Espere só um instantinho, enquanto ponho a chaleira no fogo para bebermos uma xícara de chá — disse, segurando o bebê contra o ombro, e depois puxou uma cadeira, na qual se sentou com Anna no colo. A menininha pegou uma colher de chá e a enfiou desajeitadamente na boca. — A minha queridinha está com os dentinhos nascendo.

— Talvez devêssemos colocar as flores na água.

— Flores! Rosas! Oh, mas há anos que não vejo rosas, não como estas. E que perfume! Onde vou colocá-las? Não tenho jarro nenhum...

— Uma caneca serviria. Ou um pote de geléia. Diga-me onde encontrar um.

Phyllis começou a desembrulhar delicadamente o papel de seda que enrolava as flores de longas hastes.

— Naquele armário há um velho pote de picles. E a torneira fica logo depois da porta, nos fundos, no cômodo de lavar. Oh, vejam só que maravilha! Já tinha esquecido como são lindas!

Judith foi abrir a porta do armário, descobriu o pote de picles e, saindo com ele pela porta dos fundos, desceu dois degraus para chegar a um cavernoso recinto onde eram lavadas as coisas, um telheiro inclinado de dupla altura, anexado aos fundos da casinha de dois aposentos. O piso era de laje, a caiação das paredes soltava pedaços, e tudo estava impregnado com o cheiro de sabão caseiro e da encharcada superfície de madeira ao lado da pia, onde a louça era posta para secar. O frio e a umidade deixavam o ambiente gélido. A um canto, como um enorme monstro, cochilava um boiler para ferver roupas, e também um tanque de argila sob o qual ela viu uma bacia de metal para banho. O tanque tinha uma torneira, e um aberto lance de degraus de madeira conduzia ao aposento do andar de cima. Evidentemente, o bebê dormia com o pai e a mãe.

Nos fundos daquele recinto havia uma porta envidraçada na metade superior, mal ajustada e fonte de uma frígida corrente de ar. Através da vidraça, Judith viu um pátio de cimento, um varal com esvoaçantes fraldas e camisas de trabalho, um frágil carrinho de bebê e uma desconjuntada construção que certamente abrigaria a privada. Era neste desolador recanto que Phyllis sem dúvida passaria a maior parte do tempo, acendendo o fogo debaixo do boiler para lavar a roupa da família ou pegando no fogão uma chaleira de água quente para lavar uma pia cheia de louça. Imaginar a dura labuta envolvendo tão-somente a lida com as tarefas normais da vida diária deixou Judith angustiada. Não era de admirar que Phyllis estivesse tão magra. Chegava a ser quase impossível compreender como alguém poderia, antes de mais nada, construir semelhante casa sem pensar na mulher que teria de trabalhar nela. Somente um homem, decidiu com amargura.

— O que está fazendo? — chamou Phillys, pela porta aberta. — Estou cansada de esperar.

— Já vou.

Judith abriu a torneira solitária, encheu o pote de picles e o levou de volta para a sala, fechando a porta firmemente ao entrar.

— Um lugar horrível esse dos fundos, não acha? No inverno fica gelado, a menos que se ponha o boiler para ferver.

Phillys, no entanto, disse isso com franca jovialidade, evidentemente não achando que fossem incômodas tão primitivas condições. Colocou as rosas no pote de picles, uma por uma, e depois recostou-se na cadeira para admirá-las.

— As flores modificam tudo, não é mesmo? Fazem um lugar parecer completamente diferente.

— Abra as outras coisas, Phyllis.

Phyllis demorou algum tempo desatando cordéis e dobrando papéis que seriam postos de lado, para uso futuro.

— Sabonetes! Lavanda de Yardley! Exatamente o que sua mãe costumava usar. Não vou gastá-los, vou guardá-los. Dentro de uma gaveta, com minha roupa de baixo. E isto aqui, o que é?

— É para Anna.

— Oh, vejam só! Um casaquinho! — Phyllis ergueu o pequenino agasalho. — Mal se pode dizer que ela já teve uma coisa nova, sempre vestindo roupas usadas, desde o dia em que nasceu... Veja só isto, Anna. Não é lindo? Poderá usá-lo domingo que vem, quando for ver a vovó. E que lã tão macia! Você vai parecer uma princesinha!

— E isto é para Cyril, mas, se ele não gostar, você pode comê-los. Pensei em cigarros, mas não sabia se ele fumava.

— Não, ele não fuma. Toma um copo de cerveja, mas não fuma. Diz que ataca seu peito. Cyril tosse muito. Creio que deve ter algo a ver com trabalhar lá embaixo, na mina.

— Mas ele está bem?

— Oh, está bem. É uma pena que hoje esteja fora. Você não chegou a conhecê-lo, nem mesmo depois de todo aquele tempo em que fiquei com sua mãe?

— Eu o conhecerei qualquer dia.

— De certo modo — disse Phyllis — é até melhor sem ele aqui. Assim, podemos conversar melhor. — Ela retirou o envoltório do último pacote. — Oh, pelo amor de Deus, bombons! Cyril é louco por bombons... Veja a fita, Anna, e que linda caixa! Está vendo o gatinho e o cachorrinho em suas cestinhas? É maravilhoso, Judith. Tudo maravilhoso. Quanta gentileza sua...

Ela sorria, estonteada de felicidade, porém havia o brilho das lágrimas nos olhos, e Judith se sentiu invadida pela culpa. Tinha trazido coisas tão insignificantes, e ali estava Phyllis, quase chorando de gratidão.

— Acho que a chaleira está fervendo — disse.

— Sim, está mesmo — respondeu Phyllis.

Ajeitando Anna à cintura, ela ficou rapidamente em pé para resgatar a chaleira sibilante e preparar o chá.

Embora de maneira esporádica, no transcorrer dos anos elas duas sempre haviam mantido contato por meio de cartas e cartões de Natal, mas, mesmo assim, muito havia para falar e numerosos detalhes a serem preenchidos. Na mente de Phyllis, entretanto, acima de tudo havia o fato de que Judith, aos dezoito anos, era realmente a proprietária de um carro. E sabia dirigi-lo! Para ela, isto chegava às raias do milagre, era algo nem sequer sonhado. Tornava-se impossível esquecer tal realidade.

— Quando foi que o conseguiu? Como, por Deus, você *arranjou*?

Na linguagem de Phyllis, arranjar significava pagar por. "Não posso arranjar um vestido novo", ela diria ou "Não podemos arranjar férias este ano".

Judith hesitou. Parecia terrivelmente injusto estar naquela modesta casinha, com Phyllis parecendo tão necessitada, e falar a respeito de dinheiro. Era evidente que, ali dentro, muito pouco havia para ser economizado. Entretanto, era uma coisa que ela estava decidida a desabafar. Afinal, quando tudo acontecera, não lhe fora possível descrever o sucedido em uma carta para Phyllis. As palavras, simplesmente, faziam tudo aquilo parecer demasiado materialista e cobiçoso. Nos velhos tempos em Riverview, entretanto, Phyllis se tornara a mais estimada amiga de Judith, a mais confiável das confidentes, e ela não queria que isso mudasse, algo que sem dúvida aconteceria, se entre ambas pairassem segredos não ditos.

— ... foi tia Louise, Phyllis — disse ela por fim. — Nunca escrevi a você falando nisso, porque queria que estivéssemos juntas quando lhe contasse. Acontece que, com a morte dela, herdei todo o seu dinheiro, sua casa... e tudo o mais. Tia Louise deixou testamento.

— Oh! — Phyllis ficou de boca aberta, ao ouvir tão extraordinária notícia. — Não pensei que essas coisas acontecessem a pessoas de verdade. Achava que não passavam de histórias do *Peg's Paper*.

— Eu também não conseguia acreditar. Levei séculos para me acostumar com a idéia. Naturalmente, só receberei a herança quando fizer vinte e um anos, mas o sr. Baines, o advogado, e tio Bob Somerville são meus curadores, e quando tenho muita necessidade de alguma coisa ou quando eles acham que eu deveria tê-la, então me dão sua permissão.

Phyllis tinha ficado vermelha de excitamento.

— Estou tão *satisfeita* por sua causa...

— Você é um amor. E eu me sinto até um pouco envergonhada por ter tido tanta sorte...

—Não há nada para deixá-la envergonhada. A sra. Forrester queria que fosse a herdeira, então, por que você não deveria ser? Uma sorte dessas não poderia ter acontecido a uma pessoa mais doce. E ela devia ter pensado em tudo direitinho, ouça o que lhe digo, sua tia não era nenhuma tola. Uma senhora de excelente coração, foi o que sempre pensei, embora tivesse um modo de ser curioso. Acho que se poderia dizer que era uma pessoa direita... — Phyllis meneou a cabeça, visivelmente perplexa. —A vida é engraçada, não? Lá estava você, com seis *pence* para seus gastos, e agora é dona do seu próprio carro. Quem diria! E sabendo dirigi-lo, ainda por cima. Eu me lembro de sua mãe, toda nervosa como uma galinha choca, sempre que precisava sair naquele pequeno Austin. Enfim, ela tinha motivos para ficar nervosa, quando a gente pensa na maneira como a sra. Forrester terminou. Uma coisa terrível. Um fogaréu no alto da charneca. A gente podia avistá-lo por quilômetros. E era *ela*. Foi difícil acreditar quando li no jornal, na manhã seguinte. Muito difícil. Enfim, ela era um perigo como motorista. Cada criatura de West Penwith sabia disso. O que, de maneira nenhuma, justificou o acontecido.

— Sim — concordou Judith. — Não justificou.

— Fiquei preocupada com o que aconteceria a você. Naquela época, quero dizer. Pensei então que talvez ficasse aos cuidados dos Somerville. Não perguntei ainda por eles, perguntei? Como vai a sra. Sommerville? Eu gostava dela, sempre me fazia rir, ora se fazia, com seus modos engraçados. E também gostava quando ela vinha passar tempos em Riverview. Não era nem um pouco arrogante.

— Pelo que sei, estão todos muito bem. Meus avós morreram, com meses de distância um do outro. Pensei que fosse triste para mamãe e tia Biddy, mas acho que foi também um certo alívio. Tia Biddy vivia viajando para o vicariato, querendo saber se eles estavam bem, se não passavam fome ou qualquer outra coisa.

— A velhice é uma coisa terrível. Minha avó ficou assim. Morava sozinha e não se preocupava em alimentar-se, ou então esquecia de comer. Eu ia lá de vez em quando e não via uma migalha de comida naquela casa, só a coitada da velhinha, sentada, com o gato no colo... Posso compreender o alívio que sua tia Biddy deve ter sentido.

— Ela comprou uma bonita casinha perto de Bovey Tracey. Já estive lá umas duas ou três vezes. Na maioria do tempo, entretanto, fico com os Carey-Lewis, em Nancherrow. Volto para lá amanhã... — Mesmo quando dizia isso, ela podia sentir o prazer na própria voz, o sorriso em seu rosto. Edward. Amanhã veria Edward novamente. Judith não pensava nele o tempo todo, não ficava com a idéia fixa nele e nem ansiava para que ele estivesse lá. Não estava apaixonada e tampouco alucinada pelo rapaz. No entanto, quando ele lhe vinha à mente ou tinha o nome mencionado casualmente em uma conversa, era impossível ignorar o salto de seu coração, a sensação de entontecedora felicidade. E agora ocorria-lhe, ali na pobre casinha de Phyllis, que talvez o ápice da felicidade fosse estar sem uma pessoa, mas, ainda assim, saber que logo estaria de novo com essa pessoa. — ... amanhã de manhã.

— Que ótimo! A essa altura, eles devem ser como sua própria família. Quando você escreveu contando que ia ficar com eles, parei de preocupar-me com o que poderia acontecer-lhe. Achei que ia ficar muito bem. E depois, aquele rapaz que você tornou a encontrar lá...

Judith franziu a testa. Por um momento, não imaginou em quem Phyllis estaria falando.

— Rapaz?

— Você *sabe*. Escreveu para mim e me contou. Aquele rapaz que conheceu no trem, no anoitecer em que você, sua mãe e Jess voltavam no Natal em Plymouth. E lá estava ele, em casa dos Carey-Lewis...

Judith recordou prontamente.

— Oh! Você está falando de Jeremy Wells.

— Claro que estou. O jovem médico. Ele continua indo lá?

— Sim, continua, e não parece mais tão acanhado. Mal o vemos agora. Quando deixou o Hospital Saint Thomas, voltou para Truro e começou a clinicar com o pai, de modo que agora é um ocupado médico rural, com pouco tempo para a vida social. Entretanto, às vezes toma o lugar do pai, se alguém adoece na casa. Tive uma gripe horrível na última Páscoa, e ele me visitou e foi extremamente gentil.

— Não sonha mais com ele? Parecia ter ficado atraída pelo rapaz, no trem.

— Oh, isso foi há *anos*. De qualquer modo, ele agora está com mais de trinta anos. Velho demais para mim.

— Bem, mas...

Era claro que Phyllis não pretendia mudar de assunto, e insistia em saber da vida amorosa de Judith. Entretanto, nem com Phyllis ela desejava partilhar o segredo de Edward. Procurando algum meio de desviar a conversa para um assunto mais corriqueiro, encontrou a saída ao olhar para Anna.

— Oh, Phyllis, acho que Anna está com sono.

Phyllis baixou os olhos para sua filha. Tendo bebido leite de uma caneca de lata e comido o pão com manteiga de um prato, ela agora tinha o polegar firmemente enfiado na boca. Seus olhos pesavam sonolentamente, os longos cílios lançando sombras nas bochechas róseas.

— Tem razão. — A voz de Phyllis baixou para um sussurro. — Ela não dormiu esta manhã. Vou deixá-la no carrinho. Certamente vai tirar uma boa soneca...

Ela se levantou, erguendo suavemente a criança nos braços.

— ... o meu amorzinho... Mamãe vai pôr você no seu carrinho. — Phyllis abriu a porta nos fundos da sala e saiu para o telheiro de lavar roupas. — ... durma, que o papai logo estará em casa...

Sozinha, Judith permaneceu onde estava. O vento ganhava força, vindo dos penhascos, sibilando através da charneca e sacudindo a janela mal ajustada. Abraçando a xícara de chá nas duas mãos, ela olhou em torno e constatou, com tristeza, que aquilo ali não era muito semelhante a uma casa. Miserável e mal apetrechada. Tudo quanto Judith via comprovava pouco dinheiro e tempos difíceis. Claro que a limpeza era absoluta, porém nada tinha de alegre. O piso era coberto com linóleo, rachado em vários pontos, e tão gasto, que o padrão original desaparecera quase por completo. Um desbotado tapete de retalhos jazia junto da lareira, e a única cadeira de braços expelia crina por um buraco no surrado estofamento de veludo. Ela não viu um rádio, telefone ou quadros nas paredes. Apenas um berrante calendário comercial, pendendo de um prego. As polidas maçanetas de cobre do fogão e o cintilante guarda-fogo de cobre da lareira eram as únicas coisas alegres a serem vistas. Judith recordou Phyllis fazendo paninhos de crochê para o enxoval, e perguntou-se o que teria acontecido a esses tesouros. Não havia nenhum sinal deles na sala. Talvez estivessem no quarto dela...

Phyllis já voltava. Judith se virou, quando ela fechou a porta.

— Anna está bem?

— Dormiu logo, a queridinha. — Ela pegou o bule e tornou a encher as xícaras. — E agora — Phyllis recostou-se na cadeira — que o melhor fique por último. Fale-me sobre sua mãe e Jess...

Isso levou algum tempo, mas Judith trouxera a última carta de Cingapura e uma carteira de instantâneos tirados por seu pai.

— ... esta é a casa deles... e aqui está Jess, com o jardineiro chinês.

— Veja só o tamanho dela!

— E esta aqui foi tirada no Clube de Críquete de Cingapura, durante uma festa ou coisa assim. Mamãe não está bonita? E aqui estão eles nadando. Aqui, mamãe está indo jogar uma partida de tênis. Ela recomeçou a jogar, sempre no fim da tarde, quando fica mais fresco.

— Deve ser um lugar maravilhoso... — comentou Phyllis, tornando a examinar as fotos.

— Lembra-se de que ela não queria ir? Pois agora mamãe adora aquilo lá! Há sempre muita movimentação. Festas em navios da Marinha e em quartéis do Exército. Naturalmente, o calor é terrível, muito mais do que em Colombo, porque há muita umidade, porém ela parece ter-se acostumado a isso. E todos dormem a tarde inteira.

— E agora que terminou a escola, você irá ao encontro deles. Nem dá para imaginar! Quando é que parte?

— Já tenho passagem reservada para outubro...

— Não perdeu tempo... Quanto tempo ficará lá?

— Um ano. Depois, com um pouco de sorte, vou para a Universidade. — Ela pensou nisso e suspirou. — Não sei, Phyllis, eu realmente não sei...

— O que quer dizer com "não sei"?

— Não sei o que farei, se houver guerra.

— Está falando desse Hitler, não? Ele não é ninguém para impedir você de estar com sua mãe, seu pai e Jess!

— Suponho que as linhas de navegação continuarão funcionando. A menos que todos os vapores sejam transformados em navios de tropas, navios-hospital ou coisa semelhante.

— Oh, eles vão continuar navegando. Você tem de ir. Ansiou tanto tempo por isso! — Phyllis ficou calada e, após um instante, meneou a cabeça. — É terrível, não? Tudo tão incerto... Tão errado! O que será que Hitler cobiça tanto? Por que ele não deixa os outros em paz? E aqueles pobres judeus. Que mal há em ser judeu? Ninguém pode mudar a maneira como nasceu. Somos todos filhos de Deus, não vejo motivos para revirar o mundo de cabeça para baixo, separar famílias...

Phyllis pareceu tão desolada, que Judith procurou animá-la.

— Oh, mas *vocês* estarão bem, Phyllis. A mineração é muito importante. Sem a menor dúvida, será classificada como atividade de exceção. Cyril não será convocado, não irá tornar-se soldado. Continuará trabalhando em Geevor.

— Esperanças perdidas! — exclamou Phyllis. — Ele irá, fique certa. Já se decidiu, ora se já! Atividade de exceção ou não, se houver guerra, Cyril pretende alistar-se na Marinha.

— Alistar-se na *Marinha*? Ora, mas por que ele faria isso, se não tem que ir para a guerra?

— A verdade — admitiu Phyllis — é que ele está farto de trabalhar na mina. O pai dele foi mineiro, mas Cyril nunca quis ser um. Desde garotinho, seu sonho era ir para o mar. Para a Marinha Mercante ou qualquer coisa, mas o pai dele nem queria ouvir falar nisto e, vivendo neste lugar, não havia muita coisa mais que Cyril pudesse fazer. Aos quatorze anos deixou a escola, e isso foi tudo.

Aflita por Phyllis como estava, Judith sentiu uma certa mesquinha solidariedade por Cyril. Não podia imaginar nada pior do que alguém ser forçado a trabalhar debaixo da terra, se não era esse o seu desejo. Entretanto, mesmo assim ele agora era um homem casado, com responsabilidades.

— Está querendo dizer que, se houver guerra, ele então agarrará sua oportunidade?

— É mais ou menos isso.

— E quanto a *você*? E ao bebê?

— Não sei. Acho que daremos um jeito.

Bem, agora surgia mais uma ansiedade. As perguntas saltitavam em sua mente, porém uma era mais importante do que todas as outras.

— De quem é esta casa?

— Da Companhia de Mineração. Eles a ofereceram a Cyril antes de nos casarmos. Se não oferecessem, ainda estaríamos de namoro. Não tínhamos nem um banquinho por mobília, mas nossas famílias ajudaram. Minha mãe nos deu a cama, e a avó de Cyril nos deixou esta mesa e algumas cadeiras.

— Vocês têm que pagar aluguel?

— Não. É uma casa vinculada ao emprego dele.

— Então... se Cyril for para a guerra, você terá de sair daqui?

— Eles não me deixariam continuar aqui por conta própria. Precisam da moradia para alguém mais.

— Nesse caso, o que aconteceria?

— Acho que eu voltaria a morar com minha mãe.

— Na casa em Saint Just? Ora, Phyllis, lá não haveria espaço para todos vocês!

— Terá de haver.

— Oh, isso é cruel demais!

— Bem que tentei fazer Cyril desistir dessa idéia, Judith. Quis que ele visse a situação pelo meu ponto de vista, mas é um homem muito teimoso, eu lhe digo. Tudo o que ele já quis na vida foi ir para o mar. — Ela fungou. — Às vezes, até penso que ele reza para a guerra começar.

— Você nem deve imaginar tais coisas. Tenho certeza de que ele não deseja isso. Creio que seu marido não faz idéia dos perigos que enfrentará, não apenas no mar, mas quanto a canhões, torpedos, submarinos e bombas.

— Já disse tudo isso para ele, mas não se pode impedir que um homem vá lutar por seu país. Não se pode tirar de um homem a única coisa que já quis na vida.

— Bem, acho tudo isso muito injusto. E quanto ao que *você* quer...?

— O que *eu* quero? Sabe o que eu queria? Às vezes penso nisso. Eu queria algum lugar para morar que fosse bonito, com flores e um banheiro de verdade. Fiquei mal acostumada, morando com vocês em Riverview. Aquele foi o primeiro banheiro que vi, com a água sempre saindo quente da torneira e o cheiro do sabonete de sua mãe. E o jardim... Nunca esqueço aquele jardim, onde nos sentávamos nas tardes de verão, tomando chá em piqueniques, e tudo isso. E flores por toda parte... Plantei amores-perfeitos na frente desta casa, porém lá não bate sol. Só há vento. E no pátio dos fundos a gente não encontra um só torrão de terra. Não que esteja me queixando. Afinal, temos um teto em cima de nossas cabeças, bem sei, e provavelmente esta será a melhor casa que chegarei a ter. Só que não custa nada sonhar, não é mesmo?

Judith meneou a cabeça.

— É, não custa nada.

As duas ficaram novamente em silêncio, porque de repente parecia não haver muito mais sobre o que falarem. Simplesmente era tudo por demais terrível e deprimente. Por fim, foi Phyllis quem rompeu o tenebroso vazio. Recostou-se na cadeira e sorriu.

— Não sei o que estamos fazendo, sentadas aqui como dois velhos em um funeral — disse, e Judith recordou, com amor e gratidão, que Phyllis sempre fora capaz de descobrir o lado divertido de uma situação, por pior que esta fosse. — Carrancudas como estávamos, íamos ambas levar um tiro...

— Como é mesmo que sua mãe dizia, Phyllis? Não se preocupe, isto pode nunca acontecer.

— E se acontecer, sairá tudo na água do banho. — Phyllis ergueu a tampa do bule e olhou o que havia lá dentro. — Está me parecendo frio como gelo e negro como tinta. Vou botar a chaleira no fogo outra vez e teremos um bule fresco.

A tarde ia avançada, quando Judith finalmente despediu-se, entrou em seu carro e iniciou o trajeto de volta a Porthkerris. O tempo sofrera uma mudança total. Enquanto ela e Phyllis conversavam, as nuvens acumularam-se e espessaram-se, vindas do mar e trazendo consigo um nevoeiro molhado que se estendia por sobre a terra, como *fog*. Anna tivera que ser acordada e trazida novamente para dentro, a fim de não apanhar chuva, e Phyllis abrira a porta do fogão, apenas pelo prazer de verem os carvões em brasa. Agora, os limpadores de pára-brisa moviam-se para lá e para cá, enquanto a serpenteante estrada na charneca adquiria um tom plúmbeo e molhado, uma fita de cetim cinza-escuro, desenrolando-se em muitas curvas no solo encharcado.

Tudo era suficientemente depressivo, mesmo sem o peso da preocupação com Phyllis, que agora ocupava a mente de Judith. *Nós conseguimos uma casa*, ela lhe tinha escrito. *Vamos casar*. Depois, mais tarde, *Vou ter um bebê* — e tudo parecera tão *certo*, tão exatamente o que Phyllis sempre quisera e que, acima de tudo, merecia! A realidade, no entanto, era uma desilusão, tendo sido doloroso separar-se dela e deixá-la abandonada naquela casinha desagradável e primitiva, fincada no meio de nenhures. Após as despedidas, depois que Judith colocou seu carro na estrada e iniciou a volta para casa, Phyllis e o bebê haviam permanecido na porta aberta da casa, acenando. Ela vira seus reflexos no espelho lateral, ficando cada vez menores à medida que se afastava, porém Phyllis continuava acenando, até que uma curva da estrada fez com que mãe e filha desaparecessem de vista.

Injusto. Era tudo absolutamente injusto.

Judith evocou a Phyllis dos velhos tempos em Riverview. Todos a tinham amado, confiavam nela e a tratavam como se fosse da família, o que certamente era o motivo dela ter permanecido lá, até o fim. Recordando, era impossível lembrar-se de alguma vez em que Phyllis se mostrara amuada ou irritada, sua cozinha sempre tendo proporcionado um cálido refúgio de risos e tagarelices. Podia recordar caminhadas com Phyllis, colhendo flores silvestres, aprendendo seus nomes e depois arrumando-as em um pote de geléia para o meio da mesa da cozinha; e a agradável visão de Phyllis, animada em seu enorme avental de algodão listrado de rosa e branco, correndo atrás de Jess na escada ou carregando chás de piquenique pelo gramado até debaixo da amoreira, onde se tinham sentado. Ainda mais pungente era a lembrança do agradável cheiro de talco que ela usava depois do banho, e de como seus cabelos ficavam macios, quando mal acabava de lavá-los...

Enfim, de nada adiantava ficar sentimental. O fato é que Phyllis escolhera casar com Cyril; aliás, levara anos esperando por isso. A vida de uma esposa de mineiro costumava ser dura e, sendo filha de mineiro, ela sabia disso melhor do que ninguém. Afinal, o bebê era uma gracinha, e presumivelmente eles tinham o suficiente para comer, mas... como isso era injusto!

Por que deveria Phyllis — logo Phyllis — ter de viver e criar sua filha em tais condições, só porque seu marido era mineiro? Por que mineiros não podiam ter casas atraentes, como os Warren? Por que ser merceeiro era muito mais compensador do que ser mineiro? Evidentemente, as pessoas que faziam um horrível trabalho debaixo da terra, deveriam ganhar mais dinheiro do que as ocupando atividades agradáveis. E por que algumas pessoas, como os Carey-Lewis, deveriam ser tão ricas, tão privilegiadas, tão... e isto precisava ser dito... mimadas, quando uma criatura realmente admirável como Phyllis precisava ferver água antes de poder lavar sua louça ou atravessar o pátio, estivesse o tempo como estivesse, se quisesse ir ao banheiro?

E se houvesse guerra, então Cyril pretendia apresentar-se para lutar, deixando Phyllis e seu bebê para trás. Segundo parecia, ele não agiria assim movido por algum forte motivo patriótico, mas apenas porque sempre desejara afastar-se de Pendeen e da mineração, ir para o mar. Judith perguntou-se quantos milhares de jovens haveria no país sentindo o mesmo que ele. Jovens que praticamente nunca deixavam suas aldeias, exceto talvez para uma viagem de ônibus à igreja da cidade mais próxima ou em excursão para assistirem a um Campeonato de Arremesso de Dardos.

A bicicleta que ela conhecia, uma vez inventada, revolucionara a vida rural na Inglaterra porque, pela primeira vez, um rapaz podia viajar oito quilômetros para cortejar uma moça na aldeia vizinha, e tal mobilidade minimizara consideravelmente as deformidades congênitas e resultantes de casamentos consangüíneos, nas comunidades isoladas. Se uma simples bicicleta conseguira tudo isso, uma guerra moderna com certeza estraçalharia e dispersaria, para sempre, as tradições e convenções sociais que haviam sido respeitadas desde tempos imemoriais. Em seu presente estado de ânimo, Judith decidiu que, no fim das contas, isso talvez não fosse uma coisa prejudicial. A imediata perspectiva de uma mobilização nacional, de bombardeios e ataques a gás, no entanto, continuava sendo muitíssimo assustadora.

Então, o que seria de Phyllis e Anna? *Eles não me deixariam continuar aqui por conta própria. Acho que eu voltaria a morar com minha mãe.* Destituída. Uma mulher casada e sem a dignidade da própria casa, por humilde que fosse. *Sabe o que eu queria? Algum lugar para morar que fosse bonito, com flores e um banheiro de verdade.*

Se, ao menos, houvesse algo que pudesse ser feito... Se houvesse algum modo de ajudar... Entretanto, não havia. E, mesmo que houvesse, isto seria apenas intromissão. Tudo quanto Judith podia fazer era manter contato, voltar a Pendeen para visitá-la o mais freqüentemente que pudesse, e estar por perto, se necessário, para recolher os cacos.

O relógio da torre da igreja batia cinco da tarde quando ela parou o carro junto à calçada, diante da Mercearia Warren. O estabelecimento ainda estava aberto e assim ficaria por mais uma hora. O anoitecer dos sábados era sempre um período movimentado, com as pessoas correndo a comprar provisões de última hora, ante a perspectiva de um domingo vazio; um pouco mais de bacon para o café da manhã, ervilhas em lata e farinha *Birds Custard* para a lauta refeição do meio-dia. Quando Judith cruzou a porta, no entanto, este anoitecer parecia mais movimentado que de costume, com meia dúzia de fregueses em fila para serem servidos, e somente Heather atrás do balcão, um pouco afobada, porém fazendo o melhor possível para dar conta do recado.

Em si, isto era surpreendente. Heather raramente trabalhava na mercearia e, embora tivesse total competência, somente em períodos de crise era convocada para uma ajuda extra.

— Você falou duzentos e cinqüenta gramas de açúcar?

— Não, meio quilo. E não quero granulado, mas refinado...

— Desculpe...

Virando-se para pegar o outro saco na prateleira de baixo, Heather avistou Judith e revirou os olhos para o alto, mas se o gesto era um pedido de socorro ou um silencioso grito de exasperação, ninguém saberia dizer. Era evidente que a paciência dela chegava ao fim.

— Talvez seja melhor eu levar setecentos e cinqüenta gramas.

— Decida-se de uma vez, Betty, pelo amor de Deus.

Judith perguntou:

— Onde estão seu pai e Ellie, Heather?

Despejando açúcar em um saco colocado na balança, Heather apontou com a cabeça.

— Lá em cima.

— *Lá em cima?*

— Na cozinha. É melhor você ir.

Assim, Judith a deixou com sua confusão e, perguntando-se o que, afinal, estaria acontecendo, passou pelos fundos da loja e subiu os degraus que levavam à cozinha. A porta sempre aberta, neste anoitecer estava fechada. Do outro lado, Judith ouviu o som de ruidosos soluços. Abriu-a, entrou, e encontrou o casal Warren e Ellie sentados à mesa da cozinha. Era Ellie quem chorava e, a julgar por seu estado, o choro já durava algum tempo, porque tinha o rosto vermelho e inchado de lágrimas, os cabelos louros em desalinho, e apertava na mão um lenço encharcado e inútil. A sra. Warren, sentada ao lado dela, enquanto seu marido estava de frente para as duas, no outro lado da mesa, os braços cruzados sobre o peito, com o rosto quase sempre jovial agora mostrando uma expressão assustadoramente inflexível. Judith sentiu-se invadir pela apreensão. Fechou a porta atrás de si e perguntou:

— O que aconteceu?

— Ellie passou por um mau momento — respondeu a sra. Warren. — Estava nos contando. Você não se importa se Judith souber, não é mesmo, Ellie?

Incoerente com os soluços, Ellie gemeu uma vez mais e sacudiu a cabeça.

— Vamos, pare de chorar, se possível. Tudo já terminou.

Sem saber o que dizer, Judith puxou uma cadeira e se juntou ao pequeno grupo. Perguntou então:

— Ela sofreu algum acidente ou coisa parecida?

— Não, não foi nada disso, embora ruim o bastante.

A sra. Warren pousou a mão sobre a de Ellie e a apertou com força. Judith esperou, e a sra. Warren lhe contou a aterradora história. Ellie tinha ido ao cinema, ver um filme com Deanna Durbin. Pretendia ir com sua amiga Iris, mas esta desistira à última hora, de modo que ela acabou indo sozinha. O filme estava já pela metade, quando entrou um homem e ocupou o assento próximo ao de Ellie. Pouco depois, ele punha a mão em seu joelho, começava a movê-la por sua perna acima, e então ela viu...

A essa altura, a boca de Ellie se abriu como a de um bebê, e ela começou a chorar novamente, as lágrimas saltando-lhe dos olhos como água da chuva de dentro de uma calha.

— O que foi que ela viu?

O que Ellie tinha visto, contudo, era algo inexprimível, pelo menos no que dizia respeito à sra. Warren. Ela ficou muito corada, desviou os olhos e comprimiu os lábios. O sr. Warren, entretanto, não sofria de tão delicados escrúpulos. Era evidente que ele estava fora de si, tal a sua raiva.

— Os botões da braguilha do miserável velhaco estavam abertos, com sua coisa apontando para fora...

— Deu em Ellie o maior susto de sua vida. Vamos, Ellie, acalme-se. Não chore mais.

— ... e então ela fez o que era mais sensato. Saiu do cinema e veio para cá. Estava tão perturbada, que não podia ir para casa. Disse que não tinha coragem de contar isso para a mãe.

Oh, mas tudo aquilo já havia acontecido antes. Adolescentes, mesmo garotas sabidas como Ellie, não contavam para as mães, nem mesmo para as tias. Ficavam envergonhadas demais para isso; não encontrariam palavras para explicar. Elas simplesmente fugiam, escondiam-se no toalete das senhoras ou disparavam para a rua chorando histericamente, em desesperada busca de proteção.

Judith perguntou, já sabendo qual seria a resposta:

— Você falou com o gerente do cinema?

Ellie passou pelos olhos uma ponta do lenço encharcado e conseguiu balbuciar algumas palavras por entre os soluços:

— ... Não... pude... e quem acreditaria em mim?... Iam dizer que era apenas uma história minha... como se eu tivesse inventado alguma coisa...

A perspectiva era claramente tão horrenda, que as lágrimas voltaram a fluir.

— Bem, mas você viu o rosto do homem? — insistiu Judith.

— Eu não quis olhar.

— Faz alguma idéia da idade dele? Era um rapaz? Ou alguém... mais velho?

— Ele não era novo. — Pateticamente, Ellie fez um sincero esforço para compor-se. — A mão dele era ossuda. E me apalpava. Subindo pela minha perna, debaixo da minha saia. E ele cheirava. O hálito. Como uísque...

— Vou preparar uma boa xícara de chá — disse a sra. Warren.

Levantando-se, ela pegou a chaleira e a encheu debaixo da torneira. Judith ficou calada por um momento. Pensou em Edward. O que mesmo ele havia dito? *Acho que você precisa de um catalisador de alguma espécie. Não me pergunte qual, porém acontecerá alguma coisa, e tudo isso será resolvido.* Um catalisador. Um motivo para lutar, para acabar com Billy Fawcett para sempre e finalmente curar o trauma que ele lhe infligira, em todos aqueles anos passados. Sentada à mesa da cozinha dos Warren, ela não nutria a menor dúvida sobre a identidade do bolinador da pobre Ellie, exceto que ele agora era pior do que apenas um velho e inofensivo bolinador, pois não apenas abusara, como se exibira. O próprio pensamento a fez estremecer. Não era de admirar que Ellie se encontrasse naquele estado. Quanto a ela, deixara de sentir a mais leve pena de Billy Fawcett, e raiva era algo muito mais saudável do que a compaixão inútil. Um catalisador. Um motivo para lutar. Ou isso poderia ser classificado como vingança? Fosse o que fosse, ela não se importava. Sabia apenas o que tinha de ser feito, e que teria o maior prazer em fazê-lo.

Respirando fundo, disse com firmeza:

— Nós temos que contar ao gerente do cinema. Depois iremos todos à polícia dar parte do ocorrido.

— Não sabemos quem ele é — observou o sr. Warren.

— Pois *eu* sei.

— Como pode saber? Você não estava lá!

— Sei, porque o conheço. E porque ele fez a mesma coisa comigo, quando eu tinha quatorze anos.

— *Judith*! — exclamou a sra. Warren, sua voz e sua expressão espelhando a incredulidade e o choque que sentia. — Ele *fez mesmo isso*?

— Sim, fez. Em realidade, não chegou a exibir-se, mas tenho absoluta certeza de que, cedo ou tarde, isso estava em seus cálculos. O nome dele é Billy Fawcett. Coronel Billy Fawcett. Mora em Penmarron. E é a pessoa mais asquerosa que já conheci na vida.

— Seria melhor que nos contasse.

Ela contou a eles. Tudo quanto acontecera, desde a época em que havia ficado com tia Louise, em Windyridge. A ida ao cinema, a tentativa dele de invadir a casa quando a soubera sozinha, seu malévolo comparecimento ao funeral de tia Louise, e finalmente o desastre de sua ida noturna ao "Guincho Corrediço", com Edward Carey-Lewis.

A essa altura, distraída pelo drama da saga, Ellie parara de chorar. Quando Judith chegou ao ponto em que Edward despejara o uísque no rosto do velho, ela até começou a sorrir. A sra. Warren, contudo, nada via de engraçado na história.

— Por que não *nos contou* tudo isso? — exclamou, indignada.

— Como eu contaria a vocês? Adiantaria alguma coisa? O que poderíamos fazer?

— Deter o grande vilão.

— Bem, é o que podemos fazer agora. Por causa do que aconteceu com Ellie. — Ela se virou para Ellie, passou um braço em torno de seus ombros magros e apertou de leve. — Você fez exata e absolutamente a coisa certa, vindo aqui e contando tudo para a sra. Warren. Se eu tivesse tido mais senso, contaria para tia Louise, mas não fui tão corajosa como você. Não deixe que isso a preocupe, Ellie, não permita que o acontecido estrague as coisas em sua vida. Os homens geralmente são delicados, gentis e divertidos. Apenas alguns deles é que tornam tudo tão terrível e assustador. Agora, precisamos ter certeza de que isso nunca mais tornará a acontecer. Vamos dar parte à polícia e certificar-nos de que Billy Fawcett comparecerá diante de algum juiz, magistrado ou tribunal para ser punido, a fim de que nunca, nunca mais repita o que fez. Posso ser testemunha da acusação, havendo necessidade, e ficarei deliciada se ele for mandado para a prisão. Não estou me importando. Sei apenas que quero acabar com ele definitivamente — por Ellie, por mim e por todas as outras jovens de quem abusou.

Após esse longo e ardoroso discurso, ela se recostou na cadeira para recuperar o fôlego. Seus ouvintes ficaram calados por um momento. Então, a sra. Warren falou:

— Uma coisa eu tenho que dizer, Judith. Nunca a tinha ouvido manifestar-se desta maneira sobre alguma coisa.

A despeito de si mesma, Judith começou a rir. De repente, sentia-se eufórica. Forte, adulta, cheia de inabalável determinação.

— Talvez assim seja melhor. — Ela se virou para o sr. Warren. — O que o senhor diz?

— Eu digo *muito bem*! — Ao falar, ele ficou de pé. — Que seja agora. Imediatamente. Não adianta esperarmos outro momento. E você virá comigo e com Judith, Ellie, queira ou não queira. Nada lhe acontecerá. Estaremos ao seu lado o tempo todo e confirmaremos cada palavra que disser. Depois disso, eu a levarei em casa para sua mãe e, juntos, explicaremos a ela o que houve. Lembre-se apenas de que não aconteceu mal algum, e que se disso resultar algum bem, então você fez a sua parte. — Ele deu um tapinha no ombro de Ellie e parou para plantar um beijo de conforto no topo de sua desgrenhada cabeleira cor de palha. — Não foi culpa sua, menina. Nada foi culpa sua.

E assim foi feito. Tudo tomou bastante tempo. No posto policial, o sargento de plantão nunca tivera que manejar um caso tão delicado antes — seu trabalho costumeiro envolvia roubo de bicicletas e detenção de bêbados — de modo que precisou encontrar o material necessário, como a folha apropriada para anotação do caso e os formulários essenciais. A seguir, a queixa foi sendo feita, quase soletrada e escrita com agonizante lentidão. A aflição de Ellie, reacendida pelo gélido ambiente burocrático do posto policial, em nada contribuiu para ajudar, e volta e meia ela precisava ser instada a continuar. Quando por fim, penosamente, o trabalho foi encerrado, ela teve que ser levada em casa, uma visita que envolveu novas explicações, reações de choque e de fúria e, eventualmente, inumeráveis xícaras de revigorante chá. Finalmente acalmaram-se todos, e o sr. Warren e Judith, ambos sentindo-se exauridos, puderam voltar para casa. Encontraram a mercearia já fechada. Na cozinha, no andar de cima, Heather, a sra. Warren e Joe esperavam por eles, com o jantar pronto para ser posto na mesa. O sr. Warren, entretanto, ainda não estava preparado para fazer logo a refeição.

— Preciso de um drinque — disse ele, encaminhando-se para o armário onde guardava uma garrafa de uísque *Black and White* para as épocas de crise. — Quem me acompanha? Joe? — Joe, entretanto, divertido pelo desacostumado comportamento do pai, meneou a cabeça. — Você, mamãe?

Heather? Judith, então?

Ninguém se mostrou disposto a beber, de maneira que ele se serviu de uma boa dose e a bebeu praticamente de um gole, virando-a garganta abaixo. Depois disso, largou o copo vazio e anunciou-se pronto e capaz para trinchar o assado de porco.

Mais tarde, encerrada toda a conversa, com a louça lavada e a cozinha novamente arrumada, Judith desceu ao escritório do sr. Warren e telefonou para o sr. Baines. Por necessidade, foi um telefonema razoavelmente longo, e a princípio o sr. Baines ficou um pouco aborrecido por ela nunca ter confiado nele antes e lhe relatado sua infeliz experiência da meninice com o temível Billy Fawcett. Entretanto, a leve irritação pouco durou, e ele logo voltava a ser o homem calmo de sempre, compreensivo e solícito. Disse que ela e o sr. Warren tinham feito exatamente a coisa certa, e que já era tempo do velho malandro ser interrompido em suas nefastas atividades. Sobre um possível comparecimento dela ao tribunal, quando o caso fosse levado a julgamento, o sr. Baines prometeu fazer o possível para ela não precisar atuar como testemunha, e que estaria presente para substituí-la, expor seu caso e cuidar de tudo.

Judith ficou profundamente agradecida e manifestou-lhe sua gratidão.

— Não há o que agradecer. Estou aqui para isso.

Em seguida ele mudou de assunto e perguntou-lhe se estava aproveitando bem aqueles dias em Porthkerris. Os dois conversaram um momento sobre nada em particular, finalmente despediram-se e desligaram.

Quando na cama essa noite, em meio à escuridão silenciosa, Judith ficou muito quieta olhando para o teto, e decidiu que, de um modo estranho, aquele dia tinha significado o fim de um começo. Não simplesmente por ser o último dia de sua permanência com os Warrens ou por finalmente ter conseguido visitar Phyllis, mas pelo conhecimento de que, afinal, a saga de Billy Fawcett estava encerrada. *Eu gostaria de matar Billy Fawcett*, havia dito para Edward, *ou de esmagá-lo como se fosse uma barata*. Na verdade, acabara fazendo melhor do que isso. Com a ajuda do sr. Warren, da lacrimosa Ellie e do lúgubre sargento da polícia, pudera colocar as engrenagens da lei em movimento, desta forma acertando contas com as horrendas atividades de Billy Fawcett, ao mesmo tempo em que eliminava para sempre seu próprio fantasma pessoal. Assim, agora estavam quites, e tinha certeza de que ele nunca mais assombraria seus pesadelos, subindo por uma escada de mão para alcançá-la pela janela aberta de um quarto. Nunca mais acordaria petrificada, chorando silenciosamente. E nunca mais ele se interporia entre ela e o que ela mais desejava. A sensação era maravilhosa. Como ser aliviada de uma carga dolorosa, de uma sombra espectral que estivera pairando nas margens de sua mente durante quatro anos, e que quase destruíra seu relacionamento com Edward.

Isto fez com que seus pensamentos retornassem a ele, naturalmente. Voltaria para Nancherrow na manhã seguinte e tornaria a vê-lo. Se tia Lavinia estivesse bem o suficiente, então ela e Edward iriam a Dower House visitá-la. Talvez fosse uma oportunidade de estar a sós com ele, longe de todos os outros, com tempo para conversar. Para dizer-lhe que estivera certo sobre o catalisador. Para explicar-lhe o que tinha acontecido. E para dar-lhe, generosamente, a chance de falar "Eu não lhe disse?"

Seria como um novo começo, porque agora ela era outra pessoa. Agora não havia nenhuma necessidade de rejeição e terrores infantis, porque nada existia para amedrontá-la. A fim de testar-se, imaginou-se sendo beijada por Edward, da maneira como ele a beijara no Natal passado, enquanto permaneciam escondidos atrás das cortinas da sala de bilhar, em Nancherrow. Judith recordou os braços dele em torno de seu corpo, a mão afagando-lhe o seio, a pressão da boca na sua, depois a língua dele, forçando-a a abrir os lábios...

De repente, ela se sentiu consumida pela pressão do desejo, havia uma dor funda em seu ventre, um fluxo de insopitável quentura. Fechando os olhos, Judith virou-se abruptamente de lado, enovelada como um bebê, os braços envolvendo os joelhos com força. Sozinha na escuridão, ela sorriu, porque tinha a sensação de haver chegado a um acordo com alguma verdade maravilhosa.

Em Nancherrow, Rupert Rycroft estava sozinho em seu quarto, trocando de roupa para jantar. Já tomara banho e se barbeara pela segunda vez nesse dia, e agora vestia calças e meias, envergava uma imaculada camisa branca e dava o nó na gravata-borboleta. Isto exigia que ficasse em pé diante do espelho, e precisava dobrar um pouco os joelhos, por ser mais alto do que a maioria dos homens. Ao lidar com a gravata, fez uma ligeira pausa e inspecionou o próprio reflexo, o rosto comum e vulgar que o fitara do espelho durante toda a sua vida. Orelhas um pouco grandes demais e um queixo que parecia querer entrar no colarinho. No lado positivo, entretanto, um bem aparado bigode militar auxiliava a reunir todas aquelas desordenadas características em alguma espécie de ordem, e os cruéis sóis da Palestina e do Egito haviam tornado sua pele curtida como couro, dando-lhe uma aparência de maturidade, de homem mais velho e mais experiente do que seus anos de vida.

Ele esperou.

Seus cabelos castanho-escuros eram fartos e macios, francamente descontrolados depois do banho. Entretanto, a loção *Mr. Trumpers Royal Yacht* e um firme uso de duas escovas de cabelo encastoadas em marfim haviam posto suas madeixas outra vez em ordem, rigidamente disciplinadas no corte de nuca e laterais bem tosados, como competia a um soldado na ativa.

Afastando-se do espelho, ele ajeitou as calças e depois tentou polir um pouco os sapatos com seu lenço usado. O resultado não foi muito animador, e ele evocou melancolicamente o soldado Stubbs, seu ordenança que, com cuspo, um osso e uma dose razoável de firme esforço, conseguia produzir um brilho cintilante, inclusive em um par de botas rudes e vincadas pelo uso.

Entretanto, Stubbs não estava ali. Os sapatos ficariam assim mesmo. Ele vestiu o *dinner jacket* de lapelas de seda, reuniu pequeninos objetos que guardou nos bolsos, depois apagou a luz, saiu do quarto e caminhou para o andar de baixo.

Eram sete horas, e só jantariam às oito. Na sala de estar, contudo, Rupert encontrou o Coronel Carey-Lewis, sozinho e já tendo trocado de roupa, sentado em uma poltrona, lendo seu jornal e saboreando um restaurador uísque com soda, antes que as hordas dos que se achavam na casa descesse para perturbar-lhe a paz. Era justamente o que Rupert esperara. Porque era justamente assim que seu pai fazia, quando Taddington pululava de hóspedes.

Interrompido, o coronel baixou o jornal e conseguiu não parecer contrariado demais. Era um homem imensamente cortês.

— Rupert.

— Por favor, não se levante, senhor. Sinto muito. Cheguei um tanto cedo...

— Em absoluto. Em absoluto. — O jornal foi dobrado e posto de lado. — Sirva-se de um drinque. Depois venha e sente-se. — Grato pela perspectiva da coragem que a bebida fornecia, Rupert fez o que lhe foi dito. — Espero que esteja bem acomodado. Havia água quente suficiente? Para um bom banho?

— Estava esplêndido, senhor, obrigado. — Levando seu drinque, ele foi sentar-se ao lado do coronel, encarapitado na banqueta junto da lareira, as pernas compridas dobradas como um canivete. — Eu estava um pouco suado e com calor. Athena me fez jogar tênis...

Embora Rupert houvesse planejado este interlúdio a sós com seu anfitrião, ao mesmo tempo o temia um pouco, pois, apesar de todo o seu charme, era bastante claro que uma conversa inconseqüente não constituía o forte do Coronel Carey-Lewis, basicamente um homem tímido. Seus temores, contudo, foram infundados. Os dois deslizaram sem dificuldade para a conversa, seus interesses comuns fornecendo muito o que discutir — caçadas, cavalos e o Exército foram mais do que suficientes para quebrar o gelo. Em seguida o coronel fez perguntas pessoais, e Rupert falou sobre Taddington, seus pais e sua carreira. Eton, Sandhurst, os Dragões da Guarda Real. Postos no Egito e na Palestina, atualmente no Centro de Equitação, em Northamptonshire.

— O problema é que Long Weedon fica muito perto de Londres. Disparar-se para a cidade à menor oportunidade é uma tentação, mas depois, claro está, tem-se que fazer a corrida em sentido inverso, geralmente pela madrugada, com uma terrível ressaca e a obrigação de chegar em tempo para a parada.

O coronel sorriu.

— Este é, simplesmente, um dos problemas e desvantagens da juventude. Há alguma idéia de mecanizarem os Reais?

— Nenhuma até agora, senhor. Contudo, para ser sincero, em uma guerra moderna um regimento de cavalaria parece um tanto anacrônico.

— Qual a sua opinião sobre os tanques?

— Eu lamentaria despedir-me dos cavalos.

O coronel remexeu-se no assento. Ergueu a cabeça e, através da janela, seus claros contemplaram os jardins que jaziam além, banhados pelo sol dourado do fim do entardecer. Então disse:

— Receio que tenhamos de ir à guerra. Muitos meses já passaram, recheados de compromissos e tratados. Sem nada positivo, até onde posso ver. As esperanças foram desaparecendo, uma por uma. Da mesma forma como a Áustria foi extinta, depois a Checoslováquia, e agora a Polônia. De repente, é tarde demais. A Polônia é apenas uma questão de tempo; Hitler não tem motivos para mobilizar homens. O exército alemão está pronto para entrar em marcha, assim que a ordem for dada. O que não deve tardar. Será na primeira quinzena de setembro, antes das chuvas de outubro. Antes que os atoleiros de novembro possam deter seus tanques.

— E a Rússia?

— Eis a grande interrogação. Se Stalin e Hitler assinarem um pacto, então a Rússia dará à Alemanha o sinal verde para agir. E isso será o começo. — Ele olhou novamente para Rupert. — E quanto a você? O que lhe acontecerá?

— Provavelmente voltarei à Palestina.

— Esta será uma guerra de poderio aéreo. Edward voará com a Real Força Aérea. — Ele pegou o copo e terminou seu drinque abruptamente, lançando-o à garganta como se fosse um remédio. — Seja camarada, meu caro, e ponha-me outra dose. E como está seu copo?

— Tudo bem por enquanto, senhor. — Rupert levantou-se e foi renovar o drinque do coronel, em seguida voltando ao seu lugar. — Em verdade — falou — eu me perguntava se poderia ter uma conversa com o senhor.

Uma expressão bem-humorada surgiu nas feições de seu anfitrião.

— Pensei que *estivéssemos* tendo uma conversa.

— Não é bem isso... — Rupert hesitou. Nunca havia feito isto antes, e estava ansioso em não estragar tudo. — Eu gostaria de pedir sua permissão para casar-me com Athena.

Seguiu-se um momento de atônito silêncio, e então o coronel Carey-Lewis exclamou:

— Santo Deus! Por quê?

Foi uma reação inesperada e um tanto chocada. Rupert, no entanto, procurou sair-se da melhor maneira possível.

— Bem, eu gosto muitíssimo dela e creio que Athena me corresponde. Sei que esta não é a época mais apropriada para um casamento, com a guerra a caminho e a incerteza sobre nosso futuro mas, ainda assim, creio que seria uma boa idéia.

— Não imagino que espécie de esposa ela daria.

— Parece duvidar, senhor.

— Ela sempre foi tão notívaga... Suponho que saiu à mãe inteiramente.

— No entanto, casou com a mãe dela, senhor.

— Sim, casei com ela. E ela nunca cessou de divertir-me e seduzir-me. Eu já amava Diana há anos, quando finalmente a desposei. Você e Athena conheceram-se apenas outro dia.

— O tempo suficiente, senhor.

O Regresso

— Já discutiu o assunto com ela?

— Sim. Nós o discutimos.

— Esposa de militar. Anos de separação. Tudo isso?

— Tudo isso, senhor.

— E o futuro... O futuro, quando este terrível desastre que paira sobre nossas cabeças se tornar uma coisa do passado. Então...?

— Não sei dizer. Posso apenas afirmar que, quando meu pai morrer, Taddington virá para mim.

— Athena e Gloucestershire? Essa é uma boa idéia? Ela odeia cavalos, como sabe. Não chegaria nem a um insignificante metro de distância de um deles.

Rupert riu.

— Sim, eu sei disso.

— E ainda assim quer casar com ela?

— Sim, quero.

— Quando?

— Penso que o mais cedo possível.

— Leva-se meses para planejar um casamento.

— Nós... bem, nós não teríamos essa espécie de casamento, senhor. Athena tem horror a casamentos pomposos. Receio que isso seja uma grande decepção para a sra. Carey-Lewis, porém estamos pensando em algo bem informal, inclusive somente uma ida ao Cartório de Registros. Eu poderia obter uma licença especial.

— Oh, bem. Isso me pouparia um bocado de dinheiro. Suponho que devemos ser gratos por pequenas mercês.

— Eu a amo realmente, senhor.

— Eu também a amo. Ela é uma jovem meiga e invulgar, sempre a considerei uma criaturinha encantadora. Lamento apenas que vocês tenham que enfrentar essa incerteza, porém se o pior agravar-se e separar vocês, então Athena sempre poderá voltar para Nancherrow e, aqui, aguardar a sua volta.

— Eu esperava que me dissesse isso, senhor. Naturalmente, meus pais a acolheriam com prazer e a fariam feliz da maneira que pudessem, porém ela e minha mãe são tão diferentes como água e vinho. Em vista disso, não creio que o arranjo se tornasse muito cômodo.

O coronel disse secamente, e com alguma percepção:

— Evidentemente, para você é lamentável que sua futura mulher não sinta apreço por cavalos.

— Sim. Lamentável. Mas não é o fim do mundo.

— Neste caso, parece que já abordamos todos os pontos. Tudo quanto posso dizer é, sim, case com ela, e eu desejo a ambos toda a boa sorte e felicidade que este mundo cruel lhes reserva.

— Só mais uma coisa, senhor...

— Fale.

— Quando os outros descerem, não diga nada. Quero dizer, não anuncie um noivado ou coisa assim. Caso não se importe.

— Por que não?

— Bem, nós falamos a respeito, Athena e eu, mas ainda não a pedi realmente em casamento. E ela realmente ainda não disse que aceita.

O coronel pareceu um tanto perplexo, como seria de esperar.

— Está bem. Não direi uma palavra, mas seja um bom rapaz e acerte tudo isso o mais breve que puder.

— Assim farei, senhor, e obrigado.

— Não faz sentido deixar-se de molho tais arranjos. Sempre digo que devemos malhar o ferro enquanto quente. Do contrário, tudo tende a desmoronar.

— Mais ou menos como um suflê, senhor.

— Um suflê? — O coronel refletiu um instante. — Sim, sim. Entendo o que quer dizer.

Nas manhãs de domingo, sempre que havia um punhado de hóspedes na casa, a cozinha de Nancherrow ficava aquecida como um caldeirão, tal a sua furiosa atividade. Apesar das portas e janelas abertas, a temperatura naquele balsâmico dia de setembro subia sem parar, deixando a sra. Nettlebed de rosto vermelho e seus incômodos tornozelos inchados como balões, sobre as correias de sapatos que apertavam.

Nove na sala de refeições e cinco na cozinha para serem alimentados. Não, ela mesma corrigiu, não eram nove na sala de refeições, mas oito, porque a sra. Carey-Lewis estava acamada — um ataque bilioso, segundo explicara o coronel — e provavelmente almoçaria o que lhe fosse levado em uma pequena bandeja. A sra. Nettlebed aceitara sem comentários a justificativa do ataque bilioso, mas, em particular, ela e o sr. Nettlebed achavam que a sra. Carey-Lewis simplesmente estava esgotada; toda aquela movimentação em Londres, e depois a correria em voltar para casa, quando todos pensavam que a velha sra. Boscawen caminhava para a morte. Claro que ela não caminhava para a morte, porque superara a crise miraculosamente, mas ainda assim persistia a ansiedade, e a casa estava cheia de convidados. Um ambiente que nada tinha de repousante. Se a sra. Nettlebed fosse a sra. Carey-Lewis, também teria ido para a cama, só saindo de lá quando as coisas ficassem um pouco mais calmas.

Em pé junto à mesa da cozinha, ela amassou vivamente com os dedos uma mistura de trigo, açúcar e manteiga em uma grande terrina de cerâmica, mais ou menos como se fosse fazer um bolo leve. Qualquer que fosse a estação, e por mais alta que estivesse a temperatura, o coronel sempre saboreava sua torta quente, que neste domingo seria de maçãs partidas, adoçadas com açúcar, frutas cristalizadas e uvas passas, tudo rematado com uma colherada de *brandy*. As maçãs, já descascadas e fatiadas, jaziam como pétalas verde-claras na fôrma para tortas, esperando o restante dos ingredientes. Hetty preparara as maçãs logo após ter descascado quilos de batatas, limpado duas couves-flores, cortado um repolho em tiras e esmagado os morangos frescos de quatro cestinhas redondas. Agora ela se afanava na copa, lavando o que a sra. Nettlebed considerava "as sobras", isto é, panelas, tigelas, coadores, facas e talheres da cozinha.

No forno, um lombo de vaca de seis quilos estava sendo assado, e através da porta firmemente trancada evolava-se o aroma — um delicioso cheiro de caldo de carne, mesclado ao da cebola que a sra. Nettlebed introduzira nas laterais do lombo. Com esta carne seriam servidos batatas assadas, pastinagas assadas, tortas do Yorkshire, molho de rábano-bravo, caldo e mostarda inglesa quentíssima, preparada na hora.

Os pudins estavam prontos. Duas travessas de vidro, contendo morangos frescos e um suflê de chocolate, esperavam a ida para a mesa sobre a fria prateleira ladrilhada da copa. Assim que enfiasse a torta de maçãs no forno quente, a sra. Nettlebed se concentraria nas tortas do Yorkshire. Hetty podia tê-las feito, porém tinha a mão demasiado pesada para massas.

A porta da cozinha se abriu. Imaginando que fosse seu marido, a sra. Nettlebed não levantou a cabeça do que fazia. Perguntou:

— Você acha que devemos servir creme batido com o suflê?

— Deve ficar delicioso — respondeu um homem que não era o sr. Nettlebed.

As mãos da sra. Nettlebed ficaram imóveis. Girando a cabeça num gesto brusco, viu parado à porta aberta, nada menos do que Jeremy Wells. Ela abriu a boca, deliciada, enquanto pensava que, naquele exato momento quando se atarantava em despachar o almoço domingueiro, ele era a única pessoa cujo aparecimento inesperado a encheria de prazer.

— Dr. Wells! — exclamou.

— Olá, sra. Nettlebed. Que cheiros deliciosos em sua cozinha! O que há para o almoço?

— Lombo assado. — Ela continuou onde estava, com o gorro de lado e as mãos brancas de trigo, sorrindo para ele. — Dr. Wells, quase ninguém o vê mais! (Nos velhos tempos, quando ele dava aulas a Edward, ela sempre o chamara de Jeremy, mas assim que o soube aprovado em seus exames finais e diplomado, passou a tratá-lo de "Doutor". A sra. Nettlebed achava que ele merecia tal tratamento, depois de todos aqueles anos estudando livros e fazendo exames. Para evitar confusão, ao mencioná-lo dizia o jovem Dr. Wells, enquanto o pai dele, para seu desgosto, era rebaixado como o velho Dr. Wells.) — O que está fazendo aqui? Veio a chamado do coronel? Ele não me disse uma palavra!

Jeremy fechou a porta atrás de si e aproximou-se da mesa.

— Por que ele me chamaria?

— Por causa da sra. Carey-Lewis. Não está nada bem. O coronel disse que é um ataque bilioso, mas eu e Nettlebed pensamos diferente. Eu diria que é esgotamento, cansaço por uma coisa e outra. Sabia que a sra. Boscawen esteve doente?

— Sim, ouvi dizer. Contudo, parece que o pior já passou...

— Que susto ela nos deu! Todos correndo para casa, de Londres, da Escócia e só Deus sabe de onde mais, pensando que ela estava para dar o último suspiro. Foi tão terrível e...

— Sinto muito.

Ela franziu a testa.

— Se o coronel não o chamou, então por que está aqui?

— Apenas para ver vocês todos. — Ele esticou o braço, pegou um pedaço de maçã para a torta e o comeu. Se tivesse sido Loveday, a sra. Nettlebed lhe teria dado um tapa na mão. — Onde está todo mundo?

— Foram todos à igreja. Exceto a sra. Carey-Lewis. Como lhe disse, ela está de cama.

— Talvez eu suba até seu quarto para vê-la.

— Se a encontrar dormindo, deixe-a dormir.

— Tudo bem. Estão com a casa cheia?

— Transbordando. — A sra. Nettlebed pegou a fôrma de torta e começou a estender a massa sobre as maçãs, pressionando a mistura em uma crosta firme. — Athena trouxe seu namorado, o capitão Rycroft, e Edward também tem um amigo hospedado. Um sr. Callender.

— E Loveday?

— Sim, Loveday também está, claro. E Judith volta esta manhã.

— Onde Judith esteve?

— Em Porthkerris, com os Warren.

— Há almoço sobrando para mim?

— O que está pensando, seu tolo? Eu diria que há mais do que suficiente. Já esteve com Nettlebed?

— Não, não vi ninguém. Apenas fui entrando.

— Direi a ele que arrume mais um lugar à mesa... E agora, por que não sobe e dá uma espiada na sra. Carey-Lewis? Se ela estiver falando em sair da cama, diga-lhe para ficar onde está. Hetty! Já terminou aí? Há mais coisas para lavar e também preciso de você aqui, para bater um pouco de creme...

Jeremy a deixou entregue a seus afazeres, saiu da cozinha e subiu ao quarto de Diana pela escada dos fundos. Bateu suavemente à porta, e ouviu a voz dela mandando-o entrar. Ele quase esperava cortinas cerradas e uma obscuridade de inválido, porém o quarto estava cheio da claridade do sol. Diana, contudo, ainda permanecia na cama, deitada em travesseiros macios e usando um casaquinho de cama em voal, orlado de rendas. Ao lado dela, sobre um travesseiro alvíssimo e enfeitado de rendas, estava Pekoe em grande pompa, enovelado em uma bola e profundamente adormecido. Ela estivera lendo. O livro jazia aberto, com as páginas contra o edredom de cetim branco, e Diana pousara sobre ele a mão de unhas vermelhas.

— Jeremy...

— Olá!

— O que está fazendo aqui? Oh, será que Edgar o incomodou com um chamado? Eu disse a ele que não se preocupasse comigo...

— Não, ele não me chamou.

Jeremy fechou a porta e veio sentar-se na beira da cama, sem nenhum toque de profissionalismo. Ela não parecia febril, mas estava pálida e sua pele fina dava a impressão de estirada sobre a clássica estrutura óssea de seu rosto. Os cabelos geralmente imaculados, estavam agora candidamente em desalinho e, abaixo de seus olhos surpresos, havia manchas de exaustão.

— Está parecendo esgotada — disse ele.

— E estou mesmo, porém Edgar está dizendo a todos que é um ataque bilioso.

— O que andou fazendo, para ficar neste estado?

— Do jeito como fala, parece que tudo é muito divertido. No momento, contudo, nada é divertido. Lavinia esteve muito doente, e há coisas demais a serem feitas. Em algum momento, eu e Mary teremos que sair para comprar milhares de metros de horrível algodão preto, que de algum modo transformaremos em cortinas para cada janela da casa. A verdade é que estou cansada, infeliz, deprimida e sem energias para continuar fingindo que nada acontece comigo. Assim, vim para a cama e disse a Edgar que não me sentia bem. Ele antes prefere saber que não estou bem do que me sentindo infeliz.

— Está preocupada com a sra. Boscawen?

— Sim, um pouco. Ela ainda não ficou boa de todo. Deu-nos um susto e tanto. De qualquer modo, eu já estava exaurida, após Londres e noites seguidas dormindo tarde, tendo que vir correndo para casa... Nunca dirigi o Bentley tão depressa e por tão longo trajeto, não sozinha. Rodando por aquela terrível A30, e o desvio de Exeter congestionado de trânsito!

— Afinal, você conseguiu.

— Sim, consegui, para encontrar uma Isobel histérica e nenhuma enfermeira lá. Em seguida, todos voltando para casa e trazendo hóspedes. Como se ainda fosse pouco, esta noite Edgar me disse que esse namorado de Athena quer *casar* com ela!

— O Capitão Rycroft?

— Quem lhe falou sobre ele?

— A sra. Nettlebed.

— O nome dele é Rupert. Um rapaz muitíssimo gentil. Dos Dragões Reais. Um tanto convencional e totalmente inesperado. Entretanto, nenhum de nós abrirá a boca para dizer uma palavra a respeito porque, aparentemente, ele nem a *pediu* ainda! As pessoas são curiosas, não?

— Pois eu acho uma notícia muito agradável.

— Bem, de certo modo não deixa de ser, mas, se ficarem noivos, eles vão insistir em um casamento praticamente às escondidas, tudo muito rápido. Um Cartório de Registros ou algo assim, tudo me parecendo algo melancólico. Enfim, como alguma coisa pode ser festiva, com os jornais repletos de coisas soturnas e pessimistas, com tudo piorando a cada dia que passa, e Edgar me fazendo ouvir com ele o noticiário das nove, todas as noites? Às vezes penso que vou ficar doente de terror.

A voz dela estremeceu e, pela primeira vez, Jeremy ficou de fato preocupado. Durante todo o tempo que a conhecera, nunca tinha visto Diana Carey-Lewis em estado nem remotamente semelhante àquele. Ela sempre lhe parecera sem nervos, despreocupada, capaz de ver o lado ridículo — e portanto, engraçado — das mais sérias situações. Essa Diana de agora, contudo, perdera a vivacidade e, desta maneira, a sua maior força.

Pousou a mão sobre a dela.

— Não deve sentir medo, Diana. Você nunca teve medo de nada.

Ela pareceu não tê-lo ouvido.

— Passei este ano inteiro como um avestruz — disse. — Enterrando a cabeça na areia e fingindo que isto não vai acontecer, que haverá algum milagre, que algum idiota de cartola conseguirá outra folha de papel assinada, e seremos capazes de respirar novamente, de continuar vivendo. Entretanto, isto não adianta mais. Quero dizer, eu apenas enganava a mim mesma. Não vai haver nenhum milagre. Apenas outra guerra terrível. — Para seu espanto, Jeremy percebeu que os olhos de Diana estavam marejados, sem que ela fizesse qualquer esforço para enxugar as lágrimas. — Depois do Armistício em 1918, dissemos a nós mesmos que aquilo nunca mais aconteceria. Toda uma geração de homens jovens, eliminada nas trincheiras. Todos os meus amigos. Desaparecidos. E sabe o que eu fiz? Parei de pensar a respeito. Parei de lembrar. Simplesmente, expulsei tudo aquilo da mente, coloquei dentro de uma mala, como um punhado de coisas imprestáveis. Passei a chave nas fechaduras, afivelei as correias e empurrei a mala para o fundo mais distante de algum sótão. Agora, no entanto, apenas vinte anos mais tarde, está tudo começando de novo e não posso deixar de lembrar. Coisas terríveis. Ir à Estação Vitória para dizer adeus, e todos aqueles rapazes de uniforme cáqui, tudo envolto no vapor desprendido das máquinas. E os trens rodando, e todo mundo acenando... e mães, irmãs e namoradas, deixadas para trás na plataforma. Em seguida, páginas e mais páginas com Listas de Baixas, colunas em tipos miúdos. Cada nome era de um rapaz novo, ceifado pela guerra ainda antes de ter tido tempo para viver. Recordo que fui a uma festa e lá havia uma moça sentada sobre um piano de cauda, balançando as pernas e cantando "Deixemos que o grande mundo continue girando". Todos os presentes fizeram coro, mas eu não pude cantar, porque não conseguia parar de chorar.

Ela agora chorava, enxugando a face com um inútil lencinho orlado de rendas.

— Não tem um lenço maior do que esse?

— Os lenços das mulheres são sempre tão idiotas, não acha?

— Tome o meu. Um tanto antigo, mas limpíssimo e eficiente.

— Que linda cor! Combina com sua camisa azul. — Ela assoou o nariz com força. — Estou falando demais, não estou?

— De modo nenhum. Acho que precisa falar, e estou aqui para ouvi-la.

— Oh, Jeremy querido, você é um encanto de homem... E, na realidade, de um modo curioso, não sou nem um pouco tão imbecil quanto pareço. Sei que vai estourar uma guerra. Sei que não podemos continuar permitindo que coisas terríveis aconteçam na Europa — pessoas sendo suprimidas, perdendo a liberdade, sendo presas e assassinadas, só porque são judias. — Ela tornou a enxugar os olhos e enfiou o lenço dele debaixo do travesseiro. — Eu lia este livro, pouco antes de você chegar. É apenas um romance, nada muito profundo... mas faz com que tudo seja tão terrivelmente real...

— Que livro é?

— Chama-se *Evasão*, da autoria de uma mulher chamada Ethel Vance. É sobre a Alemanha. Há uma escola de aperfeiçoamento, muito chique e cosmopolita, dirigida por uma americana que se tornou condessa, uma viúva. Mocinhas vão para seu colégio, onde aprendem a esquiar, estudam francês, alemão e música. Tudo muito charmoso e civilizado. Entretanto, perto dali, oculto na floresta além das trilhas de esquiar, há um campo de concentração e, aprisionada nele, uma atriz judia condenada à morte.

— Espero que ela é que tenha êxito na evasão.

— Não sei. Ainda não cheguei ao fim. Contudo, é uma leitura arrepiante. Porque se situa no agora. Está acontecendo *agora*, a pessoas como nós. Não é nenhum episódio histórico. É agora. E é tão execrável, que alguém tem de acabar com isso. Portanto, suponho que o "alguém" sejamos nós. — Diana sorriu para ele de um modo estranho, e foi como se um aguado raio de sol surgisse em um dia chuvoso. — Pronto. Não me lamentarei mais. É tão bom ver você! Só que ainda não consigo entender por que está aqui. Sei que é fim de semana, e você está de camisa desabotoada, vestido informalmente, mas por que não ficou misturando poções, operando e mandando as pessoas dizerem "33"? Ou será que seu pai lhe deu o dia de folga?

— Nada disso. Na verdade, meu pai e minha mãe tiraram alguns dias de férias e foram para a Sicília. Ele disse que ia agarrar a oportunidade enquanto podia, porque do jeito que vão as coisas, só Deus sabe quando haveria a chance de outra folga semelhante.

— Entendo, mas e a clínica?

— Conseguimos alguém que se encarregará dela.

— Um substituto? E você...?

— Não sou mais sócio de meu pai.

— Ele o despediu?

Jeremy riu.

— Não exatamente. Entretanto, fui selecionado pelo comitê médico local como "sacrificável". Por ora, meu pai continuará sozinho. Apresentei-me como voluntário, a fim de alistar-me nos VRMR, ou seja, Voluntários da Reserva da Marinha Real, tendo sido considerado apto pelo diretor-médico. Capitão-de-corveta médico Jeremy Wells, VRMR. Que tal lhe parece?

— Oh, Jeremy... Soa pomposo, mas terrivelmente amedrontador e corajoso. Você tem mesmo que fazer isso?

— Já fiz. Inclusive fui a Gieves e comprei meu uniforme. Fico mais parecido com um porteiro de cinema, porém creio que acabaremos acostumados com isso.

— Você ficará com uma aparência divina.

— Terei de apresentar-me ao quartel em Devonport, na próxima quinta-feira.

— E até lá?

— Eu queria ver todos vocês. Dizer adeus.

— Você ficará aqui, claro.

— Se houver uma cama disponível.

— Oh, menino querido, sempre há uma cama para você! Mesmo que estejamos com a casa um pouco alvoroçada. Trouxe mala?

Ele teve a gentileza de parecer um tanto acanhado.

— Trouxe. Bem cheia. Para o caso de você convidar-me.

— A sra. Nettlebed lhe falou sobre Gus Callender? Um colega de Edward, de Cambridge?

— Ela disse que era um hóspede.

— Um rapaz muito interessante. Um tanto retraído. Acho que Loveday ficou fascinada por ele.

— *Loveday?*

— Não é incrível? Você sabe o quanto ela sempre foi rude e irritante com os amigos de Edward. Punha apelidos horríveis neles, imitava suas vozes empoladas, lembra-se? Pois este é um caso completamente diverso. Quase se poderia dizer que ela bebe cada palavra dele. É a primeira vez que a vejo vagamente interessada em um rapaz apresentável.

Jeremy achou o caso francamente divertido.

— E como o rapaz aceita a dedicação dela?

— Eu diria que tranqüilamente. Enfim, ele está se portando bem.

— Por que ele é tão interessante?

— Não sei. Apenas é diferente de todos os outros amigos de Edward. É escocês, porém não fala muito sobre a família. Reservado, suponho. Seria um tanto insosso? No entanto, é um artista. Seu *hobby* é pintar e, nisso, é extraordinariamente bom. Já fez alguns pequenos desenhos encantadores. Peça a ele que lhe mostre.

— Talentos ocultos.

— Sim, suponho que sim. E por que não? Como somos todos extrovertidos, esperamos que os demais ajam da mesma forma. Enfim, você o conhecerá. E, lembre-se, todos parecemos ter feito um tácito acordo de evitar piadinhas. Até Edward está sendo imensamente diplomático. Afinal de contas, às vezes esquecemos que nossa menininha mimada está com quase dezoito anos. Talvez já seja hora dela ficar apaixonada por algo que não tenha quatro patas e uma cauda. Devo dizer que ele se mostra muito delicado com Loveday. Gosto disso. — De repente, ela bocejou, voltou a recostar-se nos travesseiros e puxou a mão de sob a dele. — Eu gostaria de não me sentir tão cansada. Tudo quanto realmente quero fazer é dormir...

— Pois então, durma.

— Apenas conversar com você já me deixou bem melhor.

— Assim é que uma consulta profissional deveria ser.

— Você teria de enviar-me uma conta astronômica.

— E enviarei mesmo, se você não ficar na cama. Precisa descansar bastante. O que acha sobre alimentar-se? Quer comer alguma coisa no almoço?

Ela franziu o nariz.

— Para ser franca, não.

— Um pouco de sopa? Consomê ou coisa assim? Terei uma palavrinha com a sra. Nettlebed.

— Não. Fale com Mary. Ela deve estar por aí. Diga-lhe também que é convidado. Mary encontrará um quarto para você.

— Certo. — Ele ficou de pé. — Virei vê-la mais tarde.

— É tão confortador saber que você está aqui! — exclamou ela. — Justamente como nos velhos tempos. — Então sorriu, um sorriso cálido, de grato afeto. — Isso torna tudo muito melhor.

Ele a deixou e saiu do quarto, fechando a porta atrás de si. Vacilou por um momento, sabendo que devia procurar Mary Millyway, porém sem saber por onde começar a procurá-la. Então, todos os pensamentos de Mary Millyway foram apagados de sua mente pelo som de música. Vinha do extremo oposto do comprido corredor que era a ala dos hóspedes. Do quarto de Judith. Ela estava lá. Tinha voltado de Porthkerris. Provavelmente desfazia as malas e, enquanto isso, pusera um disco na vitrola, talvez para ter companhia. Para conforto.

Música de piano. Bach. "Jesus, alegria dos homens."

Ele ficou parado e ouviu, tomado por uma doce e penetrante nostalgia. Com espantosa nitidez, recuou no tempo até Evensong, à capela de sua escola, recordando a dourada luminosidade do verão coando-se através dos vitrais; o forte desconforto dos vetustos bancos de carvalho, e as vozes puras de jovens sopranos cantando as frases alternadas do clássico coral. E quase podia sentir o cheiro dos hinários bafientos.

Após um momento, desceu o corredor, com as pisadas amortecidas pelo tapete espesso. A porta de Judith estava entreaberta. Ele a empurrou suavemente. Ela nada ouviu. Havia malas e sacolas pelo chão, mas, aparentemente, Judith as abandonara e preferira escrever uma carta, porque estava sentada diante de sua secretária, absorta no que fazia, o perfil destacado pela janela aberta. Um anel de cabelo cor de mel caía sobre uma face, e ela usava um vestido azul-celeste de algodão, salpicado de florzinhas brancas. Sua concentração, o desconhecimento da presença dele a tornavam tão vulnerável e encantadora ao mesmo tempo, que imediatamente Jeremy viu-se desejando que o tempo pudesse ser detido. Como um filme, fixo em um só quadro, ele quis que o momento durasse para sempre.

Ocorreu-lhe então que dezoito anos eram uma idade admirável para uma jovem, suspensa, por assim dizer, entre a desajeitada juventude e o pleno desabrochar da mulher. Era como espiar o firme botão de uma rosa entreabrir-se dia após dia, sabendo que sua perfeição total ainda estava por vir. Claro está que tal metamorfose mágica não acontecia a todas em geral, e em sua vida ele já se deparara com uma profusão de escolares de crescimento rápido, carnudas em blusas de malha que comprimiam bustos bem desenvolvidos, e exalando tanto encanto feminino como um treinador de rúgbi em um dia chuvoso.

Entretanto, ele testemunhara o milagre acontecer com Athena. Um dia uma loura escanifrada e de pernas compridas, no outro, o objeto do desejo de cada homem. E agora era a vez de Judith, e ele recordava a adolescente que lhe falara pela primeira vez no vagão da ferrovia, quatro anos atrás. Ficou um pouco entristecido. Entretanto, também havia motivos para ser grato. Seu pai, o velho dr. Wells, servira na Linha de Frente como oficial-médico, durante a Primeira Guerra Mundial, e falara um pouco, embora não demasiado, acerca de suas enlouquecedoras experiências. Assim, Jeremy sabia que a única certeza sobre os meses e anos que tinha pela frente, como médico da Marinha a bordo de um dos navios de Sua Majestade, era que de tempos em tempos iria enfrentar a solidão, exaustão, terrível desconforto e o puro terror, provavelmente tendo as recordações de melhores dias como os guardiães de sua própria sanidade.

O agora. Este momento, congelado no tempo como uma mosca em um âmbar, era uma recordação.

Jeremy decidiu que já havia ficado ali o tempo suficiente. Ia falar, mas a música de Bach, naquele momento, chegou ao seu magnífico final. O silêncio que se seguiu aos acordes finais permaneceu vazio, preenchido apenas pelos arrulhos dos pombos no pátio abaixo da janela.

— Judith...

Ela ergueu o rosto e o viu. Por um momento nada disse, enquanto ele contemplava suas faces pálidas de apreensão.

— Diana está doente — disse ela então, e não era uma pergunta, mas uma declaração.

Apenas por ele ser um médico. Jeremy respondeu prontamente:

— Nem um pouquinho. Está apenas cansada.

— Oh! — Ela largou a caneta e recostou-se na cadeira. — Que alívio! Mary me disse que ela estava de cama, porém não falou que tinham chamado você.

— Mary não sabia. Ainda não a vi. Aliás, não vi ninguém, exceto a sra. Nettlebed. Aparentemente, foram todos à igreja. E eu não fui chamado, simplesmente vim. Quanto a Diana, está realmente bem, não se preocupe.

— Talvez eu devesse fazer-lhe uma visitinha rápida.

— Não agora. Acho que ela irá dormir. Poderá visitá-la mais tarde.
— Ele hesitou. — Estou interrompendo?

— É claro que não. Eu apenas tentava escrever para minha mãe, porém não estou muito inspirada. Entre. Entre e sente-se. Há meses que não o vejo...

Assim, ele entrou no quarto, passou por cima das malas ainda fechadas e arriou em uma ridícula poltroninha, estreita demais para suas costas masculinas.

— Quando foi que voltou? — perguntou ele.

— Faz uma meia hora. Pretendia desfazer as malas, mas então resolvi escrever para meus pais. Faz um bom tempo que não escrevia. Muita coisa tem acontecido.

— Divertiu-se bastante em Porthkerris?

— Sim. Lá é sempre divertido; mais ou menos como um circo de três picadeiros. Você tirou o dia de folga ou coisa assim?

— Não. Não exatamente.

Judith esperou que ele esclarecesse melhor. Como Jeremy nada dissesse, ela sorriu de repente.

— Sabe de uma coisa, Jeremy? Você é extraordinário! Nunca muda. Tem a mesma aparência do primeiro dia em que o vi, naquele trem vindo de Plymouth.

— Não sei como você encara isso. Sempre pensei que houvesse lugar para uma melhora.

Ela deu uma risada.

— O que eu disse foi como um cumprimento.

— Estou de folga — disse ele.

— Tenho certeza de que você a merece.

— Suponho que se poderia chamar de folga de embarque. Alistei-me na VRMR. Deverei apresentar-me em Devonport na próxima quinta-feira, e Diana convidou-me a ficar aqui até eu ter que ir.

— Oh, *Jeremy*!

— Foi uma decisão e tanto, não? Contudo, eu a estive ruminando durante todo o verão, e agora começo a achar que quanto mais cedo começar a guerra, mais cedo estará terminada para sempre. E eu poderia perfeitamente estar no início das coisas.

— O que seu pai disse?

— Discuti totalmente o assunto com ele que, por sorte, tem também meu modo de pensar. Aliás, isto será bom para ele, porque terá de carregar sozinho a carga de uma clínica considerável.

— Você irá para o mar?

— Com um pouco de sorte, irei, sem dúvida.

— Sentiremos sua falta.

— Você poderá escrever cartas para mim. Poderá ser a minha correspondente.

— Tudo bem.

— Então, está prometido. E agora — com certa dificuldade, ele se levantou da poltroninha — preciso encontrar Mary, a fim de que ela me encontre acomodação. Os outros devem chegar da igreja a qualquer momento, e eu gostaria de arrumar-me um pouco antes do almoço.

Judith, no entanto, tinha notícias a dar.

— Sabia que agora tenho um carro?

— Um *carro*? — Ele ficou muito impressionado. — Seu mesmo?

— Sim. — Ela sorriu, satisfeita com a reação dele. — Novinho em folha. Um pequenino Morris, encantador. Preciso mostrá-lo a você.

— Poderia levar-me para uma volta. Que garota mimada você é! Eu só tive meu carro quando fiz vinte e um anos. Custou-me cinco libras e tinha toda a aparência de uma antiquíssima máquina de costura montada sobre rodas.

— E ele andava?

— Como uma brisa. Cinqüenta quilômetros por hora, pelo menos, com todas as portas abertas e vento favorável. — Em pé na soleira, ele fez uma pausa e ficou ouvindo. Do andar de baixo chegava claramente até ali o som de vozes, passos, portas batendo e o latido alegre de Tiger. — Parece que o bando da igreja já chegou. Preciso ir andando. Até logo mais...

⚬⚬⚬

Da igreja para casa. Todos tinham voltado, povoando a casa: a família e os dois estranhos que Judith ainda ia conhecer. E Edward estava lá, com o resto deles. No andar de baixo. Seu coração começou a bater com um excitamento que mal era possível conter, e ela sabia que a carta para Cingapura teria de esperar. Empurrando as folhas de papel para um lado, tirou rapidamente algumas coisas das malas. Trocou os sapatos, lavou as mãos, passou um pouco de batom e então, após ligeira consideração, um toque de perfume. Era tudo. Não havia tempo para demorar-se no que fazia. Estava diante do espelho, escovando os cabelos, quando ouviu a voz de Loveday, chamando-a:

— *Judith*!

— Estou aqui.

— O que está fazendo? Já voltamos todos para casa. Você tem que descer e ver todo mundo... Poxa, está com uma aparência ótima! Como é que foi tudo? Continuou a divertir-se? Quando foi que voltou para casa? Já viu mamãe? Coitada, ela não anda muito bem...

— Não, ainda não a vi, creio que está dormindo. Jeremy disse que está apenas um pouco esgotada.

— *Jeremy? Ele* está aqui?

— Chegou pouco antes de mim. Vai ficar alguns dias. Penso que está com Mary, procurando um lugar onde possa dormir. E por falar em aparências, olhe só para você! Onde arranjou esse casaco espetacular?

— É de Athena. Ela me emprestou. Schiaparelli. Não é divino? Oh, Judith, preciso falar rapidamente a você sobre Gus, antes que o conheça. Ele é, simplesmente, a pessoa mais maravilhosa que já conheci na vida, já fizemos montes e montes de coisas juntos, e não se mostrou nem um pouquinho entediado comigo ou qualquer coisa assim.

Enquanto partilhava tão absorvente informação, abrindo o coração e não fazendo o menor esforço para esconder sua óbvia atração por Gus, seu rosto iluminava-se com uma espécie de felicidade interior que Judith nunca vira antes. Loveday sempre fora bonita, mas agora, neste momento, estava sensacional. Era como se, afinal, houvesse abandonado a deliberadamente cultivada despreocupação da adolescência e, quase da noite para o dia, estivesse decidida a crescer. Ela também mostrava uma espécie de radiosidade, uma luminescência interior que nada tinha a ver com artifícios. Estar amando, decidiu Judith, assentava em Loveday quase tão bem como o casaquinho de linho escarlate que tomara emprestado com Athena.

— Oh, Loveday, por que ele ficaria entediado com você? Em toda a sua vida, jamais alguém ficou entediado com você.

— Não, mas você entende o que quero dizer.

— Claro que entendo, e isso é maravilhoso para você. — Judith voltou a escovar os cabelos. — Que tipo de coisas andaram fazendo juntos?

— Oh, *tudo*. Nadar, mostrar a propriedade a ele, cuidar dos cavalos e levá-lo a lugares bonitos, onde possa pintar suas telas. Ele é um artista incrivelmente talentoso, tenho absoluta certeza de que será um tremendo sucesso nisso; só que, claro, terá de ser engenheiro. Ou soldado.

— Soldado?

— Um membro dos Gordon Highlander. *Se* houver guerra.

Entretanto, nem mesmo tal perspectiva conseguiu ensombrecer a radiosidade que Loveday expandia.

— Jeremy vai se juntar à Marinha.

— Já? Ele já se alistou?

— Por isso é que está aqui. Veio em uma espécie de folga de embarque.

— Céus... — Não obstante, com a auto-absorção de qualquer jovem enamorada, Loveday não se interessava por outra pessoa além dela e do objeto de seu desejo. — Mal posso *esperar* para você conhecer Gus. Entretanto, não seja gentil demais com ele, para que não fique gostando mais de você do que de mim. A vida não é absolutamente extraordinária? Pensei que ele terminasse sendo como todos aqueles outros tipos insossos que Edward trouxe aqui em casa, mas ele não é assim, nem um pouquinho!

— Sorte dele ser diferente, porque então você o faria passar maus pedaços...

Loveday deu uma risadinha sufocada.

— Lembra-se de Niggle, e de como ele chegou a desmaiar de verdade, quando Edward trouxe para casa um coelho morto que ele tinha abatido com um tiro?

— Oh, Loveday, coitado, você foi terrível com ele. E não se chamava Niggle, mas Nigel.

— Eu sei, mas, admita, Niggle ("Dispersivo") assentava muito mais nele. Niggle-Niggle... Oh, apresse-se e desça logo, estão todos esperando; vamos ter drinques no jardim. Depois iremos até a enseada esta tarde. A maré terá subido, vamos poder nadar...

— Talvez eu vá visitar tia Lavinia.

— Não é uma maravilha ela não ter morrido? Eu não suportaria. Agora, vamos. Não posso mais esperar. Pare de se enfeitar. Você está linda...

Ao seguir Loveday e depois sair para o exterior pelas portas-janelas da sala de estar, Judith foi ofuscada pela claridade. O jardim estava inundado de luz; era uma luminosidade que o sol do meio-dia, batendo no mar, fazia reverberar para terra, de modo que tudo parecia incandescente, tremeluzindo, deslocado na brisa estival. As folhas dos eucaliptos estremeciam e viravam-se, verdes e prateadas; pétalas rubras, caídas de uma roseira carregada de flores, eram empurradas pelo vento através do gramado, e as grossas franjas brancas do guarda-sol de jardim de Diana, aberto através do orifício central de uma ornada mesa em ferro forjado, dançavam e sacudiam-se no ar.

Sobre essa mesa havia uma travessa de copos, cinzeiros e tigelas de cerâmica com batatas fritas e nozes. Além da sombra escura do guarda-sol haviam sido dispostas cadeiras de lona arrumadas em tosco semicírculo, com mantas axadrezadas de carro espalhadas na grama. Percebendo a clemência do dia e sabendo que os membros jovens do clã Carey-Lewis nunca ficavam dentro de casa se pudessem estar ao ar livre, Nettlebed certamente aproveitara a indicação e estivera bem ocupado.

Judith procurou por Edward, porém não o viu ali. Somente três figuras esperavam por elas, arranjadas com graça, como se houvessem posado, ali colocadas por algum artista desejoso de um pouco de interesse humano, a fim de animar sua paisagem. Esta impressão de uma tela — um momento congelado no tempo — era tão forte, que Judith se viu contemplando a cena como se avaliasse um quadro; um óleo cintilante, magnificamente emoldurado em ouro, talvez pendendo das paredes de uma galeria de prestígio. Seu título, *Antes do Almoço, Nancherrow, 1939.* Uma obra que alguém ansiaria possuir, que seria impelido a comprar, por cara que fosse, e conservá-la para sempre.

Três figuras. Athena jazia sobre uma das mantas, apoiada nos cotovelos, com os cabelos louros agitados pelo vento e o rosto escondido por enormes óculos escuros. Os homens haviam puxado duas das cadeiras e sentavam-se de frente para ela. Um era bem moreno, o outro louro. Haviam despido os paletós dos ternos com que tinham ido à igreja, tirado as gravatas e enrolado as mangas das camisas. A despeito das calças de risca de giz e dos sapatos polidos, conseguiam ter uma aparência confortavelmente informal.

Três figuras. Athena e os dois rapazes que Judith estava prestes a conhecer. Ela repetiu os nomes para si mesma: Gus Callender e Rupert Rycroft. Bem, e qual deles seria Gus? Qual era o homem que havia capturado o caprichoso coração de Loveday e, em questão de dias, efetuara a transformação final de uma adolescente deliberadamente desengonçada em uma radiosa e jovem mulher, vestindo Schiaparelli, usando batom e com a luz do amor brilhando em seus olhos cor de violeta?

Incapaz de conter a impaciência, Loveday correu ao encontro deles.

— Onde está todo mundo? — perguntou. Eles haviam estado conversando, mas, interrompidos desta maneira, pararam de falar. Athena continuou na mesma posição, mas os dois rapazes levantaram-se de suas cadeiras de lona, com certa dificuldade. — Oh, não se levantem, parecem tão à vontade... — Judith a seguiu para a claridade do sol e através do gramado, momentaneamente tomada pela timidez que ainda sentia ao conhecer pessoas, mas esperando que isto não transparecesse. Viu que os dois rapazes eram altos, mas que o louro era excepcionalmente alto e magro, sendo o de maior estatura. — ... Não há nada para beber? Estou morta de sede, depois daquela cantoria de hinos e de tanta reza!

— Já vem, já vem, tenha um pouco de paciência — disse Athena para sua irmã mais nova, e Loveday arriou na manta do lado dela. Athena virou seus óculos escuros para Judith. — Olá, querida, que bom ver você! Parece ter levado séculos ausente. Ainda não conhece Gus e Rupert, certo? Rapazes, esta é a muito querida Judith, nossa irmã "postiça". A casa sempre parece mais vazia quando ela não está aqui.

Como sua mãe, Athena tinha o dom de fazer uma pessoa sentir-se especial, o que acabou com a timidez de Judith.

— Olá — disse ela, sorrindo.

Todos apertaram-se as mãos, e ela percebeu que Rupert era o muito alto, o amigo de Athena que havia sacrificado sua semana esportiva para trazê-la de carro à Cornualha. Pertencendo indiscutivelmente ao Exército, com seu arquétipo de oficial da Guarda, o bigode bem aparado, o corte severo de cabelo e o queixo inegavelmente recuado. Entretanto, de maneira alguma parecia incapaz, porque seu rosto havia sido queimado por algum sol estrangeiro e adquirido uma aparência coriácea, o aperto de mão era firme, e os olhos de pálpebras indolentes a fitavam com uma expressão divertida e amistosa ao mesmo tempo.

Gus, pelo contrário, não era indiscutivelmente alguma coisa. Tentando descobrir o elemento isolado que por fim derrubara as teimosas defesas de Loveday, Judith nada pôde encontrar. Os olhos dele eram escuros como café preto, a pele era olivácea e a funda covinha no queixo dava a impressão de ter sido colocada ali pelo cinzel de um escultor. A boca era ampla e bem desenhada, mas séria, toda a postura dele indicando-o como um homem estranhamente contido, talvez acanhado, mas certamente sem revelar seu segredo. Relacionar tão enigmático rapaz às efervescentes confidências de uma Loveday atingida pelo amor não só era algo confuso, como praticamente impossível. Afinal, como é que aquilo pudera acontecer? Ela não soubera ao certo o que esperar, mas com toda certeza não seria isso.

Ele havia dito "É um prazer conhecê-la", e a sombra de um sorriso lhe tocara momentaneamente os lábios, a voz era cautelosa, sem sotaque, mas, ainda assim, sem nenhum traço do herdado e esnobe timbre da maioria dos amigos de Edward. Um material inteiramente novo, decidiu Judith. E, afinal, por que não?

— Onde quer sentar-se? Pronto, eu lhe arranjo uma cadeira — disse ele, puxando uma para ela.

— Onde *está* todo mundo? — tornou a perguntar Loveday.

Athena respondeu, quando todos se acomodaram novamente ao sol cálido:

— Papai subiu para ver mamãe, e Edward foi descobrir alguma coisa para beber. Nettlebed não quis trazer a bebida para fora, pois ficaria muito quente ao sol.

— Sabia que Jeremy está aqui?

— Nettlebed já nos disse. Que ótima surpresa! Mamãe ficará extasiada...

— Ele está gozando uma folga de embarque — disse Judith. — Vai ser médico nos Voluntários da Reserva da Marinha Real, e terá de apresentar-se em Devonport semana que vem.

— Oh, céus! — exclamou Athena. — Uma atitude absolutamente destemida. O querido Jeremy... Este seria o exato tipo de coisa desinteressada que ele faria.

— Explique quem é Jeremy — disse Rupert.

— Era o que eu ia fazer, quando Judith e Loveday chegaram. Ele é outra espécie de membro "postiço" da família. Sempre nos conhecemos. O pai dele é nosso médico e Jeremy já deu aulas a Edward. Creio que chegou quando estávamos todos na igreja.

— Ele vai ficar — disse-lhe Judith. — Até quando tiver de partir.

— Devemos mimá-lo ao máximo, torná-lo muito especial.

Gus havia deixado o paletó sobre a grama, ao seu lado. Esticando o braço, levantou-o e apalpou o bolso, em busca dos cigarros e do isqueiro. Quando fazia isso, um objeto escorregou de um bolso interno e caiu na grama, ao lado da cadeira de Judith. Ela viu um pequeno e grosso caderno de desenho, preso por uma fita de borracha. Sentada aos pés dele, Loveday também viu o caderno e apanhou imediatamente.

— Seu caderno de desenho. Não pode perdê-lo!

Gus pareceu um pouco constrangido.

— Oh... perdão. — Estendeu a mão para apanhá-lo, porém Loveday não o entregou. — Oh, deixe-me mostrar a Judith. Você não se incomodaria, não é mesmo? É tão talentoso, eu quero que ela veja. Por favor.

— Tenho certeza de que ela não está interessada...

— Oh, não seja modesto, Gus! É claro que ela está. Todos nós estamos. Diga que posso mostrar!

Judith sentiu uma pontada de pena do rapaz que, evidentemente, não desejava ver sua obra essencialmente particular posta em exibição.

— Loveday, ele talvez não queira ver todos nós boquiabertos.

— Não ficarão boquiabertos, mas interessados e cheios de admiração.

Judith olhou para Gus.

— Costuma andar sempre com seu caderno de desenho?

— Costumo. — Ele lhe sorriu de repente, talvez grato por vê-la interessada, e o sorriso transformou suas feições algo severas. — Nunca se sabe quando surgirá alguma coisa pedindo para ser copiada, e então é angustiante não dispormos do meio para captá-la. Algumas pessoas tiram fotos, mas sou melhor no desenho.

— Isso pode acontecer mesmo na igreja?

Ele riu.

— É possível, embora eu não tivesse coragem de começar a desenhar na igreja. Este caderno é apenas uma coisa que carrego comigo automaticamente, em minhas andanças.

— Como dinheiro trocado.

— Exatamente. — Ele pegou o caderno com Loveday e o jogou no colo de Judith. — Fique à vontade.

— Tem certeza?

— Claro. São apenas pequenos esboços; nada muito bom.

Loveday, no entanto, interveio excitadamente. Ajoelhando-se junto a Judith, fez deslizar a tira de borracha que prendia o caderno e o deixou sobre os joelhos dela, enquanto virava as páginas e fazia os comentários, em orgulhoso tom de proprietária.

— ... e esta é a enseada. Não está maravilhoso? E Gus fez o desenho em *um instante*! E aqui é a rocha oscilante no alto da charneca, e o celeiro da sra. Mudge, com as galinhas nos poleiros...

À medida que as páginas iam sendo lentamente viradas para ela, Judith viu-se invadida por crescente admiração, pois sabia que olhava para o trabalho de um verdadeiro profissional. Cada pequeno rascunho a lápis fora feito com a precisão e o detalhismo do desenho de um arquiteto, sendo depois intitulado e datado com a situação exata. *Enseada de Nancherrow. Fazenda Lidgey.* Ele colorira o desenho em pálidos tons de aquarela, e as cores eram inteiramente originais, observadas pelo olho de um verdadeiro artista, de modo que a chaminé de uma velha mina de estanho permanecia lilás à claridade do anoitecer, o granito era tocado por um tom de rosa-coral e um teto de ardósia mostrava-se azul como jacintos. Uma paleta que Judith — e provavelmente a maioria das pessoas — jamais percebera antes.

Agora, uma praia. Ondas rolando para areias cremosas, vindas de um horizonte azul e esfumado. Outra página: a igreja de Rosemullion. Ela viu o vão da entrada em pedra esculpida, bem como o portal do século XI, suportado por capitéis romanescos. Então, ficou quase envergonhada, porque Gus pudera ver a beleza e simetria que ela, indo e vindo por aquela entrada em incontáveis ocasiões, nunca tivera tempo de apreciar. Estavam apenas na metade do caderno, quando Loveday anunciou:

— Este agora é o último. Daqui em diante as páginas estão em branco. — Ela virou a página final com um floreio. — Ta-ra, ta-ra-ra! Sou eu! Gus *me* pintou!

Não era preciso que ela dissesse. Sentada no alto de um penhasco e silhuetada contra o mar, Loveday usava um desbotado vestido rosa de algodão, estava descalça e o vento agitava os cachos escuros de seus cabelos. Judith percebeu que Gus se valera de uma licença de retratista, exagerando o comprimento das pernas e do pescoço esguio, a saliência dos ombros ossudos, a ambígua espontaneidade de sua pose. Assim, de certo modo ele captara a própria essência de Loveday e no ponto mais vulnerável — seu encanto. De repente, tudo estava mudado, e Judith compreendeu que o relacionamento entre Gus e Loveday não era unilateral, conforme imaginara antes, porque este era um retrato em miniatura pintado com amor. No mesmo instante ela se sentiu como um *voyeur*, perturbando um momento da mais privada intimidade.

Fez-se um silêncio. E, nas bordas deste vazio, ela podia captar as vozes suaves de Rupert e Athena, conversando um com o outro. Athena fazia uma guirlanda de margaridas. Então, Loveday perguntou:

— Você gostou do retrato, Judith? — De repente, Judith fechou o livro, tornando a prendê-lo com a faixa de borracha. — Gus não é talentoso?

— Muito talentoso. — Erguendo os olhos, viu que Gus a observava. Por uma fração de segundo, Judith experimentou uma intensa troca com ele. *Você percebeu. Eu sei que você sabe. Não diga nada.* Ele nada falara, porém as palavras chegaram até ela como uma mensagem telepática. Sorriu, atirou-lhe o caderno de desenho e ele o pegou, como se fosse uma bola de críquete. — É mais do que talentoso. Realmente brilhante. Loveday tem razão. Obrigada por permitir que eu visse seu caderno.

— Não tem de quê. — Ele se virou para pegar o paletó e o encanto foi quebrado, o momento já passara. — É apenas um passatempo. — Gus tornou a guardar o caderno em seu esconderijo. — Não gostaria que meu pão com manteiga dependesse disto.

— Aposto como você será muito melhor como artista do que como engenheiro — disse Loveday.

— Posso ser as duas coisas.

— Mesmo assim, não acredito que você terminasse passando fome numa água-furtada.

Ele riu para Loveday, depois meneou a cabeça.

— Eu não teria tanta certeza...

Uma porta bateu em algum lugar, dentro da casa. Athena ergueu o rosto, com a guirlanda de margaridas pendendo de suas mãos.

— Só *pode ser* Edward! O que ele andará fazendo? Estou simplesmente morta de sede!

Edward. Surpreendentemente, por um momento, Judith esquecera Edward. Agora, no entanto, Gus e Loveday, bem como todas as especulações sobre eles, desapareceram de sua mente. Edward estava quase ali. Olhando, viu os dois rapazes emergirem pelas portas-janelas abertas. Edward e Jeremy, ambos carregando bandejas pesadas de copos e garrafas. Ficou olhando enquanto eles se aproximavam e cruzavam o gramado banhado pelo sol de verão, rindo de alguma piada não ouvida. Foi bastante ver Edward, para que tudo entrasse em harmonia. Ela sentiu o bater mais forte do coração, a ânsia de correr ao encontro dele, e compreendeu que aquele era o instante da certeza absoluta. Soube que o amava acima de tudo, que sempre o amara e sempre o amaria. Além disso, tinha algo maravilhosamente excitante para contar a ele... um segredo a ser partilhado somente com Edward. Disse para si mesma que seria como dar a ele um maravilhoso presente, algo que lhe custara muito conseguir, cujo envoltório poderia vê-lo abrir. Isto, contudo, ficaria para mais tarde. Para quando estivessem sozinhos. Por ora, bastava esperá-lo aproximar-se, caminhando pelo gramado.

Gus havia ficado em pé e agora começava a juntar coisas em cima da mesa, fazendo espaço para as duas bandejas. Rupert, ao contrário, decidiu sensatamente continuar onde estava, com seu corpo comprido jeitosamente acomodado na curvatura da cadeira, e os olhos sonolentos semicerrados contra o sol.

As bandejas foram finalmente depositadas na mesa, com um gratificante ruído.

— Nossa, como estão pesadas! — exclamou Edward. — As coisas que fazemos para as horas de ócio de vocês!...

— Estamos todos sedentos — queixou-se Athena, ingratamente. — O que vocês ficaram *fazendo*?

— Tagarelando com Nettlebed.

— E Jeremy... Que surpresa maravilhosa! Venha cá e me dê um beijo. — O que, obedientemente, Jeremy fez. — Há um bocado de caras novas para você conhecer. Gus. E Rupert. E todo mundo. Já sabemos que vai para o mar, Jeremy. Rapaz corajoso! Mal posso esperar para vê-lo de uniforme. E agora, quem vai ser o *barman*? Estou morrendo por um gim-tônica. Trouxeram gelo?

Edward estava entre Judith e o sol. Ela ergueu os olhos, viu o rosto dele, os olhos azuis e a mecha de cabelos claros. Inclinando-se, ele se apoiou no encosto da cadeira dela para dar-lhe um beijo.

— Chegou em casa sã e salva — disse.

— Há cerca de uma hora.

Ele sorriu e endireitou o corpo.

— O que quer beber? — perguntou.

No momento era o suficiente, ela não precisava de nada mais. Com os drinques distribuídos e todos acomodados, começaram a discutir planos para a tarde.

— *Decididamente*, temos que ir à enseada — anunciou Loveday. — E se ninguém mais quiser ir, eu e Gus iremos. A maré vai estar alta às cinco horas, o que será absolutamente perfeito!

— Quando querem ir? — perguntou Athena.

— Logo depois do almoço. O mais depressa possível. Faremos um piquenique... Oh, vamos todos! — Ela se voltou para Rupert com olhos suplicantes. — *Você* gostaria de ir, não?

— É claro. E quanto a Athena?

— Eu não perderia por nada. Iremos todos. Exceto papai, porque ele não é muito amigo de piqueniques.

— Nem sua mãe — disse Jeremy, sentado de pernas cruzadas sobre a grama, tendo na mão uma caneca de cerveja. — Ela vai passar o dia na cama.

— Ordens do médico? — perguntou Athena.

— Ordens do médico.

— Ela não está doente, está?

— Não. Apenas um pouco esgotada. Precisa dormir.

— Sendo assim, vamos pedir a Mary que se junte a nós. Talvez ela ajude a preparar as cestas do piquenique. Não podemos esperar que a sra. Nettlebed faça *outra coisa*, depois de cozinhar o almoço de domingo para todos nós. Afinal, nas tardes de domingo ela sempre descansa com os pés para cima, o que tem todo o direito.

— Eu posso ajudar — ofereceu-se Loveday prontamente. — Há uma lata novinha de biscoitos de chocolate, e a sra. Nettlebed fez um bolo de limão. Eu vi esta manhã, antes de irmos para a igreja.

— Levaremos também galões de chá e limonada. E iremos com os queridos cachorrinhos.

— Isto começa a ter certa semelhança com uma expedição militar — disse Rupert. — Espero ser convocado a qualquer momento para cavar uma latrina.

Athena deu-lhe um tapa no joelho.

— Oh, não seja tão rude!

— Ou montar uma tenda. Aliás, sou uma negação na montagem de tendas. Elas sempre acabam caindo.

Athena não pôde deixar de rir.

— E quanto a fogueiras? Tem alguma experiência no ramo? Não, pensando bem, nem precisa preocupar-se, porque Edward irá e é perito em acender fogueiras.

Edward franziu o cenho.

— Para que vão querer uma fogueira em um dia como este?

— Para cozinhar coisas.

— Que coisas?

— Salsichas. Levaremos salsichas. Ou assar batatas. Bem, talvez alguém pesque um peixe...

— Com quê?

— Com um tridente. Um alfinete entortado, na ponta de um pedaço de barbante.

— Pessoalmente, acho que devíamos esquecer sobre acender fogueiras. Está fazendo calor e dá muito trabalho. Por outro lado, eu e Judith não iremos.

Exclamações de pesar, desapontamento e incredulidade acolheram tal declaração.

— Oh, mas é claro que devem ir! Por que não? Por que não querem ir?

— Porque temos um compromisso anterior. Vamos até Dower House, ver tia Lavinia.

— Ela está sabendo?

— Claro que está e insiste em nossa ida. Apenas por pouco tempo, naturalmente. Acontece que tia Lavinia não vê Judith desde que ficou doente. Assim, vamos até lá.

— Oh, tudo bem — replicou Athena, dando de ombros. — Se não demorarem muito, poderão ir ao nosso encontro mais tarde. De qualquer modo, deixaremos uma das cestas de piquenique para vocês levarem e, se *não* forem, ficaremos com menos coisas para comer. Por falar nisso...

Interrompendo-se, Athena ergueu os óculos escuros e consultou seu relógio.

— Já sei — disse Rupert — você está morrendo de fome.

— Como foi que adivinhou?

— Instinto. Puro instinto animal. Contudo, ouça... — Ele bandeou a cabeça. — Não precisa mais desmaiar. O socorro vem chegando...

O Coronel Carey-Lewis surgiu nesse momento, saindo da sala de estar e caminhando em largas passadas pelo gramado, em direção ao pequeno grupo formado pelos três filhos e amigos deles. Ainda usava o terno com que fora à igreja, e o vento engalfinhou-se com seus cabelos ralos, deixando-os em desalinho. Ao aproximar-se, ele exibiu seu sorriso tímido, enquanto tentava alisar os cabelos com a mão.

— Estão todos parecendo muito à vontade — disse. — Receio ter vindo perturbá-los. — Os quatro homens já se tinham levantado. — Nettlebed me pediu para dizer a vocês que o almoço vai ser servido.

— Oh, papai querido, não tem tempo para um drinque?

— Já tive um. Um cálice de *sherry* com sua mãe.

— E como está ela? — Athena começava a levantar-se, sacudindo das roupas pedacinhos de relva e pétalas de margaridas.

— Muito bem. Mary acabou de levar-lhe uma sopa. Ela acha que não se sente bem o bastante para levantar-se em homenagem ao rosbife do almoço. Acho que ficará na cama pelo resto do dia.

Athena foi abraçar o pai.

— Meus pobres queridos... — disse suavemente. — Não se preocupe, papai. Vamos.

Enfiando o braço no do pai, começou a caminhar com ele para a casa. Os outros demoraram-se um pouco, recolhendo copos, garrafas de cerveja e enchendo as bandejas novamente. Sem que lhe pedissem, Gus pegou uma das bandejas.

— Para onde a levo? — perguntou.

— Se me seguir — respondeu Edward — iremos para a copa de Nettlebed...

A pequena procissão entrou na casa, com Judith na retaguarda, levando um cinzeiro e dois copos que tinham sido esquecidos. Atrás dela, o jardim deserto parecia queimar à luz do sol, e a sombra do guarda-sol, com suas franjas oscilantes, caía escura sobre as cadeiras de lona vazias e as mantas xadrez.

Terminado o almoço e retirados os pratos da sobremesa, a pedido de Athena o café foi servido na mesa da sala de refeições.

— Se desfilarmos para a sala de estar — observou ela, com toda razão — vamos cair em poltronas, dormir ou começar a ler os jornais, e a tarde chegará ao fim, antes mesmo de começar.

Loveday concordou imediatamente.

— Eu não quero café. Vou começar a preparar as coisas do piquenique.

— Não perturbe a sra. Nettlebed — avisou Mary.

— Não perturbarei. Virá comigo para ajudar, Mary? Tudo ficará pronto mais depressa se formos as duas. E queremos que venha conosco — acrescentou, bajuladora. — Há séculos você não vai à enseada. E vamos levar os cães.

— Não pode levar Pekoe. Está enrodilhado na cama de sua mãe como um pequeno príncipe. Nem adianta pensar em incomodá-lo.

— Então, levaremos Tiger. *Por favor*, Mary, venha e me ajude.

Mary suspirou. Todos percebiam claramente que ela preferiria muito mais sentar-se por cinco minutos e digerir seu lauto almoço de domingo, mas, como sempre, Loveday terminou vencendo.

— Nunca vi uma garota como você — disse-lhe Mary, mas levantou-se, pediu licença ao coronel e, carregando seu café, xícara e pires, seguiu Loveday para fora da sala.

Judith ainda ouviu Loveday dizendo para Mary, com ares de importância:

— Passaremos manteiga nos pães para sanduíche e poremos a chaleira no fogo, a fim de termos litros e litros de chá...

Edward estava igualmente impaciente, mas por outro motivo.

— Acho que devíamos omitir o café — disse para Judith — e ir logo para Dower House. Tia Lavinia costuma ficar sonolenta depois do almoço, mas poderá dormir mais tarde. Este é o melhor momento para surpreendê-la em plena forma.

— Não demorem muito — avisou seu pai. — Meia hora deve ser o máximo que ela poderá suportar.

— Certo, papai. Prometido.

— Quando é que voltam? — perguntou Athena.

— Acho que lá pelas três e meia.

— E irão ao nosso encontro na enseada?

— Claro. Pode esperar que iremos.

— Deixaremos uma das cestas de piquenique na mesa do saguão, para que a levem quando forem.

— Você faz a coisa soar como uma penitência.

— Não. Apenas um artifício para ter certeza de que irão. Está uma tarde maravilhosa, perfeita para nadarmos junto dos rochedos.

— Estaremos lá. Pronta, Judith?

Ela levantou-se. Os outros continuaram na mesa, os rostos voltados para ela e sorridentes. O coronel, Athena, Jeremy, Rupert Rycroft e o enigmático Gus.

— Até logo mais — disse Judith.

— Vamos ficar esperando...

— Dê lembranças a tia Lavinia...

— Beije-a por mim...

— Diga a ela que irei vê-la um pouco mais tarde...

Os dois saíram. Diante da porta principal havia uma seleção de carros, incluindo-se o de Edward, porque nele conduzira Athena e Rupert à igreja. Entraram no carro e, como o veículo ficara estacionado ao sol, o calor em seu interior era sufocante, o couro dos assentos parecia pegar fogo.

— Céus, que estufa! — exclamou Edward, baixando os vidros a fim de criar uma pequena ventilação. Para almoçar, pusera uma gravata em deferência ao pai, mas agora a tirava e abria o botão superior da camisa azul. — Eu devia ter deixado o carro na sombra. Enfim, isso torna ainda mais convidativa a perspectiva de pular no mar. Então, chegado o momento, será ainda melhor, sabendo que nós dois cumprimos o nosso dever.

— Não é realmente um *dever* — observou Judith, embora não querendo discordar e compreendendo bem o ponto de vista dele.

— Tem razão. — Edward ligou o motor, e o carro começou a afastar-se pela alameda de cascalho, em direção ao frescor do túnel da avenida. — Contudo, não espere que ela seja a mesma jovial e ativa tia Lavinia que todos nós conhecemos e amamos. Ela passou momentos extremamente desgastantes, e as marcas estão visíveis.

— Certo, mas ela não está *morta*, e isto é a única coisa que de fato importa. Naturalmente, tia Lavinia tornará a ficar forte. — Judith refletiu nisso. Afinal de contas, tia Lavinia era muito idosa. — Ou, de qualquer modo, mais forte. — Ocorreu-lhe outro pensamento. — Oh, céus, não trouxe nada para dar a ela! Eu devia ter comprado flores ou algo assim. Talvez bombons...

— Ela está sobrecarregada com as duas coisas. Além de uvas, água-de-colônia e caixas de sabonetes Chanel. Não é somente a família que se preocupa com ela. Tia Lavinia tem amigos pelo condado, os quais têm comparecido em peso para apresentar seus respeitos e comemorar o fato dela não ter ido desta para melhor.

— Deve ser muito bom estar idosa e ainda possuir montes de amigos. Uma pessoa ficar velha e solitária seria terrível.

— Ou velha, solitária e na pobreza. Isto seria ainda pior.

Era uma observação tão incomum vindo de Edward, que Judith franziu o cenho.

— Como é que você sabe?

— Por causa dos velhos na propriedade... Papai costumava levar-me para visitá-los. Não de um modo protecionista e superior, apenas como uma tentativa de certificar-se de que estavam bem. Em geral não estavam.

— E então, o que vocês faziam?

— Não se podia fazer muito. Via de regra não queriam mudanças. Não queriam ir morar com um filho ou uma filha. Tinham pavor do estigma de qualquer espécie de assistência social. Seu único desejo era morrer nas próprias camas.

— É compreensível.

— Sim, mas de solução nada fácil. Particularmente quando a casa onde moram deveria abrigar um novo trabalhador ou guarda-florestal jovem.

— Bem, mas vocês não os expulsavam, não é mesmo?

— Você fala como uma personagem de novela vitoriana. É claro que não eram expulsos. Nós os consolávamos e cuidávamos deles, até finalmente falecerem.

— E onde morava o trabalhador jovem?

Edward deu de ombros.

— Com os pais, em alojamentos ou coisa assim. Era apenas uma questão de fazer com que todos tivessem rendimentos.

Judith pensou em Phyllis, e falou a Edward sobre sua infeliz situação.

— ... foi muito bom vê-la, mas horrível ao mesmo tempo, porque mora em um lugar pavoroso e numa casinha miserável. Então, se Cyril alistar-se e for para o mar, ela terá que sair de lá, porque a casa pertence à companhia de mineração.

— A síndrome da moradia vinculada.

— É tudo tão terrivelmente injusto!

— Bem, quando queremos que um homem trabalhe para nós, temos que dar a ele uma casa para morar.

— Todos não deveriam ter sua própria casa?

— Você está falando sobre utopia, algo que não existe.

Judith ficou calada. Estavam agora na estrada principal, descendo a ladeira que desembocava em Rosemullion. As árvores lançavam sombras escuras e pintalgadas sobre o macadame, e o vilarejo cochilava ao calor, aconchegado junto ao riozinho de águas claras, com margens amareladas pelos botões dos ranúnculos. Judith tornou a pensar em Phyllis, depois concluindo que esta era uma conversa muito singular para ter com Edward, a quem amava mais do que a qualquer pessoa que conhecesse e a quem não tornara a ver desde o anoitecer da humilhação de Billy Fawcett, na sarjeta de Porthkerris. Entretanto, isto também era agradável, significando que eles não tinham apenas o amor como tema de conversa, mas outros tópicos mais profundos. Por outro lado, era fácil e natural falar com ele sobre tais coisas, uma vez que o conhecia há tanto tempo — e ele fizera parte de sua vida, muito antes de passar a ser toda essa mesma vida.

O pensamento voltava a Phyllis.

— Você acha que isso nunca chegará a acontecer? Estou falando de utopia. Acredita que as coisas jamais serão corretas para todos?

— Nunca serão.

— E a igualdade?

— Não existe semelhante coisa como igualdade. E por que estamos debatendo assuntos tão sérios? Falemos sobre algo bastante alegre, para então chegarmos a Dower House com um sorriso radioso no rosto, deixando todos, inclusive Isobel e a enfermeira, encantados por nos verem.

E, naturalmente, a chegada deles foi um encantamento. Isobel abriu a porta para os dois justamente quando a enfermeira descia a escada, trazendo de volta a bandeja do almoço de tia Lavinia. Apesar do calor do dia, a enfermeira estava trajada com todo o aparato do cargo: avental engomado, véu branco e grossas meias pretas. Era uma figura formidável, e Judith respirou aliviada por não ser ela a pessoa que estava de cama no andar de cima, sendo cuidada por semelhante perfeição — a própria idéia era por demais intimidante, mas, afinal, tia Lavinia jamais fora intimidada por pessoa alguma, nem mesmo por alguém como esta acha de guerra.

O nome dela era Irmã Vellanowath. Edward pronunciou este importante nome, apresentou Judith, e esta, apertando a mão da mulher, precisou controlar uma vergonhosa hilaridade. Quando subia a escada e certa de não ser ouvida, esmurrou o braço dele.

— Por que não me *avisou* sobre o nome dela? — sussurrou furiosamente.

— Eu queria fazer-lhe uma surpresa agradável.

— Ela *não pode* chamar-se Vellanowath!

— É claro que pode. Ela é Vellanowath — replicou ele, mas também ria.

O quarto de tia Lavinia estava inundado de sol, flores, pratas e cristais cintilando, fotos e livros. Ela jazia na cama, recostada a uma pilha de alvíssimos travesseiros de fronhas rendadas e com os ombros envoltos em um xale da mais fina lã Shetland. Tinha os cabelos brancos muito bem penteados e, quando seus visitantes surgiram à porta, ela tirou os óculos e estendeu os braços acolhedoramente.

— Oh, meus queridos, esperei tanto por este momento! Fiquei tão ansiosa, que mal pude comer meu almoço... peixe no vapor e creme de gemas, quando meu desejo era um pedaço de carneiro. Venham dar-me um beijo. Querida Judith, há tanto tempo não a vejo...

Ela estava mais magra. Muito mais. Parecia ter perdido tanto peso, que a pele do rosto se colara sobre os ossos e os olhos estavam fundos. Entretanto, eram os mesmos olhos brilhantes de sempre, e as bochechas permaneciam erguidas, como se ela não conseguisse parar de sorrir. Judith inclinou-se para beijá-la.

— Sinto-me culpada — disse — por não lhe ter trazido um presente.

— Eu não quero presentes, só quero você. E Edward. Meu caro garoto, quanta gentileza sua em vir! Sei muito bem que em um dia como este, deve estar morrendo de vontade de descer à enseada e pular no mar.

Edward deu uma risada.

— A senhora é clarividente, tia Lavinia, sempre foi. Enfim, não se preocupe, a vontade de nadar pode esperar. Todos os outros irão para a enseada, assim que Loveday e Mary Millyways terminarem de preparar as cestas do piquenique. Mais tarde, eu e Judith iremos ao encontro deles.

— Sendo assim, não preciso sentir-me egoísta. Vamos, sentem-se, as poltronas são confortáveis, e me contem tudo o que têm feito. Sabem de uma coisa? Sempre pensei que ficar doente fosse tedioso, porém não é nem um pouco. Ultimamente, tenho visto mais gente e velhos amigos do que em anos passados. Alguns um tanto melancólicos, devo admitir, sussurrando como se eu estivesse quase batendo a bota, porém a maioria tão sociável como sempre. Cheguei a esquecer que tinha tantos amigos. E agora... — Judith havia puxado uma poltrona para junto da cabeceira da cama e, estendendo o braço, tia Lavinia tomou-lhe a mão, que ficou segurando apertadamente. A mão que segurava a dela pertencia a uma senhora de muita idade, parecendo ter apenas ossos, juntas e anéis. A mão querida de uma velhinha. — Como foram os seus feriados em Porthkerris? E quem deixou em Nancherrow? Depois, fale-me sobre o jovem que está cortejando Athena...

Judith e Edward ficaram lá por uma meia hora, o tempo que lhes havia sido permitido e que foi passado entre conversas e risos, enquanto tia Lavinia ficava sabendo de tudo quanto acontecera e estava por acontecer. Eles lhe contaram sobre Rupert, sobre Jeremy e Gus...

— Gus. É o seu amigo, Edward? Fiquei sabendo por seu pai que Loveday finalmente está com *estrelas* nos olhos. A vida não é espantosa, a julgar pela maneira como garotinhas crescem de repente? Espero que ela não se machuque. E Diana... Minha querida Diana... Como tem passado?

Eles então lhe falaram sobre Diana. Tia Lavinia ficou bastante angustiada, precisou ser tranqüilizada.

— É apenas um ligeiro esgotamento. Ela tem tido muito o que fazer.

— Tudo culpa minha. Dar este susto em todo mundo! Ela tem sido uma santa, a querida Diana, subindo até aqui diariamente, certificando-se de que tudo à minha volta está correndo como deveria. Enfim, aqui tudo anda nos eixos. E, já que Jeremy está em Nancherrow, é bom que fique de olho nela.

Tia Lavinia não perguntou por que Jeremy estava em Nancherrow e, como por tácito acordo, Edward e Judith não lhe contaram que ele aproveitava a sua folga de embarque. Se soubesse, ela começaria a preocupar-se com o rapaz e lamentaria o triste estado em que andava o mundo. Neste exato momento, pelo menos, tia Lavinia devia ser poupada disso.

— E você vai ficar aqui durante o verão? — perguntou ela a Judith.

— Bem, por enquanto. Depois passarei algum tempo com tia Biddy, em Devon. Iremos a Londres e lá ficaremos alguns dias, a fim de que eu compre roupas para Cingapura.

— Cingapura! Esqueci que vai deixar-nos. Quando viaja?

— Em outubro.

— Quanto tempo ficará lá?

— Um ano mais ou menos.

— Oh, sua mãe ficará felicíssima! Que encontro vocês terão! Fico muito feliz por você, minha querida...

Por fim, chegou o momento da despedida. Edward olhou discretamente para seu relógio.

— Acho que devemos ir andando, tia Lavinia... não queremos cansá-la além da conta.

— Vocês não me cansaram nem um pouco. Apenas me deixaram muito feliz.

— Está precisando de alguma coisa? Alguma coisa para trazer ou que deva ser feita?

— Não. Tenho tudo de que preciso. — Então, ela recordou. — Sim. Há uma coisa que pode fazer por mim.

— O que é?

Tia Lavinia soltou a mão de Judith, que estivera segurando durante toda a conversa e, virando-se na cama, estendeu o braço para a gaveta da mesa-de-cabeceira. Aberta a gaveta, ela remexeu seu interior e de lá tirou uma chave, presa a uma etiqueta amassada.

— A Cabana — disse, entregando a chave a Edward.

Ele pegou a chave.

— O que tem a Cabana?

— Sou eu que cuido dela. Abro-a regularmente, limpo-a das aranhas e das teias, procuro certificar-me de que está aquecida e seca. Pouco disso foi feito, desde que caí doente. Antes de voltar para Nancherrow, será que você e Judith podiam ir até lá, ver se está tudo em ordem? Tenho muito receio de que algum dos garotos mais velhos da aldeia possa vir bisbilhotar e fazer algum estrago. Não por maldade, claro, apenas por divertimento. Seria uma preocupação fora da minha cabeça, se fossem verificar que as coisas andam bem na Cabana. É um lugar precioso para mim, e eu odiaria ficar presa a esta cama, imaginando que ela foi negligenciada.

Levantando-se, Edward riu.

— Tia Lavinia, a senhora é uma permanente surpresa para mim! A última coisa com que precisa preocupar-se é sobre o estado da Cabana.

— Pois eu me preocupo. Ela é importante para mim.

— Nesse caso, fique certa de que eu e Judith iremos até lá, abriremos todas as portas e janelas e, caso surja um camundongo, prometo que um e outro seguirão seu caminho.

— Eu sabia — disse tia Lavinia — que você compreenderia, mais do que qualquer outra pessoa.

No exterior, o antiquado jardim como que cochilava, perfumado, à tarde cálida de verão. Edward seguiu à frente pela trilha, cruzou o jardim das rosas e desceu o lance de degraus de pedra para o pomar. Ali, a relva tinha sido cortada e amontoada em pequenas pilhas, as árvores haviam frutificado e suas frutas começavam a cair ao chão, onde jaziam apodrecidas e sumarentas, circundadas por abelhas. O ar cheirava fracamente a cidra.

— As frutas têm sido colhidas? — perguntou Judith.

— Sim, mas o problema é que o jardineiro mal se agüenta... como tia Lavinia e Isobel, está ficando velho. Ele precisaria de alguém para ajudar, se as maçãs tiverem que ser colhidas e armazenadas para o inverno. Terei uma conversa com papai. Talvez Walter Mudge ou qualquer dos empregados mais novos possa vir um dia até aqui e subir numa escada para colher as frutas.

Ele continuou andando à frente, mergulhando abaixo dos ramos que vergavam, carregados de frutos castanho-avermelhados. Mais acima, o melro cantava em uma árvore. A Cabana aconchegava-se em seu abrigado e boscoso recanto, banhada pelo sol. Edward subiu os degraus, enfiou a chave na fechadura e abriu a porta. Entrou. Judith o seguiu.

Ficaram parados, muito próximos, no pequeno espaço entre os dois beliches. O lugar ainda exalava um cheiro agradável de creosoto, porém estava quente e abafado, sufocante com o calor aprisionado. Uma enorme mosca-varejeira zumbiu em torno da lanterna que pendia da viga central e, a um canto, via-se o rendilhado de imensa teia de aranha, povoada de moscas mortas.

— Nossa! — disse Edward, afastando-se para abrir as janelas.

Estavam todas um tanto emperradas, necessitando de algum esforço muscular. A mosca-varejeira foi embora zumbindo e desapareceu por uma das janelas.

— O que faremos com a teia de aranha? — perguntou Judith.

— Vamos tirá-la.

— Com quê?

Edward vistoriou o fundo do armário feito de caixotes de embalar laranjas, lá encontrando uma pequena vassoura e um velho pano de pó.

— De vez em quando a gente tinha que varrer o chão — explicou para Judith.

Ela ficou olhando, o nariz torcido com nojo, enquanto ele retirava a teia de aranha com suas repugnantes vítimas, embrulhava tudo no pano de pó e depois saía pela porta, para sacudir o conteúdo sobre a grama.

— Há mais alguma coisa? — perguntou Edward ao voltar.

— Acho que é tudo. Não há sinal de camundongos. Nem de ninhos de pássaros. Também não vi buracos nas mantas. As janelas é que talvez precisem de uma limpeza.

— Seria um ótimo trabalho para você, num dia em que não tivesse nada melhor para fazer. — Ele tornou a guardar a vassoura e o pano de pó em seu armário improvisado. Depois sentou-se na beira de um dos beliches. — Poderia brincar de casinha.

— Era o que você fazia? — Ela se sentou também, no outro beliche, de frente para ele no estreito espaço. Era mais ou menos como conversar na cabine de um barco ou no compartimento de terceira-classe de um trem. — Aqui, quero dizer.

— Nada tão tolo assim. Nós nos divertíamos de verdade, com fogueiras de acampamento e tudo o mais. Descascando batatas e cozinhando as comidas mais insossas que, por algum motivo, sempre tinham um gosto delicioso. Salsichas e costeletas de porco ou peixe fresco, se houvéssemos pescado. Entretanto, na cozinha éramos uma inutilidade. Nunca se tinha nada no ponto, tudo sempre ficava cru ou queimado.

— O que mais faziam?

— Não muita coisa. Brincadeiras inocentes. O melhor era dormir no escuro com portas e janelas abertas, ouvindo os sons da noite. Algumas vezes fazia um frio miserável. Certa noite houve um temporal...

Edward estava tão próximo, que ela poderia pousar a mão em seu rosto. A pele dele era lisa e acobreada, os braços cobertos de finos pêlos dourados, os olhos no mesmo tom de azul da camisa de algodão, a mecha de cabelo caída na testa. Ficou sentada e imóvel, os braços à volta do próprio corpo, sem dizer nada, contemplando a beleza dele, ouvindo-lhe a voz.

— ... com relâmpagos riscando o céu. Naquela noite, um navio naufragou em alto-mar, diante de Land's End, e vimos os foguetes explodindo no céu, pensamos estar vendo cometas...

— Que estranho...

Os olhos deles encontraram-se.

— Judith querida — disse ele. — Você ficou muito bonita. Sabia disso? E senti sua falta.

— Oh, Edward...

— Eu não diria, se não fosse verdade. E acho particularmente agradável estarmos sentados aqui, juntos, longe de hordas de outras pessoas.

— Tenho uma coisa para contar a você — disse ela.

A expressão dele alterou-se sutilmente.

— Importante?

— Acho que é, pelo menos para mim.

— De que se trata?

— Bem... é sobre Billy Fawcett.

— Aquele bode velho. Não me diga que ele tornou a levantar a cabeça!

— Não. Ele acabou. Acabou-se para sempre.

— Explique-se.

— Você tinha razão. Disse que eu precisava de um catalisador, e foi o que aconteceu. Tudo ficou mudado.

— Conte-me.

Ela contou. Sobre Ellie e sua horrorosa experiência no cinema. Sobre a lacrimosa confissão de Ellie aos Warren e a ela própria. Sobre a ira do sr. Warren e a subseqüente visita que fizeram ao posto policial, para a denúncia formal contra Billy Fawcett por comportamento indecente e abuso de uma menor.

— Tudo isso demorou séculos. As rodas da burocracia giram muito lentamente, mas foi feito.

— Que ótimo para você. Aliás, já era mais do que hora de fazerem o velhaco nojento cessar suas atividades. O que aconteceu?

— Suponho que o caso irá a julgamento em Bodmin, no próximo trimestre...

— Nesse meio tempo, ele estará fervendo de apreensão. Bastará isso para manter suas mãos sujas longe de menininhas.

— O ocorrido fez com que me sentisse muito forte, Edward. Muito positiva. Sem sentir mais medo.

Ele sorriu.

— Nesse caso...

Ele estendeu as mãos e as pousou nos ombros dela, depois inclinou-se através do pequeno espaço que os separava e a beijou na boca. Foi um beijo suave, que rapidamente se tornou apaixonado, mas agora Judith não recuou nem o rejeitou, porque seu maior anseio era deixar que Edward fizesse o que queria. Abriu a boca para ele, e foi como se uma corrente elétrica percorresse cada nervo que possuía, enquanto todo o seu corpo parecia despertar para a vida.

Edward ficou em pé e passou os braços em torno dela, fez com que Judith se levantasse e depois a deitou no beliche em que estivera sentado. Tornando a sentar-se, agora ao lado dela, ajeitou-lhe almofadas sob a cabeça, afastou os cabelos que lhe cobriam o rosto e então, muito delicadamente, começou a desabotoar os pequeninos botões de pérola que fechavam a frente de seu vestido de algodão.

— Edward... — A voz dela não ia além de um sussurro.

— O amor não pára aqui. Isto é apenas o começo do amor...

— Eu nunca...

— Eu sei que nunca fez isso, mas eu já fiz. Já fiz antes, e vou mostrar a você como é.

Ele lhe baixou suavemente o vestido pelos ombros, depois as alças de cetim do sutiã branco, e Judith pôde sentir a friagem do ar em seu busto nu. Baixando a cabeça, Edward enterrou o rosto na pele lisa entre os seios, e ela não ficou nem um pouco amedrontada, apenas tranqüila e excitada ao mesmo tempo. Então, tomando a cabeça dele entre as mãos, fitou-o no rosto.

— Eu o amo, Edward, e quero que você saiba disso *agora*...

Após o quê, não houve tempo, oportunidade e nem necessidade de dizer mais nada.

Um zumbido. Não da mosca-varejeira, mas de um robusto e monótono abelhão, embriagado de néctar. Judith abriu os olhos e o viu revoluteando perto do pequeno teto de vigas, para finalmente instalar-se, aderido a uma das vidraças sujas.

Ela espreguiçou-se. Ao seu lado, no beliche estreito, estava Edward, com um braço sob seu corpo. A cabeça de Judith repousava no ombro dele. Virou o rosto, e ele tinha os olhos abertos, tão próximos, que em cada um ela pôde distinguir uma profusão de matizes de azul, algo como contemplar o mar.

De modo muito suave, muito baixo, ele perguntou:

— Tudo bem?

Ela assentiu.

— Sem equimoses, arranhões ou ferimentos?

Ela meneou a cabeça.

— Você foi excepcional.

Ela sorriu.

— Como se sente agora?

— Sonolenta.

Ela deslizou a mão pelo peito nu dele, sentiu os ossos das costelas sob a carne firme e queimada de sol. Perguntou:

— Que horas são?

Ele ergueu o braço, para ver o relógio de pulso.

— Três e meia.

— Como é tarde!

— Tarde para quê?

— Pensei que fôssemos ficar aqui apenas por alguns momentos.

— Conforme Mary Millyway insiste em dizer, o tempo voa quando a gente se diverte. — Edward suspirou fundo. — Talvez fosse melhor sairmos daqui. Temos que aparecer no piquenique, do contrário ouviremos mil perguntas curiosas e incômodas.

— Sim, suponho que sim. Sei como é.

Ele a beijou.

— Fique um pouco deitada. Não estamos com tanta pressa assim. Levante a cabeça de meu ombro. Estou ficando com cãibras.

Judith assim fez, ele puxou o braço preso e se sentou, de costas para ela. Então vestiu a camisa e a cueca, depois as calças, ficando em pé para prender as abas da camisa, fechar o zíper e afivelar o cinto de couro trançado. No pomar, além da porta aberta, a brisa agitava de leve os ramos das macieiras, e sombras sacudiam-se sobre as paredes de troncos da cabana. Ela ouviu o trinado do melro e o grasnido de gaivotas distantes. De mais longe ainda vinha o som de um carro, subindo penosamente a ladeira à saída de Rosemullion. Edward foi até a porta, enfiou a mão no bolso da calça, apanhou o maço de cigarros e o isqueiro. Judith virou-se de lado e contemplou-o; com o cigarro aceso, ele deu alguns passos e recostou o ombro contra o poste de madeira da pequena varanda, e ela pensou que as costas dele tinham uma certa semelhança com a ilustração de um conto de Somerset Maugham — um dos malaios. Um pouco desarrumado e deliciosamente decadente, descalço, com os cabelos despenteados e o mundanismo de seu cigarro. A qualquer momento, uma donzela morena e usando sarongue assomaria da selva (o pomar) para espionar, e se enlaçaria sedutoramente nos braços dele, murmurando palavras de amor.

Edward. Judith podia sentir o sorriso ganhar seu rosto. Agora não podia haver caminho de volta. Tinham dado o passo final, e ele se mostrara maravilhosamente meigo, reclamando-a para si na mais absoluta das maneiras; escolhendo-a; amando-a. Eram um par. Um casal. Algum dia, em algum lugar, casar-se-iam e ficariam juntos para sempre. Quanto a isso não havia a menor dúvida, e a perspectiva a encheu de um cálido senso de continuidade. Por alguma razão, os ritos sociais desta condição — pedido, noivado, casamento — jamais haviam passado por sua cabeça. Eram apenas floreios das convenções, sem importância e quase desnecessários, pois — como se fossem pagãos — Judith sentia que ela e Edward já haviam trocado seus votos.

Bocejando, ficou sentada e esticou o braço para apanhar suas roupas: a calcinha, o sutiã e o vestido de algodão foram recolhidos do chão. Enfiou o vestido pela cabeça, abotoou a frente e achou que devia pentear os cabelos, porém não tinha pente. Edward terminou o cigarro, jogou-o longe, virou-se e voltou para junto dela, tornando a sentar-se. Frente a frente, exatamente como tinham feito antes, uma hora atrás, uma era atrás, um mundo atrás.

Ela não falou. Após um instante, ele disse:

— Agora precisamos mesmo ir.

Judith, contudo, não queria ir já. Havia muito a dizer.

— Eu o amo, Edward. — Isso era o mais importante. — Acho que sempre o amei. — Era maravilhoso poder expressar isto em palavras, não ter mais de mostrar-se tímida ou sigilosa. — É como se, de repente, tudo se tornasse realidade. Não posso imaginar-me, nunca, amando uma outra pessoa.

— Você amará — disse ele.

— Oh, não! Você não compreende. Eu não poderia.

Ele repetiu:

— Sim. Sim, você amará. — Falava com imensa delicadeza. — Você agora ficou adulta. Não é mais uma criança, nem mesmo uma adolescente. Dezoito anos. Com a vida inteira pela frente. Isto foi apenas o começo.

— Eu sei. O começo de estar com você. De pertencer a você.

Ele meneou a cabeça.

— Não. Não a mim...

Ela ficou confusa.

— Mas...

— Agora, ouça. O que estou dizendo não significa que não goste muito, intensamente de você. Que não me sinta protetor. Terno. Estas coisas todas. E todas as palavras adequadas. Todas as emoções apropriadas. Entretanto, elas pertencem ao agora. A este momento, a esta tarde. Não são exatamente efêmeras, mas é claro que não são para sempre.

Ela ouviu, escutou, e a incredulidade a atordoava. Edward não sabia o que estava dizendo. Não podia saber o que estava fazendo. Judith sentia que a apaixonada certeza de ser amada acima de tudo o mais, para sempre, escorria lentamente de seu coração, como água desaparecendo em um ralo. Como Edward não sentia o mesmo que ela? Como não percebia o que ela sabia, além de qualquer dúvida? O fato de que se pertenciam. De que um pertencia ao outro.

Agora, contudo...

Era mais do que podia suportar. Procurou freneticamente por pontos fracos nos argumentos dele, motivos para suas justificativas, sua perfídia.

— Entendo o que está acontecendo. É por causa da guerra. Haverá uma guerra e você terá de ir, lutar com a RAF, poderá ser morto, e não quer me deixar inteiramente só...

Ele a interrompeu.

— A guerra nada tem a ver com isto. Havendo ou não uma guerra, tenho toda uma vida para viver antes de comprometer-me com uma pessoa, antes de fincar raízes. De ter filhos. De receber Nancherrow de meu pai. Ainda não fiz vinte e um anos. Não poderia começar a tomar uma decisão a longo prazo, com alguém apontando uma arma para minha cabeça. Talvez me case um dia, mas não antes de estar com, pelo menos, trinta e cinco anos. Então, você já terá seguido seu caminho, tomado suas próprias decisões e estará vivendo feliz para sempre. — Ele sorriu encorajadoramente para ela. — Cingapura. Você vai para Cingapura. Provavelmente se casará com um riquíssimo chefe de firma comercial estrangeira ou plantador de chá e levará uma vida de tremendo luxo, com toda a opulência do Oriente, servida por empregados de andar macio.

Ele parecia um adulto tentando alegrar uma criança birrenta.

— Pense só na viagem que vai fazer! Aposto como não chegará ao Canal de Suez sem receber pelo menos duas dúzias de pedidos de casamento...

Ele falava tolices. Judith perdeu a paciência, e atacou:

— Não brinque com isso, Edward, porque não tem a menor graça.

Ele respondeu, de modo estranho:

— Não, acho que não tem mesmo. Estou assobiando no escuro, porque odeio magoar você em qualquer sentido.

— O que está dizendo é que não me ama.

— Eu amo.

— Não da maneira como o amo.

— Talvez não. Como já disse, sinto-me ridiculamente protetor em relação a você, como se de algum modo fosse responsável por sua felicidade. Como Loveday, mas também não como Loveday, porque você não é minha irmã. Entretanto, eu a vi crescer, e você tem sido parte de Nancherrow e da família, durante todos estes anos. Voltei para casa trazendo comigo aquele incidente com o miserável Billy Fawcett. Via como você estava sozinha, como era vulnerável. E sentia arrepios, pensando em você traumatizada por aquele velho nojento. Não suportava imaginar que aquilo pudesse repetir-se...

Finalmente, ela começou a entender.

— Então, você dormiu comigo. Você fez amor comigo. *Você* fez isso.

— Eu queria expulsar o fantasma dele para sempre. Tinha que ser eu, não alguém incompetente, algum devasso grosseiro libertando-a de sua pura virgindade, fazendo-a passar momentos intoleráveis e destruindo todas as alegrias do sexo.

— Você me fez uma gentileza. Você tinha pena de mim. Praticou uma boa ação. — Judith percebeu que sua cabeça começava a doer. Podia sentir a dor, como cordéis apertados e esticados por trás de seus olhos, um latejamento nas têmporas. — Prestou-me um favor — terminou amargamente.

— Judith querida, nunca pense assim! Pelo menos, dê-me o benefício de tê-la amado com a melhor das intenções.

Isto, contudo, não era o suficiente. Jamais o seria. Ela baixou o rosto, não querendo ver os olhos dele. Ainda estava descalça. Levantando-se, pegou uma de suas sandálias, começou a calçá-la e afivelou a correia de couro.

— Acho que fiz o papel mais ridículo deste mundo — disse. — Enfim, talvez isto não devesse ser nenhuma surpresa.

— Nunca. Isso, não. Amar não é ridículo. Apenas não faz sentido dar todo o seu amor à pessoa errada. Não sou adequado para você. Você precisa de alguém inteiramente diferente de mim; um homem mais velho, capaz de dar-lhe as coisas maravilhosas que bem merece, coisas que eu jamais encontraria em meu coração para prometê-las.

— Eu gostaria que me tivesse dito tudo isso antes.

— Antes, não era relevante.

— Está falando como um advogado.

— Você ficou zangada.

Judith se virou para ele.

— Bem, como *esperava* que eu ficasse?

Seus olhos doloridos estavam quentes, devido às lágrimas não derramadas. Ele pareceu percebê-las e exclamou, um tanto alarmado:

— Não chore!

— Não estou chorando.

— Eu não suportaria vê-la chorar. Faria com que me sentisse um crápula.

— E agora, o que vai acontecer?

Ele deu de ombros.

— Somos amigos. Nada pode mudar isto.

— Continuaremos agindo como se nada tivesse acontecido? Sendo cuidadosos, para não perturbar Diana? Como já fizemos antes. Não sei se poderei fazer isso, Edward.

Ele ficou em silêncio. Ela começou a afivelar a outra sandália e, após um momento, Edward enfiou os pés descalços nos sapatos, depois amarrou os cordéis. Levantando-se, foi fechar e aferrolhar as janelas. O abelhão fora embora. Judith ficou em pé. Edward caminhou para a porta e ficou lá, esperando-a sair antes dele. Quando ela passou ao seu lado, ele a deteve com o braço e fez com que se virasse para encará-lo. Judith o fitou dentro dos olhos, e ele disse:

— Procure compreender.

— Eu compreendo. Perfeitamente. Só que isso não torna coisa alguma mais fácil.

— Nada mudou.

Ao ouvi-lo, Judith pensou que aquela talvez fosse a coisa mais idiota, mais mentirosa que já ouvira um homem dizer. Soltando-se dele, correu para o pomar e continuou correndo através da relva, mergulhando por baixo dos ramos e esforçando-se ao máximo para não prorromper em lágrimas.

Atrás dela, Edward fechou a porta e a trancou cuidadosamente. Estava feito. Estava tudo acabado.

Voltaram para Nancherrow em um silêncio que não era doloroso e nem amistoso, mas uma espécie de meio-termo entre as duas coisas. Claro está que aquele não era o momento mais adequado para conversarem, e a dor de cabeça de Judith ficara tão intensa, que a deixava incapaz de qualquer esforço para manter um diálogo, por trivial que fosse. Além disso, começava a sentir-se algo nauseada e havia estranhas manchas negras, como girinos, nadando em seu campo visual. Jamais tivera uma enxaqueca na vida, mas suas colegas de escola às vezes eram atacadas pelo mal e haviam tentado descrever-lhe os sintomas. Perguntou-se se não estava começando a ter uma, e concluiu que provavelmente não, pois sabia que enxaquecas levavam muito tempo a desenvolver-se, por vezes dias, e o que lhe acontecia agora fora tão repentino como uma súbita martelada.

Com o coração apertado, ela pensou na fase seguinte deste dia interminável. Chegar em casa e tornar a sair, a fim de juntar-se ao grupo que fazia piquenique na enseada. Atravessar o jardim, passar por entre as guneras, cruzar a pedreira, emergir nos penhascos e ver os outros bem abaixo deles, acampados sobre a rocha tradicional. Corpos morenos, untados de óleo contra o sol, toalhas de cores vivas espalhadas em torno, chapéus de palha e roupas abandonadas, jazendo onde tinham sido deixadas. Vozes erguidas e o chapinhar das águas, quando alguém mergulhava do alto da rocha. E, acima de tudo, a claridade do dia luminoso, o brilho implacável do mar e do céu.

Era demais. Quando se aproximavam da casa, ela respirou fundo e disse:

— Eu não quero ir à enseada.

— Você precisa ir! — exclamou Edward, com impaciência na voz. — Sabe que eles nos esperam!

— Estou com dor de cabeça...

— Oh, *Judith...*

Evidentemente, ele achava que fosse alguma desculpa inventada por ela.

— É verdade. Estou mesmo com dor de cabeça. Meus olhos ardem, estou vendo manchas negras à minha frente, a cabeça lateja e me sinto um pouco nauseada.

— Fala sério? — Ele agora ficara preocupado. Virou a cabeça e olhou para ela. — Bem, você está um pouco pálida. Por que não disse antes?

— Estou dizendo agora.

— Quando foi que começou?

— Há um momento atrás — foi o melhor que conseguiu dizer.

— Oh, sinto muito. — Edward estava realmente contrito. — Pobre Judith! Nesse caso, assim que chegarmos, é melhor que tome uma aspirina ou algo assim, e se deite um pouco. Logo estará melhor. Podemos ir à enseada mais tarde. Eles só virão embora pelo menos às sete horas, de modo que ainda temos horas pela frente.

— Sim. — Ela ansiava estar em seu quarto silencioso, de cortinas fechadas contra a claridade impertinente, sentindo o frescor do linho macio sob sua cabeça latejante. Paz. Solidão. Um pequeno espaço de tempo para recuperar sua dignidade e lamber as feridas. — Acho que farei como diz. Não fique esperando por mim.

— Não quero ir e deixá-la sozinha.

— Não estarei sozinha.

— Estará. Mary foi para a enseada com os outros, e papai deve estar fazendo a ronda domingueira pelas plantações, com o sr. Mudge.

— Sua mãe estará em casa.

— Ela está doente.

— Eu ficarei bem, não se preocupe.

— E irá à enseada, quando a dor de cabeça passar?

Aquilo parecia importante para ele. A fim de evitar uma discussão, ela respondeu:

— Sim, talvez eu vá quando ficar mais fresco.

— Nadar ao anoitecer fará a você todo o bem do mundo. Afastará as tristezas e refrescará sua cabeça.

Judith pensou em como isto seria maravilhoso, se pelo menos fosse possível. Entretanto, o que quer que fizesse, o interior de sua cabeça continuaria ardendo, ela não conseguiria fugir ao castigo de recordar coisas que desejaria esquecer.

Estavam de volta. Edward parou o carro diante da porta principal, que estava aberta, os dois desceram e entraram na casa. Em cima da mesa, no meio do saguão, viram a cesta de piquenique, cheia de caixas de lata e garrafas térmicas. Sobre tudo isto, perfeitamente dobradas, estavam duas toalhas listradas de vermelho e branco, além do calção de banho de Edward e do maiô de Judith. Ao lado da cesta, preso sob o peso da bandeja de cobre da correspondência, havia um bilhete de Athena.

Não digam que não pensamos em tudo. Os banhistas fizeram todos os preparativos, poupando tempo a vocês. Venham logo. Não demorem. Um beijo. Athena.

Edward leu o bilhete em voz alta. Judith disse:

— É melhor você ir.

Ele, no entanto, sentia-se visivelmente culpado por deixá-la sozinha. Pôs as mãos nos ombros dela e baixou os olhos para seu rosto.

— Tem *certeza* de que ficará bem?

— Claro que tenho.

— Tomará uma aspirina?

— Encontrarei uma. Por favor, vá logo, Edward.

Entretanto, ele continuava a demorar-se.

— Estou perdoado?

Era como um garotinho, ressentido pelo desagrado de outra pessoa e precisando ser tranqüilizado, saber que tudo estava certo em seu mundo.

— Oh, Edward, aquilo tanto foi culpa sua como minha...

E ela dizia a verdade, mas sentindo-se tão envergonhada, que era desagradável até pensar nisso. Para ele, contudo, foi o bastante.

— Tudo bem, então. — Sorriu. — Eu não gostaria que ficasse zangada comigo. Não suportaria a idéia de deixarmos de ser amigos.

Abraçando-a de leve, ele a deixou ir e se virou para pegar a pesada cesta de cima da mesa, em seguida caminhando para a porta. Antes de sair, Edward se virou pela última vez.

— Estarei esperando por você — disse a ela.

Judith sentia que, novamente, as lágrimas idiotas afloravam aos seus olhos, impedindo-a de falar. Assim, assentiu com a cabeça, desejando que ele fosse logo embora. Edward recomeçou a caminhar, cruzou a porta aberta, ficou um instante silhuetado contra a claridade do sol e depois desapareceu. O som de seus passos na alameda de cascalhos foi diminuindo e extinguiu-se afinal, em meio à quente e sonolenta tarde de domingo.

Ela caminhou para a escada, pretendendo subir ao andar de cima, porém alguma coisa a deixava tão exausta que, em vez disso, arriou o corpo no último degrau e encostou a testa na madeira fria do corrimão. As lágrimas agora fluíam com força, e ela soube apenas que chorava, que soluçava como uma criança. Não tinha nenhuma importância, claro, porque não havia ninguém que a ouvisse. Além disso, era uma espécie de alívio simplesmente dar vazão à sua infelicidade, deixá-la esvair-se em suas lágrimas. Seus olhos estavam inundados e o nariz escorria. É claro que não havia um lenço, e então ela quis usar a barra da saia, porém mal havia assoado o nariz...

Nesse momento, ouviu passos, soando rápidos no corredor de cima. O ruído cessou no alto da escada.

— Judith?

Era Mary Milliway. Judith ficou gélida, a custo sufocando um soluço.

— O que está fazendo aí?

Enxugando freneticamente as lágrimas, Judith não conseguiu dar uma resposta. Mary começou a descer a escada.

— Pensei que vocês dois tivessem voltado há séculos, e que há horas estariam na enseada. Então, da janela do quarto de brinquedos vi Edward descendo sozinho pelo jardim. A sra. Boscawen está bem, não está? — A voz dela soava estridente pela ansiedade. — Não há nada de errado, há?

Chegando ao lado de Judith, ela pousou a mão em seu ombro. Como uma criança traquinas, Judith limpou o nariz no dorso da mão. Depois meneou a cabeça.

— Não há nada de errado. Ela está bem.

— Não ficaram tempo demais com ela? Não a cansaram?

— Não, não a cansamos.

— Então, por que demoraram *tanto*?

— Nós fomos à Cabana, limpar as teias de aranha.

— E qual o motivo destas lágrimas? — Mary sentou-se no degrau junto dela, e passou um braço por seus ombros. — Conte para Mary. O que foi? O que aconteceu?

— Não aconteceu nada. Eu estou... Acabei de ficar com dor de cabeça. Não quis ir à enseada. — Só então Judith virou o rosto para Mary. Viu a familiar fisionomia sardenta, a expressão preocupada e doce nos olhos dela. — Você... você por acaso tem um lenço, Mary?

— É claro que tenho.

Do bolso do enorme avental listrado de Mary saiu um lenço, com o qual Judith assoou agradecidamente o nariz. Poder parar de fungar foi o bastante para que se sentisse um pouquinho melhor.

— Pensei que *você* também tivesse ido à enseada com todos os outros — disse.

— Não, eu não fui. Não me agradava deixar a sra. Carey-Lewis sozinha, caso precisasse de alguma coisa. E agora, o que faremos com essa dor de cabeça? Ficar sentada aqui, deixando as lágrimas correrem, não fará com que se livre dela. O que acha de ir comigo ao quarto de brinquedos, para vermos se encontro alguma coisa no meu armário de remédios? Depois, um bom repouso e uma xícara de chá. Eu estava mesmo pensando em pôr uma chaleira no fogo...

O conforto da presença dela, sua aura de normalidade e bom senso foram como que um bálsamo. Mary levantou-se, ajudou-a a ficar em pé e a levou escada acima, em direção ao quarto de brinquedos. Acomodou-a em um canto do velho e macilento sofá, e depois puxou um pouco a cortina, a fim de que o sol não lhe batesse nos olhos. A seguir, desapareceu no banheiro anexo e, ao voltar de lá, trazia um copo d'água e dois comprimidos.

— Tome isto agora, e logo estará melhor. Basta ficar aí, bem quieta, enquanto preparo o chá.

Judith engoliu obedientemente os comprimidos, empurrando-os com um gole da água fria e límpida. Recostando-se no sofá, fechou os olhos e ficou sentindo a brisa que penetrava pela janela aberta, o reconfortante aroma de roupa recém-passada a ferro que sempre havia no quarto de brinquedos, o cheiro de biscoitos doces e o perfume das rosas colhidas por Mary, e depois por ela arranjadas no pote azul e branco em cima da mesa. Sua mão ainda estava crispada em torno do lenço de Mary, e Judith aferrou-se a ele, como se fosse alguma espécie de talismã.

Mary voltou pouco depois, trazendo o bule de chá, xícaras e pires em uma pequena bandeja. Judith remexeu-se no sofá.

— Não se mova agora — recomendou Mary. — Colocarei a bandeja nesta banquetinha. — Ela puxou sua velha cadeira de balanço e instalou-se nela confortavelmente, de costas para a janela. — Nada como uma xícara de chá, quando a gente fica um pouco deprimida. Está menstruada?

Judith poderia ter mentido e dito que estava, o que seria uma esplêndida justificativa, porém jamais mentira para Mary e, nem mesmo agora, era capaz de forçar-se a tal coisa.

— Não. Não se trata disso.

— Quando foi que sua dor de cabeça começou?

— Em algum momento... desta tarde. — Ela pegou a xícara fumegante que Mary lhe passava, e sua mão tremeu de leve, fazendo a xícara chocalhar. — Obrigada, Mary. Você é um encanto. Fico tão contente por você não ter ido à enseada! Não sei o que teria feito, se não a encontrasse aqui.

— Acho que nunca a vi chorar assim antes — disse Mary.

— É verdade, acho que nunca viu mesmo...

Judith bebeu o chá. Aos golinhos; escaldava, mas ao mesmo tempo era maravilhosamente reconfortante.

— Aconteceu alguma coisa, não foi?

Judith ergueu os olhos, porém Mary estava ocupada em encher uma xícara de chá para si mesma.

— Por que diz isso?

— Porque não sou tola. Conheço todos vocês, crianças, com a palma da minha mão. Aconteceu alguma coisa. Você não se debulharia em lágrimas por nada, não soluçaria daquela maneira, como se o mundo tivesse acabado.

— Eu... eu acho que não quero falar sobre isso.

— Se você falar a respeito com alguém, é melhor que seja comigo. Eu tenho olhos, Judith. Vi você crescer. Sempre senti certo receio de que isto pudesse acontecer.

— O que poderia acontecer?

— É por causa de Edward, não?

Judith levantou a cabeça e não viu curiosidade nem censura no rosto de Mary. Ela estava apenas declarando um fato. Não julgaria nem repreenderia. Já vira muito da vida e, melhor do que ninguém, conhecia as crianças Carey-Lewis, com todo o seu encanto e todas as suas falhas.

— Sim, é por causa dele.

Foi imenso o alívio ao admitir tal fato, ao expressá-lo em voz alta.

— Apaixonou-se por ele, não?

— Seria quase impossível isso não acontecer.

— Vocês brigaram?

— Não. Nós não brigamos. Houve apenas uma espécie de desentendimento.

— Discutiram o assunto, não?

— Penso que foi o que estivemos fazendo. Entretanto, descobrimos apenas que não sentimos da mesma forma. Compreenda, pensei que fosse acertado dizer a ele como me sentia. Pensei que já havíamos passado da fase da simulação. No entanto, estava inteiramente enganada e, no fim das contas, percebi que conseguira apenas fazer um papel ridículo...

— Vamos, não comece a chorar de novo! Conte para mim. Saberei compreender...

Com algum esforço, Judith pôde controlar-se e passar no rosto o lenço encharcado. Bebeu um pouco mais de chá. Depois disse:

— É claro que ele não está apaixonado por mim. Edward gosta de mim da maneira como gosta de Loveday, mas não me quer para sempre. O problema é que isso... já aconteceu uma vez, antes... No Natal passado. Só que eu era nova demais para lidar com a situação... e acho que entrei em pânico. Na época, nós discutimos, e tudo poderia ter ficado muito difícil e embaraçoso para todos. Só que não ficou, porque Edward se mostrou incrivelmente sensato e pronto a esquecer o que tinha acontecido, disposto a começar tudo outra vez. E tinha razão. Só que, esta tarde...

Era evidente que não poderia contar a Mary. O que tinha acontecido era demasiado íntimo. Particular. Inclusive chocante. Judith ficou olhando para sua xícara de chá e podia sentir o rubor traiçoeiro que lhe subia para as faces.

— Desta vez — disse Mary — foram um pouco longe demais, não é mesmo?

— Eu poderia dizer que sim.

— Bem, isto já aconteceu antes e acontecerá novamente. Entretanto, fico um pouco desapontada com Edward. Ele é um homem encantador, é capaz de enfeitiçar pássaros nas árvores, mas não leva os outros em consideração, não pensa no futuro. Borboleteia pela superfície da vida como uma libélula. Nunca vi ninguém assim, fazendo amigos e trazendo-os em casa, para logo em seguida emendar com outros convidados, antes que se possa dizer amém.

— Eu sei. Acho que sempre soube.

— Quer mais uma xícara de chá?

— Daqui a pouco.

— Como está a dor de cabeça?

— Um pouco melhor. — E era verdade. Entretanto, o alívio deixara um vazio, como se a dor houvesse drenado substância de sua mente. — Eu disse a Edward que iria até a enseada. Mais tarde. Com o tempo mais fresco.

— Só que você não quer ir.

— Isso mesmo, não quero. Entretanto, nada tem a ver com o que estou sentindo. É porque não quero ver nenhum deles... Loveday, Athena e os outros. Não os quero olhando para mim, fazendo perguntas e querendo saber o que aconteceu. Não sinto vontade de vê-los. Eu só queria desaparecer.

Ela esperou que Mary fosse dizer, "Não seja tão tola; fugir de nada adianta; ninguém desaparece; não se pode, simplesmente, desaparecer." Mary, entretanto, não fez nenhuma dessas melancólicas observações. Em vez disso, falou:

— Penso que não seria má idéia.

Judith olhou para ela, atônita. O rosto de Mary, porém, estava absolutamente tranqüilo.

— O que quer dizer com *isso*, Mary?

— Onde está a sra. Somerville agora? Sua tia Biddy?

— Tia *Biddy*?

— Ela mesma. Onde está morando?

— Em Devon. Bovey Tracey. Em sua casa de lá.

— Você vai ficar com ela?

540

O Regresso

— Sim. Ainda não decidi quando.

— Sei que estou me intrometendo. No entanto, acho que você deveria ir agora.

— Agora?

— Exatamente. Agora. Ainda esta tarde.

— Oh, mas eu não poderia simplesmente *ir*...

— Agora, ouça, meu bem. E não me queira mal. Alguém precisa dizer-lhe isto, e não há ninguém além de mim para fazê-lo. Sua mãe está no outro lado do mundo, e a sra. Carey-Lewis, apesar de toda a sua generosidade, nunca foi muito boa para este tipo de coisa. Como falei antes, vi você crescer, conheço-a desde o dia em que Loveday a trouxe do colégio para cá. Eu a vi ir sendo absorvida por esta família e tornar-se parte dela, o que foi uma coisa maravilhosa. Entretanto, foi também uma coisa perigosa. Porque eles *não são* a sua família, e se você não tomar muito cuidado, correrá o risco de perder a própria identidade. Está agora com dezoito anos. Creio já ser hora de soltar as amarras e viver sua própria vida. Ouça, nem por um instante fique pensando que quero me ver livre de você. Sentirei a sua falta, muito, muitíssimo, e não quero perdê-la. Acontece apenas que você é uma pessoa por direito próprio, mas receio que, se for ficar aqui em Nancherrow por muito tempo mais, acabará perdendo a noção disso.

— Há quanto tempo vem pensando nessas coisas, Mary?

— Desde o Natal passado. Percebi que você estava ficando envolvida com Edward. E rezei para que não estivesse, porque sabia como isso terminaria.

— E, naturalmente, estava certa.

— Não me agrada estar certa. Sei apenas que estes Carey-Lewis são pessoas de forte personalidade. Uma família de líderes natos, a gente poderia dizer. Você se encontra agora no meio de uma confusão emocional, porém, em tais circunstâncias o melhor a fazer é enfrentar corajosa e rapidamente a dificuldade. Tomar a iniciativa. Se não por outro motivo, apenas para ajudar a manter a própria dignidade.

E Judith sabia que Mary tinha razão. Porque algo bem semelhante tinha acontecido na noite em que Billy Fawcett dera tamanho susto à pobre Ellie, no cinema. Então, Judith assumira o controle e levara todos à polícia para a devida denúncia. E em seguida, ela nunca se sentira tão forte ou tão positiva, porque Billy Fawcett havia sido exorcizado para sempre.

Tia Biddy. A própria idéia de afastar-se de Edward, de Nancherrow e de todos eles, apenas por algum tempo, era imensamente tentadora. Ficaria afastada apenas pelo tempo suficiente para colocar tudo em proporção, para lidar com o coração partido e recolocar sua vida nos trilhos. Tia Biddy não conhecia Edward. Tia Biddy não faria perguntas, ficaria simplesmente deliciada em ter um pouco de companhia, além do pretexto para organizar um ou dois coquetéis e receber amigos.

As complicações da partida, contudo, eram por demais numerosas para serem resolvidas num piscar de olhos

— Como posso ir embora, sem mais nem menos? Como partir sem nenhum pretexto? Seria *demasiado* descortês de minha parte.

— Bem, a primeira coisa a fazer é descer até o estúdio do coronel e telefonar para a sra. Somerville. Você tem o número dela? Muito bem. Então, telefonará para sua tia, perguntando se ela pode recebê-la ainda esta noite. Dê uma desculpa qualquer, caso lhe faça perguntas. Poderá ir dirigindo seu carrinho. Não levará mais de quatro horas e, com um pouco de sorte, não encontrará muito trânsito.

— Suponhamos que ela não esteja lá. Ou que não concorde com minha ida...

— Ela concordará. Você pretendia mesmo visitá-la, é apenas uma questão de chegar um pouco mais cedo. Então, faremos *dela* o motivo de sua partida. Diremos uma mentira. Diremos que sua tia não se sente bem, que está sozinha, que pegou um resfriado, quebrou a perna... Diremos que ela ligou para você; foi como um pedido de ajuda, e parecia tão urgente, que você simplesmente entrou em seu carro e partiu.

— Nunca fui boa para dizer mentiras. Todos saberão que estou mentindo.

— Você não precisará dizer nenhuma mentira. Isso fica a meu cargo. O coronel só voltará à hora do jantar. Ele e o sr. Mudge foram ver um rebanho nos arredores de Saint Just. Quanto a Edward, Athena, Loveday e os outros, eles só virão da enseada daqui a mais ou menos uma hora.

— Então, você quer dizer que... não terei de despedir-me...

— Você não terá de ver nenhum deles novamente, pelo menos enquanto não estiver forte o bastante e disposta a isso.

— Eu voltarei, claro. Voltarei antes de ir para Cingapura. Terei de despedir-me do coronel e de Diana.

— Sem dúvida. Será uma visita pela qual todos estaremos ansiando. Neste exato momento, contudo, seria esperar demais de você, querer que agisse como se nada tivesse acontecido — justamente depois do que houve. Aliás, acho que também seria exigir-se demais de Edward.

— É uma espécie de catalisador, não é?

— Não faço a menor idéia do que seja um catalisador. Sei apenas que não se pode ser outra pessoa que não nós próprios. Porque do contrário, terminamos asfixiados com isso.

— Você até parece a srta. Catto falando.

— Eu seria bem pior.

Judith sorriu.

— E quanto a você, Mary? — disse. — Também é parte da família, mas não creio que tenha sido absorvida por eles ou que haja perdido sua identidade.

— Eu sou diferente. Eu trabalho para eles. Este é o meu ofício.

— Bem, mas talvez você nunca os deixe.

Mary deu uma risada.

— É o que você acha? Pensa que vou ficar aqui para sempre, ficando mais velha e perdendo a utilidade? Passando um pouco de roupa, esperando que Athena ponha no mundo uma fieira de bebês, enfrentando outra geração de noites sem dormir e varais de fraldas lavadas, de ensinar criancinhas a usar o peniquinho? E depois tendo um infarto ou coisa assim, ficando senil? Uma carga. Tendo que ser cuidada pelos outros. É como vê o meu futuro?

Judith ficou um pouco embaraçada porque, de certo modo vergonhoso, era exatamente o que pensava. A empregada dedicada, sentada em uma cadeira com um xale nos ombros, tricotando peças que ninguém jamais usaria, com alguém levando-lhe xícaras de chá e, em particular, sendo deplorada por haver-se tornado semelhante estorvo.

— Não posso imaginar você em qualquer outro lugar que não seja Nancherrow — disse por fim.

— Pois bem, está enganada. Quando fizer sessenta anos, pretendo aposentar-me e morar em um chalé na propriedade de meu irmão, perto da estrada para Falmouth. O chalé é meu. Economizei dinheiro e o comprei dele, por duzentas e cinqüenta libras. Assim, serei independente. E dessa maneira é que terminarei meus dias.

— Oh, Mary, que bom para você! Enfim, também não posso imaginar o que todos eles farão sem você.

— Eles darão um jeito. Ninguém é insubstituível.

— Eles sabem de seus planos?

— O coronel sabe. Eu lhe contei quando comprei o chalé, deixei-o saber de meu segredo. Ele foi lá, viu o chalé e pagou para fazer uma vistoria.

— E a sra. Carey-Lewis?

Mary riu e abanou a cabeça.

— Nem por um segundo chego a imaginar que o coronel lhe tenha contado. Ele a protege, entenda. De tudo. Como se ela fosse uma criança. Bem... — Mary ficou prática novamente. — Estamos perdendo tempo. Sentadas aqui e tagarelando, não resultará em coisa alguma. Se você tem que ir, então é bom que comece a movimentar-se...

— Você me ajudaria a fazer as malas?

— Ligue primeiro para sua tia — disse Mary. — De nada adianta colocar o carro na frente dos bois.

Diana acordou. Havia dormido a tarde inteira. Soube disso mal abriu os olhos, porque o sol havia descido no céu e seus raios agora penetravam enviezados, através da janela oeste. Ao seu lado, Pekoe ainda ressonava. Bocejando e espreguiçando-se, ela tornou a recostar-se nos travesseiros e pensou como seria perfeito se o sono pudesse, não apenas restaurar uma pessoa, mas eliminar todas as ansiedades no mesmo processo. Assim, o despertar encontraria uma mente totalmente limpa e tranqüila, tão macia e vazia como uma praia, lavada e alisada pelas idas e vindas das marés.

Entretanto, não era o que acontecia. Ela despertou, e todas as pressionantes ansiedades imediatamente surgiram à sua volta e tornaram a erguer as cabeças. Estavam apenas à sua espera. Tia Lavinia, recuperada, mas ainda muito frágil. E uma guerra, na iminência de explodir. Quando, ninguém sabia. Dentro de uma semana, talvez. Uma semana. Em dois ou três dias. Os intermináveis boletins transmitidos pelo rádio e pelos jornais, as manchetes que ficavam mais graves de hora para hora. A expressão angustiada de Edgar, que a deixava com o coração dilacerado. Ele tentava esconder-lhe o que sentia, porém nem sempre tinha êxito.

E os jovens. Jeremy, seu esteio, o forte pilar de tantos anos. E agora, desfrutando de sua folga de embarque, comprometido com a Marinha Real, já prestes a engajar-se. Era o primeiro a ir, porém assim que a guerra fosse declarada, todos os demais estariam na linha de frente da convocação. Seu precioso Edward, para pilotar aqueles aviões tão perigosos — já perigosos o bastante sem nenhum alemão disparando balas contra eles ao mesmo tempo. E Gus, o amigo de Edward, que já era oficial nos Gordon Highlanders. Eles nunca retornariam àquela encantadora cidade de espiras sonhadoras, sem outra coisa a fazer além de absorverem conhecimentos e se divertirem. Quanto a Rupert, naturalmente era um militar de carreira, porém havia a complicação adicional de que ele e Athena pretendiam casar, e logo o pobre rapaz seria enviado para algum deserto inóspito com seu cavalo, onde o abateriam a tiros, e Athena ficaria sozinha durante anos e anos, desperdiçando sua juventude. Todos eles, a *jeunesse d'or*, desperdiçando os preciosos anos que jamais voltariam.

E a pequena Loveday. Dezessete anos, e amando pela primeira vez, sem qualquer esperança de iniciar alguma espécie de relacionamento com o objeto de seus sonhos juvenis. Diana não conseguia imaginar o que aconteceria a Loveday. Tombada no meio de outra terrível guerra, para ela era impossível deduzir como Loveday reagiria. De qualquer modo, sua filha caçula sempre fora de todo imprevisível.

Espreguiçando-se, ela virou a cabeça a fim de olhar para seu pequeno relógio dourado de cabeceira. Quatro e meia da tarde. Sentia vontade de tomar chá, mas não tinha coragem de apertar a campainha e convocar a sra. Nettlebed para subir penosamente a escada dos fundos, com seus pés inchados. Diana também se sentia entediada. Talvez se levantasse... Caso conseguisse juntar energias, seria capaz de levantar-se, tomar um banho, vestir-se e descer para o térreo. Jeremy lhe dissera para ficar onde estava, porém ele não fazia idéia do tédio...

Alguém bateu à porta com os nós dos dedos.

— Quem é?

A maçaneta girou, e a porta se abriu em uma fresta.

— Sou eu, Judith. Você está acordada?

— Sim, estou.

— Não irei perturbá-la?

— Nem um pouco. Já começava a sentir tédio. Precisava de alguém com quem conversar.

Judith entrou, fechou a porta atrás de si e cruzou o quarto, indo sentar-se na borda da cama de Diana. Parecia muito limpa e arrumada, em uma blusa branca de gola franzida e uma saia de algodão listrada de azul e branco. Os cabelos estavam penteados e escovados de pouco. Um cinto escarlate de couro contornava-lhe a cintura estreita.

— Como se sente agora? — perguntou Judith.

— Oh, melhor. Apenas com preguiça.

— Você dormiu?

— A tarde inteira. — Diana franziu o cenho. — Por que não está na enseada com os outros?

— Tive um pouco de dor de cabeça, de modo que Edward foi para lá sozinho.

— Deve ser o calor. E como está tia Lavinia?

— Muitíssimo bem. Tagarelando sem parar. O estado dela é francamente admirável, levando-se em conta o que passou.

— Acredita que ela voltará a fazer todas aquelas coisas adoráveis que fazia antes?

— É claro que sim. — Judith hesitou um instante, e então disse: — Diana, preciso comunicar-lhe uma coisa. Explicar. Tenho que partir. Agora.

Surpresa total.

— Partir? Ora, meu bem, por quê?

— É um pouco complicado. Bem, eu tomava chá com Mary, quando recebi um telefonema...

— Eu não ouvi...

— Devia estar dormindo. Era da minha tia Biddy. Biddy Somerville. Está com uma gripe pavorosa e, claro, como tio Bob e Ned estão ausentes, no mar, ela ficou sozinha, não tem mais ninguém em casa, apenas uma senhora que aparece lá todos os dias para trabalhar, vindo de bicicleta desde Bovey Tracey. De qualquer modo, foi uma espécie de pedido de ajuda. Ela perguntou se eu poderia fazer-lhe companhia. Seu médico disse que não devia ficar sozinha.

— Oh, minha querida, que terrível contratempo! Pobre mulher! Você gostaria de pedir a ela que viesse para cá, que ficasse conosco?

— Diana, você é um encanto de pessoa, mas não creio que ela agüentasse a viagem. Acho que devo ir para lá. Eu já pretendia mesmo ir, um pouco mais tarde... Assim, indo agora, não fará muita diferença.

— Que boa menina você é!

Judith sorriu, e então ocorreu a Diana que ela parecia terrivelmente cansada. Seus lindos olhos estavam fundos nas órbitas, e o batom de cor viva apenas acentuava a palidez das faces. Pobre criança, estivera sofrendo com uma dor de cabeça e, por um rápido instante, Diana perguntou-se o que teria causado a indisposição. Sabia que devia perguntar, mostrando uma preocupação maternal, mas em seu atual estado não se sentia forte o bastante para enfrentar mais confidências, mais problemas. Sempre havia também a possibilidade de que isso tivesse algo a ver com Edward e, apenas por esse motivo, seria muito melhor ela ficar sem saber coisa alguma. Afinal de contas, por muito que amasse Judith, ela não era sua filha e, por enquanto, Diana já tinha cargas demais para suportar, juntamente com a incerteza do que poderia acontecer a seus próprios filhos. Disse, então:

— É claro que deve ir, se há tanta necessidade de sua presença. Como chegará até lá?

— Levarei meu carro.

— Dirigirá com cuidado, promete?

— Claro que sim.

— E quando parte?

— Agora mesmo. Mary ajudou-me a preparar uma mala. Vou levando apenas umas poucas coisas. Não creio que precise ficar lá por muito tempo. De qualquer modo, pretendo voltar, se possível, porque quero ver todos vocês, antes de embarcar para Cingapura.

— É claro que você vai voltar.

— E explicará tudo ao coronel por mim?

— Oh, eu tinha esquecido... Você *não* o viu. Tampouco viu os outros. Que lamentável, ir sem dizer adeus a eles! Não poderia dar uma chegadinha à enseada por um momento, antes de partir?

— Não haverá tempo. Você se despedirá deles por mim.

547

— Farei isso, mas tenho certeza de que ficarão *muito* contrariados.

— Eu... eu sinto muito por isso. Ainda bem que você compreende.

— Oh, querida, a culpa não é sua!

Judith ficou em pé e depois, inclinando-se, beijou o rosto de Diana.

— Será apenas por pouco tempo — disse.

— Nesse caso, não diremos adeus, somente *au revoir.*

— *Au revoir.*

— Boa viagem. — Judith sorriu, virou-se e caminhou para a porta. Quando já ia saindo, Diana a chamou: — Judith!

— O que é?

— Mary está por aí?

— Está.

— Diga a ela que Pekoe precisa ir ao jardim fazer pipi. E peça-lhe para ser boazinha e trazer-me uma xícara de chá.

Judith fechou a porta ao sair e caminhou pelo corredor até o quarto de brinquedos. Mary a esperava, sentada no banco-janela, olhando para o jardim. Ao ouvir Judith dizer seu nome, ela virou a cabeça e levantou-se.

— Esteve com a sra. Carey-Lewis?

— Sim. Ela estava acordada. Contei-lhe minha mentira. Está tudo bem. Não me fez nenhuma pergunta... apenas me pediu para dizer a você que Pekoe precisa ser levado para fazer pipi e que fosse boazinha, levando-lhe uma xícara de chá.

Mary sorriu de modo estranho.

— Nunca termina, não é mesmo?

— Eu me sentiria culpada, indo embora sem me despedir dela.

— Não. Não devia ter ido. Bem, está feito. Agora deve apressar-se. Irei vê-la partir...

Judith não a deixou terminar.

— Por favor, não vá. Eu não suportaria. Ia começar a chorar novamente.

— Tem certeza?

— Absoluta.

— Bem, então... adeus. — As duas abraçaram-se, apertadamente.

— Lembre-se de que será apenas por pouco tempo. Logo a teremos aqui. Dê notícias. Agora vá, e dirija com cuidado.

— Claro.

— Tem gasolina suficiente? Em Penzance há uma garagem perto da estação, que fica aberta todos os domingos.

— Encherei o tanque lá.

— E dinheiro? Está levando o necessário?

— Dez libras. É mais do que suficiente.

— Não se aflija por Edward — disse-lhe Mary. — Não olhe para trás e nem permita que seu coração seja dilacerado. Você é muito jovem e bonita demais para isso.

— Tudo ficará bem.

Ela deixou Mary no meio do quarto de brinquedos, sozinha e parecendo um tanto perdida. Seguiu pelo corredor e correu para o andar de baixo. Já havia tirado o carro da garagem, e Mary colocara sua mala no banco traseiro. Judith deslizou para trás do volante, ligou o motor e deu partida. Os pneus começaram a rodar sobre a alameda de cascalhos. Era agoniante não chorar, mas ela conseguiu evitar as lágrimas.

Disse para si mesma, "Não vai ser para sempre", porém era esta a impressão que causava. E, de nenhures, as palavras de um poema lhe surgiram na cabeça, fazendo-a recordar sua mãe lendo em voz alta, muito tempo atrás, quando ela era apenas uma garotinha em Colombo.

Para casa e horta, campo e gramado,
Os portões do prado logo nós abrimos

Ela olhou para seu pequeno espelho lateral e nele viu, emoldurada, a miniatura refletida de Nancherrow, banhada de sol, e recuando na distância, ficando cada vez menor.

Para curral e bomba, árvore e balanço,
Adeus, adeus, para vocês dizemos.

Então recordou sua chegada ali pela primeira vez, no Bentley de Diana, quando viu a casa, os jardins e o mar distante, ficando imediatamente cativada, perdidamente apaixonada pelo lugar. E soube que voltaria, mas certa de que Nancherrow, como a tinha conhecido, nunca, jamais tornaria a ser a mesma.

549

E então Judith chegou com seu carro às árvores, e tudo desapareceu de vista. Edward havia desaparecido e, novamente, estava entregue a si mesma.

PARTE DOIS

Encarapitada na colina acima da cidadezinha de Bovey Tracey, a casa de Biddy Somerville tinha o nome de Upper Bickley. Sua data estava esculpida acima da porta principal — 1820 — de maneira que era uma construção bastante antiga, solidamente construída, de pedra, emassada e caiada, com um teto de telhas de ardósia e altas chaminés. Os tetos internos eram baixos, e os pisos às vezes rachados. As portas nem sempre permaneciam fechadas. No andar térreo ficavam a cozinha, a sala de refeições, a sala de estar e o vestíbulo. Um enorme armário havia sido transformado em lavabo do térreo, onde casacos eram pendurados e botas de borracha brigavam por espaço com uma profusão de armas, caniços de pesca, sacolas de caça e arpões. No andar superior havia três dormitórios e um banheiro; acima dele, um sótão bolorento entulhado de cômodas de marinheiro, fotografias velhas, várias peças de uniforme naval comidas por traças e os brinquedos de Ned — trenzinhos e quebra-cabeças — há muito esquecidos e abandonados, mas que Biddy nunca tivera coragem de jogar fora.

Chegava-se à casa através de uma estreita alameda, íngreme e serpenteante — um risco em si, e intransponível na neve — e a entrada era um portão de fazenda que ficava sempre aberto.

Além do portão, um caminho forrado de seixos levava à porta principal, que ficava nos fundos da casa. O jardim não era grande. Um pouco de grama na parte da frente e despretensiosos canteiros de flores; depois destes, algumas construções de utilidade para a casa, uma pequena horta e um relvado onde a roupa era lavada e pendurada no varal. A seguir, até o alto da colina, um padoque onde algum proprietário anterior mantivera seus pôneis. Bem no alto da colina, via-se um maciço de pinheiros raquíticos e fibrosos, assim como um muro de pedras demarcando os limites da propriedade. Depois desse muro era o começo de Dartmoor — uma extensão interminável de turfa, sarças, urses e brejos que chegava até a distante linha do horizonte, coroada por altaneiros picos rochosos. No inverno, os pôneis selvagens às vezes chegavam até o muro de pedras em busca do que comer e, com pena dos pobres e esquálidos animais, Biddy os alimentava com feno. Durante o inverno, o vento soprava quase sempre e o litoral ficava amortalhado pela chuva, mas, no verão e dias claros, por cima dos amontoados tetos cinzentos da cidadezinha tinha-se uma vista espetacular do sudoeste, abrangendo verdejantes plantações e as sebes de árvores nas fazendas, até Torbay e o cintilante mar do Canal da Mancha.

Com certa dose de coragem, os Somerville haviam comprado Upper Bickley em certo estado de dilapidação. A casa permanecera vazia durante quatro anos, em seguida ao falecimento da idosa senhora que ali vivera por meio século, uma vez que seus quatro filhos, em meio a brigas e discussões, não conseguiam decidir o que fariam com a propriedade. Eventualmente, um exasperado (e honesto) advogado intervinha, aconselhava a querelante família a parar de perder tempo, fazer as pazes e decidir-se. Por fim, conseguiu que todos concordassem em colocar a casa à venda. Os Somerville vieram de carro desde Plymouth para vê-la, perceberam que o preço exigido era ridiculamente baixo e ficaram com ela. Seguiu-se então o inevitável hiato da reforma. Construtores, eletricistas, encanadores, pedreiros e carpinteiros tiveram vez através dos antigos aposentos, esqueceram peças vitais de equipamento, furaram canos ocultos com enormes pregos próprios para alvenaria, colaram papéis de parede de cabeça para baixo, e enfiaram a extremidade de uma escada de mão através das vidraças da janela arqueada que dava para a escada interna da casa. Biddy passava o tempo apressando-os e adulando-os, ao mesmo tempo em que, alternadamente, dava-lhes xícaras de chá e reprimendas. Por fim, Bob declarou Upper Bickley mais ou menos habitável, os chocalhantes caminhões e camionetas cruzaram o portão pela última vez, e Biddy providenciou a mudança.

Aquela era a sua primeira casa como proprietária, sendo tão diferente de viver em moradias da Marinha, que a novidade demorou a tornar-se rotineira. Ela nunca se sobressaíra muito como dona de casa, e agora não podia mais contar com a sra. Cleese, que se fora, porque não gostava do campo, tinha pavor de vacas e queria ficar em Plymouth. Quanto a

Hobbs, recebera uma aposentadoria compulsória do Alto, posto que morrera quase imediatamente. Biddy cumprira o dever de ir ao funeral, e jurava que tinha ouvido o ranger das botas de Hobbs, quando ele se encaminhara para o grande Refeitório dos Cabos, no céu.

Era preciso encontrar outros serviçais. Em Upper Bickley não havia espaço para hospedar empregados e, por outro lado, Biddy não os queria vivendo lá. Em vez disso, contratou os serviços de duas senhoras locais que compareciam todos os dias, uma para cozinhar, outra para a limpeza. Elas chegavam em uma bicicleta de dois lugares, às oito da manhã, e partiam ao meio-dia. A sra. Lapford cozinhava e a sra. Dagg cuidava das tarefas domésticas. Bill, o marido da sra. Dagg, era lavrador e trabalhava com robustos cavalos em uma fazenda próxima, porém aparecia nos sábados e entardeceres de verão, a fim de cuidar um pouco do jardim e da horta de Biddy. Era difícil dizer qual deles entendia menos do cultivo de flores e vegetais, porém Bill era muito bom para cavar e, naturalmente, sempre podia dispor de fartas quantidades de esterco de cavalo. Entregues aos cuidados dele, as rosas — embora não muita coisa mais — floresceram a olhos vistos.

Resolvidos os problemas domésticos, Biddy atirou-se à procura de um estímulo social. Não tinha a mais remota intenção de passar seus dias arranjando flores, preparando geléias, tricotando meias ou viajando de ônibus com o Instituto Feminino local, mas encontrar outros divertimentos não constituía o menor problema. Ela já possuía um vasto círculo de amigos da Marinha que viviam bem dentro de seu alcance e, então, dentro de pouco tempo travou conhecimento com numerosas famílias do condado — residentes em magníficas e antigas propriedades herdadas, circundadas por acres de terra — sendo por elas convidada. Recém-chegados nem sempre cruzavam com facilidade os portais dessas grandes casas, porém a Marinha Real transformava alguém automaticamente em *"persona grata"*, e a hospitalidade era generosa. Biddy recebia convites para almoços de senhoras, seguidos por uma tarde de *bridge* ou de *mah-jong*. Bob, por seu turno, era convidado para caçar faisões ou fazer excelentes pescarias. Juntos, os dois compareciam a jantares rigidamente formais, a corridas ligeiramente menos formais e a alegres tardes de tênis em ambientes familiares. Gregários e divertidos, eles também eram meticulosos e liberais sobre retribuição de hospitalidade, de modo que, em menos tempo do que se poderia imaginar, sentiam-se inteiramente à vontade, após as peripécias da instalação na nova casa — tinham sido aceitos.

Era agosto, 1939, e Biddy estava contente. A única nuvem em seu horizonte — e uma nuvem de grande tamanho — era a sombria ameaça de guerra.

Passava das nove e meia do anoitecer de domingo. Sentada junto à janela aberta da sala de estar, Biddy contemplava as sombras crepusculares que ganhavam consistência no jardim, e a claridade do dia já desaparecendo do céu. Estava esperando Judith. Bob viera passar o fim de semana em casa, mas depois do chá voltara para Devonport em seu carro. Não era indispensável que fosse, mas, em épocas tão tensas, ele ficava nervoso se passava mais de um dia fora de seu gabinete de trabalho; era preciso estar de plantão, para o caso de chegar algum sinal vital que exigisse sua imediata atenção e ação resultante.

Assim, ela estava sozinha. Não sozinha de todo, porque tinha um cão deitado aos seus pés. Era um cadela *collie* da fronteira escocesa, com manchas irregulares e uma cara cativante, metade branca e metade preta. Seu pêlo era fofo e espesso, a cauda uma pluma, e chamava-se Morag — pertencia a Ned. Era um animal perdido que ele encontrara perambulando nas docas, em Scapa Flow, esfaimado e magérrimo, fuçando as latas de lixo em busca de comida. Muito chocado, ele amarrara um pedaço de corda no pescoço da cadela e a levara ao posto policial local, mas ninguém havia dado parte de um cão perdido e, sem coragem de abandoná-la naquele lugar, Ned saíra de lá com a *collie* ainda ao seu lado, presa à coleira improvisada. Com o tempo passando rapidamente — ele tinha somente mais uma hora antes de apresentar-se a bordo — Ned encontrara um táxi, embarcara nele com a cadela e pedira para ser levado ao veterinário mais próximo. O médico era um homem afável, que concordou em ficar com o animal por uma noite, dando-lhe banho e uma boa ração. Ned deixou lá a cadela, voltou para o táxi e chegou ao navio em cima da hora, cuja passarela subiu em disparada, quase derrubando o Oficial de Guarda aos seus pés.

No dia seguinte, após refletir um pouco, solicitou uma longa folga de fim de semana que, para sua surpresa, lhe foi concedida. Então telefonou para o veterinário, o qual concordou que ficasse com a cadela por mais dois dias. Na sexta-feira, assim que se viu livre, Ned foi buscar a *collie* e, juntos, embarcaram na balsa que cruzava Pentland Firth. Uma vez em Thurso, tomou o trem noturno que seguia para o sul.

Por volta das onze horas da manhã seguinte, surgia inesperadamente na casa dos pais, sem avisar e barbado, com a *collie* ainda na coleira.

— Ela se chama Morag — disse para Biddy, sobre um prato com fritada de bacon, salsichas, tomates, cogumelos e ovos. — É uma cadela escocesa, portanto deve ter um nome escocês. Pensei que ela poderia morar com você.

— Oh, meu bem, eu nunca tive um cão!

— Já é hora de ter um. Ela lhe fará companhia, quando papai estiver ausente. Por falar nisso, onde está ele?

— Caçando faisões.

— Quando estará de volta?

— Lá pelas cinco da tarde.

— Que bom, porque assim poderei vê-lo. Só terei de partir amanhã de manhã.

Biddy olhou para o cão. Sua cadela. Pronunciou o nome dela, e Morag ficou sentada, sorrindo para ela e agitando a cauda peluda. O olho da metade branca da cara não era exatamente da mesma cor que o olho da metade preta, o que lhe emprestava um ar cativante, como se estivesse piscando.

— Você é um encanto — disse para a cadela.

— Fique sabendo que ela a adora.

Ao voltar de sua caçada, Bob ficou tão deliciado por encontrar o filho em casa à sua espera, que mal reparou na *collie*. E quando chegou a percebê-la, Morag já era um acessório permanente. Ned limpara a arma para ele, deixando-o sem coragem para objeções, embora isso não significasse que todas as dúvidas tinham sido afastadas.

— Ela não irá fazer sujeira por todo canto?

— Claro que não, papai. Ela fará tudo no jardim.

— E onde irá dormir?

— Na cozinha, suponho. Vou comprar para ela uma cesta em Bovey Tracey. E uma manta. Além de uma coleira e uma trela. Também uma vasilha para a comida. E um pouco de ração...

Bob percebeu que Ned já gastara muito tempo e dinheiro com Morag, não se falando nas contas do veterinário. Também desperdiçara uma preciosa folga de longo fim de semana, a fim de trazer a cadela em casa para sua mãe. O pensamento de mais despesas, todas deduzidas do soldo de Ned, tão arduamente ganho como subtenente, era mais do que seu pai poderia suportar.

— Pode deixar comigo. Eu compro tudo — disse Bob. Olhou para seu relógio. — Bem, hoje é sábado e está anoitecendo. Temos apenas o tempo suficiente para uma ida à loja de ferragens, antes que feche. Você escolherá o que for preciso para o cão, e *eu* pagarei a conta.

***

Tudo isso acontecera há dois meses e, agora, Biddy mal podia imaginar a vida sem Morag. A cadela era um meigo e conformado animal que gostava de longos passeios, mas ficava absolutamente feliz brincando no jardim, se por acaso alguém não se sentisse tentado a uma caminhada ou preferisse jogar *bridge* com as amigas. Nesta tarde, Morag não saíra para passear porque, apesar do tempo excelente, Bob ficara a maior parte do tempo em casa, selecionando papéis que deveriam continuar em sua secretária, revistando armários e jogando fora peças de roupa surradas ou não desejadas. Tudo isso encerrado, ele voltara a atenção para a garagem, urgentemente necessitando de uma boa faxina de primavera. Para acabar com o lixo resultante, fizera uma fogueira, e tudo quanto o fogo não podia consumir, como segadeiras quebradas, velhos latões de gasolina, um triciclo com duas rodas e um enferrujado aparador de grama, foi sendo empilhado ao lado da porta dos fundos, à espera da próxima visita do caminhão do lixo.

O sentido de tudo aquilo era bem claro para Biddy. Ela compreendia seu marido perfeitamente e sabia que uma íntima e torturante preocupação, uma ansiedade, somente seriam exauridas através da furiosa atividade física. Vendo-o através da janela da cozinha, o coração dela ficou opresso. Era como se Bob já soubesse que a guerra era inevitável, e agora se punha a limpar o convés de seu navio, antes que a batalha começasse.

Por fim, nada mais havia a ser feito. Ele entrou para uma restauradora xícara de chá na mesa da cozinha, e os dois estavam ali, juntos, quando receberam o telefonema de Judith. O telefone ficava no vestíbulo, e Biddy foi atender. Quando ela voltou, Bob perguntou:

— Quem era?

— Era Judith — respondeu.

— O que ela disse?

— Quer vir para cá. Agora. Ainda hoje. Virá da Cornualha, dirigindo seu carro. Disse que deverá chegar por volta das dez horas.

Bob ergueu as sobrancelhas espessas.

— O que houve?

— Não faço a menor idéia.

— Que impressão ela dava?

— Parecia estar bem. — Biddy refletiu nisto. — Era uma voz um tanto estridente. Sabe como é. Esganiçada.

— Ela disse por que queria vir?

— Não. Não mencionou detalhes. Disse que explicaria quando chegasse.

— Estava telefonando da casa dos Carey-Lewis?

— Estava — disse Biddy.

— Deve ter acontecido alguma coisa.

— Talvez ela tenha se desentendido com sua amiga Loveday. Ou se indispôs com alguém, de alguma forma.

— Não é bem esse o feitio de Judith.

— Concordo com você, não é mesmo. Enfim, pouco importa, e seja qual for o motivo, o caso é que ela está vindo. Poderá ajudar-me a fazer as cortinas pretas de *black-out*. Comprei toda uma peça do horrível algodão negro, mas ainda não tive ânimo de cortar as cortinas. Judith é um relâmpago com a máquina de costura. — Biddy esvaziou na pia a xícara de chá morno e tornou a servir-se do chá quente do bule. Na esperança de que fosse ganhar algo para comer, Morag sentou-se no tapete de retalhos e olhou para sua dona. — Ainda não é hora do jantar, seu bichinho esfomeado! — disse-lhe Biddy. — Judith ainda não conhece você, minha querida. Ela nem mesmo *sabe* de sua existência! Se for boazinha para ela, garanto como a levará para passear. — Endireitando o corpo, ela ficou encostada à pia. — Nem mesmo vou ter de preparar uma cama para Judith, porque a sra. Dagg arrumou o quarto vago na manhã de sexta-feira. De qualquer modo, ela estava mesmo para vir, e pretendíamos ir a Londres comprar roupas

559

para Cingapura. Assim, é apenas uma questão de antecipar datas. — Biddy encontrou os olhos do marido, no outro lado da mesa. — Oh, Bob, não adianta ficar imaginando coisas, preocupando-se além da conta. Seja o que for, nós terminaremos sabendo.

— Se alguma coisa realmente estiver errada, ela talvez não queira contar a você.

— Ela contará. Eu lhe perguntarei. Temos um bom relacionamento. De qualquer modo, não sei lidar com correntes ocultas ou sentimentos não expressos.

— Procure agir com tato, meu bem.

— É claro que farei isso, meu querido. E você sabe que eu adoro essa menina.

Pouco depois das onze da noite, quando Biddy começava a ficar nervosa, imaginando acidentes e tanques de gasolina vazios, Judith chegou. Pela janela, Biddy avistou o clarão dos faróis subindo a colina e ouviu o motor se aproximando. Ficou de pé, saiu rapidamente da sala, cruzou o vestíbulo e acendeu a lâmpada que pendia acima da porta da frente. Em pé na ventosa escuridão, com Morag junto a seus calcanhares, ela viu o pequeno Morris passar pelo portão aberto.

Os faróis foram desligados, a porta do carro se abriu, e Judith apareceu.

— Oh, querida, que alívio! Já começava a pensar que tivesse acontecido alguma coisa. — As duas abraçaram-se. — E a viagem? Foi muito difícil?

— Não muito. Apenas demorada. E eu disse que estaria aqui já de noite.

— Sei que disse. Eu é que fiquei nervosa.

— Ventava demais no último trecho. Houve um momento em que pensei ter perdido o caminho. — Judith olhou para baixo. — Quem é ele?

— Ele é ela. Morag, a nossa cadela.

— Vocês nunca tiveram um cão antes!

— Temos um agora. Ela é de Ned.

— Que cachorrinha meiga! Olá, Morag! Há quanto tempo ela está com vocês?

— Dois meses. Venha, não vamos ficar aqui, paradas e tagarelando.

Onde está sua bagagem? — Biddy abriu a porta traseira do Morris e puxou a mala de Judith de cima do assento. — Isso é tudo?

— É tudo de que preciso.

— Esperei que viesse para ficar *séculos*.

— A gente nunca sabe — disse Judith, porém não havia riso em sua voz. — Talvez eu fique mesmo.

Elas entraram. Biddy trancou a porta da frente e deixou a mala junto ao último degrau da escada. À fria claridade da luz do corredor, elas pararam e encararam-se. Judith parecia bem, decidiu Biddy. Um pouco pálida e bem mais magra do que quando a vira pela última vez, mas não doente nem coisa parecida. E não dava a impressão de sentir-se mal, de aparentemente estar à beira das lágrimas. Enfim, talvez apenas estivesse sendo corajosa...

— Onde está tio Bob?

— Voltou para Devonport depois do chá. É provável que o veja no próximo fim de semana. Bem, o que você deseja? Comer? Um drinque? Posso dar-lhe uma sopa.

Judith meneou a cabeça.

— Cama, apenas cama. Estou exausta.

— Quer uma bolsa de água quente?

— Não preciso de nada. Apenas de uma cama e um travesseiro.

— Pois, então, é só subir. O quarto de sempre. E não se levante cedo, amanhã. Eu lhe levarei uma xícara de chá por volta das nove horas.

— Eu sinto muito — disse Judith.

— Pelo amor de Deus, por quê?

— Por incomodá-la, assim, tão de repente.

— Oh, não seja ridícula! Nós sempre ficamos contentes quando você vem! — Àquela hora tardia e vulnerável, os sentimentalismos deviam ser mantidos ao largo, a todo custo. Confidências e confissões podiam esperar pelo dia seguinte. — Muito bem, vá andando. Deite essa cabeça no travesseiro. E durma bem.

— Eu dormirei...

Judith recolheu sua mala e subiu a escada. Biddy a ficou olhando. De repente, sentia falta de Bob, gostaria de que ele não tivesse de ir. Em vez da confortadora presença do marido, ela decidiu preparar um uísque para si mesma. Levando o drinque consigo, foi à cozinha, botou

Morag na cama, trancou portas e janelas, e finalmente se dirigiu para o andar de cima. No patamar, viu que a porta do quarto de Judith estava fechada. Uma coruja piou, além da janela aberta, mas, fora isso, a casa inteira estava silenciosa.

Não foi Biddy quem acordou Judith, mas Morag. Ainda adormecida, ela ficou cônscia do chocalhar da porta que a cadela arranhava, depois ouviu um fraco e insistente ganido. Mal percebendo o que fazia, Judith desceu da cama, cambaleou para abrir a porta e caiu na cama outra vez. Adormeceu quase instantaneamente. Quando, às nove horas, Biddy foi acordá-la oficialmente, levando a prometida xícara de chá, encontrou Morag enovelada na extremidade da cama de Judith, um morno e forte peso sobre os pés dela.

— Não consegui imaginar para onde Morag tinha ido — disse Biddy, colocando a xícara de chá fumegante em cima da mesa de cabeceira. — Deixei-a sair para urinar, mas então ela desapareceu. Pensei que andasse por aí, perseguindo coelhos, mas deve ter-se ergueirado para dentro de casa. — Biddy não repreendeu a cadela e nem a mandou descer da cama, limitando-se a dizer-lhe que era uma cachorrinha muito esperta. Depois foi abrir as cortinas de cretone, para deixar entrar a claridade do novo dia. (Meu primeiro dia sem Edward, pensou Judith, e desejou que isto não tivesse tido que começar tão cedo.) — Há um pouco de neblina, mas acho que o dia vai ser excelente. Você dormiu bem?

Um passo de cada vez. Era a única forma de cruzar aquele insuportável, miserável vazio. Judith fez um imenso esforço e sentou-se, colocando os travesseiros em posição, a fim de que as grades da cabeceira da cama não machucassem seus ombros.

— Como um tronco — respondeu. Bocejou, depois afastou o cabelo que caía no rosto. — Eu estava exausta.

— Foi o que imaginei. Dirigir por tanto tempo e sozinha... Você parecia esgotada. — Biddy sentou-se na beirada da cama, colocando ainda mais peso sobre as molas rangentes. Usava calças compridas de linho e uma camisa xadrez, como se estivesse pronta para sair e lidar com um pouco de feno. Seus cabelos anelados, outrora tão escuros, começavam a mostrar fios grisalhos. Ela também engordara um pouquinho, porém o rosto continuava o mesmo, com batom, linhas de riso e olhos animados. — Estive dando uma espiada em seu carrinho. É um encanto. Você deve adorá-lo.

— Sim, é isso mesmo.

Judith estendeu a mão para a xícara de chá, que estava quente e muito forte. Biddy esperou um momento, antes de perguntar:

— Você quer falar?

O coração de Judith deu um salto. Tentou ganhar tempo.

— Sobre o quê?

— Contar o que houve, quero dizer. Alguma coisa aconteceu. Teve algum desentendimento com Loveday? Ou é algo mais importante do que isso?

Como uma agulha, sua percepção era afiada e dolorosa.

— O que a faz dizer isso?

Biddy ficou algo impaciente.

— Oh, minha querida, eu não sou nenhuma tonta. E, além de mãe, também sou tia. Não gosto de lidar com sentimentos escondidos, silêncios nervosos ou amuos...

— Eu não estou amuada...

Biddy ignorou a interrupção.

— ... e não é do seu feitio tomar decisões impulsivas. Portanto, seja franca. O que quer que seja, o que quer que a tenha feito deixar os Carey-Lewis com tanta pressa, eu compreenderei. Minha vida nunca foi sem máculas. De fato, está salpicada de bolhas e contusões. Assim, é melhor falar.

Judith não respondeu. Bebeu seu chá e tentou controlar os pensamentos. Biddy esperou pacientemente. Além da janela, o céu se mostrava enevoado, porém o ar era cálido. O pequeno dormitório, anos-luz distante do lindo quarto em Nancherrow que era apenas dela, Judith, estava um pouco apinhado e em mau estado, mas confortavelmente familiar, porque era onde sempre dormia, quando passava dias em Upper Bickley — e ali nada fora mudado, nada melhorado ou remobiliado, em qualquer sentido. As cortinas de cretone não combinavam com o padrão do tapete, e as colchas felpudas cobrindo as duas camas gêmeas exibiam uma tonalidade amarelo-prímula, ao passo que o papel de parede era listrado de azul e branco. Decoração de interiores nunca tinha sido o forte de Biddy. Não obstante, havia margaridas em um vaso sobre o toucador, e acima da lareira antiquada pendia o quadro de um porto, com mar azul e barcos de pesca, para o qual era bom ficar olhando um pouco, antes do sono chegar.

Ela suspirou e procurou os olhos de Biddy. Sua tia Biddy era realmente parte da família, não apenas um "faz-de-conta". Estar ali, e estar com ela, era mais ou menos como enfiar um par de sapatos velhos, após um dia passado sobre saltos altos, dolorosamente desconfortáveis. Deixou de lado a xícara de chá e disse:

— Acontece apenas que fiz o papel mais idiota deste mundo.

— Como?

Judith contou quase tudo para ela, começando do princípio, desde que Edward tinha ido apanhá-la no colégio naquelas primeiras férias de verão, para encerrar com o sucedido no dia anterior, quando tudo terminou, por pensar que Edward a amava na mesma intensidade em que ela o amava — e por confessar seu amor a ele — apenas para sofrer o terrível choque, a humilhação da rejeição.

Contou quase tudo para Biddy. Entretanto, omitiu Billy Fawcett. De um modo obscuro, isto tinha algo a ver com certa lealdade à querida e falecida tia Louise. Tampouco admitiu para Biddy que realmente dormira com Edward, que o deixara seduzi-la e sentira-se feliz em entregar-lhe sua virgindade. Biddy não se chocava com facilidade, porém nunca se tem certeza sobre a reação dos adultos; fazer amor com Edward tinha sido uma experiência de tão deslumbrante êxtase, que Judith não queria, de maneira alguma, sentir vergonha ou remorsos pelo ocorrido.

— ... O pior é que havia tanta gente em Nancherrow... a família inteira, os amigos... Uma verdadeira festa em casa. Eu não podia suportar a idéia de todos eles olhando para mim.... para nós... e não deixar que adivinhassem o que tinha acontecido. Foi Mary Millyway quem sugeriu minha vinda para sua casa. Ela disse que, como eu já programara vir, poderia perfeitamente chegar alguns dias mais cedo. E, no momento, pareceu a única atitude a tomar.

— E quanto à sra. Carey-Lewis?

— Diana? Estava acamada. Não se sentia muito bem. De qualquer modo, mesmo que não estivesse doente, eu não lhe faria confidências. É uma criatura incrivelmente meiga, mas, de certo modo, não é desse tipo de pessoa. Além disso, estando Edward envolvido, seria mais impossível ainda contar para ela. Edward é seu único filho, e Diana é louca por ele.

— Falou para ela que vinha ficar comigo?

— Falei.

— Que pretexto usou? Que motivos deu?

— Contei uma mentira horrível. Disse que você tinha ficado muito gripada e que, estando sozinha, precisava de alguém para acompanhá-la.

— Céus! — murmurou Biddy fracamente.

— Por sorte, Diana pareceu acreditar. Fui despedir-me dela. Não me despedi de nenhum dos outros, porque todos tinham descido os penhascos para nadar. Edward também. Nem mesmo disse adeus para ele.

— Talvez tenha sido melhor assim.

— É, talvez.

— E quanto tempo vai ficar conosco?

Judith mordeu o lábio.

— Não será por muito tempo. Apenas o suficiente para que consiga ficar em paz comigo mesma. Está bem assim?

— Espero que demore séculos aqui, porque adoramos ter você conosco. Agora, sabe o que penso? Posso dizer-lhe o que penso?

Ela então disse para Judith o que pensava, disse coisas que sua sobrinha já ouvira milhares de vezes antes. Clichês, talvez, mas só se tinham tornado clichês porque todos já haviam sido comprovados vezes sem conta. O primeiro amor é sempre o que mais magoa. Há mais peixes no mar do que se consegue apanhar. Você nunca esquecerá Edward, jamais, porém a vida não termina aos dezoito anos, e sim está apenas começando. E, por fim, o tempo é o remédio para todos os males. Tudo isso um dia terá passado. Por mais que seu coração agora esteja ferido, você terminará dando a volta por cima.

Quando Biddy chegou ao final de todo o diálogo, Judith estava quase sorrindo.

— Qual é a graça? — perguntou Biddy, parecendo um tanto ofendida.

— Não se trata disso — respondeu Judith. — Apenas você soa como um daqueles dísticos que as pessoas costumavam bordar em ponto de cruz e pendurar no quarto de mais alguém.

— Você quer dizer algo como "Para Leste ou Para Oeste, Como o Lar Nada Há Que Preste"?

— Não *exatamente*.

— Então, que tal,

O beijo do Sol como perdão,
O canto das aves como júbilo,
Em um jardim, mais perto de Deus estamos,
Do que em nenhum lugar mais na Terra.

Minha mãe tinha um igual, pendurado no banheiro do vicariato. Era tudo que se tinha lá dentro para ler, com exceção das letras miudinhas no rolo do papel sanitário.

— O que você recitou é um poema, não um provérbio. Ou um moto. Mais ou menos como "Há Muita Coisa Louca Entre o Copo e a Boca".

— Acabei de pensar em um formidável. "É nas Esquinas da Vida que o Vento Sopra Mais Rijo." Soa muito animador, mas a verdade é que nada significa.

De repente, as duas estavam rindo.

— Oh, Biddy... — Judith inclinou-se para diante, passou os braços em torno da tia, foi abraçada e acariciada, embalada suavemente de lá para cá, como um bebê com flatulência — ... você realmente é um encanto. Lamento sinceramente tudo o que houve.

— Não podemos proibir o amor. E não sinta que precisa estar alegre o tempo todo. Um pouco de abatimento não me perturba, desde que eu conheça o motivo. O melhor remédio é manter-se ocupada. Tenho todas aquelas cortinas pretas para cortar e costurar, além de uma lista enorme de coisas que, segundo Bob, devemos ter em estoque. Como parafina, para o caso da guerra começar e haver escassez. Teremos muitas compras a fazer. Por que não toma um banho e se veste? A sra. Lapford está na cozinha, fritando bacon para você. Ficará muitíssimo ofendida, se não descer para comê-lo.

Biddy tinha razão. Uma ocupação, de preferência sem exigir grande esforço mental, era o importante agora. O pior já passara, tudo já havia sido dito e não precisava ser mencionado novamente. Biddy compreendera.

O Regresso

Depois de um banho e algumas roupas limpas tiradas da mala, Judith desceu para o andar de baixo e foi calorosamente acolhida pela sra. Lapford e a sra. Dagg, as quais disseram o quanto ela estava bonita e como era agradável terem mais gente em casa outra vez. Ela fez o *breakfast* e, depois disso, sentou-se à mesa da cozinha com Biddy, onde fizeram listas de compras. Parafina, velas e lâmpadas elétricas. Gasolina para o cortador de grama. Sopa enlatada. Agulhas para máquina de costura e carretéis de linha preta para a costura das cortinas de *black-out*, além de parafusos para fixarem os arames nas janelas. A seguir, artigos de uso diário. Ração para Morag, manteiga, macarrão, batatas e frango frito, pão e biscoitos. Duas garrafas de gim, duas de uísque, um sifão de soda, água tônica e três limões.

— Até parece que você está planejando uma festa.

— Não. Apenas os suprimentos de costume. Talvez convidemos algumas pessoas no fim de semana, quando Bob estiver novamente em casa. Agora, anote aí, batatas fritas e biscoitos de chocolate...

Após terminada, a lista estava imensa. Biddy pegou sua bolsa e a cesta, saiu de casa com Judith, entrou em seu carro e dirigiu colina abaixo, rumo à pequenina cidade.

Nessa tarde, depois de terem comido o almoço que a sra. Lapford deixara para elas (costeletas de carneiro e pudim de arroz), levaram Morag para uma caminhada. Quando voltaram, iniciaram a confecção das cortinas pretas. Enquanto Judith preparava a velha máquina de costura em cima da mesa da sala de refeições, enchia carretéis e experimentava uma agulha nova, tia Biddy mediu as janelas e, de joelhos no piso da sala de estar, cortou comprimentos variados de tecido. O algodão era preto e grosso, com um leve cheiro de tinta nanquim.

— Jamais cortei uma coisa tão enfadonha em minha vida — observou Biddy. — Fico feliz por não termos uma casa enorme, com dúzias de janelas.

Passou para Judith as duas primeiras peças cortadas, destinadas à sala de refeições. Teriam de ser emendadas juntas (com costura francesa, para reforçar), seguindo-se um embainhado largo no alto e uma boa bainha na parte inferior, para deixar a cortina com algum peso. Mal terminaram a primeira, elas a penduraram, enfiando o arame através do embainhado do alto e fixando-o à moldura da janela com pequenos parafusos, a fim de que a cortina ficasse bem junto da vidraça.

Completada a tarefa, a aparência era horrível, volumosa demais para escapar à vista. As duas recuaram e, com escasso prazer, observaram o resultado de toda a sua labuta. Biddy suspirou fundo.

— Nunca fiz nada tão feio e desagradável. Só espero que essas cortinas funcionem.

— Podemos experimentá-las ainda hoje, depois que escurecer — disse Judith. — Fecharemos as cortinas normais sobre as pretas, e iremos até o jardim, ver se passa alguma claridade para fora.

— Se passar a menor réstia para o exterior, seremos presos ou multados. Bem, já é quase hora do chá, e só acabamos *uma* cortina. A casa inteira vai nos deixar eternamente ocupadas.

— Dê graças a Deus por não morar em Nancherrow. Acho que a casa tem umas cento e quarenta e três janelas.

— E quem fará as cortinas?

— Não sei. Mary Millyway, suponho.

— Azar o dela, é só o que posso dizer. — Biddy acendeu um cigarro. — Vamos parar agora. Vou pôr a chaleira no fogo.

Assim, elas deixaram todos os metros de algodão negro em cima da mesa da sala de refeições, ao lado da máquina de costura, fecharam a porta e adiaram sua tarefa para o dia seguinte.

Depois do chá, Judith e Morag saíram para o jardim. Judith arrancou um bocado de ervas daninhas e depois colheu uma tigela de framboesas para o jantar. Mais tarde, tio Bob ligou e, quando Biddy terminou de falar, Judith conversou um pouco com ele.

— Até sábado — encerrou ele. — Diga a Bids que estarei em casa a qualquer hora.

— Ele disse que virá para casa no sábado.

Biddy estava sentada junto à janela aberta, meio desanimada em sua ocupação de bordar uma tapeçaria de aparência algo nodosa.

— Há meses venho bordando isto — disse para Judith — e nem sei por que continuo. Vai ficar horrível no assento de uma cadeira. Acho que devia retornar ao tricô. Meu bem, não está esperando que o telefone toque e que seja Edward, está?

— Não, não estou — responde Judith.

— Oh, tanto melhor. Foi apenas uma idéia que tive. Aguardar um telefonema é a pior agonia do mundo. Entretanto, se quiser ligar para ele, sabe muito bem que pode.

— Você é um amor, mas não quero telefonar. Compreenda, não haveria nada para dizer a ele.

Pouco depois, entediada com sua tapeçaria, Biddy enterrou a agulha na tela e a jogou para o lado. Olhou para o relógio, anunciou que estava mais do que na hora, e foi preparar seu primeiro uísque com soda da noite. Em seguida, levando o copo, subiu ao andar de cima para seu banho. Judith leu o jornal, e quando Biddy reapareceu em seu vestido caseiro de veludo azul, experimentaram a nova cortina de *black-out*.

— Não adianta fazer outras, enquanto não tivermos certeza de que esta primeira funciona — observou Judith.

Ela foi para o jardim, enquanto Biddy lidava com a cortina de *black-out*, depois puxando sobre ela as cortinas acolchoadas normais, antes de apagar a luz.

— Pode ver alguma coisa? — gritou bem alto, a fim de ser ouvida através de toda aquela espessura.

— Absolutamente nada! Nem a menor claridade. Ficou um trabalho excelente — disse Judith.

Tornou a entrar na casa, as duas felicitaram-se por sua façanha, e então Biddy preparou outro drinque, enquanto Judith ia para a cozinha aquecer o macarrão gratinado da sra. Lapford e preparar uma salada. Como a mesa da sala de refeições continuava atulhada com os detritos da costura, elas comeram na cozinha. Enquanto comiam e tomavam um copo de vinho branco, falaram sobre Molly, sobre Jess e a viagem a Cingapura.

— Não é em outubro que você parte? Não dispomos de muito tempo para os preparativos que ainda faltam. E tampouco devemos ficar adiando a ida a Londres para as compras. Temos que fixar uma data certa. Podemos ficar em meu clube e talvez irmos a um teatro ou coisa semelhante. Será na semana que vem. Ou na seguinte. A loja Liberty sempre tem algodões finos maravilhosos e roupas de verão para cruzeiro, mesmo que no meio do inverno. Se quer saber, não posso deixar de invejá-la, quando vai para longe de toda esta insipidez. Eu me decidiria apenas por uma viagem de navio, descendo o Canal de

Suez e saindo no Oceano Índico. Terá de prometer que me enviará um fez, quando passar por Aden.

Depois do jantar, elas lavaram a louça e voltaram para a sala de estar. Logo chegava o momento do noticiário das nove horas. Abrigos antiaéreos e sacos de areia em Londres; tropas nazistas em marcha; Anthony Eden voando para um e outro lugar com uma missiva recente do Governo Britânico; iminência da mobilização de reservistas. Claramente incapaz de suportar toda aquela agonia por mais um só momento, Biddy estendeu o braço e girou o botão do receptor para a Rádio Luxemburgo. Imediatamente a sala, iluminada suavemente por abajures e de janelas abertas para o perfumado e penumbroso jardim, foi inundada pela voz de Richard Tauber.

> *Garotas foram feitas para amar e beijar,*
> *E quem sou eu para disto discordar?*

Então, Judith retornou a Edward, e era o último Natal, o dia em que ele voltara da Suíça e tinha ido ao seu encontro. Os dois haviam corrido juntos, carregados de pacotes, através das ruas lavadas de chuva cinzenta, e beberam champanha no saguão do hotel "The Mitre". Tão dolorosamente vivida foi a recordação, que ela chegou a ouvir as gaivotas grasnando acima deles, sacudidas pela tempestade, a ver as luzes das vitrines das lojas caindo sobre as calçadas inundadas, e a sentir o cheiro de tangerinas e de ramos de pinheiros, a própria essência do Natal. Soube, então, que sempre ia ser assim. Por mais que se esforçasse, Edward sempre estaria lá. Consegui sobreviver um dia, disse para si mesma. Um dia sem ele. A sensação era de haver dado o primeiro passo em uma jornada de mil quilômetros.

Quando Bob Sumerville retornou a Upper Bickley na manhã do sábado seguinte, tinham ocorrido inúmeros eventos disconexos — alguns deles de todo alarmantes.

Morag havia desaparecido para caçar na charneca, tendo voltado com quatorze carrapatos em seu pelame espesso, todos eles exigindo uma dolorosa remoção. Judith sabia ser esta uma tarefa aborrecida, porque Biddy se mostrava cheia de melindres e porque certa vez já vira o Coronel Carey-Lewis executar a horrível operação em Tiger. Já sem os carrapatos, Morag teve que tomar um banho anti-séptico, algo detestado pela cadela a tal ponto que, ao terminar, não somente ela estava encharcada, mas também Biddy e Judith.

Na Áustria, em Obersaltzberg, *Herr* Hitler anunciou, em discurso a seus generais, que a destruição da Polônia começaria dentro de alguns dias.

Comprometida com uma tarde de *bridge*, Biddy foi à casa de uma de suas amigas importantes e, ao voltar à hora do jantar, estava feliz da vida — suas cartas haviam sido excelentes, e ela ganhara cinco libras e seis *pence*.

O mundo tomou conhecimento da sinistra notícia de que os nazistas e os russos haviam assinado um pacto de não-agressão. Parecia que, agora, nada poderia evitar a guerra.

Biddy e Judith, juntamente com os Daggs e os Lapfords, além de um grande número de moradores locais, compareceram ao Auditório da Escola e foram devidamente contemplados com máscaras contra gases. Voltaram para casa carregando-as com cuidado e aborrecidamente, como se fossem bombas-relógio, estocaram-nas debaixo da mesa do vestíbulo e rezaram devotamente para jamais haver um motivo que os forçasse a usá-las.

Aparecendo em certo entardecer quente e úmido para umas duas horas de trabalho no jardim, Bill Dagg encurralou Biddy no trecho reservado como horta, onde ela colhia duas alfaces para o jantar. Apoiado em sua pá, ele começou a conversar, e finalmente chegou aonde queria, ou seja, que a quarta parte inferior do padoque deveria ser revolvida, estercada e plantada com batatas. Biddy respondeu que a tarefa exigiria dias de trabalho, que ela não era assim tão amante de batatas, e que preferia ter o padoque inteiramente relvado. Bill, entretanto, era teimoso e decidido a levar a melhor. Afinal de contas, apontou ele, tirando o boné para coçar a cabeça careca, se o tal do 'Itler terminasse fazendo o que pretendia, então todo mundo na Inglaterra ia morrer de fome. Não fazia sentido deixar desocupada uma boa terra, se nela se pudesse plantar alguma coisa. E que quem tivesse batatas, nunca passaria fome. Biddy acabou deixando-se convencer antes que os mosquitos a devorassem viva, e Bill, triunfante, foi procurar um rolo de barbante para demarcar os limites de sua nova plantação de batatas.

Por fim, Judith completou a gigantesca tarefa de costurar as cortinas. O último par foi para o quarto de Ned, e para lá se dirigiu ela, a fim de pendurá-las. O quarto de Ned era o menor da casa, e ele dormia em um beliche, construído sobre um conjunto de gavetas de mogno. As cortinas de linho eram azul-marinho e as paredes, brancas, exibindo fotografias de grupos de sua escola preparatória, depois de seus anos no Colégio Naval de Dartmouth. Havia também um enorme poster colorido de uma jovem núbil e semidespida. Ned tinha também uma secretária, com um abajur e uma cadeira. Isso era tudo, porque não havia espaço para mais móveis. A fim de afixar os parafusos na moldura de madeira, Judith precisou puxar a cadeira e subir nela. Quando as cortinas negras ficaram pendentes e ela se virou para descer da cadeira, seus olhos subitamente foram atraídos pelo velho ursinho de pelúcia de Ned, comido de traças, com um só olho e praticamente sem pêlos no corpo, sentado sobre o travesseiro do beliche. E o significado de Ted, sobreposto à loura de seios fartos do poster, de algum modo era incrivelmente tocante. Judith permaneceu reclinada contra a extremidade do beliche, pensando em Ned Somerville, o que contribuía para afastar-lhe o pensamento de Edward Carey-Lewis. Recordou os bons momentos que ambos haviam passado juntos, e desejou revê-lo bem depressa, porque Ned era o mais próximo de um irmão verdadeiro que ela poderia ter.

Ouviu a voz de Biddy, vinda do andar de baixo.

— Judith!

— Estou aqui! — respondeu.

— Você viu minhas tesouras de podar?

— Não, mas vou descer e encontrá-las.

Ela desceu da cadeira, tornou a colocá-la diante da secretária, e saiu do quarto de Ned, fechando a porta atrás de si.

No sábado, vinte e seis de agosto, Bob Somerville dirigiu seu carro de Devonport até Upper Bickley, onde chegou pouco antes do meio-dia. Ouvindo o rugido do motor na subida da ladeira, Biddy largou o que fazia (a limpeza de uma couve-flor, porque a sra. Lapford não vinha nos fins de semana) e saiu pela porta da frente, recebendo o sol em cheio justamente quando seu marido saía do carro, parecendo cansado e com os cabelos em desalinho. Estava de uniforme. O quepe, com suas folhas douradas de carvalho, estava puxado para a testa, e a túnica, já muito antiga, de maneira que folgava um pouco em torno do corpo fornido de Bill. Os quatro alamares de trança dourada, indicando o posto de oficial-engenheiro, estavam gastos e escurecidos. Ele recolheu sua surrada pasta de couro do banco do passageiro e, assim carregado, aproximou-se para beijar a esposa.

— Tive medo de que você não pudesse vir — disse ela.

— Estou aqui.

— Tudo é tão terrível... Pensei que poderia haver algum pânico em andamento.

— E há. Nunca cessa, mas eu queria ver vocês duas.

Biddy enfiou o braço no dele e, juntos, entraram em casa. Ao pé dos degraus, ela perguntou:

— Quer beber alguma coisa?

Ele negou com a cabeça.

— Mais tarde, Biddy. Primeiro vou subir, livrar-me deste uniforme imundo e vestir velhas roupas caseiras. Isto talvez faça com que me sinta eu novamente. Hum... Cheiros agradáveis... O que temos para o almoço?

— Cozido irlandês.

— Delicioso!

Uma vez que as cortinas de *black-out* estavam prontas e a máquina de costura voltara ao lugar de costume, Biddy e Judith tinham retornado à sala de refeições, após uma semana comendo na mesa da cozinha. Judith pusera a mesa e, quando Bob desceu, envergando velhas calças de veludo cotelê e uma desbotada camisa, confortavelmente limpa, ela foi cumprimentá-lo, sendo abraçada amorosa e apertadamente. Biddy livrou-se do avental e foram todos para o jardim da frente, onde se sentaram ao sol e tomaram drinques. Bob tinha uma cerveja, Judith uma cidra e Biddy seu costumeiro gim-tônica. Ele quis saber o que acontecia por ali e elas lhe falaram sobre as batatas de Bill Dagg e os carrapatos de Morag. (Não mencionaram as máscaras contra gases ou o tratado russo-germânico.) Bob puxou a cadela para junto de si, acariciou-lhe a cabeça e disse que ela era uma garota boba e suja. Feliz, Morag aninhou-se bem perto dele e parecia sorrir.

Recostando-se na cadeira, Bob virou o rosto para o sol. Um avião, produzindo um ruído semelhante ao de uma abelha, cruzou o céu lentamente. Ele ficou vendo-o afastar-se, um brinquedo prateado suspenso no tempo e no espaço. Disse:

— Espero que neste fim de semana não tenhamos visitas e nem precisemos fazê-las.

— Temos uma pequena reunião esta noite — disse-lhe Biddy. — Aqui em casa. Apenas velhos amigos.

— Quem?

— Os Barking e os Thornton. Não será preciso um enorme esforço social. — Ela vacilou. — Entretanto, se você quiser, posso desmarcar. Eles compreenderão. Eu apenas pensei que todos precisávamos de um pouco de alegria.

— Não. Deixe tudo como está. Eu gostarei de vê-los. — O avião desaparecia, sumindo na distância atrás de uma nuvem vaporosa. — Isso é tudo?

— Isso é tudo.

— Quando é que eles virão?

— Às seis e meia.

Bob refletiu nisso por um momento, depois disse:

— Por que não convidamos a srta. Lang?

Judith franziu o cenho. Já conhecia os Barking e os Thornton, de visitas anteriores. Os Barking eram um casal reformado da Marinha. Tinham-se instalado em Newton Ferrars e lá compraram uma pequena casa, com acesso para a água e uma rampa de desembarque para seu barco a vela. Uma vez iniciadas as hostilidades, James Barking seria reconvocado para o serviço ativo. Biddy sabia disto, sendo um dos motivos pelo qual os convidara. Os Thornton, Robert e Emily, moravam em Exeter. Ele era advogado e também capitão no batalhão do TA (o Exército Territorial) do Regimento do Devonshire. Emily Thornton era uma das amigas de Biddy, sua parceira nas partidas de *bridge* e tênis.

— A srta. Lang, no entanto...

— Quem é a srta. Lang? — perguntou.

Biddy lhe respondeu.

— É uma solteirona idosa, funcionária civil aposentada, que veio morar aqui. Tem uma casinha de pedra no fim da cidade, com uma porta amarela dando para a calçada e um agradável jardim nos fundos. Bob está apaixonado por ela.

— Não estou apaixonado por ela — protestou Bob, tranqüilamente. — Apenas a acho muitíssimo inteligente e interessante.

— Que idade tem ela? — perguntou Judith.

Biddy deu de ombros.

— Oh, suponho que uns sessenta e cinco anos. Muito arrumada, esguia e alerta. Nós a conhecemos em um almoço em casa dos Morrison, há cerca de três meses. — Ela fez uma pausa momentânea, pensando na srta. Lang. Então disse: — Tem toda razão, Bob, eu devia tê-la convidado. Vou convidá-la agora. Acha que seria descortês... assim tão em cima da hora?

— Não creio que ela seja uma dama que se ofenda facilmente.

— E ela não se sentiria um pouco acanhada ou *de trop*, em meio a velhos amigos como nós e os outros?

— Biddy querida, você é uma anfitriã excelente e jamais deixaria que semelhante coisa acontecesse. Por outro lado, não consigo imaginar a srta. Lang intimidada por alguma coisa. Ela parece ter passado a vida organizando conferências internacionais, comparecendo à Liga das Nações e trabalhando nas embaixadas de Paris e Washington. Não a concebo de língua presa, no convívio com uns poucos bucólicos devonianos.

— E a vi outro dia. Devia tê-la convidado logo, mas foi no Auditório da Escola, quando estávamos todos recebendo nossas máscaras contra gases. De qualquer modo, ela se achava em uma fila diferente, e aquele dificilmente seria o momento mais adequado para formalizar compromissos sociais.

— Pois então, ligue agora para ela.

Biddy entrou para dar o telefonema, e voltou com a informação de que a srta. Lang ficara deliciada com o convite, não se importando em absoluto por ter sido feito tão em cima da hora, e que estaria em Upper Bickley às seis e meia.

Bob pegou a mão de Biddy e nela depositou um beijo.

— Muito bem feito — disse.

Depois acrescentou que começava a sentir fome, de modo que Biddy voltou para a cozinha, pôs o avental e serviu o cozido irlandês.

A srta. Lang chegou um pouco atrasada. Os Thornton e os Barkin já estavam presentes, tinham recebido seus drinques, acendido seus cigarros e se deixavam levar pela conversa fácil de amigos íntimos que se conheciam de muito tempo. Após um momento, Judith conseguiu esgueirar-se para a cozinha, onde um tabuleiro de *vol-au-vents* de galinha era aquecido no forno, mas evidentemente fora esquecido por Biddy. Estavam apenas um pouquinho tostados demais. Em pé junto à mesa, ela os arrumava em um prato azul e branco quando, pela janela da cozinha, avistou o carrinho verde que cruzava o portão e estacionava diante da porta da frente.

Abandonando os *vol-au-vents*, Judith foi receber a última convidada. Encontrou na soleira uma senhora esbelta, de cabelos brancos, perfeitamente trajada com uma saia cinzenta de flanela e um cardigan de *cashmere* cor de clarete, sem luxo, mas muito elegante.

— Srta. Lang...

— Estou atrasada.

— Não importa nem um pouquinho.

— Alguém telefonou, justamente quando eu ia saindo. Não é como sempre acontece? — Ela tinha límpidos olhos cinzentos, vivos e inteligentes. Judith pensou que assim seria a aparência da srta. Catto, dentro de mais vinte anos. — E agora, quem é você?

— Sou Judith Dunbar, sobrinha de Biddy.

— Oh, claro, ela me falou sobre você. Que prazer conhecê-la! Está passando dias aqui?

— Sim, durante algum tempo. Por favor, entre. — No vestíbulo, ela fez uma pausa. O grupo, imerso em franca conversa, era claramente audível, pela porta aberta da sala de estar. — Na verdade, no momento estou às voltas com um tabuleiro de *vol-au-vents* que passaram um pouquinho do ponto...

A srta. Lang sorriu compreensivamente.

— Não precisa dizer mais nada. Tenho certeza de que estarão deliciosos. E posso cuidar de mim mesma.

Após falar, ela seguiu pelo corredor e entrou na sala de estar. Judith pôde ouvir Biddy:

— Oh, aqui está a srta. Lang! Que prazer tê-la conosco...

Retornando à cozinha, Judith respirou aliviada ao constatar que os *vol-au-vents* permaneciam intocados, porque era grande a possibilidade de Morag farejá-los, aparecer para investigar e devorar tudo. Arrumou-os no prato de maneira decorativa e depois o levou para a sala de estar.

O espaço não era muito, e oito pessoas ali dentro pareciam uma multidão. Com a chegada da srta. Lang todos tinham se levantado para as apresentações, em seguida tornando a acomodar-se e reiniciando a conversa. Judith passou o prato de *vol-au-vents* em torno. A reunião prosseguiu.

Mais tarde, quando estava sentada no banco-janela com Emily Thornton e Biddy, ouvindo com certo divertimento o último escândalo do clube de tênis, a srta. Lang veio juntar-se a elas. Olhando através da janela para o jardim e o gramado verdejante, através do qual as sombras da noite adensavam-se, ela disse não saber que Biddy cultivava rosas tão esplêndidas.

Biddy era extremamente franca em relação aos seus êxitos de horticultura.

— É devido a uma forte carga de estrume de cavalos — explicou. — Tenho acesso a um suprimento ilimitado.

— Eu poderia ir até lá para vê-las? Suas rosas são francamente excepcionais...

— Nem precisaria pedir. Judith a acompanhará... Você não se importa, não é, meu bem?

— Em absoluto. Apenas não sei todos os nomes...

A srta. Lang riu.

— Isso quase dá a impressão de que eu esperava ser apresentada...

Ela largou seu cálice de *sherry*, e Judith a levou da sala, deixando Biddy e Emily Thornton comentando alegremente algum mexerico ainda mais candente do clube de tênis. Cruzaram a porta envidraçada que dava para o jardim da frente. Ainda estavam ali as cadeiras de jardim em que tinham se sentado na hora do almoço, com uma cachorra que abanava a cauda no gramado.

— Que noite simplesmente adorável — observou a srta. Lang. —

E que vista a sra. Somerville tem daqui! Eu não imaginava a extensão do panorama que se vê aqui do alto. Minha casa fica bem na rua principal, de maneira que não há nenhuma vista, mas quando me aposentei, achei melhor ficar perto dos vizinhos e lojas. Assim, quando ficar realmente decrépita, sem poder mais dirigir, posso continuar independente. — As duas caminharam vagarosamente pelo gramado.

— Agora, fale-me de você. É a sobrinha que está de partida para Cingapura, não? Oh, esta rosa é maravilhosa, e sei o seu nome. Ena Harkness. Que tamanho! — Ela parou para aspirar o perfume da flor aveludada. — E a fragrância que desprende é o verdadeiro paraíso! Quando é que viaja?

— Estou pretendendo partir em outubro.

— Há quanto tempo não vê seus pais?

— Quatro anos.

— É muito tempo. E uma separação demasiado cruel. Quantos anos tem?

— Dezoito.

— Já terminou o colégio, naturalmente.

— Sim, este verão.

— E quanto à universidade?

— Ainda não tive os resultados.

— Oh, a espera! É terrível, lembro-me muito bem. Quanto tempo espera ficar em Cingapura?

— Cerca de um ano. Se passar nas provas para a universidade, pretendo ir para Oxford. Então, terei de voltar para estudar.

— Oh, mas isso é maravilhoso... Creio que alguns dos meus anos mais felizes foram os da universidade. — Ela não apenas parecia com a srta. Catto, também falava como ela. — E os idiomas! Você deve estudar alguns. Já tem o francês, naturalmente. Que tal alemão?

— Nunca estudei alemão.

— E latim?

— Não sou muito boa em latim.

— É uma pena. Com o latim, já ficamos a meio caminho para o italiano e o espanhol. Hum, aqui está uma rosa cujo nome eu não sei.

— Nem eu.

— Então, precisamos perguntar à sra. Somerville.

— Duvido que ela saiba... Biddy não tem muita queda para jardinagem.

— Nesse caso, terei de informar-me em outra parte. E nestes quatro anos, enquanto seus pais estavam no estrangeiro, o que andou fazendo de si mesma? A quem procurava nos dias de festa e nas férias...?

Ela parecia tão interessada e ao mesmo tempo tão claramente sem curiosidade, que Judith se sentiu à vontade para falar dos Carey-Lewis e de Nancherrow de uma forma um tanto objetiva, impessoalmente, como se aquele fosse um período em sua vida que já passara, não deixando traços. Isso era estranho, porque não conseguia falar a respeito com Biddy ou Bob, sem que a infelicidade de seu envolvimento com Edward voltasse a causar-lhe sofrimento, e sentindo o terrível nó que se avolumava em sua garganta. Ela falou sobre tia Louise e Loveday, sobre a resultante generosidade de Diana e Edgar Carey-Lewis. A srta. Lang ouvia com a mais profunda atenção.

— Como as pessoas são bondosas — observou ela. — Às vezes esquecemos sua ilimitada generosidade. Não vou dizer que você teve sorte, porque odeio essa palavra. Dá a impressão de que se ganhou o prêmio máximo em alguma espécie de competição, para a qual não era requerida qualquer aptidão. Entretanto, fico muito satisfeita por você, já que essa situação deve ter-lhe proporcionado uma vida tranqüila, muito diferente.

— Sempre havia Biddy, é claro. Eu sempre soube que podia contar com ela.

— Entretanto, com seus novos amigos, você foi claramente um membro da família.

Tinham chegado ao final da plantação de roseiras. "Salpicos Amarelos" foi a última. Após tê-la admirado, a srta. Lang fez uma pausa e se virou para Judith.

— Gostei muito de conversar com você — disse. — Espero tornar a vê-la.

— É o que também espero, srta. Lang.

A srta. Lang hesitou.

— Ainda não falei com a sra. Somerville, mas gostaria que todos me chamassem de Hester. É o meu nome. Agora estou morando aqui. E já fui srta. Lang por tempo demais. Creio já ser chegada a hora de mudar a minha imagem.

Hester. Judith evocou aquele dia tão distante, quando Diana Carey-Lewis lhe dissera praticamente a mesma coisa. Então, ela, Loveday e Diana tinham entrado para o Bentley de capota arriada e todas haviam gritado "Diana" para o vento.

— De fato, eu gostaria de chamá-la de Hester — disse.

— Então, está combinado. Bem, os mosquitos estão começando a picar. Acho que é hora de nos juntarmos aos outros.

O panorama era imenso, visto de Haytor: uma extensão de Dartmoor, com aldeias pequeninas como brinquedos espalhados sobre um tapete, vales, rios e campos. E, na distância, de Teignmouth até Star Point, o mar prateado e cintilante. Judith e Bob Somerville, com Morag trotando em seus calcanhares, tinham escalado os oito quilômetros de uma trilha na charneca. Quando finalmente atingiram seu objetivo, pararam para recuperar o fôlego e sentaram-se em uma relvosa concavidade, ao abrigo de um providencial pedregulho. Biddy não viera com eles. Contrariamente a seus hábitos, preferira ir à igreja. O almoço, assegurou a eles, era uma festa móvel. Não precisavam apressar-se em voltar. Que demorassem no passeio o quanto quisessem.

Judith e Bob ficaram sentados, em amistoso silêncio. Ainda era cedo, e a quietude se enchia com pequenos sons rurais. O balido de uma ovelha, um cão latindo, um carro rodando em algum lugar e subindo uma ladeira. Enquanto caminhavam, eles tinham ouvido sinos badalando em pequenas torres atarracadas de igrejas, porém agora os toques haviam cessado. Uma brisa se movia, agitando as sarças de leve.

Judith arrancou um talo de relva e começou a riscá-lo com a unha do polegar.

— Tio Bob — disse. — Acha que poderíamos falar?

Ele havia apanhado seu cachimbo, o saquinho de fumo, e estava ocupado em encher o fornilho, pressionando o tabaco em seu interior.

— É claro. Você sempre pode falar comigo.

— É sobre uma coisa um tanto difícil.

— Seria sobre o jovem Carey-Lewis?

Ela virou a cabeça para fitá-lo. Ele acendia o cachimbo com um fósforo. A chama morreu, o fumo tinha um cheiro adocicado e a fumaça subiu em uma bela pluma cinzenta.

— Biddy lhe contou.

— É claro que me contou. — Ele tornou a guardar a caixa de fósforos *Swan Vestas* no bolso de seu velho paletó de *tweed*, uma peça de roupa tão usada, que em certas partes parecia ser de barbante frouxamente tecido. — Ela me conta tudo. Você sabia que Biddy me contaria. Sinto muito. Amor não correspondido não é um estado feliz.

— Não se trata de Edward. É sobre Cingapura.

— O que há sobre Cingapura?

— Acho que não vou poder ir. Estou pensando nisso há séculos, mas não comentei com ninguém. É horrível, porque pareço estar sendo puxada para duas direções. Em uma direção, sinto a vontade mais tremenda de ir, quero ver papai, mamãe e Jess novamente, acima de tudo o mais. Levei anos esperando, ansiava por isso a cada minuto, todos os dias. Contei os meses e os dias. E sei que com mamãe deve ter sido a mesma coisa. Em suas cartas, ela diz, só falta um ano. E então, só faltam seis meses. Depois, só mais três meses. E ela tem um quarto pronto à minha espera, planejou todos os tipos de surpresas adoráveis, como uma grande festa para receber-me, ir a Penang passar férias... E já reservei minha passagem e tudo, não há nada que me impeça de partir...

Ela parou de falar. Bob esperou. Depois perguntou:

— E a outra direção?

Judith respirou fundo.

— É a guerra. Todos serão envolvidos por ela. Todos a quem amo de verdade. Você e Ned, todos os meus amigos... Jeremy Wells e Joe Warren, talvez até Heather também. E Athena Carey-Lewis e Rupert Rycroft... Acho que ela provavelmente casará com ele, que está na Guarda dos Dragões Reais. E Gus Callender, o amigo de Edward. E Loveday. E Edward. Sei que, se for para Cingapura, estarei me sentindo como um rato abandonando o navio que afunda. Quero dizer, é claro que não vamos afundar, porém isso não impede que me sinta assim. Na semana passada, eu e Biddy recebemos máscaras contra gases e as estocamos juntamente com parafina e velas, fizemos todas as cortinas para *black-out*, mas, enquanto isso, tudo que minha mãe faz em Cingapura é ter bandos de empregados, freqüentar o clube, arrumar-se para jogar tênis e comparecer a jantares. Eu teria de ir também a esses lugares, e isso seria tremendamente excitante, um comportamento de adulto, porém sei que a consciência ficaria me acusando, em todos os momentos do dia. Não é como se houvesse a mais remota probabilidade da guerra afetá-los em qualquer sentido, como na Grande Guerra. Para mim, contudo, seria o mesmo que fugir, que esconder-me e deixar que os outros fizessem todo o trabalho sujo. Lutar na guerra, quero dizer.

Ela se calou, parecendo mais ou menos por falta de palavras. Bob não fez nenhum comentário imediato. Depois de um momento, disse:

— Entendo seu ponto de vista, mas lamento por seus pais, principalmente por sua mãe.

— Aí é que está o pior. Se não fosse por ela, eu nem ao menos estaria *pensando* em ir para Cingapura.

— Que idade você tem?

— Dezoito anos. Farei dezenove no próximo verão.

— E ficaria um ano em Cingapura, depois voltando para cá.

— Não quero arriscar-me. Pode acontecer qualquer coisa. Talvez nem haja um navio. Eu poderia nunca mais voltar. Poderia ficar presa lá durante anos.

— E quanto à Universidade? Oxford. Pensei que fosse o passo seguinte.

— Não durante um ano. E ainda não tive os resultados do exame de matemática. Entretanto, sinto que Oxford pode esperar. Não é tão imperativo quanto realmente *permanecer* na Inglaterra. Talvez eu *consiga* ir para a universidade, mas, de fato, o importante, no momento presente, é que eu não quero fugir. Escapar. Não estar aqui para fazer algo útil, para partilhar das coisas terríveis que estão na iminência de ocorrer.

Com o cachimbo queimando tranqüilamente, tio Bob inclinou-se para trás, recostando seus ombros envoltos em *tweed* contra o granito coberto de liquens.

— Então, o que quer que eu lhe diga?

— Esperei que pudesse ajudar-me a decidir.

— Não posso fazer isso. Você mesma é que tem de tomar sua decisão.

— É muito difícil.

— Eu lhe direi apenas duas coisas. Se for ao encontro de seus pais, tenho certeza de que ninguém pensará o pior a seu respeito ou fará com que se sinta envergonhada. Vocês estiveram separados por tempo demais e, após todos estes anos vivendo entregue a si mesma, creio que você merece divertir-se um pouco. E se não viajar... precisa compreender que a situação vai ser dura. De qualquer modo, a vida é sua. É responsável apenas por si mesma.

— Se eu ficar na Inglaterra, acharia que estou sendo cruel e egoísta?

— Não. Acharia que você estará demonstrando um ilimitado patriotismo, além de total desprendimento. Também me sentiria muito orgulhoso de você.

Patriotismo. Aí estava uma palavra singular, não freqüentemente pronunciada em voz alta, e abrangendo uma emoção ainda mais profunda do que a lealdade e a afeição pelos amigos. Judith recordou a canção que as garotas do Santa Úrsula cantavam no Dia do Império, no aniversário do Rei ou em outras ocasiões adequadas. Suas palavras, uma paráfrase de Shakespeare:

Este real trono de reis, este cetro de ilha,
Esta terra de Majestade, este assento de Marte,
Esta fortaleza, pela natureza erguida
Contra a infecção e contra a mão de guerras.

Eu sentiria muito orgulho de você. Talvez fosse tudo de que ela necessitava. Disse então:

— Acho que vou ficar. Telefonarei para a companhia de navegação cancelando minha passagem, e depois escreverei a mamãe. Ela sofrerá muito com esta decisão, mas terá de compreender.

— Acho melhor enviar primeiro um cabograma para ela. Com SEGUE CARTA no final. Depois que fizer isso, depois que queimar seus navios, você poderá escrever uma carta realmente boa e contará para ela tudo o que acabou de me dizer. Na Marinha Real, damos a isto o nome de "motivos por escrito".

— Sim. Sim, tem toda razão. É o que vou fazer. Imediatamente. Assim que voltarmos para casa. Oh, que alívio não ter de ficar angustiada mais tempo por causa disto! Você é um doce, tio Bob.

— Só espero que não lamente a decisão.

— Sei que não vou lamentá-la. Já me sinto muito melhor. E se isto resultar em uma boa confusão, posso contar com o seu apoio, não?

— Serei a sua defesa alternativa. E agora que está tudo decidido, o que pretende fazer de sua vida? Já chegou a pensar nisso?

— Sim. O que eu gostaria de fazer seria juntar-me a um dos serviços, porém isto não adiantaria grande coisa, a menos que tivesse alguma espécie de qualificação. Caso contrário, terminaria limpando armas, atando cordéis de um balão de barragem ou cozinhando imensas refeições elementares. Heather Warren, a minha amiga de Porthkerris, vai aprender taquigrafia e datilografia. Pensei em aprender com ela. Taquigrafia e datilografia não são muita coisa, mas, pelo menos, funcionam como uma espécie de qualificação. Pensei também em voltar para Porthkerris e morar lá; talvez a sra. Warren me aceitasse como pensionista. Sei que ela aceitaria, é uma pessoa muito hospitaleira. Já fiquei lá inúmeras vezes e, se Joe for convocado, eu poderia ficar com o quarto dele.

— Porthkerris?

— Sim.

— Por que não Nancherrow?

— Não. E não apenas por causa de Edward, mas por achar que já vivi tempo demais com os Carey-Lewis. Preciso começar a firmar-me em meus próprios pés. Por outro lado, Nancherrow fica a quilômetros de qualquer lugar; se eu fosse tentar aprender alguma coisa, a distância seria um tremendo inconveniente.

— Você quer *mesmo* retornar à Cornualha?

— Na realidade, não. Acho que talvez precise ficar mais algum tempo longe de tudo aquilo. No momento, ainda não me sinto no total controle de mim mesma.

— Então, por que não ficar aqui? Com Biddy?

— Não posso fazer isso. Indefinidamente.

— Não indefinidamente, mas por enquanto. Eu gostaria que você ficasse. Aliás, estou pedindo que fique.

Judith olhou para ele com certa surpresa. Viu o sólido perfil do tio, sério, com as sobrancelhas espessas, o cachimbo projetando-se da boca. Também viu os cabelos ficando grisalhos, as linhas fundas que corriam do nariz para o queixo e, no mesmo instante, pôde imaginar como ele ficaria quando fosse muito velho. Perguntou, suavemente:

— Por que quer que eu fique?

— Quero que faça companhia a Biddy.

— Ela tem dúzias de amigas.

— Ela sente falta de Ned, e só Deus sabe o que irá acontecer comigo. Biddy gosta de ter você por perto. Uma seria capaz de manter a outra em ordem.

— Bem, mas eu devo fazer *alguma coisa*. Quero realmente aprender taquigrafia e datilografia!

— Poderá aprender, estando aqui. Teria aulas em Exeter ou Plymouth.

— E como me movimentaria? Você mesmo disse que a primeira coisa a ser racionada será a gasolina. Eu não poderia usar meu carro, e só há um ônibus diário saindo daqui...

Tio Bob começou a rir.

— Você pensa em todos os detalhes, hein? Daria um excelente suboficial escriturário. — Endireitando o corpo, ele se inclinou para diante, a fim de bater o cachimbo na ponta do sapato. — Por que não tomamos uma coisa de cada vez? Prometo descobrir algo. Não iria deixá-la de mãos abanando, sem ter o que fazer. Apenas fique com Biddy por enquanto.

De repente, Judith sentiu-se tomada de amor por ele.

— Está bem — respondeu e, inclinando-se, beijou-lhe a face castigada pelo tempo.

Ele a abraçou de leve. Morag, que estivera deitada nas urzes a pouca distância deles, veio descobrir o que estariam pretendendo. Tio Bob deu-lhe uma palmada macia no flanco espessamente peludo.

— Muito bem, garotinha preguiçosa — disse à cadela. — Estamos voltando para casa!

Eram quase duas e meia da tarde quando eles chegaram, famintos, sedentos e inteiramente exercitados. Tinha sido uma esplêndida caminhada. Aproximaram-se de Upper Bickley através da charneca e, lá chegando, escalaram o muro de pedras na cabeceira do padoque, depois descendo pela relva espessa em direção à casa. Mais espevitada do que nunca, Morag pulou o muro como um cavalo saltador e disparou à frente deles, direta para onde sabia estar sua tigela de água, ao lado da porta dos fundos.

Judith e tio Bob preferiram um passo mais lento. No final do padoque, fizeram uma pausa para inspecionar a projetada plantação de batatas de Bill Dagg. A área havia sido perfeitamente isolada, demarcada com barbante, e cerca de um quarto já fora revolvido, após retiradas a relva e as ervas daninhas. A terra resultante era escura e argilosa. Judith agachou-se e apanhou um punhado; tinha um cheiro adocicado e úmido, e ela a deixou escorregar por entre os dedos.

— Aposto como aqui crescerão as melhores batatas do mundo — disse.

— Já revolvi terra uma vez. Um trabalho que não deixou saudades. Antes Bill Dagg do que... — Interrompendo-se, Bob virou a cabeça para ouvir. Judith também ouviu o ruído. Era de um carro, fazendo a curva lentamente, a fim de subir a ladeira. Bob franziu o cenho. — Ora, quem poderia ser, vindo até nós?

Os dois ficaram parados, lado a lado, esperando, os olhos fixos no portão aberto. O som do motor soou mais próximo, e então o carro surgiu na estrada, manobrando para a entrada de Upper Bickley. Pneus rodando no cascalho. Um carro escuro, do Estado-maior da Marinha, com um oficial ao volante.

— Maldição! — exclamou Bob, em voz quase inaudível.

— Quem é?

— Meu oficial de comunicações.

O carro parou, e dele saiu um jovem em uniforme de tenente. Bob foi ao seu encontro, caminhando em largas passadas à frente de Judith, depois baixando a cabeça alta por sob o varal de roupa lavada. Judith hesitou, limpou a palma suja de terra no fundilho das calças compridas e então, mais lentamente, começou a aproximar-se da casa. O tenente adiantou-se e perfilou-se, batendo continência.

— Capitão Somerville, senhor.

— Whitaker. O que está fazendo aqui?

— Um comunicado, senhor. Chegou há cerca de uma hora. Vim em seguida, senhor. Achei melhor entregá-lo pessoalmente.

— Em um carro do Estado-maior?

— Creio que irá precisar de transporte, senhor.

O comunicado foi entregue. Em pé, com seus sapatos empoeirados e seu velho paletó de *tweed*, os cabelos despenteados, Bob Somerville leu a mensagem. Judith perscrutava-lhe o rosto ansiosamente, mas a expressão dele nada revelou. Após um instante, ele ergueu a cabeça.

— Sim — disse para o tenente Whitaker. — Foi melhor ter entregue pessoalmente. Bem pensado. Obrigado. — Ele olhou para o relógio de pulso. — Precisarei de quinze minutos. Tenho que falar com minha esposa, comer um sanduíche ou qualquer coisa e fazer a mala.

— Perfeitamente, senhor.

Bob deu meia-volta para entrar em casa, mas no último momento lembrou-se de Judith, ainda ali parada e sem saber o que fazer.

— Oh, Whitaker, esta é minha sobrinha, Judith Dunbar. É melhor fornecer-lhe os detalhes. E, se for gentil, ela talvez lhe prepare uma xícara de chá.

— Penso que conseguirei sobreviver. Muito obrigado, senhor.

— Quinze minutos.

— Ficarei esperando, senhor.

Bob entrou em casa. A porta foi explicitamente fechada atrás dele, e Judith soube que, naquele exato momento, ele não queria ninguém por perto, mas apenas estar sozinho com Biddy. Terrivelmente apreensiva, ela começou a pensar em uma invasão iminente, algum desastre no mar ou más notícias sobre Ned.

— O que está acontecendo?

— O Comandante-em-chefe da Frota Metropolitana solicitou ao capitão Somerville que se junte ao seu Estado-maior. (Já era um alívio; não tinha acontecido nenhuma das coisas horríveis que temera.) Imediatamente. Com toda a conveniente rapidez. Daí o motivo de eu ter trazido um carro do Estado-maior.

— Onde está a Frota Metropolitana?

— Em Scapa Flow.

— Não está pretendendo levá-lo *de carro* a Scapa Flow, está?

O tenente Whitaker riu, e imediatamente pareceu muito mais humano.

— Não. Penso que o capitão Somerville provavelmente viajará em um avião militar.

— Ned está baseado em Scapa Flow.

— Eu sei.

— É tudo tão repentino... — Ela encontrou os olhos do tenente, percebeu a solidariedade dele e tentou sorrir. — Suponho que tudo começará a ser assim...

Após isso, o tenente Whitaker esqueceu que era um oficial, para tornar-se um rapaz absolutamente simpático e amistoso.

— Ouça — disse ele — por que não nos sentamos em algum lugar e fumamos um cigarro?

— Eu não fumo.

— Bem, eu poderia saborear um.

Assim, eles foram sentar-se nos degraus de pedra que levavam ao gramado onde as roupas lavadas secavam. Morag se juntou aos dois, estava um calor agradável sob o sol, Whitaker fumou seu cigarro e perguntou o que Judith e o capitão Somerville tinham estado fazendo. Ela lhe falou sobre a caminhada até Haytor e sobre o panorama descortinado do alto do morro; disse que por ora ficaria em Upper Bickley com Biddy e, enquanto dizia isso, percebeu que agora tio Bob não teria tempo nem oportunidade para fazer planos a respeito do seu futuro. Então, ela mesma é que teria de resolver esta parte.

Bob reapareceu exatamente quinze minutos depois, com Biddy ao seu lado. Desfazendo-se do cigarro, o tenente Whitaker pôs-se elegantemente de pé e foi cumprimentar Biddy apertando-lhe a mão. Ela parecia algo perturbada, porém já estava casada com a Marinha Real por muito tempo, desta maneira tendo aprendido a ser corajosa e filosófica ao mesmo tempo, no tocante a despedidas precipitadas. Quanto a tio Bob, mais uma vez voltara a encarnar seu outro eu. Novamente uniformizado, com o conrole nas mãos, parecia diferente e bem-disposto, não um estranho, mas de certo modo distanciado, como que já destacado delas, para ser absorvido por sua real vida profissional.

O tenente Whitaker aliviou-o de sua bagagem e foi colocá-la no banco traseiro do carro. Tio Bob se virou para abraçar a esposa.

— Adeus, minha querida.

Os dois beijaram-se.

— Procure ver Ned. Abrace-o por mim.

— É claro.

Chegou a vez de Judith.

— Adeus.

— Adeus, tio Bob.

Abraçaram-se.

— Cuide-se bem — ele lhe disse, e Judith sorriu, dizendo que assim o faria.

O tenente Whitaker esperava, segurando a porta aberta do carro para Bob. Este deslizou para o assento do passageiro, a porta foi fechada de golpe, e então o tenente deu a volta pela frente do veículo, a fim de sentar-se ao volante.

— Adeus!

O carro cruzou o portão. Bob Somerville se fora. Biddy e Judith, acenando, pararam de acenar. Ficaram ouvindo, até deixarem de perceber o ruído do motor, e então entreolharam-se.

— Você está bem? — perguntou Judith.

— Não. Totalmente em pedaços — respondeu Biddy, mas conseguiu dar uma risada estranha. — A Marinha às vezes me deixa com vontade de cuspir. Pobre homem! Entrando e saindo como uma fumaça, sem nada para sustentá-lo além de um sanduíche de carne. Curioso, mas meu queridinho estava eufórico. Ser alvo de semelhante honra! Que indicação prestigiada! De fato, fiquei satisfeita por ele. Apenas não gostaria que tivesse acontecido tão depressa, e que Scapa Flow não ficasse lá na outra extremidade do país. Perguntei sobre juntar-me a ele, mas respondeu que era um assunto fora de questão. Assim, vou ter de ficar chocando aqui mesmo. — Ela olhou para Judith. — Bob me contou que você pretende passar algum tempo comigo.

— Está bem para você?

— Sei que pareço uma tola, mas, neste momento, eu simplesmente não suportaria perder vocês dois. É maravilhoso pensar que você estará aqui, fazendo-me companhia. Oh, céus... — Ela sacudiu a cabeça, rejeitando a emoção. — É mesmo tolice minha, mas, de repente, sinto vontade de chorar...

— Venha — disse Judith, tomando-lhe o braço. — Vamos entrar, botar a chaleira no fogo e preparar uma xícara de chá bem forte.

Mais tarde, Judith sempre pensaria na tarde daquele domingo de agosto e na partida de tio Bob como o momento em que a guerra de fato começara. Os eventos da semana seguinte — a mobilização da Marinha Real, a convocação dos reservistas, a invasão da Polônia pela

Alemanha e o discurso do sr. Chamberlain declarando a guerra — quando vistos em retrospectiva tornaram-se simplesmente as formalidades finais, precedendo o primeiro turno do grande esforço moral que deveria continuar por quase seis anos.

Upper Bickley,
Sul de Devon

13 de setembro de 1939

Querida Diana

Sinto muito não ter escrito antes para você, porque tem sido grande a movimentação por aqui, de modo que acabei ficando sem tempo. Foi horrível deixar todos aí tão repentinamente, sem poder despedir-me de quem quer que fosse, mas sei que você compreendeu.

Aqui, Judith cruzou os dedos e transmitiu a última parte de sua continuada mentira.

Tia Biddy passou de fato muito mal, e fiquei satisfeita por ter podido vir. Ela agora está bem melhor e conseguiu superar a gripe pertinaz.

Dedos novamente descruzados.

Além do fato de finalmente a guerra ter começado (de certo modo chegando a ser um alívio, depois das terríveis duas últimas semanas), tenho montes de coisas para contar-lhe. A primeira delas é que resolvi não viajar para Cingapura. São vários os motivos para tal decisão e de explicação muito complexa, mas o principal deles é que me sentia incapaz de zarpar para o Extremo Oriente a fim de divertir-me, enquanto todos que aqui ficavam estariam preparando-se para a guerra. Sei perfei-

tamente que minha permanência na Inglaterra não fará a mínima diferença, porém eu me sentiria muitíssimo mal não estando aqui. O pior foi comunicar o fato aos meus pais. Em primeiro lugar, cancelei minha passagem, e depois passei um cabograma para eles. Recebi um de volta quase imediatamente (como conseguem ser tão rápidos?), páginas de súplicas procurando fazer-me mudar de idéia, porém sei que tio Bob me apóia e pude continuar firme em minha resolução. Escrevi uma longa carta para eles expondo todos os meus motivos, e espero que ambos possam perceber em que pé está a situação na Inglaterra, e como todos aqui se sentem, isto é, decididos a arregaçar as mangas e preparar-se para o que for de pior. Gostaria que você não me considerasse terrivelmente egoísta. Deve ser o que minha mãe pensa a meu respeito, porém o desapontamento é por demais depressivo, e o pior é saber quanto ela ansiava por estarmos todos juntos novamente e como, agora, acabei com suas esperanças.

Seja como for, aqui estou.

A outra novidade é que tio Bob foi transferido para Scapa Flow, a fim de assumir o posto de capitão-engenheiro no Estado-maior do Comandante-em-chefe da Frota Metropolitana. Como foi especialmente indicado e convidado, trata-se de uma convocação muitíssimo excitante, embora isso não signifique que deixaremos de sentir imensamente a sua falta. É claro que Biddy não poderá acompanhá-lo, de modo que terá de continuar aqui. Então, por enquanto, permanecerei com ela.

Espero que, e sem muita demora, ela se envolva com o trabalho da Cruz Vermelha ou algo assim, podendo ainda juntar-se ao Serviço Feminino Voluntário. No momento, porém, apenas manter tudo aqui em andamento já é tarefa mais do que suficiente. Sua cozinheira diarista, a sra. Lapford, está indo embora: vai cozinhar na cantina de uma fábrica perto de Exeter, alegando precisar dar a sua contribuição. A sra. Dagg, que faz a faxina, ficará mais algum tempo aqui. Casada com um trabalhador do campo, acha que sua prioridade número um é mantê-lo bem alimentado!

Quanto a mim, antes de tio Bob deixar-nos já havia decidido aprender taquigrafia e datilografia. Eu não conseguia imaginar onde ter as aulas (este é um lugar bastante precário), porém tudo se resolveu. Biddy tem uma amiga chamada Hester Lang, funcionária pública aposentada que veio morar em Bovey Tracey. Ela apareceu para jogar bridge uma destas tardes e, depois do jogo, enquanto tomava um drinque, conversamos e então falei sobre a taquigrafia e datilografia... e ela disse que me ensinaria! Sendo Hester uma pessoa muito eficiente, tenho certeza de que em pouco tempo estarei apta. Será como ter uma preceptora só para mim. Assim que entender a mecânica da coisa e adquirir suficiente velocidade na escrita, creio que poderei juntar-me aos serviços. Talvez ao Serviço Feminino da Marinha Real, não sei ainda. Se não por outro motivo, provavelmente pelo uniforme, que é lindo!

Espero que todos aí estejam bem. Sinto uma falta enorme de vocês. Mary fez todas as cortinas para black-out? Eu costurei as de Biddy, nisso gastando toda uma semana, e a casa é pequenininha, se comparada a Nancherrow. Detesto ter de deixá-la tão de repente, e peço que, por favor, dê lembranças minhas ao Coronel Carey-Lewis, a Mary, aos Nettlebed, a Loveday, a tia Lavinia, a todos, enfim.

Só mais uma coisa. Os resultados de meus exames para matrícula serão enviados para Nancherrow. Também é possível que a srta. Catto ligue para você e fale sobre eles. De qualquer modo, quando souber de algo, seja boazinha e conte para mim — ou, então, talvez Loveday possa dar-me um telefonema. Estou ansiosa por saber. Não que faça grande diferença. No momento presente, tenho a impressão de que nunca irei para a Universidade.

Todo o meu carinho, como sempre,

Judith.

A resposta a esta carta só chegou de Nancherrow duas semanas mais tarde. Caiu com estardalhaço através da caixa de correspondência e depois sobre o capacho da porta, juntamente com o resto do correio — um grande e grosso envelope, endereçado nos rabiscos infantis de Loveday que, juntamente com sua incorrigível ortografia, durante anos fora motivo de desespero para a srta. Catto. Judith ficou surpresa, porque nunca antes recebera uma carta de Loveday e muito menos imaginava que ela conseguisse escrever algo mais do que os bilhetes mais corriqueiros. Levando a carta para a sala de estar, enrodilhou-se em um canto do sofá e abriu o pesado envelope.

No interior estavam os resultados de suas provas e folhas do luxuoso papel de cartas de Nancherrow, dobrado em um naco satisfatório. Ela primeiro olhou para os resultados das provas, desdobrando o formulário oficial com uma cautela cheia de medo, como se o papel fosse explodir. De início mal acreditou no que leu, mas depois foi inundada de alívio, de excitamento e satisfação por uma verdadeira façanha. Se estivesse na companhia de alguém de sua idade, ela teria pulado em pé e dançado entusiasmadamente, mas uma semelhante exibição de si mesma parecia pura tolice e, por outro lado, Biddy tinha ido a Bovey Tracey fazer o cabelo. Assim, ela se contentou em ler os resultados mais uma vez, depois deixou-os de lado e mergulhou na comprida e enfadonha carta de Loveday.

Nancherrow

22 de setembro

Querida Judith,

Adoramos receber sua carta, que está em cima da secretária de mamãe, mas você sabe como ela é difícil se a questão é escrever cartas e, por causa disso, me pediu que lhe escrevesse. Posso garantir que é uma coisa que faço com prazer, além do que lá fora está chovendo horrores, portanto, não há muito mais que eu possa fazer.

Antes que lhe diga qualquer coisa, aqui vão os resultados de suas provas para a Universidade. O envelope chegou e eu simplesmente tive de abri-lo, mesmo sendo endereçado a você, e o li em voz alta durante o café da manhã para mamãe, papai e Mary, todos eles aplaudindo. Você é o máximo. Todos aqueles créditos e duas distinções! A srta. Catto deve ter dançado um fandango. Mesmo que você não vá para a Universidade, não importa, porque poderá emoldurar seu certificado, quando ele chegar, e pendurá-lo no banheiro ou em algum lugar apropriado.

Você faz bem em não ir para Cingapura. Não sei se eu agiria com tanta firmeza, por causa de todo o divertimento que irá perder. Espero que sua mãe a tenha perdoado, porque é terrível demais a gente cair no desagrado de alguém. E que notícias formidáveis sobre seu tio! Ele deve ser terrivelmente eficiente e inteligente para fazer um trabalho desses. Tive que procurar Scapa Flow no Atlas. Fica praticamente no Círculo Ártico. Só espero que ele tenha levado montes de roupas de baixo de lã.

Aqui, as coisas estão acontecendo. Pearson nos deixou e se juntou à Infantaria Ligeira do Duque de Cornualha. Janet e Nesta estão procurando decidir-se sobre o que irão fazer, embora não tenham sido convocadas nem nada assim. Janet acha que poderia ser enfermeira, mas Nesta prefere ir para algum lugar onde fabricar munições, porque nunca pensou em lidar com urinóis para doentes. Seja como for, acho que não vai demorar muito, as duas terão ido embora. Graças a Deus, os Nettlebed continuam como acessório permanente, estão velhos demais para lutar, e Hetty também ainda está aqui. Ela sonha ir para o exército e ficar em evidência, andando por aí de uniforme cáqui, mas tem apenas dezessete anos (jovem demais), e a sra. Nettlebed fica lhe dizendo que ela é simplória demais para andar solta no meio da soldadesca desavergonhada. Acho que a sra. Nettlebed está sendo impiedosa; acho que ela não quer é ter de esfregar as panelas em que cozinha.

Mary está fazendo cortinas para black-out. Costura o tempo todo sem parar, de modo que mamãe chamou a srta. Penberthy para ajudá-la. Ela mora em Saint Buryan. Vem todos os dias de bicicleta e costura, mas como tem um CC infernal, a gente precisa ficar com todas as janelas escancaradas. Ainda há alguns cômodos sem cortinas pretas, portanto, depois que escurece não podemos nem mesmo abrir a porta. Espero que a srta. Penberthy termine logo o que veio fazer aqui e vá embora.

Mamãe teve uma reunião da Cruz Vermelha na sala de estar, e papai tem colocado baldes d'água por todo canto, para a hipótese da casa ser incendiada. Ainda estou procurando acostumar-me com a idéia, mas tenho certeza de haver uma resposta em algum lugar. Está ficando mais frio. Quando o inverno chegar, vamos colocar protetores de poeira nos móveis da sala de estar e ficaremos usando a sala menor. Papai diz que precisamos conservar combustível e plantar montanhas de vegetais.

Agora, notícias dos Outros. Deixei isto para o fim, porque não quero esquecer ninguém.

Tia Lavinia vai muito bem, agora já sai um pouco da cama e fica sentada perto da lareira. É terrível para a coitada ter que passar por mais uma guerra. Primeiro, a Guerra dos Boers, depois a Grande Guerra, e agora esta. É guerra demais para uma única vida.

Depois que você partiu sentimos demais a sua falta, mas os outros também se foram bem depressa. Jeremy foi o primeiro, depois Rupert, que viajou logo para Edimburgo — entre tantos lugares! — e está em alguma parte chamada Quartel Redford. Todos os cavalos da cavalaria foram transferidos de Northampton para lá, imagino que em trens, porque seria longe, muito longe, para os queridinhos irem andando. Adiante há mais sobre Rupert.

Então, foi a vez de Edward e Gus. Edward está em alguma base de treinamento, mas não sabemos onde, porque o endereço dele é Em Algum Lugar da Inglaterra. Mamãe conseguiu uma espécie de número de posta-restante para ele, porém odeia não saber exatamente onde Edward está. Espero que ele esteja se divertindo como nunca, voando por aí e bebendo cerveja nas cantinas militares.

Gus foi para Aberdeen, porque é lá que fica o QG dos Gordon Highlanders. Foi simplesmente penoso despedir-me dele. Não chorei por nenhum dos outros, mas chorei por Gus.

É tão mesquinho a gente conhecer o único homem pelo qual poderia apaixonar-se um dia, para em seguida ele nos ser tomado por esse diabólico e velho Hitler! De noite chorei baldes de lágrimas na cama, porém agora já parei de chorar, porque recebi uma carta dele, que também já respondi. Além disso, tenho uma foto de Gus, tirada com minha máquina de retratos, e mandei ampliá-la. (Ficou um pouco borrada, mas está bem). Coloquei em uma moldura e agora a tenho ao lado de minha cama, podendo dizer boa-noite para ele todas as noites, e também bom-dia todas as manhãs. Aposto como ele fica maravilhosamente bem, vestido com seu kilt. Tentarei convencê-lo a mandar-me uma foto sua, vestido de escocês.

Agora, continuação da história de Rupert.

Três dias depois que ele partiu, Athena anunciou subitamente que também iria para Edimburgo e, tomando um trem, foi para lá. Não é o fim? Ela está morando no Hotel Caledonian. Disse que é enorme e horrivelmente vitoriano, que em Edimburgo faz um frio de doer, mas que isso não importa muito, porque de vez em quando pode ver Rupert. Se Athena não se incomoda de sentir frio, então deve estar apaixonada por ele.

Quanto a mim, vou ficando mesmo por aqui. Mamãe decidiu criar bandos de galinhas, e elas serão o meu trabalho para o esforço de guerra. Walter Mudge prometeu ensinar-me a dirigir um trator, para que eu possa ajudar nas plantações. Na verdade, não me importo muito com o que tiver de fazer, seja alimentar fornalhas ou limpar banheiros, desde que ninguém venha me dizer que preciso alistar-me, que serei convocada para prestar serviços ou qualquer coisa que me deixe apavorada.

O sr. Nettlebed acabou de aparecer para trazer a boa nova de que a gasolina vai ser racionada e que, como cidadãos honrados, nos comprometeremos a não encher latas de combustível e nem estocá-lo sigilosamente. Só Deus sabe como nos arranjaremos sobre alimentos, pois Penzance fica longe demais para ir-se de bicicleta até lá! Suponho que começaremos a abater o rebanho de Walter!

Estou ansiosa para tornar a vê-la. Volte logo, assim que

puder. Mary manda perguntar se quer que lhe remeta algumas roupas de inverno.

Muita, mas muita saudade mesmo,

Loveday

P.S. NOTÍCIA DE ÚLTIMA HORA! *Excitante demais! Faz alguns momentos, telefonaram de Edimburgo. Papai atendeu em seu estúdio. Athena e Rupert estão casados! Casaram-se lá, em um cartório de registro civil. O ordenança de Rupert e um motorista de táxi foram as testemunhas. Exatamente como Athena queria. Mamãe e papai estão divididos entre a felicidade e a raiva por terem perdido a cerimônia. Acho que os dois realmente gostam dele. Não sei dizer quando Athena voltará para nós. Talvez não seja muito divertido, casar-se e ficar morando sozinha no Hotel Caledonian.*

Judith dobrou a carta e tornou a colocá-la dentro do envelope, nele guardando também os resultados de suas provas. Era confortável ficar ali, enrodilhada no sofá, de modo que permaneceu na mesma posição, olhando através da janela e pensando em Nancherrow. Quase tinha a sensação de estar lá novamente. Pensou em Athena e Rupert casando-se em seu cartório de registro civil, na srta. Penberthy costurando cortinas pretas, em Gus vestindo seu *kilt* escocês, no coronel e seus baldes d'água, em Loveday criando galinhas. E em Edward. Aquartelado em algum lugar da Inglaterra. Treinando. Treinando para quê? Ele já obtivera seu brevê de piloto. Enfim, era uma pergunta idiota a fazer-se. Treinando para a guerra, naturalmente, treinando para mergulhar dos céus, disparar armas e abater bombardeiros inimigos. *Ele está se divertindo como nunca, voando por aí e bebendo cerveja.*

Desde aquele último domingo em Nancherrow não houvera qualquer comunicação entre eles, de modo que a carta de Loveday era a primeira notícia que Judith tinha dele. Não escrevera para Edward e nem telefonara, porque não conseguia pensar em alguma coisa para dizer-lhe que já não houvesse sido dita. Além disso, também envergonhava-se ao recordar sua própria ingenuidade e o choque mortal que recebera com a rejeição de Edward. Ele tampouco lhe escrevera ou telefonara, porém ela dificilmente esperaria por isso. Edward havia sido constante e compreensivo durante muito tempo, e a paciência de homem algum pode durar para sempre. Aquela deserção final, fugindo de Nancherrow em seu carro sem ao menos esperar para despedir-se, provavelmente tinha sido a exasperação definitiva. E não havia qualquer motivo, qualquer necessidade de Edward partir à sua procura. A glamourosa vida dele sempre estaria cheia de mulheres encantadoras, apenas esperando, fazendo fila para lhe saltarem ao colo.

Entretanto, continuava sendo impossível recordá-lo desapaixonadamente. O jeito dele, o som de sua voz, seu riso e aquela mecha de cabelo sempre caindo na testa, a todo momento eram expulsos de sua cabeça. Como tudo o mais que, sobre ele, sempre a enchera de felicidade.

Desde sua chegada a Devon, ela se esforçara ao máximo para não entregar-se a devaneios: que ouvia um carro subindo a ladeira e era Edward vindo buscá-la, porque não podia viver sem ela. Tais fantasias eram mais adequadas a crianças, eram contos de fadas com finais felizes, e agora — em todo e qualquer sentido — ela deixara de ser criança. Entretanto, era impossível impedir que ele invadisse seus sonhos à noite, e nesses sonhos havia um lugar a que chegava e onde se sentia consumida por beatífico prazer, pois sabia que Edward estaria lá também; ele estava a caminho, estava... chegando... Então, acordava inundada de felicidade, somente para ter essa felicidade consumida pela luz fria da manhã.

Tudo acabara. Agora, no entanto, lembrar-se dele nem mesmo a deixava mais com vontade de chorar, de modo que talvez as coisas estivessem ficando um pouco melhor. Claro que podiam ser piores, mas tinha sido aprovada nos exames e, durante algum tempo, tais confortos práticos lhe dariam forças para seguir em frente. *A confiança em si é tudo*, pregava a srta. Catto e, após tudo dito e feito, duas distinções dificilmente deixariam de agir como revigorantes morais. Ela ouviu uma porta bater, depois a voz de Biddy, que voltava para casa, com sua ondulação permanente. Judith forçou-se a deixar o sofá e foi ao encontro da tia, a fim de contar-lhe as novidades.

O fim de setembro aproximava-se, quando finalmente começaram as aulas de taquigrafia e datilografia com Hester Lang, uma vez que Hester tinha alguns preparativos a fazer. Ela era proprietária de uma impressionante máquina de escrever — na verdade, não portátil como a de tio Bob — mas que precisava ser limpa e lubrificada em uma loja de Exeter, além de receber uma fita nova e um anteparo, a fim de que Judith ficasse impedida de olhar de soslaio para o teclado. Ela também comprou dois manuais, porque já fazia algum tempo que aprendera a teoria sobre as duas matérias, agora precisando atualizar-se um pouco. Por fim, Hester telefonou e disse que estava pronta para começar.

No dia seguinte, Judith desceu a colina a apresentou-se à porta da frente da casa de Hester. Com uma coisa e outra, a sensação era mais ou menos de voltar ao colégio para o período letivo do Natal; o outono estava no ar e as folhas começavam a ficar douradas. Os dias encurtavam-se e, a cada noite, o ritual de fazer o *black-out* — puxar as cortinas pretas sobre as janelas, a fim de que nem um só raio de luz se filtrasse para o exterior — chegava um pouco mais cedo... e em breve estariam tomando o chá das quatro e meia com as cortinas totalmente fechadas. Judith sentia falta dos longos crepúsculos, contemplados de dentro de casa. Era claustrofóbico, ficar trancada lá dentro, com luz elétrica.

Agora, contudo, às nove da manhã, o dia era tonificante e límpido, ela podia sentir o cheiro da fumaça da fogueira de algum jardineiro, queimando uma pira de restos. No correr da semana, ela e Biddy tinham colhido quilos de amoras silvestres nas sebes de árvores nos campos do fazendeiro local, e ele lhes prometera uma carga de troncos, os ramos de um velho olmo derrubado pelas tormentas do último inverno. Bill Dagg os traria para Upper Bickley em um vagão puxado por trator e os galhos seriam estocados, como turfa, contra a parede da garagem. Queimar madeira ajudaria na preservação do estoque de carvão porque, do jeito como iam as coisas, não havia certeza de novos suprimentos.

A casa de Hester era de pedra cinzenta, com dois pavimentos, sendo uma das que formavam uma pequena fila de prédios geminados, de maneira que tinha um vizinho a cada lado. As casas pareciam um pouco sombrias, com portas de entrada pretas ou marrons, a tinta já descascando, e cortinas rendadas que emolduravam aspidistras em vasos verde-ervilha. A porta de Hester, no entanto, era amarelo-manteiga, ao passo que suas reluzentes janelas velavam-se em cortinas de tecido, alvas como neve. Além disso, ao longo do velho capacho de limpar sapatos, ela plantara uma clematite que já cobria um bom pedaço da fachada da casa. Tudo isso contribuía para dar a impressão de que a pequena fila de casas pairava acima do mundo.

Judith apertou a cigarra, e Hester veio abrir a porta, mostrando a aparência imaculada de sempre.

— Oh, aí está você! Imaginei que viesse com uma mochila escolar... Que manhã celestial! Estou acabando de fazer café.

Judith podia sentir seu cheiro fresco e convidativo.

— E eu acabei de fazer o *breakfast* — disse.

— Então, tome mais uma xícara. Faça-me companhia. Não precisamos começar a trabalhar imediatamente. Bem, você nunca esteve em minha casa, não é mesmo? A sala de estar é por ali; fique à vontade, que em um momento estarei com você.

A porta estava aberta. Além dela, Judith encontrou-se em um comprido aposento que se estendia da frente da casa até os fundos, porque uma parede divisória entre os dois pequenos aposentos originais tinha sido removida. Tal providência tornava tudo espaçoso e muito claro. Além disso, os móveis e a decoração tinham um estilo simples e moderno ao mesmo tempo, em tudo diferente do que ela havia imaginado ou esperava ver. Decidiu que via à sua frente algo semelhante a um estúdio. As paredes eram brancas, o acarpetado bege e as cortinas de linho rústico, cor de barbante. As obrigatórias cortinas de *black-out* estavam claramente visíveis, mas puxadas para os cantos, de modo que a claridade matinal se tornava difusa através da fazenda frouxamente tecida, quase como se as cortinas tivessem sido feitas de renda. Um tapete kilim cobria o encosto do sofá e havia uma mesa baixa, formada por uma folha de vidro grosso suportada por dois antigos leões de porcelana, ambos dando a impressão de que podiam ter vindo da China, muito e muito tempo atrás. A mesa estava cheia de livros interessantes e, no centro, havia uma peça de escultura moderna.

Tudo muito surpreendente. Olhando em torno, Judith viu uma tela abstrata na parede da lareira, pendendo sem moldura; granulosa e brilhante, a tinta parecia ter sido aplicada com espátula. A cada lado da lareira, havia reentrâncias na parede com prateleiras de vidro, suportando uma coleção de taças de cristal verde e azul-bristol. Havia mais prateleiras com livros, alguns deles encadernados em couro e outros com cintilantes contracapas deliciosamente novas — eram novelas e biografias que convidavam à leitura. Além da janela ficava o jardim, uma comprida e estreita faixa gramada, marginada por uma profusão de margaridas e dálias possuindo todos os entrechocantes matizes do Balé Russo.

Quando Hester voltou, Judith estava em pé junto à janela, folheando as páginas de um livro de lâminas coloridas de Van Gogh.

Ela ergueu os olhos, depois fechou o livro e tornou a depositá-lo em cima da mesa, junto com os outros.

— Nunca tive certeza quanto a apreciar Van Gogh ou não — disse.

— Ele é um pouco desconcertante, não? — Hester deixou a bandeja do café sobre uma banqueta de laca vermelha. — Entretanto, eu adoro seus céus turbilhonantes, seus trigais amarelos e seus azuis pálidos.

— Esta é uma sala encantadora. Bem diferente do que eu tinha imaginado.

Acomodando-se em uma confortável *bergère*, Hester riu.

— E o que você imaginava? Paninhos de crochê nos braços e encostos das cadeiras? Porcelana Príncipe Albert?

— Não isso exatamente, mas também não isso. Já comprou a casa como ela é agora?

— Não. Quando a comprei, era igual a todas as outras. Depois é que derrubei a parede. Também mandei fazer um banheiro.

— Deve ter sido muito rápida. Não está aqui há muito tempo.

— Eu já era *dona* da propriedade por cinco anos. Costumava vir para cá nos fins de semana, quando ainda trabalhava em Londres. Na época, não tive tempo de ficar conhecendo outras pessoas, porque estava sempre ocupada em arranjar construtores, pintores etc. Só quando me aposentei de fato é que pude instalar-me aqui e fazer amizades. Quer com leite e açúcar?

— Apenas leite, obrigada. — Judith pegou a xícara e o pires que Hester estendia e foi sentar-se na borda do sofá. — Você tem coisas tão fascinantes! E os livros... Tudo, enfim.

— Sempre fui colecionadora. Os leões chineses são herança de um tio; a tela, comprei em Paris; as taças, eu as colecionei durante anos. E minha escultura é uma Barbara Hepworth. Não é espantoso? Como as cordas de algum instrumento maravilhoso.

— E os seus livros...

— São muitos livros. Aliás, livros demais. Por favor, sempre que quiser, peça emprestado. Desde que, naturalmente, os traga de volta.

— Eu gostaria que me emprestasse alguns. E traria tudo de volta.

— Fica evidente que você é uma leitora inveterada. Uma garota bem do meu gênero. De que mais gosta, além de pintura e livros?

— De música. Tio Bob apresentou-me à música. Depois disso, comprei uma vitrola e agora tenho uma razoável coleção de discos. Eu os adoro. A gente pode escolhê-los, segundo o estado de ânimo do momento.

— Você vai a concertos?

— Não há muitos concertos em West Penwith, e dificilmente eu iria a Londres.

— Morando aqui, é do que sinto falta. E do teatro. Fora isso, não sinto realmente falta de mais nada. Estou muito satisfeita.

— Foi muita gentileza sua dizer que eu poderia vir para aprender a taquigrafar e datilografar...

— Gentileza nenhuma. Isso manterá meu cérebro funcionando e é uma mudança de fazer palavras-cruzadas. Tenho tudo preparado na sala de refeições. Para datilografar, você precisa de uma mesa boa e firme. Penso que três horas por dia serão suficientes, não? Digamos, de nove ao meio-dia? E teremos folga nos fins de semana.

— Você manda.

Hester terminou seu café e largou a xícara na mesa. Levantou-se.

— Pois então, venha — disse. — Vamos começar.

Em meados de outubro, com seis semanas de guerra ainda não havia acontecido muita coisa; nenhum tipo de invasão, qualquer espécie de bombardeio e nem batalhas na França. Entretanto, os horrores da destruição da Polônia mantinham todos grudados a seus aparelhos de rádio ou seguindo os terríveis relatos que apareciam nos jornais. Em comparação com o espantoso sofrimento e a carnificina que aconteciam na Europa ocidental, as pequenas inconveniências e privações da vida diária eram quase bem-vindas, enrijecendo a coluna e dando um senso de objetivo aos sacrifícios mais triviais.

Em Upper Bickley, um destes havia sido a partida da sra. Lapford, que fora prestar serviços na cantina de sua fábrica.

Biddy jamais fervera um ovo em toda a sua vida. Entretanto, Judith passara um bom tempo em cozinhas, vendo Phyllis preparar pudins de semolina e bolos decorados, amassando batatas para a sra. Warren e ajudando a preparar os gigantescos chás que faziam tanta parte na vida diária em Porthkerris. Em Nancherrow, a sra. Nettlebed sempre acolhera com satisfação qualquer ajuda na preparação de geléias e doces de laranja, sendo grata a quem se oferecesse para bater os ovos com açúcar para um fofo bolo-esponja, até a mistura ficar cor de creme. Entretanto, era esse o limite da experiência de Judith. Seja como for, a necessidade é que faz o sapo saltar, como diz o ditado. Ela encontrou um velho livro de receitas *Good Housekeeping*, vestiu um avental e assumiu a cozinha. No início, foram muitos os bifes queimados e galinhas quase cruas, mas depois de algum tempo ela começou a dominar melhor a matéria, chegando inclusive a fazer um bolo de sabor nada desagradável, embora as passas e cerejas tivessem afundado na forma como pedaços de chumbo.

Outro inconveniente era que todos os comerciantes de Bovey Tracey — o açougueiro, o merceeiro, o verdureiro, o peixeiro — sem exceção, suspenderam suas entregas. Explicaram que era por causa do racionamento da gasolina, de maneira que seus fregueses compreenderam e compraram enormes cestas, além de sacolas tecidas em barbante, que enchiam de compras e levavam para casa. O incômodo não era demasiado, porém exigia um tempo enorme, e a subida da ladeira até Upper Bickley, carregando um peso mais apropriado para burros de carga, era simplesmente exaustiva, para não se dizer o pior.

Além disso, começava a fazer frio. Tendo passado tanto tempo em Nancherrow, onde o aquecimento central só era desligado quando o calor da primavera já se fazia sentir, Judith tinha esquecido o que significava sentir frio. Sentir frio fora de casa era normal, porém sentir frio dentro dela tornava-se um sofrimento atroz. Upper Bickley não possuía aquecimento central. Dois anos atrás, quando ela tinha vindo passar o Natal, lareiras foram acesas nos quartos e o boiler permanecia aceso, com água quente a qualquer momento, nas vinte e quatro horas do dia. Agora, no entanto, elas tinham que ser parcimoniosas com o combustível, e somente era acesa a lareira da sala de estar, porém apenas depois do almoço. Biddy não parecia sentir o frio. Afinal de contas, tinha sobrevivido em Keyham Terrace, que Judith recordava como o lugar mais frio do mundo em que jamais estivera. Talvez ainda mais frio do que o Ártico. E quando o inverno ganhasse força total, Upper Bickley provavelmente estaria com temperatura idêntica. Erguida na encosta da montanha, a casa enfrentava o ataque cortante do vento leste, com janelas e portas antigas que se encaixavam mal nos batentes, deixando penetrar toda espécie de rajadas. Judith antevia sem muito entusiasmo a perspectiva dos meses longos e escuros, sentindo-se grata por Mary ter-lhe enviado, de Nancherrow, uma enorme caixa de embalar vestidos (etiquetada com o nome "Hartnell's") cheia de suas mais quentes roupas de inverno.

Sábado, quatorze de outubro. Judith acordou e sentiu em seu rosto o ar gelado que entrava pela janela aberta. Abrindo mais os olhos, ela viu um céu cinzento e os galhos mais altos da faia ao pé do jardim já dourados de folhas castanho-avermelhadas. Logo elas começariam a cair. Haveria muita varredura do jardim, muitas folhas queimadas e, eventualmente, a árvore terminaria despida de sua folhagem.

Judith ficou quieta na cama e pensou que se a situação não tivesse marchado como marchara, se não houvesse guerra e se ela não tomasse aquela enorme decisão, a esta altura, neste exato momento, estaria em um navio da P & O, no golfo de Biscaia, sendo jogada de um lado para o outro em seu beliche e, provavelmente, experimentando as primeiras náuseas da viagem marítima. Ainda assim, a caminho de Cingapura. Por um ou dois momentos, ela se permitiu sentir uma saudade pungente da própria família. Parecia-lhe estar destinada a sempre morar na casa de outras pessoas, embora muito hospitaleiras, mas a verdade é que, às vezes, ela meditava em tudo que estava perdendo. Imaginou a passagem do navio pelo estreito de Gibraltar, a fim de em seguida penetrar no azul Mediterrâneo, em um esquecido mundo de perpétua claridade solar. Depois o canal de Suez e o oceano Índico, com o Cruzeiro do Sul a cada anoitecer subindo um pouco mais alto, no céu azulado como uma pedra preciosa. E recordou como, à aproximação de Colombo, havia um cheiro pairando no ar, muito antes da mancha que era o Ceilão surgir no horizonte — e era um cheiro de especiarias, de frutas e de cedro, que o vento cálido empurrava para o mar.

Enfim, não era sensato ficar imaginando, e inconcebível lamentar. Seu quarto estava frio. Levantando-se, ela foi fechar a janela contra a manhã brumosa, fazendo uma pequena pausa para desejar que não chovesse. Em seguida vestiu-se e desceu para o andar de baixo.

Já encontrou Biddy na cozinha, um fato incomum, porque geralmente era Judith quem descia primeiro. Biddy estava envolta em seu robe e fervia uma chaleira para o café.

— Por que levantou tão cedo e tão disposta?

— Morag acordou-me. Gania sem parar. Fiquei surpresa por você não ter ouvido. Desci e a deixei sair, mas ela apenas fez suas necessidades e voltou rapidamente para dentro.

Judith olhou para Morag, enrodilhada em sua cesta, com uma expressão sentimental nos olhos de cores desencontradas.

— Será que ela está doente? — aventurou.

— A verdade é que não está demonstrando a alegria costumeira. Talvez esteja com vermes.

— Não diga semelhante coisa!

— Provavelmente vamos ter de levá-la ao veterinário. O que vai querer para o *breakfast*?

— Acho que estamos sem bacon.

— Nesse caso, teremos ovos cozidos.

Durante o *breakfast* as duas discutiram, um tanto desanimadas, de que maneira passariam o sábado. Judith disse que precisava descer até Bovey Tracey, a fim de devolver um livro emprestado por Hester Lang, e aproveitaria para fazer as compras. Biddy apoiou sua idéia, porque pretendia escrever cartas. Então, acendendo um cigarro, pegou o bloco de anotações e começou a compor a inevitável lista de compras. Bacon e ração de cães para Morag, uma peça de carneiro para o almoço do domingo, papel sanitário, sabonetes Lux...

— ... e você poderia passar também pela loja de lãs e me comprar meio quilo de lã impermeabilizada?

Judith olhou atônita para ela.

— O que vai fazer com meio quilo de lã impermeabilizada?

— Estou farta de minha tapeçaria idiota. Falei que ia voltar ao tricô. Vou tricotar meias de marinheiro para Ned.

— Eu não sabia que você tricotava meias.

— Nunca fiz nenhuma, mas encontrei uma receita formidável no jornal. São chamadas de meias em espiral. A gente simplesmente tricota em círculo, sempre e sempre, nunca tendo de montar um calcanhar ou mudar de agulha para uma carreira seguinte de pontos. Assim, quando Ned fizer um grande buraco na meia, basta girá-la, e o buraco vai parar no peito do pé.

— Tenho certeza de que ele vai adorar isso.

— Há um outra receita para um capuz balaclava. Talvez você pudesse fazer um capuz balaclava para Ned. Manteria as orelhas dele aquecidas.

— Obrigada, mas no momento eu já tenho o suficiente para fazer, praticando com as panelas. Escreva "lã" no final da lista, e verei se consigo arranjar alguma. E será bom acrescentar também um conjunto de agulhas...

A manhã de sábado em Bovey Tracey era um pouco semelhante ao Dia de Mercado em Penzance: o lugar ficava apinhado de moradores dos arredores, pessoas que vinham de aldeias remotas e propriedades nas charnecas, com a finalidade de comprar os suprimentos da semana. Eles enchiam as calçadas estreitas com cestas e cadeiras dobráveis, conversavam parados nas esquinas, entravam em fila para serem servidos no açougue e na mercearia, enquanto isso trocando mexericos e notícias da família, só baixando a voz para falar de doenças ou do possível falecimento da tia Gert de alguém.

Tudo isso significava levar-se muito mais tempo do que o normal, e já eram onze horas quando Judith, carregando uma cesta volumosa e uma sacola de redinha, seguiu para a casa de Hester Lang e apertou a cigarra da porta.

— Judith...

— Sei que é sábado, e não estou aqui para fazer taquigrafia. Vim apenas devolver o livro que você me emprestou. Terminei de ler esta noite.

— É um prazer vê-la. Entre e tome uma xícara de café.

O café de Hester era sempre particularmente delicioso. Sentindo o cheiro da bebida fresca e recém-coada que evolava da cozinha, não foi preciso muita insistência para fazê-la entrar. Judith depositou suas cestas no chão do estreito corredor e tirou o livro do bolso espaçoso de seu casaco.

— Eu quis trazê-lo em seguida, antes que se sujasse ou que Morag o mastigasse.

— Pobre cachorra... Tenho certeza de que nunca faria nada tão maldoso. Vá e coloque-o no lugar. Pegue outro, se tiver vontade. Trarei o café em um minuto...

O livro que ela levara intitulava-se *Grandes Esperanças*, sendo um de uma coleção completa de volumes encadernados em couro, da autoria de Charles Dickens. Judith entrou na sala de estar (mesmo em uma manhã cinzenta, ali havia luz e aconchego), e colocou o livro de volta em seu lugar. Estava lendo os títulos com satisfação e tentando decidir que livro tomaria emprestado agora, quando ouviu o telefone começando a tocar no vestíbulo. Depois percebeu os passos de Hester, aproximando-se para atender. Através da porta, que continuava inteiramente aberta, pôde ouvir a voz dela.

— Aqui é oito-dois-seis. Hester Lang falando.

Talvez nada de Dickens agora. Provavelmente algo contemporâneo. Judith retirou o livro *A Tempestade Mortal*, de Phyllis Bottome, e começou a ler a apresentação na orelha da contracapa, em seguida passando a folhear as páginas ao acaso.

O telefonema continuava. Hester respondia, entre longos silêncios, e sua voz baixara para um leve murmúrio. "Sim", Judith a ouviu dizer, "Sim, é claro." Depois, outro silêncio. De pé e sozinha, na sala de estar de Hestar, ela esperou.

Por fim, quando começava a pensar que Hester nunca viria ao seu encontro, o telefonema chegou abruptamente ao fim. Ela ouviu o toque único do fone sendo recolocado, fechou o livro e olhou para a porta. Entretanto, Hester não veio imediatamente. Quando apareceu, havia uma quietude em torno dela, uma compostura deliberada, como se houvesse feito uma pausa para pôr-se em ordem de algum modo.

Ela nada disse. Os olhos de ambas encontraram-se, através do comprido aposento. Judith largou o livro. Perguntou:

— Há algo errado?

— Era... — A voz de Hester extinguiu-se. Ela procurou controlar-se e recomeçou a falar, agora em seu costumeiro tom sossegado e equilibrado. — Era uma ligação do Capitão Somerville.

Aquilo era surpreendente.

— De tio *Bob*? Por que ele ligou para você? Não conseguiu falar para Upper Bickley? O telefone ontem funcionava perfeitamente.

— Isto nada tem a ver com o telefone. Ele queria falar comigo. — Ela fechou a porta e foi sentar-se em uma pequena cadeira de encosto dourado. — Aconteceu algo simplesmente terrível...

A sala estava quente, mas Judith sentiu frio de repente. Como um peso, um senso de fatalidade comprimiu-lhe o estômago.

— *O que* aconteceu?

— Ontem à noite... um submarino alemão abriu uma brecha nas defesas de Scapa Flow. A maioria da Frota Metropolitana estava no mar, porém o *Royal Oak* continuava lá, no porto, ancorado... Foi torpedeado, perdido. Afundou muito depressa. Adernou... três torpedos... Os homens que estavam abaixo dos conveses não tiveram a menor possibilidade de escapar...

O navio de Ned. Oh, mas não Ned. Ned estava bem. Ned teria sobrevivido.

— ... acredita-se que quatrocentos homens da tripulação do navio estejam a salvo... a notícia ainda não transpirou. Bob disse que preciso contar a Biddy, antes que ela a ouça pelo rádio. Quer que eu vá lá e lhe conte. Ele não suportaria contar-lhe, por telefone. Tenho que ir e dizer a ela...

A voz de Hester extinguiu-se pela segunda vez. Sua mão lindamente manicurada se ergueu para enxugar lágrimas que ainda nem tinham sido derramadas.

— Fico comovida por ele ter pensado em mim, mas preferiria que tivesse feito tal pedido a qualquer outra pessoa no mundo...

Ela não tinha chorado. Não ia chorar.

Judith engoliu em seco, depois forçou-se a perguntar:

— E Ned?

Hester meneou a cabeça.

— Oh, minha querida menina, eu sinto tanto, tanto...

E foi só então que a verdade — permanecendo à espera, sempre lá — finalmente a atingiu, e Judith soube que Hester Lang lhe dizia que Ned Somerville estava morto.

Upper Bickley

25 de outubro de 1939

Prezado Coronel Carey-Lewis

Fico-lhe imensamente grata por sua carta tão gentil a respeito de Ned. O momento tem sido de grande sofrimento, mas Biddy agradece as cartas que recebe e as lê todas. Entretanto, sente-se incapaz de respondê-las.

Após o afundamento do Royal Oak, tio Bob ficou impossibilitado de vir imediatamente e ficar com ela, já que estava em Scapa Flow, e também pela crise do ataque e suas conseqüências. Entretanto, na semana passada ele veio em casa por dois dias; foi realmente terrível, porque tentava consolar Biddy, enquanto o tempo inteiro se sentia tão perdido e abalado quanto ela. Tio Bob agora já retornou a Scapa Flow, e estamos sozinhas outra vez.

Vou passar o inverno aqui. Quando chegar a primavera, tornarei a pensar no que fazer, mas é evidente que não posso abandonar Biddy, agora que tanto sofre. Ela tem uma cadela chamada Morag, que ganhou de Ned, porém não sei dizer se o animal representa agora um conforto ou uma triste recordação. Minha própria tristeza é pensar que nenhum de vocês chegou a conhecer Ned e que nenhum poderá conhecê-lo. Ele era uma pessoa muito especial e imensamente querida.

Por favor, dê lembranças minhas a todos e, mais uma vez, obrigada por sua carta.

Da sempre amiga,

Judith

Nancherrow

1º de novembro de 1939

Querida Judith

Ficamos todos imensamente tristes pela morte de seu primo Ned. Levei dias pensando em você e desejaria poder estar ao seu lado. Mamãe disse que se quiser trazer sua tia Biddy para cá por uns dias, apenas para uma mudança de ambiente, ela ficaria muito feliz em recebê-las. Por outro lado, contudo, talvez sua tia deseje ficar em sua própria casa, cercada pelo que lhe é familiar.

Papai disse que a entrada do submarino alemão em Scapa Flow foi uma verdadeira façanha náutica, mas não consigo pensar em uma só coisa agradável para dizer a respeito de alemães, e acho que ele está sendo magnânimo demais.

Se eu lhe contar algumas novidades, não vá imaginar que o acontecido aqui é mais importante do que Ned ter sido morto.

Em primeiro lugar, Athena está em casa e vai ter um bebê. Rupert foi para o estrangeiro, com seu regimento e seus cavalos; sem ele, o Hotel Caledonian perdeu o encanto, de modo que ela voltou para casa. Acho que ele retornou à Palestina.

O bebê chega em julho.

Gus está na França, com a Divisão Highland e a Força Expedicionária Britânica. Tenho escrito muito para ele, e recebo carta pelo menos uma vez por semana. Ele me mandou uma foto, vestido com seu kilt, e o achei simplesmente maravilhoso.

Vi Heather Warren outro dia, em Penzance. Está aprendendo taquigrafia e datilografia em Porthkerris, e pretende empregar-se no Ministério das Relações Exteriores ou em alguma espécie de Serviço Civil. Pediu-me para dizer a você que irá escrever-lhe, assim que tiver um momento livre; disse ainda que Charlie Lanyon está na ILDC — a Infantaria Ligeira do Duque de Cornualha — e que também foi para a França. Ignoro quem seja Charlie Lanyon, mas ela disse que você saberia. Outro que se juntou à ILDC foi Joe Warren, mas Paddy continua pescando.

Edward não escreve, mas telefona de vez em quando e temos

*de falar bem depressa, porque só lhe são permitidos três minu-
tos, e logo o telefone dá um sinal, sendo interrompida a ligação.
Parece muito satisfeito da vida e pilota um dos novos aviões,
aqueles chamados Spitfires. Seria ótimo se ele pudesse vir em
casa para o Natal, porém acho que não virá.*

*As galinhas chegaram, estão todas presas no cercado no final
do gramado, onde fazem a maior confusão. Elas têm pequeninas casas de madeira com caixas formando ninhos e portinholas
que se fecham à noite, para impedir a entrada da esperta sra.
Raposa. Ainda não começaram a pôr, mas assim que começarem, espero que consigamos viver à custa de ovos.*

*Está ficando terrivelmente frio. Papai está firme e severo
sobre o aquecimento central; as cobertas contra a poeira já
foram colocadas sobre os móveis da sala de estar, e o candelabro
foi todo amarrado e colocado dentro de um saco, para não
juntar poeira. O lugar agora ficou com a aparência um tanto
esquisita, mas a sala de estar menor é muito mais aconchegante.*

*O sr. Nettlebed tornou-se um vigilante antiaéreo. Isto
significa que, se ele esquecer de fazer o black-out ou se uma
réstia de luz aparecer, então terá de acusar-se de negligência e
comparecer ao tribunal, para ser multado. Ha, ha!*

*Outro inesperado vigilante antiaéreo é Tommy Mortimer,
mas ele está em Londres, claro. Não pôde ser aceito para lutar,
por causa da idade e dos pés chatos (eu nem sabia que ele os tinha),
de maneira que presta serviços na Defesa Civil. Esteve aqui para
um fim de semana, e nos explicou tudo a respeito. Disse que, em
caso de bombardeio aéreo, terá de permanecer em cima do teto
do Mortimer's, em Regent Street, com um balde d'água e uma
bomba movida com o pé. Se o Mortimer's for bombardeado, você
acha que haverá anéis de diamantes espalhados pela calçada?*

*Mamãe está bem e adorando ter Athena conosco. As duas
dão risadinhas folheando a Vogue, exatamente como sempre
fizeram, e estão tentando tricotar roupinhas de bebê.*

Um monte de abraços. Venha e fique, se quiser. Beijos,

Loveday

Upper Bickley

Sábado, 30 de dezembro

Queridos mamãe e papai

Já estamos quase no fim do ano e isso me alegra. Muito obrigada por meu presente de Natal, que chegou no começo do mês, mas que esperei para abrir somente no Dia de Natal. É uma bolsa de mão maravilhosa, e justamente o que eu estava precisando. Adorei também o corte de seda, que pretendo transformar em uma saia para noite, quando encontrar alguém que possa costurá-la de modo realmente profissional. A cor é simplesmente deslumbrante. E agradeçam a Jess, por favor, pelo calendário que ela própria confeccionou; digam-lhe que os macacos e elefantes estavam muitíssimo bem desenhados.

Aqui ficou ficou subitamente muito frio, a neve cobre Dartmoor por completo — inclusive a estrada — por todos os lados vemos sombras azuladas, e os tetos das casas agora ganharam uma espécie de grossos chapéus de neve. A aparência de Bovey Tracey mostra certa semelhança com as gravuras de O Alfaiate de Gloucester. Todas as manhãs levamos feno para os pôneis que descem a colina e vêm abrigar-se do vento atrás do muro, e sair com Morag para um passeio equivale a uma voltinha pelo Pólo Sul. A temperatura dentro de casa não fica muito atrás — embora não tão frígida como em Keyham, é quase a mesma coisa. Estou escrevendo esta carta sentada na cozinha, por ser aqui o lugar mais quente da casa. Estou usando duas grossas blusas de frio.

Tio Bob veio em casa para quatro dias durante o Natal, mas já partiu de novo. Eu receava um Natal sem Ned, porém Hester Lang veio em nosso socorro e convidou-nos para almoçar em sua casa. Não tivemos uma árvore, enfeites, absolutamente nada, a fim de que o dia transcorresse como um dia comum. Hester hospedava um casal de Londres, os dois já bastante idosos, mas muito cultos e interessantes. A conversa durante o almoço não versou sobre a guerra, mas sobre coisas como galerias de arte e viagens pelo Oriente Médio. Creio que ele era arqueólogo.

Judith aqui fez uma pausa, largou a caneta e soprou os dedos entorpecidos e gelados, perguntando-se se valeria a pena preparar logo um bule de chá. Eram quase quatro horas, porém Biddy e Morag ainda não tinham voltado de seu passeio. Além da janela da cozinha, o jardim obscurecido avançava para a charneca mais acima, estando congelado e branco de neve. O único verde à vista eram os galhos escuros dos pinheiros, sacudidos pelo vento leste que soprava do mar. Quanto a sinais de vida, havia somente um, o que provinha do tordo bicando nozes, no saco pendurado por Judith à mesa dos pássaros.

Olhando para o tordo, ela pensou neste triste e cinzento Natal de agora, ao qual de um modo ou de outro tinham conseguido sobreviver, graças também à ajuda de Hester. Então, permitindo-se o luxo de uma onda de nostalgia, recordou o último Natal, e evidentemente recordou Nancherrow, com toda a encantadora casa cheia de convidados, com luzes e risos por toda parte. Enfeites cintilantes, o cheiro de pinheiro que se desprendia da árvore de Natal, os presentes empilhados sob seus galhos estendidos...

E sons. Canções natalinas entoadas no culto matinal na Igreja de Rosemullion; panelas entrechocando-se na cozinha da sra. Nettlebed, enquanto ela preparava montanhas de comida deliciosa; valsas de Strauss...

Lembrou-se de quando se vestira para o jantar em seu lindo quarto rosa, entontecida de excitamento; evocou o perfume da maquiagem e a sensação sedosa, no momento em que seu primeiro vestido de gala para adulta lhe deslizou por sobre a cabeça. Depois, ao cruzar a porta aberta da sala de estar, com Edward vindo tomá-la pela mão e dizendo-lhe "Vamos beber champanha".

Há um ano, um ano somente. Entretanto, já outra época, outro mundo. Suspirando, ela pegou a caneta e prosseguiu com sua carta.

Biddy está bem, mas ainda incapaz de lidar com muita coisa. É uma situação um tanto difícil, porque continuo pas-

sando as manhãs com Hester Lang, tendo aulas de datilografia e taquigrafia, mas Biddy freqüentemente não se levanta na hora em que saio de casa. Claro que a sra. Daggs chega, de modo que ela não fica sozinha, mas tem-se a impressão de que Biddy perdeu o interesse em tudo. Ela não quer fazer nada e nem ver seja quem for. As amigas telefonam, porém Biddy nem pensa em sair para jogar bridge, inclusive ficando aborrecida, se alguma delas aparece para visitá-la.

A única pessoa que se recusa a ser posta de lado é Hester Lang, e creio que somente ela conseguirá fazer Biddy retornar ao seu círculo de amizades — não sei o que faríamos sem ela! É uma mulher muito sensata e gentil. Sobe até Upper Bickley quase todos os dias, sempre a pretexto de alguma coisa, e acho que planeja uma partida de bridge para a semana que vem, insistindo em que Biddy tome parte. Realmente, já é hora dela começar novamente a ter contato com as pessoas. Neste momento está fora, com Morag e, tão logo chegue, eu lhe farei uma xícara de chá.

Biddy nada fala sobre Ned e tampouco eu, porque acho que ela ainda não suportaria. A situação certamente ficará melhor quando Biddy mostrar interesse por um trabalho na Cruz Vermelha ou coisa parecida. É uma pessoa dinâmica demais para ficar sem fazer algo pelo esforço de guerra.

Espero que tudo isto não os deixe deprimidos; de nada adiantaria eu lhes dizer que Biddy está ótima, porque não é verdade. Entretanto, estou certa de que dentro em breve ela se sentirá melhor. De qualquer modo, por enquanto ficarei aqui, fazendo-lhe companhia. Temos uma excelente convivência, portanto, não devem ficar preocupados com nenhuma de nós.

Depois de amanhã será 1940, dia de Ano Novo. Sinto imensamente a falta de vocês, e às vezes desejaria estar aí, mas em vista de tudo o que aconteceu, sei que tomei a decisão certa. Pensem no quanto ficaríamos preocupados, sabendo que Biddy estaria aqui sozinha.

Preciso parar, porque estou congelando. Vou descer, ajeitar os troncos na lareira da sala de estar, fechar as cortinas do black-out, enfim, abafar a casa. Biddy e Morag estão voltando, posso vê-las na trilha que sai do portão. Teremos que limpar a neve que a cobre e depois cobri-la com as cinzas do boiler, a fim de que o pobre carteiro (que anda por todo lado) consiga entregar as cartas sem quebrar a perna.

Mil beijos e abraços para todos vocês. Tornarei a escrever no ANO QUE VEM.

Judith

1940

Em fins de março, após o inverno mais frio que a maioria das pessoas podia recordar, o pior da neve e do gelo finalmente desaparecera e apenas traços ao acaso permaneciam em Dartmoor, presos em valas onde não batia o sol ou empilhados contra a parte mais exposta dos muros de pedra. À medida que os dias alongavam-se, o vento cálido do oeste deixava o ar suave, as árvores exibiam brotos e os pássaros retornavam às suas moradas do verão; as prímulas selvagens salpicavam as altas sebes de Devon e, no jardim de Upper Bickley, os primeiros narcisos ofereciam seus topos amarelos à brisa.

Em Nancherrow, na Cornualha, a casa estava cheia de sofisticados refugiados de Londres que abandonavam a cidade e chegavam para passar a Páscoa. Tommy Mortimer surripiou uma semana de folga de seu trabalho na Defesa Civil, onde lidava com a bomba portátil de água contra pequenos incêndios, e Jane Pearson trouxe os dois filhos para ficarem o mês inteiro. O marido de Jane, o sólido e bem-intencionado Alistair, estava agora no Exército, e na França. A babá das crianças, mais jovem do que se poderia imaginar, voltara à enfermagem e dirigia uma enfermaria cirúrgica em um hospital militar no sul de Gales. Na falta da babá, Jane empreendera ousadamente a viagem de trem até Penzance, contando apenas consigo mesma para distrair e disciplinar sua prole, porém mal chegara, passara as duas crianças aos cuidados de Mary Millyway. Agora, enrodilhada em um sofá, ela bebericava um gim com laranja, conversava com Athena e fazia confidências. Ainda morava em sua casinha da Lincoln Street e se divertia tanto, que não tinha quaisquer planos para deixar Londres. Nunca tivera uma vida social tão movimentada, saindo da cidade e almoçando no Ritz ou no Berkeley com garbosos comandantes da aviação ou jovens oficiais dos Guardas.

— E quanto a Roddy e Camilla? — perguntou Athena, quase como se eles fossem cachorrinhos e também quase esperando Jane responder que simplesmente os deixava em canis.

— Oh, minha diarista fica com eles — retrucou Jane com volubilidade. — Quando ela não pode, eu os deixo com a empregada de minha mãe. — Depois acrescentou: — Minha querida, eu preciso lhe contar. Foi tão excitante... — E começou a relatar mais um sensacional encontro com alguém.

Todos estes hóspedes ocasionais traziam consigo seus cartões de racionamento de emergência, para a compra de manteiga, açúcar, bacon, toucinho e carne, mas Tommy ainda levou uma provisão de improváveis petiscos de antes da guerra, todos eles da casa Fortnum & Mason. Faisão recheado, castanhas de caju recobertas de chocolate, chá perfumado e minúsculos potes de caviar de beluga.

Ao ver tão variadas dádivas sendo colocadas sobre sua mesa da cozinha, a sra. Nettlebed comentou — para quem quisesse ouvir — que era uma pena o sr. Mortimer não ter conseguido arranjar um decente pernil de porco.

A criadagem de Nancherrow estava agora bastante diminuída. Nesta e Janet haviam partido, um tanto excitadas, para vestir uniforme, fabricar munições e dar a sua contribuição ao esforço de guerra. Pearson e o segundo jardineiro também tinham sido convocados, e o único substituto a ser encontrado fora Matty Pomeroy, um idoso aposentado residente em Rosemullion, que todas as manhãs aparecia em uma rangente bicicleta e trabalhava a passos de tartaruga.

Hetty, naturalmente, nova demais para ser de grande utilidade a alguém, continuava na copa, quebrando pratos e deixando a sra. Nettlebed fora de si. Agora, no entanto, todos os hóspedes tinham de colaborar, fechando suas próprias cortinas de *black-out*, arrumando as camas em que dormiam e oferecendo-se para lavar pratos e carregar lenha. As refeições continuavam sendo servidas com certa formalidade na sala de refeições, porém a sala de estar permanecia fechada, com seus móveis cobertos por protetores de poeira. O melhor da prataria havia sido limpo, envolto em sacos de camurça, e tudo fora cuidadosamente guardado, assim devendo permanecer por todo o tempo que durasse a guerra. Aliviado da tediosa tarefa de limpar a prata, algo que anteriormente ocupava grande parte do seu dia, Nettlebed aos poucos começou a esgueirar-se imperceptivelmente para fora de casa. Foi uma progressão gradual, iniciada quando passou a escapar da cozinha, a fim de verificar se o velho Matty não estava vadiando atrás do galpão dos vasos de plantas, filando uns dez minutos para fumar seu fedorento cachimbo. Em seguinda, ofereceu-se para montar um ou dois esteios de batatas para a sra. Nettlebed ou colher um repolho. Antes de muito tempo, ele próprio se incumbira de cuidar da horta, de planejar o que seria plantado e de fiscalizar Matty Pomeroy, tudo isso com a sua perfeição e competência costumeiras. Em Penzance, ele comprou um par de botas de borracha e, usando-as, cavou uma vala para plantar feijão-trepadeira. Aos poucos, suas feições graves e pálidas ficaram bastante queimadas de sol, e suas calças começaram a parecer um pouco folgadas. Athena jurava que, no fundo, Nettlebed era um filho do solo que pela primeira vez na vida descobria sua real vocação. Muito divertida, Diana decidiu ser algo chique ter um mordomo bronzeado de sol, desde que ele conseguisse escovar as unhas e limpá-las da terra, antes de servir a sopa.

Foi em meados destes feriados da Páscoa, na noite de oito de abril, que Lavinia Boscawen faleceu.

Ela morreu na própria cama, em seu quarto na Dower House. Tia Lavinia nunca se havia recuperado inteiramente da doença que deixara a família tão amedrontada e perturbada, mas sobrevivera tranqüilamente ao inverno, levantando-se todos os dias, sentando-se ao pé de sua lareira e tricotando meias cáqui diligentemente. Não sentiu qualquer indisposição ou qualquer espécie de dor. Uma noite, simplesmente foi para a cama como de hábito, adormeceu, e nunca mais acordou.

Foi Isobel quem a encontrou. A velha Isobel, como tantas vezes antes, subindo a escada para o andar de cima com a bandeja do chá matinal da sra. Boscawen (Earl Grey, com uma fatia de limão), batendo de leve à porta, para depois acordar sua senhora. Deixando a pequena bandeja em cima da mesa-de-cabeceira, ela foi abrir as cortinas e erguer as de *black-out*.

— Faz uma linda manhã — observou, porém não houve resposta. Ela se virou.

— Faz uma linda... — repetiu, mas ainda dizia as palavras e já sabia que não ia haver qualquer espécie de resposta.

Lavinia Boscawen jazia quieta, a cabeça sobre o travesseiro macio, exatamente na posição em que fora dormir. Os olhos estavam fechados, e ela parecia anos mais jovem, havia placidez em sua fisionomia. Idosa e versada nos caminhos da morte, Isobel apanhou no toucador um espelho de mão engastado em prata e o manteve perto dos lábios da sra. Boscawen. Não houve nenhuma respiração, nenhum movimento. Imobilidade. Isobel largou o espelho e cobriu delicadamente o rosto da sra. Boscawen com o lençol de linho bordado. Depois arriou a persiana e desceu para o térreo. No saguão, com alguma relutância porque sempre detestara o horrendo instrumento, ela ergueu o fone, encostou-o ao ouvido e pediu à telefonista que a pusesse em contato com Nancherrow.

Dispondo a mesa para o *breakfast* na sala de refeições, Nettlebed ouviu o telefone tocar no estúdio do coronel. Olhou de relance para o relógio, viu que faltavam vinte minutos para as oito, colocou um garfo precisamente em seu lugar, e foi atender à chamada.

— Nancherrow.

— Sr. Nettlebed!

— É ele mesmo quem fala.

— Aqui é Isobel. Da Dower House. Sr. Nettlebed... a sra. Boscawen está morta. Morreu dormindo. Eu a encontrei esta manhã. O coronel está em casa?

— Ele ainda não desceu, Isobel. — Nettlebed franziu o cenho. — Tem certeza do que está dizendo?

— Certeza absoluta. Não sai a menor respiração dos lábios dela. Está tranqüila como uma criança. A querida senhora...

— Você está sozinha, Isobel?

— É claro que estou. Quem mais estaria aqui?

— E você está bem?

— Eu preciso falar com o coronel.

— Vou chamá-lo.

— Fico esperando.

— Não. Não espere. Ele ligará para você. Apenas fique perto do telefone, para ouvi-lo tocar.

— Não há nada errado com minha audição.

— Tem certeza de que você está bem?

Isobel não respondeu.

— Basta dizer ao coronel que ligue para mim o quanto antes — disse bruscamente, e desligou.

Nettlebed recolocou o telefone no gancho e ficou olhando para ele durante um ou dois momentos. A sra. Boscawen, morta. Depois de um instante, exclamou, em voz alta:

— Que confusão!

Depois, em seu jeito sem pressa, saiu da sala e subiu para o andar de cima. Encontrou o coronel no banheiro, fazendo a barba. Ele usava um robe de lã macia por sobre o pijama listrado, calçava chinelos e tinha uma toalha em volta do pescoço. Já barbeara um lado do rosto, porém o outro continuava cheio da alva espuma perfumada e, em pé sobre o capacho do banheiro, empunhava sua afiada navalha, enquanto ouvia o noticiário no rádio portátil, que colocara sobre o tampo de mogno do vaso sanitário. Aproximando-se, Nettlebed ouviu os tons graves e comedidos do locutor noticiarista da BBC. Quando pigarreou discretamente e bateu na folha da porta aberta, o coronel se virou para vê-lo, ergueu a mão pedindo silêncio, e os dois homens ouviram juntos o boletim da manhã. Notícias graves. Tropas alemãs haviam penetrado na Dinamarca e Noruega, durante as primeiras horas da madrugada. Três navios para o transporte de tropas tinham entrado no porto de Copenhague enquanto outros portos e ilhas eram ocupados, e agora Skagerrak e Kattegat, as vitais passagens para o mar, estavam sob controle inimigo. Na Noruega, a marinha alemã desembarcara tropas em todos os portos do país, indo até Narvic, no extremo norte. Um destróier inglês havia sido afundado...

O coronel inclinou-se e desligou o rádio. Depois, endireitando o corpo, virou-se para o espelho e continuou a fazer a barba. Seus olhos encontraram os de Nettlebed através do cristal.

— Bem — falou — isto é o começo.

— Sim, senhor. É o que parece.

— Sempre o elemento surpresa. Não obstante, por que deveríamos ficar surpresos?

— Não faço a menor idéia, senhor. — Nettlebed hesitou, relutando falar em semelhante momento. Entretanto, era preciso. — Lamento vir perturbá-lo, senhor, mas receio ser portador de notícias ainda mais tristes. — *Shrap!* fez a navalha afiadíssima, deixando uma faixa de pele limpa na face cheia de espuma. — Isobel acabou de telefonar, senhor, da Dower House. A sra. Boscawen faleceu. Esta noite, enquanto dormia. Isobel a encontrou esta manhã, e telefonou imediatamente. Eu lhe disse que o senhor telefonaria para lá, e ela está esperando, ao lado do telefone.

Nettlebed fez uma pausa. Após um instante, o coronel se virou e, em seu rosto havia tal expressão de angústia, tristeza e *perda*, que Nettlebed chegou a sentir-se um assassino. Houve silêncio entre eles por um momento, e Nettlebed não conseguia encontrar palavras apropriadas para ocupá-lo. Então, o coronel balançou a cabeça.

— Oh, Deus, é tão difícil aceitar isto, Nettlebed!

— Eu sinto muitíssimo, senhor.

— Quando foi que Isobel ligou?

— Faltavam vinte para as oito, senhor.

— Descerei em cinco minutos.

— Perfeitamente, senhor.

— E, Nettlebed… poderia encontrar uma gravata preta para mim?

O telefone tocou em Upper Bickley, e Judith apressou-se em atender.

— Alô?

— Judith, aqui é Athena.

— Athena! Que surpresa!

— Mamãe me pediu que ligasse para você. Receio que seja uma notícia muito triste, mas, de certo modo, não chega a ser tão triste. Isto é, triste apenas para todos nós. Tia Lavinia morreu.

Aturdida, Judith não soube o que dizer. Estendeu a mão para uma desconfortável cadeira do vestíbulo e arriou o corpo no assento.

— Quando? — conseguiu finalmente perguntar.

— Na noite de segunda-feira. Ela foi dormir e não acordou mais. Não estava doente, não sentia nada. Estamos nos esforçando em pensar que assim foi melhor para ela, que não devemos ser egoístas, mas fica a impressão de que chegou o fim de uma era.

Ela soava muito controlada, muito adulta e conformada. Judith ficou surpresa. Antes, quando tia Lavinia estivera tão doente e deixara a família inteira tão assustada, Athena tivera ataques histéricos de choro ao ser informada, ficando em tal estado, que Rupert se vira forçado a trazê-la em seu carro através das terras agrestes da Escócia, até o oeste da Cornualha. Agora, no entanto... Talvez estar casada e grávida produzisse tal metamorfose, fazendo com que se portasse de maneira tão racional e objetiva. Enfim, Judith ficou grata por isso. Seria intolerável receber a notícia através de uma pessoa a quem as lágrimas mal permitissem falar.

— Eu sinto muito, Athena, sinto muitíssimo — respondeu. — Ela era uma pessoa tão especial, uma verdadeira parte de todos vocês... Devem estar transtornados.

— De fato estamos, estamos realmente.

— Sua mãe está bem?

— Sim. Até mesmo Loveday. Papai dirigiu-nos algumas palavras, dizendo que não devíamos pensar em nós, mas em tia Lavinia, que morreu em paz e tranqüila, não tendo que sofrer com os horrores desta guerra sangrenta. Tudo absolutamente terrível, não? Pelo menos, ela não lerá mais os jornais nem verá todos aqueles horríveis mapas e setas.

— Foi muita gentileza sua comunicar-me a notícia.

— Oh, querida Judith, é claro que tínhamos de contar para você! Tia Lavinia sempre a considerou uma do clã. E mamãe quer saber se virá para o funeral. Não é uma perspectiva muito agradável, mas se você vier, sua presença significará muito para todos nós.

Judith hesitou.

— Quando será o funeral?

— Terça-feira que vem, dia dezesseis.

— Todos... todos vocês estarão aí?

— É claro. Não faltará ninguém. Menos Edward, que está preso em seu aeroporto, suponho que à espera de derrubar bombardeiros alemães. Ele tentou conseguir uma licença por morte de familiar, mas estando a situação como está, seu pedido foi negado. Enfim, o resto de nós estará presente. Inclusive Jane Pearson, que se encontra aqui com seus filhos. Acho que Tommy Mortimer também virá. Que loucura, ele ficou uns dias conosco, depois teve que voltar para Londres, e agora fará a viagem inteira novamente! Aliás, todos nós temos perguntado: "Essa viagem dele seria realmente necessária?" Enfim, Tommy era muito apegado a tia Lavinia, embora ela sempre lhe servisse *sherry*, nunca o desejado gim.

Venha, Judith. E fique conosco. Está tudo pronto à sua espera. Nunca deixamos ninguém ocupar o *seu* quarto.

— Eu... eu terei que falar antes com Biddy.

— Sem dúvida ela ficará bem. Por outro lado, já é hora de tornarmos a ver você. Venha no domingo. Como chegará aqui? Virá dirigindo seu carro?

— Talvez eu devesse economizar minha gasolina.

— Então, pegue um trem. Iremos recebê-la em Penzance. A gasolina não chega a ser um grande problema, porque papai e Nettlebed têm alguns cupons a mais, por fazerem parte da Defesa Civil. Embarque no *Riviera*...

— Bem...

— Oh, venha, *por favor*! Estamos todos com saudades, e eu quero que você admire o meu volume. Todos lhe mandam lembranças. Loveday disse que tem uma galinha favorita, à qual deu seu nome. Preciso desligar, meu bem. Até domingo.

Judith procurou Biddy e explicou a situação.

— Eles querem que eu vá a Nancherrow. Que esteja lá para o funeral.

— Então, é claro que deve ir. Pobre senhora! Que tristeza! — Biddy olhou para Judith, parada à sua frente, mordendo o lábio. — Você *quer* ir?

— Sim, acho que quero.

— Parece vacilante. Edward estará lá?

— Oh, Biddy...

— Estará?

Judith balançou a cabeça.

— Não. Não conseguiu licença.

— Se ele estivesse, você quereria ir?

— Não sei. Provavelmente inventaria um pretexto qualquer.

— Meu bem, tudo aconteceu faz meio ano, e desde então você permaneceu aqui comigo, levando uma santa vida de freirinha. Não pode ficar atormentada por Edward Carey-Lewis pelo resto da vida.

De qualquer modo, tudo isto é hipotético, porque já disse que ele não estará lá. Portanto, vá. Esteja novamente com todos os seus amigos.

— Não me agrada deixá-la aqui sozinha. E sobre cozinhar refeições? Você não pode parar de alimentar-se.

— Nada disso vai acontecer. Vou comprar montanhas de coisas do padeiro e comerei frutas até enjoar. E agora que você já me ensinou, posso muito bem fazer um ovo cozido. A sra. Dagg me preparará uma sopa e, como sabe, adoro pão com margarina.

Judith, no entanto, continuou vacilante. Aparentemente, Biddy estava recuperada do golpe provocado pela morte de Ned. Instada por Hester, ela se juntara à Cruz Vermelha e, duas vezes na semana, ia à casa de Hester embalar artigos para as tropas na França. Além disso, recomeçara a jogar *bridge* e a ver velhas amizades. Não obstante, convivendo diariamente com ela, Judith sabia que algo de Biddy também morrera quando Ned se fora, isto não permitindo que conseguisse refazer-se da terrível perda de seu único filho. Em certos dias, quando o sol brilhava e havia uma fagulha no ar, um pouco de sua antiga vivacidade retornava e ela exibia uma de suas muito divertidas e repentinas observações; então, as duas davam risadas e, por um momento, era como se nada jamais houvesse ocorrido. Em outros dias, no entanto, ela era dominada pela depressão, ficava na cama e recusava-se a sair de lá, fumando cigarros demais e vigiando o relógio, para ver se já era hora de seu primeiro drinque do anoitecer. Judith sabia que muitas vezes Biddy era incapaz de resistir à tentação e saltava as horas. Assim, ao voltar de um passeio, ela encontrava a tia em sua poltrona, embalando o precioso copo com as duas mãos, como se sua própria vida dependesse daquela bebida.

— Eu não gostaria de deixar você sozinha — disse.

— Já lhe disse que terei a companhia da sra. Daggs. Além de Hester, no fim da rua, e de todas as minhas simpáticas senhoras da Cruz Vermelha. Não se falando em Morag. Ficarei muito bem. Por outro lado, você não pode ficar mofando aqui para sempre. Agora que já terminou suas aulas de datilografia e taquigrafia com Hester, de fato não há motivo para que fique aqui. Não desejo que vá embora, é claro, mas você nunca deve *deixar* de ir por *minha* causa. Encaremos a situação: eu preciso ser independente! Alguns dias sem você serão um bom treinamento para mim.

Desta maneira, Judith foi persuadida.

— Tudo bem — respondeu.

Sorriu, porque sua indecisão chegara ao fim e, com o encorajamento de Biddy, conseguira equilibrar sua mente hesitante. Então, imediatamente ficou tão excitada como se estivesse planejando um feriado — o que não era o caso — e recordou que, mesmo ansiando tanto voltar a Nancherrow, permanecia o fato de que as duas pessoas mais especiais não iam estar lá. Tia Lavinia, porque tinha morrido, e Edward, por causa das exigências da guerra. Não. Mentira. Não devido às exigências da guerra. Edward estava irremediavelmente perdido para ela, por causa de sua própria ingenuidade e inexperiência. Ele saíra de sua vida para sempre e a única culpada disso era ela mesma.

Mas... Sim, havia um enorme "mas". Nancherrow era constante, e ela ia voltar, retornar àquele lugar de conforto, de aconchego e luxo, onde as responsabilidades podiam ser jogadas pela janela, sendo possível desfrutar da sensação de voltar a ser criança. Apenas por alguns dias. Provavelmente tudo iria ser tremendamente triste, porém ela estaria *lá*, voltaria para seu próprio quarto rosa, seus amados pertences, sua secretária, sua vitrola e sua caixa chinesa. Judith viu-se abrindo a janela e debruçando-se para fora, a fim de ver o pátio e vislumbrar o mar, de ouvir o arrulho das pombas brancas em torno do pombal. Viu-se dando risadinhas contidas com Loveday, ou apenas estando na companhia de Athena, de Mary Millyway, de Diana e do coronel. Seu coração inundou-se de gratidão, e ela sabia ser isto a coisa melhor e mais próxima de um retorno ao lar. Então perguntou-se se tia Lavinia, onde quer que estivesse, perceberia a opulência de seu legado.

A viagem para a Cornualha foi impregnada de nostalgia e recordações. A estação de Plymouth, agora já de todo familiar, estava apinhada de jovens marinheiros e mochilas, todos recentemente mobilizados e rumando para o interior do país. Os rapazes amontoavam-se na plataforma oposta, sendo forçados a uma espécie de fila por um exasperado instrutor militar. Quando o trem *Riviera da Cornualha* parou na estação, eles desapareceram momentaneamente de vista, escondidos atrás da enorme e pulsante máquina a vapor, porém continuavam lá mal o trem recomeçou a rodar, e a última visão que Judith teve deles foi a de um borrão de novos e engomados uniformes azul-marinho e de jovens rostos de faces coradas.

Quase em seguida o *Riviera* chocalhou sobre a ponte do Saltash, e o porto estava tomado por navios da Marinha Real, agora não mais cinzentos, mas inteiramente cobertos pela pintura de camuflagem. Logo depois, a Cornualha: casas caiadas de rosa, vales profundos e viadutos. O trem fez alto em Par.

— Par! Par! Par, baldeação para Newquay! — entoou o chefe da estação, como sempre havia feito.

Truro. Judith viu a cidadezinha aninhada em torno da comprida torre da catedral, e recordou a vez em que fora lá com o sr. Baines para comprar sua vitrola, depois tendo ido almoçar no "O Leão Vermelho". Então pensou em Jeremy, na primeira vez em que o vira, na maneira como ele recolhera seus pertences e se despedira, saltando do trem em Truro. Naquele momento, achara que nunca mais tornaria a vê-lo e que, certamente, jamais saberia seu nome.

Por fim, Hayle e o estuário, azul com a maré alta. No lado contrário, Penmarron, os telhados de Riverview claramente visíveis através do verde recente de abril nos galhos das árvores.

No entroncamento, ela pegou sua mala no porta-bagagem acima do assento e ficou em pé no corredor, não desejando perder a primeira visão de Mount's Bay e do mar. As praias, enquanto o trem seguia ruidosamente ao longo do litoral, estavam tomadas por defesas de arame farpado, e havia casamatas de concreto com guarnições de soldados, além de armadilhas antitanques, para a hipótese de uma invasão por mar. Não obstante, a baía cintilava ao sol, exatamente na maneira de sempre, e o ar se enchia do grasnido das gaivotas, do cheiro forte de maresia.

Athena estava lá, esperando-a. Em pé na plataforma, e imediatamente visível, com seus cabelos louros esvoaçando à brisa. Sua gravidez era de todo óbvia, porque ela não fazia nenhum recatado empenho de esconder seus contornos, e usava frouxas calças compridas de veludo cotelê, com uma camisa masculina de mangas enroladas e abas soltas.

— Judith!

Encontraram-se a meio caminho na plataforma. Judith largou sua mala e as duas abraçaram-se. A despeito de sua não costumeira aparência desleixada, Athena estava perfumada, como sempre, por alguma fragrância deliciosamente cara.

— Céus, que bom ver você! Você perdeu peso, eu ganhei. — Ela deu tapinhas no estômago. — Não é excitante? Fica maior a cada dia que passa!

— Para quando vai ser?

— Julho. Mal posso esperar. Isto é toda a sua bagagem?

— O que você esperava, malas próprias para camarotes e caixas de chapéus?

— O carro está lá fora. Venha, vamos para casa.

O carro foi uma surpresa e tanto. Não era um dos grandes e dignificados veículos que tanto faziam parte de Nancherrow, mas um pequeno furgão em estado lastimável, tendo escritas na lateral da carroceria as palavras H.WILLIAMS, PEIXEIRO, em letras maiúsculas.

— Quem entrou para o comércio pesqueiro? — perguntou Judith, algo divertida.

— Não é o fim? — exclamou Athena. — Papai o comprou de segunda-mão, para economizar gasolina. Você nem imagina quanta gente cabe aí atrás. Foi comprado há uma semana. Ainda não tivemos tempo de remover a inscrição. Aliás, penso que não deveríamos. Eu a acho incrivelmente chique. Mamãe também.

Judith depositou sua mala no interior cheirando a peixe e elas partiram. O furgão pipocou umas duas vezes, e só então saltou para diante, por pouco não se chocando com a borda do muro do porto.

— Foi muita gentileza sua ter vindo. Estávamos agoniados, imaginando que pudesse mudar de idéia no último momento. Como vai sua tia? Conseguindo sobreviver? Pobre Ned. Que coisa mais terrível foi acontecer! Todos nós lamentamos muitíssimo a morte dele.

— Ela está bem. Recuperando-se aos poucos, imagino. Contudo, tem sido um longo inverno.

— Sem dúvida. E o que você tem feito?

— Aprendendo taquigrafia e datilografia. Já adquiri velocidade e tudo o mais, de maneira que nada me impedirá de inscrever-me para alguma função ou de arranjar algum tipo de emprego.

— Quando pretende fazer isso?

— Ainda não sei. Qualquer dia. — Judith mudou de assunto. — Tem alguma notícia de Jeremy Wells?

— Por que pergunta?

— Estive pensando nele no trem. Recordei quando viajamos juntos e ele desembarcou em Truro.

— O pai dele apareceu há dias, porque Camilla Pearson caiu do balanço, abriu um corte na cabeça, e Mary pensou que talvez precisasse levar pontos. Não precisou. Ele disse que Jeremy está indo e vindo pelo Atlântico em um destróier. Faz parte de comboios da marinha mercante. Ele não forneceu detalhes, mas tudo isso parece bastante duro. Quanto a Gus, está na França, com a Divisão Highland, mas parece que não há muita coisa acontecendo por *lá*.

— E Rupert? — perguntou Judith, antes que Athena começasse a falar sobre Edward.

— Oh, ele está ótimo. Escreve montes de cartas divertidas.

— Onde se encontra?

— Na Palestina. Em um lugar chamado Gedera. Só que não tenho permissão de contar a ninguém, para o caso de algum espião estar ouvindo. Eles continuam sendo um regimento de cavalaria, porque ainda não foram mecanizados. Depois do que ocorreu com a cavalaria polonesa, no lugar deles eu me bandearia bem depressinha para os tanques, não acha? Enfim, suponho que o Ministério da Guerra saiba o que está fazendo. Ele escreve um número espantoso de cartas. Está eufórico sobre o bebê. Fica sugerindo nomes horríveis, como Cecil, Ernest e Herbert. Nomes de família dos Rycroft. Francamente pavorosos.

— E se for uma menina?

— Então, eu a chamarei de Clementina.

— Isso é um nome de laranja.

— Talvez ela seja um bebê-laranja. De qualquer modo, será divina! Estou ficando enfronhada no assunto crianças, agora que Roddy e Camilla estão lá em casa. Sempre pensei que os dois eram um pouco mimados, lembra-se da choradeira no dia de Natal? Mas Mary Millyway os deixou em forma num piscar de olhos, e agora estão uns amores. Costumam dizer as coisas mais incríveis.

— E Tommy Mortimer?

— Deve chegar amanhã. Queria trazer seu fraque, mas papai disse que isso seria exagerar um pouco.

— Está esquisito sem tia Lavinia?

— Sim. Ficou estranho. É como a gente saber que há um quarto vazio em casa, sem flores e de janela fechada. Uma coisa tão final, concorda? A morte, quero dizer.

— Sim, é decididamente final.

Mais tarde, depois que tudo havia terminado em segurança, todos concordaram que o funeral de Lavinia Boscawen havia sido tão exatamente *correto*, que ela própria poderia tê-lo dirigido. Era uma suave tarde de primavera; a Igreja de Rosemullion estava repleta de flores, e tia Lavinia, em paz no seu ataúde, esperava lá para receber seus amigos mais chegados pela última vez. Os bancos estreitos e incômodos estavam tomados pelos tipos mais diversos de indivíduos, nenhum dos quais, por nada neste mundo, teria perdido aquela ocasião. Chegaram de todas as partes do condado e de todos os patamares da vida, do Governador do Condado para baixo, tendo sido encontrado espaço para os mais humildes — o marinheiro aposentado de Penberth, que durante anos fornecera peixe fresco à sra. Boscawen, e o simplório rapazote que estocava combustível para o boiler da escola e fazia a limpeza dos primitivos banheiros.

Isobel estava lá, naturalmente, assim como o jardineiro da Dower House, usando seu melhor terno de *tweed* verde, com uma rosa "Gloire de Dijon" na lapela. De Penzance vieram três profissionais liberais: o sr. Baines, o sr. Eustick (gerente do banco) e o proprietário do Hotel "The Mitre". De Truro, o dr. Wells e sua esposa. A viúva *Lady* Tregurra fizera de táxi todo o trajeto desde Launceston, não parecendo nem um pouco abalada pela experiência. Outros pranteadores, porém, não se achavam tão aprumados, tendo precisado de alguma ajuda no trajeto do portão de entrada do cemitério até a igreja, enquanto seguiam pesadamente pela alameda sombreada de teixos com seus bordões e bengalas, além de terem dificuldade, uma vez acomodados, com fastidiosos aparelhos auditivos e cornetas acústicas. Um idoso cavalheiro chegou na própria cadeira de rodas, empurrado por seu empregado ligeiramente mais novo, enquanto o tempo todo a igreja se enchia e o órgão gemia, ofegante, a música dificilmente reconhecível como o *Nimrod* de Elgar.

O grupo de Nancherrow ocupou os dois primeiros bancos. Edgar

Carey-Lewis, Diana, Athena, Loveday e Mary Millyway sentaram-se no da frente. Atrás deles, ficaram seus convidados, Judith, Tommy Mortimer e Jane Pearson, com o sr. e a sra. Nettlebed. Hetty fora deixada para trás, tomando conta de Camilla e de Roddy Pearson. Tanto Mary quanto a sra. Nettlebed ficaram algo ansiosas com este arranjo, porque Hetty não era a mais inteligente e nem a mais confiável das jovens. Entretanto, ao partir para a igreja, a sra. Nettlebed a encheu de medo, dizendo-lhe que, se chegasse em casa e encontrasse aquelas crianças com contas enfiadas no nariz, ia haver barulho.

Todos eles, graças ao expediente de emprestar e tomar emprestado, tinham conseguido vestir-se de negro total. Todos, exceto Athena, que usava um esvoaçante vestido de crepe creme, parecendo um belo e absolutamente sereno anjo.

Por fim, ficaram todos acomodados. O sino cessou os toques plangentes, e o órgão, nesse meio tempo, arquejou para o silêncio. Dos fundos da igreja, através da porta que ficara aberta, chegava o som de pássaros chilreando.

O encanecido vigário levantou-se, e imediatamente decidiu que precisava assoar o nariz. Isto levou um ou dois momentos, enquanto todos permaneciam pacientemente sentados e olhando para ele, que remexia nos bolsos fundos em busca do lenço, retirava-o das dobras da sotaina, trombeteava dentro dele e tornava a armazená-lo. Depois pigarreou para clarear a garganta e finalmente anunciou, em tons trêmulos, que a sra. Carey-Lewis lhe pedira para anunciar que, após o serviço, todos seriam bem-vindos em Nancherrow para um refresco. Encerrada esta importante comunicação, ele abriu seu livro de orações, os membros da congregação — os que puderam — ficaram em pé, e o serviço começou.

Eu sou a Ressurreição e a Vida, disse o Senhor,
e aquele que crer em mim, embora estando morto,
ainda assim viverá...

Cantaram um ou dois hinos, o Coronel Carey-Lewis leu uma passagem apropriada da Bíblia, seguiu-se uma oração, e isso foi tudo. Seis homens adiantaram-se para erguer o ataúde de Lavinia Boscawen à altura dos ombros: o coveiro e seu robusto ajudante, o coronel,

Tommy Mortimer, o sacristão e o jardineiro de terno verde, este tendo certa semelhança, conforme Athena comentou mais tarde, com um adorável e pequenino gnomo que comparecera à festa errada. O ataúde (estranhamente pequeno) foi carregado do interior da igreja para o cemitério ensolarado, enquanto os membros da congregação seguiam mais atrás, em velocidades variadas.

Diplomaticamente distanciada da família, Judith observou o ritual de sepultamento e ficou atenta às palavras. *O pó ao pó, e as cinzas às cinzas*, mas era difícil perceber que algo tão final tivesse muito a ver com tia Lavinia. Olhando em torno, ela viu a figura alta do sr. Baines, um pouco afastado dali. Então recordou o funeral de tia Louise, em meio ao vento cortante no cemitério de Penmarron, e a maneira como o sr. Baines fora gentil com ela, naquele dia terrível. Depois viu-se pensando em Edward e desejando, por causa dele, que pudesse ter estado ali, a fim de também ajudar a carregar tia Lavinia para seu derradeiro lugar de repouso — para enviá-la em sua última viagem.

Uma vez que a sala de estar havia sido posta fora de uso, a reunião pela morte de tia Lavinia foi feita na sala de refeições. Tudo havia sido preparado com antecedência e tornado festivo. No centro da platibanda da lareira havia um enorme arranjo de tenras folhas de faia e lírios olhos-de-faisão, que Diana levara boa parte da manhã confeccionando. Na lareira, troncos crepitavam alegremente ao fogo, embora a tarde de abril continuasse tão agradável, que era possível deixar as janelas abertas e permitir que o ar fresco e salitrado penetrasse na casa.

A mesa enorme, expandida em todo o seu comprimento, estava coberta por uma toalha branca, e sobre ela expostos os petiscos da sra. Nettlebed (dois dias inteiros de labuta) para que todos os admirassem e depois consumissem. Bolos esponja, tortas de limão, bolinhos de gengibre, diminutos sanduíches de pepino e "delícias de cavalheiro", graciosos bolos glaçados e biscoitos amanteigados.

No aparador (responsabilidade de Nettlebed), estavam os dois bules de prata — um deles contendo chá da Índia, o outro chá da China — o jarro de prata com água, o jarro de leite e o açucareiro. Ao lado, todos os melhores pires e xícaras casca-de-ovo. Lá estavam também (discretamente colocados) a garrafa ornamental contendo uísque, o sifão de soda e numerosos copos de cristal trabalhado. As cadeiras da sala de refeições tinham sido dispostas contra a parede, em torno do aposento. Aos poucos, elas foram sendo ocupadas pelos mais enfermos e menos firmes de pernas, enquanto os outros permaneciam de pé ou se moviam por ali, trocando cumprimentos. A conversa aumentou de tom e as vozes sussurravam. Antes de muito tempo, tudo começou a assemelhar-se um pouco a uma reunião para coquetel, da melhor espécie.

Instruída por Diana, Judith ajudou a carregar bandejas e a oferecer os vários petiscos, parando de vez em quando para trocar algumas palavras ou apanhar uma xícara de chá vazia para ser novamente enchida. Tão ocupada estava, que passou algum tempo antes de encontrar a oportunidade de falar com o sr. Baines. Encaminhava-se para o aparador, com uma xícara e um pires em cada mão, quando a meio caminho se viu face a face com ele.

— Olá, Judith.

— Sr. Baines... Que bom vê-lo aqui, e como foi gentil em vir...

— É claro que eu viria. Você parece muito ocupada.

— Todos querem mais chá. Não creio que alguém esteja acostumado a xícaras tão pequeninas.

— Eu preciso falar com você.

— Isso está parecendo muito sério.

— Fique tranqüila. Não é nada sério. Será que podíamos afastar-nos um pouco, por um ou dois minutos? Há várias empregadas servindo, estou certo de que você pode ser dispensada por enquanto.

— Certo... tudo bem, mas primeiro preciso servir estas duas pessoas, coitadinhas, que estão esperando e sedentas.

— Troquei algumas palavras com o Coronel Carey-Lewis. Ele disse que podemos usar seu estúdio.

— Sendo assim, estarei com o senhor em um instante.

— Muito bem. O que tenho a dizer-lhe não levará mais de dez minutos. — Loveday passava com uma bandeja de biscoitos amantei-gados, e ele aproveitou para apanhar um. — Isto me sustentará, até você voltar.

No aparador, Judith tornou a encher as xícaras e as levou de volta para a sra. Jennings, que dirigia a Agência dos Correios de Rosemul-lion, e sua amiga sra. Carter, que limpava os metais dourados da igreja.

— Você é uma garota adorável — disse-lhe uma das senhoras. — Estamos de garganta seca, após cantarmos tanto. Há mais daqueles bolinhos de gengibre? Já sabíamos que teríamos um saboroso chá, se a sra. Nettlebed tivesse algo a ver com ele...

— ... não sei como ela se arranja, com este racionamento...

— ... ela deve ter posto alguma coisa de lado, acredite no que lhe digo...

Judith serviu os bolinhos de gengibre e afastou-se, enquanto elas mastigavam vagarosamente, limpando pequenas migalhas dos lábios com dedinhos delicados. Aparentando naturalidade, ela saiu da sala. Era um certo alívio, poder afastar-se daquela tagarelice em vozes agudas e, seguindo pelo corredor, cruzou a porta aberta para o estúdio do coronel. O sr. Baines a esperava, recostado contra a secretária maciça, consumindo tranqüilamente o último pedaço do biscoito amanteigado que surripiara. Apanhando o lenço de seda, limpou as migalhas aderidas aos dedos.

— Que banquete! — comentou.

— Ainda não comi nada. Estive ocupada demais alimentando os outros. — Judith deixou o corpo afundar em uma fofa poltrona de couro, e foi bom descarregar o peso dos pés, afrouxando os incômodos sapatos fechados, de couro negro e salto alto. Olhou para o sr. Baines e franziu a testa. Ele havia dito que não era nada sério, porém não mostrava uma expressão muito jovial. Seria ótimo se o que dissera fosse verdade. — Sobre o que deseja falar comigo?

— Sobre várias coisas. A principal delas, você. Como está?

Ela deu de ombros.

— Tudo bem.

— O Coronel Carey-Lewis me deu a triste notícia da morte de seu primo. Isso foi trágico.

— Sim. Sem dúvida, foi trágico. Ele tinha apenas vinte anos. Jovem demais para morrer, não acha? E aconteceu logo no início da guerra... quase antes de todos nos acostumarmos à idéia de que realmente *estávamos* em guerra. Foi uma coisa totalmente repentina.

— Ele também me disse que você resolveu não ir para junto de sua família, mas continuar aqui no país.

Judith sorriu estranhamente.

— O senhor parece estar a par de tudo o que aconteceu.

— Vejo o coronel de tempos em tempos, no Penzance Club. Gosto de saber como estão os meus clientes. Espero que tenha boas novas de Cingapura...

Ela lhe contou as notícias que soubera pela mãe, e prosseguiu explicando sobre Hester Lang, as aulas de taquigrafia e datilografia que, de algum modo, tinham ajudado a ocupar o longo, frígido e penoso inverno em Upper Bickley.

— Agora já adquiri uma boa rapidez nas duas matérias, de modo que posso deixar Biddy e arranjar um emprego ou coisa assim. Entretanto, sinto certa relutância em ir embora e deixá-la sozinha...

— Há um tempo certo para tudo. Talvez chegue mais depressa do que imagina. De qualquer modo, parece estar sobrevivendo. Agora, há algo mais a dizer-lhe. É a respeito de Billy Fawcett.

Judith ficou gelada. Que odiosa informação teria o sr. Baines para dar-lhe? Jamais lhe ocorreu o fato de que talvez não fosse odiosa, porque a própria menção do nome de Billy Fawcett era suficiente para encher-lhe o coração de apreensão.

— O que há sobre ele?

— Não dê a impressão de petrificada. Ele está morto.

— *Morto?*

— Aconteceu há pouco, na semana passada. Ele estava no banco, em Porthkerris, creio que descontando um cheque. Então, o gerente saiu de seu gabinete e disse, muito polidamente, que gostaria de ter uma conversa sobre os saques a descoberto de Billy Fawcett. O coronel teria a bondade de entrar em seu gabinete? Ao ouvi-lo, o velho teve um acesso de fúria, ficou subitamente com o rosto azulado, deu um gritinho sufocado e caiu no chão ao comprido, de costas. Imóvel. Dá para imaginar a consternação. Ficou-se sabendo que ele sofrera um ataque cardíaco maciço. Foi chamada uma ambulância, ele foi levado para o Hospital Geral de Penzance, porém quando chegou lá já estava morto.

Judith não encontrava nada para dizer. Enquanto o sr. Baines falava, seu choque e o terror iniciais foram gradualmente substituídos por um desejo histérico de rir, porque podia visualizar claramente a morte de Billy Fawcett, tudo lhe parecendo mais hilariante do que trágico... nem um pouco diferente da noite em que Edward Carey-Lewis o depositara na sarjeta, diante do *pub* Guincho Corrediço.

Prestes a explodir em risadinhas nervosas, ela tapou a boca com a mão, porém seus olhos traíam o riso. O sr. Baines sorriu, mostrando certa compreensão, e depois meneou a cabeça, como se não soubesse o que dizer a respeito.

— Suponho que devíamos estar com rostos solenes, porém tive exatamente a sua reação, quando me contaram o sucedido. Assim que ele deixou de ser uma ameaça, mostrou-se como uma ridícula figura de homem.

— Sei que eu não devia estar rindo.

— O que mais se pode fazer?

— Há tanta gente morrendo...

— Eu sei. E sinto muito.

— Ele chegou a comparecer ao tribunal?

— Naturalmente. Apresentou-se ao Juiz Itinerante do terceiro trimestre. Declarou-se culpado, e seu advogado expôs um punhado de circunstâncias irrelevantes e extenuantes: um velho e leal soldado do Rei, traumáticas experiências no Afeganistão etc., etc. Assim, foi liberado com uma pesada multa e uma reprimenda. Teve sorte em não ir para a prisão, mas penso que o resto de sua vida foi bastante infeliz. Ninguém em Penmarron queria ter muita amizade com ele, e foi convidado a desligar-se do clube de golfe.

— E o que ele fez depois disso?

— Não sei dizer. Embriagava-se, suponho. Tenho certeza apenas de que deixou de ir ao cinema.

— Que fim de vida miserável!

— Eu não teria muita pena dele. De qualquer modo, agora é tarde demais para lamentar-se alguma coisa.

— Fico surpresa, porque o sr. Warren ou Heather nada me disseram sobre a morte dele.

— É como lhe disse, foi muito recente. Houve uma pequena nota no *Western Morning News* de dois dias atrás. Billy Fawcett não era um homem muito conhecido e tampouco muito estimado.

— Isso devia causar tristeza.

— Não fique triste. Apenas expulse da mente todo o infeliz episódio, de uma vez por todas.

Enquanto falava com ela, o tempo todo o sr. Baines havia permanecido na mesma postura, com o corpo alto e anguloso contra a borda da secretária do Coronel Carey-Lewis. Agora, no entanto, ele se abaixava para apanhar sua pasta, que deixara no assento de uma poltrona. Então, após largar a pasta sobre o tapete, sentou-se na poltrona e cruzou uma das pernas compridas sobre a outra. Judith o observava, adivinhando que ele ia tirar os óculos e limpá-los com seu lenço de seda. Foi o que aconteceu, mas, por experiência, já sabia que o sr. Baines estava ordenando os pensamentos.

— Muito bem — disse ele — agora vamos ao que de fato interessa — e tornou a colocar os óculos, guardou o lenço e cruzou os braços.

— Talvez seja um pouco precipitado, mas eu queria trocar idéias com você, antes que tornasse a partir para Devon. É sobre a casa da sra. Boscawen...

— A Dower House?

— Exatamente. Eu gostaria de saber o que me responderia, se eu lhe sugerisse que deveria comprá-la. Como disse, este não é o momento mais apropriado para falar de negócios, mas já refleti bastante a respeito e, em vista das circunstâncias, decidi que não valia a pena perder tempo.

Ele ficou calado. Os olhos de ambos encontraram-se, através da sala. Judith o encarava fixamente, perguntando-se se, de repente, o sr. Baines teria perdido o juízo. No entanto, ele estava claramente esperando sua reação a tão atordoante esquema.

— Oh, mas eu *não preciso* de uma casa. Estou com dezoito anos. Neste exato momento, uma *casa* era a última coisa no mundo de que necessitaria. Estamos com uma guerra em andamento, e provavelmente me juntarei aos serviços, ficando afastada durante anos. Por que iria arranjar a preocupação de uma *casa*...?

— Deixe-me explicar...

— ... além disso, certamente a Dower House não pode ser colocada no mercado. Ela não faz parte das terras de Nancherrow?

— Já fez. Não faz mais. Assim que pôde, o marido da sra. Boscawen adquiriu o domínio absoluto.

— E o Coronel Carey-Lewis não desejaria comprá-la de volta?

— Já discuti isto com ele e, aparentemente, não pretende comprá-la.

— O senhor já falou a respeito com o coronel?

— É claro. Eu não podia expor-lhe o negócio, sem primeiro ter ouvido os pontos de vista dele sobre o assunto. É importante demais.

Eu não preciso apenas da aprovação, mas também da opinião do coronel.

— Por que é tão importante? Por que comprar a Dower House é tão importante?

— Porque, como um de seus curadores, considero que o melhor investimento que você talvez possa fazer, sem dúvida, será a aquisição de uma propriedade. Imóveis nunca perdem o valor e, mantidos adequadamente, só tendem a valorizar. Além disso, este é um bom momento para comprar porque, como sempre acontece em tempos de guerra, os preços caem a seu nível mais baixo. Sei que você é muito jovem e que o futuro está cheio de incertezas, mas, ainda assim, temos que olhar para diante. Aconteça o que acontecer, você possuirá uma base. Suas próprias raízes. Outra consideração é a sua família. Graças à sra. Forrest, você é que tem dinheiro. Ser dona da Dower House significaria um lar para onde seus pais e Jess voltariam, chegada ao fim a permanência deles em Cingapura. Ou, pelo menos, uma base. Algum lugar onde ficarem, até poderem encontrar uma casa para eles.

— Oh, mas ainda faltam anos para que isto aconteça!

— É verdade. No entanto, acontecerá.

Judith ficou calada. De repente, parecia-lhe haver muita coisa em que pensar. A Dower House. Propriedade sua. Seu próprio lar. Raízes. A única coisa que jamais conhecera e pela qual sempre ansiara. Recostando-se na espaçosa poltrona, ela fitou a lareira vazia e deixou a imaginação conduzi-la através da velha casa, com seus quartos quietos e antiquados, o relógio tiquetaqueante e os degraus rangentes da escada interna. A sala de estar, cintilando à luz do sol e ao fogo da lareira; tapetes e cortinas desbotados, e sempre o perfume de flores. Pensou na úmida passagem de pedra que levava aos vetustos aposentos da cozinha, naquele ar de tempo em suspensão, que nunca deixara de encantá-la. Viu o panorama através das janelas, com a linha do horizonte se mostrando através dos galhos mais altos dos pinheiros de Monterey; depois o jardim, descendo em terraços até o pomar, onde ficava a cabana de Athena e Edward... Seria possível lidar com tantas e tão diversificadas memórias? Naquele momento, parecia não haver meio algum de saber.

— Não posso decidir-me tão depressa — falou.

— Pense a respeito.

— Estou pensando. Compreenda, sempre sonhei possuir uma casinha, que fosse só minha e de mais ninguém. Entretanto, era apenas um sonho. E se não posso morar nela, de que adianta? Se comprar a Dower House, o que farei com ela? A casa não pode ficar abandonada, se estiver vazia.

— Ela não precisa ficar vazia — observou o sr. Baines, no tom de quem está raciocinando a fundo. — Isobel não permanecerá lá, é claro. Já fez planos para morar com o irmão e a esposa dele; antes de morrer, a sra. Boscawen deixou-lhe uma anuidade, de modo a permitir que termine seus dias com independência e a necessária dignidade. Quanto à casa, poderia ser alugada. Talvez a alguma família de Londres, ansiosa na própria evacuação para o campo. Estou certo de que não haverá escassez de interessados. Podemos ainda encontrar um casal aposentado que fique lá como caseiro ou alguma pessoa grata por um teto sobre sua cabeça, além de um pequeno salário regular...

Ele falava persuasivamente, porém Judith cessara de ouvi-lo. Uma pessoa grata por um teto sobre sua cabeça; alguém que cuidaria do jardim, que poliria e limparia a casa como se sua fosse. Que achasse as antiquadas cozinhas o máximo do luxo e da funcionalidade, que provavelmente se debulharia em lágrimas de alegria ao pousar os olhos no pequeno toalete, com suas paredes de tábuas encaixadas e pintadas de branco, e o vaso sanitário, com sua correntinha pendente e a palavra PUXE escrita no pegador.

— ... evidentemente, a propriedade não está em excelente ordem. Desconfio de um toque de caruncho no piso da cozinha, e nos forros do sótão há algumas manchas de umidade, mas...

— Phyllis — disse Judith.

Interrompido em meio da frase, o sr. Baines franziu a testa.

— Como disse?

— Phyllis. Phyllis poderia tomar conta da casa. — A idéia expandiu-se, floresceu. Animada pelo excitamento, Judith empertigou-se na poltrona e inclinou-se para diante, com as mãos entrelaçadas sobre os joelhos. — Oh, o *senhor* lembra-se de Phyllis. Ela trabalhava para nós em Riverview. Agora é Phyllis Eddy. Casou-se com Cyril, seu namorado, e tem um bebê. Fui vê-la quando passei dias em Porthkerris, durante o verão. Fui em meu carro. Fazia quatro anos que não a via...

— Bem, mas se ela está casada...?

— Não compreende? Cyril era mineiro, mas agora está na Marinha. Ele a deixou. Sempre quis ir para o mar. Nunca desejou ser mineiro. Ela me escreveu e contou tudo isso, quando Ned foi morto. Escreveu-me uma carta tão doce...

Judith prosseguiu, explicando ao sr. Baines sobre Phyllis e sua humilde situação, morando numa casinha lúgubre, a quilômetros de qualquer lugar além de Pendeen. E como era uma casa vinculada, pertencente à companhia de mineração, Phyllis teria de deixá-la e voltar a morar com a mãe.

— ... e já há gente demais morando com a mãe. Tudo o que Phyllis sempre quis foi um lugar seu, com um jardim e um banheiro dentro de casa. Poderia trazer o bebê, e *ela* cuidaria da Dower House para nós. Não seria o mais perfeito arranjo que se poderia imaginar?

Ela esperou, ansiosa, que o sr. Baines lhe dissesse o quanto estava sendo inteligente. Entretanto, ele era cauteloso demais para tanto.

— Judith, você não está comprando um lar para Phyllis. Está fazendo um investimento para si mesma.

— Sim, mas é *o senhor* quem quer que eu compre a casa, e foi *o senhor* quem sugeriu alguém para cuidar dela. Eu apenas encontrei a resposta perfeita.

Ele aceitou isto.

— É verdade. Entretanto, Phyllis deixaria a mãe e se mudaria para Rosemullion? Não sentiria falta da família e das amizades?

— Não creio. Pendeen era tão pavoroso, que ela nem podia cultivar amores-perfeitos no jardim. Além disso, estava a quilômetros de distância dos parentes. Rosemullion fica a apenas uma caminhada, ladeira abaixo. Quando Anna tiver idade suficiente, poderá ir para a Escola de Rosemullion. Elas farão amizades. Phyllis é uma criatura tão bondosa, que todos quererão ser seus amigos.

— Já pensou que ela pode achar o lugar solitário?

— Ela está solitária de qualquer modo, agora que Cyril se foi. Pelo menos, ficaria solitária em algum lugar agradável.

Visivelmente perturbado por essa reviravolta, o sr. Baines tirou os óculos, recostou-se na poltrona e esfregou os olhos. Depois tornou a colocá-los.

— Parecemos ter ido de um ao outro extremo. Creio que devemos agir com calma e tentar seguir o caminho do meio. Planejar sensatamente e apontar prioridades. É um grande passo o que estamos considerando, além de ser um passo que custará um bom dinheiro. Portanto, você precisa estar realmente certa do que quer fazer.

— Quanto teremos de pagar?

— Eu avaliaria em cerca de duas mil libras. Haverá um limite para os necessários reparos e reformas, porém isto terá de esperar pelo fim da guerra. Conseguiremos um perito em...

— Duas mil libras! Parece-me uma quantidade incrível de dinheiro.

O sr. Baines permitiu-se um leve sorriso.

— Sem dúvida, mas trata-se de uma soma que o fundo pode gastar sem problemas.

O que ela ouvia era inacreditável.

— Há mesmo tanto dinheiro assim? Nesse caso, vamos em frente. Oh, não precisamos discutir mais!

— Há cinco minutos, você me dizia que não queria comprar a casa.

— Bem, admitamos que a idéia foi como uma bomba...

— Sempre achei que aquela era uma casa cheia de felicidade.

— Sim. — Judith desviou os olhos dos dele e tornou a recordar a Cabana, aquela tarde de verão, o cheiro de creosoto e o som do abelhão zumbindo no teto. Tais recordações, no entanto, por mais dolorosas que fossem, não tinham permissão para interferir, para impedi-la de dar este enorme e excitante passo à frente. Phyllis, ocupando toda a sua mente, era de importância mais imediata do que Edward. — Os chineses vendem felicidade. Colocam boas pessoas em uma casa, para que vivam nela e a encham de um espírito tranqüilo. — Virando-se, sorriu para o sr. Baines. — Por favor, consiga-a para mim!

— Tem certeza?

— Absoluta!

Em vista disso, durante alguns momentos eles conversaram, discutiram os prós e contras, fizeram planos. Uma vez que Bob Somerville não estava disponível, agora a quilômetros de distância em Scapa Flow e inteiramente ocupado com a guerra, claro que seria impossível uma reunião de curadores. Entretanto, o sr. Baines entraria em contato com ele, além de também conseguir um perito. Nesse meio tempo, nada devia ser comentado a respeito. Especialmente com Phyllis, advertiu ele com certa severidade.

— E quanto a meus pais?

— Creio que deveria escrever para eles e comunicar-lhes nossas intenções.

— De qualquer modo, só receberão a carta daqui a três semanas...

— E até lá, já devemos ter alguma idéia sobre como as coisas funcionarão. Quando volta para Devon?

— Dentro de um ou dois dias.

— Tenho seu número de telefone. Ligarei para você, quando tiver alguma notícia.

— O que acontecerá então?

— Creio que você deverá voltar à Cornualha, a fim de finalizarmos todos os arranjos. Depois que tudo estiver assinado e selado, então poderá procurar sua amiga Phyllis.

— Mal posso esperar!

— Tenha um pouco de paciência.

— O senhor tem sido muito gentil.

Ele olhou para seu relógio.

— Já a retive por tempo demais. A estas horas, a reunião para o chá deve estar encerrada.

— Não é uma "reunião para o chá". É uma homenagem à morta.

— Parecia mais uma alegre reunião.

— Será errado ficar tão animada no dia do funeral de tia Lavinia?

— Em minha opinião — disse o sr. Baines — o motivo de sua animação não daria a ela outra coisa senão prazer.

Não obstante, um mês se passou em Upper Bickley, antes que houvesse um telefonema do sr. Baines. Era uma manhã de quinta-feira. Biddy saíra para ir à casa de Hester e reunir-se com as companheiras da Cruz Vermelha, e Judith estava no jardim da frente da casa, colhendo os primeiros lírios-do-vale que iriam enfeitar a sala de estar. O punhado de esguios e rígidos talos aumentava em suas mãos, e o perfume das flores em forma de sininhos era delicioso, evolando-se da coroa de pétalas pontudas...

Ela ouviu o tilintar do telefone dentro de casa. Parou, esperando que a sra. Dagg também tivesse ouvido e fosse atender. Entretanto, como o toque continuasse, Judith cruzou o gramado às carreiras e entrou no vestíbulo pela porta do jardim.

— Upper Bickley!

— Judith? Aqui fala Roger Baines.

— Oh, sr. Baines! — Ela depositou cuidadosamente o punhado de lírios-do-vale sobre a mesa do vestíbulo. — Estive esperando seu telefonema.

— Sinto muito. Tudo demorou mais do que eu previa, mas acho que agora estamos prontos. O perito...

Judith não queria saber o que havia dito o perito.

— Vamos poder comprar a Dower House? — perguntou.

— Sim. Está tudo arranjado. Agora, precisamos apenas de sua presença e de algumas assinaturas.

— *Oh!* Que alívio! Cheguei a pensar que tivesse surgido algo terrível, qualquer impedimento, algum parente desconhecido reclamando a posse...

— Não houve nada tão desastroso. O único porém é que irá custar três mil, e o relatório do perito não foi precisamente o que se esperava...

— Não importa.

— Pois você *devia* importar-se. — Judith sentiu o riso na voz dele. — Como chefe da casa, precisa estar a par de todos os defeitos... não vale a pena comprar nabos em sacos.

— Um dia consertaremos os defeitos. O mais importante de tudo é que a conseguimos. — Agora já poderia dizer a Phyllis. Só em pensar nisso, Judith simplesmente mal podia esperar para ver o rosto dela. Perguntou: — O que o senhor quer que eu faça?

— Volte à Cornualha assim que puder, e teremos toda a papelada assinada e selada.

— Que dia é hoje?

— Quinta-feira.

— Irei na segunda-feira. Acha um dia adequado? Preciso de algum tempo para organizar a situação por aqui, refeições e essas coisas, para o fim de semana. De qualquer modo, irei na segunda-feira. Eu e Biddy estivemos poupando ao máximo nossos cupons de gasolina, portanto, irei em meu carro.

— Onde vai ficar?

— Em Nancherrow, suponho.

— Se quiser, pode ficar conosco. Comigo e minha mulher.

— Oh, é muita gentileza sua, obrigada, mas tenho certeza de que tudo estará bem em Nancherrow. Seja como for, eu lhe telefonarei, quando estiver certa de meu horário de chegada. Provavelmente à hora do almoço, na segunda-feira.

— Venha diretamente ao meu escritório.

— Farei isso.

— Até lá, Judith.

— Até lá, sr. Baines. E obrigada.

Judith desligou o telefone e ficou parada, sorrindo de maneira idiotizada, por um ou dois momentos. Depois, recolhendo o punhado de lírios-do-vale, seguiu pelo corredor e foi à cozinha.

Lá encontrou a sra. Dagg, sentada à mesa e desfrutando de sua folga do meio da manhã. Isto significava preparar uma xícara de chá forte e comer alguma coisa que encontrasse, reservada, em cima da prateleira de pedra da despensa. Às vezes era um ou dois pedaços de queijo de couve-flor, em outras um sanduíche frio de carneiro. Hoje, seu lanche era metade de um pêssego em calda, sobra do pudim da noite anterior, com uma boa colherada de creme. Enquanto saboreava o pequeno repasto, a sra. Dagg geralmente lia os suculentos mexericos no jornal da manhã, porém agora ela esquecera os mexericos e estava lendo coisa mais séria.

Ergueu os olhos, quando Judith cruzou a porta. Era uma senhora magra e rija, de cabelos grisalhos apertadamente ondulados, e usava um enorme avental que lhe envolvia todo o corpo, confusamente estampado com peônias. Havia sido costurado por uma das damas do Instituto Feminino, aproveitando uma sobra do cretone das cortinas de alguém, e as cores berrantes tinham atraído os olhos da sra. Dagg, na Feira da Igreja do Natal anterior. E, desde então, os olhos de Judith e de Biddy é que passaram a ser atraídos pelas cores berrantes do avental.

Em geral uma mulher alegre, naquele momento a sra. Dagg parecia visivelmente abatida.

— Posso jurar que não entendo...

— O que é que não entende, sra. Dagg?

— Esses alemães. Veja esta foto do que eles fizeram com Rotterdam. Explodiram tudo. Agora, o exército holandês se rendeu, e eles estão indo para a França. Pensei que não fossem cruzar a Linha Maginot.

Era o que todo mundo *dizia*. Espero que não seja como da última vez. Trincheiras e tudo. Dagg esteve nas trincheiras, e disse que nunca viu tanta lama.

Judith puxou uma cadeira e sentou-se de frente para a sra. Dagg. A mulher empurrou o jornal para o lado e, sem muita alegria, continuou a consumir seu pêssego enlatado.

Relanceando os olhos para o cabeçalho negro da página, Judith compreendeu o que a sra. Dagg quisera dizer. Os mapas, com suas pontudas setas negras. Os alemães haviam cruzado o Meuse. E onde estava a Força Expedicionária Britânica? Ela pensou em todos que lá se encontravam: Gus, Charlie Lanyon, Alistair Pearson, Joe Warren e os milhares de outros jovens soldados britânicos.

— Não é *possível* que eles invadam a França! — exclamou. Era insuportável olhar para a foto de Rotterdam destroçada. — É apenas um ataque inicial. Tenho certeza de que, muito breve, as setas estarão apontando na outra direção.

— Bem, eu não sei. Acho que está sendo um pouco esperançosa, se quer a minha opinião. O sr. Churchill disse que vai haver sangue, suor, labuta e lágrimas. E sabe de uma coisa? Ele está certo dizer isso diretamente para nós. Não adianta a gente pensar que será uma brincadeira esta guerra. E eles não estariam começando isso de Voluntários de Defesa Local, se não achassem que os alemães iriam vir. Dagg vai alistar-se. Disse que é melhor estar a salvo do que lamentar. Agora, de que adianta ele ir? Nem posso imaginar. Não tem vocação para lidar com armas. Mal consegue acertar um coelho, quanto mais um alemão!

Uma vez que a sra. Dagg recusava-se a ser otimista, Judith dobrou o jornal e o deixou de lado.

— Sra. Dagg, preciso dizer-lhe uma coisa — falou. — Eu tenho que ver meu advogado. Será que a senhora poderia cuidar da sra. Somerville por mim? Como já fez antes?

Ela havia esperado uma concordância imediata, a garantia de que já se tinham saído muito bem antes e que o mesmo tornaria a acontecer. No entanto, a reação da sra. Dagg à sua inocente proposta foi surpreendentemente sem entusiasmo. Para começar, ela nada disse. Continuou sentada, de olhos baixos, remexendo os restos do pêssego no prato. Ao fitá-la, Judith notou uma mosqueada mancha vermelha em seu pescoço e faces, a boca se mexendo, enquanto ela mordia os lábios.

— Sra. Dagg!

A sra. Dagg largou a colher.

— Sra. Dagg, o que há de errado?

Após um momento, a sra. Dagg ergueu o rosto, e os olhos de ambas encontraram-se através da mesa.

— Não creio que essa seja uma idéia muito boa.

— Por que não?

— Bem, para lhe ser franca, Judith, não acho que eu possa responsabilizar-me. Pela sra. Somerville, quero dizer. Não, sozinha. Não, com você ausente.

— Por que não?

— Quando você não está aqui... — Os olhos da sra. Dagg estavam angustiados. — Quando você não está aqui, ela *bebe*.

— Sim, mas... — De repente, o coração de Judith foi tomado de medo, toda a euforia desapareceu. — Ela sempre gostou de um drinque, sra. Dagg. Um gim na hora do almoço e dois uísques ao anoitecer. Todos sabemos disso. Tio Bob também sabe.

— Não estou falando desse tipo de bebida, Judith. Estou falando de coisa forte. De muita bebida. É perigoso.

Ela falava tão quieta e definitivamente, que Judith não a julgou exagerando nem mentindo.

— Como é que a senhora sabe? — perguntou. — Como pode ter certeza?

— Pelas garrafas vazias. Você sabe para onde vão as vazias: para aquele caixote na garagem. Depois, a cada semana são postas lá fora, esperando o lixeiro. Quando você esteve fora, cheguei aqui uma manhã e a sra. Somerville nem tinha levantado ainda. Subi para ver se ela estava bem, e o quarto recendia a álcool, ela dormia que nem uma pedra. Já vi bêbados dormindo assim. Só bêbados. Não pude entender o que havia. O caixote das garrafas vazias não estava cheio, nem nada assim, por isso dei uma espiada no depósito de lixo, e debaixo de todos os jornais velhos e latas, encontrei duas garrafas vazias de uísque e uma garrafa vazia de gim. Ela *escondeu* as garrafas de mim. É como os bêbados fazem. Eles escondem as provas. Tive um tio que não podia parar de beber, e havia garrafas vazias pela casa inteira, até na gaveta das meias dele e atrás da privada.

646

Ela se calou, vendo o crescente horror no rosto de Judith. Depois disse:

— Eu sinto muito, Judith. De verdade. Não queria contar a você, mas foi preciso. Acho que ela só faz isso quando se sente sozinha. Fica muito bem se você está por perto, mas eu só venho aqui de manhã, entende? Tendo só a cachorra com quem falar, acho que ela simplesmente não agüenta a solidão. O capitão longe daqui, e Ned morto...

De repente, a sra. Dagg começou a chorar, e Judith não pôde suportar isso. Inclinando-se para diante, pousou os dedos sobre a mão calejada da mulher.

— Por favor, sra. Dagg, não fique tão nervosa! Teve toda a razão em me contar. É claro que não vou deixar Biddy. Não vou deixá-la com a senhora.

— Bem, mas... — A sra. Dagg encontrou um lenço e com ele enxugou os olhos, depois assoando o nariz. As manchas vermelhas sob a pele começavam a desaparecer. Era claro que, tendo contado tudo e afastado a responsabilidade sobre a terrível verdade, começava a sentir-se melhor. — Você *disse*. Disse que tinha de ver seu advogado. Isso é importante. Não pode deixar de ir vê-lo.

— Eu vou vê-lo.

— Talvez — sugeriu timidamente a sra. Dagg — a sra. Lang ficasse com ela em sua casa. É tudo de que a sra. Somerville precisa. Apenas um pouco de companhia.

— Não, não posso pedir isso a Hester Lang. Seria pedir demais e, por outro lado, Biddy poderia ficar desconfiada. — Judith refletiu profundamente na situação. — Eu... eu vou levá-la comigo. Fingirei que será um pequeno feriado. O tempo vem melhorando, e a Cornualha estará deliciosa. Iremos de carro, nós duas.

— E onde vão ficar?

— Eu... eu *ia* para Nancherrow. Ficar lá com meus amigos.

E ainda poderia ir, levando Biddy consigo e certa da ilimitada hospitalidade de Diana Carey-Lewis. *Oh, meu bem, é claro que deve trazê-la*, diria Diana, *eu ainda não a conheço e sempre quis conhecê-la. Será divertido. Quando é que chegam?*

Entretanto, na condição incerta de Biddy, talvez Nancherrow não fosse uma boa idéia, em absoluto. Era insuportável imaginar Biddy ficando tonta no jantar, sob o olhar gélido de Nettlebed.

— Não irei para Nancherrow — prosseguiu Judith. — Ficaremos em um hotel. O "The Mitre", em Penzance. Vou ligar para lá e reservar dois quartos. Assim, ficarei com ela o tempo todo, passearemos de carro e a levarei ao lugar em que morávamos. Será bom para Biddy. Ela ficou presa aqui, com sua tristeza, durante todo o inverno. Já é hora de experimentar uma mudança.

— E quanto a Morag? — perguntou a sra. Dagg. — Não se pode levar um cachorro para um hotel.

— Por que não?

— Ela poderia fazer suas necessidades no tapete.

— Tenho certeza de que Morag não fará isso...

— Bem, acho que poderia deixá-la comigo — sugeriu a sra. Dagg, porém sem grande entusiasmo.

— A senhora é muito gentil, mas estou certa de que nos arranjaremos muitíssimo bem. E poderemos levar Morag para passeios na praia.

— Sim, acho que assim será melhor. Dagg não sente muita simpatia por cachorros. Acha que eles devem ficar fora de casa, não na sala de estar.

Um pensamento ocorreu a Judith.

— Sra. Dagg, a senhora falou com seu marido... sobre a sra. Somerville e as garrafas vazias?

— Não disse uma palavra a ninguém. Só falei com você. Dagg gosta de sua cerveja, mas detesta bêbados. Não quero que ele me diga que tenho de parar de trabalhar para a sra. Somerville. Você sabe como certos homens podem ser.

— Sim — disse Judith, que nada sabia. — Acho que sei.

— Quanto menos dito, mais depressa é resolvido, é o que sempre digo.

— A senhora é uma boa amiga, sra. Dagg.

— Oh, não diga bobagens. — A sra. Dagg voltava a ser a mesma de sempre. Ergueu sua xícara, tomou um gole de chá, e imediatamente fez uma careta. — Horrível. Frio como gelo.

Levantando-se, despejou o conteúdo da xícara na pia.

— Prepare outro bule, sra. Dagg, e eu a acompanharei.

— Não gosto de fazer meus trabalhos domésticos com toda essa pressa.

— Oh, danem-se os trabalhos domésticos! — exclamou Judith.

O Regresso

Na Cornualha, o primeiro e ansiado calor do verão já havia chegado. Os ardores do sol eram temperados por uma brisa refrescante que cheirava a mar, e toda a zona campestre vestia as doces e suaves cores de maio: o verde viçoso das folhas tenras e da relva nova, o cremoso das flores de castanheiro, o rosado dos rododendros, o branco dos pilriteiros e o malva desbotado das vergônteas dos lilases, abanando os botões abertos acima dos muros dos jardins. Tranqüilo sob um céu sem nuvens, o mar se mostrava luminoso, raiado de um tom água-marinho e azul-jacinto e, no começo das manhãs, uma bruma jazia no horizonte, para ser mais tarde evaporada pelo calor do sol.

Em Penzance, as ruas movimentadas enchiam-se de luz e sombra. Judith saiu do hotel "The Mitre", seguiu a pé pela Chapel Street e entrou no Greenmarket, precisamente quando o relógio do banco badalava meio-dia e meia. Estava bastante quente. Ela usava um vestido de algodão e sandálias, sem meias cobrindo as pernas. As portas das lojas permaneciam abertas, com os toldos descidos, e havia caixotes de frutas, verduras e legumes expostos nas calçadas. A laje de mármore do peixeiro era um mar de gelo partido, no qual jaziam, de olhos mortos e fixos, bacalhaus e sardinhas inteiros, bem como montes de reluzentes cavalinhas. Os cartazes dos vendedores de jornais estavam negros com as notícias da manhã — ALEMÃES ALCANÇAM O LITORAL BELGA — mas, no entanto, junto à porta de seus quiosques ou tabacarias, via-se a costumeira e inocente exposição de pás de madeira e baldes de lata, chapéus de sol em algodão, redes para pescar camarões e bolas de praia, exalando ao sol um cheiro de borracha. Havia, inclusive, alguns visitantes vindos de Londres, de Reading ou de Swindon; jovens com filhos pequeninos e idosas vovós, os tornozelos já inchando sobre os recentemente adquiridos calçados para caminhar na areia.

Judith atravessou o Greenmarket e internou-se em Alverton, onde se situava a pequena e agradável casa georgiana que abrigava os escritórios de Tregarthen Opie & Baines. Após a porta que, no alto, deixava a claridade entrar pelas vidraças em forma de leque, o corredor também estava inundado da luz penetrando pela janela da escada. Em um gabinete, isolada dos visitantes por uma pequena abertura semelhante a um guichê de passagens, sentava-se a recepcionista. Havia uma sineta para tocar, de maneira que Judith a tocou — *ping!* — e a

649

recepcionista levantou-se de sua máquina de escrever, para falar com a recém-chegada.

— Bom-dia.

A mulher usava óculos sem aros e exibia ondulação permanente nos cabelos grisalhos e bem penteados.

— Vim ver o sr. Baines. Eu sou Judith Dunbar.

— Ele está à sua espera. Pode ir até o escritório? Conhece o caminho? Primeira porta à direita, no alto da escada.

Judith foi. A escada tinha um tapete turco e, no patamar, havia retratos de sócios anteriores da firma, senhores de suíças e relógios de corrente presa ao colete. A porta da direita ostentava uma placa de latão com o nome dele: "Roger Baines." Ela bateu. "Entre", disse ele e Judith abriu a porta.

Ele ficou em pé, atrás de sua secretária.

— Judith!

— Aqui estou eu...

— E bem na hora. Uma jovem pontual. Entre e sente-se. Está com uma aparência absolutamente estival.

— Bem, hoje faz um dia de verão.

— Quando foi que chegou?

— Há cerca de uma hora. Saímos de Upper Bickley logo depois de um *breakfast* bem cedo. Não havia muito trânsito na estrada.

— A sra. Somerville está com você?

— Sim, ela e o cachorro. Já nos instalamos no "Mitre". Ela levou Morag para uma corridinha na praia, mas eu disse que voltaria para um almoço atrasado.

— Foi uma boa idéia trazê-la com você.

— Pensei que ela não queria vir, mas ficou eufórica com a idéia. Para ser franca, acho que ela estava justamente precisando de uma mudança de ares. Por outro lado, está tão excitada como eu sobre a Dower House, e ansiosa por um passeio pelos arredores.

— Quanto tempo podem ficar?

— Na realidade, quanto tempo quisermos. Trancamos a casa *dela* e a sra. Dagg ficará olhando por tudo.

— Bem, isso é bastante satisfatório. E a temperatura tem estado agradabilíssima. Portanto, não percamos mais tempo, vamos aos negócios...

Não demorou muito. Havia alguns papéis para assinar (a srta. Curtiss, a recepcionista, foi convocada como testemunha do ato), e o cheque a ser preenchido. Em toda a sua vida, Judith jamais imaginara que chegaria a preencher um cheque com tão vultosa quantia. "Três mil libras." Não obstante, escreveu-a, assinou o cheque e o empurrou por sobre a secretária. Com um clipe de papéis, o sr. Baines o anexou aos documentos restantes.

— Isso é tudo?

— É tudo. Exceto por um ou dois pequenos, mas necessários pontos que devem ser discutidos. — Ele se recostou na cadeira. — Na realidade, a Dower House está pronta para ser habitada. Isobel a deixará esta tarde. Às cinco horas o irmão irá apanhá-la em sua camioneta e a levará para morar com ele.

— Ela está muito abalada?

— Não. Se quer saber, creio que até se mostra bastante excitada por iniciar uma nova vida aos setenta e oito anos. Passou as duas últimas semanas esfregando e limpando tudo, decidida a não deixar você encontrar um só grão de poeira ou uma torneira sem polir. — Ele sorriu. — De onde ela extrai tanta energia, não sei dizer, porém a diarista esteve lá para dar-lhe uma ajuda, de modo que, com alguma sorte, Isobel não morrerá de ataque cardíaco.

— Eu gostaria de vê-la, antes que o irmão a levasse.

— Iremos a Rosemullion depois do almoço. Então ela poderá entregar-lhe todas as chaves e dar-lhe as instruções finais.

— E quanto aos móveis?

— Era essa a outra coisa sobre a qual eu queria falar-lhe. A sra. Boscawen legou toda a sua mobília ao Coronel Carey-Lewis, para ele e sua família. Entretanto, como bem sabe, Nancherrow já está inteiramente mobiliada e nenhum dos filhos, até a data presente, possui sua própria casa. Assim, ocorreu o seguinte: alguns poucos e especiais itens foram removidos, a fim de que cada membro da família possuísse uma pequena recordação da sra. Boscawen. O restante, o grosso do mobiliário, continua onde está, na Dower House, e os Carey-Lewis querem que seja tudo seu.

— Oh, mas...

O sr. Baines ignorou os protestos de Judith.

— ... nada sendo particularmente valioso e nem mesmo em

perfeito estado. Entretanto, por ora os móveis estão em boas condições de uso e servirão esplendidamente, até você ter tempo e oportunidade de adquirir sua própria mobília.

— Como eles *puderam* ser tão gentis?

— Acredito que se sentiram bem aliviados por não terem que enfrentar o problema. Conforme observou para mim a sra. Carey-Lewis, se tudo fosse colocado em um leilão ou posto à venda, provavelmente quase nada renderia. Existem ainda um ou dois outros entraves. A sra. Carey-Lewis e Isobel recolheram as roupas da sra. Boscawen e seus objetos mais pessoais, ao passo que o coronel retirou de sua secretária os papéis que considerou de importância. Fora isso, nada mais foi tirado. Assim, há gavetas entulhadas de velhas cartas e álbuns de retratos, enfim, as recordações acumuladas durante toda uma existência, as quais terão de ser selecionadas. Receio que essa tarefa recaia sobre você, porém não há nenhuma pressa imediata, e qualquer coisa que considere de interesse para a família Carey-Lewis pode ser posta de lado, sendo depois entregue a eles. De qualquer modo, quase posso garantir que a maioria será destinada a uma fogueira.

A palavra "fogueira" evocou a questão do jardineiro de terno verde.

— O que acontecerá com ele? Também se aposenta?

— Tive uma palavrinha com ele. Segundo me disse, o jardim está ficando um pouco trabalhoso demais para a sua idade; porém, como mora em Rosemullion, tenho certeza de que subirá a ladeira uns dois dias na semana, para manter a grama aparada e as ervas daninhas arrancadas. Isto é, se você o quiser.

— Eu odiaria ver o jardim maltratado.

— Sem dúvida. Seria uma tristeza. Entretanto, dentro em breve poderemos tentar encontrar alguém mais novo e mais permanente. Talvez valesse a pena comprar uma cabana... uma casa de jardineiro por perto, isso apenas aumentaria o valor da propriedade...

Ele continuou falando, sugerindo vários outros pequenos melhoramentos que poderiam ser feitos mais tarde. Judith ficou ouvindo, e decidiu que era uma enorme tranqüilidade apenas ouvi-lo falar, em seu tom comedido, expondo idéias para um futuro que, no momento presente, parecia tão distante, improvável e infinitamente precário. Os alemães tinham chegado à costa belga, o Canal da Mancha (ou Canal

Inglês) estava ameaçado e, em resultado, também a Força Expedicionária Britânica, em algum lugar na França; velhos e adolescentes apresentavam-se como voluntários para a defesa local, e parecia que a invasão aconteceria a qualquer momento. Ainda assim, o sol inundava tudo, crianças chapinhavam nas poças d'água e o jornaleiro vendia redes para pescar camarões e bolas de borracha para a praia. E aqui estava ela, na sala antiquada do advogado — uma sala que talvez não houvesse sofrido a menor modificação durante um século — na companhia do sr. Baines em seu tradicional terno de *tweed*, discutindo desapaixonadamente a possibilidade de um banheiro extra na Dower House, novos encanamentos e a reforma eventual das antiquadas cozinhas. A sensação era de ter sido capturada entre dois mundos, um ontem seguro e um amanhã potencialmente aterrorizante, e por um momento ela se viu confusa, incerta sobre qual desses dois mundos seria o mais real.

Judith percebeu que o sr. Baines havia parado de falar, como ela havia parado de prestar atenção ao que ele dizia. Por um instante, houve uma pausa entre ambos. Então, ele disse:

— ... mas isso é tudo para uma data futura.

Judith suspirou.

— O senhor parece muito certo de que vai haver um futuro. — Ele franziu o cenho ao ouvir isso. — Quero dizer, tudo parece estar caminhando de maneira muito ruim para nós. As notícias, se me entende. Suponha que não vençamos a guerra.

— *Judith*! — exclamou ele, sinceramente espantado, inclusive um tanto chocado.

— Bem, admita, nada parece muito esperançoso.

— Perder uma batalha não significa que você perdeu a guerra. Estamos sujeitos a reveses. Lutamos contra um exército ferozmente eficiente e bem preparado. Entretanto, não seremos derrotados. Ainda levaremos a melhor. Isto pode levar algum tempo, porém a alternativa *não* é possível. Trata-se de algo impensável. Portanto, nunca, nem por um momento, considere a possibilidade de qualquer outro desfecho.

— O senhor parece muito convicto — observou Judith, em tom melancólico.

— Eu *estou* convicto.

— *Como* pode ter tanta certeza?

— É uma intuição. Um pressentimento. Como dizem os velhos,

"Posso sentir em meus ossos". É uma certa e inabalável convicção. Aliás, também imagino que esta guerra será algo como uma cruzada.

— Está se referindo ao Bem contra o Mal?

— Ou a Jorge e o Dragão. Não devemos ter medo. Nem jamais perder a coragem.

Ele não estava agitando uma bandeira e tampouco esgrimindo uma lança. Tinha mulher e três filhos pequenos, mas no entanto permanecia tão visivelmente calmo e resoluto, que Judith parou de sentir-se insegura e trêmula. A vida tinha de continuar; portanto, haveria um futuro. Provavelmente muito tempo passaria antes da vinda desse futuro e, sem dúvida, haveria momentos de medo espantoso e de horror quase invencível, mas o derrotismo era uma prática inútil, e se o sr. Baines — com toda a sua experiência de vida — podia ficar tão tranqüilo e convicto, então o mesmo podia acontecer com ela. Judith sorriu.

— Eu não terei medo e nem perderei a coragem, sr. Baines. Pelo menos, tentarei. — De repente, ela se sentia muito diferente, aliviada de uma carga, imprudente e quase despreocupada. — Obrigada. Eu sinto muito. Estava apenas precisando falar com alguém.

— Foi uma boa coisa ter-me escolhido.

— O *senhor* pretende alistar-se como voluntário no serviço de defesa?

— Já fiz isso. Ainda não me deram uma arma e nem um uniforme, mas tenho uma faixa para colocar no braço. Esta noite comparecerei a uma sessão de exercícios militares. Acho que vou aprender a apresentar armas com um cabo de vassoura.

Esta imagem e a voz seca do sr. Baines a fizeram rir, pois era tal a intenção dele. Satisfeito por tudo ter voltado ao normal, ele ficou de pé.

— Bem, uma e quinze já. Vamos retornar ao "The Mitre" para um almoço comemorativo com a sra. Somerville, e então iremos de carro a Rosemullion, a fim de que você tome posse de sua casa.

Judith ficara apreensiva, ao imaginar que poderia sentir-se uma intrusa. Que a presença de tia Lavinia ainda impregnasse a Dower House, desta maneira deixando-a relutante em entrar, em abrir portas sem bater e percorrer aposentos que eram o domínio privado de outra pessoa. Por

O Regresso

sorte nada disso aconteceu, talvez porque tudo se encontrasse muito ordenado, tão polido e limpo, como se cada vestígio da proprietária anterior houvesse sido varrido por Isobel. Não havia flores; as almofadas mostravam-se lisas e gordas, sem sinais de qualquer ocupante. Os livros e revistas tinham sido removidos, e bolsas de trabalhos manuais, óculos ou tapeçarias por acabar não jaziam sobre a mesa, ao lado da poltrona de tia Lavinia. Além disso, certos itens tampouco estavam mais ali, devidamente reclamados pelos Carey-Lewis, em seu lugar ficando vazios imediatamente tão óbvios como a falta de um dente. Um armário de canto cheio de porcelana Rockingham, o espelho veneziano sobre a lareira da sala de estar. A terrina de porcelana, sempre atulhada de miscelâneas, o retrato de tia Lavinia quando criança, que pendia da parede do patamar, fora de seu quarto... No quarto dela, a mesa rainha Anne que servira como mesa-de-cabeceira, repositório para pílulas e livro de orações, também se fora, e, com ela, inúmeras fotografias da velha senhora, em tons castanhos de sépia e emolduradas em prata. Onde elas haviam permanecido ou tinham sido penduradas havia apenas superfícies nuas de mesas e manchas escuras no papel de parede não desbotado.

Nada disso importava. Nada disso fazia a menor diferença. A casa não era mais de tia Lavinia, mas dela própria.

Depois de um alegre e sociável almoço no "The Mitre" (carneiro assado e molho de alcaparras, com Biddy apreciando claramente a companhia de uma nova e solícita presença masculina), entraram todos no carro do sr. Baines e partiram para Rosemullion. Morag foi também, já que não tinham com quem deixá-la. Biddy sentou-se na frente com o sr. Baines, e Judith ficou no assento traseiro com Morag, de janela aberta a fim de que a cadela pudesse enfiar a cabeça sarapintada e deixar que o vento lhe achatasse as orelhas.

— O que faremos com ela quando chegarmos a Dower House? — perguntou Judith. — Isobel não vai querê-la deixando marcas de patas pelo chão encerado ou soltando pêlos por todo canto.

— O jeito será deixá-la no carro. Estacionado na sombra e com a janela aberta. Assim que Isobel for embora, poderemos soltá-la.

Quando os três chegaram, Isobel estava à espera, envergando seus melhores trajes negros — um casaco e uma saia — e ostentando um chapéu de palha decorado com cerejas, que já tinha visto a luz de incontáveis domingos de verão. Suas duas pequenas malas achavam-se ao pé da escada, tendo ao lado a grande e cômoda bolsa de mão. Ela estava pronta para partir, porém ainda havia tempo de sobra para mostrar-lhes a casa, das cozinhas ao sótão, enquanto saboreava modestamente os elogios dirigidos ao seu árduo trabalho em lavar cortinas, encerar assoalhos, engomar cobertas de camas, polir ferragens e limpar janelas.

Enquanto prosseguiam, ela soltava instruções, como se fossem favores. *Todas as chaves estão penduradas naqueles porta-chaves, ao lado do guarda-louça. Porta da frente, porta dos fundos, garagem, galpão de ferramentas, portão do jardim, casa do jardim. As cinzas do fogão têm de ser removidas, de noite e de manhã. Os melhores talheres foram para Nancherrow, mas eu deixei os segundos melhores nestas gavetas. O armário de roupa branca fica aqui, e o furgão da lavanderia vem nas terças-feiras. É preciso tomar cuidado com a torneira de água quente, porque ela já sai fervendo.*

Vistoriaram a casa aposento por aposento, das cozinhas à sala de refeições e à sala de estar. No andar de cima foram mostrados o pequeno banheiro, o quarto de tia Lavinia e o quarto vago. Mais uma subida até o sótão, onde ficava o quarto que Isobel dormira, em uma cama com cabeceira de ferro pintada de branco. Fronteiro a este quarto havia um outro aposento, no qual continuavam empilhadas as velhas caixas e malões de viagem, manequins de costureira, montes de revistas amarradas com barbante, falecidas máquinas de costura, rolos de tapete e linóleo, e quatro molduras de retratos, vazias.

— Eu poderia ter tirado tudo daqui — disse Isobel — porém não sabia o que fazer com todas essas coisas, não sendo minhas. Então, a sra. Carey-Lewis disse que deixasse tudo como estava. Os malões estão cheios de cartas e fotos antigas...

— Não se preocupe — disse-lhe Judith. — A senhora fez mais do que era preciso, e tudo isso pode ser vistoriado e arrumado em qualquer época...

— Eu varri bem o chão e limpei algumas teias de aranha. Sempre achei que aqui daria um excelente quarto, mas onde poríamos todos estes malões...?

Até então, Biddy não falara muito. Agora, no entanto, cruzou o aposento e se postou sob o teto alcatroado da janela do sótão, de onde ficou olhando para fora.

— Você está certa, Isobel — disse. — Aqui é perfeito para um quarto. Dá para ver o mar... e hoje ele está tão azul! — Virando-se, ela sorriu para Isobel. — Não sentirá falta da vista?

Isobel sacudiu a cabeça, e as cerejas de seu chapéu entrechocaram-se.

— Há um tempo certo para tudo, sra. Somerville. Sem a sra. Boscawen, isto aqui não é mais o mesmo para mim. E a casa de meu irmão tem uma linda vista. Não tanto quanto esta, compreenda, mas também muito bonita. Pode-se avistar toda a extensão dos campos, até a fábrica de creme.

Era evidente que ela superara o abalo com a morte da sra. Boscawen, talvez conseguindo expulsá-lo de seu íntimo através daquela orgia de faxina da primavera. Agora, em todos os sentidos da palavra, estava pronta para partir. Saíram do sótão e tornaram a descer. Quando Isobel chegava ao corredor do térreo, ouviram o som do motor de um carro e, em poucos instantes, um Austin Baby rodava pela alameda de cascalhos, indo parar além da porta da frente, aberta. O irmão de Isobel havia chegado para levá-la embora.

Houve ainda alguma demora. De repente, Isobel ficou um pouco afobada, recordando coisas que esquecera de falar. E o que havia feito com sua caderneta de seguros? Foi encontrada na enorme bolsa de mão. Havia ainda seis panos de pó limpos e pendurados no varal, que deviam ser trazidos para dentro. E se eles quisessem uma xícara de chá, havia chá em sua respectiva latinha e um jarro de leite em cima da laje, na despensa...

Por fim o sr. Baines conseguiu acalmá-la, garantindo-lhe que tudo estava na mais perfeita ordem, e que talvez ela não devesse deixar seu irmão esperando. O pequeno carro recebeu as malas, Isobel apertou a mão deles três, foi introduzida no banco do passageiro e finalmente o Austin afastou-se, sem que ela — conforme observou o sr. Baines — desse algo mais do que um olhar para trás.

— Fico satisfeita por isso — disse Judith, enquanto permaneceram acenando, até o Austin Baby desaparecer de vista. — Não seria terrível se ela ficasse emotiva? Eu ficaria com a sensação de estar expulsando-a daqui.

— Ela vai ter um belo panorama da fábrica de creme. O que você quer fazer agora?

— O senhor tem que voltar ao escritório?

— Não. Todo o meu dia é seu.

— Oh, que ótimo! Podemos ficar aqui um pouco. Vou soltar Morag, dar-lhe um pouco de água, e depois porei a chaleira no fogo, para tomarmos uma xícara de chá.

O sr. Baines sorriu.

— Você até parece minha filha, brincando de casinha.

— Só que, agora, isto é real.

***

Sendo aquela uma tarde tão quente, a reunião para o chá ocorreu na varanda abrigada, tendo o sr. Baines levado para lá algumas velhas peças de vime, nas quais se acomodaram. Algumas nuvens altas e vaporosas tinham surgido no céu, reunindo-se e depois dispersando-se, como fumaça soprada. Uma brisa agitou os galhos de uma ameixeira rosa-vivo, e pétalas caíram suavemente, como neve rosada, formando um tapete sobre a grama verde. Em algum lugar um tordo cantou. Enquanto bebiam chá nas xícaras de porcelana com guirlandas de rosas que tinham pertencido a tia Lavinia, Morag desapareceu em uma excursão exploratória, vasculhando aquele novo território e familiarizando-se com tudo que tivesse cheiro interessante. Biddy ficou um pouco ansiosa.

— Será que ela pode perder-se?

— Não se preocupe.

— Até onde vai o jardim?

— Até o sopé da colina. Em terraços. Há um pomar no fundo. Eu lhe mostrarei mais tarde.

O tordo recomeçava a cantar. Biddy deixou sua xícara a um lado, recostou-se na poltrona de vime e fechou os olhos.

Pouco depois, o sr. Baines e Judith a deixavam, a fim de fazerem outra inspeção da casa, agora com olho clínico para os defeitos que exigiam atenção imediata. A mancha de umidade no sótão de Isobel;

outra no banheiro. Uma torneira gotejante na cozinha, a suspeita de carunchos na copa.

— Vou precisar de um encanador — disse o sr. Baines.

Saindo da casa, ele foi examinar as calhas no alto do telhado e as que desciam pelas paredes, e verificar se faltavam telhas de ardósia ou se havia dobradiças enferrujadas. Certa de que sua presença era dispensável, Judith voltou para junto de Biddy. Quando cruzou a cozinha, tirou de seu gancho a chave da casa do jardim — porque não havia um momento melhor do que aquele. O único fantasma infeliz da Dower Hause precisava ser exorcizado o mais rápido possível, a fim de que em sua nova propriedade as memórias fossem varridas e expulsas de todos os recantos.

Biddy continuava como a tinham deixado, porém Morag havia voltado e descansava ao lado dela. Há muito e muito tempo Judith não via Biddy fazendo alguma coisa tão tranqüilamente. Parecia uma vergonha perturbá-la, porém ela não estava dormindo. Puxando uma banqueta de vime, Judith sentou-se diante dela.

— Quer ver o jardim?

Biddy virou a cabeça.

— O que você fez com seu amigo advogado?

— Ele está inspecionando as calhas.

— Que homem tão simpático!

— Também acho. O sr. Baines é especial.

— A sra. Boscawen deve ter sido uma senhora muito tranqüila.

— Por que diz isso?

— Porque não me lembro de já ter estado em um lugar mais tranqüilo. Não se ouve o menor som. Apenas pássaros, gaivotas e um jardim ensolarado. E essa pequena vista do mar.

— Quando vim aqui pela primeira vez, anos atrás, pensei que era como a gente estar no estrangeiro. No Mediterrâneo, em algum outro lugar. Na Itália, talvez.

— Exatamente. Puro E.M. Forster. Eu tinha esquecido como era a Cornualha. Há tanto tempo não vinha aqui... Aquele último verão em Riverview... é como o passado. Outro país. E Devon, agora, também já parece muito distante.

— Acha que isso é uma boa coisa?

— Sim. É uma boa coisa. Curativa. Estar em algum lugar... numa casa como esta... que não tem recordações de Ned.

Desde a morte de Ned, era a primeira vez que Judith de fato ouvia Biddy pronunciar o nome dele.

— E isso também é bom? — perguntou.

— É. Não devia, mas é. Eu gostaria de ficar com minhas recordações, porém Upper Bickley está cheia demais delas. Acordo durante a noite e penso ter ouvido a voz de Ned. Entro no quarto dele, enterro o rosto na coberta de sua cama e choro de desolação. Tem sido um inverno tão ruim... Acho que não o teria suportado, se você não estivesse em Devon comigo.

— O inverno já terminou — disse Judith.

— Sim, mas eu ainda terei de voltar. De lidar com a minha fraqueza, enfrentar a realidade. Sei disso muito bem.

— Você não precisa voltar. Podemos ficar aqui. Esta é minha casa. Podemos mudar-nos para cá amanhã, se quiser. E, também se quiser, poderá ficar dias, semanas ou meses. O verão inteiro. Por que não?

— Oh, Judith! Que idéia! Quando foi que pensou nisso?

— Agora. Neste momento. Enquanto você falava. Não há nada que nos impeça.

— Oh, mas, e a minha casinha em Devon? Não posso simplesmente *abandoná-la!*

— Claro, mas pode alugá-la para o verão, mobiliada. Qualquer família da marinha, estacionada em Devonport, *agarraria* a oportunidade com unhas e dentes. Uma casa tão conveniente, tão perto de Plymouth! Era só você deixar a notícia correr pelo porto; alugaria sua casa num piscar de olhos.

— Bem, mas os Daggs...

— Se alugar a casa para pessoas distintas, os Daggs ficarão felizes em continuar trabalhando lá, além de ficarem de olho na casa e no jardim para você. Vir para cá seria como se estivesse passando umas belas férias neste lugar. Além disso, pode ajudar-me a vasculhar todas aquelas caixas que estão no sótão.

De repente, Biddy começou a rir.

— Oh, mas assim não seriam férias!

Judith, no entanto, pôde notar o crescente excitamento no rosto dela.

— Não há nada para deter-nos. Está entendendo? Nada pode impedi-la de simplesmente ficar aqui. Vamos, Biddy, diga que aceita! Dê a si mesma uma oportunidade. Você a merece!

— Oh, mas você... combinamos que não poderia ficar comigo para sempre, e eu sou tão inútil se estou sozinha...

— Eu lhe *contei*. Vou pedir a Phyllis e seu bebê que venham morar aqui, portanto, você não ficará sozinha. Sempre gostou de Phyllis, e Anna é uma criança meiga. Mesmo que eu vá prestar serviços como Wren* ou outra coisa qualquer, vocês três podem ficar aqui, juntas. Fazendo companhia uma à outra. Eu a levarei a Nancherrow e, depois de conhecer Diana e todos eles, garanto que não se sentirá nem um pouco solitária. Além disso, poderá trabalhar na Cruz Vermelha com ela, em vez de com Hester Lang. Está vendo só? Tudo se ajusta tão perfeitamente, que parece ter sido feito sob medida!

Biddy, no entanto, a despeito de si mesma, continuava indecisa.

— E quanto a Bob?

— Ligaremos para ele e contaremos o nosso plano.

— Certo, mas as folgas, coisas assim... Eu preciso estar lá, se ele tiver uma licença.

— Aqui é apenas um pouco mais longe do que Devon. Ou então, se você preferir, pode ir de trem para Londres e encontrá-lo lá. Por favor, não pense em mais objeções. Apenas concorde. De qualquer modo, até o fim do verão.

— Vou pensar nisso — disse Biddy fracamente, mas Judith não quis ouvir.

— Já sei o que faremos. Voltamos para o "The Mitre" esta noite, dormimos lá, depois compramos um pouco de comida e regressamos para cá amanhã. Então, arrumaremos as camas e colheremos montes de flores. Vamos acender o fogão esta noite, para que não fique apagado. Assim, haverá fartura de água quente para banhos e outras coisas... e isso é absolutamente *tudo* em que pensaremos.

— E Morag?

— Oh, Biddy, Morag vai adorar morar aqui. Não é mesmo, cachorrinha querida? Ela já se sente quase perfeitamente em casa. Por

---

* Membro do Women's Royal Naval Service, o Serviço Feminino da Marinha Real. (N. da T.)

favor, não pense em novos impedimentos agora. De que adianta eu ter uma casa, se não pudermos desfrutar dela, todos nós?

Por fim, Biddy entregou os pontos.

— Está bem. Podemos experimentar. Por umas duas semanas, digamos. — Ela então riu. — Por tudo que há de mais sagrado, não sei de quem herdou poderes tão persuasivos! Certamente não foi de sua querida mãe e tampouco de seu pai.

— Prefiro pensar que os herdei de você. Agora, rapidamente, antes que o sr. Baines volte e diga que está na hora de voltarmos para Penzance. Venha comigo e deixe-me mostrar-lhe o jardim.

Biddy então levantou-se e, juntas, saíram para o agradável calor do fim de tarde, cruzaram o gramado, seguiram pela trilha que atravessava o roseiral, e em seguida desceram para o pomar. Ali, as velhas e retorcidas macieiras ostentavam uma profusão de brotos verdes; já estavam floridas e formados os diminutos botões dos novos frutos. A relva se mostrava crescida, pontilhada de papoulas silvestres e margaridas. Em breve, tudo aquilo teria que ser ceifado e depois atado em pequenas medas. Biddy aspirou o ar perfumado.

— É como uma pintura de Monet! — exclamou. Morag saltitava à frente delas. — Que casinha é aquela?

— Oh! Aquela é a Cabana. Tenho a chave comigo. Tia Lavinia mandou construí-la para Athena e Edward Carey-Lewis. Eles costumavam acampar aqui, na época do verão.

— Você quer mostrá-la para mim?

— Sim, acho que quero.

Judith seguiu à frente de Biddy, baixando a cabeça sob os galhos das macieiras. Subiu os degraus de madeira e sentiu o cheiro cálido de creosoto. Enfiando a chave na porta, girou-a e empurrou para abri-la. Viu o beliche, com sua manta escarlate, onde havia encontrado e perdido o seu amor.

Este é apenas o começo do amor.

Não obstante, havia sido o fim.

Não faz sentido dar seu amor à pessoa errada.

Ela recordou o abelhão, zumbindo junto ao teto. Olhou para cima. Havia teias de aranha novamente, e seus olhos ficaram marejados de lágrimas.

— Judith...

Era Biddy, atrás dela.

Judith esfregou os olhos para secar as lágrimas, depois se virou.

— Quanta idiotice!

— Fala de você e Edward?

— Eu precisava vir. Nunca mais estive aqui, desde então; precisava vir hoje.

— Enfrentando o problema com coragem?

— Suponho que seja isso.

— E ainda dói?

— Sim.

— Isto agora é seu — disse Biddy. — Pode enchê-lo com suas próprias experiências, fazer as suas próprias recordações. Foi corajosa em vir aqui.

— Neste exato momento, não me sinto nem um pouco corajosa.

— Se todas as providências falharem, ainda poderá usar a Cabana como um quarto extra para hóspedes. Que tal reservá-la para hóspedes que ronquem?

De repente, as lágrimas idiotas recuaram e elas duas estavam rindo com vontade. Biddy abraçou Judith de leve e a empurrou pela porta, que trancaram novamente. Depois iniciaram a caminhada de volta através do pomar, e ainda não haviam chegado, quando ouviram o sr. Baines que as chamava, perto da casa. Apressando o passo, elas cruzaram o jardim para contar imediatamente a ele, sem perda de tempo, os planos que haviam feito.

— Aqui é Nancherrow.

— Diana, sou eu, Judith!

— Querida! Onde você está?

— Na Dower House. Mudei-me ontem para cá. Estou morando aqui.

— Oh, que notícia mais agradável! Eu nem sabia que você tinha vindo.

— Trouxe Biddy comigo. E a cachorra dela. Recebemos as chaves na segunda-feira, e então nos mudamos ontem para cá.

— É uma mudança definitiva?

— Ainda não estou bem certa. De qualquer modo, ficarei aqui por enquanto. Este lugar é o paraíso, Diana. E eu preciso agradecer muito a você, por deixar-me ficar com todos os móveis. Imagino que deva pagar-lhe por eles e...

— Céus, nem pense em tal coisa, porque Edgar ficaria mortalmente ofendido. Receio termos deixado alguns lugares vazios, removendo todas aquelas coisas, porém eu queria realmente que as crianças tivessem pelo menos uma pequena recordação da querida tia Lavinia.

— Os vazios a que se refere nem saltam aos olhos. Um dia eu os encherei com peças minhas, pessoais. Como vão todos?

— Com problemas de saúde. Acabamos de ver Edward por uns dois dias. Foi totalmente inesperado, mas seu comandante concedeu-lhe um fim de semana de licença, e achei uma bênção poder tornar a vê-lo. É uma pena que, por pouco, você tenha deixado de encontrá-lo.

— ... e como está ele?

— Parecendo um pouco cansado e magro. Passou dormindo a maior parte do tempo e, ao voltar para o tenebroso Kent, ou seja lá onde estiver, já se sentia perfeitamente dono de si. Contei a ele que você tinha comprado a Dower House. Edward ficou deliciado; aliás, como todos nós. Falou que era como manter a propriedade na família. Pediu para dizer-lhe que, quando vier em casa da próxima vez, irá visitá-la e certificar-se de que você não está fazendo nenhuma mudança ou reforma radicais.

— O que ele imaginou que eu pudesse fazer?

— Oh, não sei. Construir uma ala com um salão de baile ou coisa assim. Quando é que a veremos? Venha almoçar. Traga sua tia e a cachorra para o almoço. Que dia? Amanhã?

— Amanhã é impossível, porque temos de ir a Saint Just e conversar com Phyllis Eddy. Quero que ela também venha morar aqui, com sua filhinha. Tenho esperanças de que fique feliz com a idéia, mas a gente nunca sabe, não é mesmo?

— Querida, *qualquer coisa* será melhor do que Saint Just. Então, o que me diz de sexta-feira? Um almoço na sexta-feira?

— Seria maravilhoso. Por falar nisso, eu gostaria que você alistasse Biddy na Cruz Vermelha.

— É claro que será ótimo recebermos gente nova. Barbara Parker Brown está ficando terrivelmente mandona e todos têm pavor dela, exceto eu. Ficamos repetindo que estar em guerra revela o que há de melhor nas pessoas, mas a verdade é que revelou o que há de pior nela. Ouça, meu bem, e quanto às suas coisas que estão aqui? Pretende removê-las ou quer que eu as conserve para você?

— Pretendo trazê-las daí, e então você poderá ter de volta seu quarto rosa.

— Muito triste. O fim de uma era. Pedirei a Mary que empacote tudo, e mandaremos para você, com um trator ou coisa assim.

— Não há nenhuma pressa. Como vai Athena?

— Ficando mais enorme a cada momento. Estou ajeitando o berço. Com bordado inglês, está lindo demais. Mostrarei a você quando vier. Sexta-feira, à hora do almoço. Vou já contar para a sra. Nettlebed, a fim de que ela mate o carneiro mais gordo ou torça o pescoço de uma das galinhas velhas de Loveday. Até lá então, minha querida. Obrigada por telefonar. É formidável saber que você voltou novamente para perto de nós. Até sexta!

Dower House
Rosemullion
Cornualha

Sábado, 25 de maio

Queridos mamãe e papai

Novamente, há séculos que não escrevo para vocês. Lamento, mas têm acontecido coisas demais. Muito importante: o que acham deste papel de cartas, não é adorável? Eu o descobri em uma gaveta e não resisti à tentação de usá-lo. Achei-o em uma caixa da Harrods, todo timbrado e parecendo estar à minha espera.

Como podem ver, já nos mudamos. Biddy, a cachorra dela e eu. Biddy gostou da mudança, sente-se muito mais calma agora e nunca teve melhor aparência. Penso que ela acha esta casa muito tranqüila e sem recordações de Ned. Por outro lado, ela sempre gostou da Cornualha, e esta tarde nós vamos até o mar para nadar. Espero que Biddy alugue Upper Bickley e fique comigo, pelo menos durante o verão, porém ela é que decidirá o que achar melhor.

Ontem, fomos de carro até Saint Just ver Phyllis. Ela agora está morando com os pais e mal há lugar para a gente dar um passo, mas depois dos cumprimentos e das inevitáveis xícaras de chá com fatias de bolo de açafrão, eu e Biddy a levamos para o gramado onde coram e secam a roupa lavada e, sentadas no capim, convidei-a a trazer Anna e vir morar aqui. (Anna é adorável, está engatinhando e começando a dizer algumas palavras. Felizmente é parecida com Phyllis e não com Cyril, cujo único traço bom parecem ter sido sobrancelhas bem-feitas.) De qualquer modo, a proposta demorou alguns minutos para ser entendida, mas quando finalmente entendeu, Phyllis prorrompeu em lágrimas, tomada de felicidade e gratidão. O arranjo (com a aprovação do sr. Baines), foi o de eu lhe pagar uma espécie de salário como caseira, de modo a não deixá-la em apuros financeiros. A Marinha, aliás, já a reembolsa com parte de um soldo e, desta maneira, Phyllis estará bem. Imaginei-a algo relutante em deixar a casa da mãe e vir para tão longe (em quilômetros não é longe demais, mas certamente não fica logo ali na esquina), porém ela foi bastante filosófica a respeito, e acho que quando demos a notícia para sua mãe, esta ficou bem aliviada porque, com sinceridade, a casa de Saint Just está superpovoada, o que é demasiado anti-higiênico.

Na sexta-feira, levei Biddy para almoçar em Nancherrow. Eu estava um pouco ansiosa sobre ela e Diana se darem bem, porque as duas são parecidas em certos sentidos e, por vezes, quando as pessoas se parecem muito, não fazem amizade entre si. Entretanto, minhas preocupações foram em vão, uma vez que as duas simpatizaram uma com a outra de cara, e logo estavam se dobrando de rir por causa das mesmas piadas tolas. Biddy vai juntar-se ao grupo de Diana na Cruz Vermelha, o que lhe dará algum trabalho de guerra para fazer. Enquanto isso, ela está instalada aqui inteiramente à vontade e, como já falei, relaxando mais, começando a tornar-se a divertida Biddy de antigamente, a cada dia que passa. Eu não tinha percebido a *tensão em que ela vivia, passando os dias em uma casa tão cheia das lembranças de Ned.*

Mal posso esperar para lhes mostrar minha adorável casa nova. Não é mesmo uma sorte ser a dona de uma propriedade, ter minhas próprias raízes e ainda nem mesmo estar com dezenove anos?

Não pretendo ficar aqui para sempre. Em verdade, desejo juntar-me às Wrens, mas primeiro devo ter tudo e todos devidamente instalados. Talvez lá pelo fim do verão.

Agora, preciso ir ajudar Biddy. Um dos sótãos foi deixado cheio de malas velhas, restos de tapetes etc., etc., e ela está começando a fazer uma limpeza por lá. No momento dispomos de apenas três quartos, Phyllis e Anna precisando dormir no sótão, onde dormia Isobel. Entretanto, no ritmo em que vamos precisaremos de outro quarto, pois logo que nos livrarmos de toda a quinquilharia, o aposento levará uma mão de tinta, e vou comprar alguns móveis.

As notícias da guerra são assustadoras. Os Aliados recuaram para Dunquerque. O Coronel Carey-Lewis está convencido de que toda a Força Expedicionária Britânica será aniquilada ou capturada. Tudo aconteceu com incrível rapidez e, quando finalmente receberem esta carta, só Deus saberá a quantas andamos. O sr. Baines, no entanto, tem certeza absoluta de que, chegado o momento, iremos ganhar esta guerra; assim, resolvi também ter essa certeza.

Não devem preocupar-se conosco. Sei que é difícil, estando nós tão longe uns dos outros; entretanto, também sei que, aconteça o que acontecer, estaremos bem.

Montes de amor,

Judith

Os Nove Dias Prodigiosos — a evacuação das tropas britânicas encurraladas em Dunquerque — tinham chegado ao fim. Os primeiros homens foram levados para casa na noite de 26 de maio, porém Dunquerque estava em chamas, após dias e noites de consistente ataque, com a destruição de molhes e portos. Assim, o que sobrou da Força Expedicionária Britânica reuniu-se nas praias e dunas, à espera do resgate. Paciente e ordeiramente, os soldados formaram longas e serpenteantes filas sobre as rasas areias francesas.

Os navios de tropas e destróieres, sob constante fogo de artilharia e ataques aéreos, jaziam em águas fundas, diante da praia, mas, sem meios de transporte, não havia como serem alcançados pelas tropas sitiadas. Em vista disso, foi levantada a segurança, foi dado o sinal. Então, na noite seguinte, uma frota de pequenos barcos partiu de Dover, navegando através do Canal. Eram iates e lanchões, barcos de recreio, rebocadores e pequenos barcos a remo, que partiram de ancoradouros e estaleiros em Poole e no Hamble, da ilha Hayling e de Hastings, da ilha Canvey e de Burnham, no Crouch. E os tripulantes dessas pequenas embarcações eram homens idosos e rapazolas, gerentes aposentados de bancos, pescadores e corretores de imóveis, além de qualquer pessoa suficientemente decidida que já passara seus verões dos tempos de paz navegando inocentemente em barcos por aquelas mesmas águas.

Suas instruções eram para chegarem às praias o mais perto que pudessem, lotarem suas embarcações com soldados e carregarem-nos para a segurança, indo e vindo, entregando sua exaurida carga humana aos navios que esperavam em mar aberto. Desarmados, varridos pelo fogo inimigo, eles continuaram sua tarefa até o combustível esgotar-se e ser hora de voltarem à Inglaterra para um novo suprimento e duas horas de sono. Em seguida, recomeçar tudo de novo.

Nove dias. A 3 de junho, uma segunda-feira, a operação chegou ao fim. Graças a inspiradas organização e improvisação, não se falando em atos individuais de enorme coragem pessoal, mais de três mil soldados foram resgatados das praias de Dunquerque e despachados para casa, levados de volta à Inglaterra e à segurança. O país inteiro deu graças a Deus, porém quarenta mil homens tinham ficado para trás e passariam os cinco anos seguintes como prisioneiros de guerra.

A 51ª Divisão Highland, contudo, não estava em Dunquerque. Essa divisão, incluindo batalhões dos Black Watch, dos Argylls, dos Seaforths, dos Camerons e dos Gordons, ainda permanecia na França, lutando ao

O Regresso

lado dos remanescentes de um desencorajado exército francês. Era, entretanto, uma batalha perdida. A cada manhã, os jornais ingleses mostravam as sinistras e invasoras setas do avanço do exército alemão que nada os conseguia deter, tornando-se aterradoramente claro que se tratava apenas de uma questão de dias, antes que este último e corajoso remanescente do exército britânico fosse empurrado para o litoral.

Por fim, chegaram a Saint Valéry en Caux, e não puderam ir mais além. O nevoeiro impossibilitava o resgate pelo mar, e os batalhões exauridos pela luta foram cercados — encurralados pelo insuperável poderio das divisões Panzer alemãs. A 10 de junho a unidade francesa capitulou e, horas mais tarde, capitulava também tudo quanto restava da Divisão Highland. Mais tarde, desarmados, eles tiveram permissão para desfilar diante de seu general e, na chuva, dirigir-lhe um *olhar à direita!* E continuaram marchando, seguindo para o cativeiro. Os Black Watch, os Argylls, os Seaforths, os Camerons, os Gordons. E Gus.

Em uma retrospectiva, depois disso Judith sempre se lembraria da guerra como sendo uma espécie de longa viagem de avião... horas de tédio, entremeadas com jatos do mais puro terror. O tédio era perfeitamente natural. É humanamente impossível a qualquer pessoa viver durante seis anos de guerra sempre no ápice do envolvimento apaixonado. O medo, no entanto, assim como a proximidade desse medo, também eram naturais e, durante os sombrios dias de Dunquerque e da queda da França, Judith e praticamente todos os habitantes do país existiram em permanente aflição, nas garras da ansiedade e do suspense.

Na Dower House, o rádio em cima do aparador da cozinha era mantido ligado o dia inteiro, resmungando para si mesmo do início da manhã até noite alta, a fim de que não se perdesse um só boletim ou noticiário imprevisto. Ao anoitecer, Judith, Biddy e Phyllis agrupavam-se em torno do rádio da sala de estar e, juntas, ouviam o noticiário das nove horas.

À medida que os dias límpidos do início do verão iam passando, o desespero foi substituído por uma cautelosa esperança, mais tarde — enquanto a extraordinária operação era efetuada segundo o planejado — por gratidão e orgulho, e finalmente por intenso alívio. Um alívio que desabrochou em uma espécie de triunfo. Os homens estavam em casa. Haviam voltado e nada mais tinham além de rifles, baionetas e algumas metralhadoras. Para trás deles, jaziam quantidades maciças de equipamentos abandonados. Canhões, tanques e veículos a motor, muitos dos quais tinham sido destruídos, juntamente com tanques de gasolina e depósitos de óleo, no pátio enfumaçado e demolido que era tudo quanto restava de Le Havre.

Entretanto, os homens estavam em casa.

Aos poucos foram pingando notícias daqueles que haviam sido resgatados e dos que tinham ficado para trás, na França. Palmer, o outrora jardineiro-motorista de Nancherrow, havia voltado. Como Joe Warren e seu amigo Rob Padlow.

De Londres, Jane Pearson telefonou para Athena com a feliz novidade de que Alistair Pearson havia sido salvo — içado do mar por um corpulento iatista, aquecido por umas doses do melhor *brandy* francês e depositado na praia, em Cowes. Para Alistair, este parecia um final convenientemente civilizado de suas aventuras. Entretanto, o filho do governador do condado havia sido ferido e estava em um hospital de Bristol, ao passo que o sobrinho da sra. Mudge, juntamente com Charlie Lanyon, o amigo de Heather, tinham sido dados como desaparecidos, presumivelmente mortos.

Entretanto, o mais pessoal e importante de tudo — para Diana e Edgar Carey-Lewis, para Athena, Loveday e Mary Millyway, para os Nettlebed e Judith — era que Edward Carey-Lewis tinha sobrevivido, seu esquadrão de aviões de caça tendo efetuado sucessivas patrulhas sobre a mutilação de Dunquerque, dispersando formações de bombardeiros alemães e afugentando-as para longe das praias sitiadas.

De quando em quando, durante aqueles dias tensos e ansiosos, sempre que tinha oportunidade e conseguia uma linha desimpedida, Edward telefonava para casa, apenas para comunicar à família que continuava vivo, e muitas vezes sua voz soava esganiçada pelo excitamento de uma surtida que acabara de ser completada.

Quanto a Gus, depois de Saint Valéry toda a esperança fora perdida. Gus eclipsara-se, juntamente com seu regimento. Todos rezaram para que ele continuasse vivo, mesmo sendo feito prisioneiro, porém tantos membros da Divisão Highland haviam sido mortos durante a feroz luta que precedera Saint Valéry, que esta alternativa parecia somente provável. Por amor a Loveday, os rostos mostravam expressões corajosas, porém ela só tinha dezessete anos e recusava qualquer consolo.

— A melhor coisa a fazer é manter-se ocupada — disse a sra. Mudge.

— Pelo menos é o que todos falam, porém mais fácil é dizer do que fazer, não acha? Afinal, como posso dizer isto para minha pobre irmã, quando ela não pára de preocupar-se, a ponto de adoecer, ignorando se seu rapaz está morto ou vivo? Desaparecido é a mesma coisa que morto, se é! Que notícia mais desastrosa para a pobre criatura receber em um telegrama! E não havia ninguém em casa com ela, o marido estava no mercado de Saint Austell, e lá só havia o rapazinho do telégrafo para preparar-lhe uma xícara de chá.

Loveday nunca tinha visto a sra. Mudge tão abatida. Desastres, mortes, doenças, operações e acidentes fatais geralmente significavam coisas da vida para ela, incidentes a serem sofridos por outras pessoas e demoradamente comentados com grande satisfação. Isto agora, supunha Loveday, era bem diferente. Não se tratava do jovem Bob Rogers, morador nos arredores de Saint Austell, que perdera os dedos no cortador de nabos, nem da velha sra. Tyson, encontrada morta em uma valeta junto à estrada, quando voltava da Associação das Mães para casa. Agora, o caso dizia respeito à carne e sangue da sra. Mudge, ao filho único de sua irmã.

— Acho que eu devia ficar alguns dias com ela. Apenas para fazer-lhe companhia. Minha irmã tem filhas que moram na zona rural, mas nada existe como uma irmã, concorda? A gente pode falar sobre os velhos tempos com uma irmã. As filhas dela são todas avoadas, só querem saber de estrelas de cinema e roupas.

— Então, por que não vai, sra. Mudge?

— Como eu poderia? Tenho que tirar o leite das vacas e trabalhar na leiteria. Além disso, a ceifa do feno começará dentro de uma ou duas semanas, isto significando idas aos campos com a garrafa térmica de chá, e Deus sabe com quantas bocas a mais para alimentar. Não vai ser possível, eis a verdade.

— E onde mora sua irmã?

— O marido dela tem uma propriedade nos fundos de Saint Veryan. Nos fundos, é maneira de dizer. As terras dele são além dos fundos, eu diria. Quando se tem sorte, há um ônibus para lá, uma vez na semana. Não sei como ela agüenta isso. Nunca pude saber.

Eram dez e meia da manhã, e elas bebiam chá, sentadas à mesa da cozinha de Lidgey. Loveday passava necessariamente muito de seu dia em Lidgey, ajudando Walter e o pai dele na propriedade, aprendendo a lidar com o birrento trator, alimentando as aves e agora os porcos (uma nova aquisição, comprada no mercado de Penzance, de olho no bacon que poderiam vender). Não obstante, só ultimamente, desde que tinham ficado a par das sombrias notícias de Saint Valery, é que ela passara a fugir para lá ao menor pretexto — e às vezes sem nenhum pretexto. Por algum motivo, Loveday achava a companhia simplória da sra. Mudge mais confortadora do que a amorosa solidariedade de sua mãe, de Mary e de Athena. Em Nancherrow, todos se mostravam insuportavelmente compreensivos e gentis, porém a questão era que, embora tentando acostumar-se à idéia de que Gus estava morto e que nunca mais tornaria a vê-lo, tudo quanto ela queria era poder falar sobre ele, como se *não* estivesse morto. Como se ainda estivesse vivo. A sra. Mudge era boa nisso. Vezes sem conta ela repetira, "Note bem, note bem, ele pode ter sido feito prisioneiro!", e Loveday podia dizer o mesmo à sra. Mudge, a respeito do sobrinho dela. "*Não sabemos* se ele está morto. Houve batalhas tão terríveis! Como alguém pode ter certeza?"

Desta maneira, uma consolava a outra.

A sra. Mudge tinha terminado o seu chá. Levantou-se fatigadamente, foi até o fogão e tornou a encher a xícara para si mesma, em seu enorme bule castanho. Observando-a pelas costas, Loveday decidiu que ela havia perdido a inclinação para a tagarelice. Os instintos familiares tinham força, e era evidente que a sra. Mudge ansiava estar com a irmã. Alguma coisa precisava ser feita. O inato senso Carey-Lewis de responsabilidade de Loveday, juntamente com seu jeito natural para dar ordens, assumiram maiores proporções. Quando a mulher tornou a sentar-se, Loveday já tomara sua decisão.

— A senhora precisa ir para Saint Veryan agora — disse, em tom firme. — Hoje. Para ficar lá uma semana, sendo preciso. Antes que a colheita do feno comece.

A sra. Mudge a fitou como se pensasse que Loveday perdera o juízo.

— O que você está dizendo é uma bobagem.

— Não é bobagem. Posso ordenhar as vacas. Walter me ajudaria e *eu* tiraria o leite.

— Você?

— Sim, eu. Meu serviço de guerra é trabalhar na propriedade. E posso ordenhar. A senhora me mostrou como se faz, quando eu era pequena. Posso ser um pouco lenta, mas logo aprenderei o jeito.

— Você nunca poderia fazer isso, Loveday. Nós começamos às seis da manhã.

— Posso levantar cedo. Posso levantar às cinco e meia. Se Walter levar as vacas até o galpão da ordenha para mim, então estarei aqui às seis, para começar a trabalhar.

— O leite não é tirado só de manhã, mas também ao anoitecer.

— Sem problema.

— Ainda há os latões de leite que precisam ser limpos e levados até a estrada, a fim de serem recolhidos pelo caminhão do leite. O homem chega às oito da manhã e não gosta de ficar esperando.

— Não o deixarei esperando. — A sra. Mudge olhou dubitativamente para Loveday. Estava claramente dividida entre o desejo de ficar ao lado da irmã enlutada, e um certo desapontamento à idéia de que não era indispensável. — Você terá de limpar tudo quando acabar — avisou ela. — Walter não fará isso para você. Não é trabalho de homens. E eu não vou querer encontrar um galpão imundo e latões sujos, quando voltar para casa.

— Tem a minha palavra. Encontrará tudo limpo. Oh, deixe-me fazer isso, sra. Mudge! Por favor! Acabou de dizer que o importante é a pessoa manter-se ocupada, e eu me sinto tão infeliz e preocupada como sua irmã. Fico acordada de noite pensando em Gus, por isso poderia muito bem levantar-me às cinco da manhã e *fazer* alguma coisa. Assim, se a senhora for visitá-la, estará ajudando a nós duas.

— Não deve imaginar que penso menos a respeito de Gus do que de meu sobrinho. Um excelente rapaz era o Gus. Lembra-se do dia em que ele veio até aqui, pintar um quadro do meu celeiro? Havia galinhas e esterco por todo lado, mas nem se importou.

— Telefone para sua irmã e diga a ela que irá vê-la. O sr. Mudge pode levá-la de carro até Saint Veryan esta tarde, e a senhora ficará lá pelo tempo que achar necessário.

A sra. Mudge balançou a cabeça, perplexa.

— Não sei não, Loveday, você me deixa mortificada. Cheia de surpresas. Nunca a imaginei com tanta consideração...

—Não estou tendo consideração, sra. Mudge, estou sendo egoísta. Provavelmente eu não faria coisa alguma, se não pensasse em tirar algum proveito disso.

— Está fazendo pouco de si mesma.

— Não, de modo nenhum. Estou apenas sendo honesta.

— Isto é o que você diz — retorquiu a sra. Mudge. — Os outros pensarão coisa bem diferente.

Todos os dias, às oito e meia da manhã, depois de levar os latões de leite até onde a alameda encontrava a estrada, de entregá-los ao caminhão do mercado do leite e de trazer os latões vazios para a leiteria, Loveday caminhava de volta para casa e para seu *breakfast*, quase morrendo de fome.

Estavam a dezoito de junho. A ausência da sra. Mudge já durava cinco dias, e ela devia voltar para casa no dia seguinte. De certo modo, Loveday até lamentava o retorno dela. Incumbir-se da ordenha e do resto, uma tarefa-maratona que ela assumira tão impetuosamente, resultara em uma espécie de desafio e de trabalho extremamente árduo. A princípio havia sido lenta e desajeitada (nervosismo), mas Walter, alternadamente praguejando ou oferecendo algumas palavras de enco-rajamento ("se você esperar, eu lhe mostrarei como mover esse maldito latão"), havia sido incomumente cooperativo, ajudando-a assim a sair-se bem.

Não havia muita conversa. Walter era um indivíduo taciturno. Loveday não tinha certeza se ele sabia sobre Gus, mas, conhecendo a sra. Mudge, quase podia afirmar que sabia. De qualquer modo, Walter nada disse e tampouco ofereceu qualquer espécie de compreensão. Quando Gus estivera hospedado em Nancherrow, os dois se tinham encontrado nos estábulos certa manhã, e Loveday os apresentara. Entretanto, Walter se mostrara absolutamente brusco, um verdadeiro compêndio do palafreneiro descortês, e Gus, após uma ou duas tentativas amistosas, terminara desistindo. Na época, ocorrera a Loveday que Walter podia estar enciumado, mas a idéia era tão absurda, que quase imediatamente a expulsou da mente. Walter era guiado por seus próprios princípios, mas ela o conhecera a vida inteira e sempre se sentira à vontade em companhia dele.

Ao anoitecer, quando a última vaca havia sido ordenhada e o pequeno rebanho devolvido aos campos novamente, Loveday empenhou-se na limpeza, esguichando água da mangueira no galpão e esfregando tudo, orgulhando-se em deixar o piso brilhante, e limpíssimos os baldes em que aparava o leite. Seu desejo era que, ao voltar, a sra. Mudge não encontrasse falha alguma. Em troca, a cozinha de Lidgey era um chiqueiro de pratos sujos, panelas enegrecidas e roupas por lavar. No dia seguinte ela talvez encontrasse algum tempo para também dar um jeito naquilo. Parecia-lhe o mínimo que podia fazer pela pobre sra. Mudge.

Loveday cruzou o pátio e escalou o portão que dava para a alameda, ficando algum tempo sentada na viga de cima, porque aquele era um de seus panoramas favoritos. Nesta manhã, a vista parecia particularmente luminosa e radiante. Mais cedo, quando ela viera trabalhar, tudo estava orvalhado e tranqüilo sob os primeiros raios baixos do sol nascente. O próprio mar, balouçando-se suavemente, sem rugas produzidas pelo vento, passara do cinza para um translúcido madrepérola. Agora, no entanto, três horas mais tarde, oferecia uma tonalidade azul-sedosa, sob um céu sem nuvens. Levantara-se uma brisa e, de onde estava, ela podia ouvir o som distante das ondas, rolando ao pé dos penhascos. Gaivotas revoluteavam nas alturas. À luz do sol, as charnecas estavam amarelo-acastanhadas e os pastos de um brilhante verde-esmeralda. Ela avistou as vacas pastando tranqüilamente e, de mais longe ainda, ouviu os latidos furiosos do cão de Walter.

Curiosamente, sua mente esvaziou-se. Durante muito tempo ela não pensara em *nada* e isso era bastante agradável — era como estar no limbo, flutuando no espaço entre dois mundos. Então, pouco a pouco, o vácuo formado por aquela descuidada atitude foi preenchido pela imagem de Gus, subindo a alameda em largas passadas e aproximando-se dela, com os apetrechos de pintura dentro de uma mochila pendurada ao ombro. Loveday pensou nele então, na França, e o visualizou andando, talvez marchando ou ferido, porém não morto. A presença vital de Gus foi tão forte que, de repente, ela foi consumida pelo excitamento, pela certeza irrefutável de que ele ainda estava vivo. Gus pensava nela, nesse exato momento; quase podia ouvir-lhe a voz, sussurrando em sua direção, como que transmitida por invisíveis fios de telefone. Fechou os olhos em uma espécie de êxtase e permaneceu imóvel, com as mãos aferradas à viga superior do velho portão da fazenda. Quando tornou a abri-los, tudo estava diferente. Nem mesmo se sentia mais cansada, e todo o maravilhoso mundo estava inundado pelas velhas possibilidades de felicidade.

Pulando do portão, Loveday desceu a alameda correndo, suas pernas ganhando velocidade à medida que a ladeira aumentava o declive, suas botas de borracha batendo como pistões sobre as lajes frouxas e nos torrões de lama seca. No final da ladeira, saltou por cima do segundo portão, mas então, sem fôlego e sentindo uma agoniante pontada no lado, precisou parar e beijar o joelho, pois era este o remédio clássico para pontadas. Depois foi só seguir pela trilha, cruzar a entrada, chegar ao pátio e alcançar a porta dos fundos.

— Tire suas botas, Loveday. Estão cobertas de lama.

— Desculpe, sra. Nettlebed.

— Voltou mais tarde hoje. Esteve muito ocupada?

— Não muito. Apenas fiquei perambulando por aí.

Calçada apenas de soquetes, ela entrou na cozinha. Queria perguntar se havia notícias, se chegara alguma carta, se alguém soubera de alguma coisa, mas, se fizesse isso, a sra. Nettlebed e todos os demais começariam a fazer perguntas. E até haver alguma confirmação da segurança de Gus, ela não sussurraria uma só palavra de novas esperanças — para ninguém, nem mesmo Judith.

— O que temos para o *breakfast*? — perguntou. — Estou morrendo de fome.

— Ovos fritos e tomates. Estão sobre a chapa de aquecer, na sala de refeições. Todos os outros já terminaram. É melhor apressar-se, para que Nettlebed possa arrumar tudo.

Assim, Loveday lavou as mãos na copa e as enxugou na toalha de rolo que pendia atrás da porta. Depois saiu da cozinha e seguiu pelo corredor. Do andar de cima chegou até ela o som do aspirador de pó, e a voz de sua mãe chamando Mary. A porta da sala de refeições estava aberta, e ela acabara de entrar, quando o telefone começou a tocar. Loveday parou de súbito e esperou, mas como ninguém atendesse, continuou andando e entrou no estúdio de seu pai. Estava vazio. O telefone tocava, em cima da mesa dele. Ela ergueu o fone e o tilintar cessou.

— Nancherrow. — Por algum motivo, sua boca ficara seca. Pigarreou e repetiu: — Nancherrow.

Clique, clique, fez o telefone, depois começando a zumbir.

— Alô? — Ela começava a sentir um certo desespero.

Clique, clique.

— Quem fala? — Uma voz de homem, apagada e distante.

— Loveday.

— Loveday? Sou eu. Gus.

As pernas dela perderam subitamente a consistência. Não conseguindo manter-se de pé, escorregou para o chão, levando o telefone consigo.

— Gus!

— Está me ouvindo? Esta é uma linha horrível. Só posso falar por um momento.

— Onde você está?

— No hospital.

— Onde?

— Southampton. Estou bem. Serei mandado para casa amanhã. Tentei ligar antes, mas estamos todos no mesmo barco e não há telefones suficientes.

— M-mas... o que... o que aconteceu? Está muito ferido?

— Apenas minha perna. Estou bem. De muletas, mas inteiro.

— Eu sabia que você estava salvo. Soube de repente...

— Não há mais tempo agora. Eu só queria falar com você. Vou escrever.

— Escreva e eu responderei. Qual o seu endereço?

— É...

Contudo, antes que ele pudesse informar, a linha emudeceu.

— Gus? Gus? — Loveday colocou o fone no gancho e tentou novamente. — Gus?

Não adiantou. A ligação terminara. Erguendo o braço, ela colocou o telefone de volta sobre a mesa. Ainda sentada no espesso tapete turco, recostou a cabeça na madeira fria, escura e envernizada da secretária de seu pai, fechando os olhos sobre as lágrimas que insistiram em deslizar, silenciosas, descendo por suas faces.

— Obrigada — falou em voz alta, não muito certa sobre o que agradecia. — Eu sabia que você estava vivo. Sabia que você entraria em contato comigo — e agora ela falava para Gus.

Após um momento, tornou a sentar-se ereta, puxou a camisa para fora das calças, limpou o rosto e assoou o nariz na aba. Então, levantando-se, saiu do estúdio gritando pela mãe, tornando a gritar, e voou escadas acima com pés que pareciam alados, para ser acolhida por Mary, para atirar-se nos braços de Mary, e partilhar, em histérica alegria, a incrível notícia.

Na Dower House, Biddy fez pleno uso da recém-encontrada energia e esvaziou o segundo sótão de suas quinquilharias. Tudo o que sobrou foram duas malas grandes de viagem, sendo encontrado espaço para elas no patamar do andar de cima, pois o que continham era demasiado pessoal e antigo, para que Judith assumisse a responsabilidade de desfazer-se do material.

Uma das malas estava repleta de cartas antigas, atadas em maços com desbotadas fitas de seda; programas de baile, dos quais pendiam pequeninos lápis; partituras musicais; fotografias, álbuns; livros de aniversário e um surrado Livro de Visitantes, encadernado em couro e datado de 1898. A outra guardava uma porção de adornos vitorianos. Compridas luvas brancas com minúsculos botões de pérolas, plumas de avestruz, murchos buquês de gardênias artificiais, bolsas feitas de contas e enfeites de massa para os cabelos. Tudo muito sentimental e bonito demais para ser jogado fora. Diana Carey-Lewis prometera vir um dia a Dower House para inventariar todas aquelas antigas lembranças. Até lá, Judith deixaria as malas cobertas por velhas cortinas de damasco William Morris e, assim disfarçadas, elas provavelmente permaneceriam onde estavam durante anos, sem que ninguém as perturbasse.

Tudo o mais tinha sido classificado como inútil ou quebrado (inclusive as molduras de retratos, que estavam comidas de caruncho) e levado penosamente para o andar de baixo, a fim de ser posto junto das latas de lixo. Da próxima vez em que o caminhão do lixo viesse, o motorista ganharia meia coroa se conseguisse transportar tudo aquilo de uma só vez.

Assim, o sótão agora estava vazio. Lado a lado, Judith e Phyllis o examinaram e discutiram como seria usado. Estavam sozinhas, porque Anna cavava buracos no jardim com uma velha colher de lata, e Morag a acompanhava, dando o melhor de si para ajudá-la em tal exercício. De vez em quando, Phyllis chegava à janela e olhava para baixo, para certificar-se de que a cachorra e a criança não implicavam uma com a outra ou que ninguém se machucara. Entretanto, tudo parecia tranqüilo.

Biddy estava na cozinha. Sem o menor pendor para cozinheira, ela havia encontrado, no velho e surrado livro de receitas de Isobel, todo manchado de manteiga, uma receita para preparar um cordial de flores de sabugueiro. Por acaso, neste momento as flores de sabugueiro estavam desabrochando e as sebes exibiam uma pesada profusão de flores cremosas, sutilmente perfumadas. Biddy foi tomada de entusiasmo. Em sua mente, fazer um cordial de flores de sabugueiro nada tinha a ver com cozinhar. Cozinhar significava guisados, carneiro assado, gelatinas e bolos, nenhum dos quais ela pretendia tentar. Entretanto, preparar bebidas deliciosas era outro departamento, em especial quando os ingredientes podiam ser colhidos de graça, nos arbustos de beira de estrada.

— Acho que devíamos transformá-lo em mais um quarto extra — dizia Phyllis. — A sra. Somerville ocupa o único que existe — e se alguém vier aqui para ficar?

Judith, entretanto, não concordou.

— Mais um quarto extra é pura perda de espaço. Acho que devíamos fazer dele um quarto de brinquedos para Anna. Podemos colocar aqui uma cama para ela dormir, algumas prateleiras para seus livros e talvez um velho sofá. Sofás sempre parecem muito aconchegantes. Assim, ela poderá usá-lo para local de brincar e ter um espaço para bagunçar, quando o dia for chuvoso.

— *Judith...* — Aquilo se tornava uma discussão. — Nós já temos aquele quarto grande. Esta é a *sua* casa, não a minha. Não pode dar-nos todo este espaço...

— Bem, e como será, quando Cyril tiver uma licença? Ele vai

querer estar com você e Anna. Assim, virá para cá também. A menos, é claro, que prefira ficar com os pais.

— Oh, ele não quereria fazer *isso*!

— Bem, vocês não podem dormir todos juntos. No mesmo quarto. Não ficaria bem. Anna não é mais um bebezinho.

Phyllis pareceu um tanto constrangida.

— Nós já nos arranjamos antes.

— Bem, não quero que vocês se arranjem em *minha* casa. Não há necessidade. Portanto, está decidido. Este quarto é para Anna. Já é tempo dela aprender a dormir sozinha. E a cama será de tamanho apropriado, para o caso de, havendo um hóspede, podermos remover Anna, a fim de que o visitante durma na cama *dela*. Não é uma boa idéia? Além disso, poremos um carpete no chão...

— Um pedaço de linóleo serviria.

— Linóleo é horrível e frio. Deve ser um carpete. Azul, suponho. — Imaginando o carpete azul, ela olhou em torno. O sótão era espaçoso e arejado, mas tinha somente uma pequena janela saliente no telhado, e os tetos inclinados o deixavam um pouco escuro. — Pintaremos as paredes de branco, e o ambiente ficará mais claro. Podemos colocar um friso do Coelho Peter em torno das paredes. O único senão é aqui não haver uma lareira. Temos de imaginar algo para aquecimento no inverno...

— Uma estufa de parafina faria isso.

— Não gosto de estufas de parafina. Sempre as considerei um tanto perigosas...

— Eu gosto do cheiro de estufas de parafina...

— Certo, mas Anna poderia derrubá-la, e todos seríamos dissolvidos em fumaça e cinzas. Talvez...

Ela não prosseguiu, porque do andar de baixo chegou o som da porta da frente sendo fechada e de uma voz, aguda de excitamento, chamando seu nome.

— Judith!

Loveday. Ela e Phyllis saíram para o patamar, debruçaram-se na balaustrada e foram recompensadas por uma rápida visão de Loveday, já subindo a escada. Ela fez uma pausa no primeiro patamar.

— Onde é que você *está*?

— Aqui em cima, no sótão!

Ela continuou subindo e chegou à escada do sótão, com o rosto vermelho pelo esforço e calor, os anéis dos cabelos saltitando, os olhos cor de violeta arregalados de êxtase e delícia. Ainda a meio caminho, já estava contando:

— ... e você nem vai acreditar! Gus acabou de telefonar! ... — Ela arquejava pela falta de fôlego, porque tinha corrido toda a distância desde Nancherrow, e não apenas subira as escadas da Dower House. — ... Ele telefonou faz uma meia hora. De Southampton. Hospital. Está ferido. Usando muletas, mas está bem...

Tapetes, roupas de cama e aquecedores foram esquecidos. Judith deu um grito de triunfo, e a esperava com os braços abertos. As duas abraçaram-se, beijaram-se e dançaram como crianças. Loveday continuava com as velhas e sujas calças de veludo, as abas da camisa para fora, ainda cheirando a curral, mas não tinha importância, nada importava, exceto que Gus estava salvo.

Por fim, elas pararam de dançar e Loveday arriou no último degrau da escada.

— Meu fôlego acabou. Fui de bicicleta até Rosemullion, deixei-a junto do pátio da igreja e, acreditem, corri toda a ladeira acima, até aqui. Eu simplesmente não podia esperar para contar a vocês!

— Podia ter telefonado.

— Eu queria estar *aqui*. Queria ver a expressão de vocês.

Phyllis, entretanto, tinha uma expressão preocupada.

— Ele está ferido? É coisa séria? Como foi ferido?

— Eu não sei. Acho que foi baleado na perna. Está de muletas, mas isso não pareceu *tão* terrível. Não tivemos tempo de conversar. Foi apenas um momento, e a linha ficou muda. Entretanto, ele está indo para a Escócia amanhã e disse que vai escrever...

— Como é que ele conseguiu sair da França? — Judith quis saber. — Como escapou?

— Eu já lhe disse, não sei de nada. Não houve tempo dele contar. Disse apenas que está salvo e vivo...

— É como um milagre!

— Foi o que eu pensei. Meus joelhos não me agüentaram de pé. E mamãe disse para todas vocês descerem a Nancherrow este anoitecer, porque papai vai abrir uma champanha. Todas vocês, Phyllis, Anna e Biddy, para termos uma reunião de verdade...

Biddy. Por um instante, lendo pensamentos, elas ficaram em silêncio. Gus estava salvo, porém Ned jamais voltaria. A própria alegria de Loveday foi, por um instante, amortecida. Ela perguntou, baixando a voz:

— Onde está Biddy?

— Na cozinha.

— Hum... Espero que ela não tenha me ouvido, irrompendo desta maneira e gritando minhas notícias a plenos pulmões. Eu devia ter *pensado...* mas a verdade é que não pensava em mais nada.

— É claro que não pensava. Por que pensaria em outra coisa? Não podemos deixar de ser felizes. Mesmo Ned estando morto, não é motivo para que deixemos de ficar felizes por sua causa. Penso que devemos descer e contar a ela. Biddy é tão generosa que, mesmo se sentindo infeliz e amarga, não deixa transparecer. Ela está muito melhor agora, até fala no nome de Ned em tom bastante normal. E se começar a entristecer, nós lhe anunciaremos a reunião com champanha e mostraremos o maior interesse por seu cordial de flores de sabugueiro.

Ardvray House
Bancharry
Aberdeenshire

Sexta-feira, 21 de junho

Minha querida Loveday

Por fim, eis um momento em que posso escrever. Quando voltei para Aberdeen fui parar no hospital novamente, mas tudo parece estar indo bem e encontro-me em casa, ainda de muletas, porém convalescendo. Minha mãe arranjou uma enfermeira para cuidar dos ferimentos etc. Ela tem um porte de praticante de luta livre e fala o tempo todo, o que me dá esperanças de que não vá ficar aqui por muito tempo.

Foi maravilhoso falar com você e lamento termos sido interrompidos tão abruptamente, mas as mesas telefônicas do hospital eram bastante rígidas quanto ao racionamento de nossas ligações. Levei uns dois dias tentando telefonar, antes de conseguir completar a ligação, porque não era uma chamada para minha casa. Se não fosse pelo fato de, no momento, não estar muito bem dos pés, eu saltaria o muro, pegaria um trem e iria à Cornualha ver você. A Cornualha fica bem mais perto de Southampton do que a Escócia, e a longa viagem de trem até Aberdeen pareceu levar uma eternidade.

Escapei um dia antes da capitulação. Em vista da diretiva do general de sauve qui peut, vários grupos pouco numerosos encaminharam-se para o pequeno porto de Veulles-les-Roses, a cerca de seis quilômetros a leste de Saint Valéry. Entre esses grupos havia alguns soldados franceses, homens da região dos Lothians e da Border Horse. Fomos à noite, e seis quilômetros nunca pareceram tão longos e tão cheios de perigos. Entretanto, quando alvoreceu, pudemos avistar as formas difusas dos navios da Marinha Real, parados em mar aberto (o nevoeiro não estava tão ruim em Veulles). Nesse lugar, os penhascos são tremendamente altos, mas pequenos escoadouros chegam até a praia, de modo que fizemos fila e aguardamos a nossa vez, porque a Marinha Real estava enviando grupos de resgate à praia, mesmo com os navios sendo atacados desde Saint Valéry.

Um ou dois rapazes estavam impacientes demais para esperar a sua vez e quiseram descer os penhascos com cordas improvisadas. Entretanto, já era dia claro, e os alemães atacavam de ambos os lados, usando não só metralhadoras, como também franco-atiradores.

A praia estava juncada de mortos e fui atingido na coxa antes de avançar cem metros. À minha frente, dois soldados escoceses viram o que tinha acontecido e voltaram, a fim de ajudar. Entre os dois, consegui manquejar e cambalear pelos três quilômetros de praia até os barcos. Mal nós três entramos em um barco, os bombardeiros chegaram, e um deles foi afundado, com trinta homens embarcados. Os navios dispararam uma alucinante barragem, e dois bombardeiros foram derrubados. Por fim, completamente encharcados, cobertos de lama (e também de sangue), fomos içados para bordo do destróier. Quando pensamos que estávamos a salvo, o inimigo passou ao ataque, disparando do alto dos penhascos. Entretanto, continuamos lá, até ser decidido que não havia possibilidades da existência de mais homens na praia ou nos penhascos. Foi quando levantamos âncoras e zarpamos. Isso foi por volta de dez da manhã de doze de junho.

Atracamos em Southampton e fui conduzido a terra em uma padiola, de lá seguindo para o hospital, onde me removeram a bala da perna, fui enfaixado etc. Ela não penetrou muito fundo e parece que não haverá nenhum dano permanente. Agora, é questão apenas do ferimento fechar.

Não sei o que acontecerá agora. Há um comentário de que a Divisão Highland será reformada. Se assim for, eu gostaria de ficar com eles. Entretanto, as autoridades constituídas talvez tenham outros planos para mim.

Envio meu afeto a você e a toda a sua família.

Gus

Esta era uma carta, porém no envelope havia outra, uma única folha, sem cabeçalho e sem data.

Adorada Loveday

Pensei que seu pai talvez quisesse ler o relato anexo, mas esta pequena nota é para você apenas. Foi maravilhoso ouvir sua voz atendendo o telefone. Pensei em você durante o tempo todo que fiquei esperando para descer ao inferno daquela praia, decidido a realizar a façanha. Aqui faz um dia belíssimo, com as colinas inteiramente floridas à luz matinal, e o sol arrancando reflexos do rio. Quando puder caminhar um pouco melhor, descerei até a margem e tentarei pescar um peixe. Escreva-me e não deixe de contar tudo o que está fazendo. Com todo o meu amor,

Gus

Dower House
Rosemullion

24 de julho de 1940

Queridos mamãe e papai.

O bebê de Athena nasceu às duas desta madrugada. Ela o teve em Nancherrow, em seu próprio quarto, com o velho dr. Wells e Lily Crouch, a enfermeira distrital de Rosemullion, prestando o atendimento. Pobres almas, tendo que estar de pé àquelas horas, mas o velho dr. Wells disse que não perderia o nascimento do bebê de Athena por nada no mundo. Agora são sete horas e está anoitecendo. Acabo de voltar de Nancherrow (fui e voltei de bicicleta), e vi a recém-chegada. Ela é enorme, tem certa semelhança com uma indiazinha pele-vermelha, com o rosto muito corado e fartura de cabelos lisos e escuros. Seu nome é Clementina Lavinia Rycroft, e o coronel enviou um cabograma à Palestina, comunicando a boa nova a Rupert. Athena está simplesmente deliciada e envaidecida, como se tivesse feito tudo sozinha (e suponho que, de certo modo, fez mesmo), e se senta na cama tendo ao lado o bebê em seu berço enfeitado. Naturalmente, o quarto está repleto de flores com Athena encharcada de perfume e usando o mais divino negligê de voal branco, todo ornado de rendas.

Eu e Loveday seremos as madrinhas, porém Clementina será batizada apenas quando seu pai vier de licença ou coisa assim, para assistir a tudo. De fato é excitante ter esta pequenina e nova vida entre nós, e não imagino por que teria de ser tão excitante assim, uma vez que há meses sabíamos que ela estava a caminho.

Enquanto estive em Nancherrow, o velho dr. Wells apareceu lá novamente. Disse que era para saber como iam todos e para examinar mãe e filha. O coronel abriu uma garrafa de champanha, e molhamos a cabeça do bebê. (Ele é ótimo para abrir *garrafas de champanha. Receio que um dia seu estoque acabe, porque não se consegue comprá-las mais. Espero que ele reserve pelo menos uma caixa, para o dia em que comemorarmos a Vitória.) Seja como for, enquanto todos bebericávamos nosso champanha e nos alegrávamos, o velho dr. Wells revelou que o verdadeiro motivo de sua segunda visita era para contar-nos que Jeremy está em um hospital naval em algum lugar perto de Liverpool. Ficamos todos abalados e chocados, pois era a primeira vez que sabíamos disso, mas o dr. Wells disse ter pensado que duas da madrugada (e com o accouchement de Athena em pleno andamento) não seria o momento mais adequado para dar notícias semelhantes. Que delicadeza de sentimentos, não? No entanto, ele devia estar ansioso para contar a todo mundo.*

Voltando ao assunto. Jeremy. O que aconteceu é que seu destróier foi torpedeado e afundado por um submarino alemão no Atlântico. Ele e mais três homens ficaram um dia e uma noite no mar, cobertos de óleo e agarrados a uma bóia, antes de serem avistados e recolhidos por um barco mercante. É terrível imaginar uma coisa dessas, não? Mesmo sendo verão, o Atlântico deve ser frio como gelo. De qualquer modo, ele estava sofrendo pela exposição ao sol, com o cansaço e as queimaduras no braço, por causa da explosão. Assim, tão logo o barco mercante chegou a Liverpool, conduziram-no para o hospital naval, onde ainda se encontra. A sra. Wells foi de trem para Liverpool, a fim de ficar junto dele. Quando Jeremy receber alta, terá uma licença por doença, de modo que todos poderemos vê-lo em breve. Não é maravilhoso — inclusive miraculoso — que ele tenha sido encontrado e salvo? Não sei como as pessoas conseguem sobreviver em tais circunstâncias; imagino que seja porque a alternativa é inimaginável.

A febre da invasão tomou conta do país, e todos estamos doando nossas latas e panelas de alumínio ao Serviço Feminino Voluntário, a fim de que sejam derretidas e transformadas em aviões Spitfires e Hurricanes. Tive que ir a Penzance e comprar todo um jogo de horríveis panelas esmaltadas, que se racham e queimam, porém não há outro jeito. Os Voluntários de Defesa

Local agora têm o nome de Guarda Territorial, o que soa muito mais grandioso, e todos estão ficando membros. O Coronel Carey-Lewis voltou a usar uniforme e, devido à sua experiência na Primeira Guerra Mundial, foi nomeado oficial-comandante do Destacamento de Rosemullion. Eles já receberam uniformes e armas. O salão da Prefeitura de Rosemullion tornou-se o QG da Guarda Territorial, e eles contam com um telefone, quadros de avisos e tudo o mais, inclusive sendo submetidos a treinamentos.

Além disso, todos os sinos das igrejas foram silenciados logo depois de Dunquerque, devendo tocar somente para avisar-nos de que os alemães desembarcaram. Um pobre velho, reitor de uma paróquia remota, nada sabia a respeito ou tinha esquecido, e o guarda local o surpreendeu puxando a corda, o sino badalando na torre, e imediatamente o prendeu. Outro homem foi multado em vinte e cinco libras por espalhar boatos. Estava em seu pub local, contando para todos que vinte pára-quedistas alemães, disfarçados de freiras, tinham aterrado na Charneca Bodmin. O juiz disse que o sujeito tinha muita sorte de não ser posto na prisão por comentários derrotistas.

Uma outra coisa é que todos os postes sinalizadores locais foram removidos, de modo que quem chegar a um remoto cruzamento de estradas na Cornualha, ficará sem saber para que direção ir. Biddy não acha que seja uma grande idéia. Segundo ela, os poderes constituídos imaginam que uma divisão de Panzers germânicos, marchando para Penzance, dobraria à direita por engano, indo parar em Lamorna Cove. Onde, sem a menor dúvida, alguém tentaria vender-lhes cremes para o chá.

Entretanto, a despeito de nossas risadas, está tudo terrivelmente imediato e próximo. Falmouth foi bombardeada há duas semanas, e todas as noites ouvimos relatos de batalhas aéreas sobre Kent e o Canal, mal podendo acreditar que os pilotos dos aviões de caça estão se saindo com tanta perícia, derrubando do céu os bombardeiros alemães. Edgar Carey-Lewis é um deles, e há fotos nos jornais mostrando os jovens aviadores sentados ao sol, em espreguiçadeiras e cadeiras de vime; entretanto, apenas reunidos e esperando o alerta de Scramble, que significa *a aproximação de outra formação de Stukas. É mais ou menos como Davi e Golias. E, naturalmente, as ilhas do Canal já foram ocupadas, estando a suástica içada no lugar da nossa Union Jack*. Pelo menos não houve muita luta e pessoas sendo mortas. Não foram disparados tiros, tudo transcorreu em ordem, e a única resistência correu por conta de um irlandês embriagado que esmurrou o nariz de um alemão.*

Por aqui, estamos todos bem. Biddy tem dado plantão no Serviço Feminino Voluntário, recolhendo latas e panelas para aviões, e Phyllis terminou de pintar o sótão para Anna. Amanhã, um homem irá colocar o carpete para nós. É azul e tem uma espécie de padronagem. Será afixado junto às paredes. Acho que vai ficar bonito.

Phyllis está muito feliz aqui, e Anna se desenvolve. É uma menininha adorável, dorme bastante e não dá problemas. Phyllis é amorosa, mas severa com ela. Cyril está no Mediterrâneo, creio que em Malta, mas não tem permissão para dizer. Ele teve que fazer um curso prévio, sendo agora um ACM, isto é, Artífice da Casa de Máquinas, embora eu ignore quais as atribuições de tal cargo. Imagino que seja um posto acima de foguista. De qualquer modo, ele agora é um marinheiro de primeira e, portanto, conquistou sua âncora. Enviou a Phyllis uma foto sua, vestindo flanela de algodão (o distintivo bem à vista) e gorro reluzente. Parece bastante queimado e bem-disposto. O curioso é que, embora eu sempre soubesse sobre Cyril, nunca o conheci pessoalmente. Não é um homem atraente, porém Phyllis ficou deliciada com a foto e disse que ele "melhorou horrores".

Espero que todos vocês estejam bem. Receio que esta carta tenha sido muito longa, mas estamos vivendo momentos tão extraordinários, que quis contar-lhes tudo.

Meu amor para vocês dois e para Jess,

Judith

---

* Pavilhão do Reino Unido. (N. da T.)

A Dower House, como todas as residências de cavalheiros distintos construídas no século XIX, possuía vários anexos erigidos nas proximidades de sua entrada dos fundos. Uma velha cocheira, um galpão para ferramentas e outro para depósito de vasos de plantas; um telheiro onde eram guardados o carvão e a lenha, um banheiro externo (conhecido como "banheiro da empregada") e uma lavanderia. Esta última continha o tradicional boiler e uma calandra monumental, exigindo um muito e trabalhoso transporte de água e também de acender de fogos. As roupas lavadas eram passadas na mesa da cozinha, forrada com cobertores e lençóis velhos, usando-se chapas de ferro que precisavam ser aquecidas em cima do fogão.

Quando os Boscawen tomaram posse da casa, entretanto, Lavinia Boscawen, tendo em mente o bem-estar de Isobel, providenciou vários e ousados modernismos. A cocheira se tornou uma garagem. Um novo banheiro foi construído dentro da casa, após um pequeno corredor que partia da copa, e o banheiro da empregada destinado ao jardineiro, caso fosse apanhado de surpresa, enquanto cuidava de seus nabos. A lavanderia passou a ser um galpão-depósito de maçãs, batatas e baldes de ovos preservados, enquanto a enorme pia da copa, do tamanho de um bebedouro de cavalos e instalada tão baixo que quase partia espinhas, foi removida e levada embora. Seu lugar foi ocupado por duas pias fundas de argila, com rolos para espremer roupa fixados em posição entre elas. Finalmente, todas as velhas chapas de ferro usadas para passar a roupa foram jogadas na lixeira, e Isobel foi presenteada com um dos novos ferros elétricos.

Ela imaginou-se no céu.

Anos mais tarde, Phyllis Eddy imaginou algo semelhante. Após a desolada casinha em Pendeen e depois da apinhada cabana de mineiro de sua mãe, os arranjos domésticos da Dower House pareceram-lhe o cúmulo do luxo. Olhar a água quente correr de uma torneira para dentro de uma pia ou banheira sempre a deixava excitada. Ao mesmo tempo, lidar com pratos e roupas sujas — algo que sempre considerara uma interminável escravidão — transformou-se em tarefas quase prazerosas, tal a rapidez e facilidade com que eram feitas. E o banheiro dali, tão bom quanto o existente em Riverview, era provido de espessas toalhas brancas no trilho aquecido, tinha alegres cortinas de algodão esvoaçando à brisa e o mesmo adorável e inesquecível cheiro do sabonete-lavanda de Yardley.

Quanto à temida segunda-feira — dia da lavagem de roupa — Phyllis agora quase ansiava por ela. As fraldas de Anna eram lavadas todos os dias e penduradas no varal, como uma fileira de bandeiras brancas. Lençóis e toalhas de banho ainda iam para a lavanderia, porém havia quatro pessoas morando na casa, e todas as demais peças de roupa ali usadas — não se falando em blusas, roupas de baixo, vestidos de algodão, aventais, saias e calças compridas, meias e soquetes — enchiam duas enormes cestas de vime, a cada manhã de segunda-feira.

Em geral, Phyllis e Judith ocupavam-se disso juntas, enquanto Anna ficava sentada no piso da copa e brincava com prendedores de roupas. Phyllis tinha uma tábua para esfregar as roupas brancas e uma grande barra de sabão "Sunlight". Ao decidir que uma fronha ou outra peça qualquer já tinham sido esfregadas o suficiente, ela as torcia no espremedor de roupas, que em seguida as derrubava na pia ao lado, onde Judith enxaguava em água limpa. Trabalhando em dupla, elas costumavam terminar a lavagem de toda a roupa e a tinham pendurada no varal dentro de uma hora. Se estivesse chovendo, era tudo colocado nos trilhos da polia da cozinha e içado para o teto quente, acima do fogão.

Hoje não estava chovendo. O céu se mostrava enevoado e fazia bastante calor, porém sem nenhum indício de chuva. Um forte vento oeste mantinha as nuvens em movimento, que de vez em quando eram afugentadas e deixavam surgir o céu azul, com jatos de sol quente.

Mesmo com a porta dos fundos escancarada, a copa estava úmida e inundada de vapor, cheirando a sabão e a roupa lavada, limpa. Por fim, a peça final, um aventalzinho de Anna, foi enxaguada, torcida e jogada sobre o monte de roupas úmidas na cesta de vime da lavanderia.

— Agora, só na semana que vem — disse Phyllis, com certa satisfação. Inclinando-se, puxou a tampa do ralo e deixou a água de sabão escoar-se gorgolejando. Enquanto a via diminuir, ela ergueu o braço para afastar os cabelos da testa úmida. — Faz calor, não? Estou suando de alto a baixo.

— Eu também. Venha, vamos tomar um pouco de ar fresco. — Judith abaixou-se e levantou uma das pesadas cestas, sustentando-a na cintura. — Traga os pregadores, Anna.

Ela cruzou a porta e o vento oeste fustigou-lhe o rosto, penetrando no fino algodão da saia pegajosa de suor. O terreno gramado onde ficavam os varais tomava o espaço entre a garagem e a porta dos fundos. A relva estava salpicada de margaridas, e uma sebe baixa de escalônias, ostentando uma profusão de espinhosas flores rosadas, dividia aquele terreno do caminho de cascalhos que vinha do portão até a casa. Juntas, abaixando-se e estirando o corpo, Judith e Phyllis encheram os varais com a roupa lavada. O vento soprava dentro das fronhas, transformando-as em balões quadrados, e recheava as mangas das camisas.

— Agora haverá fraldas em Nancherrow — observou Phyllis, colocando pregadores em uma toalha de chá. — Quem estará cuidando delas?

— Mary Millyway, quem mais poderia ser?

— Eu não desejaria o trabalho dela. Gosto de crianças, mas nunca quis ser babá.

— Nem eu. Se tivesse que escolher, entretanto, *preferiria* ser ajudante de lavanderia.

— Você devia ir ao médico, examinar sua cabeça.

— Não é preciso. Pendurar roupa lavada é muito mais interessante do que esvaziar urinóis de algum velho horrível.

— Quem está falando de urinóis?

— Eu.

— Eu gostaria de ser criada de quarto. Fazer penteados e ouvir todos aqueles escândalos da alta sociedade.

— E agüentar acessos caprichosos, ter de ficar acordada até três da madrugada? Esperando a madame voltar do baile? Eu acho que...

— Há um carro subindo a ladeira.

Judith aguçou os ouvidos. Havia. Elas ficaram imóveis, um tanto interessadas, mas esperando que o motorista, fosse quem fosse, continuasse até o alto da ladeira. O carro, entretanto, diminuiu a marcha, engatou uma mudança e depois surgiu através dos portões. Pneus rangeram sobre o cascalho e pararam diante da porta da frente.

— Sabe de uma coisa? — disse Phyllis, sem necessidade. — Você tem visitas.

— É verdade — replicou Judith.

— Sabe quem é?

— Sei.

— Quem é?

Judith deixou cair dentro de sua cesta os pregadores que estivera segurando, e jogou uma combinação de Biddy na direção de Phyllis. Podia sentir o sorriso tolo estendendo-se em seu rosto.

— É Jeremy Wells — respondeu.

E foi ao encontro dele.

Jeremy Wells. Por cima do varal, Phyllis ficou espiando, disfarçadamente, enquanto pendurava a combinação de qualquer jeito, e procurando não encarar. Entretanto, era difícil, porque levara muito tempo esperando para saber quem era Jeremy Wells, o jovem médico que Judith conhecera havia tantos anos, no trem que vinha de Plymouth. Naquela ocasião, ela só tinha quatorze anos, mas sentira atração por ele. Não havia dúvidas quanto a isso. Mais tarde, de maneira tão estranha, voltara a encontrá-lo através dos Carey-Lewis, de Nancherrow. Ao ficar sabendo dessa extraordinária coincidência, Phyllis imediatamente decidiu que tudo fazia *sentido*; que estava escrito nas estrelas; que era uma daquelas histórias de amor que teria um final feliz.

Judith, é claro, fingia nada existir de verdadeiro nisso. "Oh, não diga tolices", falaria para Phyllis, caso esta fizesse referências maliciosas ao jovem médico. Entretanto, ficara bastante orgulhosa quando ele se juntara à Marinha Real e também bastante angustiada ao saber que o navio de Jeremy havia sido afundado pelo inimigo, e que ele ficara perdido no Atlântico só Deus sabia por quanto tempo. Phyllis não conseguia decidir qual o pior pesadelo — um navio em chamas, com conveses em brasa, ou o salto para o mar escuro, profundo, gelado e inóspito. Ela e Cyril não sabiam nadar. Enfim, de um modo ou de outro, o doutor tinha sido salvo e aqui estava ele agora, parecendo muitíssimo bem de saúde, até onde ela podia ver. Era uma pena que não estivesse usando uniforme. Phyllis gostaria de vê-lo uniformizado. Apenas as velhas calças de flanela cinza e a camisa de algodão azul, mas Judith dava a impressão de pouco ligar para isso, porque o deixou dar-lhe um forte abraço, além de um beijo no rosto. E lá estavam eles, ambos falando pelos cotovelos, os dois sorrindo como dois gatos de Cheshire.

Phyllis podia ter permanecido ali, boquiaberta e para sempre, porém Judith subitamente se lembrou dela e virou um rosto sorridente em sua direção, chamando-a para aproximar-se e ser apresentada. De repente, Phyllis ficou muito acanhada, mas abandonou a roupa lavada em seguida, inclinou-se e tomou Anna nos braços. Depois cruzou o relvado, passou pela abertura na sebe de escalônias e atravessou o rangente piso de cascalho, desejando estar mais arrumada, em vez de inteiramente envolta em um avental molhado.

— Esta é Phyllis Eddy, Jeremy. Ajudava mamãe em Riverview. Agora está morando aqui conosco. Seu marido também está na Marinha.

— É mesmo? E em que trabalha lá?

— Ele é um ACM — conseguiu Phyllis dizer-lhe, orgulhosamente. — Marinheiro de primeira. Conquistou sua âncora.

— Isso é formidável. Ele deve estar indo muito bem. Onde se encontra?

— No Mediterrâneo, em algum lugar.

— Homem de sorte. Sol à farta. Quem é esta garotinha?

— É a minha Anna. Só que ela não rirá para o senhor. É muito encabulada.

Judith disse então:

— Jeremy está indo para Nancherrow, Phyllis. Vai ficar uns dois dias com eles...

— Uma boa idéia — disse Phyllis.

Ele não era realmente bonito e usava óculos, mas tinha o sorriso mais sedutor que ela já vira em qualquer homem, além de belos dentes alvos. Aliás, para alguém que acabara de ter seu navio explodido, ficara queimado e quase se afogara, parecia admiravelmente em forma.

— Só sou esperado à hora do almoço — explicou ele — e não poderia passar por Rosemullion sem vir ver todas vocês, dar uma espiada na velha casa e descobrir o que você fez com ela.

Phyllis sorriu para si mesma, com certa satisfação. Ele viera fazer uma visita. Eram apenas dez e meia; portanto, teria duas horas de folga antes de se pôr a caminho. Tempo bastante para um pouco de privacidade e uma despreocupada conversa sobre os velhos tempos. Ela transferiu Anna para o outro braço.

— Por que não leva o dr. Wells para dentro, Judith, ou para a varanda? Vou pendurar o resto da roupa lavada e depois levo um café para os dois.

Foi bom ela falar assim. Era como nos velhos tempos, quando trabalhava para a mãe de Judith, e a sra. Dunbar tinha visitas. Jeremy Wells era uma visita. Uma xícara de café podia não ser grande coisa, mas Phyllis estava preparada para qualquer esforço, desde que isso ajudasse a facilitar o caminho para o verdadeiro amor.

Havia muito sobre o que falarem, notícias a serem dadas, novidades a trocarem sobre amigos comuns. Tinham estado juntos pela última vez onze meses atrás — naquele calorento domingo de agosto, que começara tão feliz para Judith, e terminando tão desastrosamente, com sua repentina e precipitada fuga de Nancherrow. Ela se via despedindo-se deles, enquanto ainda permaneciam à mesa, diante dos restos do almoço de domingo. "Até logo mais", havia prometido, porém nunca mais tornara a ver sequer um deles.

Até agora. Jeremy estava mudado, pensou, enquanto o estudava disfarçadamente. Dez meses de guerra e de vida no mar o tinham endurecido e bronzeado. Em seu rosto havia linhas que nunca tinham existido antes, e seu encantador sorriso não era mais tão fácil, porém Judith sempre o conhecera como adulto e responsável, de modo que não podia lamentar a passagem da juventude dele.

Conversaram sobre Athena, Rupert e a menininha Clementina.

— Ela nasceu enorme — contou Judith. — Quase quatro quilos e meio, e parece uma indiazinha.

— Estou ansioso por conhecê-la.

— Todos pensávamos que Athena a entregaria diretamente a Mary Millyway, mas o fato é que ela se sente incrivelmente maternal e passa horas na cama, conversando com Clementina. Uma beleza. Como se Clementina fosse um cachorrinho de estimação, um filhotinho. Quanto a Loveday, tornou-se uma camponesa integral... Não oficialmente, claro, e não tendo que usar aquele uniforme horrível... mas trabalha como um castor e cuida de dúzias de galinhas. Também nos mantém supridos de ovos, pois às vezes a agência dos correios fica em falta. E o sr. Nettlebed, além de vigilante das Medidas de Precauções Antiaéreas, incumbiu-se da horta de Nancherrow, mas continua representando seu pomposo papel, quando está servindo o jantar. Você vai adorar tudo por lá. Nancherrow ficou diferente, mas, de um modo curioso, continua a mesma coisa.

Jeremy perguntou em seguida pelos Warren de Porthkerris e Heather, a amiga de Judith. Ela ficou muito tocada pelo interesse dele, já que só conhecia aquela família através de notícias.

— Estão todos muito bem. Joe Warren voltou de Dunquerque para casa, graças a Deus. Conseguiu uma licença e depois tornou a partir, mas não sei ao certo por onde anda. Eu e Biddy fomos um dia a Porthkerris e tomamos chá com eles, quando então ficamos sabendo de todas as novidades. Heather está se saindo muitíssimo bem e trabalha para o Ministério das Relações Exteriores, em algum lugar altamente secreto, que não podemos saber exatamente *onde* fica. Contudo, até agora ninguém soube nada a respeito de seu namorado, Charlie Lanyon. Ele também esteve em Dunquerque, e os Warren limitam-se a rezar para que tenha sido feito prisioneiro. — Isto a fez pensar em Gus. — E Gus Calender? — perguntou. — Soube que escapou e conseguiu sair de Saint Valéry?

— Meu pai me deu a notícia. Um verdadeiro milagre.

— Devia ver o rosto de Loveday, quando ela veio aqui para contarnos. Andava realmente muito infeliz, preocupada com ele, quando de repente teve uma espécie de intuição, uma convicção de que Gus estava vivo... Ela me contou a respeito, quase como se pudesse ouvir a voz dele lhe falando. Estava a caminho de Lidgey para casa, então seguiu a toda pressa para Nancherrow e, uns cinco minutos depois de chegar lá, o telefone tocou, e era ele. Do hospital, em Southampton. Então, talvez tenha sido realmente "telepatia".

— Quando uma pessoa sente afeto por outra, acredito que a telepatia seja perfeitamente possível... além do que, sendo nascida e criada na Cornualha, Loveday é, de fato, uma pequena celta. Se alguém foi abençoado com a premonição ou intuição, deveria ser Loveday.

A esta altura eles deixaram de falar nos Carey-Lewis porque, afinal de contas, Jeremy estaria com a família dentro de mais ou menos uma hora. Judith relatou-lhe os trágicos detalhes da morte de Ned Somerville, falou sobre seu tio Bob e Biddy.

— Ela deixou Devon e veio morar aqui conosco. Você sabia?

— Sim, sabia. Esperei poder conhecê-la.

— Biddy foi a Penzance esta manhã. Queria ir ao cabeleireiro. Não sei quando estará de volta. Entretanto, tudo resultou perfeito. Eu disse para o sr. Baines que era como se "estivesse escrito".

— Phyllis também?

— Aí está o melhor. Ela é um encanto de criatura. Simplesmente adora morar conosco, está desabrochando como uma flor. E preparamos um quarto para Anna, de maneira que quando Cyril (é o marido dela) vier em licença, poderá ficar aqui e estar com Phyllis. Eu lhe mostrarei tudo, antes de você ir. Ainda não acredito que estou em minha própria casa. Costumava tecer fantasias sobre possuir um lugar só meu. Eram fantasias muito humildes, claro, não iam além de um chalé de granito e uma palmeira. Apenas um lar que me pertencesse, onde eu pudesse criar raízes e ter para onde voltar. No entanto, tudo isso agora é meu. Todo meu. Às vezes, acordo de noite e fico pensando se é mesmo verdade.

— Você pretende ficar aqui?

— Sempre. Só que, de imediato, provavelmente não. Terei de ir e fazer a minha *parte*. Penso juntar-me ao serviço naval, talvez às *Wrens* ou coisa assim.

Jeremy sorriu, mas não insistiu no assunto. Em vez disso, perguntou-lhe sobre sua família em Cingapura, e Judith contava as últimas notícias, quando Phyllis apareceu com a bandeja do café. Inclinou-se para deixá-la sobre a banqueta entre eles, e Judith reparou que colocara na bandeja a melhor porcelana de tia Lavinia, que o café estava com delicioso aroma, moído pouco antes, e que havia um prato de biscoitos amanteigados.

Matizes de Riverview.

— Colocou apenas duas xícaras, Phyllis. Não nos acompanha?

— Não. Estou ocupada na cozinha, e vocês têm muito o que dizer um ao outro. Eu coloquei açúcar, dr. Wells; não sei se o senhor o prefere.

— Sim, prefiro. Foi muita gentileza sua. Obrigado.

Com um leve, tímido e cúmplice sorriso no rosto, Phyllis voltou a seus afazeres. Esperando que Jeremy não houvesse notado esse detalhe, Judith serviu o café e estendeu-lhe uma xícara.

— Já falamos de todo mundo — disse ela — menos de você. De seu navio sendo torpedeado e tudo o mais. — Percebendo a expressão no rosto dele, acrescentou rapidamente: — Bem, talvez não queira falar a respeito.

— Nada tem de agradável.

— Não quero ouvir, se você não quiser contar.

— Agora, não tem mais tanta importância.

— Seu navio afundou?

— Sim. Muito lentamente. Aferrei-me àquela maldita bóia e o fiquei vendo submergir. Primeiro a popa, depois a proa. Em seguida, uma onda enorme, sugadora. E depois, nada, apenas o mar, óleo e destroços.

— Perderam muitos membros da tripulação?

— Cerca de metade. O oficial-artilheiro e o primeiro-tenente foram ambos mortos. Meu capitão foi recolhido, ainda está no hospital.

— Seu pai disse que você teve queimaduras.

— Sim. Sofri queimaduras no ombros, costas e parte superior do braço esquerdo. Nada demasiado feio. Sem necessidade de enxertos de pele. Estou em recuperação.

— O que acontecerá agora?

— As autoridades é que decidirão.

— Outro navio?

— É o que mais espero.

— O Atlântico novamente?

— Será mais do que provável. Formando comboios. É uma contínua batalha.

— Você acha que vamos vencê-la?

— Temos de vencer. Precisamos manter abertas as rotas comerciais para a América e também manter o país suprido de alimentos e armas. Os submarinos alemães estão por toda parte, são como lobos caçadores; entretanto, a velocidade do comboio é a velocidade do navio mais lento, e continuamos perdendo uma infinidade de barcos mercantes.

— Você não sente medo, Jeremy? Ante a idéia de voltar?

— É claro que sinto. No entanto, a gente aprende a fingir que não sente medo. Todos agem da mesma forma. A rotina e a disciplina contribuem em grande parte para concentrar-se a mente. E, afinal, da próxima vez já saberei o que esperar.

Era tudo muito deprimente. Judith suspirou.

— Tantas batalhas! A batalha da França. E agora, a batalha da Inglaterra...

Ela não prosseguiu. Sabia o que Jeremy ia dizer em seguida.

— E Edward está no centro dela.

— Sim, eu sei.

— Tem notícias dele?

— Somente as que manda para a família.

— Ele não escreve para você?

Judith meneou a cabeça.

— Não.

— E você não escreve para ele?

— Não.

— O que aconteceu?

— Nada.

— Isso não é verdade.

— Pois acredite, é verdade. — Judith olhou para ele. — Não aconteceu nada.

Entretanto, ela nunca soubera mentir.

— Você amava Edward.

— Todos o amam. Penso que ele é um homem que nasceu para ser amado. Sua fada-madrinha devia estar bem por perto, quando ele nasceu.

— Não foi isso que eu quis dizer.

Judith baixou os olhos. No jardim, as árvores agitaram-se ao vento, e duas gaivotas passaram voando e grasnando, lá no alto. Quando ela silenciou, Jeremy tornou a falar.

— Eu sei como era. Fiquei sabendo naquele último domingo, quando estávamos todos no jardim, em Nancherrow, antes do almoço. Eu e Edward levávamos as bebidas para fora, mas então você ergueu o rosto e o viu. Havia uma aura de tal júbilo contornando-a, que era como uma lâmpada recém-acesa. Ele foi falar com você, e parecia que, por uma espécie de mágica, um anel cintilante envolvia os dois... mantendo-os separados do resto de nós.

Para Judith, era quase insuportável lembrar-se disso.

— Talvez fosse o que eu queria que todos vocês pensassem — disse.

— Depois do almoço, vocês dois nos deixaram e vieram visitar a sra. Boscawen. Edward mais tarde foi à enseada, porém nunca mais tornamos a vê-la. Você havia partido. Deixara Nancherrow. Alguma coisa aconteceu, não foi?

Ele sabia. De nada adiantava negar.

— Sim. Aconteceu. Aconteceu, e pensei que Edward sentisse tão profundamente por mim o mesmo que eu sentia por ele. Creio que sempre amei Edward, Jeremy, desde o primeiro momento em que o vi. Enfim, existe algo de irresistível em uma pessoa que sempre transforma os momentos mais comuns em uma comemoração. E ele sempre teve esse dom incrível, inclusive quando ainda era estudante. — Ela se virou e sorriu para Jeremy. Era um riso forçado, ao qual ele respondeu prontamente com seu velho e encorajador sorriso. — E você, talvez mais do que ninguém, sabe disso perfeitamente.

— Sim, eu sei.

— Imaginei que ele sentisse o mesmo por mim, mas é claro que não sentia.

— Ele sentia uma imensa afeição por você.

— Só que não se ligava à idéia de um compromisso permanente.

— Edward é jovem demais para compromissos.

— Foi o que ele me disse.

— E você deixou que isso pusesse um fim em tudo?

— Fui longe demais e falei além da conta. Tive que recuar.

— E deixar Nancherrow?

— Eu não poderia continuar lá. Não na casa, não com ele e a família. Não vendo-o todos os dias. Você compreende, não?

— Posso compreender o fim do amor, mas não o fim da amizade.

— Eu não saberia como agir. Athena talvez soubesse, mas não sou tão experiente como ela.

— E você ainda ama Edward?

— Procuro não amá-lo. Entretanto, acho que a gente nunca deixa de amar o homem que foi o primeiro amor de nossa vida.

— Que idade você tem?

— Dezenove. Acabados de completar.

— Tão jovem...

— Eu estarei bem — disse ela.

— Você se preocupa com ele?

— O tempo todo. No fundo de minha mente. Olho para as fotos de combates aéreos e de Spitfires que saem nos jornais e, embora *pense* em Edward, acho impossível *identificá-lo* com tudo aquilo. Talvez, por ser encantador, ele esteja encantado. De uma coisa podemos ter certeza: seja o que for que Edward esteja fazendo, isso o diverte imensamente.

Jeremy sorriu, compreensivo.

— Entendo o que quer dizer, e sinto muito ter bisbilhotado. Não pretendia invadir sua privacidade. Acontece apenas que conheço Edward muito bem... suas qualidades e seus defeitos... e estava preocupado. Receava que ele a tivesse magoado.

— Agora está encerrado, e eu posso falar a respeito. Além do que, não me incomoda *você* saber.

— Que bom saber disso. — Ele havia terminado seu café. Largou a xícara e olhou para o relógio de pulso. — Bem, se pretende mesmo me mostrar sua propriedade, talvez seja melhor começarmos logo, porque, não demora muito, terei de ir andando.

Assim, eles se levantaram de suas cadeiras, entraram na casa, e a beatífica tranqüilidade dos velhos aposentos dissolveu o último constrangimento que pudesse haver entre eles, agora substituído pelo orgulho de posse de Judith e pelo ilimitado entusiasmo de Jeremy. Ele já estivera muitas vezes naquela casa, é claro, nos tempos de tia Lavinia, porém nunca se aventurara além da sala de estar e da de refeições. Agora, os dois fizeram um completo *tour* de inspeção, começando pelo sótão, com o novo quarto de brinquedos, e terminando na cozinha.

— ... Diana e o coronel me deixaram ficar com todos os móveis e peças que a família não queria, de modo que não precisei comprar nada. Sei que o papel de parede está desbotado e as cortinas gastas, porém chego a gostar de coisas assim. Inclusive dos pedaços surrados nos carpetes. Isto os torna amigáveis e familiares, como as rugas no rosto de uma pessoa querida. Claro que há lugares vagos, antes ocupados por coisas que foram para Nancherrow, mas posso viver muito feliz assim. E a cozinha funciona perfeitamente...

— Como aquece sua água? — Ele estava sendo confortadoramente prático.

— No fogão. É incrivelmente eficiente, desde que a gente se lembre de alimentá-lo duas vezes ao dia... A única coisa que eu *gostaria* realmente de possuir seria um refrigerador adequado, mas ainda não tive tempo de cuidar dessa parte, e como a loja de Penzance não tem nenhum à venda, suponho que terei de ir a Plymouth. O sr. Baines sugeriu mais um banheiro, porém, sinceramente, não nos faz falta nenhuma. Eu antes preferiria um aquecimento central, como em Nancherrow, mas acho que isso terá de esperar pelo fim da guerra...

— Você precisaria ter um boiler extra para o aquecimento central.

— Há espaço para um, além da copa...

Ela lhe mostrou o espaço que tinha em mente, e eles passaram outros cinco satisfatórios minutos discutindo o assunto e considerando as dificuldades de inserir canos através das velhas e espessas paredes de pedra da casa. Então, Phyllis e Anna juntaram-se a eles, após terem colhido ervilhas para o almoço. Depois de conversar um pouco mais, Jeremy tornou a consultar seu relógio e disse que chegara o momento de realmente despedir-se.

Judith acompanhou-o até o carro.

— Quanto tempo vai ficar em Nancherrow?

— Apenas uns dois dias.

— Tornarei a vê-lo? — perguntou ela, um tanto ansiosamente.

— Naturalmente. Ouça, por que não desce até lá esta tarde? Poderemos ir à enseada juntos. Com quem quiser que também deseje ir. Nadaríamos.

Era uma idéia tentadora. Há muito que ela não ia à enseada.

— Tudo bem. Irei de bicicleta.

— Leve seu maiô.

— Levarei.

— Três horas, que tal?

— Estarei lá. Entretanto, se eles tiverem feito outros planos e queiram a sua companhia, é só ligar para mim.

— Eu telefono.

Jeremy entrou em seu carro e ela ficou parada, vendo-o afastar-se. Então, entrou em casa pela cozinha e sentou-se à mesa com Phyllis e Anna, para ajudar a descascar as ervilhas.

A comprida alameda para carros em Nancherrow estava marginada de hidrângeas cobertas de flores. À luz amortecida do sol que se filtrava pelos galhos das árvores altas, a sensação era de pedalar ao longo do leito de um rio muito azul. Judith estava de short e uma velha camisa de malha. Na cesta da bicicleta colocara sua toalha de praia listrada, o maiô, uma suéter grossa e um pacote de bolinhos secos de gengibre, para comer depois do banho de mar. Estava ansiosa por nadar e esperava que Loveday, e talvez Athena, se juntassem a ela e Jeremy.

Quando emergiu da sombra das árvores, os pneus da bicicleta chocalharam sobre o cascalho. O nevoeiro da manhã já desaparecera, porém o vento oeste ainda soprava. As janelas de Nancherrow piscavam ao sol da tarde, e as galinhas de Loveday, presas em seu cercado aramado ao lado da casa, cacarejavam, emitindo todos os sons tradicionais de aves alegres e saudáveis que tinham acabado de pôr — ou estavam prestes a pôr — um ovo.

Parecia não haver ninguém por ali, mas a porta da frente estava aberta. Judith estacionou a bicicleta, encostando-a à parede da casa, recolheu seus apetrechos de banho e a suéter. Ao virar-se para entrar e encontrar alguém, levou um susto tremendo, porque Jeremy havia surgido de lugar nenhum e estava em pé logo atrás dela.

— Oh! Jeremy, seu malvado! Que susto levei! Não vi você, nem o ouvi chegar!

Ele pôs as mãos nos braços dela, imobilizando-a, como se Judith pretendesse fugir de algum modo.

— Não entre — disse.

O rosto dele estava tenso e muito pálido sob o bronzeado da pele. Um nervo latejava pouco acima do ângulo do maxilar. Ela o encarou, perplexa.

— Por quê?

— Telefonaram para cá. Faz meia hora. Edward está morto.

Judith ficou grata por estar segura com tanta firmeza, uma vez que seus joelhos começaram a tremer descontroladamente. Por um momento, um pânico terrível a invadiu, como se lhe fosse impossível continuar respirando. *Edward está morto.* Sacudiu a cabeça, em apaixonada negativa.

— Não!

— Ele foi morto esta manhã.

— Não. Não *Edward*. Oh, Jeremy, não Edward!

— O comandante dele telefonou, dando a notícia. Falou com o coronel.

Edward. O medo torturante que vivera com eles por tanto tempo, espreitando e esperando, finalmente havia desferido o golpe. Judith fitou o rosto de Jeremy e viu, por trás dos óculos que eram tão parte dele, os olhos brilhando por lágrimas não derramadas. E ela pensou: *Todos nós sentiremos essa dor. Todos nós amamos Edward, embora de maneiras diferentes. Cada um de nós, cada pessoa que chegou a conhecê-lo, irá sentir um enorme vazio em sua vida.*

— Como foi que aconteceu? — ela quis saber. — Onde aconteceu?

— Acima de Dover. No Hell-fire Corner. Houve um tremendo ataque inimigo acima dos navios no porto. Caças de mergulho Stuka e aviões de caça Messerschmitt. Um gigantesco, intenso bombardeio. Os caças da RAF* penetraram nas formações alemãs. Derrubaram doze aviões inimigos, mas perderam três de suas próprias máquinas. O Spitfire de Edward foi uma delas.

Entretanto, tinha que haver um fio de esperança. O choque a tinha exaurido. Ela agora se sentia tomada por uma ira inútil.

— E como é que eles *sabem*? Como podem *saber* que ele está morto? Como podem ter *certeza*?

— Um piloto de outro Spitfire anotou em seu relatório, ao voltarem da missão. Ele viu tudo acontecer. Um disparo direto de um dos Stukas. Uma espira de fumaça negra. O avião mergulhou em parafuso, caiu ao mar. Depois explodiu. Não houve ejeção do piloto. Nenhum pára-quedas se abriu. De forma nenhuma um homem sobreviveria a isso.

Ela ouviu em silêncio as dolorosas palavras de Jeremy, e o fio de esperança morreu para sempre. Depois ele deu um passo à frente e a tomou nos braços. Judith deixou cair o rolo da toalha e da suéter no caminho de cascalho, e passou os braços em torno da cintura dele. Assim, ambos fizeram o melhor que podiam para um confortar o outro; ela com a face apertada contra o ombro dele, o cheiro limpo do algodão de sua camisa, o calor de seu corpo. Em pé ali, enlaçada por Jeremy, ela pensou na família, em algum lugar dentro da casa. Os fascinantes Carey-Lewis e a desolação do pesar, o inimigo que invadira a casa adorável, feliz e cheia de sol. Diana e o coronel. Athena e

---

* Royal Air Force (Real Força Aérea). (N. da T.)

Loveday. Como enfrentariam eles a agonizante finalidade de sua perda? Pensar nisso era quase insuportável. Toda a certeza era que ela, Judith, não tinha lugar naquela desolação particular. Um dia já se sentira parte dos Carey-Lewis. Talvez ainda voltasse a sentir o mesmo. Agora, neste momento, ela não passava de uma intrusa, uma estranha, em Nancherrow, uma invasora.

Afastou-se de Jeremy, soltando-se delicadamente dos braços dele. Disse:

— Nós não devíamos estar aqui, você e eu. Não devíamos ficar. Ambos temos que ir embora. Agora. Deixá-los a sós.

Eram palavras atropeladas, ditas com urgência, mas ele entendeu.

— Vá você, se quiser. Aliás, acho que deveria ir. Volte para casa. Para Phyllis. Eu, no entanto, devo ficar. Apenas por uns dois dias. Creio que o coronel está preocupado com Diana. Você sabe o quanto ele a protege... Em vista disso, ficarei por aqui. Talvez haja algo que eu possa fazer para ajudar. Mesmo que somente dar um pouco de apoio moral a ele.

— Mais um homem na casa. Se eu fosse o coronel, desejaria que você ficasse. Oh, Jeremy, eu queria ser como você! Forte. Você tem tanto a dar para todos eles... Neste momento, contudo, não me sinto em condições de dar coisa alguma. Só quero fugir. Ir para casa. Ir para casa, para a *minha* casa. Isso é terrível?

Ele sorriu.

— Não. Nada tem de terrível. Se quiser, eu a levarei de carro.

— Tenho a minha bicicleta.

— Pois então pedale com cuidado. Você levou um choque.

Jeremy inclinou-se, recolheu o rolo da toalha e da suéter dela, limpou-a da terra e pedrinhas aderidas ao tecido, e colocou tudo na cesta da bicicleta. Em seguida, segurando os guidons, empurrou a bicicleta até onde Judith estava.

— Vá agora.

Ela segurou a bicicleta, mas ainda hesitava.

— Diga a Diana que vou voltar. Dê meu abraço nela. Explique.

— Claro.

— Não vá embora sem se despedir de mim.

— Não irei. E, de outra vez, iremos nadar.

Por algum motivo, isto fez com que os olhos dela se enchessem de lágrimas.

— Oh, Jeremy, por que tinha de ser Edward?

— Eu não sei. Não me pergunte.

Assim, Judith não disse mais nada. Apenas montou na bicicleta e afastou-se pedalando lentamente. Ele ficou observando até ela desaparecer de vista, quando fez a curva da alameda e mergulhou no túnel formado pelas árvores.

Por que tinha de ser Edward?

Um momento depois, ele deu meia-volta, subiu os degraus, cruzou a porta e tornou a entrar na casa.

Depois disso, Judith pouco podia recordar da sua volta de Nancherrow para Dower House. Parecendo terem adquirido uma volição própria, suas pernas movimentavam os pedais da bicicleta, funcionando automaticamente como pistões que empurravam a máquina para diante. Ela não pensou muito sobre qualquer coisa. Seu cérebro estava tão entorpecido como um limbo que tivesse sofrido um tremendo golpe. Mais tarde, ele começaria a doer e então a dor ficaria lancinante. Por ora, sua única idéia era chegar em casa, como se fosse um animal ferido rumando para seu covil, caverna, antro, toca ou qualquer outro nome que se quisesse dar.

Por fim chegou aos portões de Nancherrow e estava novamente fora de lá, em pleno sol, para então seguir ladeira abaixo, veloz, até o profundo vale de Rosemullion. No fundo, fez a curva para entrar na aldeia e pedalou ao longo da estrada, junto ao pequeno rio. Uma mulher, pendurando a roupa lavada, chamou seu nome. *Olá! Que lindo dia!* Judith, entretanto, mal a ouviu e nem virou a cabeça.

Continuou pedalando, agora ladeira acima, até que a forte inclinação a derrotou, fazendo-a descer da bicicleta e empurrá-la pelo resto do caminho. Diante dos portões da Dower House, viu-se forçada a parar um instante, a fim de recuperar o fôlego. Depois prosseguiu, empurrando a bicicleta sobre os seixos do caminho. Ao lado da porta, deixou-a cair, com a roda dianteira ainda girando lentamente, os guidons tortos para um lado.

A casa esperava por ela, modorrenta à luz do entardecer. Ela pousou as mãos sobre a parede da entrada, e a pedra antiga ainda estava quente do sol que nela havia batido durante toda a manhã. Como uma pessoa, pensou Judith. Um ser humano. Vivo e com o coração batendo.

Após um momento, cruzou o pórtico e desceu o corredor lajeado, onde o único som era o lento tique-taque do relógio de pé. Parou e escutou.

— Biddy! — chamou. Repetiu: — Biddy!

Silêncio. Evidentemente, Biddy ainda não voltara.

— Phyllis!

Phyllis tampouco respondeu.

Judith seguiu até o fim do corredor e abriu a porta de vidro que dava para a varanda. Além desta ficava o jardim, onde pôde ver Phyllis, sentada em uma manta estendida na grama, com Anna e Morag, e mais alguns brinquedos para a menina divertir-se. A bola de borracha que Judith comprara para a criança, e um aparelho de chá para bonecas, feito de lata, desencavado quando Biddy fizera a faxina no sótão.

Ela cruzou a varanda e saiu para o gramado. Ouvindo seus passos, Morag sentou-se nas patas traseiras e latiu sem qualquer necessidade, depois olhando em torno para descobrir quem ou o que provocara seu latido.

— Judith! Não a esperávamos tão cedo! Não foi nadar?

— Não.

Chegando ao lado de Phyllis, Judith arriou na manta, junto dela. A lã grossa estava confortadoramente quente ao sol, como uma espessa suéter vestida após nadar em água muito fria.

— Por que não? Está um dia tão...

— Phyllis, quero perguntar uma coisa a você.

Phyllis franziu o cenho, ante a intensidade que percebeu na voz de Judith.

— Você está bem?

— Se eu me for... se eu tiver que ir, você ficará aqui e cuidará de tia Biddy para mim?

— De que você está falando?

— A questão é que ainda não falei com ela, mas acho que provavelmente quererá ficar na Dower House com você. Não voltar para Devon, quero dizer. Entretanto, compreenda, você não deverá deixá-la. Ela não pode ser deixada sozinha. Fica terrivelmente solitária, pensa em Ned, e começa a beber uísque para levantar o ânimo. Quero dizer que em tais ocasiões ela passa da conta na bebida, fica de fato embriagada. Já aconteceu antes, quando a deixei em Devon. Então, a sra. Dagg me contou o que havia. Este foi um dos motivos que me fizeram trazê-la comigo para a Cornualha. Por isso estou contando a você agora, enquanto ela não está aqui, a fim de que fique somente entre nós duas. Você nunca a deixaria, não é, Phyllis?

Phyllis, naturalmente, estava confusa.

— Ouça, Judith, o que *significa* tudo isto?

— Você sabia que eu partiria. Algum dia. Para alistar-me. Não posso continuar aqui para sempre.

— Sim, mas...

— Vou para Plymouth amanhã. Para Devonport. Tomarei um trem e lá me alistarei, no Serviço Feminino da Marinha Real. Claro está que voltarei para casa. Só serei convocada dentro de duas semanas, pelo menos. Então, partirei para sempre, mas você *nunca* deixará Biddy, está bem, Phyllis? Prometa-me. E se você e Anna tiverem que ir embora, talvez pudesse conseguir alguém que viesse morar aqui, ficar com ela...

Phyllis percebia que Judith ficava cada vez mais nervosa — e por quê? Tão tensa e urgente, falando precipitadamente, suas palavras mal fazendo sentido. Phyllis estava perplexa e preocupada ao mesmo tempo. Pousou a mão no ombro de Judith e recordou a época em que tentara acalmar e imobilizar um potro nervoso.

— Bem... — ela começou, lenta e calmamente. — Pare de ficar tão preocupada. É claro que não vou deixar sua tia. Por que a deixaria? Todos conhecemos a sra. Somerville, sabemos que ela gosta de seu pequeno drinque ao anoitecer.

— Não se trata apenas de um pequeno drinque — Judith quase gritou para ela. — Você não *compreende*...

— Compreendo. E lhe dei minha palavra. Agora, acalme-se.

As palavras fizeram efeito. O súbito acesso de irritação foi sufocado. Judith mordeu o lábio e ficou calada.

— Assim está melhor — disse Phyllis, encorajadoramente. — Agora, vamos conversar com calma. Sobre você. Sei que há meses vem pensando em alistar-se; mas por que tão de repente? Com toda essa pressa? Viajar para Devonport amanhã. Quando foi que decidiu tudo isso? O que a fez decidir-se?

— Não sei. Eu simplesmente decidi.

— Aconteceu alguma coisa?

— Sim.

— Agora?

— Sim.

— Então, conte para Phyllis.

Seu tom era o mesmo de outrora, dos velhos tempos em Riverview, quando Judith ficava pela cozinha, infeliz e preocupada com os resultados dos exames, por não ter sido convidada para alguma festa de aniversário ou outra coisa qualquer.

Conte para Phyllis. Ela respirou fundo, e então contou.

— Edward Carey-Lewis foi morto. Seu avião foi derrubado sobre Dover.

— Oh, Deus!

— Jeremy acabou de contar-me. Por isso é que não fomos nadar. Vim para casa. Eu só queria estar em casa. Precisava tanto de você! — De repente, o rosto dela se franziu como o de uma criança, Phyllis estendeu os braços e a puxou bruscamente para si, beijou-lhe a cabeça e a embalou como se fosse um bebê. — Acho que não vou poder suportar, Phyllis. Não queria que ele morresse. Estava sempre em *algum lugar*, e não agüento pensar que ele não está mais em lugar algum. Agora ele nem...

— Sshhh...

Ainda embalando Judith nos braços, Phyllis compreendeu subitamente. Era tudo claro como água. Edward Carey-Lewis tinha sido o amor de Judith. Não Jeremy Wells. Apesar de toda a sua convicção e de altas esperanças, Phyllis estivera latindo para a árvore errada. Era o jovem Carey-Lewis a quem Judith entregara seu coração — e agora ele estava morto.

— Sshhh... fique quietinha...

— Oh, Phyllis...

— Apenas chore.

A vida era tão cruel, pensou Phyllis, e a guerra ainda pior. E de que adiantava mostrar coragem, sufocar os sentimentos? Era melhor dar vazão ao sofrimento, nadar a favor da maré, deixar a natureza seguir seu curso sanador, devastar tudo que havia pela frente em um dilúvio de lágrimas, como um dique transbordando.

Três dias se passaram, antes que Judith voltasse a Nancherrow. No primeiro dia de agosto, caía uma chuvinha leve e insistente, tão típica da Cornualha, que se abatia sobre jardins e campos, refrescando o ar. O rio inchado de águas gorgolejava sob a ponte, afogando os ranúnculos que cresciam em suas margens verdes; havia poças nas estradas e grandes gotas d'água desciam em chuveiros dos galhos mais altos.

Na chuva, usando uma capa de oleado preto, mas de cabeça descoberta, Judith pedalava. Depois da aldeia, empurrou a bicicleta colina acima, depois tornou a montá-la junto aos portões de Nancherrow e prosseguiu, através do serpenteante e aquoso túnel da estrada para carros. Tudo brilhava e gotejava, e os buquês de hidrângeas pendiam desolados, pesados de umidade.

Chegando à casa, ela deixou a bicicleta junto da entrada principal, cruzou a porta e entrou. Então parou, seus olhos desviados para o velho carrinho de criança de Nancherrow, suspenso por correias e clássico como um Rolls Royce. Havia sido estacionado no saguão junto à entrada, à espera de que a chuva cessasse e Clementina pudesse ser levada ao jardim, para sua necessária dose de ar puro. Judith desabotoou a capa e a deixou sobre uma cadeira de madeira esculpida, de onde ficou gotejando sobre os ladrilhos. Depois foi olhar o carrinho, querendo alegrar os olhos com a adorável visão que era Clementina. Ela dormia profundamente, com as gordas bochechas rosa-pêssego e o sedoso cabelo escuro sobre a fronha de cambraia rendada. Havia sido envolta em uma manta de fina gaze de Shetland, mas, de algum modo, conseguira libertar um braço, e a mão, semelhante a uma estrela-do-mar, de pulso rechonchudo com braceletes de gordura, jazia voltada para cima, como uma oferenda, sobre a pequena manta rosa. Havia algo de imemorial em seu sono tranqüilo, intocado por qualquer coisa terrível que houvesse acontecido ou prestes a acontecer. Ocorreu a Judith ser este o sentido da inocência. Tocou a mãozinha de Clementina e viu as unhas diminutas, perfeitas, e sentiu a doce fragrância que exalava do bebê, composta de limpeza, lã e talco Johnson. Apenas olhar para ela era a coisa mais confortadora e tranqüilizante que havia feito durante dias.

Após um momento, deixou o bebê adormecido e continuou para o saguão interno. A casa estava quieta, mas havia flores sobre a mesa redonda ao pé da escadaria, assim como a pilha costumeira de cartas seladas, esperando que alguma pessoa as levasse ao correio. Ali fez uma pausa e então, como ninguém aparecesse, começou a descer o corredor até a porta da sala de estar menor. Estava com a porta aberta e, do outro lado da sala, na janela abaulada, ela viu Diana sentada diante de sua secretária. O móvel costumava ficar na sala de estar principal, mas fora transferido para ali, quando a outra sala maior fora fechada pelo tempo que durasse a guerra.

A secretária estava entulhada com os apetrechos costumeiros para correspondência, porém Diana largara a caneta e nada fazia, além de olhar para a chuva que caía, através da janela.

Judith chamou-a. Diana virou-se e, por um instante, seus lindos olhos permaneceram opacos e sem ver; depois animaram-se, reconhecendo quem era.

— Judith! — exclamou, estendendo um braço. — Minha querida... Você veio...

Judith entrou na sala e fechou a porta atrás de si. Depois cruzou rapidamente o aposento e inclinou-se, a fim de abraçar e beijar Diana.

— É tão bom ver você! Pensei...

Ela parecia magra, pálida e terrivelmente abatida, mas estava elegante e bem-arrumada como sempre, usando uma saia pregueada de linho e uma blusa de seda azul-celeste, com um cardigan de cashmere combinando, posto sobre os ombros. Tampouco faltavam suas pérolas, os brincos, o batom, a sombra de olhos e o perfume. Judith foi tomada de enorme admiração e também de gratidão, porque se tivesse encontrado Diana despenteada, de roupas amarrotadas e malvestida, tudo teria parecido mais amedrontador, desesperançado como o fim do mundo. Não obstante, ela também compreendia que a aparência de Diana era sua armadura pessoal, que o tempo e trabalho claramente dedicados a si mesma eram a sua contribuição particular de coragem. Sempre havia sido prazeroso olhar para ela. E Diana ia continuar assim — por amor à sua família, pelos Nettlebed e por Mary. Apegando-se aos padrões. Mantendo as aparências.

— ... pensei que você nunca ia chegar...

— Oh, Diana! Eu sinto tanto!

— Querida, não deve dizer essas coisas, pois do contrário eu me desfarei em pedaços. Procure falar comigo do jeito de costume. Que dia horroroso. Veio de bicicleta? Deve ter ficado encharcada. Sente-se por um momento e converse.

— Não a estou incomodando?

— Sim, está, mas eu quero ser incomodada. Escrever cartas nunca foi meu ponto forte, mas tanta gente nos tem escrito, que preciso fazer um esforço e tentar responder. É tão curioso, pois sempre escrevi cartas para os outros, quando alguém morria, porque assim tinha de *ser feito*. Boas maneiras. Nunca havia percebido o quanto elas significam. Eu as leio vezes sem conta, inclusive as condolências mais banais, e elas me enchem de orgulho e de consolo. E sabe de uma coisa? O extraordinário é que todas elas dizem algo diferente sobre Edward, como se dúzias de pessoas estivessem escrevendo sobre dúzias de Edwards diferentes. Algumas falam no quanto era gentil, quando não recordam algum incidente divertido, uma época em que ele se mostrou particularmente cortês, ou divertido, ou apenas devastadoramente atraente. E Edgar recebeu a carta mais tocante do comandante dele. Pobre homem, tendo de escrever para todos aqueles pais enlutados, tentando pensar em alguma coisa para dizer...

— O que ele falou sobre Edward?

— Simplesmente mencionou o bom trabalho que fez, primeiro na França, e depois acima de Kent. Disse que ele nunca perdia o otimismo nem o senso de humor, que a equipe de terra o estimava e respeitava. Disse ainda que, no fim, ele estava muito cansado por ter de voar vezes seguidas, porém sem jamais demonstrar fadiga, nunca perdendo a coragem.

— O coronel certamente apreciou isto.

— Sem dúvida. Ele conserva a carta em sua carteira. Penso que a deixará lá, até o dia de sua morte.

— E como está ele?

— Destroçado, perdido. Entretanto, como todos nós, esforçando-se em não demonstrar muito o quanto sofre. Aí está outra coisa estranha. Todos eles, Athena e Edgar, inclusive a pequena Loveday, parecem ter encontrado algum lenitivo que nem mesmo nós suspeitávamos. Athena tem seu bebê, é claro. Clementina é uma doçura, um encanto. E Loveday apenas sai para trabalhar em Lidgey um pouco mais cedo cada dia. Por algum singular motivo, creio que ela encontra um grande consolo na sra. Mudge. E suponho que mostrar-se corajosa para os outros ajuda a mostrar-se corajosa para si mesma. Fico pensando em Biddy, quando seu Ned foi morto. Que coisa terrível, ela não ter outros filhos que a estimulem a seguir em frente! Como deve ter se sentido solitária! Mesmo com *você* lá. *Você* deve ter-lhe salvo a vida.

— Biddy enviou-lhe uma mensagem. Quando você quiser, ela virá vê-la, mas não quer ser demais.

— Diga-lhe que venha qualquer dia. Eu gosto de conversar. Será que Ned e Edward estão em algum lugar, terrivelmente satisfeitos, fazendo amizade?

— Eu não sei, Diana.

— Que pensamento mais tolo este que acabou de me ocorrer! — Diana virou a cabeça e contemplou a chuva novamente. — Quando você chegou, eu tentava recordar algo que eles sempre lêem no Dia do Armistício. Entretanto, sou incapaz de recordar poesias. — Ficou calada, depois tornou a virar-se e sorriu para Judith. — Era qualquer coisa sobre sempre permanecer jovem. Nunca ficar velho.

Judith soube imediatamente do que ela falava, porém as palavras e suas associações eram tão emotivas, que não teve certeza de conseguir pronunciá-las em voz alta, sem sucumbir por completo.

— Stallings, Binyon Stallings — disse. Diana franziu o cenho. — Não, Laurence Binyon. Foi poeta laureado no fim da Grande Guerra. Ele escreveu a poesia.

— E o que escreveu?

"Eles não ficarão velhos, ao passo que nós envelheceremos.
A idade não os molestará, nem os anos os condenarão."

Ela parou, porque cresceu um nó em sua garganta, fazendo-a perceber que seria incapaz de recitar as duas últimas linhas. Entretanto, se Diana notou, não deixou transparecer.

— Isso diz tudo, não é mesmo? Como o sr. Binyon foi admiravel-mente brilhante, recolhendo de uma montanha de desespero um

pequenino grão de consolo, e depois escrevendo um poema a respeito.
— Através do espaço entre elas, os olhos de ambas encontraram-se. Diana perguntou, em voz muito suave: — Você amava Edward, não é verdade? Não, não se perturbe por eu saber. Eu sempre soube, vi acontecer. O problema era ele ser tão jovem. Jovem na idade e jovem no coração. Irresponsável. Fiquei um pouco receosa por você, mas nada havia que eu pudesse fazer. Não deve prante-alo, Judith.

— Você quer dizer que não tenho o direito?

— Não, longe de mim tal intenção! Quero apenas dizer que você só tem dezenove anos e que não deve desperdiçar sua juventude chorando pelo que "poderia ter sido". Céus! — Ela de repente começou a rir. — Estou parecendo Barrie, e aquela peça horrorosa, *Caro Brutus*. Tommy Mortimer me levou para vê-la em Londres. A platéia inteira choramingava, exceto nós dois, entediados até a alma.

— Não — Judith foi capaz de assegurar-lhe. — Não vou desperdiçar minha juventude. Eu não *penso*, porém estou *indo embora*. Deixando todos vocês. Parto para Devonport na terça-feira, a fim de inscrever-me no Serviço Feminino da Marinha Real. Cedo ou tarde serei convocada, e então terei de ir.

— Oh, minha querida!

— Eu sabia que qualquer dia teria de ir. Suponho que apenas estive adiando a partida. E esta me parece a hora adequada. Por outro lado, já fiz tudo que precisava fazer. Biddy, Phyllis e Anna estão instaladas na Dower House e imagino que lá ficarão, enquanto durar a guerra. De vez em quando, talvez você possa dar uma espiada, certificar-se de que elas estão bem.

— Claro que farei isso... De qualquer modo, continuarei vendo Biddy na Cruz Vermelha. O que você vai fazer nas *Wrens*? Algo francamente glamouroso, como Tripulação de Navio? Outro dia vi uma foto no jornal. Bonitas garotas vestindo calças boca-de-sino. Pareciam algo saído diretamente das páginas da *Cowes Week*.

— Não, nada de Tripulação de Navio.

— Que decepcionante...

— Taquigrafia e datilografia, provavelmente. Na Marinha, dizem que isto é ser escritor.

— Não soa muito excitante.

— É um trabalho.

Diana pensou nisso por um instante, depois suspirou fundo.

— Não suporto a idéia de você ir embora, mas suponho que deva ir. Tampouco suportei despedir-me de Jeremy, quando ele teve de deixar-nos. Você não imagina que rocha ele foi, apenas ficando aqui conosco, embora por dois dias somente. Então, teve que partir. Voltar para outro navio, suponho.

— Ele esteve na Dower House para despedir-se, quando foi embora. Nessa ocasião é que me disse para vir vê-la.

— Para mim, Jeremy é um dos homens mais queridos que já conheci. Oh, isso faz com que me lembre de uma coisa. — Ela se virou para sua secretária, abriu pequeninas gavetas, remexeu seus conteúdos. — Tenho uma chave aqui, em algum lugar. Se você vai nos deixar, precisa ter uma chave.

— Uma chave?

— Sim. Uma chave da minha casa de Cadogan Mews. Quando estourou a guerra, mandei fazer meia dúzia de cópias. Rupert ficou com uma e Athena com outra, naturalmente. E Gus. E Jeremy. E Edward. Edward tinha uma... oh, aqui está. Você deverá colocar-lhe uma etiqueta, para evitar perdê-la a todo instante.

Diana jogou a chave, e Judith a pegou. Uma pequena chave de porta, de latão. Ela a apertou na palma.

— Por que está me dando isso?

— Oh, meu bem, a gente nunca sabe. Em tempos de guerra, todos andam em Londres de um lado para o outro, e os hotéis estarão cheios (de qualquer modo, são terrivelmente caros) — e minha casinha pode ser um pequeno refúgio para você ou um lugar onde recostar a cabeça por uma noite. Se ela não for bombardeada ou sofrer algo desastroso. Agora não tenho motivos para ir a Londres, mas mesmo que vá e, por acaso, encontre algum de vocês albergado por lá, tudo bem. Há espaço suficiente.

— Acho que é uma idéia maravilhosa. É muita gentileza, muita generosidade sua.

— Não há nada disso, nem uma coisa e nem outra. Afinal, partilhar minha casinha com todos vocês, talvez seja o mínimo que posso fazer. Vai ficar para o almoço? Teremos torta de coelho e há massas.

— Eu gostaria muito, mas preciso voltar.

— Loveday está em Lidgey, mas Athena anda por aí...

— Não. Deixemos para outro dia. Eu só queria ver você.

Diana compreendeu.

— Está bem. — Ela sorriu. — Direi aos outros. Fica para qualquer dia.

A cada manhã, Edgar Carey-Lewis incumbia-se de recolher a correspondência matinal da mesa do saguão — deixada lá pelo carteiro — levá-la para a privacidade de seu estúdio e examinar todas as cartas, antes de entregar qualquer delas a Diana. As mensagens continuavam chegando, dez dias após a morte de Edward, enviadas por jovens e velhos de todas as condições sociais, e ele lia cada uma com atenção e cuidado, filtrando os bem-intencionados, mas possivelmente inconvenientes e desajeitados esforços que, temia, pudessem perturbar sua esposa. Estas cartas ele mesmo respondia, destruindo-as em seguida. As outras, colocava na secretária de Diana, para que ela as folheasse e respondesse, quando sentisse disposição.

Nesta manhã havia a pilha costumeira, mas também um grande e rijo envelope de papel grosso, sobrescritado com tinta negra, em tipo itálico. A agradável escrita chamou-lhe a atenção, ele examinou mais de perto e viu o carimbo de Aberdeen.

Levou o maço de correspondência para seu estúdio, fechou a porta, sentou-se à sua mesa e abriu o grosso envelope com sua espátula de prata. Do interior, retirou uma carta e uma folha de cartolina, dobrada em duas e presa por clipes de papel. Abriu a carta, procurou a assinatura, viu que estava assinado "Gus", e ficou muito comovido, porque mais um amigo de Edward, de Cambridge, se dera ao trabalho de escrever.

Quartel-general Regimental
The Gordon Highlanders
Aberdeen

5 de agosto de 1940

Prezado Coronel Carey-Lewis
 Somente ontem fiquei sabendo sobre Edward, daí o motivo de não haver escrito antes. Por favor, queira me perdoar e compreender.

 Passei dez anos de minha vida em internatos, primeiro na Escócia e depois em Rugby, porém em todo esse tempo jamais fiz um amigo íntimo, uma pessoa com quem me sentisse inteiramente à vontade, e cuja companhia nunca deixasse de de ser estimulante e divertida. Quando mais tarde passei a estudar em Cambridge, estava certo de existir algo na minha maneira de ser — talvez a abominável reserva escocesa — que prejudicava tais relacionamentos. Foi então que conheci Edward, e a vida mudou de cor. Seu fascínio era ilusório... devo admitir que, a princípio, fiquei algo receoso... porém assim que o conheci melhor, todas as reservas se diluíram, uma vez que jazia, sob aquele fascínio, essa força de caráter do homem que sabe exatamente quem é, aquilo que quer, e para onde vai.

 Daqueles poucos meses em que ficamos nos conhecendo, guardo uma legião de boas lembranças. Seu companheirismo, amabilidade e uma capacidade ilimitada para a amizade; seu riso e bom humor, sua generosidade de espírito. Os dias que passei com vocês em Nancherrow, pouco antes da declaração de guerra, assim como a benevolência que o senhor demonstrou para um total estranho, fazem parte dessas recordações. Nada poderá destruir tão felizes lembranças, e posso apenas sentir-me grato pela sorte de ter conhecido Edward e de ser cotado como um de seus amigos.

 Folheando meu caderno de esboços de Cambridge, encontrei este desenho que fiz dele. Era verão, havia uma disputa colegial de críquete, e ele se deixara convencer a completar o número de jogadores. Sem muito entusiasmo, devo acrescen-

tar! Desenhei-o enquanto ele permanecia ao lado do pavilhão, já uniformizado e aguardando sua vez para entrar no jogo. Não ficarei nem um pouco aborrecido se o senhor jogar o desenho na cesta de papéis, mas pensei que talvez gostasse de tê-lo.

A Divisão Highland está sendo reformada, mas fui destacado para o Segundo Batalhão, o Gordon Highlanders, que já se encontra no estrangeiro. Se me permitir, eu gostaria de escrever para o senhor e manter-me em contato.

Queira aceitar meus cumprimentos, extensivos à sra. Carey-Lewis, Athena e Loveday.

Cordialmente,

Gus

Edgar leu atentamente a carta duas vezes, depois deixou-a de lado e pegou a pasta improvisada. Com certa dificuldade (por algum motivo, seus dedos estavam um pouco trêmulos), soltou os clipes e desdobrou a cartolina. Dentro dela havia uma folha de papel forte e grosseiro, a borda do topo irregular, ao ser arrancada do caderno de desenho de Gus.

Seu filho. Um rápido esboço a lápis, mais tarde colorido a aquarela (a marca registrada artística de Gus). Captado em um momento, captado para sempre. Edward, vestido para o críquete, com camisa branca, calças de flanela e um lenço vivamente listrado, amarrado na cintura. As mangas da camisa arregaçadas, antebraços musculosos, uma bola de couro para críquete aninhada em sua mão. O rosto virado de lado, queimado de sol e sorridente, com aquela teimosa mecha de cabelo cor de trigo caindo sobre a testa. Em mais um instante, ele ergueria a mão e jogaria a mecha para trás.

Edward.

De súbito, Edgar Carey-Lewis percebeu que não conseguia discernir bem o desenho, porque sua visão ficara embaçada pelas lágrimas. Apanhado de surpresa, desprevenido, ele estava chorando. Enfiando a mão no bolso, pegou um enorme lenço de algodão salpicado de pontos azuis e com ele enxugou as lágrimas, depois assoando vigorosamente o nariz. Tudo bem. Não tinha importância. Ele estava sozinho. Ninguém testemunhara seu momento de agonizante sofrimento.

Continuou sentado por muito tempo, com o desenho de seu filho. Depois, cuidadosamente, tornou a colocá-lo dentro da pasta, firmou-a de novo com os clipes e guardou-a em uma gaveta. Um dia, deixaria Diana vê-lo. Mais tarde ainda, mandaria emoldurá-lo e o colocaria sobre sua mesa. Mais tarde. Quando se sentisse com forças suficientes para sentar-se e contemplá-lo. E conviver com o retrato.

1942

Alojamentos do WRENS
North End
Portsmouth

Sexta-feira, 23 de janeiro

Queridos mamãe e papai

Não recebi mais nenhuma carta de vocês, desde a que enviaram logo depois do Ano-Novo e, portanto, imaginei que não tivessem podido escrever ou que, talvez, apenas algo esteja errado com os correios. Pode ser também que não haja suficientes navios (para correspondência) ou aviões. De qualquer modo, enviarei esta para Orchard Road, na esperança de que ainda estejam nesse endereço ou de que alguém a faça chegar às suas mãos. Todos os dias leio os jornais e ouço os noticiários. Estou muito ansiosa sobre vocês, já que a cada dia parece haver mais e mais avanços japoneses em direção às Filipinas, Manilha, Rangoon e Hong Kong. Além disso, o Prince of Wales e o Repulse foram afundados, e agora Kuala Lumpur caiu. Tudo demasiado perto de vocês. O que está acontecendo? Por que ninguém parece capaz de detê-los? Tentei ligar para tio Bob em Scapa Flow, para saber se ele poderia obter alguma informação sobre vocês e, claro está, não pude completar a ligação. E, mesmo que a completasse, acho que não conseguiria falar com ele.

Assim, telefonei para Loveday, a fim de saber se tinha notícias de Gus. (Gus Callender, que faz parte do Segundo Gordons, em Cingapura. Faz algum tempo, vocês escreveram contando que o tinham conhecido em uma festa nos Quartéis de

*Selarig — que ele se aproximara e se apresentara. Lembram-se?)
Bem, Gus e Loveday escrevem um para o outro com grande
freqüência, e pensei que ela poderia ter qualquer notícia, porém
Loveday também não vem recebendo cartas ultimamente. Ela
imagina que Gus esteja indo para algum lugar ou fazendo ma-
nobras. Qualquer coisa.*

Assim, continuei de mãos abanando.

*Esta manhã, fui ao gabinete do capitão-de-corveta Crombie
apanhar algumas cartas assinadas (ele é meu chefe, incumbido
do setor do Incremento de Instrução Militar), e o encontrei
lendo o jornal — algo que não devia estar fazendo, tenho certeza. Ele então perguntou: "Sua família está em Cingapura,
não?" Foi uma pergunta inesperada, uma vez que não costuma
ser um homem muito amistoso. Não sei como ele sabia, mas
suponho que a Wren primeiro-oficial lhe tenha contado. De
qualquer modo, falei a ele sobre todos vocês e que estava muito
ansiosa. Meu chefe respondeu que, no momento, as coisas pareciam negras em toda parte (não estamos indo bem em nenhum lugar, inclusive na África do Norte), porém garantiu-me
que Cingapura era invencível, não apenas por sua posição de
fortaleza, mas por ser tão pesadamente defendida. Espero que
ele esteja certo, porém não gosto de imaginar nenhuma espécie
de cerco. Por favor, mamãe, se tiver oportunidade de ser evacuada para algum lugar mais seguro, vá! Sempre poderá voltar,
depois de terminado o perigo.*

*Agora que desabafei meus temores, posso falar de mim. O
frio tem estado terrível, e estes alojamentos são como uma
geladeira. Esta manhã havia gelo em minha água de beber!
Acordei, e Portsdown Hill não estava verde, mas branca de
neve... não muito espessa, e que agora já derreteu. Sempre me
alegra ir trabalhar, porque a cabana que é nosso gabinete pelo
menos está quente. Amanhã terei uma folga de fim de semana
e passarei uma noite em Londres. (Não se preocupem, parece
que, por ora, cessou a pior fase dos ataques.) Vou ficar em
Cadogan Mews, que ainda está de pé e não foi bombardeada.
Heather Warren também irá a Londres, vindo de seu altamente
secreto sei-lá-o-que-seja. Não tornei a vê-la desde o início da*

guerra, porque, ao nos mudarmos para a Dower House, ela começou a trabalhar e deixou Porthkerris. Por duas ou três vezes tentamos promover um encontro, mas Heather parece ter folgas em dias peculiares, jamais nos fins de semana, único tempo que eu posso arranjar. Por fim conseguimos marcar esta reunião, e estou realmente ansiosa por revê-la. Creio já lhes ter dito que Charlie Lanyon é prisioneiro de guerra na Alemanha. Não muito divertido para ele, mas preferível à alternativa.

Enfim, vou encontrá-la à porta do "Swan & Edgar", e depois iremos almoçar, após o que talvez assistamos a um concerto. Adoro comprar o que Athena chama de "uma roupinha", mas como agora uso uniforme, não tenho cupons para roupas, precisando mendigá-los com Phyllis ou Biddy.

*De vez em quando recebo uma carta de Nancherrow. Athena escreveu, porque queria enviar-me um instantâneo de Clementina, que agora está com dezoito meses e começando a andar. Devo dizer que ela parece uma bonequinha. Rupert, o marido de Athena, está agora na África do Norte, com a Divisão de Blindados. Nada mais de cavalaria, e sim tanques. Ela recebeu carta dele, que lhe enviou esta piada. Um oficial inglês partiu para o deserto em uma patrulha secreta, sozinho e montando um camelo. Após alguns dias, o QG recebeu um informe que dizia, "Retornando imediatamente, Rommel capturado." Todos comemoraram, dando saltos de alegria. Contudo, o que ele realmente tinha dito era: "Retornando imediatamente, Camelo arrebentado." ** *

Não é muito divertida, mas pensei que papai acharia graça.

Por favor, entrem em contato comigo assim que lhes for possível, para minha tranqüilidade a respeito de todos vocês.

Recebam montanhas do meu amor,

Judith

---

* Jogo de palavras com *Rommel* (marechal alemão que comandou o Afrikakorps na Líbia e Egito durante a Segunda Guerra Mundial) e *camel* (camelo, em inglês), e *captured* (capturado) e *ruptured* (arrebentado). (N. da T.)

Os alojamentos das *Wrens*, as mulheres que faziam parte do Serviço Feminino da Marinha Real, eram um bloco de apartamentos requisitados, na extremidade norte de Portsmouth, erguido no ar durante a década de trinta, por algum construtor que utilizava materiais de qualidade inferior. O bloco situava-se na esquina da rua principal com uma monótona ruela suburbana, sendo difícil qualquer outro prédio arrebatar-lhe o primeiro lugar em questão de feiúra, desconforto e inconveniência. Construído em tijolos vermelhos e estilo moderno, tinha teto plano, quinas arredondadas e horríveis janelas de aço. Não possuía um balcão ou jardins para suavizar sua fachada desumana, e nos fundos havia um pátio acimentado, onde um dia os infortunados inquilinos tinham pendurado sua roupa lavada, mas que a Marinha transformara, com divisórias e abrigos, em estacionamento para as bicicletas das *Wrens*.

Dotado de três pavimentos, o prédio continha doze apartamentos, todos idênticos. O acesso aos mesmos era através de uma escada de pedra, uma vez que não havia elevadores. Os apartamentos eram muito pequenos. Sala de estar, dois quartos, cozinha e banheiro. O prédio não dispunha de aquecimento central, por isso, não contava com lareiras nem chaminés. Somente a sala de estar e o corredor estreito eram providos de aquecedores elétricos, embutidos na parede, mas mesmo estes tinham sido desativados, por questões de economia de combustível. No inverno, o frio era tão intenso, que realmente chegava a ser doloroso.

Dez jovens ocupavam cada apartamento, dormindo em beliches duplos, no estilo da Marinha. Quatro na sala de estar, quatro no dormitório principal e duas no segundo quarto, que havia sido claramente destinado a uma criança muito pequena ou a um parente idoso, igualmente pequeno e sem importância. Judith e uma jovem chamada Sue Ford partilhavam este apinhado apartamento, que era, ela podia assegurar, do mesmo tamanho que a despensa da Dower House, e três vezes mais frígido. Sue, uma alta e lânguida criatura originária de Bath, era chefe *Wren* no Serviço de Comunicações, isto significando que trabalhava em turnos, situação bastante conveniente, pois ali dentro não havia espaço para duas pessoas se vestirem — ou se despirem — ao mesmo tempo.

A cantina das *Wrens* ficava no porão, em permanente condição de *black-out* e protegido por sacos de areia, posto que servia à dupla finalidade de refeitório e abrigo antiaéreo. O *breakfast* era às sete e a refeição da noite também às sete, e Judith por vezes pensava que seria capaz de gritar, se lhe pusessem à frente outra fatia de carne enlatada, outro ovo mexido desidratado ou outro amarelo pedaço de couve-flor, extraído de um jarro de picles apimentados.

Desta maneira, com uma e outra coisa, chegava a ser um alívio poder sair, afastar-se dali, ir a Londres, mesmo que por uma única noite. Envolta em seu casacão e levando uma sacola com artigos para passar a noite fora, Judith registrou sua saída no Gabinete de Regulamentos e depois saiu para a manhã frígida, pensando em tomar um ônibus que a levasse à estação ferroviária. (Podia ter ido pedalando, é claro, porém isso significaria ter de deixar a bicicleta na estação, e talvez não tornar a encontrá-la lá, quando voltasse. Além disso, sua bicicleta era uma parte tão essencial da existência, que ela não ousava arriscar-se a vê-la roubada.)

De qualquer modo, não precisou esperar condução, porque quando estava na parada de ônibus, surgiu um caminhão da Marinha Real. O jovem marinheiro ao volante a viu, parou e inclinou-se para abrir a porta.

— Quer uma carona?

— Sim, quero.

Ela entrou no caminhão e bateu a porta atrás de si.

— Para onde?

— Para a estação. Obrigada — acrescentou ela.

— Está de folga? — perguntou ele, começando a rodar novamente, engrenando a mudança com um ruído de arrepiar.

— Só por um fim-de-semana.

— E para onde vai?

— Londres.

— Garota de sorte, indo para a Fumaceira.* Eu sou de 'ackney. Pelo menos costumava ser. A casa de minha mãe foi bombardeada durante a *blitz*. Ela agora está morando com uma prima, em Balham. Que frio infernal, não? Quer um cigarrinho?

— Eu não fumo, obrigada.

— Qual o horário do seu trem?

---

* Londres. (N. da T.)

— Está programado para dez e quinze.

— *Se* ele chegar a tempo.

Não chegou. Estava atrasado, porém isso não era surpresa. Atrasado para chegar à plataforma, e atrasado para partir. Judith ficou por ali durante algum tempo, batendo os pés para manter a circulação em andamento, e então, quando por fim os passageiros tiveram permissão para embarcar, ela entrou desafiadoramente em um compartimento de primeira classe. Seu bilhete era para a terceira classe, porém um destacamento de marinheiros com a equipagem completa viajava também para Londres, e ela não se sentiu com forças suficientes para abrir caminho à força pelos corredores lotados em busca de assento, somente para terminar sentada em uma mochila de equipamento atirada a um canto, perto de um dos fedorentos banheiros. Se o coletor de passagens surgisse no trecho de Portsmouth a Waterloo — o que era freqüente não acontecer — ela se limitaria a pagar os poucos xelins a mais e continuar onde se encontrava.

Por sorte, o trem estava abafado e superaquecido. Judith tirou o casaco, o gorro, e os colocou, juntamente com sua sacola, no bagageiro acima do banco. Então sentou-se em um canto, perto da janela enegrecida de fuligem. Seu único outro companheiro era um comandante dos VRMR — os Voluntários da Reserva da Marinha Real — já profundamente absorto em seu jornal e, claro, sem a menor disposição para conversar. Judith também comprou um jornal, um *Daily Telegraph*, porém o deixou em seu colo e ficou olhando através do vidro sujo para a estação, mal registrando os danos de uma explosão de bomba, porque tudo aquilo já se tornara demasiado familiar, era uma parte da vida. Em sua cabeça, ela fez planos. Chegar a Waterloo. Pegar o trem subterrâneo para Sloane Square. Caminhar até Cadogan Mews. Tirar as roupas da sacola e, havendo tempo, trocar o uniforme por trajes civis. Em seguida, outro subterrâneo para Piccadilly Circus...

Foi então que percebeu um desconfortável e seco prurido no fundo da garganta, o que era sempre o clássico início de um dos seus penosos resfriados. Quando criança, Judith não fora vítima de resfriados, mas desde que se juntara às *Wrens*, e vivendo em tão íntima proximidade com tantas outras pessoas, sofrera pelo menos três, um dos quais se transformara em séria gripe, exigindo uma permanência de cinco dias na enfermaria.

Vou ignorar você, disse para o prurido, expulsando da mente a recordação de Sue Ford, chegando de seu turno daquela noite com o nariz escorrendo. *Não lhe darei importância, e você irá embora. Tenho dois dias de licença, e você não irá arruiná-los para mim.* Tinha aspirinas em sua bolsinha de cosméticos. Assim que chegasse a Cadogan Mews, tomaria uma aspirina. Isso devia sustentá-la no correr deste dia, e o amanhã cuidaria de si mesmo.

Ouviu o guarda descendo a plataforma, fechando as pesadas portas, isto significando que em breve, finalmente, estariam a caminho. Nesse momento, uma terceira pessoa se juntou a ela e ao comandante dos VRMR, um tenente da Marinha Real, em toda a alvura de seu melhor uniforme, e um longo e luxuoso sobretudo cáqui. Ele viera pelo corredor.

— Com licença. Este assento está ocupado?

Era evidente que não estava. O comandante dos VRMR mal lhe notou a presença, e foi Judith quem respondeu.

— Não.

— Que sorte a minha!

Ele fechou a porta ao entrar, tirou o quepe e o sobretudo, acomodou-os no bagageiro acima do banco, encolheu os joelhos a fim de examinar sua aparência no espelho, alisou o cabelo com a mão, e finalmente arriou no assento fronteiro ao de Judith.

— Nossa! Por pouco eu não conseguia!

O coração dela ficou opresso. Já o conhecia. Não gostaria de conhecê-lo, mas o conhecia. Anthony Borden-Smythe. Conhecera-o no Clube dos Oficiais Subalternos, em Southsea, onde fora com Sue Ford e dois jovens subtenentes. Anthony Borden-Smythe estava sozinho e fizera o possível para se juntar ao grupo, mantendo-se sempre perto dos quatro, em uma atitude francamente maçante, intrometendo-se na conversa e pagando rodadas de drinques com embaraçosa generosidade. Entretanto, ele se revelara impermeável como um rinoceronte, sobrevivera a piadas, e inclusive insultos. Por fim, Judith, Sue e seus acompanhantes acabaram desistindo e transferiram-se para o "The Silver Prawn".

Anthony Borden-Smythe. Sue o apelidara de Anthony Boçal-Smith, e dizendo que ele provinha da ilustre família Boçal, que seu pai havia sido a boçalidade da Inglaterra e seu avô um famoso Boçal dos Jogos Olímpicos.

Infelizmente, ele a reconheceu em seguida.

— Olá! Isto é mesmo um golpe de sorte!

— Olá.

— Judith Dunbar, não? Foi o que pensei. Lembra-se? Nós nos conhecemos no COS. Uma festa e tanto. Pena vocês terem ido embora.

— Sim.

O trem, por fim, começou a rodar. Entretanto, isso apenas piorava a situação, porque agora ela estava encurralada.

— Vai para a cidade?

— Para Londres, sim.

— Boa pedida. Eu também. Vou encontrar minha mãe para almoçar. Ela ficará alguns dias ausente de nossa propriedade no campo.

Judith olhou para ele com raiva e tentou imaginar sua mãe, concluindo que ela provavelmente teria semelhança com um cavalo. Anthony parecia-se um pouco com um cavalo. Um cavalo magérrimo, de orelhas enormes, muitíssimos dentes e longas, muito longas pernas que se enroscavam entre si. Um pequeno bigode desenhava-se em seu lábio superior. A única coisa atraente nele era seu belo uniforme.

— Onde é o seu posto?

— No HMS *Excellent* — respondeu ela.

— Oh, Waley. Como se relaciona com todos aqueles artilheiros de polainas? Aposto que por lá não é muito divertido.

Judith pensou, com afeto e lealdade, no taciturno capitão-de-corveta Crombie.

— Relaciono-me muito bem, obrigada.

— Fiz meu curso de artilharia lá, naturalmente. Nunca fui tão bem-sucedido em toda a minha vida. Onde é que vai ficar em Londres?

Judith mentiu.

— Eu tenho uma casa.

Ele arqueou as sobrancelhas.

— É mesmo? Tem casa em Londres? — Ela evitou explicações, deixando-o imaginar um prédio de seis andares, em Eaton Square. —

Eu geralmente vou para meu clube, mas como minha mãe está na cidade, provavelmente ficarei com ela. Pembroke Gardens.

— Que ótimo.

— Tem compromisso para esta noite? Não gostaria de ir ao "Quags" comigo? Ofereço-lhe um jantar e tanto. Poderíamos dançar. Continuar no "Coconut Grove". Eles lá me conhecem. Sempre posso arranjar uma mesa.

Ela pensou: "Eu nunca conheci, nunca vi nenhum homem tão insuportável como você".

— Sinto muito, mas não vou poder.

— Compromisso anterior, hein?

— Vou encontrar uma pessoa amiga.

Ele sorriu sugestivamente.

— M ou F?

— Como?

— Uma pessoa Masculina ou Feminina?

— Uma amiga.

— Formidável. Posso arranjar um conhecido. Formaremos um quarteto. Ela é tão bonita quanto você?

Judith vacilou, tentando decidir que resposta daria à pergunta. Várias alternativas surgiram em sua mente.

Ela é simplesmente medonha.

É lindíssima, mas infelizmente tem uma perna de pau.

É instrutora física, casada com um pugilista.

A verdade, no entanto, era preferível.

— Ela é uma influente funcionária civil, ocupando um posto importantíssimo.

Isto deu certo. Ele realmente pareceu um tanto desencorajado.

— Céus! — exclamou. — Uma garota com cérebro. Receio que esteja um pouco fora do meu alcance.

Tendo finalmente atingido o ego de Anthony Borden-Smythe, Judith passou à punhalada final.

— De qualquer modo, não poderíamos ir ao "Quaglino" esta noite. Vamos a uma palestra no Museu Britânico. Artefatos da Dinastia Ming, da China. Fascinante.

Do outro canto do compartimento, de trás do jornal, o comandante da VRMR emitiu um ruído semelhante ao de um leve pigarro, que poderia ter significado desaprovação ou possível divertimento.

— Minha nossa! Tudo bem. Fica para outra vez.

Judith, contudo, já tivera o suficiente. Desdobrou seu *Daily Telegraphe* e refugiou-se atrás de suas páginas. Imediatamente, seu pequeno momento de triunfo por afinal ter silenciado Boçal-Smythe foi minimizado pelos últimos e aterradores acontecimentos no Extremo Oriente.

AVANÇO JAPONÊS AMEAÇA CINGAPURA era a manchete, e foi preciso certa dose de coragem para fazê-la examinar os desenhos de mapas e ler o texto alusivo.

O tempo escasseia para os rudemente pressionados defensores de Malaia. Com Kuala Lumpur em poder dos japoneses e seus habitantes em fuga, a 5ª Divisão e a Divisão de Guardas japonesas estão pressionando para o sul, na direção do estado de Johore, onde a próxima batalha decidirá o futuro de Cingapura... Brigada Indiana derrotada no rio Muar... o exército do general-de-divisão Percival, forçado a recuar para Cingapura...

Ela foi tomada de apreensão. Pensou em seus pais e em Jess, depois rezou para que a esta altura já estivessem em outro lugar, que houvessem abandonado a bela casa em Orchard Road e ido embora. Ido embora de Cingapura. Para Sumatra ou Java. Qualquer lugar. Algum lugar seguro. Jess agora estava com dez anos, mas para Judith continuava a mesma de quando se tinham despedido: quatro anos de idade, chorando e agarrada a seu boneco. Oh, Deus, suplicou, não permita que algum mal aconteça a eles. São a minha família, são meus, e são tão queridos! Mantenha-os a salvo. Mantenha-os a salvo.

O trem parou em Petersfield. O comandante da VRMR desembarcou e foi acolhido por sua esposa na plataforma. Ninguém mais entrou no compartimento. Anthony Borden-Smythe havia pegado no sono e ressonava suavemente. A garganta de Judith começava a incomodar bastante. Ela dobrou o jornal, deixou-o a seu lado e ficou olhando para o dia cinzento de meados de inverno e os campos gelados do Hampshire, odiando a guerra por estragar tudo.

O Regresso

A propriedade de Diana em Londres, à qual ela sempre se referia como sua casinha, havia sido reformada da moradia de dois cocheiros com estábulos para cavalos sob ela, pouco antes da Primeira Guerra Mundial. A porta da frente ficava no meio, com a garagem a um lado e a cozinha no outro. Uma estreita e íngreme escada levava diretamente ao andar de cima, que era inesperadamente espaçoso. Uma comprida sala de estar (o ponto de encontro para inúmeras festinhas memoráveis antes da guerra), um grande dormitório, um banheiro, outro banheiro e um quarto pequeno, geralmente usado para guardar malas, a tábua de passar e as poucas roupas que Diana nunca se preocupara em levar para a Cornualha. Não obstante, ali ainda cabia uma cama, e o aposento era útil para abrigar uma pessoa extra.

Não havia sala de refeições. Isto não deixara Diana nem um pouco preocupada, porque quando estava em Londres, ela geralmente comia fora, exceto nas raras noites de solidão que partilhava com Tommy Mortimer, jantando de uma bandeja e ouvindo bela música no rádio.

A sra. Hickson, que nos velhos tempos trabalhara para Diana, cuidando de tudo quando ela estava na casa e tomando conta do lugar quando ela não estava, agora encontrava-se ocupada em tempo integral no esforço de guerra, servindo na Cantina das Forças, na estação de Paddington. Entretanto, como morava em um bloco de apartamentos do conselho perto dali, duas ou três noites por semana ia até o Mews, para uma rápida vistoria. A sra. Carey-Lewis agora não vinha a Londres, e a sra. Hickson sentia grande falta de sua companhia. Entretanto, como ela distribuíra chaves do Mews para várias pessoas jovens alistadas nas forças armadas, fora de sua própria família, a sra. Hickson nunca tinha certeza de encontrar Athena na casa ou algum jovem aviador desconhecido. Por vezes, a única evidência de ocupação eram alguns poucos restos de comida na geladeira ou um punhado de lençóis no chão do banheiro. Quando isso acontecia, ela arrumava tudo, tornava a preparar as camas com lençóis limpos e levava os usados para casa, em uma sacola de papel para compras, a fim de lavá-los pessoalmente. Ela até gostava desses breves encontros, e sempre havia quase cinco xelins em cima do toucador, que desapareciam no bolso de seu avental.

Durante os meses iniciais de 1940, quando a guerra ainda era uma mistificação, Edward Carey-Lewis havia sido o visitante mais freqüente, em geral trazendo um amigo consigo e usando a casinha para receber várias jovens de estonteante beleza. A sra. Carey-Lewis escrevera à sra. Hickson comunicando a morte de Edward, fazendo-a chorar sem parar durante um dia inteiro. Por fim, sua supervisora na Cantina das Forças decidira muito sensatamente que as lágrimas da sra. Hickson em nada contribuíam para o moral dos homens em luta e a mandara para casa.

Miraculosamente, a pequenina casa sobrevivera à *blitz*. No auge dos ataques, uma enorme bomba caíra bem perto, enchendo a sra. Hickson de medo. O único dano feito, no entanto, tinha sido algumas rachaduras nas paredes e a perda das vidraças. Havia cacos de vidro por todo o chão, e tudo — móveis, louças, cristais, quadros, carpetes e tapetes — ficara amortalhado por espessa camada de poeira acastanhada e fuliginosa. Ela levara uma semana de noites para limpar a sujeira geral.

<hr>

Judith pegou sua chave, girou-a na fechadura e entrou, fechando a porta da frente atrás de si. À sua direita ficava a cozinha. Ao espiá-la, viu a geladeira vazia e aberta, então foi até lá para fechar-lhe a porta e ligar a tomada. A geladeira começou a zumbir. Antes que o pequeno estabelecimento da esquina fechasse, ela pretendia ir até lá, comprar algumas rações para colocar na geladeira. Por ora, no entanto, as compras teriam de esperar.

Segurando sua mochila, subiu a empinada escada que terminava diretamente dentro da sala de estar. Não havia aquecimento central e fazia um pouco de frio, mas quando voltasse mais tarde, ela acenderia a lareira a gás e tudo ficaria quente em pouco tempo. O segundo quarto de dormir e o outro banheiro situavam-se acima da cozinha.

Judith sentiu-se serenamente aliviada por finalmente haver chegado. Sempre que vinha à casinha (e, valendo-se da generosa oferta de Diana, ela agora já estivera ali três ou quatro vezes, vindo de Portsmouth), era tomada pela confortadora sensação de chegar em casa. Isto acontecia devido ao toque de Diana, ao seu estilo e seu gosto, tão únicos e pessoais, que davam um pouco a impressão de chegar-se a uma Nancherrow em miniatura. A arrumação era confortável, inclusive luxuosa: cortinas de seda crua cor de creme e carpetes espessos forrando todos os aposentos e corredores, a monotonia aliviada aqui e ali por tapetes persas. Os sofás e poltronas tinham o estofamento em tecido de padronagem variada, os móveis eram de pequeno tamanho e elegantes. Havia quadros e espelhos, gordas almofadas e retratos de família. Faltavam ali somente os arranjos de flores frescas.

Ela foi para o quarto. Cortinas creme novamente e a macia cama de casal, velada por um dossel de renda. Cobertura de chintz, estampada de rosas, e as mesmas rosas franzindo o contorno do toucador e da pequena *chaise-longue* vitoriana. Diana nunca mais estivera ali desde o início da guerra, mas seu vidro de perfume continuava sobre o toucador, e o ar abafado pesava com a recordada fragrância.

Judith tirou o chapéu, o bibico, e os jogou em cima da cama. Depois, sentando-se, olhou para seu relógio. Meio-dia e meia. Não havia tempo para vestir roupas civis. Heather teria de aceitá-la como se achava agora, uniformizada. Sua garganta estava áspera como tábuas esmerilhadas, e ela já sentia o começo de uma dor de cabeça. Abriu o zíper da mochila, apanhou sua bolsinha de cosméticos e entrou no banheiro (mármore rosa e um tapete de pele de cordeiro), a fim de encher uma caneca com água e tomar umas duas aspirinas. Em seguida, abriu o armário espelhado e examinou-o, por fim encontrando um frasco de Glicerina Timolada, com a qual fez um gargarejo, desejando apenas que tais medicações lhe permitissem atravessar aquele dia. Lavou as mãos, o rosto, depois voltou ao quarto e sentou-se diante do espelho para ajeitar o cabelo, passar alguma maquiagem e perfumar-se. Inspecionou a gola branca em busca de marcas da fuligem do trem e ajeitou o nó da gravata preta de cetim (a sua melhor, de Gieves). Atrás dela, o reflexo da cama era não apenas tentador, mas enfeitiçante. Judith pensou em enfiar-se nas cobertas, com travesseiros frescos e garrafas de água quente, para dormir e poder ficar doente em paz.

Contudo, já estava ficando atrasada para o encontro com Heather, de modo que a cama, juntamente com o resto, teria que esperar até mais tarde.

Judith pretendia tomar o trem subterrâneo para Piccadilly, mas assim que chegou à Sloane Street surgiu um ônibus, ela entrou e comprou uma passagem para Piccadilly Circus. Fazia muito frio, o céu estava cinzento, havia cheiro de neve no ar, e as ruas de Londres se mostravam destroçadas e sujas, com casas bombardeadas formando vazios semelhantes a dentes faltosos, e vitrines de lojas por trás de tábuas pregadas, deixando apenas um buraco como visor, para as pessoas apreciarem os artigos que continham. Acima do parque, a barragem de balões pairava no alto, perdida entre as nuvens, e os gramados verdes estavam tomados por sacos de areia e abrigos antiaéreos. Todas as ornadas grades de ferro forjado tinham desaparecido, a fim de serem derretidas para a fabricação de armamentos. A adorável e velha igreja de São Jaime, que tinha sido atingida diretamente por uma bomba, era agora uma ruína. Em Piccadilly Circus, a estátua de Eros fora removida, levada para algum lugar seguro, porém o povo continuava a sentar-se nos degraus do plinto que suportara a estátua, alimentara pombos e vendera jornais.

Era uma cidade em guerra, onde quase todos pareciam usar uniforme.

O ônibus parou, ela desceu, seguiu pela calçada ao lado do "Swan & Edgar's", dobrou a esquina e caminhou para a entrada principal. Heather já estava lá. Imediatamente visível, com seus cabelos escuros e brilhantes, usando um invejável sobretudo escarlate e compridas botas de camurça, forradas de peles.

— Heather!

— Pensei que você nunca mais *chegaria*.

— Sinto muito. Atrasei-me dez minutos. Está gelada? Não, não me abrace nem beije, porque acho que estou ficando resfriada e não quero transmitir-lhe nenhum micróbio.

— Oh, estou pouco ligando para micróbios!

Assim, elas acabaram abraçadas e então começaram a rir, porque era bom demais estarem juntas novamente, depois de tanto tempo.

— O que faremos? — perguntou Heather.

— De quanto tempo você dispõe?

— De hoje apenas. Desta tarde. Tenho que voltar ao anoitecer. Estarei trabalhando amanhã.

— Amanhã é domingo.

— Onde eu trabalho não temos domingos.

O Regresso

— É uma pena. Pensei que você podia ir comigo para a casa de Diana e passar a noite lá.

— Eu adoraria, mas não posso. Não importa. Meu trem só partirá às sete e meia. Temos todo o resto do dia para nós. Estou morrendo de fome. Vamos almoçar em algum lugar e, enquanto comemos, decidiremos o que fazer. E agora, para onde?

Discutiram isto por um momento, rejeitando o "Kardomah Café" e o "Lyons Corner House". Por fim, Judith disse:

— Vamos ao "Berkeley".

— Oh, mas lá é terrivelmente luxuoso!

— E daí? De qualquer modo, o almoço não deverá custar mais de cinco xelins. Com um pouco de sorte, talvez consigamos uma mesa.

Resolvido o assunto, elas partiram em direção ao "Berkeley", caminhando a curta distância de volta a Piccadilly. Ao passarem pelas portas perpetuamente giratórias, as duas foram transportadas para um mundo de conforto, de aromas caros e dispendiosos. Havia muita gente lá dentro e o bar estava apinhado, mas Heather avistou uma mesa livre e duas cadeiras vazias, que rapidamente foi ocupada, enquanto Judith ia em busca do restaurante e do chefe dos garçons, para saber se seria possível conseguirem uma mesa para duas pessoas. Ele era um homem bastante simpático e não a fitou com superioridade (uma *Wren* sozinha, e nem mesmo oficial), mas foi até sua mesa de trabalho, examinar as reservas feitas. Quando voltou, disse que se ela quisesse esperar quinze minutos, então haveria uma mesa disponível.

— Espero que não seja ao lado da porta da cozinha — disse ela.

Ele pareceu um pouco surpreso pela segurança com que ela se expressava, mas continuou respeitoso.

— Não, senhora, ficará perto da janela.

— Assim está ótimo — replicou ela, exibindo-lhe seu melhor sorriso.

— Eu irei chamá-la, logo que a mesa vagar.

— Poderá encontrar-nos no bar.

Ela voltou para junto de Heather, fazendo um tímido sinal de polegar erguido, e imediatamente começou o divertimento. As duas tiraram os sobretudos, um empregado apareceu e os levou para o vestiário, então um garçom aproximou-se, perguntou o que desejavam beber, e antes que Judith chegasse a abrir a boca, Heather já tinha pedido champanha.

— Na taça, senhora?

— Não, prefiro uma meia garrafa.

Ele as deixou em seguida, e Judith murmurou:

— Frutos da Escola do Conselho de Porthkerris.

As duas começaram a dar risadinhas sufocadas, Judith comeu batatas fritas de um pratinho de porcelana, e Heather acendeu um cigarro.

Ao contemplar sua amiga, Judith concluiu que ela estava com uma aparência fabulosa. Não alta, porém encantadoramente esguia, com os cabelos escuros deixando-a em bastante evidência. Usava uma saia justa de flanela cinza e uma bela suéter azul-marinho, de gola pólo. Tinha uma comprida corrente de ouro em torno do pescoço e brincos também de ouro nas orelhas.

— Você está ótima, Heather. Eu pretendia mudar o uniforme, mas não tive tempo.

— Também a acho formidável. E gosto do uniforme. Ainda bem que não preferiu servir nos Transportes Aéreos ou no Corpo Auxiliar Feminino do Exército. Os uniformes só têm bolsos, botões e bustos. Além disso, os gorros são horrorosos. Você cortou o cabelo...

— Tive de cortar. Segundo o Regulamento, o cabelo não pode tocar a gola. Seria cortá-lo ou fazer um coque.

— Gostei do corte. Fica bem em você.

O garçom voltou com as taças e a garrafa que, cerimoniosa e eficientemente, ele mesmo abriu. A bebida espumou na taça de Heather, sem respingar uma só gota. Depois, a taça de Judith foi servida.

— Obrigada.

— É um prazer, senhora.

Elas ergueram as taças e beberam. Quase imediatamente Judith se sentiu muitíssimo melhor.

— Não vou esquecer. Champanha é o remédio para resfriados.

Elas ficaram bebericando o champanha e olhando em torno, observando as mulheres elegantes, coronéis do Estado-maior, oficiais da França Livre e jovens membros das guardas, todos falando sem parar, bebendo e rindo como se não tivessem uma só preocupação no mundo. Um bom número deles acompanhava damas que visivelmente não eram suas esposas, porém isto gerava apenas um murmúrio picante; o caso sentimental dos tempos de guerra, os subtons do amor ilícito. Uma jovem em particular era incrivelmente sedutora, com uma massa de cabelos ruivos e um corpo sinuoso, acentuado ainda mais por um justo vestido de jérsei preto. Tinha unhas compridas como garras, esmaltadas em vermelho-sangue, e havia um casaco de mink pendurado no encosto de sua cadeira.

Seu acompanhante era um capitão de grupo com os cabelos escasseando, sua libido de meia-idade ofegando inteiramente com a luxúria da juventude.

Divertida com o quadro, Judith comentou:

— Ele mal tira os olhos de cima dela.

— E muito menos as mãos.

Precisamente quando elas terminavam o champanha, o chefe dos garçons veio dizer-lhes que sua mesa estava à espera, e as guiou através do restaurante apinhado. Após instalá-las em seus lugares, desdobrou vastos guardanapos de linho que Heather e Judith puseram no colo, deu a cada jovem um enorme cardápio para estudo e perguntou se desejavam um aperitivo.

Elas o recusaram, porque ambas já se sentiam extremamente felizes.

Foi um almoço inesquecível, naquele restaurante tão arejado e bonito, totalmente diferente das ruas sujas, escuras e maltratadas, além das janelas veladas por cortinas. Comeram ostras e galinha, tomaram sorvete e partilharam uma garrafa de vinho branco. Conversaram e puseram as respectivas vidas em dia, relatando o sucedido durante os longos meses passados desde seu último encontro. Algumas ocorrências eram tristes. A morte de Ned. De Edward Carey-Lewis. E o sobrinho da sra. Mudge, dado como desaparecido e considerado morto, perdera a vida nas praias de Dunquerque. Charlie Lanyon, entretanto, tivera mais sorte; sobrevivendo ao bombardeio, era agora prisioneiro de guerra na Alemanha.

— Você escreve para ele, Heather?

— Escrevo. Todas as semanas. Não sei se ele recebe minhas cartas ou não, porém isso não é razão para eu deixar de escrever.

— Tem notícias dele?

— Charlie só tem permissão para escrever aos pais. Eles me

transmitem as notícias. Entretanto, ele parece estar bem... e tem recebido algumas de nossas remessas de alimentos.

— Vai esperar por ele?

Heather franziu o cenho, admirada.

— *Esperar* por ele?

— Exatamente. Esperar por ele. Permanecer constante.

— Não. Não estou esperando por ele. Nunca houve nada disso entre nós dois. Eu apenas gostava dele. De qualquer modo, como já lhe disse uma vez, não sou louca de me casar. Isto é, eu me casarei, se quiser casar. Um dia. Entretanto, isso não é todo o meu futuro e todo o final para mim. A vida tem muita coisa a oferecer. Muita coisa para ser feita. Muito para se ver.

— E existem rapazes interessantes onde você trabalha?

Heather riu.

— Eles são um bando de esquisitões. Em sua maioria são tão inteligentes, que até parecem um tanto aparvalhados. Quanto a enrabichar-me por algum deles... a gente não conseguiria tocá-los nem com o mastro de uma barcaça. Entretanto, isto não significa que não sejam interessantes... culturalmente. São muito cultos. Apenas esquisitos.

— O que você faz? Qual é o seu trabalho?

Heather deu de ombros e baixou os olhos. Pegou outro cigarro e, quando tornou a erguer o rosto, Judith compreendeu que ela se fechara, que não diria nem mais uma palavra sobre o assunto. Talvez até já receasse ter falado demais.

— Você não quer falar a respeito, não é mesmo?

— Sim, não quero falar.

— Mas você gosta do que faz?

Heather soprou uma nuvem de fumaça.

— É fascinante. Agora, fale de você. Qual o seu trabalho?

— Não é muito excitante. Estou na ilha Whale, na Escola de Artilharia. Trabalho para o chefe do Incremento de Instrução Militar.

— E o que ele faz?

— Pesquisa e desenvolve dispositivos que ajudarão a treinar homens no uso de armas de fogo. Cúpulas de simulação. *Oerlikons* falsos. Coisas assim. Treinadores visuais artificiais. Dispositivos para ensino dos princípios da força centrífuga. A lista é interminável. Novas idéias estão surgindo o tempo todo.

— Arranjou namorado?

Judith sorriu.

— Montes deles.

— Não um em particular.

— Não. Outra vez, não.

— O que quer dizer com isso?

— Edward Carey-Lewis. Não quero passar por tudo aquilo novamente. Vou esperar pelo fim da guerra, e então talvez fique perdidamente apaixonada por algum homem improvável, caso-me com ele e terei fieiras de bebês, tornando-me uma criatura absolutamente maçante. Você nem vai querer saber de mim.

— Você amava Edward?

— Sim. Amei-o durante anos.

— Eu nunca soube.

— Porque nunca lhe contei.

— Sinto muito.

— Está tudo acabado, agora.

Assim, elas não falaram mais sobre Edward e passaram para tópicos mais alegres e positivos, como o fato do sr. Warren ser sargento da Guarda Territorial de Porthkerris e de Joe Warren haver sido recomendado para uma patente de oficial.

— Como vai sua mãe?

— Continua a mesma de sempre. Nada a perturba. Ela não escreve muito. Vive ocupada demais, suponho. Entretanto, escreveu para mim sobre o velho farsante Fawcett, contando que ele havia caído morto dentro do banco. Mal podia esperar para pôr o mexerico no papel. Lembra-se da confusão que tivemos, naquela noite em que Ellie voltou histérica do cinema porque o bode velho mostrara "tudo" para ela? Enquanto for viva, nunca vou esquecer.

— Oh, Heather, você nem mesmo estava *lá*!

— Não estava, mas ouvi tudo. Convivi com aquilo durante dias. Minha mãe não conseguia parar de comentar o caso. "Você devia ter visto Judith", ela ficava repetindo para mim. "Parecia uma pequena e verdadeira fúria!"

— Parece que ele morreu de apoplexia. Porque o gerente do banco lhe disse que emitira um cheque sem fundos. Foi o sr. Baines quem me contou, e tudo o que pudemos fazer foi dar risadinhas. Absolutamente inconvenientes.

— Que bons ventos levem a carniça, diria eu. E agora, o que me diz dos Carey-Lewis? Estão todos bem?

Passaram a falar sobre Nancherrow, e como o pesar de Diana pela morte de Edward tinha sido amenizado, em uma pequena parte, pela chegada e constante divertimento de sua neta Clementina. Mais ou menos como a companhia desprendida de Phyllis e Anna, de alguma obscura forma, ajudara Biddy Somerville a firmar-se novamente sobre os pés.

— Quer dizer que elas todas estão morando na Dower House?

— Sim, e a coisa funciona. Você não conhece minha casa. Um dia, quando tiver alguma folga ou licença, precisa ir até lá, para que eu a mostre. Você vai gostar dela. Eu sou louca por aquela casa.

— Ainda mal consigo acreditar que você seja dona de uma casa — maravilhou-se Heather. — Coisa de adultos. Não que eu sinta a menor inveja, compreenda, porque a última coisa que desejaria era uma casa me prendendo. Em seu caso, no entanto, deve ser como um sonho tornado realidade. Ainda mais com sua família tão longe... — Ela parou de falar, depois disse: — Sinto muito.

— Por quê?

— Por minha falta de tato. Cingapura. Li o jornal no trem, esta manhã.

— Eu também.

— Tem notícias de sua família?

— Já faz algum tempo que não me escrevem.

— Está preocupada?

— Estou. E muito. Só espero que eles tenham saído de lá. Pelo menos, mamãe e Jess. Todos dizem que Cingapura não cai, que está muito bem defendida, que é muito importante, e que todos os recursos serão utilizados na batalha. Contudo, mesmo que Cingapura não caia, haverá ataques aéreos e todo tipo de horror. Aliás, parece não haver nada, nenhum exército capaz de deter os japoneses. Eu só queria saber o que está acontecendo. — Ela olhou para Heather através da mesa. — Será que você... você não poderia descobrir alguma coisa? Quero dizer, por vias indiretas?

O garçom chegou com o café. Heather amassou o cigarro no

cinzeiro e acendeu outro. As duas ficaram caladas, enquanto o café negro e forte era despejado nas pequeninas xícaras. Depois que o homem se foi, já não podendo ouvi-las, Heather balançou a cabeça, dizendo:

— Não. Nós só lidamos com a Europa.

— Eu não devia ter pedido — suspirou Judith. — Gus também está lá. Gus Callender. Com o Segundo Batalhão dos Gordon Highlanders.

— Acho que não entendi bem.

— Ele era amigo de Edward, em Cambridge. Passou alguns dias em Nancherrow. Ele e Loveday... como posso dizer? Acertaram-se.

— Loveday? — exclamou Heather, com ar incrédulo. — Loveday, enrabichada por ele? Ela nunca me disse nada.

— Não creio que dissesse. Foi algo extraordinário. Ela só tinha dezessete anos, e aquilo, simplesmente, aconteceu! Foi uma identificação instantânea. Como se há muito e muito eles se conhecessem. Como se sempre formassem um par.

— Se ele for soldado, e em Cingapura, então está no meio disso. Eu não apostaria em suas chances.

— Eu sei. Também tem sido este o meu pensamento.

— É uma guerra infernal, sabia? Pobre Loveday... E pobre de você. Suponho que não nos resta alternativa senão esperar sentadas. Ver o que acontece.

— O pior é a espera. A espera por notícias. Tentando fingir que o pior não vai acontecer. Que não deve acontecer. Quero que meus pais e Jess permaneçam vivos, que estejam em segurança, que um dia voltem para casa, para a Dower House. Também quero que Gus permaneça vivo para Loveday. Depois de Saint Valéry, pensamos que ele estivesse morto, mas conseguiu escapar e voltar para casa. Quando recebeu a notícia, Loveday transformou-se, parecia outra. Seria terrível a pobrezinha viver toda aquela agonia uma segunda vez.

— Haja o que houver, Judith, Loveday sobreviverá.

— Por que diz isso?

— Porque a conheço. Ela é uma coisinha rija.

— Mas...

Judith estava pronta para saltar em defesa de Loveday, mas Heather a interrompeu.

— Ouça, nós ficaríamos conversando a tarde inteira, o dia chegaria ao fim e não teríamos feito nada. Tenho em minha carteira duas entradas para o Albert Hall. Ganhei-as do homem para quem trabalho. Um concerto que deve começar dentro de meia hora. Quer assistir a um concerto ou prefere fazer compras?

— O que vão tocar?

— O Concerto para Violino, de William Walton, e o Concerto nº 2 para Piano, de Rachmaninoff.

— Não quero fazer compras.

Terminaram então seu café e pagaram a conta (com generosas gorjetas a cada membro do grupo), recolheram seus agasalhos no vestiário (mais gorjetas) e mergulharam no frio cortante e em Piccadilly. Quando saíram, um táxi parou junto ao meio-fio, dele saltando um capitão da Marinha e sua singela esposa. As duas esperaram enquanto ele pagava a corrida, e depois entraram rapidamente no táxi, antes que alguém mais o tomasse.

— Para onde, querida?

— Para o Albert Hall, e estamos com uma pressa louca.

O concerto foi maravilhoso — tudo o que Judith imaginara, e ainda mais. A peça de Walton era nova para ela, porém a de Rachmaninoff soava carinhosamente familiar, e ela se deixou perder na música, foi transportada para uma espécie de intemporalidade, para a afirmação de outro mundo constante, isento da ansiedade e da morte, de batalhas e bombas. O restante da compacta platéia estava igualmente presa à música e, terminada a performance, assim que as últimas notas extinguiram-se, todos demonstraram o seu apreço com aplausos para o maestro e a orquestra, aplausos que duraram pelo menos cinco minutos.

Por fim, tudo terminou e era tempo de irem embora. Judith teve a impressão de que havia passado duas horas flutuando beatificamente nas alturas, agora tendo que descer para a terra de novo. Tão absorta ficara que o resfriado fora esquecido, mas agora, ao abrirem caminho pelo corredor acarpetado e apinhado de gente, rumo ao saguão e às portas principais, a dor de cabeça e a garganta dolorida retornaram de maneira vingativa, e ela percebeu que começava a sentir-se mal de fato.

Haviam planejado caminhar de volta ao Mews ou pegar um ônibus, mas quando saíram para a noite escura e sem luzes, juntamente com levas de público, descobriram que começara a chover, um chuvisco fino e gelado, sem que nenhuma delas tivesse guarda-chuva.

Pararam na calçada molhada, sendo empurradas e empurrando, enquanto discutiam suas probabilidades de conseguir um táxi, que eram quase impossíveis.

— Não podemos caminhar, ficaremos encharcadas! Oh, por que eu *não trouxe* um guarda-chuva? — exclamou Heather, sempre tão eficiente, mas agora furiosa consigo mesma.

— Eu não podia ter trazido um, porque estando de uniforme não é permitido...

Então, enquanto hesitavam e tentavam decidir como, afinal, chegariam em casa, a sorte lhes sorriu. Um carro particular parou perto delas, com motorista, a fim de apanhar um comandante de ala da RAF e sua acompanhante. Evidentemente, ele tomara a precaução de arranjar seu próprio transporte. Abriu a porta, a mulher mergulhou para dentro do carro o mais depressa que pôde, a fim de abrigar-se da chuva, e o comandante se dispunha a segui-la, quando percebeu as duas jovens, iluminadas pela luz mortiça que brotava do interior do veículo, em pé e desanimadas, a cada momento ficando mais molhadas.

— Para que lado vocês vão? — perguntou ele.

— Para as proximidades de Sloane Square — respondeu Judith.

— Nós vamos para Clapham. Aceitam uma carona?

Era quase bom demais para ser verdade. Agradecidas, elas aceitaram, e Heather acomodou-se no banco traseiro, enquanto Judith sentava-se ao lado do motorista. As portas foram fechadas, e o carro rodou para diante, na rua escura e molhada, com os limpadores de pára-brisa trabalhando para valer, enquanto o motorista tateava seu rumo com a ajuda da fraca luminosidade das lâmpadas nos postes, obscurecidas e encapuzadas.

Atrás de Judith, Heather iniciou uma animada conversa com seus salvadores.

— Foi *realmente* muita gentileza dos senhores — disse para eles. — Não sei o que teríamos feito, se não nos trouxessem.

— É sempre um inferno voltar para casa depois de um teatro ou concerto. Particularmente em uma noite horrível como esta...

Judith parou de ouvir. Havia ficado parado em uma poça, tinha os pés molhados e começava a sentir arrepios. Quando chegassem, ela acenderia a lareira a gás e assim ficaria aquecida, mas antes disso acontecer, havia o pequeno problema da comida, porque não tivera tempo de comprar nada.

Estavam agora descendo Sloane Street. No banco traseiro, a conversa ainda não cessara. Já tinham encerrado os comentários sobre o concerto, e agora falavam no horror do Queens Hall destruído nos bombardeios e nos deliciosos recitais à hora do almoço que Myra Hess vinha dando, na igreja de São Martinho, nos Fields.

—Estão sempre superlotados. As pessoas apenas entram para ouvir durante alguns momentos, quando estão indo ou vindo de seus escritórios...

O comandante de ala inclinou-se para diante.

— Para onde deseja ir, exatamente? — perguntou a Judith. — Podemos deixá-la em sua porta, se não for muito fora de nosso caminho.

— Cadogan Mews. — Ela se virou no banco, a fim de falar com ele. — Só que... — ela vacilou. — O problema é que preciso comprar comida. Não há nada na casa. Vim de Portsmouth esta manhã, e não houve tempo... mas se o senhor puder deixar-nos em nossa mercearia local...

— Não se preocupe — disse ele.

Então, graças à gentileza dele, tudo correu perfeitamente bem. Judith dirigiu o motorista até a desmantelada mercearia da esquina, que sempre fora a mais próxima e mais conveniente para o Mews. Ali eram vendidos mantimentos, jornais e cigarros. Enquanto os outros esperavam, ela entrou, armada com seu Cartão de Racionamento de Emergência, e comprou pão, ovos, quantidades diminutas de bacon, açúcar e margarina, e um litro de leite, além de um pote de geléia de framboesa, de duvidosa aparência. A velha atrás do balcão arranjou uma amarrotada sacola de papel na qual colocou todas as compras, Judith pagou a conta e voltou para o carro.

— Muito obrigada. Foi perfeito. Pelo menos teremos algo para comer durante o chá.

— Não podíamos permitir que ficassem com fome. Para onde agora?

Elas foram conduzidas até a porta, em grande estilo. No Mews, à débil claridade dos postes de luz preparados para o *black-out*, a laje do pavimento reluzia, e um gato molhado disparou como flecha através da rua, em busca de abrigo. Judith e Heather desceram do carro, efusivas em seus agradecimentos, inclusive oferecendo-se para pagar sua parte na corrida, mas ambas foram despedidas imediatamente, ouvindo que aquilo era o mínimo que uma pessoa podia fazer, e aconselhadas a entrar logo em casa, antes que se molhassem ainda mais.

Aquilo soava como uma ordem, de maneira que ambas obedeceram. Quando fecharam a porta atrás delas, o carro já manobrava e seguia seu caminho.

As duas ficaram em pé, muito próximas, na tenebrosa escuridão do pequenino vestíbulo.

— Não acenda nenhuma luz — disse Judith a Heather — enquanto eu não tiver terminado o *black-out*. Fique onde está, ou cairá escada abaixo.

Ela entrou na cozinha às apalpadelas, fez o *black-out* e deixou a sacola de papel em cima da mesa. Depois, ainda no escuro, tornou a emergir e subiu a escada cuidadosamente, em seguida compondo o *black-out* e as espessas cortinas da sala de estar. Só então pressionou o interruptor com segurança.

— Já pode subir — disse para Heather.

Juntas, percorreram todos os cômodos, inclusive os que Judith não pretendia usar, certificando-se de que nenhuma réstia de luz escapava para o exterior. Após isto, Heather sentiu-se à vontade para libertar-se das botas e do casacão molhados, acender a lareira a gás e algumas poucas lâmpadas. Quase imediatamente tudo pareceu muito diferente, abrigado e aconchegante.

— Estou louca por uma xícara de chá — disse Heather.

— Eu também, mas primeiro tenho que tomar uma aspirina.

— Sente-se mal, não?

— Sim, bastante.

— Oh, pobrezinha! Está parecendo um pouco abatida. Acha que pegou uma gripe?

— Nem pense nisso!

— Pois então, vá tomar sua aspirina, que eu preparo o chá. — Ela já descia para o andar de baixo novamente. — Não se preocupe. Descobrirei onde está tudo.

— Eu trouxe pão. Podemos fazer torradas na lareira.

— Boa idéia!

Judith tirou o casaco e o deixou em cima da cama. Depois removeu os sapatos, as meias úmidas, e calçou um par de chinelos macios. Tirou também a túnica, substituindo-a por uma suéter de Shetland, que trouxera de Portsmouth. Tomou, então, mais uma aspirina e fez outro gargarejo. Seu reflexo no espelho nada tinha de animador. O rosto estava afilado e abatido, com anéis escuros, parecendo equimoses, abaixo dos olhos. Se Biddy estivesse ali, receitaria uma bebida bem quente, mas como Judith não dispunha de uísque, de mel e nem de limão, era inútil saber o que a deixaria em melhor estado.

Quando retornou à sala de estar, Heather já tinha feito o chá e subido com as bandejas. Sentaram-se então diante da lareira e fizeram torradas com um garfo comprido, depois besuntando-as escassamente com margarina e a geléia de framboesa.

— Tem sabor de piquenique — decidiu Heather, com satisfação. Lambeu os dedos pegajosos. — Mamãe sempre punha geléia de framboesa nos sanduíches. — Ela deu uma olhada em torno. — Gosto desta casa. Gosto da maneira como tudo foi feito. Das cortinas pálidas e do resto. Você vem muito aqui?

— Todas as vezes que venho a Londres.

— De qualquer modo, sempre é melhor do que uma hospedaria de *Wrens*.

— Eu gostaria que você pudesse ficar.

— Não posso.

— Não pode ligar para alguém e dizer que está com um pouco de dor de cabeça?

— Não. Tenho que trabalhar amanhã.

— A que horas sai o trem?

— Sete e meia.

— Qual a estação?

— Euston.

— Como chegará até lá?

— Tomarei o trem subterrâneo na Sloane Square.

— Quer que eu a acompanhe? Que a veja partir?

— Não — respondeu Heather abruptamente. Depois acrescentou: — Com esse resfriado, de modo nenhum. Você não deve tornar a sair esta noite. Tem que ir para a cama.

Não obstante, Judith ficou com a sensação de que, mesmo estando plenamente saudável, Heather recusaria sua companhia até Euston, a fim de não deixá-la saber até mesmo em que direção viajaria. Era tudo tão secreto, que chegava a ser alarmante. Judith limitou-se a esperar que sua amiga não estivesse fazendo treinamento para espiã, pois não suportaria a idéia de sabê-la sendo lançada de um avião, noite fechada, em perigoso território inimigo.

Havia ainda mil coisas sobre as quais não tinham falado quando, cedo demais, chegou o momento de Heather ir embora.

— Já?

— Não me arrisco a perder aquele trem, porque é o único que tem um carro à espera.

Judith imaginou alguma remota estação no campo, o carro oficial esperando pacientemente, depois o trajeto por quilômetros de estradas serpenteantes. Por fim, a chegada. Portões hermeticamente fechados e operados por eletricidade, muros tendo no topo a proteção de arames farpados, cães de guarda rondando pelo local. Mais além, compridas avenidas levando ao vulto indefinido de alguma grande mansão rural ou castelo vitoriano. Ela quase podia ouvir corujas piando.

Por algum motivo, a imagem provocou-lhe um arrepio, um frisson de náusea, e sentiu-se grata por seu trabalho monótono e em campo aberto, transcrevendo mensagens para o comandante Crombie, atendendo telefonemas e fazendo sua datilografia. Pelo menos, não era forçada a manter sigilo. E, pelo menos, não tinha que trabalhar aos domingos.

Heather preparava-se para deixá-la. Tornando a fechar o zíper de suas botas (tinham ficado mais ou menos secas, colocadas diante da lareira), abotoando-se naquele encantador casaco escarlate, depois atando uma echarpe de seda sobre os cabelos negríssimos.

— Foi ótimo — disse ela. — Um dia maravilhoso.

— Obrigada pelo concerto. Adorei cada momento.

— Precisamos encontrar-nos novamente. E desta vez não vamos esperar tanto tempo. Não desça a escada. Posso ir sozinha.

— Continuo achando que devia ir com você.

— Não seja tola. Tome um banho quente. Vá para a cama. — Ela beijou Judith. Depois disse, subitamente: — Não me agrada deixar você. Não estou gostando de deixá-la sozinha.

— Eu estou bem.

— Dê notícias. Estou falando de sua mãe, seu pai e Jess. Estarei pensando em você. Deixe-me saber se receber notícias.

— Farei isso. Prometo.

— Você tem meu endereço? Número da caixa postal e tudo o mais? É um pouco obscuro, mas, eventualmente, as cartas me chegam às mãos.

— Eu escreverei. Contarei tudo a você.

— Adeus, querida.

— Adeus.

Um rápido abraço, um beijo, e ela se foi. Desceu a escada e saiu da casa. Judith ouviu o ruído da porta sendo fechada. Os passos de Heather foram sendo ouvidos cada vez menos, à medida que ela se distanciava ao longo do Mews. Tinha ido embora.

Agora nenhum som era ouvido, além da chuva caindo e do rumor distante do trânsito, descendo a Sloane Street. Judith desejou que não houvesse um ataque aéreo, mas concluiu que provavelmente não haveria, porque o tempo estava tão inconstante. Os bombardeiros preferiam uma noite clara e com lua. O ambiente ficou um pouco tristonho sem a presença de Heather, e ela então teve vontade de ouvir Elgar na radiola. Os primeiros acordes de um concerto de violoncelo encheram o aposento, aqueceram-no e eliminaram sua sensação de estar abandonada. Levando a bandeja de chá para baixo, Judith lavou as poucas peças de porcelana e as colocou para secar no secador. Esquentou água na chaleira, encontrou uma bolsa de borracha para água quente, encheu-a, tornou a subir para o andar de cima, desfez a cama e enfiou a bolsa de água quente entre as cobertas. Em seguida tomou mais duas aspirinas (a essa altura, começava a sentir-se realmente mal), tomou um farto banho de água escaldante e permaneceu durante quase uma hora em meio ao vapor perfumado. Após enxugar-se, vestiu sua camisola e depois a suéter Shetland. O concerto de Elgar já havia terminado, e ela então desligou a radiola, mas deixou aceso o fogo da lareira e aberta a porta do quarto, a fim de que o calor a alcançasse. Encontrando um velho número da *Vogue*, foi com ele para a cama. Recostou-se nos travesseiros macios, folheou as páginas lustrosas por um ou dois momentos, mas então sucumbiu à exaustão e fechou os olhos. Quase imediatamente, ou assim lhe pareceu, tornou a abri-los.

Um som. Seu coração disparou, alarmado. No andar de baixo. O clique de uma fechadura. A porta da frente que se abria e depois, maciamente, era fechada.

Um intruso. Alguém entrara na casa. Petrificada pelo terror, por um instante ela ficou rígida, incapaz de mover-se. Depois saiu da cama e correu pela porta aberta, cruzou a sala de estar e chegou ao topo da escada, concluindo que, se o recém-chegado fosse um inimigo, ao invés de um amigo, deixaria cair-lhe na cabeça qualquer objeto pesado que tivesse ao alcance, assim que ele subisse os degraus.

Ele já tinha subido metade da escada, envolto em um pesado sobretudo, com cintilantes ombreiras em dourado, o quepe polvilhado de gotas de chuva. Em uma das mãos carregava uma pequena mala de viagem e na outra uma pesada mochila de lona com alças de corda.

Jeremy. Ela o viu e suas pernas ficaram bambas de alívio, precisando agarrar-se ao corrimão para não cair. Não era um intruso invadindo a casa, pretendendo roubar, estuprar ou assassinar. Em vez dele, a única pessoa — se ela pudesse escolher — que de fato desejaria que fosse.

— *Jeremy...*

Ele parou, ergueu os olhos, o rosto sombreado pela viseira do quepe e lúgubre à claridade impiedosa da luz do topo da escada.

— Santo Deus, é Judith!

— Quem pensou que poderia ser?

— Não faço idéia, mas sabia que a casa estava ocupada, assim que abri a porta. Por causa das luzes acesas.

— Pensei que você estivesse no mar. O que faz aqui?

— Eu podia fazer-lhe a mesma pergunta. — Ele chegou ao alto da escada, deixou a bagagem no chão, tirou o quepe molhado e inclinou-se para beijá-la no rosto. — E por que recebe cavalheiros em sua camisola de dormir?

— Eu estava na cama, é claro.

— Sozinha, espero.

— Se quer saber, peguei um resfriado. Estou me sentindo um trapo.

— Então, volte para a cama, imediatamente.

— Não. Eu quero falar com você. Vai passar a noite aqui?

— Era o que eu pretendia.

— E agora, surripiei o quarto.

— Não importa. Posso fazer companhia à tábua de passar e às roupas de Diana. Já dormi lá antes.

— Quanto tempo vai ficar?

— Só até de manhã. — Ele colocou o quepe sobre o pilar do corrimão e começou a desabotoar o sobretudo. — Tenho que pegar um trem às sete da manhã.

—Então, de onde foi que *veio*? Agora, quero dizer.

—De Truro. — Jeremy livrou-se do sobretudo e o deixou sobre o corrimão. — Tive dois dias de folga, e fui à Cornualha, passá-los com meus pais.

— Há anos que não o vejo. Séculos...

Ela não conseguia recordar quanto tempo se passara, porém ele não havia esquecido.

— Desde que fui a Dower House despedir-me de você.

— Parece ter sido em outra vida. — De súbito, Judith pensou em algo de fato sério. — Aqui não há nada para comer. Apenas um pedaço de pão e uma fatia de bacon. Está com fome? A mercearia da esquina já deve ter fechado, mas...

Ele riu, achando graça.

— Mas, o quê?

— Você bem que poderia sair para fazer uma refeição. O "Royal Court Hotel", talvez?

— Não seria nem um pouco divertido.

— Se eu soubesse que você viria...

—Sei, teria feito um bolo. Não se preocupe. Usei minha previsão. Minha mãe ajudou-me a embalar uma mochila. — Ele bateu com a ponta do sapato na mochila de lona. — Aí está.

Judith espiou dentro dela e viu o brilho de uma garrafa.

— Pelo menos, você acertou em suas prioridades.

—Não havia necessidade de carregar tudo escada acima. A mochila pesa uma tonelada. Eu a teria deixado na cozinha, mas quando vi as luzes, meu primeiro pensamento foi descobrir quem estava aqui.

— Quem mais poderia ser, além de mim? Talvez Athena. Ou Loveday. Rupert está no deserto, e Gus no Extremo Oriente.

— Oh, mas há outros. Nancherrow se tornou um lar-fora-do-lar, uma espécie de cantina de passagem para jovens oficiais prestando serviço. Oficiais que vêm de Culdrose e do Campo de Treinamento da Marinha Real, em Bran Tor. Diana dá uma chave de presente a qualquer pessoa especial, alguém com quem simpatize.

— Eu não sabia disso.

— Assim sendo, o clube deixou de ser tão exclusivo. Você vem aqui freqüentemente?

— Não muito. Às vezes nos fins de semana.

— E este é um deles?

— Sim, mas tenho de voltar para Portsmouth amanhã.

— Eu gostaria de poder ficar. Então, levaria você para almoçar.

— Só que não poderá ficar.

— Exato. Não posso. Aceita um drinque?

— Não há nada no guarda-louça.

— Pois há fartura em minha sacola de pescador. — Jeremy inclinou-se, ergueu a mochila, o que ela continha entrechocou-se um pouco, e parecia incrivelmente pesada. — Venha e eu lhe mostrarei.

Ele tornou a descer a escada e os dois foram para a pequena cozinha. Jeremy arriou a mochila sobre a mesa e começou a esvaziá-la. O linóleo castanho estava gélido sob pés descalços, de modo que Judith se sentou sobre a outra ponta da mesa, e foi mais ou menos como se observasse alguém removendo o conteúdo de uma meia de Natal. O espectador não tinha a mínima idéia do artigo que iria sair de lá em seguida. Uma garrafa de uísque *Black and White*. Uma garrafa de gim *Gordon's*. Uma laranja. Três embalagens de batatas fritas e meio quilo de manteiga caseira. Uma fatia de chocolate *Terry's* e, finalmente, um sinistro pacote manchado de sangue, cujo envoltório externo era de jornal.

— O que tem aí dentro? — perguntou Judith. — Uma cabeça decepada?

— Bifes. — Ele soletrou. — B-I-F-E-S.

— Onde foi que os conseguiu? E a manteiga caseira? Sua mãe não está negociando no mercado negro, está?

— São pacientes agradecidos. A geladeira está ligada?

— Claro.

— Ótimo. Terá gelo?

— Espero que sim.

Ele abriu a geladeira e colocou a manteiga e o pacote sangrento ao lado das escassas rações que Judith havia guardado lá dentro, depois pegando uma caçamba de cubos de gelo.

— O que quer beber? Um uísque seria bom para esse resfriado. Uísque e soda?

— Não há soda.

— Quer apostar?

Ele a encontrou, é claro, um sifão guardado em um obscuro armário. De outro armário tirou copos, depois removeu os cubos de gelo da caçamba, despejou o uísque e esguichou a soda. Os drinques borbulharam deliciosamente, e ele estendeu a Judith um dos copos altos.

— À sua saúde!

Ele sorriu.

— E eu ergo o meu copo!

Eles beberam. Jeremy relaxou visivelmente, deixando escapar um suspiro satisfeito.

— Eu precisava disso...

— Está muito bom. Eu não costumo beber uísque.

— Há um momento para tudo. Está frio aqui no térreo. Vamos para cima.

Subiram a escada, Judith na frente, e acomodaram-se confortavelmente junto da lareira. Jeremy sentou-se em uma das poltronas e ela aninhou-se no tapete, mais perto do calor do fogo.

— Heather Warren esteve hoje aqui — disse Judith. — Fizemos torradas para o chá. Por isso vim de Portsmouth. Para vê-la. Almoçamos juntas e depois fomos a um concerto, mas ela precisava tomar um trem e voltar para seu departamento secreto.

— Onde foi o concerto?

— No Albert Hall. William Walton e Rachmaninoff. Heather tinha ganho as entradas. E agora, por favor, fale-me de você. O que tem acontecido?

— Nada mais além da velha rotina.

— Você teve uma folga.

— Não propriamente. Precisei vir a Londres, a fim de falar com as autoridades no Almirantado. Estou para ser promovido. Cirurgião-chefe.

— Oh, Jeremy... — Ela ficou encantada e impressionada. — Muito merecido. Você será importante, de alta patente.

— Ainda não é oficial, portanto não fique telefonando para os outros e contando.

— E você contou para sua mãe?

— Naturalmente.

— O que mais há de novidade?

— Vou me juntar a um novo navio. Um cruzador, HMS *Sutherland*.

— Ainda no Atlântico? — Ele deu de ombros. Estava sendo evasivo.

— Talvez o mandem para o Mediterrâneo. Já era hora de tomar um pouco de sol.

— Tem notícias de sua família? — perguntou Jeremy.

— Não, desde o começo do mês. Não sei o motivo, exceto que o noticiário tem sido bastante amedrontador.

— Eles continuam em Cingapura?

— Acredito que sim.

— Muitas mulheres e crianças já foram embora.

— Eu não sabia.

Ele olhou para seu relógio.

— Oito e quinze. Ouviremos o noticiário das nove.

— Não sei se quero ouvi-lo.

— É melhor saber a verdade do que imaginar o pior.

— No momento, uma coisa parece tão ruim quanto a outra. E tudo aconteceu tão depressa! Antes, quando a situação estava de fato ruim, como na época de Dunquerque e em Portsmouth, durante o bombardeio, eu costumava consolar-me sabendo que, pelo menos, *eles* estavam a salvo. Mamãe, papai e Jess, quero dizer. E quando fazíamos fila para rações e restos horríveis de carne, animava-me pensando que *eles* estavam bem, com boa comida e servidos por bandos de criados, tendo encontros com amigos no clube. Então, os japoneses bombardearam Pearl Harbour e, subitamente, nada disso é mais verdade, eles agora enfrentam um perigo muito maior do que já enfrentei. Agora, eu desejaria ter ido para Cingapura, quando essa era a minha intenção. Assim, pelo menos estaríamos todos juntos. Entretanto, sendo tão longe e não recebendo notícias...

Para seu horror, sua voz começou a tremer. De nada adiantava querer dizer mais alguma coisa, porque terminaria prorrompendo em lágrimas inúteis. Judith tomou outro gole do uísque e contemplou as quentes chamas azuladas da lareira a gás.

— Suponho que não saber seja o maior tormento de todos — disse ele suavemente.

— Eu estou bem. Geralmente estou bem. Acontece apenas que, nesta noite, meu estado não é dos melhores.

— Vá para a cama.

— Sinto muito.

— Por que desculpar-se?

— Nós nunca nos vemos e, quando nos encontramos, estou com um maldito resfriado e com tanto medo de ouvir o noticiário, que não sou uma boa companhia.

— Gosto de você exatamente do jeito como é. Seja lá como estiver se sentindo. Só lamento ter de deixá-la tão cedo pela manhã. Estamos juntos, quase apenas para sermos imediatamente separados de novo. Entretanto, suponho que este seja justamente o significado desta guerra nojenta.

— Não tem importância. Estamos juntos. Fiquei tão contente por ser você, e não algum homem desconhecido... um dos poucos favorecidos por Diana...

— Também fiquei contente por ter sido eu. Agora... — Ele ficou em pé. — Você está de astral baixo, e eu morrendo de fome. O que ambos precisamos é de uma boa refeição quente e, de passagem, talvez de um pouco de música. Volte para a cama, que eu me encarrego da bóia.

Jeremy foi até a radiola e ligou o rádio. Música dançante. A execução personalíssima de Carroll Gibbons, transmitida ao vivo do "Savoy Hotel". *Begin the Beguine*. Judith imaginou os convivas deixando suas mesas e enchendo a pista de dança.

— O que temos no *menu*? Bifes?

— O que mais poderia ser? Preparados na manteiga. Só lamento que não haja champanha. Quer mais um drinque?

— Ainda não terminei este.

Jeremy estendeu a mão, ela a segurou, e ele a puxou, pondo-a de pé.

— Agora, para a cama — disse, empurrando-a suavemente na direção do quarto.

Judith cruzou a porta e o ouviu descendo para o térreo, rapidamente e com tal perícia, que parecia estar descendo uma escada de navio. Ela não foi logo para a cama. Em vez disso, sentou-se ao toucador e olhou para seu pálido reflexo no espelho, perguntando-se por que ele não comentara o seu severo corte de cabelo, tão diferente dos longos anéis cor de mel de sua juventude. Talvez Jeremy nem mesmo houvesse notado. Alguns homens não reparavam em coisas assim. Ela se sentia um pouco tonta. Provavelmente era o efeito do uísque, após o banho de água escaldante e as aspirinas. Não era uma sensação desagradável. Talvez um alheamento. Penteou o cabelo, passou um pouco de batom, um toque de perfume, e desejou possuir um casaquinho de cama encantadoramente franzido — do tipo que Athena e Diana sempre usavam — enfeitado de rendas e emprestando uma aparência vulnerável, frágil e feminina. A velha suéter Shetland estava longe de ser romântica. Entretanto, em se tratando de Jeremy, por que desejava mostrar-se romântica? A pergunta apanhou-a desprevenida e, parecendo não existir qualquer resposta sensata, ela levantou-se do toucador, afofou os travesseiros, ajeitou-os, e voltou para a cama. Ficou lá, recostada, bebericando o uísque e saboreando os deliciosos cheiros da manteiga quente e dos bifes suculentos, que começavam a emanar do andar térreo.

Begin the Beguine havia terminado. Agora, Carroll Gibbons tocava em seu piano a melodia de um velho número de Irving Berlin. *All the Things You Are...*

Você é o prometido toque da primavera...

Pouco depois, ela ouviu passos subindo novamente a escada. Logo em seguida Jeremy surgiu diante da porta aberta. Havia tirado a túnica e atado um enorme avental sobre a suéter azul-escura.

— Como prefere o seu bife?

— Nem me lembro mais. Há séculos não provo um.

— Malpassado? Ao ponto?

— Ao ponto está ótimo.

— E como anda esse drinque?

— Já acabei com ele.

— Eu lhe trarei outro.

— Vou terminar caindo de bêbada.

— Não poderá cair, se estiver deitada na cama. — Ele pegou o copo vazio dela. — Trarei outro com o seu jantar, em vez de champanha.

— Jeremy, não quero jantar sozinha!

— Não jantará sozinha.

Ele preparou a refeição em um tempo surpreendentemente curto, levou a pesada bandeja para cima e a colocou na cama, ao lado de

Judith. Em geral, quando uma pessoa leva a refeição para outra na cama, como o *breakfast*, sempre acaba esquecendo alguma coisa. A geléia, a faca da manteiga ou uma colher de chá. Jeremy, entretanto, parecia nada ter esquecido. Os bifes, sobre chapas quentes, ainda chiavam, servidos com batatas fritas e ervilhas enlatadas que ele encontrara no armário de mantimentos. Até improvisara um molho. Havia facas, garfos, sal e pimenta, um pote de mostarda fresca e guardanapos, exceto que não eram os guardanapos de linho apropriados, mas duas toalhinhas limpas para chá, tudo o que ele conseguira encontrar em substituição. Havia também dois renovados drinques nos copos.

— Por que eles deveriam ser renovados? — comentou ela. — A gente nunca diz para alguém "Quer *novar* um drinque para mim?"

— É verdade.

— O que temos de sobremesa?

— Meia laranja ou um sanduíche de presunto.

— A laranja é minha favorita. Está um jantar excelente. Obrigada, Jeremy.

— Coma o bife, antes que esfrie.

Estava tudo simplesmente delicioso e prontamente restaurador. Jeremy tinha razão. Judith não havia percebido que estava faminta e que, por sentir-se com a saúde tão abalada e o ânimo tão baixo, precisava e muito de um sustento sólido. Ele preparara seu bife à perfeição, enegrecido e tostado por fora, mas rosado no interior. Estava tão tenro, que ela mal precisou mastigá-lo, a carne deslizando facilmente por sua garganta dolorida. Foi um bife que também a deixou plenamente saciada. Talvez, após meses consumindo alimento insosso e nada apetitoso, seu estômago houvesse encolhido.

— Não agüento comer mais nada — disse Judith por fim. — Estou empanzinada. — Largou o garfo e a faca, ele retirou seu prato e ela recostou-se nos travesseiros, em absoluta satisfação. Depois disse, em *cockney**: — "Faiz uma baita diferença da carne muída inlatada." — Jeremy riu. — Como não sobrou espaço para a sobremesa, você pode ficar com a laranja inteira. Está sempre me surpreendendo, Jeremy. Eu ignorava que soubesse cozinhar.

— Qualquer homem que já navegou em um pequeno barco sabe

---

* Dialeto de um bairro de Londres. (N. da T.)

cozinhar, nem que seja apenas para fritar uma cavalinha. Se eu descobrir café, você quer uma xícara? Não, talvez seja melhor não. O café a manteria acordada. Quando foi que esse resfriado começou? — perguntou, imediatamente adotando um ar profissional.

— Esta manhã, no trem. Minha garganta começou a doer. Penso que peguei o resfriado da moça com quem divido o quarto. Também sinto a cabeça doendo.

— Tomou alguma coisa?

— Aspirinas. E fiz gargarejo.

— Como se sente agora?

— Estou melhor. Não me sinto mais tão mal.

— Tenho uma pílula mágica em minha maleta. Consegui-as na América e trouxe algumas de volta. Parecem pequeninas bombas, mas geralmente fazem efeito. Vou dar-lhe uma.

— Não quero ser nocauteada.

— Não pretendo nocauteá-la...

Através da porta aberta, o programa de música dançante chegava ao fim, com Carroll Gibbons e sua orquestra tocando a melodia de encerramento. Houve um ou dois segundos de silêncio, e depois soaram os carrilhões do Big Ben, em badaladas lentas, sonoras e, por associação, impregnadas de fatalidade. "Aqui é Londres. 'Noticiário das Nove Horas.'" Jeremy olhou inquisitivamente para Judith, que assentiu com a cabeça. Por pior que fossem as notícias, ela devia ouvi-las e seria capaz de enfrentá-las, simplesmente porque Jeremy estava ali, ao seu alcance; um homem ao mesmo tempo compassivo e compreensivo. Também forte e camarada, sua presença criando um extraordinário senso de segurança. Ser corajosa e sensata estando sozinha, é que se tornava tão desgastante. Duas pessoas podiam consolar uma à outra. Podiam proporcionar-se conforto.

Mesmo assim, o noticiário era bastante negativo e tão ruim quanto ela temera. No Extremo Oriente, os japoneses estavam se fechando sobre a auto-estrada de Johore. A cidade de Cingapura sofrera seu segundo dia de bombardeio... Estavam sendo escavadas trincheiras e fortificações... a luta era feroz no rio Muar... a força aérea britânica continuava bombardeando e metralhando as barcaças japonesas de invasão... o território australiano estava sendo atacado... havia cinco mil soldados japoneses nas ilhas de New Britain e New Ireland... uma pequena guarnição defensiva fora obrigada a recuar...

Na África do Norte, no Deserto Ocidental, a Primeira Divisão Blindada havia sido forçada à retirada, em face do avanço do general Rommel... um ataque em pinça sobre Agedabia... toda uma divisão indiana praticamente cercada...

— Já basta — disse Jeremy. Levantando-se, foi até a sala de estar e desligou o rádio. A voz culta e desapaixonada do noticiarista saiu do ar. Jeremy retornou ao quarto pouco depois. — As notícias não parecem nada boas, não é?

— Você acha que Cingapura cairá?

— Será um desastre, se cair. Cingapura caindo, então cairão também as Índias Orientais Holandesas.*

— Bem, mas se a ilha é tão importante, se foi sempre tão importante, ela poderia defender-se?

— Todos os grandes canhões apontam para o sul, acima do mar. Suponho que ninguém esperava um ataque vindo do norte.

— Gus Callender está lá. Com o Segundo dos Gordons.

— Eu sei.

— Pobre Loveday! Pobre Gus!

— Pobre Judith! — Inclinando-se, ele lhe beijou o rosto, depois pousou a mão em sua testa. — Como se sente?

Ela meneou a cabeça.

— Não sei dizer como me sinto.

Jeremy sorriu.

— Vou levar a bandeja para baixo e arrumar a cozinha. Depois eu lhe darei a pílula prometida. Você estará completamente boa de manhã.

Ele saiu e Judith ficou sozinha, deitada de costas na cálida cama de casal, cercada pelo luxo cuidadosamente selecionado de Diana Carey-Lewis: cortinas transparentes, chintz estampados de rosas, abajures com luzes suaves. Estava tudo estranhamente quieto. O único som vinha da chuva caindo além das cortinas fechadas ou de uma janela chocalhando à primeira rajada de vento. Ela pensou no vento como se ele possuísse uma entidade, soprando do oeste, cobrindo quilômetros quadrados de terras vazias, antes de alcançar a cidade obscurecida. Permaneceu imóvel, fitando o teto, pensando em Londres e em estar

---

* Nome que se deu às antigas colônias holandesas da Indonésia. (N. da T.)

no centro da cidade, naquele momento, nessa noite, um mero ser humano em uma metrópole de centenas de milhares mais. Uma Londres bombardeada, incendiada e sofrida, mas mesmo assim pulsando com uma vitalidade que brotava das pessoas que habitavam suas ruas e prédios. O East End e as docas quase haviam sido demolidos pelos bombardeiros alemães, porém ela sabia que ainda existiam pequenas filas de casas em parede-meia, nas quais famílias reuniam-se em diminutas salas da frente para tomar chá e tricotar, ler jornais, conversar, rir e ouvir o rádio. Da mesma forma como outras congregavam-se a cada anoitecer nas plataformas dos trens subterrâneos, onde dormiam enquanto as composições iam e vinham, porque aquilo significava um pouco de companhia, um pouco de congraçamento e, sem dúvida, era mais divertido do que estar sozinho.

Havia ainda aqueles que permaneciam fora de casa, nesta amarga noite de janeiro. Os atiradores das baterias antiaéreas, os vigilantes de incêndio postados no teto das casas, e os vigilantes das Medidas de Precaução Antiaéreas, sentados ao lado de telefones, em locais improvisados e com correntes de ar, fumando pontas de cigarro e lendo *Picture Post* para passar o tempo, durante suas longas horas de plantão. Também havia os alistados nas forças armadas que gozavam uma licença, caminhando pelas calçadas escuras em duplas e trios à procura de diversão, finalmente internando-se nas portas encortinadas de algum provável *pub*. Ela pensou nas prostitutas do Soho, em pé à porta das casas, expostas à chuva, dirigindo o facho de lanternas para suas pernas em meias de arrastão e sapatos de saltos muito altos. E, na outra extremidade da escala, os jovens oficiais, chegados à cidade de remotos aeroportos e bases do exército, jantando com as namoradas no "Savoy" e depois indo dançar pelo resto da noite no "The Mirabelle", "The Bagatelle" ou "The Coconut Grove".

Então, de repente, sem volição, sem saber como, ela começou a pensar em sua mãe. Não em como ela estaria agora. Não neste exato momento, a meio mundo de distância, arriscando-se a todo tipo de perigo mortal, em pânico, provavelmente aterrorizada e certamente confusa. Pensou nela da maneira como *tinha sido*. Como a via em suas derradeiras lembranças, nos tempos de Riverview.

Seis anos. E tanta coisa mudara! Tanta coisa acontecera! Judith evocou tudo o que tinha acontecido, a Dower House, e, antes disso, o escuro inverno passado na companhia de Biddy, em Upper Bickley. A guerra havia eclodido, encerrando os dourados anos de Nancherrow, que ela sempre imaginara continuando para sempre.

Riverview. Parte integrante do final de sua infância e, por isso mesmo, tão profundamente saudosa. Uma moradia talvez temporária; alugada, jamais propriedade delas, mas que, durante aqueles quatro anos, havia sido o lar. Judith recordou o jardim adormecido, nos anoiteceres do verão, quando as águas azuis da maré chegavam do mar aberto para cobrir os bancos de areia do estuário. Lembrou-se de como o pequeno trem, durante o dia inteiro, chocalhava ao longo da margem daquele mesmo estuário, indo e vindo de Porthkerris. Viu-se descendo desse trem depois da escola, em seguida subindo a trilha íngreme e arborizada que ia para sua casa, irrompendo pela porta da frente e chamando *mamãe*! E sua mãe sempre estava lá. Em sua sala de estar, com chá pronto sobre a mesa, cercada por seus lindos pertences, tudo impregnado com o aroma de ervilhas-de-cheiro. E ela viu a mãe sentada ao toucador, de roupa mudada para o jantar, penteando o cabelo e passando pó-de-arroz perfumado em seu insignificante nariz. Depois ouviu a voz dela, lendo um livro para Jess, antes da hora de dormir.

Anos pacatos, com raramente um homem na casa. Somente tio Bob, aparecendo às vezes com Biddy, e talvez Ned, vindo passar alguns dias no verão. As visitas dos Somerville tinham sido os pontos altos de sua vida tranqüila, juntamente com a pantomima do Natal no Clube de Porthkerris e os piqueniques de Páscoa, no alto da colina Veglos, quando então era tempo de colher prímulas. Fora isso, um dia deslizava para o outro e estação emendava-se a estação, sem que jamais algo de muito excitante acontecesse. Entretanto, tampouco acontecera algo ruim.

Havia, naturalmente, o outro lado da moeda; a outra verdade. Molly Dunbar, meiga e acessível, tinha sido uma mãe ineficiente. Nervosa em se tratando de dirigir seu pequenino carro, sem tendência para sentar-se em praias úmidas ao vento frio do norte, tímida quanto a fazer novas amizades e incapaz de tomar qualquer decisão. Uma perspectiva de mudança sempre a alarmava. (Judith recordou-lhe o histérico comportamento ao saber que voltava, não para Colombo, que era familiar, mas para Cingapura, que não era.) Além disso, sua mãe tinha pouca vitalidade, cansava-se facilmente e ia para a cama ao menor pretexto.

Ela sempre precisara de direção e apoio. Em vez de um marido para dizer-lhe o que fazer e como fazê-lo, Molly Dunbar se voltara para mulheres mais fortes do que ela. Tia Louise, Biddy Somerville e Phyllis. Em Riverview, Phyllis é que dirigia a casa, organizava tudo, lidava com vendedores e levava Jess para onde não fosse ouvida, sempre que a menina se entregava a um de seus acessos de manha e malcriação.

Aquela fraqueza e a natureza débil não eram culpa de Molly, ela simplesmente nascera assim. Saber disso agora, no entanto, em nada melhorava as coisas. De fato, até piorava. A guerra, desastres, sublevações, desconforto, fome ou privação, costumavam extrair o melhor de algumas mulheres — intrepidez, iniciativa e uma firme determinação de sobreviver. Molly Dunbar, no entanto, não dispunha de tais recursos. Ela seria derrotada. Pisoteada. Destruída.

— Não!

Judith ouviu-se exclamando a palavra em voz alta, uma angustiada refutação de seus próprios medos. Como se fosse possível expulsar imagens de desespero, ela se virou e enterrou o rosto no travesseiro, o corpo encurvado na posição fetal da criança por nascer, ainda em segurança no útero materno. Pouco mais tarde, ouvia Jeremy voltando da cozinha, seus passos soando na escada estreita, depois cruzando o piso da sala de estar. E a voz dele.

— Você me chamou?

Ainda com a cabeça enterrada no travesseiro, ela negou com a cabeça.

— Trouxe-lhe a pílula mágica. E um copo com água, para fazê-la descer.

Judith não se moveu.

— Judith...

Jeremy sentou-se na beira da cama, e seu peso estirou as cobertas em torno dos ombros dela.

— Judith!

Em um choro incontido, ela se virou bruscamente para ele e o fitou com os olhos encharcados de lágrimas.

— Não quero pílulas — disse. — Não quero nada. Eu só queria estar com minha mãe!

— Oh, minha querida...

— E você está apenas sendo um *médico*. Está sendo horrivelmente profissional.

— Não era essa a minha intenção.

— Eu me odeio por não estar com ela!

— Não deve falar assim. Há muitas pessoas mais que a amam. Você está confusa.

Ele se mostrava tão tranqüilo diante do comportamento dela, tão objetivo, que o pequeno acesso de ira de Judith morreu, deixando-a tomada pela contrição.

— Peço que me desculpe — disse.

— Sente-se realmente mal?

— Não sei como me sinto.

Ele não respondeu. Apenas estendeu a pílula, que de fato parecia uma pequenina bomba, e o copo d'água.

— Engula isto e depois conversamos.

Judith olhou duvidosa para a pílula.

— Tem certeza de que ela não me derrubará?

— Certeza absoluta. Apenas fará com que se sinta muito melhor e que, mais tarde, pegue no sono. O gosto não é dos melhores, mas se a tomar com um bom gole d'água, não ficará sufocada. Ela demora um pouco a fazer efeito, portanto é melhor que a tome logo.

Ela suspirou.

— Tudo bem — disse.

— Boa garota.

Com esforço, Judith apoiou-se em um cotovelo, pôs a pílula na boca e a empurrou com um gole da água de torneira de Londres, de gosto ferroso. Jeremy sorriu, aprovador.

— Muito bem. Você nem mesmo engasgou. — Tomou-lhe o copo da mão, e ela tornou a afundar gratamente nos travesseiros. — Quer tentar dormir agora?

— Não.

— Quer conversar?

— É tão *idiota* a gente não ser capaz de parar de *pensar*! Eu gostaria de tomar uma pílula que me anestesiasse o cérebro.

— Sinto muito — disse ele, e parecia de fato preocupado. — Não tenho nenhuma comigo.

— Tão *idiota*! Estou com vinte anos e quero minha mãe. Quero abraçá-la, tocá-la, saber que está em segurança.

As lágrimas, que durante toda a noite não tinham ficado muito longe, agora voltavam a encher-lhe os olhos, e ela se sentia demasiado fraca, sem qualquer tipo de orgulho que a levasse a controlá-las.

— Estive pensando em Riverview e em quando morei lá, com ela e Jess... Pensei em como nada de muito importante acontecia... mas era tudo tão sereno e tranqüilo... e éramos felizes, suponho. Sem exigências. Nada fazendo a gente sentir que estava sendo dilacerada... A última vez em que estivemos juntas... já faz seis anos... foi tão agradável... e agora... eu não sei...

Foi impossível ela continuar. Jeremy disse, entristecido:

— Eu sei. Seis anos são muito tempo. Sinto muito.

— Eu não sei... não sei de nada. Só queria uma carta. Alguma coisa. Para saber onde é que eles *estão*...

— Eu entendo.

— ... tão idiota!...

— Não, não é nada disso. Entretanto, você não deve perder as esperanças. Por vezes, a falta de notícias é sinônimo de boas notícias. Quem sabe? Mesmo agora, eles podem estar longe de Cingapura, talvez em rota para a Índia ou qualquer lugar seguro. Em tempos como este, as comunicações são muito falhas. Procure não se deixar abater.

— Você está apenas falando por falar. Sendo agradável.

— Estes não são momentos para querermos ser agradáveis. Para fingirmos alegria. Temos apenas que procurar ser sensatos. Manter um senso de proporção.

— Suponha que fossem *seu* pai e *sua* mãe...

— Eu ficaria angustiado, morto de ansiedade. Entretanto, acho que faria o possível para não perder a esperança.

Judith refletiu nisso por um momento. Depois disse:

— Sua mãe não é igual à minha.

— Ora, o que quer dizer com isso?

— Quero dizer que sua mãe é diferente.

— Como é que sabe?

— Porque a conheci no funeral de tia Lavinia. Mais tarde, na reunião para o chá em Nancherrow, nós conversamos um pouco. Ela é forte, é sensata, é prática. Até posso vê-la, acalmando pacientes frenéticos pelo telefone, nunca transmitindo mensagens importantes erradamente.

— Você é muito perceptiva.

— Minha mãe não é assim. Você só a viu uma vez, naquele trem e, então, nem mesmo nos conhecíamos. Ela não é uma pessoa forte. Não tem confiança em si mesma, nunca está segura do que faz. Fica nervosa, imaginando o que os outros possam pensar, é incapaz de cuidar de si própria. Tia Louise vivia dizendo-lhe que era uma tola, e minha mãe jamais a contradisse, nunca fez alguma coisa para provar que ela estava enganada.

— O que está querendo me dizer?

— Que receio por ela.

— Ela não está só. Tem seu pai. Tem Jess.

— Jess é apenas uma garotinha. Não poderia tomar decisões por minha mãe.

— Jess está com dez anos. Não é mais um bebê. Algumas menininhas de dez anos podem ter um formidável caráter. São cheias de idéias e firmemente determinadas a seguir o próprio caminho. O que quer que aconteça, e onde quer que elas acabem chegando, tenho certeza de que Jess se revelará uma fonte infalível de apoio.

— Como vamos *saber...*?

As lágrimas retornaram, escorrendo pelas faces. Judith procurou a ponta do lençol e tentou enxugá-las, de maneira tão pateticamente ineficaz, que Jeremy não conseguiu suportar. Levantou-se da cama, foi ao banheiro, encontrou uma pequena flanela para friccionar o rosto, molhou-a em água fria, torceu-a, pegou uma toalha e voltou para o quarto.

— Vejamos — disse.

Colocou a mão debaixo do queixo de Judith, ergueu-lhe o rosto e o limpou suavemente. Depois entregou-lhe a toalha, na qual ela assoou vigorosamente o nariz.

— Em geral nunca choro desta maneira — explicou ela. — A última vez que chorei foi quando Edward morreu, mas era diferente. Aquilo significava o fim de alguma coisa. De alguma coisa definitiva, horrivelmente encerrada. Agora, eu sinto que isto é o início de algo infinitamente pior. — Ela tomou uma longa e soluçante respiração. — Da outra vez, eu não sentia medo.

Judith falava tão desesperada, que Jeremy fez o que ansiara fazer durante todo o tempo. Deitou-se ao lado dela, tomou-a nos braços, puxou-a para bem perto de si e a envolveu no conforto da proximidade. Ela permaneceu passiva, agradecida, porém uma mão subiu e tocou a lã grossa da suéter dele, os dedos crisparam-se nos fios, e ele teve a sensação de um bebê de colo aferrado ao xale da mãe.

— Sabe de uma coisa? Quando eu era garotinho e me desesperava por alguma coisa, minha mãe costumava consolar-me, dizendo "Isto vai passar. Um dia, você olhará para trás e tudo terá terminado."

— Isso fazia as coisas ficarem melhores?

— Não muito, mas ajudava.

— Não consigo imaginar você como um garotinho. Quando o conheci, já era adulto. Quantos anos você tem, Jeremy?

— Trinta e quatro.

— Se não fosse a guerra, acho que já estaria casado, teria uma família... É engraçado pensar nisso, não é?

— Histérico. Entretanto, não acho muito provável.

— Por que não?

— Estou ocupado demais com a medicina. Muito envolvido para perseguir garotas. Em geral, cronicamente curto de dinheiro.

— Você devia especializar-se. Tornar-se cirurgião, ginecologista ou algo assim. Instalaria seu consultório na rua Harley, com uma placa de latão na porta. "Dr. Jeremy Wells, FRCS*". E, rua abaixo, haveria uma fila de senhoras ricas e grávidas, ansiosas por seus cuidados.

— Uma idéia muito interessante.

— Não o seduz?

— Meu estilo é um pouco diferente.

— E qual é o seu estilo?

— O de meu pai, imagino. Um clínico geral rural, com um cachorro no carro.

— Inteiramente confortador.

Ela começava a parecer mais dona de si novamente, porém os dedos, com os nós muito brancos, continuavam firmemente crispados à lã da suéter dele.

— Jeremy.

---

* *Fellow of the Royal College of Surgeons* (Membro do Real Colégio de Cirurgiões). (N. da T.)

— O que é?

— Quando você se aferrava àquela bóia no meio do Atlântico, depois do afundamento de seu navio, em que ficava pensando?

— Em continuar boiando. Em continuar vivo.

— Não recordava coisas? Coisas agradáveis? Lindos lugares? Bons momentos?

— Eu tentava recordar.

— O que, em particular?

— Não sei.

— Você *deve* saber.

Aquilo parecia muito importante para ela. Assim, procurando ignorar o despertar físico de seu corpo, gerado pela proximidade dela e por sua clara necessidade dele, Jeremy fez um enorme esforço de vontade e recolheu no subconsciente as primeiras e desencontradas lembranças que lhe vieram à mente.

— Os domingos de outono em Truro, e os sinos da catedral tocando as Vésperas. E caminhar pelos penhascos do Nare, vendo o mar azul como um vidro, e todas aquelas flores silvestres que enchiam as valetas. — Agora surgiram outras lembranças tumultuadas, imagens e sons que, em retrospectiva, ainda tinham o condão de enchê-lo de felicidade. — Estar em Nancherrow, suponho. Ir nadar bem cedo de manhã com Edward, depois voltar através do jardim, sabendo que íamos devorar o mais tremendo *breakfast*. Fazer parte do time da Cornualha pela primeira vez, em Twickenham, com direito a jogar a bola duas vezes em gol. Caçar faisões nos matagais de Roseland em gélidas manhãs de dezembro, esperando as aves, com os cães ansiosos, e as árvores nuas como rendas, contra um céu pálido de inverno. Música. "Jesus, Alegria dos Homens", e saber que você tinha voltado para Nancherrow.

— A música é uma coisa boa, não acha? Constante. Ergue-nos no ar. Leva-nos para longe do mundo.

— Já terminei. Agora é a sua vez.

— Não posso pensar. Estou cansada demais.

— Uma coisa apenas — insistiu ele.

Ela suspirou.

— Está bem. Minha casa. Minha própria casa. Meu lar. Continua sendo de tia Lavinia, porque ela deixou muito de si para trás, porém ela agora é minha. Também penso na sensação que ela produz, no relógio tiquetaqueando no vestíbulo, na vista do mar e nos pinheiros. E gosto de saber que Phyllis está lá. Gosto ainda de saber que posso voltar, sempre que quiser. Ir para casa. E, um dia, nunca mais deixá-la.

Ele sorriu.

— Agarre-se a isso — disse a ela. Judith fechou os olhos. Jeremy baixou o rosto e viu os cílios longos, escuros contra as faces pálidas; o formato da boca, a curva perfeita do maxilar e do queixo. Inclinando-se, beijou-a na testa. — Você está cansada e eu preciso partir bem cedo. Acho que o dia chegou ao fim. — Ela imediatamente abriu os olhos, alarmada, e o aperto na suéter intensificou-se. Dizendo a si mesmo para ser resoluto, Jeremy começou a libertar-se. — Agora, vou deixá-la para que durma.

Judith, no entanto, imediatamente ficou agitada.

— Você não pode ir. Por favor. Não me deixe! Quero que fique comigo!

— Judith...

— Não, não vá... — E ela acrescentou, como se ele precisasse de algum encorajamento: — É uma cama de casal. Há espaço de sobra. Estarei perfeitamente bem, se você ficar. Por favor.

Dividido entre o desejo e seu natural bom senso, Jeremy hesitou.

— Acha que é uma boa idéia? — perguntou pouco depois.

— Por que não seria?

— Porque se passar a noite ao seu lado, com toda probabilidade farei amor com você.

Ela não ficou chocada e nem pareceu muito surpresa.

— Isso não importa.

— O que quer dizer com isso de *não importa*?

— Quero dizer que, se você quiser, eu gostaria que fizesse amor comigo.

— Sabe o que está dizendo?

— Acho que eu gostaria muito. — De repente, ela sorriu. Ele mal a vira sorrir no decorrer de toda aquela noite. O coração deu um salto em seu peito e, ao mesmo tempo, desapareceu o natural bom senso, como a água do banho sumindo pelo ralo. — Está tudo bem, Jeremy. Não seria a primeira vez.

— Edward — disse ele.

— Edward, naturalmente.

— Se eu fizer amor com você, estará pensando em Edward?

— Não. — A voz dela era firme. — Não. Eu não pensarei em Edward. Pensarei em você. Aqui. Em Londres. Aqui, quando realmente precisei de você. E ainda preciso. Não quero que me deixe. Quero que me abrace, que faça com que me sinta em segurança.

— Não posso fazer amor com você inteiramente vestido.

— Então, vá e tire suas roupas.

— Não posso ir. Você está agarrada à minha suéter.

Ela tornou a sorrir. Afrouxou os dedos que se crispavam na suéter, mas mesmo assim ele não se moveu.

— Já o libertei — disse ela.

— Estou com medo de deixá-la e você desaparecer.

— Não precisa ter medo.

— Não demorarei dois minutos.

— Tente diminuir para um.

— Judith...

A voz vinha de muito longe, brotando da escuridão.

— Judith!

Ela espreguiçou-se. Esticou a mão para tocá-lo, porém a cama estava vazia. Com esforço, conseguiu abrir os olhos. Nada mudara. O quarto estava iluminado pela luz do abajur, as cortinas fechadas, tudo como no momento em que havia adormecido. Jeremy estava sentado ao seu lado, na beira da cama. Já vestira o uniforme e fizera a barba. Ela podia sentir o cheiro agradável de sabonete.

— Trouxe uma xícara de chá para você.

Uma xícara de chá.

— Que horas são?

— Seis da manhã. Preciso ir andando.

Seis horas. Ela estirou-se na cama, bocejou e depois se sentou. Ele lhe estendeu a xícara de chá fumegante, quase quente demais para ser bebida. Judith piscou, procurando afastar o sono, pois ainda não acordara de todo.

— A que horas você se levantou?

— Cinco e meia.

— Não o ouvi.

— Eu sei.

— Já comeu alguma coisa?

— Sim. Um ovo e uma das fatias de bacon.

— Deve levar todos os seus mantimentos. Não adianta deixá-los aqui.

— Não se preocupe. Já empacotei tudo. Eu só queria despedir-me. Queria agradecer-lhe.

— Oh, Jeremy! Eu é que devia ser grata.

— Foi maravilhoso. Perfeito. Uma recordação para sempre.

Sem nenhum motivo, Judith ficou um pouco acanhada. Baixou os olhos e bebericou seu chá escaldante.

— Como se sente esta manhã? — perguntou ele.

— Muito bem. Um pouquinho tonta.

— E a dor de garganta?

— Desapareceu.

— Tomará cuidado, não?

— É claro.

— Quando tem de voltar para Portsmouth?

— Ao anoitecer.

— Talvez encontre uma carta à sua espera, de sua família.

— É, talvez. — Ela pensou nessa possibilidade e, de repente, ganhou esperanças. — Sim, pode ser que encontre.

— Procure não se preocupar demais. E cuide-se. Eu desejaria poder ficar. Esta noite nós conversamos, porém ainda há mil coisas que nunca nos dissemos. E este não é o momento.

— Não deve perder seu trem.

— Escreverei. Assim que conseguir algum tempo livre. Escreverei e tentarei dizer todas as coisas que desejaria ter dito esta noite. No papel, talvez me saia melhor da incumbência.

— Não se saiu mal nem um pouco. Entretanto, eu adoraria uma carta, a qualquer momento que quiser escrever.

— Agora preciso ir. Adeus, querida Judith.

— Se afastar este chá daqui, eu lhe direi adeus adequadamente.

Ele riu, tomou-lhe a xícara com o pires, e então abraçaram-se, acariciaram-se e beijaram-se, como os amigos que sempre haviam sido, mas, agora, também como amantes.

— Não se deixe torpedear novamente, Jeremy.

— Farei o possível para que isso não aconteça.

— E escreva. Como prometeu.

— Escreverei. Mais cedo ou mais tarde.

— Antes de ir, faz uma coisa para mim?

— Abra todas as cortinas, para que eu possa ver o amanhecer.

— Só ficará claro daqui a horas.

— Esperarei.

Assim, Jeremy afastou-se dela e ficou em pé. Inclinou-se para desligar o abajur e então caminhou para a janela. Ela o ouviu puxar as cortinas de seda e lidar com as do *black-out*. Além da vidraça, a manhã invernal estava escura, porém a chuva tinha parado e o vento diminuíra.

— Está perfeito.

— Tenho que ir.

— Adeus, Jeremy.

— Adeus.

Estava escuro demais para enxergar, porém ela o ouviu mover-se, abrir a porta e fechá-la suavemente ao sair. Tinha ido embora. Judith recostou-se nos travesseiros e, quase imediatamente, tornou a adormecer.

Eram dez da manhã quando acordou de novo, por isso, nunca lhe foi possível testemunhar a claridade que invadia o céu. Ao contrário, era o dia que estava sobre ela, nublado, mas com rasgões de céu azul-pálido. Judith pensou em Jeremy, agora em algum trem que se dirigia ruidosamente para o norte, rumo a Liverpool, a Invergordon ou talvez Rosyth. Pensou nesta última noite e ficou sorrindo para si mesma, recordando a maneira como Jeremy fizera amor — um amor infinitamente terno, mas competente ao mesmo tempo, a fim de que o prazer dela se conjugasse ao ardor dele e que, juntos, prosseguissem para um clímax de paixão física. Um interlúdio de inesperada magia, inclusive de júbilo.

Jeremy Wells. Tudo agora havia mudado. Antes, eles nunca se tinham correspondido, mas ele prometera escrever, mais cedo ou mais tarde. Isto significava algo especial a ser aguardado.

Enquanto isso, ela estava novamente sozinha. Estirada na cama e considerando o seu estado, percebeu que tinha se recuperado. O resfriado, gripe, infecção ou o que quer que fosse, havia desaparecido, levando consigo todos os sintomas de dor de cabeça, lassidão e depressão. Era impossível dizer quanto disso era devido mais a Jeremy Wells do que a suas medicações profissionais e a uma boa noite de sono. De qualquer modo, não fazia diferença. Judith sentia-se ela própria novamente, cheia de sua energia costumeira.

E como gastar essa energia? Só teria que voltar para os Alojamentos ao anoitecer, mas a perspectiva de um dia vazio e solitário em Londres, durante um domingo em tempo de guerra, sem ao menos sinos de igrejas ou alguém para amenizar o seu lazer, não era particularmente tentador. De qualquer modo, no fundo de sua mente, dormitava a possibilidade de uma carta de Cingapura. Quanto mais pensava nisso, mais aumentava a certeza de que uma carta a esperava no Gabinete de Regulamento, dentro da caixa de correspondência rotulada com a letra "D". Mentalmente, podia ver a carta esperando-a e, de súbito, tornou-se importante voltar sem demora para Portsmouth. Jogando as cobertas para um lado, ela pulou da cama, foi para o banheiro, abriu as torneiras ao máximo e tomou outro banho escaldante.

De banho tomado, vestida e com a mochila pronta, ela se dedicou a um pequeno e rápido trabalho doméstico. Tirou as arrumações da cama, dobrou as cobertas, foi para o andar de baixo, esvaziou a geladeira e a desligou da tomada. Como bom homem do mar, Jeremy deixara a cozinha cintilando e imaculada. Judith rabiscou uma nota para a sra. Hickson, firmou-a sob o peso de duas moedas de meia coroa, recolheu sua mochila e saiu, batendo a porta da frente às suas costas. Tomou o trem subterrâneo para Waterloo, depois embarcou no primeiro que passou para Portsmouth e, uma vez lá, seguiu de táxi ao longo das ruínas do bombardeado Guildhall. Por volta de duas horas, chegava aos Alojamentos das *Wrens*. Pagou a corrida do táxi, cruzou a porta principal e entrou no Gabinete de Regulamento, onde a *Wren* de plantão nesse dia, uma jovem de rosto irritado e pele desastrosa, estava sentada atrás da mesa de trabalho, roendo as unhas de tédio.

— Chegou um pouco cedo, não? — disse ela, ao ver Judith.

— É, eu sei.

— Pensei que sua folga só terminaria ao anoitecer.

— Sim, terminaria ao anoitecer.

— Bem, sei lá... — A *Wren* plantonista encarou-a com olhos desconfiados, como se Judith pretendesse sair da linha. — Suponho que isso não faça diferença para algumas.

A frase parecia não exigir qualquer tipo de resposta, de modo que Judith ficou calada. Apenas registrou sua entrada, depois caminhou para a grade de madeira em que ficavam as caixas de correspondência. Havia uma pequena pilha de cartas sob a "D". Ela pegou a pilha e examinou-a. *Wren* Durbridge. Oficial subalterno Joan Daly. Então, por último, o fino envelope azul via aérea, com a caligrafia de sua mãe. Um envelope de cantos amassados e sujos, como se houvesse sofrido vicissitudes sem conta e já tivesse dado volta ao mundo duas vezes. Judith colocou as outras cartas de volta no lugar e ficou parada, olhando a sua. O instinto pedia que a abrisse e lesse ali mesmo, porém o olhar inamistoso da *Wren* do Regulamento continuava sobre ela e, como não queria ninguém observando, recolheu sua mochila e subiu a escada de cimento que levava ao andar de cima e ao minúsculo e frígido compartimento que dividia com Sue. Sendo domingo, não havia ninguém ali. Sue provavelmente estaria de plantão. Tirando o bibico, Judith sentou-se no beliche de baixo, ainda envolta em seu sobretudo, abriu o envelope e puxou para fora as folhas de papel de correspondência aérea, dobradas em um maço e cobertas pela caligrafia de sua mãe. Desdobrando-as, ela começou a ler.

Orchard Road
Cingapura

16 de janeiro

Muito querida Judith

Não tenho muito tempo, de modo que esta será algo breve. Eu e Jess partimos amanhã para a Austrália, no The Rajah of Sarawak. Faz quatro dias que Kuala Lumpur caiu em poder dos japoneses, e agora eles avançam para a ilha de Cingapura como uma maré enchente. Desde o Ano-Novo tem havido comentá-

rios de que o governador estava recomendando a evacuação de todas as bouches inutiles. *Isto significa mulheres e crianças, e suponho que dizê-lo em francês parece menos insultante do que "bocas inúteis". Contudo, após Kuala Lumpur, seu pai — e aliás quase todo mundo — tem passado a maior parte de seus dias nos escritórios de navegação, tentando conseguir passagem para mim e Jess. Os refugiados têm chegado em levas, e tudo aqui é um torvelinho. Seja como for, neste momento (11 da manhã), ele apareceu dizendo que conseguiu dois beliches para nós (suborno?) e que partiremos amanhã de manhã. Só nos permitem levar uma maleta cada uma, porque o navio está superlotado. Sem qualquer espaço para bagagem. Papai terá de ficar aqui. Não poderá acompanhar-nos, porque é responsável pelo escritório e funcionários da Companhia. Estou temendo pela segurança dele e com medo da separação. Se não fosse por Jess, eu ficaria e enfrentaria os riscos, mas, como sempre, minhas lealdades estão divididas. Abandonar os criados, a casa e o jardim é quase tão ruim como ser arrancada pelas raízes. O que posso fazer?*

Jess está muito perturbada com a idéia de deixar Orchard Road, Ah Lin, a Amah e o jardineiro. Todos eles são seus amigos. Entretanto, eu lhe disse que iremos em um navio, que isto será uma aventura, e agora ela e a Amah estão fazendo sua mala. Estou morta de apreensão, mas fico repetindo para mim mesma que temos sorte em ir embora. Quando chegarmos à Austrália, eu lhe passarei um cabograma, comunicando nossa chegada e endereço, a fim de que possa escrever-me. Por favor, diga a Biddy que não tive tempo de escrever para ela.

A carta havia sido iniciada na caligrafia normal de Molly Dunbar, singela e de colegial. No entanto, à medida que as páginas avançavam, as letras se deterioraram e agora não passavam de garatujas frenéticas, borradas de tinta.

É muito estranho, mas a vida inteira, de quando em quando eu me surpreendi fazendo perguntas irrespondíveis. Quem sou eu? O que estou fazendo aqui? Para onde estou indo? Agora, tudo isto parece tornar-se terrivelmente verdadeiro, mais ou menos como um pesadelo que me perseguiu muitas vezes antes. Eu gostaria de poder despedir-me adequadamente de você, mas no momento, uma carta é o único meio disponível. Se alguma coisa acontecer a mim e a Papai, você cuidará de Jess, não cuidará? Eu a amo muitíssimo. Penso em você o tempo todo. Prometo escrever, assim que chegar à Austrália.

Judith querida.

Da mamãe

Esta foi a última carta que ela recebeu de sua mãe. Três semanas mais tarde, no domingo, 15 de fevereiro, Cingapura se rendia aos japoneses.

Depois disso, não houve mais notícias.

HMS Sutherland
a/c Posta-restante
Londres

21 de fevereiro de 1942

Querida Judith

Eu disse que escreveria mais cedo ou mais tarde, e parece ser mais tarde, porque faz cerca de um mês que me despedi de você. Poderia ter-lhe escrito uma nota breve, porém isso não seria muito satisfatório, e eu sabia que, havendo um atraso, você compreenderia.

Meu endereço é deliberadamente ilusório. Meu navio não se acha escondido no compartimento de alguma Posta-restante, e sim sofrendo reparos no Estaleiro da Marinha no Brooklyn. (O sonho de todo marujo inglês.) Para a Marinha Real, Nova York é uma casa aberta aos amigos... Jamais experimentei tal hospitalidade, e as festas começaram no momento em que fomos deixados em segurança no dique seco, e os reparos tiveram início. Eu e o primeiro-tenente (Jock Curtin, um australia-

no), fomos levados de carro a um coquetel em um pretensioso apartamento no East Side do Central Park, e lá considerados heróis — algo que não somos, porém tendo sido tratados como tais. Nessa particular reunião (e tem havido demais, para o fígado de uma pessoa), conhecemos um simpático casal, Eliza e Dave Barmann, que prontamente nos convidou a um "fim de semana" em sua casa de Long Island. Cortesmente, os dois foram apanhar-nos junto às docas em seu Cadillac e nos trouxeram pela auto-estrada de Long Island até aqui, o seu "lar" dos fins de semana. É uma grande e antiga casa de ripas, situada em um vilarejo chamado Leesport, no litoral sul de Long Island. A viagem para cá levou cerca de duas horas, não se podendo dizer que foi um belo trajeto, pontilhado de out-doors, bares de beira de estrada e lotes para carros usados, mas o vilarejo fica afastado da via principal, e é encantador. Grama verdejante, muros de gradis, árvores frondosas, ruas amplas, um drugstore, um posto de bombeiros e uma igreja de madeira, com a torre bastante alta. Exatamente como imaginei a América, descrita naqueles filmes antigos a que costumávamos assistir, com a mocinha usando um vestidinho de algodão e terminando casada com o rapaz da casa ao lado.

A casa fica à beira-mar, com um gramado que vai até a praia. Não se trata do oceano, porque a Great South Bay é uma espécie de lagoa, circundada pelas dunas de Fire Island. O Atlântico fica no lado mais distante de Fire Island. Há uma pequena marina, com a bandeira de listras e estrelas esvoaçando ao vento e, ancorados, um bom punhado de invejáveis iates e barcos a vela.

Assim, já descrevi o cenário. Ao ar livre faz frio, porém cortante e seco. É uma linda manhã. Dentro da casa, onde agora estou sentado a uma secretária com vista para o deck e a piscina, está maravilhosamente quente, graças ao calor que o aquecimento central faz brotar de grades decorativas. Por causa disso, a casa tem mobiliário de verão, com pisos encerados e sem carpetes, cortinas de algodão branco e tudo muito claro e fresco. O ambiente cheira a cedro, com subtons de cera de abelhas e óleo de bronzear. No andar de cima, Jock e eu temos um quarto para nós, com banheiro anexo. Assim, como pode deduzir, estamos vivendo no auge do luxo.

Conforme já disse, a gentileza e hospitalidade que nos têm sido oferecidas são inacreditáveis, e inclusive constrangedoras, porque é bem pouco o que podemos fazer para retribuí-las. Isto parece ser uma parte integrante do caráter americano, e minha teoria é de que este se origina dos velhos tempos, da época dos primeiros pioneiros. Um colono, ao avistar uma distante nuvem de poeira, e sabendo que um forasteiro estava a caminho, dizia à esposa para pôr mais duas batatas no cozido. Ao mesmo tempo, ele estendia o braço para seu rifle, sendo este o reverso da moeda americana.

Agora, não falarei mais sobre mim, mas sobre você. Penso em você todos os dias e gostaria de saber se teve alguma notícia de sua família. A queda de Cingapura foi um desastre, provavelmente a pior derrota já sofrida na história do Império Britânico, e a defesa da cidade parece ter sido inteiramente falha e mal planejada. Aliás, nada disso é consolo para você, se ainda continua sem notícias. Entretanto, lembre-se de que a guerra há de ter um fim e, embora isto possa demorar algum tempo, estou certo de que um dia todos vocês ficarão juntos novamente. O pior é que a Cruz Vermelha não está conseguindo comunicar-se... os prisioneiros na Alemanha pelo menos têm o benefício da organização na Suíça. Seja como for, nunca deixo de ter esperanças por todos vocês. E por Gus Callender. Pobre rapaz! Quando penso em minhas presentes circunstâncias e no que ele talvez esteja passando, sinto-me terrivelmente culpado. A culpa pessoal, contudo, sempre se revelou um exercício absolutamente inútil.

Aqui, Jeremy largou a caneta, sua atenção desviada para uma pequena barca que cruzava as águas quietas e prateadas do Sound, encaminhando-se para Fire Island. Ele já preenchera folhas e folhas de papel, mas ainda não chegara ao tema de sua carta a Judith. Ocorreu-lhe que, subconscientemente, adiava o que queria dizer a ela, por ser tão pessoal e tão importante, que receava não ser capaz de encontrar as palavras que formariam as frases. Iniciara a carta cheio de confiança, mas agora, chegado ao momento capital, não estava mais seguro de si. Ficou olhando a evolução da barca até ela desaparecer de vista, perdida atrás de um maciço de arbustos. Depois, pegando a caneta, recomeçou a escrever.

Encontrar você em Londres, descobri-la na casa de Diana, foi o melhor e mais inesperado dos prêmios. Além disso, fiquei feliz por estar lá quando você não se sentia bem e estava tão preocupada com os seus. Estar com você naquela noite e permitir-me partilhar — além de consolá-la, espero — da maneira mais básica, em retrospectiva se tornou uma espécie de pequeno milagre, e jamais esquecerei sua meiguice.

A verdade é que eu a amo muito. Penso que sempre a amei. Entretanto, só me dei conta disso naquele dia em que você voltou para Nancherrow, e ouvi "Jesus, Alegria" vindo do seu quarto, uma indicação de que estava em casa novamente. Creio que você escrevia uma carta para sua mãe. Sei que, naquele momento, compreendi o quanto você era importante para mim.

Como isso da culpa pessoal, ficar apaixonado em tempos de guerra e assumir compromissos é um exercício totalmente inútil, e tenho quase certeza de que pensa como eu. Você amou Edward, e ele foi morto; ninguém desejaria viver tal experiência uma segunda vez. Um dia, entretanto, a guerra terminará e, com um pouco de sorte, todos nós conseguiremos sobreviver a ela. Retornaremos então à Cornualha e, lá, recolheremos novamente os fios de nossas vidas. Quando isso acontecer eu gostaria — mais do que qualquer coisa no mundo — que estivéssemos juntos de novo porque, neste momento, não consigo imaginar um futuro sem você.

Aqui ele tornou a parar, largou a caneta, juntou as folhas escritas e as releu do começo ao fim. Perguntou-se se o último parágrafo não estaria demasiado bombástico. Sabia-se incapaz de colocar no papel seus sentimentos mais profundos. Alguns homens, como Robert Burns ou Browning, conseguiam transmitir paixão em apenas algumas linhas bem elaboradas, mas escrever poesia era um dom com o qual Jeremy Wells não fora agraciado. O que registrara teria de ser suficiente, mas ainda assim sentiu-se assaltado pela dúvida, pela desilusão de segundos pensamentos.

Afinal de contas, o que mais queria no mundo era casar com Judith, porém seria justo para com ela apenas sugerir tal coisa? Tão mais velho do que ela, era forçoso admitir que estava longe de ser um bom partido, com um futuro não mais emocionante do que a vida de um clínico geral rural, um médico que, além disso, era escasso em bens mundanos. Ao passo que Judith, graças à falecida tia, tornara-se uma jovem de posses e proprietária. E as pessoas não diriam que ela imaginaria que ele a queria por seu dinheiro? A vida que tinha a oferecer-lhe seria a de esposa de um médico rural e, por experiência, Jeremy a sabia necessariamente dirigida por intermináveis chamadas telefônicas, noites interrompidas, feriados cancelados e refeições que não passavam de festas móveis. Talvez ela merecesse mais do que isso. Um homem que pudesse dar-lhe o que nunca conhecera — uma forte e segura vida familiar — além de possuir rendimentos compatíveis com os dela. Judith se tornara tão adorável, tão desejável... apenas pensar nela fazia seu coração dar saltos... que seria óbvio surgirem homens que se apaixonassem por ela, como maçãs caindo de uma árvore. Não seria desmedidamente egoísta, neste particular momento do tempo, pedir-lhe que se casasse com ele?

Ele simplesmente não sabia, porém tinha chegado tão longe, que bem podia terminar sua carta. Dilacerado pela incerteza, ele tornou a pegar a caneta e seguiu em frente.

Estou dizendo tudo isto sem fazer a menor idéia do que você sente a meu respeito. Sempre fomos amigos (ou assim gosto de pensar), e gostaria que tudo continuasse da mesma forma, de modo que não quero escrever nem dizer coisa alguma que possa prejudicar para sempre o nosso bom relacionamento. Portanto, nesse meio tempo esta declaração do meu amor por você terá de bastar. De qualquer modo, responda-me assim que puder e deixe-me saber o que sente, se com o correr do tempo poderia considerar a possibilidade de passarmos juntos o resto de nossas vidas.

Eu a amo profundamente. Espero que isto não a perturbe e nem a entristeça. Lembre-se apenas de que estou disposto a esperar, até você estar pronta para um compromisso. Entretanto, por favor, escreva tão logo lhe seja possível, para que minha mente fique tranqüila.

Do sempre, minha querida Judith,

Jeremy

Pronto, terminara. Largou a caneta pela última vez, passou os dedos através dos cabelos e depois ficou olhando desamparadamente para as folhas que levara redigindo a manhã inteira. Talvez não devesse ter perdido seu tempo. Talvez devesse rasgá-las, esquecer tudo, escrever outra carta, mas agora nada querendo da destinatária. Por outro lado, se fizesse isso...

— Jeremy?

Sua anfitriã viera procurá-lo, e ele ficou grato pela interrupção.

— Jeremy?

— Estou aqui. — Recolheu rapidamente as folhas da carta, juntou-as e as deslizou para baixo do bloco de papel de cartas. — Na sala de estar!

Jeremy girou na cadeira. Ela apareceu na porta aberta, alta, bronzeada, com os cabelos louro-prateados bufantes e luzindo, como se acabasse de sair das mãos de um experiente cabeleireiro. Usava um costume de lãzinha leve, uma blusa listrada de gola engomada, os punhos presos com pesadas abotoaduras douradas, e sapatos fechados de salto alto, acentuando a elegância de suas compridas pernas americanas. Eliza Barmann, um prazer para os olhos.

— Vamos levá-lo para almoçar no clube. Iremos dentro de uns quinze minutos. Estará pronto?

— Naturalmente. — Ele reuniu seus pertences e levantou-se. — Sinto muito. Não reparei que era tão tarde.

— Terminou sua carta?

— Neste instante.

— Quer colocá-la no correio?

— Não... não, posso querer acrescentar alguma coisa. Mais tarde. Eu mesmo a postarei, quando voltar ao navio.

— Bem, sendo assim...

— Vou arrumar-me um pouco...

— Não é nada formal. Basta uma gravata. Dave queria saber se, depois do almoço, você gostaria de uma partida de golfe.

— Não tenho tacos.

Ela sorriu.

— Não é problema. Podemos consegui-los com os profissionais. E não se apresse. Não há pressa. Exceto que seria agradável saborear um martini, antes de irmos comer.

Em fins de abril, no término de um longo dia, Judith acabou de datilografar a última carta para o capitão-de-corveta Crombie (com cópias para o capitão, HMS *Excellent*, e o diretor da Artilharia Naval) e puxou as folhas do rolo de sua máquina de escrever.

Eram quase seis horas. As outras duas *Wrens* que trabalhavam no mesmo gabinete já tinham arrumado suas mesas e retornado aos alojamentos, em suas bicicletas. Entretanto, já bem avançada a tarde, o capitão-de-corveta Crombie surgira com aquela comprida missiva, não apenas Altamente Secreta, mas também Urgente. Assim, com certo ressentimento, Judith permanecera trabalhando na tal carta.

Estava cansada. Fora dali, o tempo estivera maravilhoso, era um adorável dia de primavera, com uma brisa morna e todos os narcisos do jardim do capitão assentindo com seus botões floridos, de maneira muito inquietante. Ao meio-dia, quando ela saiu para o almoço de guisado de carneiro e torta de ameixas, tinha visto as verdes encostas da Portsdown Hill alçando-se para o céu, e ficara um momento parada, contemplando saudosa a crista ondulada da montanha, aspirando o cheiro da relva recém-cortada e sentindo todo o seu corpo vibrar com esta jovem estação de ascendente seiva e renovação. Então, havia pensado, estou com vinte anos e nunca mais terei vinte anos outra vez. Ansiou por escapar e ser livre, poder andar por onde quisesse, escalar a montanha, respirar o ar puro, deitar-se sobre a turfa macia e ouvir o vento na relva, o canto dos pássaros. Em vez disso, meia hora para o guisado de carneiro e a volta para o abafado barracão que era o quartel-general temporário do Incremento de Instrução Militar.

Agora, ela folheou as páginas do documento, separando a primeira via das duas cópias a carbono. Deixou a última a um lado, destinada ao arquivo pertinente, depois enquadrou as outras, colocou-as em uma pasta de papelão e as levou para serem assinadas.

Isto requeria sair da sala de datilografia e passar pelo escritório principal, onde o tenente Armstrong e o capitão Burton, dos Fuzileiros da Marinha Real, continuavam em suas mesas de trabalho. Quando ela cruzou o piso, nenhum dos dois se virou ou ergueu a cabeça. A familiaridade havia gerado, se não o desdém, pelo menos uma profissional falta de interesse. No extremo oposto havia uma porta, com uma sigla em uma placa: I.I.M.

A paixão por siglas era um dos mais confusos riscos da guerra. O capitão-de-corveta Crombie passava muitas de suas horas de trabalho tentando despertar o interesse de seus superiores no desenvolvimento de um dispositivo conhecido como SAVI, que queria dizer Simulador Artificial Visual, Mark 1. Tendo estado datilografando cartas sobre este desditoso apetrecho durante os últimos seis meses, ela o apelidara privadamente de GIP (G.I.P. sendo o jargão militar para Grande e Inútil Porcaria). Logo depois do Ano-novo, o capitão-de-corveta Crombie comemorara um aniversário e, decidindo que podia colocar um pouco de humor na vida dele, Judith havia desenhado e colorido um cartão para seu chefe, tendo ainda escrito um poema.

O SAVI é sua última invenção,
Por especial requisição
E ao preço de um canhão.
Com modificações
E leves alterações,
A Cantina pode usá-lo para cozer macarrão.

A brincadeira não agradou. O capitão-de-corveta Crombie não estava com ânimo para risos, mas preocupado com o avançar da idade, suas possibilidades de promoção e a quota trimestral de matrícula no colégio do filho. Em vista disso, o cartão de aniversário foi uma espécie de fiasco e, dois dias mais tarde, Judith o encontrou na cesta de papéis do chefe.

— Entre.

Ele estava sentado atrás de sua mesa, usando perneiras, com ar sério. Às vezes, o capitão-de-corveta Crombie mostrava a expressão do homem sofrendo de uma dolorosa úlcera estomacal.

— Aqui tem a sua carta, senhor. Já datilografei os envelopes. Se quiser lê-la por inteiro e depois ligar me chamando, farei com que seja despachada ainda esta noite.

Ele olhou para seu relógio.

— Céus! É tão tarde assim? Já não devia ter ido embora?

— Bem, se eu não estiver nos alojamentos às sete, não terei o que comer.

— Não vamos permitir que isto aconteça. Se me trouxer os envelopes, providenciarei o envio. Assim, você não ficará sem comer.

Ele era um homem cujo latido era pior do que a mordida. Judith descobrira este particular havia muito e, desde então, nunca sentira qualquer temor dele. Após a queda de Cingapura e o eclipse de notícias de sua família, Crombie se mostrara enormemente preocupado com o bem-estar de sua subordinada e, sem constrangimento, agia como uma espécie de avô. Estava sempre pedindo notícias e depois, como as semanas passavam e nada acontecia, diplomaticamente deixando de pedi-las.

Ele tinha uma casa em Fareham, onde morava com a esposa e o filho. Logo após a notícia da capitulação de Cingapura tornar-se conhecida em um mundo horrível, convidara Judith para um almoço de domingo com sua família. Não sentindo a menor vontade de ir, mas muito sensibilizada pelo convite, ela aceitou prontamente, exibindo sorrisos de gratidão, como se a perspectiva lhe causasse nada mais senão prazer.

Nos domingos não havia ônibus para Fareham, de maneira que Judith teve de pedalar oito quilômetros em sua bicicleta para chegar à indistinta casa do capitão-de-corveta. A visita foi um fiasco ainda maior do que o cartão de aniversário, pois era claramente visível que a sra. Crombie suspeitava de envolvimentos sexuais, e seu marido não era o homem mais adequado para o leve toque da conversação casual. A fim de afastar dúvidas, Judith o tratou insistentemente de "senhor", tendo passado a maior parte da tarde no chão da sala de estar, ajudando o filho menor dos Crombies a construir um moinho de vento com seu conjunto Mecano. Foi realmente um alívio, quando chegou a hora de montar em sua bicicleta e pedalar os longos quilômetros de volta aos alojamentos.

De qualquer modo, o convite fora bem-intencionado.

Deixando-o sozinho para ler a carta, ela voltou à sua sala, cobriu a máquina de escrever, pegou os envelopes, seu casaco e o gorro. O tenente Armstrong e o capitão Burton também tinham decidido limpar suas mesas e dar o expediente por encerrado. O tenente Armstrong acendia um cigarro quando ela passou junto dele, e perguntou:

— Nós vamos tomar um drinque no "Coroa & Âncora". Quer ir também?

Ela sorriu. Evidentemente, os dois tinham concluído que era hora de desligarem, relaxarem e começarem a divertir-se.

— Obrigada, mas acho que não terei tempo.

— É uma pena. Encare como um *rain-check*.*

Esta era uma nova expressão que o tenente Armstrong aprendera com as forças americanas, chegadas ultimamente. Ainda não tendo descoberto seu significado, ela apenas respondeu:

— Obrigada. Farei isso.

De volta ao gabinete do chefe, Judith dobrou as cartas com imaculada precisão, colocou-as em seus envelopes, fechou-os e os deixou cair na bandeja "Saída" sobre a mesa dele.

— Se isso é tudo, estou indo embora.

— Obrigado, Judith.

Erguendo os olhos, ele exibiu um de seus raros sorrisos. Ela desejou vê-lo sorrir mais vezes. Chamá-la por seu primeiro nome também não era costumeiro. Judith perguntou-se quantos de seus problemas não seriam provocados pela fria e visivelmente ciumenta esposa, e sentiu pena dele.

— Não foi nada. — Ela vestiu o casaco, abotoou-o, e ele se recostou na cadeira, a fim de fitá-la. — Há quanto tempo — perguntou abruptamente — você não tem uma licença?

Ela mal conseguia lembrar.

— Desde o Natal?

— Então, já está em atraso.

— Quer livrar-se de mim?

---

* Gíria americana, significando a promessa de aceitar um convite em data posterior. (N. da T.)

— Muito pelo contrário. Apenas me parece um pouco cansada.

— Tem sido um longo inverno.

— Pense a respeito. Poderia ir em casa, à Cornualha. Voltar àquela sua casa. Uma licença de primavera.

— Vou pensar.

— Se quiser, falarei com sua primeiro-oficial.

Algo alarmada, Judith sacudiu a cabeça.

— Não. Não será preciso. Sei que tenho uma folga de fim de semana completo em atraso. Talvez a requisite.

— Acho que deveria requisitá-la. — Ele tornou a endireitar-se na cadeira e, novamente, voltou a ser o homem brusco de sempre. — Agora pode ir.

Judith sorriu para ele, com grande afeição.

— Boa noite, senhor.

— Boa noite, Dunbar.

Em meio ao dourado anoitecer de primavera, ela pedalou de volta aos alojamentos. Passou pela ponte de pedestres, subiu a Stanley Road e chegou à rua principal que corria para o lado norte da cidade. Enquanto pedalava, pensou na licença, em voltar à Cornualha... apenas por alguns dias. Estar com Phyllis, Biddy e Anna, fazer jardinagem em volta da casa, de joelhos e com o sol batendo nos ombros, arrancar ervas daninhas dos canteiros de rosas... Era tempo da cabana da horta ser desinfetada para a nova estação, e talvez também fosse hora de começar a procurar um novo jardineiro. Precisava de apenas alguns dias, e um fim de semana completo daria para tudo.

Era ridículo, mas quase o pior vazio deixado pela perda de contato com sua família, havia sido a certeza de que não haveria mais cartas. Vivera durante tanto tempo — quase sete anos — com a pequena e prazerosa antecipação da chegada de um envelope regular, cheio de notícias triviais e preciosas de Cingapura, que se tornara condicionada, e a cada vez que retornava aos alojamentos, precisava recordar-se de que nada havia a procurar no compartimento rotulado com a letra "D".

Nem mesmo a prometida carta de Jeremy Wells. Mais de dois meses haviam passado desde que se tinham despedido em Londres, e ele a deixara dormindo na cama de Diana. *Escreverei*, ele prometera. *Há tanta coisa a dizer. Mais cedo ou mais tarde.* Ela acreditara, porém nada havia chegado. Nada tinha acontecido. Isso era terrivelmente desanimador e, enquanto as semanas passavam e não surgia nenhuma carta, ela ia ficando consumida pelas dúvidas, não apenas em relação a ele, mas também sobre si mesma. Era inevitável emergir a desconfortável suspeita de que Jeremy lhe tinha feito amor exatamente pelo mesmo motivo de Edward. Afinal de contas, ela é que, sentindo-se mal e muitíssimo preocupada, pedira a ele que ficasse, que dormissem juntos, que não a deixasse. *Querida Judith*, ele a tinha chamado, mas quanto de seu ato amoroso fora produto da compaixão? *Escreverei*, havia prometido, mas não escrevera, e agora ela já deixara de ansiar pela carta dele.

De vez em quando havia pensado em escrever para Jeremy. Em dizer-lhe, como que por brincadeira, *Seu malvado, aqui estou eu, ansiosa por notícias, e você disse que me enviaria uma carta. Nunca mais acreditarei em suas palavras.* Ou algo parecido. Entretanto, receara ser precipitada, falar além do que devia. Talvez o assustasse com seu entusiasmo, da mesma forma como assustara Edward, com sua inoportuna declaração de amor eterno.

Afinal de contas, havia uma guerra devastando o mundo inteiro. Não era o momento de alguém assumir compromissos. (Palavras de Edward.) Não era oportuno fazer promessas.

Por outro lado, no entanto, agora não se tratava de Edward. Agora era Jeremy Wells, o epítome da lealdade e honestidade. Judith podia apenas imaginar que ele refletira melhor. Longe dela, prevalecera o bom senso. O amor de ambos, em Londres, havia sido simplesmente um interlúdio, extasiante, mas demasiado leve e efêmero para ser perseguido, à possível custa de uma preciosa amizade.

De cabeça deliberadamente fria, disse para si mesma que compreendia. Entretanto, não era verdade, porque não compreendia, em absoluto. O fato é que se sentia, não apenas decepcionada com ele, mas dolorosamente ferida.

Tais reflexões não muito alegres duraram por todo o trajeto até os alojamentos. Judith pedalou sua bicicleta até os fundos do feioso prédio, firmou-a no bicicletário e entrou, passando pelo Gabinete de Regulamento. A oficial de plantão nos alojamentos era uma mulher rechonchuda, de trinta e tantos anos, que em tempo de paz havia sido inspetora em uma escola preparatória para meninos.

— Olá, Dunbar, trabalhando até tarde?

— Havia cartas de última hora para enviar.

— Pobre garota. Não é justo. Telefonaram para você. Deixei uma nota em sua caixa de correspondência.

— Oh, obrigada...

— É melhor apressar-se, ou perderá a bóia.

— Eu sei.

Ela registrou sua entrada e depois dirigiu-se à prateleira de caixas de correspondência. Encontrou uma carta (de Biddy) e o recado em um pedaço de folha de bloco, onde a oficial dos alojamentos rabiscara "*Wren* Dunbar. 16:30. Chamada de Loveday Carey-Lewis. Ela pede que ligue de volta."

Loveday. O que Loveday desejaria?

Não havendo tempo para ligar antes do jantar, Judith foi direta para o refeitório, onde comeu uma fatia de carne assada, uma batata frita e uma porção de repolho cozido além do ponto. A sobremesa era um quadrado de bolo-esponja com um bocado de geléia de ameixa no topo. Parecia tão insosso, que ela o recusou. Subiu para seu quarto, onde mantinha escondidas algumas maçãs para serem consumidas quando tivesse fome. Mastigando a maçã, ela tornou a descer para o térreo, em busca de um telefone livre. Havia três, em pontos estratégicos, situados nas imediações dos apartamentos e, quando anoitecia, em geral havia uma fila de garotas, sentadas nos degraus, ouvindo cada palavra dita por quem usava o telefone, e aguardando a sua vez. Agora, contudo, Judith teve sorte. Talvez devido ao tempo quente, a maioria das *Wrens* tinha saído, e havia um telefone vago.

Ela discou o número de Nancherrow, depositou as moedas no aparelho e esperou.

— Nancherrow.

Judith apertou o botão e as moedas caíram tilintando, dentro da caixa.

— Quem fala?

— Athena.

— Athena, é Judith! Recebi uma nota, pedindo que ligasse para Loveday.

— Um momento, vou chamá-la. — O que Athena fez, gritando o nome de Loveday e quase deixando Judith surda. — Ela está vindo.

— Como vai Clementina?

— Muitíssimo bem. Está falando de um telefone público?

— Estou.

— Então fique calada, meu bem, ou seus xelins acabam. Até qualquer hora. Aqui está Loveday.

— *Judith*! Que bom ligar de volta! Tentei alcançá-la, mas disseram que você estava trabalhando. Ouça, vou ser bem rápida. Eu e mamãe iremos a Londres este fim de semana e ficaremos no Mews. Por favor, apareça lá e fique conosco. Vai poder? Faça o possível.

— Londres? O que vem fazer em Londres? Você detesta Londres!

— Explicarei quando chegar. Vamos estar juntas. Aliás, quero muito ver você. — Loveday parecia um tanto frenética. — Tenho um mundo de coisas para contar. Acha que poderá ir? Poderá conseguir uma folga?

— Bem, posso tentar um meio fim de semana...

— Oh, faça isso! Diga que é terrivelmente importante. Um caso de vida ou morte. Eu e mamãe vamos amanhã, de trem. Nada de gasolina para o pobre e velho Bentley. Amanhã é quinta-feira. Quando poderá encontrar-nos?

— Não sei. Ainda preciso ver. No sábado, o mais tardar.

— Perfeito. Eu estarei lá, mesmo que mamãe não esteja. Estarei à sua espera, a menos que você...

— Talvez eu não possa ir...

— Oh, é claro que vai poder! Dê aquela velha desculpa. Morte de parente. Qualquer coisa. É muitíssimo importante.

— Vou tentar...

— Formidável. Estou ansiosa para vê-la. — *Pip-pip-pip*, fez o telefone. — Até lá!

Houve um clique. A ligação terminara. Um tanto perplexa, Judith recolocou o fone no gancho. O que, afinal, estaria Loveday pretendendo? E por que vinha a Londres, um lugar que sempre jurara detestar? Evidentemente, não havia resposta para tais perguntas. O único ponto perfeitamente claro era que, no dia seguinte pela manhã, sua primeira providência seria comparecer à toca da primeiro-oficial e, de algum modo, persuadir a atemorizante mulher a assinar um passe de fim de semana, já para o dia seguinte. Se ela recusasse, Judith seguiria atalhos, apelando diretamente para a cooperação do capitão-de-corveta Crombie. A imagem dele, entrando em batalha ao seu lado, era bastante tranqüilizadora.

A primeiro-oficial do Serviço Feminino da Marinha Real era tão pouco prestativa como Judith receara, isto a forçando a uma desagradável dose de exposição de motivos e pedidos, antes que a mulher finalmente, com relutância e nenhuma disposição, assinasse o passe para o fim de semana. A humilhação deu resultado. Judith agradeceu profusamente e depois escapou o mais depressa que pôde, antes que a irascível e velhota solteirona mudasse de idéia.

Na sala externa, a *Wren* de plantão ergueu os olhos de sua máquina de escrever, em uma pergunta silenciosa. Judith fez uma careta, e respondeu erguendo um polegar.

— Que sorte a sua — murmurou a outra jovem. — Ela está com um gênio terrível esta manhã. Pensei que você já estava condenada, antes mesmo de abrir a boca.

Deixando-a entregue à sua datilografia, Judith voltou de coração leve para o setor do Incremento de Instrução Militar e, sem que lhe fosse pedido, preparou uma xícara de café para o caro capitão-de-corveta Crombie, apenas por sentir-se muito feliz em trabalhar para ele e não para uma mulher ríspida, com mania de poder.

***

O sábado revelou-se uma bela manhã de abril, sem uma nuvem no céu. Emergindo da cavernosa penumbra da estação de Waterloo, Judith decidiu entregar-se ao luxo de um táxi, e seguiu com toda pompa para Cadogan Mews. Londres se mostrava surpreendentemente encantadora, ao cálido sol de primavera. As árvores ostentavam folhas verdes recentes, os pontos bombardeados surgiam cobertos de relva rasteira e um pato-selvagem nadava na superfície imóvel de um tanque com água para emergências. No parque, crocos purpúreos espalhavam tapetes no gramado e narcisos oscilavam seus botões amarelos à brisa suave. Bem no alto, os balões de barragem cintilavam prateados aos raios do sol, bandeiras desfraldavam-se nas fachadas de prédios importantes, e as fisionomias dos transeuntes, caminhando pelas calçadas movimentadas, mostravam-se expectantes e sorridentes, ante um dia tão agradável.

O táxi parou na rua, perto do arco de pedra que dava entrada ao Mews.

— Aqui está bom para você, minha cara?

— Está ótimo.

Carregando a mochila com seus pertences, Judith caminhou pela extensão lajeada do Mews, onde as pequeninas casas ficavam frente a frente, com tinas e jardineiras nas janelas ostentando uma profusão de flores. Um gato aquecia-se ao sol, enquanto alisava os pêlos com a língua, e alguém improvisara um varal cheio de roupa lavada, dando a tudo aquilo uma certa aparência de Porthkerris. Ela olhou para cima. As janelas da casa de Diana estavam escancaradas, uma cortina agitava-se ao vento e a tina de madeira na porta amarela da frente transbordava de aveludados poliantos.

— Loveday! — ela chamou.

— Olá! — A cabeça de Loveday apareceu na janela aberta. — Você veio! Você é formidável! Vou descer e abrir a porta.

— Não se preocupe. Eu trouxe minha chave.

Ela abriu a porta, e Loveday estava em pé no alto da escada.

— Tive medo de que você não pudesse vir. Precisou inventar mentiras horrendas para que a deixassem sair?

— Não. Apenas fazer mesuras e rebaixar-me um pouco. — Ela subiu os degraus. — E ouvir um monte de conversa fiada sobre desejar uma folga de um momento para outro, dar um trabalho extra à sua equipe, ser tão sem consideração, comprovantes de viagem, etc., etc., etc. Tudo demasiado maçante. — Largando a mochila no chão, ela tirou o bibico e as duas abraçaram-se. — Onde está Diana?

— Fazendo compras, nem é preciso dizer. Vamos encontrar-nos às quinze para uma, no "Ritz". Tommy Mortimer oferece um almoço para todas nós.

— Nossa, que luxo! E eu nem tenho o que vestir...

— Você está espetacular assim mesmo, uniformizada.

— Não sei o que fazer. Bem, e daí? Com um pouco de sorte, não me expulsarão do restaurante, por eu não ser oficial.

Judith olhou em torno. Da última vez que estivera ali, o inverno estava em meio, escuro e frio. Agora, tudo tinha um aspecto diferente, a encantadora sala brilhava com a claridade do sol, estava refrescada pela brisa e cheia de flores. Flores de Nancherrow, trazidas da Cornualha, e a marca registrada de Diana.

Ela se deixou cair em um dos enormes e amplos sofás, com um suspiro de prazer.

— Isto é o paraíso. É como estar em casa novamente.

Diante dela, Loveday enovelou-se em uma das grandes poltronas.

— Devo admitir, embora não sendo louca por Londres, que esta é uma casinha muito agradável.

— Onde dormiremos todas?

— Nós duas ficamos com a cama de casal e mamãe fará companhia à tábua de passar.

— Não é muito justo.

— Ela não se importa. Diz que prefere a privacidade ao luxo. De qualquer modo, aquela cama é bastante confortável.

— Quando foi que chegaram?

— Na quinta-feira. Viemos de trem. Não foi tão ruim assim. E em Paddington, Tommy foi apanhar-nos de carro, o que é sempre mais confortável. — Loveday deu uma risadinha contida. — Sabia que ele ganhou uma medalha, por ser terrivelmente corajoso durante a *blitz*? E é tão modesto, que só contou para nós.

— Uma *medalha*? E o que fez ele para ganhar uma medalha?

— Salvou uma mulher idosa de sua casa pegando fogo. Irrompeu no meio da fumaça e do fogo, e a puxou para fora, pelas pernas, de baixo da mesa da sala de refeições.

Judith ficou boquiaberta de admiração e espanto. Não era fácil visualizar o elegante Tommy Mortimer, de terno e camisa de seda, entregando-se a tais atos de heroísmo.

— Que bom para ele! Espero que ela tenha ficado agradecida.

— Não ficou nem um pouco. Estava lívida, porque ele não salvou também o seu canário. Uma velha ingrata!

Loveday dava risadas. Judith achou-a mais bonita do que nunca e deliciosamente sofisticada em um vestido de lã fina azul-jacinto, com mangas curtas e gola de piquê branco. As pernas esguias estavam envoltas em meias de seda, ela calçava sapatos fechados, de couro preto e saltos altos, tinha os lábios pintados de batom vivo, os cílios estavam escurecidos e os olhos cor de violeta brilhavam. Entretanto, havia algo diferente...

— Você cortou o cabelo, Loveday.

— É, cortei. Mamãe disse que eu parecia um espantalho. Levou-me ontem ao Antoine's. Demorou horas.

— Ficou muito bem.

Loveday sacudiu a cabeça.

— Está um pouco curto, mas vai crescer. Lá em casa nunca tive tempo para mandar cortá-lo. Todos mandam lembranças para você. Papai, Athena, Mary, todo mundo. Incluindo os Nettlebed. Clementina está um doce. Tem um horroroso carrinho de bonecas, que empurra para todo lado.

— Têm notícias de Rupert?

— Continua lutando no deserto ocidental, mas escreve longas cartas para Athena e parece bem satisfeito. — Ela parou então, e ficou calada. As duas encararam-se, e um pouco da hilaridade morreu no rosto de Loveday. — Pelo menos — acrescentou pouco depois — ela tem notícias. Recebe cartas. — Suspirou. — E de sua família, suponho, nada?

Judith meneou a cabeça.

— Nem uma palavra.

— Eu sinto muito.

— É como se tivesse sido baixada uma persiana. Entretanto, o navio em que mamãe e Jess viajavam nunca chegou à Austrália. É tudo o que sei.

— Se foram salvas, imagino que tenham sido aprisionadas.

— Também acho.

— E seu pai?

Ela tornou a menear a cabeça.

— Nada. — Então, porque a pergunta tinha que ser feita: — E Gus? Imagino que não tenha recebido notícias dele, porque do contrário já me teria dito.

Por um momento Loveday ficou imóvel, de olhos baixos, os dedos beliscando a trança que ornava a poltrona. Então, levantando-se de súbito, caminhou para a janela e ficou contemplando o Mews, as costas voltadas para Judith, com a luz do sol transformando em auréola seu anelado cabelo escuro. Judith esperou.

— Gus está morto — disse Loveday, após um momento.

Judith sentiu-se gelar com o choque e, por um momento, foi incapaz de pensar no que dizer.

— Então, você *soube*. Recebeu notícias.

— Não. Mas eu sei.

— *Como* pode saber que ele está morto?

Enquanto espiava, abismada, viu Loveday encolher os ombros ossudos.

— Eu apenas sei. — Ela então se virou para Judith, recostando o peso contra o peitoril pintado de branco da janela. — Eu saberia, se ele estivesse vivo. Como soube, depois de Saint Valéry. Daquela vez, foi como um telefonema, só que sem palavras. Eu lhe contei como aconteceu, e tinha razão. Gus estava salvo. Agora, no entanto, está morto. Depois da queda de Cingapura, todos os dias eu me sentava no portão perto da propriedade dos Lidgey, fechava os olhos e ficava pensando e pensando nele, tentando enviar uma mensagem para Gus e querendo que ele me enviasse outra de volta. Entretanto, nada aconteceu, era sempre a escuridão e o silêncio. Ele morreu.

Judith estava horrorizada.

— Oh, Loveday, isso é o mesmo que *você própria* matá-lo! Não deve perder as esperanças. Gus precisa que você continue tendo esperanças e fique pensando nele, o tempo todo.

— É isso o que *você* faz?

— Não fale dessa maneira horrível, condescendente. Claro que é o que eu faço. Tenho de fazer!

— Acredita que sua mãe, seu pai e Jess ainda estejam vivos?

— Eu disse que tenho de acreditar. Por eles. Não vê o quanto isto é importante?

— Não é mais importante, se eu já sei que Gus está morto.

— Pare de ficar repetindo isso! Não pode ter tanta certeza. Só porque essa coisa de telepatia aconteceu uma vez, não significa que vá acontecer novamente. Naquela época, Gus estava na França, bem perto. Agora, está no outro lado do mundo.

— A distância não faz diferença. — Loveday mostrava-se obstinada, teimosa como sempre, uma vez convencida de alguma coisa e recusando-se a ser demovida de sua idéia. — A transmissão de pensamento cobre milhares de quilômetros em um milionésimo de segundo. Se ele estivesse vivo, eu saberia. No entanto, sei que foi morto.

— Oh, Loveday, por favor, não seja tão radical!

— O que posso fazer? Eu sou assim!

Parecia nada mais haver a ser dito. Judith suspirou.

— Era o que tinha para me contar? — perguntou, afinal. — Por causa disso queria que eu viesse a Londres?

— Eu queria contar-lhe isso... e mais outras coisas. — Judith esperou, com certa apreensão. Então, Loveday deixou sua bomba cair. — Vou me casar.

Falou em tom casual, como se fornecesse alguma informação inconseqüente e, por um momento, Judith pensou não ter ouvido direito.

— *O quê?*

— Vou me casar.

— Casar? — Agora não havia nenhum engano. — Com quem?

— Com Walter.

— *Walter.* Walter Mudge?

— Você conhece algum outro Walter?

Toda a idéia era tão inconcebível, que Judith ficou estonteada, como se alguém lhe houvesse desferido um golpe no plexo solar e a deixasse sem respiração para poder falar.

— Mas... — gaguejou finalmente — mas o que deu em você, para querer casar com Walter?

Loveday deu de ombros.

— Eu gosto dele. Sempre gostei.

— Eu também, mas isso não é motivo para que passe o resto de minha vida com ele.

— Não me venha dizer que Walter é de classe inferior, que não serve para mim, porque acabarei gritando com você...

— Eu nem sonharia dizer tais coisas, e você sabe perfeitamente que jamais diria...

— Seja como for, vou casar com ele. Quero casar.

Sem mesmo pensar, Judith disse:

— Oh, Loveday, mas você ama Gus...

Loveday deu meia-volta e encarou-a.

— Gus está morto! — gritou. — Eu já lhe disse! Portanto, nunca vou casar com ele. E não me diga para esperá-lo, porque de que adianta esperar um homem que nunca vai voltar para mim?

Prudentemente, Judith absteve-se de responder. Decidiu que precisava ser muito prática e muito calma, porque do contrário iam acabar envolvidas em absurda discussão, dizendo coisas terríveis que nunca poderiam ser apagadas, além de criarem uma situação que em nada ajudaria. Assim, mudou de tática.

— Ouça, você só tem dezenove anos. Mesmo tendo razão sobre a morte de Gus, há milhares de outros homens no mundo, homens adequados para você, esperando apenas para entrar em sua vida. Compreendo sobre você e Walter. Os dois sempre foram amigos. Trabalharam juntos, e você o vê o tempo todo. Entretanto, isto não significa que tenha de casar com ele.

— Sei que trabalho com ele. Entretanto, é possível que não possa continuar trabalhando. Estão convocando garotas da minha idade e, oficialmente, não sou uma jovem que trabalha a terra. Não sou coisa nenhuma. Não visto uniforme, como você.

— Certo, mas está fazendo um trabalho de guerra essencial...

— Não quero arriscar-me a ser convocada. E depois ser enviada para fabricar munições em algum lugar horrível. Jamais vou deixar Nancherrow.

— Está querendo dizer que vai casar com Walter porque tem medo de ser convocada? — Judith não conseguia ocultar a incredulidade de sua voz.

— É como *lhe disse*. Você sabe o que sinto, quanto a ser mandada para longe. Eu ficaria doente. Morreria. Você, mais do que ninguém, devia compreender o que digo.

Era como argumentar com uma parede de tijolos.

— Certo, mas, *Walter...* Loveday, o que você tem em comum com Walter Mudge?

Loveday ergueu os olhos cor de violeta para o céu.

— Oh, Deus, voltamos ao mesmo assunto! Você pode não falar, mas sei o que está pensando. Classe inferior, falta de instrução, trabalhador braçal. Um casamento abaixo da minha condição social. Um rebaixamento de meus padrões...

— Nada disso me passou pela cabeça...

— Já ouvi tudo isso, principalmente de Mary Millyway, que mal me dirige a palavra. Entretanto, nunca senti nenhuma falta dessas coisas em relação a Walter, muito menos em relação à mãe dele.

Como você também não sente, em se tratando de Joe Warren ou mesmo de Phyllis Eddy. Walter é meu amigo, Judith. Sinto-me bem na companhia dele, gosto de trabalhar com ele, nós dois adoramos cavalos, adoramos montar e trabalhar nos campos. Não percebe que somos o mesmo tipo de pessoa? Por outro lado, ele é atraente. Másculo e atraente. Sempre achei aqueles amigos de Edward, sem queixo e bem-nascidos, simplesmente repugnantes e de maneira alguma atraentes. Por que eu deveria ficar à espera de algum estudante de boa escola, mas sem miolos na cabeça, que viesse me deixar perdidamente apaixonada?

Judith balançou a cabeça.

— Não posso compreender como uma garota chegou a acumular tantos preconceitos fúteis, em tão pouco tempo.

— Eu pensei que *você* compreenderia. Que seria solidária. Que me apoiasse.

— Você sabe que eu a apoiaria até os confins da Terra. Acontece apenas que não posso ficar sentada e olhando, enquanto você transforma sua vida em semelhante confusão. Afinal de contas, *não tem* que casar com ele!

— Pois tenho. Eu vou ter um bebê!

Loveday falou gritando, como se Judith houvesse de repente ensurdecido. Depois disso, claro está, não houve mais nenhuma dúvida.

— Oh, *Loveday*...

— Não fique tão espantada. Isto acontece todos os dias. Mulheres engravidam. Têm bebês. Não é nenhuma coisa do outro mundo.

— Para quando é?

— Novembro.

— O pai é Walter?

— Naturalmente.

— Sei, mas... mas... quando... quero dizer...

— Não há necessidade de tanto rodeio e tanta delicadeza. Se quer saber quando o bebê foi concebido, será um prazer contar-lhe. Foi em fins de fevereiro, no jirau do feno, acima dos currais. Sei que é um pouco banal. Muito Lady Chatterley, muito Mary Webb ou até de folhetim vulgar. Algo indecente, no galpão de guardar lenha. Enfim, foi como aconteceu, e não me sinto nem um pouco envergonhada.

— Você pensou que Gus estivesse morto?

— Eu sabia que estava. Sentia-me infinitamente solitária e infeliz, sem que ninguém pudesse fazer algo para ajudar-me. Eu e Walter estávamos cuidando dos cavalos quando, de repente, comecei a chorar e lhe contei sobre Gus. Ele me tomou nos braços, beijou meu rosto para enxugar as lágrimas, e eu nunca poderia imaginar que fosse tão gentil, tão meigo e tão doce... e no jirau havia feno recém-cortado, macio e cheiroso... Os cavalos estavam mais abaixo, eu podia ouvi-los movendo-se por ali, e foi a coisa mais confortadora que já me tinha acontecido. Não parecia errado, em absoluto. — Ela se calou por um instante, e depois disse: — E continua não parecendo. Não pretendo sentir-me culpada.

— Sua mãe sabe?

— Naturalmente. Contei para ela, assim que tive certeza. Papai também sabe.

— E o que eles disseram?

— Ficaram um pouco espantados, mas foram bondosos. Disseram que, se não quiser, não tenho de casar com ele. Mais um bebê em Nancherrow não faria a menor diferença, e seria uma excelente companhia para Clementina. Então, quando falei que *queria* casar com Walter, e não apenas por causa do bebê, eles ficaram um pouco vacilantes, mas disseram que a decisão era minha, era a minha vida, enfim. Por outro lado, eles sempre apreciaram a família Mudge e agora, sem Edward, pelo menos sabem que não vou deixá-los, que sempre estarei por perto. Creio que isto é mais importante para eles do que quaisquer coisas tolas como o passado e a criação de Walter.

Para quem conhecesse os Carey-Lewis, tudo isto era perfeitamente compreensível. Em seu estilo fascinante e de classe superior, eles sempre tinham vivido segundo suas próprias leis. A felicidade dos filhos estava acima de qualquer outra coisa, e sua lealdade para com esses filhos sempre seria da máxima importância, ignorando tradições sociais ou problemas sobre o que diriam os outros. Ombro a ombro, Diana e o coronel estavam claramente tirando o melhor proveito da situação: continuariam agindo exatamente como antes e, chegado o momento, ficariam encantados com o novo neto. E Judith sabia que, em vista de tal solidariedade, as opiniões e atitudes do resto do mundo — incluindo ela própria — simplesmente não interessavam.

Significava, então, a inutilidade do prolongamento de uma discussão. Diana e o coronel já tinham dado sua bênção, e o mais sensato que podia fazer era juntar-se a eles e, graciosamente, aceitar o inevitável, fossem quais fossem as conseqüências. De qualquer modo, era um imenso alívio, porque ela agora podia parar de mostrar-se indignada e furiosa, para começar a ficar satisfeita e interessada.

— Eles têm que ser o máximo. Como pais, quero dizer. Aliás, eu sempre soube que eram. — De repente ela estava sorrindo, a despeito do ardor de lágrimas ridículas por trás dos olhos. Levantou-se do sofá. — Oh, Loveday, eu sinto muito, não tinha o direito de intrometer-me. — Loveday caminhou para ela, as duas encontraram-se no meio da sala e estavam ambas rindo e trocando beijos. — Apenas fiquei um pouco confusa. Surpresa. Esqueça tudo o que eu disse. Você e Walter serão felizes.

— Eu mesma queria contar para você. Explicar. Não desejava que soubesse por mais alguém.

— Quando será o casamento?

— No mês que vem. Em qualquer dia.

— Rosemullion?

— É claro. E depois um almoço festivo, em Nancherrow.

— O que vai usar? Um vestido rodado de cetim branco e rendas de família?

— Deus me livre! Provavelmente o vestido de crisma de Athena ou coisa parecida. Com franqueza, eu não gostaria de ser casada em branco virginal, mas temos que manter as aparências.

— E quanto à recepção? — perguntou Judith, de repente começando a achar tudo aquilo muitíssimo excitante.

— Pensamos em uma cerimônia pela manhã, e depois o almoço... Odeio casamentos à tarde. Estragam o dia. Você irá, não é mesmo?

— Eu não perderia seu casamento por nada. Vou solicitar imediatamente uma semana de licença. Quer que eu seja dama de honra?

— Você gostaria?

— Um vestido de tafetá abricó, com anáguas rendadas?

— Túnica pregueada e uma touquinha tipo Julieta?

— Buquê de cravos e avencas?

Estava tudo bem. E elas unidas novamente. Uma não havia perdido a outra.

— E enormes sapatos de cerimônia da corte, em cetim abricó e saltos parecidos com privadas.

— Não quero ser dama de honra.

— Ora essa, por que não?

— Porque poderia ofuscar a noiva.

— Oh, ha-ha-ha!

— Onde vão morar, você e Walter?

— Há um velho chalé em Lidget, um pouquinho arruinado, mas papai vai dar um jeito nele para nós e acrescentar um banheiro adequado. Tem apenas dois cômodos, mas servirá por enquanto, e Walter vai limpar o terreno em volta, dando fim a todas as urtigas e velhas cabeceiras de cama que há por lá.

— Um verdadeiro ninhozinho de amor. E sobre a lua-de-mel?

— Em realidade, ainda não pensamos a respeito.

— Vocês devem ter uma lua-de-mel!

— Athena não teve.

— Que tal todo um fim de semana na rua Gwithian?

— Ou duas noites na rua Camborne? Seria ótimo. Ouça... — Loveday olhou para seu relógio. — É meio-dia. Temos que sair para o "Ritz" em um momento. Vamos tomar um drinque. Trouxemos de Nancherrow um pouco de gim e uma garrafa de laranjada. Estão na geladeira.

— Acha que deveríamos? Conhecendo Tommy Mortimer, nosso almoço promete ser razoavelmente regado.

— Será um drinque apenas para nós duas. De qualquer modo, eu preciso de um. Estive apavorada enquanto contava tudo a você, imaginando que ficasse indignada e dissesse que nunca mais falaria comigo.

— É assim que Mary Millyway está?

— Oh... — Loveday não se preocupou com Mary. — Ela acabará voltando às boas. Terá de voltar. Afinal de contas, é a única que poderá fazer o vestido de crisma de Athena parecer remotamente nupcial. Agora, vá enfeitar-se para o "Ritz", enquanto preparo nossos coquetéis.

Loveday caminhou para a escada e então, antes de começar a descer, fez uma pausa e girou, sorrindo como a garota sapeca que Judith recordava dos dias de colégio.

— O que me diz de... Santa Úrsula agora?

— Deirdre Leadingham ficaria seriamente chocada. Provavelmente nos tiraria pontos no comportamento.

— Graças a Deus estamos adultas. Nunca pensei que isso fosse muito divertido, mas é divertido, concorda?

Divertido. A jovialidade de Loveday era contagiosa, e Judith sentiu uma súbita animação. As sombrias marés da guerra recuaram, com todas as suas ansiedades e angústias, e logo ela se viu invadida pela felicidade irracional da infância, algo que há muito tempo não experimentava. Afinal de contas, ambas eram jovens e bonitas, o sol estava brilhando, o ar tomado pelo perfume das flores da primavera. Loveday ia casar, e Tommy Mortimer oferecia-lhes um almoço de primeira ordem no "Ritz". E, mais importante do que tudo, elas continuavam amigas.

Sorriu. Depois disse:

— Sim. Sim, é divertido.

O convite de Tommy Mortimer era tudo quanto alguém poderia desejar. Uma mesa junto a uma janela do belo restaurante, com vista para o parque, e seu anfitrião exibindo o máximo de fascínio. Ele e Diana já haviam chegado e estavam sentados no saguão, esperando, até as duas jovens serem catapultadas para o interior do magnífico hotel, através de suas portas giratórias. Seguiram-se então vários momentos de ruidosos cumprimentos, todos parecendo extremamente satisfeitos em se verem. Fazendo jus à sua fama e galanteria, Tommy Mortimer mostrava-se como sempre, e Diana, trajada para Londres, era um prazer para olhos doloridos, em um liso e macio conjuntinho preto, com um atrevido e maroto chapéu preto inclinado para um olho. Não fizeram pausa para um aperitivo, indo diretamente para o restaurante, onde uma garrafa de champanha aguardava no gelo de um balde de prata, no centro de sua invejável mesa.

Foi uma refeição esplêndida. O sol penetrava pela janela, a comida estava deliciosa, e o vinho fluiu. Diana estava em maravilhosa forma. Esta era sua primeira visita a Londres desde o começo da guerra, mas parecia nunca ter-se ausentado dali. Outros convivas, velhos amigos não vistos durante anos, quando a viam faziam uma pausa para uma ligeira conversa, a caminho de suas mesas. Outros, descobrindo-a através do salão, acenavam e jogavam beijos, do lugar que ocupavam.

E ela falava excitadamente sobre o próximo casamento de Loveday, como se fosse a coisa mais maravilhosa que já acontecera, e exatamente o que teria planejado para sua filha mais nova.

— Foi isso que nos trouxe à cidade. Viemos encomendar convites e tentar comprar uma espécie de enxoval. Ontem passamos o dia inteiro examinando artigos, não foi, queridinha?

— E quanto a cupons para roupas? — perguntou Judith, sempre prática.

— Oh, não há problema, meu bem. Fiz um pequeno negócio com Hetty. Dei-lhe uma boa pilha de roupas que Athena não usa mais e, em troca, ela me deu cupons cobrindo seis meses. Hetty achou que levou a melhor na troca. Aliás, levou, de fato.

— Pobre Hetty — Judith teve que dizer.

— De modo nenhum! Ela ficou deliciada. Nunca teve um guarda-roupa igual. Além disso, *será* convidada para o casamento. Naturalmente, convidaremos também Phyllis, Biddy e Bob.

Bob. Judith franziu o cenho. Ausente de Nancherrow e da Dower House, ela se sentia um tanto desnorteada, e a menção do nome de Bob (Bob nunca havia sido parte da Cornualha) a pegou desprevenida.

— Está falando de tio Bob? Bob Somerville?

— Ora, naturalmente! Ele teve uma licença na primavera, apenas alguns dias, e Biddy o levou para jantar em Nancherrow. Ele e Edgar entenderam-se às mil maravilhas. Que homem agradável!

— Biddy deve ter-me escrito e contado, mas esqueci. Eu me pergunto se ele conseguiria vir.

— Espero que consiga. Estaremos com uma certa escassez de homens atraentes. Teremos apenas bancos de igreja cheios de velhos amigos e conhecidos, de bengala na mão.

— Fale-me sobre o casamento. Conte-me todos os seus planos.

— Bem... — Diana estava em seu elemento. — Pensamos em uma espécie de *fête champêtre* no pátio... ficaria muito mais original do que um almoço abafado, dentro de casa. Sabe como é, medas de feno, barricas de cerveja e mesas montadas em cavaletes...

— E se chover?

— Oh, não choverá. Pelo menos, não creio que chova. Por minha causa. A chuva não ousaria cair.

Tommy riu, achando graça em sua complacência.

— Quantos convidados comparecerão a essa festança? — perguntou.

— Estivemos fazendo a conta no trem, não foi, Loveday querida? A igreja de Rosemullion só comporta oitenta pessoas, bem comprimidas, portanto, não mais do que isso. Para a igreja, imaginamos cântaros de flores silvestres e molhos de cerefólios. E feixes de espigas de trigo com laços de fita branca na extremidade de cada banco. Algo realmente campestre. Tommy, por que essa cara?

— Estou me lembrando de *Bem Longe da Multidão Inconsciente*.

— O que planejamos nada tem de melancólico. É muito mais alegre do que isso.

— Que hinos iremos cantar? "Nós Aramos os Campos e os Semeamos"? Ou "Louras Ondas de Dourado Trigal"?

— Não acho a menor graça, Tommy. Não seja exagerado!

— Devo usar meu fraque ou esperam que vista *tweeds* com um anzol espetado no chapéu?

— Use o que você quiser. Veludo cotelê com barbante entrançado, se isso o deixa feliz.

— O que quer que a deixe feliz, também me faz feliz — disse Tommy.

Ela lhe jogou um beijo formado com a boca, e disse que talvez fosse hora de pedir o café.

O ânimo ebuliente e alegre de Diana durou o resto do dia, e ela conseguiu transmitir às duas jovens sua energia e efervescência. Terminado o almoço, o pequeno grupo dispersou-se — Tommy para retornar à Regent Street, Diana e Loveday de volta à casa Harrods, e Judith saindo sozinha em busca de um presente apropriado de casamento para Loveday e Walter. Tomou um ônibus para Sloane Square e Peter Jones, por onde perambulou, deliberando a respeito de coisas como panelas e colheres de pau, capachos e abajures com cúpulas. Entretanto, nada disso a deixou particularmente interessada, de maneira que se embrenhou na rede de ruelas ao norte da King's Road. Após algum tempo, no meio de pequenos *pubs*, ela deu com uma minúscula loja de quinquilharias, exibindo na calçada móveis antigos de duvidosa aparência. Além de sua vitrine poeirenta, havia caixas forradas de veludo contendo talheres de mesa, xícaras e pires desaparelhados, soldados de chumbo, peças de xadrez em marfim, urinóis antigos, estatuetas de bronze e fardos de desbotadas cortinas de pelúcia. Esperançosa, aventurou-se a entrar e, quando empurrou a porta, uma sineta tilintou. Às suas narinas chegou o cheiro de mofo e poeira; ali dentro estava escuro e empoeirado, em uma confusão de móveis mal entrevistos na penumbra, caixas metálicas para carvão e gongos de latão, mas de um aposento dos fundos emergiu uma senhora idosa, usando avental e um enorme chapéu. Após ligar uma ou duas lâmpadas mortiças, ela perguntou à visitante se queria alguma coisa. Judith explicou que procurava um presente de casamento.

— Esteja à vontade — disse a velha senhora.

Sentando-se majestaticamente em uma desconjuntada cadeira de braços, ela acendeu a ponta de um cigarro. Judith passou uns felizes quinze minutos abrindo caminho pela lojinha enquanto inspecionava vários objetos improváveis, mas finalmente encontrou o que estivera procurando. Uma dúzia de pratos de jantar da marca "Mason", em resistente louça branca, sem lascados e em perfeitas condições, com seus fortes azuis intensos como o mar, os cálidos vermelhos no matiz original, inalterados. Eram úteis e decorativos ao mesmo tempo e, se Loveday não quisesse comer neles, sempre poderia expô-los em alguma prateleira.

— Vou levar estes, por favor.

— Perfeitamente.

A velha senhora deixou cair a ponta do cigarro no chão, pisoteou-a com o salto de seu chinelo de quarto e içou-se da cadeira de braços. Levou algum tempo embalando os pratos, enrolando cada um em folhas de jornal e depois colocando-os dentro de uma velha caixa de mercearia que, em conseqüência, ficou pesando uma tonelada. Judith pagou, ergueu nos braços o pesaco volume e retornou à King's Road, onde, após alguma espera, conseguiu encontrar um táxi que a conduziu ao Mews.

A essa altura já eram quase quatro e meia, porém Diana e Loveday só chegaram uma hora mais tarde, carregadas de embrulhos e sacolas, ambas queixando-se vociferantemente dos pés doloridos, mas ainda e miraculosamente em condições de conversar. Haviam passado momentos deliciosos, a expedição tinha sido um sucesso absoluto, mas agora estavam morrendo por uma xícara de chá. Assim, Judith colocou a chaleira no fogo, preparou uma bandeja e fez torradas quentes amanteigadas. Uma feliz meia hora foi passada na exibição e apreciação de todas as adoráveis roupas novas que haviam sido adquiridas. Quando finalmente Loveday terminou, com a sala entulhada de roupas e papel de seda, Judith apanhou a caixa de mercearia atrás do sofá, onde a tinha escondido, e a depositou aos pés da amiga.

— Aí tem o seu presente de casamento — disse.

O primeiro prato foi desembrulhado entre exclamações de agradecida delícia e admiração de mãe e filha.

— Oh, mas eles são um *encanto*!

— Não precisa desembrulhar o resto. São todos iguais e há uma dúzia deles.

— Maravilhoso. Você não poderia me dar nada mais bonito. Estivemos olhando os pratos, porém eles eram todos para uso diário e vulgarmente brancos. Estes aqui são lindos. *Lindos*! Onde foi que os achou?

Judith contou. Depois acrescentou:

— Infelizmente, terão de levá-los no trem, com vocês. São terrivelmente pesados. Será que não haverá problemas?

— De modo algum. Encontraremos um carregador ou um trólei, qualquer coisa para transportá-los até o trem, e papai irá apanhar-nos em Penzance.

— Eles são quase bonitos demais para usar — comentou Diana.

— Vou expô-los — decidiu Loveday. — Acharei alguém que me dê um aparador e poderei exibi-los. Eles encherão minha casinha de alegria. Obrigada, Judith querida. Muito, muito obrigada!

Assim, tudo transcorreu da maneira mais satisfatória possível. Elas acomodaram-se, tomaram o chá e comeram torradas. Diana consultou seu pequeno relógio de pulso e anunciou ser hora de todas começarem a aprontar-se para o divertimento noturno, porque Tommy conseguira entradas para a revista *Strike It Again* e ia levá-las ao teatro.

Devido a todas essas agradáveis atividades, foi somente na manhã seguinte que Judith se viu a sós com Diana. Loveday ainda não acordara, de modo que as duas fizeram o *breakfast* juntas, na mesa da cozinha... um *breakfast* adequado — ovos cozidos de Nancherrow e copiosas xícaras de café recém-coado. Foi só então que puderam discutir tópicos mais graves e sérios do que o casamento de Loveday, ou seja, o destino da família Dunbar, surpreendida no Extremo Oriente pela guerra japonesa.

Diana quis saber cada detalhe de tudo quanto ocorrera e quando tinha ocorrido. Mostrou-se tão solidária e compreensiva, que não foi muito difícil para Judith falar sobre o triste desenrolar dos acontecimentos, culminando na última notícia que havia transpirado, isto é, que o navio *The Rajah of Sarawak* jamais chegara à Austrália.

— Você acha que o navio delas foi torpedeado?

— É possível, embora não haja nenhuma confirmação oficial.

— Que coisa terrível! Coitada de sua mãe! Obrigada por contar-me. Às vezes, falar faz bem. Evitei propositadamente dizer qualquer coisa ontem, quando estávamos todos juntos, por achar que o momento não era oportuno. E eu queria que o dia de ontem fosse de Loveday. Espero que não me tenha achado demasiadamente despreocupada e sem interesse. O que quer que aconteça, sabe que *nós* sempre estamos lá. Edgar e eu. Pensamos em você como uma outra filha. Se um dia precisar de um ombro para chorar, é só pegar o telefone.

— Eu sei disso. Você é maravilhosa, Diana.

Diana suspirou, largou a xícara de café e pegou um cigarro.

— Penso que só nos resta ficar esperando o melhor.

Sentada ali, em seu robe de cetim pêssego, com o rosto adorável sem sombra de maquiagem, de repente ela pareceu imensuravelmente triste. Judith esperou ouvi-la dizer alguma coisa sobre Gus, porque o nome dele, ainda não pronunciado, pairava no ar entre elas. Entretanto, Diana permaneceu calada, e Judith percebeu que, se fossem falar a respeito, então ela deveria ser a primeira a tocar no nome dele. Foi preciso certa dose de coragem, porque sempre havia a possibilidade de que Diana lhe abrisse o coração, confidenciasse as próprias dúvidas sobre as intenções de Loveday e, sendo tão íntimas como eram, Judith receava tais confidências, que a deixariam presa no terrível laço de lealdades divididas.

— Sempre achei que a esperança era como uma faca de dois gumes. Loveday cessou de ter esperanças, não foi? Está certa de que Gus foi morto.

Diana assentiu.

— Eu sei. Absolutamente convencida. Trágico demais. O que se pode dizer? Imagino que, se Loveday sente isso com tanta força, então ele deve mesmo estar morto. Os dois tinham muitas afinidades, compreenda. A identificação entre eles foi instantânea. Era bonito vê-los. Extraordinário. Ele apareceu em Nancherrow, de repente, e foi como se sempre estivesse presente. Um homem tão tranqüilo, tão simpático, tão talentoso e artista... Além de apaixonado. Eles nunca tentaram esconder que se amavam.

Diana calou-se. Judith esperou que ela continuasse, mas parecia que nada mais tinha a dizer. Gus se fora, como água fluindo sob uma ponte, e agora Loveday esperava um filho de Walter, ia casar com ele. Tarde demais para reflexões, não havia mais tempo para dúvidas. Diana e Edgar não voltariam atrás na decisão tomada e ninguém, nem mesmo Judith, ficaria sabendo como eles de fato se sentiam.

Após um instante, Judith falou:

— Talvez Loveday esteja certa. A esperança não é um terreno sólido o bastante para construir-se uma vida sobre ela. Entretanto, a alternativa é tão improvável... e se for tudo que se tem... — Então, sem pensar, acrescentou: — Jeremy disse que era importante manter-se a esperança... — e imediatamente mordeu a língua, porque Diana logo ficou alerta.

— Jeremy? Quando foi que esteve com ele?

— Oh, um dia qualquer. — Desconcertada, furiosa consigo mesma, Judith esforçou-se ao máximo para manter o controle. — Creio que em janeiro. Não me lembro direito. Foi pouco antes da queda de Cingapura. Ele estava de passagem por Londres.

— Há séculos não o vemos. Ele estava bem?

— Pelo menos, parecia estar. Esperava uma promoção. Creio que para cirurgião-chefe ou coisa assim.

— Agora que você falou nisso, creio que o pai dele contou para Edgar. Um rapaz muito inteligente. Preciso mandar-lhe um convite para o casamento. Onde está ele?

— Não faço a menor idéia.

— Ele não deixou um endereço?

— HMS *Sutherland*, Posta-restante.

— Demasiado vago. Não quer dizer nada. Oh, esta maldita guerra! Todos espalhados por aí. Dispersos. Como estilhaços de granada.

— Eu sei — disse Judith, compreensiva — mas não há nada que a gente possa fazer a respeito.

De repente, Diana sorriu.

— Judith querida, como você é sensata! Está com toda a razão. Agora, ponha-me mais uma xícara de café e vamos decidir como passaremos esta linda manhã. Tommy quer levar-nos para almoçar, mas, se conseguirmos arrancar Loveday da cama, haverá tempo para um passeio no parque... Não percamos nem mais um minuto...

Bem, de volta à rotina outra vez. Naquele anoitecer, entretanto, voltando de trem para Portsmouth, Judith ficou olhando pela janela e refletindo nos espantosos acontecimentos daqueles dois últimos dias. Loveday e Walter. Casados. Um casal. Sozinha, sem o estímulo dos lautos almoços e da agradável companhia, ela sentia diluir-se a euforia do fim de semana, substituída por suas reservas íntimas, que agora lhe enchiam a mente. Loveday era e sempre tinha sido uma amiga muito especial, porém Judith conhecia bem demais seu temperamento caprichoso e sua obstinada determinação. O maior receio de Loveday sempre havia sido o de que a guerra, de algum modo, fosse capaz de arrancá-la de Nancherrow. A ameaça de uma convocação oficial era suficiente para deixá-la em pânico. Com Gus morto e perdido para sempre (conforme ela acreditava), nada a impedia de voltar-se para Walter. Casada com Walter estaria segura em Nancherrow para sempre. Não era difícil entender o funcionamento da mente de Loveday, mas Judith esperava que fosse verdade o que ela lhe contara: que Walter é que a seduzira no jirau do feno, e não a própria Loveday, após avaliar as vantagens que tal ato lhe traria.

Mais tarde, faltando um dia para completar duas semanas, Judith recebeu o convite oficial para o casamento de Loveday. Descobriu-o ao voltar de Whale Island para os alojamentos, pomposamente grande e depositado na caixa apropriada, em meio a toda a correspondência restante. Segundo parecia, Diana não tinha perdido tempo. Um grosso envelope em papel de linho e uma folha dupla daquele luxuoso papel com linha d'água, de cuja existência Judith chegara a esquecer. Imaginou Diana vasculhando seus apetrechos de correspondência para desencavar algum precioso estoque de antes da guerra, e depois persuadindo o impressor a executar sua encomenda com urgência. O resultado era uma maravilha de luxuosa impressão em relevo, quase régia, em seu esplendor. Semelhante convite deixava claramente à vista que nada havia de censurável a respeito *deste* acontecimento.

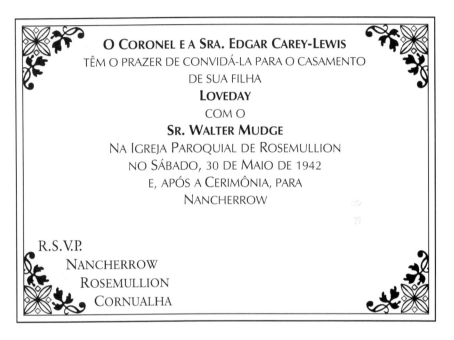

O CORONEL E A SRA. EDGAR CAREY-LEWIS
TÊM O PRAZER DE CONVIDÁ-LA PARA O CASAMENTO
DE SUA FILHA
LOVEDAY
COM O
SR. WALTER MUDGE
NA IGREJA PAROQUIAL DE ROSEMULLION
NO SÁBADO, 30 DE MAIO DE 1942
E, APÓS A CERIMÔNIA, PARA
NANCHERROW

R.S.V.P.
NANCHERROW
ROSEMULLION
CORNUALHA

Dentro do convite fora enfiada uma comprida carta de Loveday. Judith levou o envelope para seu quarto, prendeu-o na moldura do espelho sobre a cômoda e sentou-se em seu beliche, a fim de ler a carta.

14 de maio, Nancherrow

Querida Judith. Foi tão delicado de sua parte ir a Londres e ser tão gentil, e nós adoramos estar com você. Continuo trabalhando com Walter, pois mamãe, Mary e a sra. Nettlebed são muito mais eficientes do que eu e, além de ter de ficar imóvel, enquanto Mary espeta alfinetes em mim (francamente, o vestido de crisma ficou bastante bom), parece não haver muito mais que eu possa fazer, senão atrapalhar. Walter e eu, quando não estamos na fazenda, tentamos limpar o jardim do chalé. Com o trator, ele retirou uma enorme quantidade de velhas cabeceiras de cama, carrinhos de bebê inaproveitáveis, baldes sem fundo e uma variedade de objetos indesejáveis, depois removeu a terra com o arado e fez uma plantação de batatas. Ele diz que isso é para limpar o solo. Felizmente, quando as batatas forem colhidas, ele plantará relva ou coisa assim, de modo que teremos um GRAMADO. *Os operários estão praticamente destruindo o chalé. (Acho que papai moveu algum cordão no Conselho do Condado ou seja o que for — algo inteiramente contra os seus princípios, mas as restrições sobre construções são muito severas e, se ele não puxar algum cordão, nunca chegaremos a lugar nenhum.) Seja como for, está tudo estripado, para depois ser levantado novamente e, além dos dois aposentos, haverá um banheiro em um lado e uma espécie de "quarto de sujeira" nos fundos, com piso de pedra, onde Walter poderá tirar as botas e pendurar seu macacão em um cabide. Teremos um fogão novo e assoalhos também novos. Acho que a casa vai ficar muitíssimo aconchegante.*

Mamãe e papai passam noites agonizantes tentando compor uma lista de convidados, porque estamos muito limitados em números. Papai está sendo incrivelmente justo: quarenta amigos nossos e quarenta dos Mudge. De qualquer modo, estão sendo convidadas todas as pessoas certas, incluindo o governador do condado, Biddy e Phyllis, o caro sr. Baines, o doutor Wells e esposa, além de vários outros amigos íntimos. Do lado dos Mudge é um pouco mais difícil, uma vez que eles têm muitos parentes e, que me conste, todos casados com primos etc. En-

tretanto, você ficará satisfeita em saber que os Warren (parentes distantes pelo casamento) foram convidados. Escrevi para Heather e também a convidei, mas ela disse que não pode ausentar-se; fico contente por não trabalhar em seu horrível Departamento Secreto — a coitada parece não ter nenhuma espécie de vida, afinal. Você gostará também de saber que a sra. Mudge comprou dentaduras novas para a ocasião, assim como um vestido de crepe azul e um chapéu "para combinar". O vestido e o chapéu combinam bem, mas não com as dentaduras novas. Aliás, ela pretende também fazer um permanente nos cabelos.

Mamãe está absolutamente otimista sobre o tempo e planejando seu almoço ao ar livre, no pátio. Papai não parece tão otimista e insiste em fazer o que chama de "planos de contingência", isto significando transferir todo mundo para a sala de refeições, caso os céus se abram. A sra. Nettlebed queria fazer tudo, mas, com o racionamento, é impossível, de modo que foi contratado um fornecedor de Truro. Mamãe lhe disse que não é para fazer daqueles bolos cheios de creme e mil coisas mais. E o governador do condado prometeu dois salmões, de modo que, com um pouco de sorte, o almoço não será tão ruim.

Não teremos champanha, porque não conseguimos nenhuma, e papai disse que está reservando sua última caixa para o dia em que Rupert voltar para casa e a guerra terminar. De qualquer modo, haverá uma espécie de agradável vinho borbulhante (África do Sul?) e um tonel de cerveja.

O sr. Mudge contou sigilosamente para papai que tem enterrado em sua horta um barril de pura aguardente, e o ofereceu como outra forma de bebida alcoólica. Aparentemente, ele o recolheu junto aos penhascos, depois de um naufrágio há dois anos, e o escondeu dos agentes alfandegários e dos coletores de impostos. Muito excitante. Puro Daphne du Maurier. Quem pensaria isto dele? De qualquer modo, papai considerou que podia ser um pouco perigoso dar aguardente pura aos nossos convidados, e disse ao sr. Mudge que era melhor o barril continuar onde estava.

Afinal, foi incrivelmente generoso.

O sr. Nettlebed é um homem curioso. A gente imaginaria que ele se sentiria em seu elemento com todos estes arranjos sociais sendo feitos, mas na verdade, sua maior preocupação, tão logo anunciamos nosso noivado, foi com o que Walter irá vestir. Dá para acreditar? O fato é que Walter simplesmente ia usar seu único terno, o mesmo que às vezes usa nos funerais, embora eu deva dizer que fica com uma aparência algo estranha, porque o terno pertenceu a um tio de pernas mais compridas que as dele, e a sra. Mudge nunca se deu ao trabalho de levantar a bainha das calças. Afinal, Nettlebed o encurralou no pub de Rosemullion, pagou duas cervejas e o convenceu a deixá-lo cuidar do assunto. Assim, sábado passado eles foram a Penzance e Nettlebed o levou ao Medways, onde o fez escolher um terno de flanela cinza, e incumbiu o alfaiate de ajeitá-lo, para que fique um terno realmente elegante. Os dois compraram também uma camisa creme nova e uma gravata de seda. Walter tinha os cupons, mas Nettlebed pagou por todas as roupas novas, e disse que era um presente de casamento. Que gentileza! Agora, en-cerrado este aspecto, Nettlebed parece muito mais satisfeito e podendo concentrar-se na contagem das colheres e garfos e no polimento dos copos de vinho.

Escrevi tanto, e ainda não lhe agradeci devidamente pelos pratos. Conseguimos trazê-los para casa sãos e salvos, e acho que a sra. Mudge irá dar-nos um aparador que foi de sua mãe, a fim de que eu possa arrumar os pratos nele, ficando assim ainda mais bonitos. Foi uma grande gentileza sua, e Walter também os achou lindos. Ganhamos também outros presentes de casamento. Um par de lençóis (ainda com a fita azul em torno deles e, portanto, sem uso, mas terrivelmente encardidos, por terem levado anos guardados no armário de roupas de cama de alguém), uma almofada coberta de quadrados tricotados, um capacho para limpar botas e um adorável bulezinho de chá georgiano de prata.

Espero que, a esta altura, você tenha mesmo conseguido a licença prometida, porque precisamos de sua ajuda e da de Biddy na ornamentação de flores na igreja. Terão de ser arran-jadas na noite de sexta-feira, porque são todas flores silvestres, que murcham muito depressa. Biddy já disse que vem. Quando é que você chega?

Clementina vai ser dama de honra. Ainda é muito pequenina, mas Athena insiste. De fato, ela encontrou um velho vestido meu, de musselina branca com peitilho rosa, e mal pode esperar para ver a filha dentro dele. Eu gostaria que você estivesse aqui agora, para ser parte do divertimento.

Montes de beijos,

Loveday

P.S. — Jeremy Wells enviou um cabograma de felicitações pelo casamento, mas não poderá vir.

Na manhã seguinte, depois que o capitão-de-corveta Crombie vistoriou as ordens do dia e assinou uma ou duas cartas, Judith fez a sua solicitação.

— O senhor acha que estaria bem, se eu pedisse uma licença?

Ele ergueu a cabeça abruptamente, os vivos olhos azuis arregalados.

— Licença? Você está realmente querendo uma licença?

Ela não poderia afirmar, com certeza, se ele estava sendo sarcástico ou ofendido.

— Quero ir a um casamento. *Tenho* que ir a um casamento — emendou ela, corajosamente. — É no dia treze de maio.

Ele recostou-se na cadeira e entrelaçou as mãos atrás da cabeça. Judith quase esperou que também pousasse as botas sobre a mesa de trabalho, como um repórter de filme americano.

— Casamento de quem?

— De uma amiga. Chama-se Loveday Carey-Lewis — acrescentou, como se fizesse alguma diferença.

— Na Cornualha?

— Exatamente.

— Quando tempo quer?

— Duas semanas...?

Ele então sorriu, encerrou sua seca zombaria, e Judith sentiu o solo mais firme sob os pés.

— No que me diz respeito, não há problema. Você terá apenas que ajeitar as coisas com a primeiro-oficial das *Wrens*.

— O senhor tem certeza?

— Claro que tenho. Uma das outras moças pode cuidar de mim. Sentirei falta dos seus gentis cuidados, mas sobreviverei. Caso se lembre, há meses venho tentando persuadi-la a tirar uma licença.

— Antes não parecia haver muita razão para isso.

— E agora é importante?

— Sim. Muito importante.

— Pois então vá, e enfrente a primeiro-oficial em seu covil. Diga-lhe que tem a minha aprovação.

— Obrigada — ela sorriu. — É realmente muita gentileza.

A chefe das *Wrens*, contudo, não se mostrou tão prestimosa.

— *Wren* Dunbar! Você novamente? Parece que não sai de meu gabinete. O que é desta vez?

Não era um começo encorajador. Procurando não gaguejar nem falar aos tropeços, Judith explicou sua solicitação.

— Ora, mas você acabou de ter uma licença... foi a Londres.

— Foi meio fim-de-semana, senhora.

— E agora quer duas semanas?

— Sim, senhora.

A outra mulher deu-lhe a entender que, muito injustamente, ela estava querendo a lua. Afinal de contas, apontou, em seu tom mais autoritário, como Dunbar sabia muito bem, justamente agora cada membro da tripulação do HMS *Excelent* vinha trabalhando com o máximo empenho. Inclusive as duas outras *Wrens*, escriturárias no setor de Incremento de Instrução Militar. Mal se poderia esperar que elas se incumbissem de uma carga extra de trabalho, além das longas horas que já vinham enfrentando. Dunbar estava mesmo certa de que, neste momento, duas semanas de licença eram absolutamente essenciais?

Começando a sentir-se como uma traidora ou um rato abandonando um navio, Judith murmurou algo sobre um casamento.

— Um *casamento*? Isso nada tem a ver com licença concedida por morte de familiar!

— Não estou pedindo essa licença por morte de familiar — a primeiro-oficial dirigiu-lhe um olhar frígido — senhora.

— Casamento de parente?

— Não, não é de parente, mas de minha melhor amiga. — Ela recordou os dias de escola em Porthkerris, quando era preciso enfrentar os tiranetes. — Os pais dela cuidaram de mim, quando os meus foram para o estrangeiro. — A expressão de incredulidade da primeiro-oficial indicava sua impressão de que a *Wren* Dunbar estava querendo enganá-la. — Bem, eu só tenho uma tia, quero ir e ficar com ela. Por outro lado — concluiu — tenho direito a uma licença. Não tirei nenhuma, desde antes do Natal, senhora.

A primeiro-oficial baixou os olhos, a fim de examinar a ficha de licenças de Judith.

— Já falou com o capitão-de-corveta Crombie?

— Falei. Ele disse que está tudo bem, se a senhora concordar.

A primeiro-oficial mordeu o lábio, ponderando majestaticamente. De pé no outro lado da mesa, em postura subserviente, Judith pensou em como seria prazeroso pegar a bandeja de entrada de documentos, pesada como eram os artigos de escritório da Marinha, para descarregá-la no alto da orgulhosa cabeça da outra mulher. Por fim, a primeiro-oficial suspirou.

— Oh, muito bem. Contudo, sete dias. Isso lhe dará tempo de sobra.

Velha cretina.

— Muito obrigada, senhora.

Judith encaminhou-se para a porta, mas, antes de poder abri-la, a primeiro-oficial tornou a falar.

— Dunbar!

— Sim, senhora?

— Creio que está precisando cortar o cabelo. Não parece adequado. Está tocando sua gola.

— Sim, senhora.

— Tudo bem. Agora pode ir.

— *Uma semana?* — exclamou o capitão-de-corveta Crombie, quando Judith lhe falou sobre a insatisfatória entrevista. — Diabos, o que aquela velha... — Ele se conteve no momento exato. — O que a primeiro-oficial está pensando? Não há motivo por que você não devesse ter uma quinzena de licença. Vou falar com ela.

— Oh, não, não é preciso! — implorou Judith, imaginando um constrangedor espetáculo no meio da sala dos oficiais. — Se fizer isso, ela nunca me perdoará. Pensará que eu lhe pedi alguma coisa!

— Uma semana... mal lhe dará tempo para chegar lá e tornar a voltar.

— Vai dar. É o tempo exato. Irei na quinta-feira e voltarei na quinta-feira seguinte. Por favor, não diga nada, do contrário ela alegará alguma crise e suspenderá todas as licenças.

— Ela não poderia fazer isso.

— Eu não teria tanta certeza. Ela chegou a me mandar cortar o cabelo...

— Acho que seu cabelo está perfeito como se encontra agora — disse o capitão-de-corveta Crombie. A observação dele os pegou desprevenidos. Judith encarou-o com certa perplexidade, e ele ficou visivelmente confuso por seu impulsivo comentário, já que logo começou a ocupar-se, tornando a ajeitar, desnecessariamente, os papéis sobre sua mesa. — Bem — acrescentou, pigarreando — nesse caso... é melhor deixarmos as coisas como estão. Você terá de tirar o melhor proveito de cada dia.

— Não se preocupe — respondeu Judith, com um cálido e afetuoso sorriso. — Farei isso.

Ela saiu, fechando a porta atrás de si, e ele ficou sozinho, precisando de um momento para compor-se e lamentando profundamente seu impensado comentário. Aquelas palavras, no entanto, tinham escapulido contra a sua vontade e, por outro lado, ela era uma jovem tão bonita, tão atraente... Cornualha. Era onde ela possuía sua própria casinha. Ele sabia, porque Judith já falara a respeito, descrevera-lhe a casa. Por um momento, o capitão-de-corveta entregou-se ao raro luxo da própria imaginação, permitindo-se uma fantasia de rapaz, na qual ela o convidaria a acompanhá-la, nada o impedindo de aceitar o convite. As responsabilidades da Marinha Real, seu emprego, sua esposa e filho, tudo abandonado. *Uma terra de verão além dos mares.* Os dois caminhariam juntos por penhascos batidos pelos ventos, nadariam no azul oceano Atlântico, comeriam em encantadoras estalagens à luz de velas. À noite, dormiriam com o som das ondas batendo na praia, sussurrando através das janelas abertas...

Seu telefone tilintou, fazendo-o sobressaltar-se e voltar à cruel realidade. Estendeu a mão e ergueu o fone.

— Gabinete do I.I.M.! — latiu.

Seu capitão estava no outro extremo da linha. O sonho esbateu-se e desapareceu, o que, afinal de contas, talvez fosse bem melhor.

Dower Rose
Rosemullion,
Cornualha.
Domingo, 31 de maio

Meu querido Bob

    Bem, o casamento terminou, e o feliz casal se encontra em uma lua-de-mel de três dias no "Castle Hotel", em Porthkerris.

    Céus, senti muito a sua falta e desejei que você estivesse lá, não apenas pela ocasião, mas por minha causa. Nunca estive antes em um casamento sem você, de modo que foi bastante estranho. Devo acrescentar que todos sentiram sua falta, mas fiz uma pequena prece por você, que continua preso aí em Scapa Flow. Agora estou sozinha. Judith, Phyllis e Anna foram fazer um piquenique na enseada de Nancherrow, e assim posso sentar-me, escrever para você e contar-lhe tudo a respeito do casamento, enquanto ainda fresco em minha mente.

    Começarei pela quinta-feira, quando Judith chegou. Era um dia fechado e chuvoso, mas fui de carro a Penzance e a apanhei, quando chegou pelo Riviera. Ela havia feito uma tediosa viagem, tendo sido forçada a baldear em Bristol e esperar duas horas pelo trem de Londres. Parada na plataforma, tive um certo receio. Fazia meses que não a via e, após nosso último encontro, acontecera tanta coisa lamentável... Temi que Judith houvesse mudado de alguma forma, que estivesse fechada em si mesma, podendo surgir uma barreira entre nós. Sempre fomos muito chegadas, e jamais desejei que fosse de outro modo. Entretanto, estava tudo bem, embora eu me chocasse ao vê-la tão magra e pálida. Creio que não é de admirar, uma vez que ela atravessou (e ainda atravessa) momentos tão acabrunhadores.

De qualquer modo, fomos para a Dower House e ela se portou exatamente como uma garotinha que viesse passar em casa os feriados escolares, isto é, tirou o uniforme, vestiu roupas velhas e confortáveis, para então vistoriar aposento por aposento, olhando pelas janelas, tocando os móveis, examinando cada detalhe de seu pequeno reino. Devo dizer que tudo estava em excelente estado. Phyllis trabalhou como escrava, polindo assoalhos, lavando cortinas e semeando canteiros. O quarto de Judith reluzia à espera da dona, cheio de flores frescas e cheirando a roupas limpas de cama.

Nessa noite, quando ela já estava na cama, fui dizer-lhe boa-noite e terminamos conversando durante horas. Principalmente sobre Molly, Bruce e Jess. Por causa deles, Judith está decidida a continuar firmemente esperançosa, porém creio que só receberemos notícias dos três quando as hostilidades terminarem. Depois falamos sobre Ned e Edward Carey-Lewis, e a interroguei sobre sua vida amorosa, mas ela parece não ter nenhuma e, por enquanto, nem mesmo quer saber disso. Desconfiada, diria eu. Uma vez mordida, duas vezes arredia. Enfim, bastante compreensível. Em vista disso, ficamos falando a respeito de Loveday e Walter. Nenhuma de nós está muito alegre com este casamento, mas eu nunca admitirei isto a quem quer que seja, até mesmo a Phyllis. Diana e Edgar Carey-Lewis tampouco devem estar satisfeitos, embora ajam como se a filha estivesse casando com o único homem que ambos escolheriam para ela. Merecem todo o crédito por sua atitude. Seja como for, isso nada tem a ver conosco, embora eu pense que ficaríamos ambas mais felizes a respeito, se Loveday não estivesse esperando um bebê. Era meia-noite e meia, quando finalmente deixei Judith com um copo de leite quente e uma pílula para dormir. Na manhã seguinte ela parecia outra, com o rosto livre de parte da tensão e um pouco de cor nas faces. Que lugar revigorante é este!

Assim, na sexta-feira ela foi em sua bicicleta ver todos em

Nancherrow e visitar a nova casa de Loveday, a qual ainda não está terminada. Durante a ausência dela, chegou a mãe de Phyllis, que veio de carona desde Saint Just no furgão das verduras, e levou a neta consigo pelo fim de semana, pois a menina não havia sido convidada para o casamento e, afinal, Phyllis se divertiria muito mais sem a pequenina agarrada à barra de sua saia, por assim dizer. A tarde de sexta-feira foi passada na colheita de flores silvestres para decorar a igreja, sendo a decoração feita ao anoitecer. Athena, Diana e Mary Millyway também estavam lá, e ficamos todas ocupadas na decoração até escurecer, e não enxergarmos mais o que fazíamos. Assim, arrumamos toda a bagunça e fomos para casa.

Sábado. Dia do casamento e, acredite, todas as nuvens tinham sido sopradas para longe, havendo o dia mais perfeito. Eu podia imaginar Diana exultante de alegria. Somente ela seria capaz disso. Fizemos um breakfast atrasado, para depois vestirmos nossos surrados melhores trajes, os quais não descreverei para você, certa de que não estará nem um pouco interessado. Exceto para contar que, como não tinha chapéu, Judith usou o velho chapéu de palha com que Lavinia Boscawen fazia jardinagem. Phyllis o enfeitou com uma fita rosa-vivo, e Judith ficou simplesmente encantadora.

Agora, ao casamento. Descemos a colina, e tudo o que faltava era o bimbalhar dos sinos. Devo admitir que a aparência da igreja não podia ser melhor, com entremeios de cerefólio e guirlandas de madressilvas, assim como jarros de margaridas brancas. Os bancos foram sendo ocupados aos poucos, até o lugar ficar apinhado. Um lado, bastante elegante, cheio de casacos para a manhã; o outro, não tão formal, porém duplamente mais enfeitado, com muitos cravos e avencas espetados em bustos amplos. Diana parecia um sonho, vestindo um traje de seda azul-turquesa claro. O coronel estava muito distinto, em uma sobrecasaca cinza. Athena Rycroft usava um conjunto creme, e a pequena Clementina não se portou à altura de sua condição de dama de honra, tirando sapatos e meias à entrada e coçando o traseiro enquanto caminhava pelo corredor central da igreja, para terminar no colo de Mary Millyway, chupando jujubas.

Quanto aos noivos, formavam um casal extraordinariamente atraente. Walter é de fato um belo rapaz, com seu tipo moreno de cigano. Tinha cortado o cabelo e feito a barba. Seu padrinho não era o máximo em elegância, porém não perdeu a pose. Loveday estava encantadora, vestindo voal branco, com meias e sapatilhas também brancas. Nada de véu ou jóias. Apenas uma coroa de margaridas em seus brilhantes cabelos escuros.

Depois, terminada a cerimônia, batidas fotos ao lado da igreja e jogados alguns confetes, o feliz casal foi levado no Bentley aberto de Diana (com Nettlebed ao volante). Nós, os restantes, empilhamo-nos em dois veículos que Edgar Carey-Lewis arranjara, desses com bancos transversais para turistas. Os que sobraram conseguiram caronas nos carros. (A copeira de Nancherrow, Hetty, que é um tanto simplória, foi de carona no carro do governador do condado. Talvez não seja tão simplória quanto aparenta.)

Nancherrow estava adequadamente festiva, com uma Union Jack desfraldada no topo do mastro, e flores por toda a parte, dentro e fora da casa. O pátio, ensolarado e abrigado do vento, havia sofrido uma transformação. Molhos de feno contornavam todas as paredes e muros, pombos esvoaçavam por todos os lados, e o pombal foi tornado um mastro enfeitado com esvoaçantes metros de fitas coloridas. Mesas compridas, toalhas de damasco branco, tudo pronto para o almoço, com a melhor prataria, os melhores cristais. Da maior importância, o bar, carregado de garrafas e copos, havendo ainda dois barris de cerveja. Os garçons do fornecedor eram como diligentes abelhas, e logo todos estavam com um copo na mão, assim tendo início a diversão.

Eram duas e meia quando nos sentamos para almoçar e, apesar do racionamento, consideradas todas as coisas, foi realmente um festim. Todos haviam contribuído do modo como podiam, de maneira que havia salmão frio, porco assado e deliciosos pudins cobertos de creme. Fiquei sentada entre o sr. Baines, o advogado de Judith, e o sr. Warren de Porthkerris, nós três tendo muito o que conversar. O almoço demorou bastante tempo, mas finalmente o governador do condado levantou-se, a fim de propor o brinde. A esta altura, um bom número dos *homens presentes (não se falando nas mulheres) encontrava-se bem distanciado, e ele teve uma grande recepção, sendo muitos os aplausos e também alguns assobios, que foram prontamente silenciados. Walter disse algumas palavras (adequadas), e depois falou seu padrinho (de modo incoerente). A seguir, continuamos todos a divertir-nos. Por fim, quase às cinco horas, de repente percebemos que os noivos haviam desaparecido. Corremos todos para a porta da frente e lá ficamos, esperando que os dois aparecessem. Por fim eles surgiram à vista, e Loveday jogou seu buquê para Judith, que o apanhou certeiramente. Depois os noivos tornaram a entrar no Bentley, e Nettlebed os levou pomposamente até o final da alameda para carros, onde eles passaram para o velho carro do sr. Mudge e seguiram, agora chocalhantes, para Porthkerris.*

(Fiquei contente por Nettlebed não os ter levado por todo o trajeto até Porthkerris porque, pela primeira vez na vida, ele havia passado dos limites e tinha bebido demais. Um tanto ébrio, Nettlebed de fato merece ser visto, em sua postura digna de sempre, apesar de certa instabilidade nas pernas. A certa altura, foi visto valsando com Hetty. Resta-nos apenas esperar que, com o correr do tempo, a sra. Nettlebed acabe perdoando-o por seu lapso.)

Bem, isso foi tudo. Despedimo-nos e retornamos a Rosemullion. Eu e Judith levamos Morag para uma longa e saltitante caminhada, porque a pobrezinha havia ficado trancada o dia inteiro. Depois disso, nós duas voltamos a Nancherrow, para uma ceia de família com os Carey-Lewis. Terminada a refeição, fomos para a cozinha lavar os pratos, porque os Nettlebed já tinham ido dormir.

Lamento uma carta tão longa para contar-lhe como tudo aconteceu, mas esta foi uma ocasião muito especial. Um pouco semelhante ao solstício de inverno, com alegres celebrações (o casamento), no meio de um longo, frio e tenebroso inverno (a tremenda guerra em curso). Penso que fez bem a todos nós afugentarmos da mente as notícias depressivas, o tédio, a solidão e a ansiedade, ainda que somente por pouco tempo, e simplesmente divertir-nos.

Aliás, isto me deu motivo para pensar no futuro e considerar nossas próprias circunstâncias familiares. Se o pior acontecer — se Molly, Bruce e Jess nunca mais voltarem para nós — então acho que eu, você e Judith devemos empenhar-nos ao máximo para ficarmos juntos. (Na igreja, pensei no dia em que ela se casará, e imaginei você levando-a ao altar, e eu providenciando tudo. De repente, tudo me pareceu imensamente importante.) Ela adquiriu esta casa encantadora, que é a única coisa certa em sua vida, portanto, não acredito que um dia queira deixá-la ou vendê-la. Em vista disso, quando a guerra terminar e você finalmente for reformado, talvez fosse uma boa idéia tentarmos encontrar algum lugar não muito longe de Rosemullion. Talvez em Helford Passage ou Roseland, o que acha? Um lugar onde você pudesse conservar um pequeno barco, onde tivéssemos um jardim com uma palmeira. Em verdade, não me acho desejando retornar a Devon e Upper Bickley. A casa está demasiado cheia de lembranças de Ned, e aqui fiz amigos, estou tendo uma nova vida e terminarei conformando-me — mais ou menos — com o fato de que Ned nunca mais voltará para nós. Aqui é um lugar onde eu gostaria de ficar e, após dois anos e meio, creio que jamais quererei partir. Você se interessaria, meu querido Bob? Pensaria a respeito?

Envio-lhe o meu amor. Cuide-se bem.

Biddy

1945

Trincomalee, Ceilão. O HMS *Adelaide* era o navio abastecedor da Quarta Flotilha de Submarinos, um cruzador mercante adaptado, de grande largura, com a casa do leme na popa. Seu ancoradouro permanente era Smeaton's Cove, uma profunda angra circundada por dois promontórios cobertos de selva. Como que agachada nas águas fundas, com seus conveses de aço fervendo ao calor e uma fieira de submarinos atada ao longo do casco, essa embarcação oferecia toda a semelhança com uma enorme e exausta porca que parira recentemente uma ninhada de bacorinhos.

O oficial comandante era o capitão Spiros, da Reserva da Marinha Real Sul-africana, e como seu navio servia em uma capacidade puramente administrativa, duas escriturárias *Wren*, baseadas em terra, eram diariamente conduzidas a bordo por uma lancha, a fim de trabalharem no gabinete do capitão, datilografando Ordens de Patrulha Submarina e Relatórios de Patrulha, cuidando das Ordens da Esquadra do Almirantado e corrigindo os Livros confidenciais. Uma delas era uma lânguida jovem chamada Penny Wailles que, antes de vir para o Extremo Oriente, passara dois anos em Liverpool, no Quartel-general do Almirante, setor de Aproches com o Ocidente. Quando não se achava trabalhando a bordo do HMS *Adelaide*, ela passava muito do seu tempo de folga na companhia de um jovem capitão da Marinha Real, baseado no Acampamento 39, alguns quilômetros ao norte de Trincomalee. Um dos atrativos dele era a posse, não somente de transporte (um jipe da Marinha Real), mas também de um pequeno barco a vela. Ele e Penny passavam a maioria dos fins-de-semana nessa pequena embarcação, deslizando a favor do vento, navegando à bolina através das amplas águas azuis do porto e descobrindo inacessíveis enseadas onde faziam piqueniques e nadavam.

A outra *Wren* era Judith Dunbar.

Devido ao aparente fascínio de sua ocupação, elas eram muito invejadas por suas colegas *Wrens*, que todas as manhãs deviam rumar para os enfadonhos postos de trabalho em terra — o Quartel-general Naval, os Departamentos do Capitão, o HMS *Highflyer*, a Pagadoria e o Departamento de Suprimento da Base. Judith e Penny, no entanto, consideravam o seu serviço bastante exigente, tanto física, como psicologicamente.

Fisicamente, porque seu expediente diário era muito longo. Os homens do mar trabalhavam por quartos, em rotina tropical, isto significando que o quarto de vigília era encerrado por volta das quatorze horas, quando então eles faziam a sesta durante o calor sufocante da tarde, nos seus beliches, em redes ou em algum lugar à sombra, no convés. Às quatro, quando o calor amenizava um pouco, iam nadar. As duas jovens, no entanto, chegavam a bordo às sete e meia da manhã, já tendo feito seu *breakfast* e cruzado o porto na lancha, só retornando a seus alojamentos na lancha *Liberty*, dos oficiais, às cinco e meia da tarde.

As longas horas de trabalho não seriam tão ruins se elas tivessem acesso a um chuveiro e pudessem refrescar-se no correr do dia, mas, por razões de espaço, de proximidade de contato e pelo fato do navio enxamear de homens, isto não era possível. Quando finalmente elas terminavam seus trabalhos de datilografia, cobriam a máquina duplicadora e encerravam as tediosas correções nas Ordens Secretas, estavam molhadas de suor e exaustas, os uniformes brancos — imaculados a cada manhã — agora amarrotados e pegajosos.

Os problemas psicológicos originavam-se do fato de serem as duas únicas mulheres a bordo e, além disso, graduadas. Isto não as classificava de maneira alguma, não eram uma coisa nem outra. Não se esperava delas — e, de fato, ambas não sentiam a menor disposição para tanto — que mantivessem relacionamentos íntimos ou mesmo informais com o Convés Superior. Quanto ao Convés Inferior, composto de homens famintos por companhia feminina e ressentidos com a intrusão das duas *Wrens*, já as apelidara de Petiscos dos Oficiais, e seus membros mantinham uma desconfiada vigilância, em busca de sinais de favoritismo.

Judith e Penny não os censuravam. O pequeno destacamento de *Wrens* em Trincomalee sempre fora desalentadoramente superado pelo número de homens, e agora, terminada a guerra na Europa, os navios da Marinha Real estavam partindo do Reino Unido para juntar-se à Frota das Índias Orientais.* Raro era o dia sem outro cruzador ou destróier deslizando através dos marcos de canal na boca do porto, para lançar âncora e enviar à terra a primeira lancha *Liberty*, apinhada de saudáveis marinheiros.

Uma vez em terra, não havia muito que eles pudessem fazer, além de jogar futebol e tomar um drinque na Cantina da Frota ou ver algum filme antigo no Cinema das Forças Armadas, um enorme hangar com teto de zinco. Ali, não eram encontradas ruas familiares, nenhum *pub*, nenhum cinema aconchegante e muito menos garotas. Havia poucos civis europeus, e a única aldeia nativa local não passava de um amontoado de cabanas cobertas de folhas de palmeira, com caminhos lamacentos sulcados pelas rodas de carroças puxadas por bois. E mesmo essa aldeia, por motivos óbvios, ficava fora dos limites. Bem recuada no interior, distante das praias alvas orladas de coqueiros, o terreno era inamistoso, infestado de serpentes, mosquitos e formigas, todos eles capazes de picar.

Na época das monções, a situação agravava-se ainda mais, porque o campo de futebol ficava alagado, as estradas transformavam-se em rios de lama, e uma ida ao cinema, com a chuva castigando seu teto de zinco, significava tanto prazer quanto sentar-se no interior de um tambor. Em conseqüência, o marinheiro comum, uma vez passada a novidade de sua nova guarnição, não nutria o melhor conceito sobre Trincomalee. O lugar era conhecido como Scapa Flow em Technicolor, e isto longe estava de significar um cumprimento.

Nada de *pubs*, de cinemas ou de garotas.

Claro está que o pior era a inexistência de garotas. Se algum jovem graduado, atraente e decidido, conseguisse prender a atenção de uma das *Wrens* e persuadi-la a sair com ele, em realidade não havia nenhum lugar aonde levá-la, a menos que ela apreciasse uma xícara de chá em um penumbroso estabelecimento na Rua do Porto, chamado "Casa do Elefante". O lugar era dirigido por uma família cingalesa, cuja idéia de diversão realmente sofisticada era tocar, incessantemente, um horrível disco de vitrola intitulado "Velhas Lembranças Inglesas".

---

* Índias Orientais é o nome que foi dado às antigas colônias holandesas da Indonésia. (N. da T.).

Assim, eles não podiam ser censurados. Entretanto, isso não tornava a vida fácil e, tão sensível era a situação, que quando o comandante-chefe das forças aliadas no sudeste da Ásia, Lorde Mountbatten, desceu em Trincomalee, vindo de seu ninho de águia em Kandy, e fez uma visita oficial ao HMS *Adelaide*, Penny e Judith preferiram ficar abaixo, no gabinete do capitão, em vez de alinhadas no convés com o resto da tripulação do navio. Elas sabiam perfeitamente que, ao vê-las, o grande homem faria uma pausa para falar, e que tal ocorrência somente despertaria ressentimentos desnecessários.

Relutante em permitir que suas duas *Wrens* agissem desta maneira, o capitão Spiros finalmente compreendeu o ponto de vista de ambas e concordou. Após encerrada a importante visita e depois da partida do comandante-chefe, ele desceu para agradecer-lhes por seu tato. Tal atitude foi apreciada, mas não surpreendente, porque ele era um capitão popular, além de oficial possuidor de bom senso e simpatia.

Agora era o início de agosto e o bem-vindo final de outro dia causticante. Judith e Penny encontravam-se no convés, esperando que a lancha *Liberty* dos oficiais as levasse para terra. Havia também, a caminho de um pouco de vida noturna, dois comandantes de submarino, um primeiro-tenente e três jovens subtenentes, todos eles parecendo forçadamente limpos e imaculados em seus uniformes.

No abrigo que era a angra de Smeaton, o HMS *Adelaide* ainda fervia por causa do calor. A meio caminho da popa e da proa do navio, escadas de cordas prendiam-se a balizas flutuantes, e as águas fundas fervilhavam de atividade, com duas equipes de marujos envolvidas em uma disputa de pólo aquático, saltando e mergulhando no mar, como outros tantos golfinhos.

Judith os contemplava e pensava em voltar para os Alojamentos, livrar-se do uniforme já seco do suor e disparar correndo pelo caminho para a enseada privada das *Wrens*, a fim de saltar do píer e mergulhar nas águas frescas e limpas do mar.

Ao seu lado, Penny bocejou.

— O que vai fazer esta noite? — perguntou ela.

— Nada, graças a Deus. Não vou sair. Talvez escrever cartas. E você?

— Não muita coisa. Provavelmente vá até o Clube dos Oficiais com Martin. — Martin era o capitão da Marinha Real com o jipe. — Ou, talvez, empanturrar-me de peixe no restaurante chinês. Tudo depende do estado de ânimo dele.

A lancha do navio aproximou-se e foi mantida firme a poder de croques. Na Marinha Real, um navio era conhecido por suas lanchas, e as do HMS *Adelaide* eram reluzentes exemplos de pintura branca, conveses esfregados e cordas imaculadamente colhidas. Sua própria tripulação, de um timoneiro e dois taifeiros, sem dúvida havia sido selecionada pela boa aparência, porque todos eram bronzeados, musculosos e atraentes, de pés descalços, com gorros alvos bem puxados para a testa. O oficial de vigia deu o sinal, e Judith e Penny, ambas de graduação mais baixa, apressaram-se em descer pela passarela, sendo as primeiras a embarcar. Os outros desceram em seguida: o capitão-de-corveta Fleming, e depois o capitão do submarino HMS *Foxfire*. O taifeiro impeliu a lancha, o timoneiro manejou a válvula reguladora, e a embarcação afastou-se, descrevendo uma grande curva, com a proa erguida e uma brilhante esteira branca, parecida a uma flecha, arrastando-se atrás da popa.

Por sorte, imediatamente ficou mais fresco, e Judith se sentou em um canto perto da cabine, sobre o limpo coxim de lona branca, e virou o rosto para a brisa. Pela entrada do porto soprava o vento fresco do oceano, e a proa da lancha produzia cortinas de borrifos, formando arcos-íris ao sol do fim de tarde, e ela pôde sentir o gosto de sal nos lábios.

Pouco depois contornavam o comprido promontório selvático que guardava a angra Smeaton, e agora as árvores foram sendo substituídas por rochas, palmeiras frondosas e faixas de areia branca. A linha da costa recuou, e o porto — um maravilhoso fenômeno natural e um dos maiores ancoradouros do mundo — espraiou-se diante deles. Em seu abrigado seio jazia a maior parte da Frota das Índias Orientais. Belonaves, cruzadores, destróieres e fragatas; um poderio suficiente para infundir terror nos mais agressivos e intrépidos inimigos. Um cruzador, o HMS *Antigua*, era o mais novo recém-chegado do Reino Unido, seu tombadilho superior sombreado por formidáveis toldos brancos e a *White Ensign** esvoaçando na popa.

Uns cinco minutos mais tarde, eles aproximavam-se de seu destino, o cais do quartel-general da Marinha. A velocidade diminuiu, a proa da lancha baixou, e o timoneiro preparou-se para atracar. O cais era comprido, internando-se em águas fundas, construído de concreto e em forma de T, sempre movimentado com a ida e vinda de embarcações e o desembarque de pessoal e provisões. Em terra, capturado na curvatura da praia, jazia o complexo do quartel-general da Marinha, o setor de Comunicações, o prédio da Administração e o gabinete da *Wren* chefe. Todas as edificações eram quadradas e brancas como cubos de açúcar, encimadas por graciosas palmeiras e um alto mastro no qual tremulava a *White Ensign*, à brisa do anoitecer. Mais atrás, como um pano de fundo, alçavam-se as selváticas encostas de Elephant Hill, uma crista de terra com cerca de quilômetro e meio de comprimento, apontando para o mar aberto como um dedo.

No topo desta crista, com os telhados apenas visíveis através das árvores, erguiam-se três importantes construções. No extremo oposto, com uma visão do porto que qualquer ser humano normal morreria para conseguir, ficava a residência do capitão Curtice, comandante do HMS *Highflyer*. Um pouco mais abaixo na encosta, morava seu capitão-de-fragata. O terceiro arejado e espaçoso bangalô era a enfermaria das *Wrens*. Todas as construções eram circundadas por enormes varandas, terrenos verdejantes e altas palmeiras. De cada jardim partiam trilhas que serpenteavam através da floresta até a praia e a água. Penny Wailes, tendo sofrido certa vez um acesso de dengue, passara uma semana na enfermaria, e com alguma relutância é que voltara para a primitiva simplicidade da vida nos alojamentos, onde sentia falta das frescas brisas marinhas, das esquecidas alegrias de banheiros ladrilhados e das agradáveis horas de absoluta indolência, cuidada por enfermeiras e rapazinhos serventes.

A lancha foi atracada com perícia, mal tocando as defensas acolchoadas. Dois taifeiros já tinham saltado para o cais, onde atavam em turcos as cordas da proa e da frente. Os oficiais passaram para terra, formalmente, em ordem de categoria. Judith e Penny saíram por

---

* Bandeira distintiva da Marinha Real Britânica, desde 1864. (N. da T.)

último. Judith virou-se e sorriu para o timoneiro, sabendo que ele era um dos mais amistosos membros da tripulação.

— Obrigada — disse.

— Certo, meu bem. — Ele ergueu uma das mãos. — Até amanhã.

De válvula reguladora aberta e a toda velocidade para diante, a lancha do *Adelaide* afastou-se celeremente. As duas jovens contemplaram a embarcação que se distanciava arrastando uma curva majestática de esteira espumante e depois, lado a lado, começaram a caminhar cansadamente pelo último trecho de sua jornada de volta aos alojamentos.

O cais era comprido. Tinham apenas chegado à metade, quando ouviram passadas ressoando no concreto atrás delas, e depois uma voz:

— Eu diria que...

As duas pararam e viraram-se. Uma lancha encostara e desembarcava sua carga de oficiais vindo em terra. O homem não era identificável de maneira alguma, e Judith franziu a testa com perplexidade e também com certa irritação.

— Desculpem-me... — disse ele, quando as alcançou. Era um capitão-de-corveta da Marinha Real, o uniforme engomado e com aparência de novo, o quepe bem puxado para diante. — Eu... eu não queria gritar daquele jeito, mas vi você e... Bem, você não é Judith Dunbar?

Ainda sem identificá-lo, ela respondeu:

— Sim, ela mesma.

— Foi o que pensei. Imaginei tê-la reconhecido. Sou Toby Whitaker.

O nome em nada ajudou. Judith jamais conhecera alguém chamado Toby. Meneou a cabeça, um tanto confusa.

A essa altura, começando a ficar um pouco embaraçado, ele insistiu:

— Eu era o oficial de comunicações de seu tio, em Devonport. Capitão Somerville. Fui à casa de sua tia, em Devon, pouco antes da guerra começar. O capitão Somerville tinha que ir a Scapa Flow...

A bruma dispersou-se. Oh, mas *claro*! A recordação surgiu. Tenente Whitaker. Tinham ficado juntos no jardim de Upper Bickley, enquanto ele fumava um cigarro. Era o dia que, em retrospectiva, ela sempre considerara como sendo o próprio início da guerra.

— É claro que me lembro. Peço que me desculpe. Entretanto, isso aconteceu há muito, muito tempo atrás.

— Eu tinha que falar com você.

— Naturalmente. — De súbito, ela se lembrou de Penny. — Esta é Penny Wailes. Nós trabalhamos juntas. Estamos voltando para os alojamentos.

— Olá, Penny.

— Olá. — Penny, entretanto, tinha em mente outras coisas além de apresentações casuais. — Ouçam, não pensem que estou sendo rude, mas é que preciso ir andando. Quero tirar o uniforme, porque pretendo sair. Vou deixá-los, para que possam conversar melhor. — Ela já começava a afastar-se. — Foi um prazer conhecê-lo. Até amanhã, Jude.

Penny acenou casualmente em despedida e seguiu seu caminho, movendo as compridas pernas bronzeadas e os sapatos brancos em passos lépidos.

— Vocês trabalham juntas? — perguntou Toby Whitaker.

— Trabalhamos. A bordo do HMS *Adelaide*. É o navio aprovisionador de submarinos. Está ancorado na angra de Smeaton. Trabalhamos no gabinete do capitão.

— Quem é ele?

— O capitão Spiros.

— O nome parece grego.

— Em realidade, ele é sul-africano.

— Então, por isso é que vieram para terra em uma lancha *Liberty* de oficiais. Eu não conseguia entender isso.

— Este é também o motivo de eu estar tão pegajosa. Passamos o dia inteiro a bordo e nem mesmo pudemos tomar uma ducha.

— Você me parece perfeitamente bem.

— Sinto muito por não o ter reconhecido. A questão é que estive em Whale Island por dois anos antes de vir para cá e, como todos os subtenentes têm êxito em seus cursos, conheço o rosto de praticamente cada oficial da Marinha. Entretanto, nunca consigo recordar seus nomes. Estou sempre vendo gente e sei que devia conhecer as pessoas, mas é claro que não conheço todas. Há quanto tempo está aqui?

— Somente dois dias.

— HMS *Antigua*?

— Oficial de comunicações.

— Entendo.

— E você?

Lado a lado, eles caminharam lentamente.

— Estou aqui há cerca de um ano. Cheguei em setembro de 1944. Depois do Dia D, ofereci-me como voluntária para o estrangeiro. Pensei na França. A coisa seguinte que chegou ao meu conhecimento foi que um navio de tropas viajaria pelo oceano Índico.

— E como foi tudo?

— Muito bem. Houve alerta sobre alguns submarinos, assim que cruzamos o canal de Suez, porém nada mais, graças a Deus. O navio era o *Queen of the Pacific*. Em tempos de paz foi um transatlântico de alto luxo. Aliás, depois dos Alojamentos de Portsmouth, continuava parecendo luxuoso. Quatro *Wrens* em um camarote de primeira classe, e pão branco. Comi tanto pão, que devo ter ganho quilos de peso.

— Não parece.

— Aqui faz calor demais para ter-se apetite. Vivo à base de suco de limão fresco e sal. O sal é para evitar a exaustão deixada pelo calor. Antigamente davam a isso o nome de insolação, e ninguém sonharia em sair de casa sem seu capacete contra o sol. Agora, no entanto, nenhum de nós usa chapéu, nem mesmo na praia ou velejando. Sabia que Bob Somerville agora é contra-almirante? E que está em Colombo, aqui no Ceilão?

— Sim, eu já sabia. Aliás, havia planejado visitá-lo, quando o *Antigua* ancorasse em Colombo para pegar água fresca. Entretanto, não tivemos licença para ir a terra, de modo que os planos deram em nada.

— Uma pena.

— Já esteve com ele?

— Ainda não. Faz somente um mês que ele veio para cá. Entretanto, já me escreveu uma carta. O sistema telefônico é uma lástima. Há cerca de quatro estações diferentes e, invariavelmente, uma invade a outra. Parecia muito animado; disse que conseguiu uma agradável residência para morar e que, se quiser, posso ir até lá e ficar com ele. Assim, da próxima vez que tiver uma licença, eu talvez faça isso. Na minha última, fui para o campo ficar com alguns amigos chamados Campbell, donos de uma plantação de chá perto de Nuwara Eliya. Compreenda, meus pais moravam em Colombo. Também morei lá, até minha mãe levar-me de volta à Inglaterra. Os Campbell eram amigos deles.

— E onde estão seus pais neste momento?

— Não sei. — Os dois caminhavam agora com passo firme. — Foram apanhados em Cingapura, quando da invasão japonesa.

— Oh, céus! Que terrível... Sinto muito.

— Sim. Já faz muito tempo agora. Quase três anos e meio.

— Sem nenhuma notícia?

Judith meneou a cabeça.

— Nenhuma.

— Você é aparentada com os Somerville, não?

— Sou. Biddy é irmã de minha mãe. Daí por que eu morava com eles em Devon. — Um pensamento ocorreu a ela. — Sabia que Ned Somerville foi morto? Quando afundaram o *Royal Oak*, em Scapa Flow?

— Sim, fiquei sabendo.

— Logo no começo da guerra. Há tanto tempo!

— Cinco anos são um bocado de tempo. O que faz a sra. Somerville? Ainda mora em Devon?

— Não, está na Cornualha. Tenho uma casa lá. Ela foi ficar comigo logo depois da morte de Ned e, quando me alistei, Biddy simplesmente continuou lá. Chego a duvidar de que ela um dia queira voltar para Devon.

— Nós temos uma casa perto de Chudleig — disse ele.

— Nós?

— Eu e minha esposa. Estou casado. Tenho dois garotinhos.

— Que bom para você! Há quanto tempo não vê sua família?

— Apenas semanas. Tive alguns dias de folga por embarque.

A conversa os levara ao fim do cais, e eles tornaram a parar, ficando frente a frente.

— Para onde você vai? — perguntou Judith.

— Em realidade, estou indo para a casa do capitão Curtice. É um velho camarada de meu pai. Os dois estiveram juntos em Dartmouth. Ele me enviou um comunicado, dizendo-me para fazer-lhe uma visita de cortesia.

— A que horas deve estar lá?

— Às oito e meia.

— Sendo assim, tem duas alternativas. Pode ir por ali — e Judith apontou para a trilha estreita que seguia pela praia — depois subindo uns cem degraus até o jardim dele ou escolher a rota menos difícil, que é caminhar estrada acima.

— Por onde você vai?

— Pela estrada.

— Então, eu a acompanho.

Desta maneira, eles prosseguiram caminhando animadamente pela empoeirada estrada branca — marcada pelos sulcos das rodas de incontáveis caminhões — que cortava os terrenos do QG da Marinha. Chegaram à alta vedação de arame farpado e ao portão. Estava aberto, porque ainda era dia, porém guardado por dois jovens marinheiros-sentinelas, que se perfilaram e fizeram continência para Toby Whitaker, quando ele entrou. Além dos portões, a estrada principal formava uma curva abaixo das palmeiras e afastava-se, porém a caminhada era curta e, pouco depois, chegavam a mais dois portões guardados, e entrada para os alojamentos das *Wrens*. Judith se virou para encará-lo.

— Vou ficar aqui, portanto, aqui nos despedimos.

Ele fitou com algum interesse o panorama além dos portões e a trilha que subia até a comprida construção de teto de palha que era o refeitório das *Wrens* e seu espaço de recreação. As varandas eram suavizadas por buganvílias, e havia uma árvore chama-da-floresta, além de canteiros apinhados de flores.

— Daqui, parece muito atrativo — comentou ele.

— Também acho. Aliás, não é ruim. Assemelha-se a uma pequena aldeia ou acampamento de férias. As *bandas*, que são onde dormimos, ficam no extremo oposto, dando para a angra. Além disso, temos o nosso cais privativo para natação.

— Imagino que nenhum homem tenha permissão de entrar aí.

— Se for convidado, claro que poderá entrar, ir até a cantina para um chá ou um drinque. Entretanto, as *bandas* e a enseada são estritamente proibidas.

— Acho justo. — Ele vacilou por um momento, e depois disse: — Se eu a convidasse, você sairia comigo uma noite? Para jantar ou coisa assim? O único porém é que ainda sou forasteiro por aqui. Não saberia onde levá-la.

— Há o Clube dos Oficiais. Ou o Restaurante Chinês. E, na realidade, nada mais.

— Você aceitaria meu convite?

Foi a vez de Judith vacilar. Ela possuía alguns amigos homens, com os quais saía regularmente para jantar, dançar, velejar, nadar e fazer piqueniques. Entretanto, eram todos velhos conhecidos da época de Portsmouth, apenas amigos, em uma condição estritamente platônica. Desde a morte de Edward e a perfídia de Jeremy, ela se decidira firmemente contra qualquer espécie de envolvimento emocional. Em Trincomalee, entretanto, tal decisão se tornara um negócio complicado, simplesmente pelo espantoso número de rapazes de todo apresentáveis, ansiosos por companhia feminina.

Por outro lado, Toby Whitaker era alguém do passado, conhecia os Somerville, tinha uma casa em Devon, e seria agradável falar dos velhos tempos, de tio Bob, de Biddy e Ned. Além disso, era casado. Claro está que o fato do acompanhante de uma jovem ser casado não contava grande coisa naquele ambiente fora do normal, conforme Judith já aprendera, por amarga experiência. Era impossível reprimir as paixões sexuais geradas por luas tropicais, palmeiras sussurrantes e meses de forçado celibato; a imagem da esposa distante e da penca de filhos desaparecia facilmente da mente, no calor do momento. Por mais de uma vez ela precisara lutar com firmeza para livrar-se de tão constrangedora situação, e tinha intenção de que isso não tornasse a acontecer.

O silêncio prolongou-se, enquanto ele aguardava uma resposta. Precavida, ela considerou a sugestão de Toby Whitaker. Não o achava particularmente atraente, mas ele tampouco parecia abusado. O mais provável é que passaria o tempo falando sobre os filhos e — temida perspectiva — mostrando fotografias.

Inofensivo o bastante. E talvez o ofendesse com uma descortês e tão pronta recusa em saírem juntos.

— É claro que aceitaria.

— Ótimo.

— Eu gostaria de sair com você, mas não para jantar. Seria mais divertido irmos a algum lugar e nadar. No sábado, talvez. Tenho folga no sábado.

— Perfeito. Entretanto, sou novo nestas bandas. Onde iríamos?

— O melhor é a ACM — a Associação Cristã de Moças.

Ele sobressaltou-se visivelmente.

— Associação Cristã de *Moças*?

— Não há problema. É chamada de pensionato, porém tem mais semelhança com um pequeno hotel. Sem isso de folhetos religiosos e mesas de pingue-pongue. De fato, é exatamente o oposto. Pode-se até mesmo tomar um drinque.

— E onde fica a ACM?

— No outro lado de Fort Frederick. Dando para uma praia, excelente para natação. Os homens só podem entrar se convidados por alguma mulher, de maneira que o lugar nunca fica apinhado de gente. E é dirigido por uma excelente senhora, a sra. Todd-Harper. Nós a chamamos de Toddy. É uma grande figura.

— Conte-me mais.

— Agora não há tempo. É uma comprida história. Explicarei no sábado. (Se a conversa murchasse, o que poderia acontecer, Toddy forneceria um bom assunto.)

— Como chegaremos lá?

— Podemos ir em algum furgão ou caminhão da Marinha. Eles vão e voltam o tempo todo, como ônibus.

— E onde a encontrarei?

— Aqui mesmo. No portão, por volta de onze e meia.

Judith ficou espiando-o afastar-se em passo vivo ladeira acima, os sapatos brancos já castanhos pela poeira. Longe dele, ela suspirou, perguntando-se por que havia concordado em sair, e então deu meia-volta, cruzou o portão, foi à Sala de Regulamento (não havia cartas em sua pequena caixa), e depois começou a subir a alameda para carros. No refeitório da cantina, os empregados cingaleses já serviam um jantar adiantado para os marinheiros de vigia. Judith parou para servir-se de um copo de limonada, bebeu-o e foi para o terraço, onde duas jovens entretinham os namorados que, em desacostumado conforto, deleitavam-se em enormes poltronas de vime. Do terraço, um caminho de concreto levava ao lado oposto do acampamento, onde as *bandas* de dormir e os blocos de ablução agrupavam-se ao acaso, mas de forma agradável, sob árvores que haviam sido poupadas para dar sombra, quando aquela particular área da selva fora terraplenada pelos sapadores e erguido o acampamento.

Àquela hora do dia sempre havia um bom número de garotas por ali, indo e vindo. As *Wrens* que trabalhavam em terra encerravam seu expediente às quatro da tarde, isto permitindo bastante tempo para uma partida de tênis ou nadar. Figuras seminuas emergiam casualmente dos prédios de ablução, usando sandálias de tiras de couro, uma pequena toalha de banho, e nada mais. Outras perambulavam em maiôs, prendiam roupas íntimas em varais ou já tinham trocado os uniformes pelas calças cáqui e blusas de mangas compridas que eram o traje regulamentar da noite, naquela área de mosquitos transmissores de malária.

A malária não era o único problema. Não muito tempo atrás houvera um alarme de febre tifóide, que havia levado todo mundo a fazer fila para dolorosas injeções e a sofrer os incômodos subseqüentes. Havia ainda uma legião de indisposições secundárias que, de uma hora para outra, deixavam uma pessoa inativa. Queimaduras de sol e problemas intestinais atacavam inevitavelmente qualquer garota recém-chegada da Inglaterra e ainda não acostumada com o sol e o calor. A dengue era como a pior gripe do mundo. O estado de permanente suor provocava comichões e impetigo tropical. Além disso, a mais trivial picada de mosquito ou formiga provavelmente inflamaria, se não tratada imediatamente com uma solução de Dettol. Um frasco de Dettol, aliás, era parte integrante do equipamento de toda garota, e os prédios de ablução estavam sempre impregnados do cheiro dessa medicação, misturado ao do fluido carbólico que os faxineiros da noite usavam, quando esvaziavam e escovavam seus baldes chocalhantes.

Em cada lado da comprida *banda* alinhavam-se doze camas, bem semelhantes a um dormitório colegial, porém muito mais primitivo. Cada cama tinha ao lado uma cômoda e uma cadeira. Cavilhas de madeira faziam as vezes de guarda-roupas. O piso era de concreto, e ventiladores de madeira, instalados alto e abaixo do teto de palha, movimentavam o ar em alguma semelhança de frescura. Acima de cada cama, como um sino monstruoso, pendia um branco mosquiteiro de filó.

Como sempre acontecia nesta hora do dia, várias atividades separadas achavam-se em andamento. No extremo oposto da *banda*, uma jovem enrolada em sua toalha de banho estava sentada na cama com uma máquina de escrever portátil sobre os joelhos nus, teclando uma carta para casa. Outras liam livros, folheavam sua correspondência, alvejavam os sapatos ou cuidavam das unhas. Duas sentavam-se juntas e cochichavam, examinando um maço de fotos. Outra havia posto um disco de Bing Crosby em sua vitrola portátil e ouvia a música, enquanto enrolava o cabelo molhado em bobs. O disco era muito antigo e excessivamente tocado, de modo que arranhava e fazia ruídos sob a agulha de aço.

Quando o rubro intenso cai
Sobre muros sonolentos de jardim.

Sua cama; a coisa mais aproximada de lar que Judith conhecera durante cerca de um ano. Ela deixou cair sua sacola, livrou-se das roupas suadas, enrolou uma toalha de banho em torno da cintura e tombou pesadamente na cama, com os dedos entrelaçados sob a cabeça, para ficar deitada, contemplando as pás giratórias do ventilador de teto.

Era estranho como as coisas aconteciam, uma sucessão de eventos. Durante dias e dias ela nem mesmo pensava na Cornualha e em Devon. Na Dower House e em Nancherrow. Isto ocorria, em parte por haver pouca oportunidade de ficar divagando, e em parte porque tinha aprendido que a saudade era um exercício totalmente inútil. Os velhos tempos, velhos amigos, a velha vida, tudo estava a séculos de distância, era um mundo perdido. O trabalho estafante ocupava muito de sua mente, e tranqüilos interlúdios de introspecção haviam sido tornados impossíveis pelo fato dela nunca estar sozinha, mas constantemente em presença de outras pessoas, nem sempre simpáticas ou compreensivas.

De repente então, em um momento, um encontro ao acaso. Toby Whitaker, emergindo de nenhures, apanhando-a desprevenida. Falando sobre Upper Bickley, sobre Biddy e Bob, precipitando uma onda de recordações que tinham estado adormecidas durante meses. Ela podia recordar com exatidão o dia em que ele aparecera para levar Bob

Somerville. Ela e Bob haviam saído para uma caminhada pelas charnecas com Morag, e Bob ainda estava com suas velhas roupas de *tweed* que usava no campo, suas botas de caminhar...

E agora, *Deep Purple*, de Bing Crosby. Uma música emaranhadamente entrelaçada naqueles últimos dias do verão de 1939, porque Athena trouxera o disco de Londres e o tocava constantemente na radiola da sala de estar, em Nancherrow.

Na quietude da noite,
Torno a apertá-la contra mim.

Judith pensou no grupo. A tela que nunca havia sido pintada, mas que permanecia em sua imaginação como uma obra terminada, emoldurada e pendurada em alguma parede. *Antes do Almoço. Nancherrow. 1939.* Os gramados verdes, o céu azul, a brisa agitando as franjas do guarda-sol de Diana, que lançava sua sombra sobre a grama. E as figuras sentadas em torno, nas espreguiçadeiras, ou de pernas cruzadas sobre mantas axadrezadas. Então, estavam todos juntos, aparentemente ociosos e privilegiados, mas cada qual com suas reservas e medos privados; dolorosamente cônscios da guerra iminente. Entretanto, teria algum deles qualquer idéia de como essa guerra destroçaria suas vidas, separando-os e dispersando-os pelos confins da terra? Seu olho mental viajou em torno do pequeno grupo, contando as pessoas, uma a uma.

Primeiro Edward, naturalmente. O dourado feiticeiro, amado por todos. Morto. Abatido no céu, durante a Batalha da Inglaterra. Edward jamais voltaria a Nancherrow, nunca mais desfrutaria do lazer no gramado, em um domingo de sol.

Athena, tecendo diligentemente uma coroa de margaridas. Uma cabeça loura e cintilante, os braços nus, cor de mel escuro. Na época, nem mesmo comprometida com Rupert Rycroft. Agora estava com vinte e oito anos, Clementina já fizera cinco, e mal vira o pai.

Rupert, reclinado em uma cadeira de braços de madeira, os joelhos ossudos projetando-se para diante. O arquétipo do oficial da Guarda, alto, coriáceo, de pronúncia lenta e arrastada; maravilhosamente seguro de si e absolutamente sincero. Como tinha sobrevivido à campanha na África do Norte e conseguira chegar à Sicília, qualquer um pensaria que ele fora abençoado com uma vida encantada, mas até ouvir a tremenda notícia de que tinha recebido um ferimento quase mortal na Alemanha, logo depois que as Forças Aliadas cruzaram o Reno, e terminara em um hospital militar, em algum lugar da Inglaterra, onde os médicos lhe haviam amputado a perna direita. Tal notícia chegara a Judith em uma carta de Diana que, embora bastante abalada, mal podia esconder seu alívio em saber que o genro não perdera a vida.

Gus Callender. O jovem escocês, moreno e reservado, amigo de Edward. Um estudante de engenharia, artista e soldado, que passara tão brevemente pela vida de todos eles, apenas para desaparecer, engolfado na confusão da luta durante a defesa de Cingapura. *Ele está morto*, insistira Loveday e, como estava grávida do filho de Walter Mudge, a família a acompanhara em sua convicção, porque se alguém sabia que Gus havia sobrevivido, essa pessoa seria Loveday. Além disso, a felicidade e o bem-estar *dela* eram primordiais, e Diana e Edgar queriam mantê-la com eles para sempre. Portanto, Gus estava morto. Somente Judith — assim parecia — não se deixara convencer. E ela continuou duvidando da morte de Gus até o casamento de Loveday, após o que de nada adiantaria manter ardendo a chama da esperança. A sorte tinha sido lançada. Loveday estava casada. Agora era a esposa de um fazendeiro da Cornualha e mãe de Nathaniel, o bebê maior, mais robusto e vociferante que Judith já vira. O nome de Gus deixara de ser mencionado. Ele morrera.

E finalmente, o último. Jeremy Wells.

Notícias dele também tinham viajado até Judith, via cartas de casa. Ele sobrevivera à Batalha do Atlântico e fora designado para o Mediterrâneo, porém isso era tudo que ela sabia. Desde a noite passada com ele na casa de Diana, em Londres, não recebera uma só palavra — nenhuma mensagem, nenhuma carta. Disse para si mesma que Jeremy excluíra-se de sua vida, mas, algumas vezes, como agora, ela ansiava ver novamente o rosto singelo dele, estar em sua presença tranqüilizadora, conversar. Talvez um dia ele surgisse em Trincomalee, brotando de nenhures, capitão-de-fragata médico de algum cruzador ou couraçado. No entanto, se isso acontecesse e ele a procurasse, o que um teria para dizer ao outro, após todos aqueles anos sem comunicação? Só poderia haver reserva e constrangimento. O tempo curara a dor que ele infligira, porém o ferimento a deixara cautelosa. Uma vez mordida, duas vezes precavida. E de que adiantava a recriminação, a abertura de antigas feridas?

— Judith Dunbar está aqui?

A voz alta dispersou seus pensamentos. Judith caiu em si, percebeu que agora escurecia, que surgira um abrupto pôr-do-sol, que além das abertas persianas de palha das janelas, a noite ia adquirindo um tom azul-escuro, como que de uma pedra preciosa. Uma *Wren* vinha descendo pelo dormitório, em direção à cama de Judith. Tinha cabelos escuros e curtos, óculos com aros de tartaruga, e vestia um conjunto de calças e blusa de mangas compridas. Judith a reconheceu. Era uma *Wren* graduada, chamada Anne Dawkins, que trabalhava na Pagadoria e vangloriava-se de seu animado sotaque cockney,* tão consistente que, alegava, poderia ser cortado com uma faca.

— Sim, estou aqui... — e Judith sentou-se na cama, não se preocupando em puxar a toalha de banho para os seios nus.

— Lamento estar invadindo, mas fui pegar minha correspondência e achei uma de suas cartas, por engano. Veio junto com as minhas. Achei que seria melhor trazê-la diretamente para você...

Ela estendeu o envelope, grande e volumoso. Judith olhou para o sobrescrito e reconheceu a caligrafia de Loveday, o que a fez pensar em um fantasmagórico toque de coincidência. Toby Whitaker, depois *Deep Purple*, e agora uma carta de Loveday. Muito estranho. Loveday mal escrevia cartas, e fazia meses que Judith não recebia nenhuma dela. Esperou que nada estivesse errado.

Anne Dawkins continuava ali, ainda justificando-se:

— ... tolice minha... nem sei o que estava pensando.

— Não tem importância. Sinceramente. Obrigada por trazê-la.

A *Wren* foi embora. Judith a olhou afastar-se, depois afofou os travesseiros, tornou a recostar-se neles e abriu o envelope, com a unha do polegar. Do interior, retirou o maço de folhas dobradas de papel para correspondência aérea. Mosquitos esvoaçavam em torno de seu rosto. Ela sacudiu o nó de seu mosquiteiro para afugentá-los, abriu a carta e começou a ler.

---

* Dialeto de um bairro do extremo leste de Londres. (N. da T.)

O Regresso

Lidgey,
Rosemullion

22 de julho de 1945

*Querida Judith, não leve um susto, por receber uma carta
minha. Sem dúvida, deve estar pensando que aconteceu alguma
coisa terrivelmente errada, mas não se preocupe, está tudo bem.
Acontece que eu e Nat acabamos de tomar chá com todos da
Dower House, e lá estava tão esquisito sem você, que pensei em
escrever-lhe uma carta. Nat, graças a Deus está dormindo, e
Walter foi ao pub tomar uma cerveja com os amigos. Nat não
está em sua cama, mas no sofá, aqui na cozinha. Se a gente o
bota na cama, ele começa a chorar e acaba saindo de lá, por
isso prefiro deixá-lo pegar no sono aqui no sofá, depois o levando para o berço. Ele está pesando uma tonelada. Tem dois anos
e meio agora, é a criança mais robusta que já se viu, com cabelos
negros e olhos quase da mesma cor. Além disso, sua energia é
inesgotável e o gênio, terrível. Ele nunca quer ficar dentro de
casa, mesmo se estiver chovendo, e adora ir para as lavouras,
preferentemente na direção do trator com o pai. Ele se senta
nos joelhos de Walter, e muitas vezes acaba dormindo, mas
Walter nem liga, continuando a fazer o seu serviço. Nat só se
comporta bem quando está em Nancherrow, porque tem um
certo medo de papai e, sem a menor dúvida, também de Mary
Millyway, que não o deixa fazer tudo o que bem entende.*

*Tomando chá com Biddy, ela me contou que seu tio Bob foi
transferido para Colombo, onde já está. Não é curioso o fato
de vocês dois terminarem juntos, aí tão longe? Possivelmente
nada tenha de curioso, pois como a guerra na Europa já terminou, suponho que quase toda a Marinha Real esteja indo para
o leste. Eu gostaria de saber se você já o viu, seu tio Bob, quero
dizer; olhei no mapa, e o lugar fica bem no outro lado da ilha,
em oposição a Trincomalee. Então, é provável que você ainda
não tenha estado com ele.*

*Será que Jeremy Wells também acabará indo para onde você
está agora? Nossa última notícia dele é de que estava com a*

Sétima Frota, em Gibraltar. Ele ficou tanto tempo lutando de um lado para outro do Atlântico, que estar no Mediterrâneo deve ser o paraíso. De qualquer modo, com sol à vontade.

Notícias de Nancherrow. O lugar ficou muito vazio e triste porque, há cerca de dois meses, Athena e Clementina fizeram as malas e partiram, foram morar em Gloucestershire, com Rupert. Mamãe, Biddy ou alguma pessoa devem ter-lhe dito que ele ficou muito ferido na Alemanha, logo depois de cruzar o Reno, tendo tido que amputar a perna direita. (Um fato terrivelmente cruel, se pensarmos que Rupert fez toda a trajetória do Deserto Ocidental, de Alamein a Trípoli, tendo depois tomado parte em todos aqueles combates na Sicília, sem levar um só arranhão, apenas para ser gravemente ferido já perto do fim da guerra.) De qualquer modo, foi trazido para casa, ficou muito tempo em um hospital e depois em uma espécie de casa de reabilitação, aprendendo a caminhar com uma perna de metal. Athena deixou Clementina com Mary e mamãe, tendo ficado ausente por um longo período, residindo perto do hospital para poder estar com ele. É claro que Rupert não poderia continuar no regimento com uma perna metálica, e então foi declarado inválido. Ele e Athena estão morando em uma casinha de fazenda na propriedade do pai, e Rupert vai aprender tudo sobre como dirigir o lugar, no momento em que o pai idoso for desta para melhor. Foi horrível despedir-me de Athena e Clementina, mas ela não parecia muito relutante em ir e, acho eu, simplesmente estava grata porque seu marido não foi morto. Ela já telefonou uma ou duas vezes, para dizer que Gloucestershire é muito bonito, e que a casa também ficará bonita, assim que tiver tempo para meter mãos à obra. Será uma tarefa bem difícil, com tudo ainda racionado. Nem mesmo conseguimos cortinas, cobertores ou lençóis, sem cupons para roupa!

Nat sente muita falta de Clementina, mas, por outro lado, gosta de ter só para ele todos os brinquedos de Nancherrow que estão no quarto de brinquedos, sem ela por perto fazendo objeções o tempo todo e batendo na cabeça dele com uma boneca ou caminhãozinho.

É um alívio imenso a guerra ter chegado ao fim, porém nada mudou muito na vida rotineira, todos ainda dispondo somente de um tiquinho de gasolina, sem nada nas lojas e os alimentos tão escassos como sempre. Temos a sorte de viver em uma fazenda, porque sempre podemos matar uma galinha e, nos bosques, ainda há faisões e pombos, não se falando em um peixe ganho de vez em quando. O mesmo digo sobre ovos. Vivemos à custa de ovos, e comprei mais duas dúzias de galinhas Leghorns brancas, para aumentar nossas rendas. Cuidar da horta de Nancherrow vinha exigindo muito do pobre Nettlebed, e então transformamos em horta comunal um dos campos nos fins de Lidgey. O pai de Walter arou o terreno, que agora é cuidado juntamente por ele e Nettlebed. Temos batatas, repolhos, cenouras etc. Muito feijão e ervilhas. Ultimamente, o pai de Walter não tem andado muito bem de saúde, com dores no peito e uma forte tosse. O médico lhe disse que levasse a vida com calma, porém ele riu ocamente (existe esta palavra?) e continua como antes. A sra. Mudge ainda trabalha como escrava na leiteria etc.

Ela adora Nat e insiste em mimá-lo de todo o jeito, sendo este um dos motivos dele comportar-se tão mal. Quando tiver cinco anos poderá ir para a escola. Mal posso esperar!

Agora chegou o momento de lavar as coisas do jantar, que estão espalhadas por todo canto, de ir trancar as galinhas no galinheiro e levar Nat para a cama. Há um pilha de roupa por passar, mas acho que não farei isso hoje. Afinal, é um exercício absolutamente inútil.

É um prazer falar com você. Responda. Às vezes levo dias sem pensar em você, mas em outras penso o tempo todo, a tal ponto, que parece esquisito ir até Nancherrow e ter de dizer a mim mesma que você não está lá.

Saudades, saudades.

Loveday

No exótico ambiente dos trópicos, onde a única mudança de estação era o ataque violento das monções, com os perpétuos dias de sol ameaçando tornar-se monótonos, os dias, semanas e meses deslizavam com alarmante rapidez, sendo fácil perder-se inteiramente a noção do tempo. Essa impressão de viver-se em uma espécie de limbo era devida à falta de jornais diários ou mesmo de tempo para ouvir-se os boletins de notícias das Forças Armadas. Somente as jovens mais compenetradas se davam ao esforço de seguir de perto os eventos que ocorriam no mundo. A última coisa de fato significativa que parecia ter acontecido fora a comemoração do VE Day*, mas isso havia sido três meses atrás.

Em vista de tudo isso, o ritmo da semana de trabalho normal — interrompida em nítidos segmentos pelos sumamente especiais fins de semana — ganhava ainda maior importância do que na Inglaterra, ajudando a instilar um senso de normalidade em uma existência essencialmente anormal. Os sábados e domingos adquiriam um sentido especial, eram dias muito ansiados de plena liberdade, nos quais cada um tinha tempo para si mesmo, podendo escolher entre não fazer nada ou fazer tudo.

Para Judith, a melhor parte era não ter que levantar às cinco e meia da manhã, a fim de estar no final do cais a tempo de embarcar na primeira lancha do HMS *Adelaide* que partia no dia. Ela continuava acordando às cinco e meia, com seu relógio de tempo humano sendo incomodamente confiável, porém em geral se virava na cama e tornava a dormir, até ficar quente demais para permanecer encarcerada sob seu mosquiteiro e ser a hora certa para uma ducha e o *breakfast*.

Nesta particular manhã de sábado, o *breakfast* constara de ovos mexidos e, em vez de comer apressadamente a fatia de pão com geléia de pêssego como nos outros dias da semana, Judith pôde saboreá-la vagarosamente, demorando-se nas xícaras de chá. Pouco depois, juntava-se a ela uma excêntrica jovem irlandesa chamada Helen O'Connor, originária do Condado de Kerry, a qual costumava exibir um inocente ar de total amoralidade. Era alta e magra como um cabo de vassoura, dona de compridos cabelos escuros, e da reputação de colecionar homens como outras colecionavam selos. Usava uma pulseira de ouro pesada de berloques, os quais chamava de seus escalpos,

---

* Dia da Vitória na Europa (8 de março de 1945).

e se alguém fosse ao Clube dos Oficiais, ela sempre estava lá, tisnando-se sob a estrelas e sempre com um novo e apaixonadamente fascinado acompanhante.

— O que pretende fazer hoje? — ela perguntou a Judith, acendendo o primeiro cigarro do dia e exalando uma longa e agradecida baforada.

Judith contou a ela sobre Toby Whitaker.

— Ele é atraente?

— Mais ou menos. Casado, com dois filhos.

— É melhor tomar cuidado. Eles são os piores. Eu ia convidá-la a velejar comigo hoje. Deixei-me seduzir por um dia passado na água, e tenho a curiosa impressão de que seria bom levar uma acompanhante comigo.

Judith deu uma risada.

— Muitíssimo obrigada, mas acho que terá de encontrar outra pessoa para pau-de-cabeleira.

— Bem poucas se prestam a isso por aqui. Oh, bem... — Ela bocejou e espreguiçou-se. — Talvez eu corra o risco. Lutarei por minha honra virginal.

Seus olhos azuis cintilaram de hilaridade e, recordando Loveday, Judith subitamente simpatizou muito com ela.

Depois do *breakfast*, Judith desceu até a enseada e nadou, mas então já era hora de aprontar-se para sair com Toby Whitaker. Vestiu short, uma blusa sem mangas, calçou um velho par de tênis e encheu uma cesta que a acompanharia através do dia. Colocou nela um esfiapado chapéu de palha, um maiô e uma toalha. Acrescentou um livro, para o caso de haver uma pausa na conversa ou de Toby decidir-se por uma sesta ao entardecer. Pensando melhor, colocou também calças compridas cáqui, uma blusa e um par de sandálias de couro, prevendo a hipótese de o dia de ambos prolongar-se, chegando ao jantar e às horas além.

Com a cesta pendurada ao ombro, ela saiu dos alojamentos, passou pela Sala de Regulamento e caminhou até o portão. Estava um pouco adiantada, mas Toby Whitaker já havia chegado e a esperava. A brilhante surpresa era que, de um modo ou de outro, ele conseguira apoderar-se de um jipe, agora estacionado em um trecho de sombra, no outro lado da estrada. Toby estava sentado ao volante e fumava tranqüilamente um cigarro, mas quando a viu chegar, desceu do jipe, livrou-se do cigarro e cruzou a estrada para encontrá-la. Também estava vestido de maneira casual — short azul e uma camisa desbotada, mas era desses homens que, sem a farda, ficam um pouco diminuídos, indistintos. Ao vê-lo convenientemente trajado para o dia em sua companhia, Judith decidiu que ele tinha toda a aparência de um consciencioso chefe de família, a caminho da praia. (Pelo menos não usava meias com as sandálias e ela esperava que tampouco desse nós nos cantos do lenço, a fim de usá-lo à maneira de chapéu, como proteção contra o sol.)

— Olá!

— Cheguei cedo. Não imaginava que você já estivesse aqui. Onde conseguiu o jipe?

— O capitão Curtice o emprestou para o dia — explicou ele, parecendo muito satisfeito consigo mesmo.

— Formidável. Por aqui, os jipes valem ouro em pó.

— Ele disse que não pretendia usá-lo hoje. Eu lhe falei sobre você e ele comentou que subir em um furgão não era o meio mais apropriado para sair com uma garota. Terei de devolvê-lo esta noite.

Parecendo desmedidamente satisfeito consigo mesmo, ele lhe tomou a cesta.

— Vamos — disse.

Os dois entraram no jipe e partiram em meio à costumeira nuvem de poeira, rumo ao porto e à estrada que o contornava, seguindo a ampla curva do litoral. Não podiam ir muito depressa, porque havia um intenso e variado trânsito de caminhões e furgões da Marinha, bicicletas, *rickshaws* e carros-de-boi. Havia bandos de homens trabalhando no paredão, o molhe de defesa da costa, enquanto mulheres descalças, envoltas em saris de algodão, seguiam a caminho do mercado, carregando bebês de colo, liderando fieiras de crianças de traseiros nus e carregando cestas de frutas na cabeça. Além do molhe, o porto estava repleto de esguias e cinzentas belonaves da Frota. Bandeiras flutuavam nos mastros principais, toldos brancos sacudiam-se ao vento quente, e os toques de cornetas transmitindo ordens, flutuavam claramente através das águas cintilantes.

Entretanto, tudo aquilo era território novo para Toby.

— Você terá de ser o navegador — disse a ela. — Dê as coordenadas.

Judith assim fez, guiando-o para longe do porto, descendo pelas estradas acidentadas que atravessavam a aldeia, passando pelo Mercado de Frutas e através do Pettah. Deixaram para trás o Forte Frederick e Swami Rock, depois ganharam a estrada do litoral que seguia para o norte até Nilaveli.

Agora não havia mais trânsito, tinham a estrada inteira para eles, porém era impossível aumentar muito a velocidade, devido aos sulcos deixados pelos carros, valetas e pedras. Assim, foram em frente sem pressa.

Erguendo a voz, a fim de ser ouvido acima do ronco do motor do jipe e da confusão geral de vento e poeira, Toby disse:

— Você prometeu me falar sobre a senhora que dirige a ACM.

— Certo, prometi. — Seria mais fácil não conversar, mas talvez fosse um pouco descortês dizer isso para ele. — Conforme falei, ela é uma grande pessoa.

— Como é mesmo que se chama?

— Toddy. Sra. Todd-Harper. É viúva de um plantador de chá. Eles possuíam uma propriedade em Banderewela. Deviam ir para casa em 1939, mas então estourou a guerra, os mares ficaram cheios de submarinos e, não havendo navios, os dois permaneceram no Ceilão. Então, faz uns dois anos, o sr. Todd-Harper morreu de um ataque cardíaco, deixando-a sozinha. Ela entregou a plantação de chá a um e outro administrador, juntando-se então ao equivalente local do Serviço Feminino Voluntário. Toddy pretendia entrar para as *Wrens*, porém era demasiado idosa. Seja como for, acabou sendo indicada para Trincomalee, onde foi incumbida de dirigir a nova ACM. Fim da história.

— Como ficou sabendo tanto sobre ela?

— Eu morei em Colombo até os dez anos. Os Todd-Harper costumavam descer das montanhas de quando em quando, hospedavam-se no "Galle Face Hotel" e recebiam todos os amigos.

— Eles conheciam seus pais?

— Sim, mas minha mãe e Toddy não tinham muito em comum. Não creio que minha mãe a aprovasse. Costumava dizer que ela era muito espalhafatosa, muito "picante". Uma total condenação.

Toby riu.

— E então, depois de todos estes anos, vocês duas voltam a encontrar-se.

843

—Exatamente. Ela já estava aqui quando cheguei, há um ano atrás. Foi um excelente reencontro. Tê-la por perto faz toda a diferença. Às vezes, quando uma festa acaba muito tarde e tenho um passe para dormir fora, passo a noite na ACM e, se ela estiver em falta de quartos, manda um empregado colocar uma cama e um mosquiteiro na varanda, para mim. É o paraíso, acordar no frescor da manhã e ficar vendo os catamarãs chegando, com a pescaria da noite.

Agora estavam em campo aberto. À frente deles avistavam a linha do litoral, orlada de palmeiras e toldada pelo calor do meio-dia. À direita jazia o mar, cor de jade, claro e imóvel como uma lâmina de vidro. Após um momento, o prédio da ACM surgiu à vista, uma construção baixa e comprida, agradavelmente situada entre a estrada e o oceano: teto de palha e ampla varanda, mergulhada na sombra de um oásis de palmeiras. A única outra construção visível era um grupo de cabanas nativas, quase um quilômetro mais acima, dando para a praia. Aqui, a fumaça elevava-se de fogueiras para cozinhar, e os catamarãs dos pescadores tinham sido puxados para a areia.

— É para lá que vamos? — perguntou Toby.

— É.

— Que lugar idílico!

— Foi construído há apenas dois anos.

— Nunca pensei que as Moças Cristãs fossem tão imaginativas.

Rodaram por mais uns cinco minutos e chegaram. O calor era sufocante, porém eles podiam ouvir o mar. Cruzaram a areia escaldante, subiram os degraus de madeira para a varanda, depois entraram. Um aposento comprido, aberto em todos os lados para captar cada fiapo de brisa, tinha como mobiliário as mais simples mesas e cadeiras para refeições. Um empregadinho cingalês, de camisa branca e sarongue de xadrez vermelho, arrumava lentamente a mesa para o almoço. Junto ao teto, os ventiladores de madeira giravam e, no lado do mar, via-se o panorama emoldurado de céu, horizonte, mar e da praia de quente areia branca.

Enquanto eles permaneciam ali, uma porta foi aberta no extremo oposto do refeitório, e dela emergiu uma mulher, trazendo uma pilha de guardanapos brancos, recém-passados a ferro. Ela viu Judith e Toby parados junto à entrada, fez uma ligeira pausa, identificou a jovem e cruzou todo o comprimento do aposento a fim de recebê-los.

— Queridinha! — Os braços se abriram amplamente. — Que surpresa celestial! Não podia imaginar que você viria hoje. Por que não me avisou? — Chegando ao lado de Judith, os braços a envolveram em um asfixiante abraço e beijos foram depositados em suas faces, deixando enormes marcas de batom. — Não esteve doente, esteve? Há anos que não vem me ver...

— Faz cerca de um mês, e não estive doente. — Liberada, Judith tentou limpar furtivamente o batom de seu rosto. — Toddy, este é Toby Whitaker.

— Toby Whitaker — repetiu Toddy. Sua voz era tremendamente rouca, o que não surpreendia ninguém, porque ela fumava sem cessar. — Eu já o conheço? — perguntou, examinando-o de perto.

Um tanto surpreso, Toby respondeu:

— Não, não creio que conheça. Foi somente ontem que cheguei a Trincomalee.

— Achei mesmo que não o identificava. Eu conheço a maioria dos amigos de Judith.

Ela era uma mulher alta, magra, de ancas esguias e o busto achatado de um homem. Usava calças compridas e uma blusa comum. Tinha a pele marrom e coriácea como couro bem curtido, além de franzida como uma ameixa seca, mas a maquiagem passava por cima de tudo isso: sobrancelhas fortemente acentuadas a lápis, cintilante sombra azul nos olhos e uma boa dose de batom, vermelho bem escuro. Seus cabelos, que somente poderiam ser descritos como um choque, em circunstâncias normais teriam sido brancos como a neve (*cabelos inteiramente brancos fazem a gente parecer velha demais, queridinha*), mas estavam tingidos de um alegre e pretensioso amarelo.

— Vieram para almoçar? Que maravilha! Almoçaremos juntos. Contarei para vocês as últimas e mais saborosas novidades. Felizmente, o dia hoje não está muito movimentado. Ah, e temos peixe. Comprei-o em um dos barcos, esta manhã. Querem um drinque? Devem estar morrendo de sede. Gim e tônica? Gim e limão? — Enquanto falava, ela já apalpava o bolso do peito da camisa em busca dos cigarros e do isqueiro, depois sacudia habilmente o cigarro para fora do maço. — Judith, mal posso esperar para contar, mas outra noite esteve aqui a mulher mais pavorosa. Creio que era uma terceiro-oficial. Demasiado vulgar para ser graduada. Entretanto, absolutamente da alta. Falava em seu mais alto tom de voz, durante todo o jantar. Aliás, não falava, buzinava. Como se estivesse tomando parte em uma caçada, em campo aberto. Muito embaraçoso. Você a conhece, não é mesmo?

Judith riu e sacudiu a cabeça.

— Não intimamente.

— Bem, mas sabe de quem estou falando, não? Esqueça, não tem importância. — Ela acionou o isqueiro e acendeu o cigarro. Com ele seguramente pinçado entre os lábios pintados, Toddy voltou à carga. — Só espero que ela não torne a aparecer por aqui. Muito bem, vamos aos drinques. Gim e tônica para os dois? Judith, quer levar...? — Ela já havia esquecido o nome dele.

— Toby — respondeu o Tenente.

— Quer levar Toby até a varanda? Fiquem à vontade, e logo estarei chegando com drinques para todos nós.

A porta de vaivém se fechou atrás dela, porém sua voz ainda era ouvida distintamente, tomando providências e dando ordens. Judith olhou para Toby.

— Sua expressão é de choque total — comentou.

Ele rapidamente compôs o rosto.

— Entendo exatamente o que você queria dizer.

— Espalhafatosa?

— Espalhafatosa, claro. Talvez depravada. — Então, como se pensasse ter falado além da conta: — Entretanto, uma esplêndida companhia, tenho certeza.

Os dois pegaram seus pertences e foram para a varanda. Era mobilada com compridas cadeiras e mesas de vime, sendo claramente a área de estar do estabelecimento. Pequenos grupos de moças e alguns homens já estavam ali, escassamente vestidos para nadar, aproveitando a aragem fresca e saboreando um drinque de antes do almoço. Na praia, outros tomavam sol, corpos bronzeados espichados na areia, como outros tantos arenques defumados. Uns poucos nadavam ou boiavam preguiçosamente nas ondas suaves. Judith e Toby inclinaram-se sobre os cotovelos no corrimão de madeira e ficaram observando a cena.

A areia era ofuscantemente branca. No limite da água, marginando-a de rosa-pálido, estavam os detritos de fragmentos de conchas, lavados pelas ondas. Conchas exóticas, a um mundo de distância dos despretensiosos mexilhões e bivalves listradas de Penmarron. Aqui jaziam montes de conchas e náutilos, de conchas de aranhas-do-mar e lumaches. Caramujos com sua forração de madrepérola, e as cascas letais dos ouriços-marinhos.

— Não sei bem quanto tempo posso esperar antes de entrar nesse mar — disse Toby. — Podemos nadar até aquelas rochas?

— Você pode ir, se quiser, mas eu nunca vou lá, porque elas são cobertas de ouriços-marinhos, e a última coisa que se pode desejar é um espinho deles enterrado no pé. Por outro lado, não gosto de ir tão longe. Não tem havido ataques de tubarões, por causa dos barcos de pesca indo e vindo.

— Você já viu tubarões?

— Aqui, não. Entretanto, certa vez eu velejava fora do porto e fomos seguidos o tempo todo de volta por um tubarão, espreitando sob nossa quilha. Se ele quisesse, poderia ter virado o barco na água em um segundo, e seríamos o seu almoço. Foi aterrorizante.

Uma jovem vinha saindo do mar. Usava um maiô branco, era esbelta, de pernas compridas e, enquanto eles espiavam, ela ergueu as mãos para torcer a água dos cabelos molhados. Depois, inclinando-se a fim de recolher sua toalha, caminhou pela praia ao encontro do homem que a esperava.

Toby a ficou contemplando. Após um momento, falou:

— Diga-me, é mesmo verdade que todas as garotas parecem muito mais atraentes aqui do que na Inglaterra? Ou será que já estou sucumbindo ao fascínio da raridade?

— Não, eu acho que é verdade.

— Por quê?

— Suponho que devido às circunstâncias. Vida ao ar livre, com bastante sol, tênis e natação. É muito interessante. Chega uma nova leva de *Wrens* da Inglaterra, e a aparência delas é de fato terrível. Com excesso de peso, atarracadas e brancas. De permanente nos cabelos e rostos cobertos de maquiagem. Então, começam a nadar, o permanente fica todo queimado, e elas acabam cortando os cabelos. Logo percebem que o calor é demasiado e que o suor prejudica a maquiagem. Resultado: seus cosméticos vão para o lixo. Uma vez que o calor constante liquida com o apetite de todo mundo, elas terminam perdendo peso.

Por fim, sentam-se ao sol, ficam lindas e bronzeadas. Uma progressão natural.

— Não acredito que você tenha sido atarracada e branca.

— Eu não era atarracada, mas certamente era pálida...

Ele riu, depois disse:

— Gostei de você ter-me trazido aqui. É um bom lugar. Jamais o teria encontrado, estando sozinho.

Toddy voltou com os drinques para eles, muito gelados e bastante alcoólicos. Após beberem, Toby e Judith nadaram um pouco e em seguida almoçaram na sala de refeições, em companhia de sua anfitriã. Peixe grelhado, tão fresco que a macia carne branca se desprendia dos ossos e, como sobremesa, uma salada de frutas — mangas, laranjas e abacaxi. Toddy falou durante toda a refeição, regalando-os com breves e suculentos mexericos, alguns deles com boa chance de serem verdadeiros, porque ela passara a vida toda no Ceilão e tratava todos pelo primeiro nome, do vice-almirante em Colombo ao ex-plantador de chá que agora dirigia o Campo de Trabalho em Trincomalee.

Ouvindo com polidez, Toby Whitaker sorria corajosamente, mas, para Judith, era claro que ele estava um tanto mortificado por tão candentes escândalos e, desta maneira, talvez desaprovasse. Isto provocou nela uma certa irritação. Ele não tinha motivos para ser moralista, o que a fez querer provocá-lo. Assim, insistia com Toddy para ir ainda mais fundo em suas ultrajantes indiscrições.

Devido a toda esta conversa, alimentada por mais um gim-tônica (*queridinha, não podemos perder a outra metade*), o almoço demorou bastante tempo, sendo finalmente dado por encerrado quando Toddy pegou seu cigarro, levantou-se e anunciou que ia para seu quarto, deitar a cabeça e fazer a sesta.

— Gostam de café? Direi a Peter que o leve para vocês, na varanda. Devo aparecer lá pelas quatro e meia. Então, tomaremos chá juntos. Nesse meio tempo, divirtam-se!

Assim, eles passaram a meia hora seguinte recostados nas compridas poltronas, de maneira sibarítica, bebericando café gelado e esperando o sol poente lançar sombras na areia, para então voltarem a nadar. Judith saiu para vestir o maiô e, ao voltar, viu que Toby já estava na água. Correu pela praia ao encontro dele, mergulhou nas claras ondas verdes, e a frescura do mar era como seda contra a pele queimada, a água acumulando-se nos cílios e transformando a claridade em arcos-íris.

As condições eram tão perfeitas, que uma hora transcorreu antes de eles finalmente se decidirem a voltar para a praia. Até então, ambos tinham nadado lânguida e preguiçosamente, mas Toby foi de súbito tomado por violento afluxo de energia ou talvez algum básico impulso masculino de exibir-se.

— Vejamos quem chega primeiro! — anunciou.

Sem maiores preâmbulos ou dar a Judith uma chance de aceitar a proposta, ele disparou à frente, deslizando pelas águas e afastando-se dela em um invejável *crawl* australiano. Deixada para trás, Judith ficou um tanto sem graça, mas decidiu não fazer qualquer esforço para competir, pois qual a finalidade de aventurar-se em semelhante disputa? E quem poderia imaginar que um homem adulto pudesse ser tão infantil? Ela o viu alcançar um ponto em que dava pé, sair do meio das ondas em largas passadas e postar-se triunfalmente na praia, de mãos na cintura, contemplando o deliberadamente lento progresso dela. Havia um sorriso altaneiro em seu rosto.

— Molenga! — espicaçou ele.

Judith recusou-se a nadar mais depressa. As ondas suaves a impeliam para diante.

— Você teve uma vantagem totalmente injusta — replicou severamente.

Mais uma onda, e seus joelhos roçaram a areia. Cobriria os últimos metros andando até a praia. Firmou-se nos pés e levantou-se.

A pontada de dor mergulhou fundo em seu pé esquerdo, dilacerante, tão lancinante, que ela abriu a boca para gritar, sem que nenhum som saísse. A subitaneidade, o espasmo de choque, fizeram-na perder o equilíbrio, ela cambaleou e caiu para diante, a boca enchendo-se de água salgada. Sufocando, à beira do pânico, sentiu a areia sob os dedos, conseguiu erguer o rosto acima da água e então, pouco ligando para a dignidade, começou a rastejar, apoiando-se nas mãos e joelhos.

Tudo aconteceu em pouquíssimo tempo, mas Toby já estava lá, junto dela.

— Diabo, o que aconteceu?

— Meu pé. Tropecei em alguma coisa. Não consigo levantar-me. Não tente pôr-me de pé!

Assim, ele passou as mãos por baixo dos ombros dela e a sustentou até a areia, onde Judith se deixou cair, ficando apoiada nos cotovelos. Os cabelos lhe cobriam todo o rosto e a água salgada escorria de seu nariz. Erguendo a mão, ela procurou afastar os cabelos.

— Tudo bem?

Era uma pergunta ridícula.

— Não, não estou nada bem! — bufou ela.

Arrependeu-se imediatamente de sua irritação, porque ele estava de joelhos ao seu lado, agora não mais sorridente, o rosto mostrando uma expressão de aguda ansiedade e preocupação.

— Qual foi o pé?

— O esquerdo.

Lágrimas ridículas ameaçavam aflorar aos olhos, e ela se viu premindo a mandíbula para não sentir a dor e aliviar o medo, a pura apreensão sobre o que fizera a si mesma.

— Fique quieta — disse Toby. Ele lhe tomou o tornozelo esquerdo na mão, segurou-o com firmeza, depois ergueu o pé para inspecionar o dano. Judith fechou os olhos, não querendo espiar. Ouviu-o dizer:

— Oh, céus, é vidro! Vidro quebrado... Ainda enterrado na carne. Vou removê-lo. Aperte os dentes...

— Toby, não...

Antes que terminasse de falar, já estava feito. Outro espasmo de lancinante tortura saltou como fogo no interior de cada filamento nervoso de seu corpo. Judith pensou que fosse desmaiar, mas continuou firme. Depois, aos poucos, a agonia foi diminuindo, relutantemente, e ela ficou cônscia do lento e pegajoso fluxo de sangue, escorrendo da sola de seu pé.

— Pronto. Assunto encerrado. — Ela abriu os olhos. — Grande garota. Veja!

Ele ergueu um triângulo de vidro de horrível aparência, transformado em faca pela ação do mar. O caco de alguma garrafa atirada ao mar e estilhaçada nas pedras, que as ondas impeliam para a praia.

— Isso é tudo? Retirou tudo?

— Creio que sim. Só havia este estilhaço.

— Meu pé está sangrando.

— Esta foi a declaração do ano — disse Toby. Depositou cuidadosamente o pedaço de vidro no bolso do short. — Agora, passe o braço por meu pescoço e pendure-se.

Ergueu-a, e ela se sentiu estranhamente leve, enquanto era carregada praia acima, até o fresco santuário da varanda, onde ele a depositou sobre uma das compridas poltronas acolchoadas.

— Não posso... Quero dizer — murmurou ela — estou sangrando muito, vou sujar as almofadas de Toddy...

Toby, no entanto, já entrara no refeitório, para reaparecer quase imediatamente com uma toalha de mesa branca, arrancada de alguma mesa. Dobrando a toalha várias vezes, ele a colocou delicadamente sob o pé dela, como um tampão. Em poucos segundos, o pano branco ficou pavorosamente manchado de vermelho.

Judith o ouviu dizer, um tanto nervoso:

— Temos que fazer alguma coisa!

— O que está acontecendo? — perguntou alguém.

Era uma das jovens que tinham estado tomando sol na praia e viera investigar. De rosto bronzeado e cabelos descorados pelo sol, usava a parte de cima de um maiô de duas peças e amarrara na cintura uma echarpe de algodão, à maneira de sarongue.

— Um contratempo — respondeu Toby, lacônico.

— Ouça, eu sou enfermeira.

O ânimo dele modificou-se instantaneamente.

— Oh, graças a Deus por isso! — exclamou.

— Do hospital naval. — Ela agachou-se para examinar o ferimento. — Hum... Foi realmente um corte feio. O que o provocou? Parece profundo demais para uma concha apenas.

— Vidro quebrado — explicou Toby, tirando do bolso o estilhaço fatal e exibindo sua denteada ameaça.

— Céus, que coisa horrível para estar na areia! E de que tamanho! Deve ter entrado fundo no pé. — A enfermeira se tornou prática. — Ouça, ela está sangrando demais. Precisamos de compressas, bandagens e ataduras. Deve haver uma caixa de primeiros-socorros em algum lugar. Onde está a sra. Todd-Harper?

— Fazendo a sesta.

— Vou chamá-la. Você fique aqui, e tente estancar esse sangramento.

851

Ela saiu. Com alguém tão competente assumindo o controle e fornecendo-lhe instruções diretas, Tobby recobrou o sangue-frio. Sentou-se na extremidade da comprida poltrona e esforçou-se ao máximo em fazer o que lhe tinha sido dito.

— Sinto muito — repetia a todo instante.

Judith desejou que Toby parasse de falar assim. De qualquer modo, foi um grande alívio quando a enfermeira voltou, trazendo consigo a caixa da Cruz Vermelha, e com Toddy firmemente grudada em seus calcanhares.

— Queridinha! — Arrancada de sua sesta, Toddy se vestira tão rapidamente, que sua blusa pendia para fora das calças compridas e todos os botões tinham sido colocados nas casas erradas. — Meu Deus, que coisa medonha foi acontecer! Sente-se bem? Está pálida como a morte, mas não é de admirar. — Ela se virou para a jovem enfermeira, ansiosa. — O ferimento é muito sério?

— Sim, é bem sério — respondeu a jovem. — E bastante profundo. Em minha opinião, precisará ser suturado.

Por sorte, ela era gentil, além de competente. Num piscar de olhos o ferimento de Judith havia sido limpo, recebera um tampão, depois uma proteção de algodão e finalmente ataduras.

A enfermeira prendeu a extremidade da atadura com um alfinete de segurança. Depois olhou para Toby.

— Acho que devia levá-la para a enfermaria das *Wrens* ou o hospital. Eles providenciarão as suturas. Você tem transporte?

— Sim. Um jipe.

— Está ótimo.

A essa altura, Toddy arriara em uma cadeira.

— Estou abalada — anunciou, dirigindo-se a todos em geral. — E também horrorizada. Tivemos toda espécie de crises secundárias por aqui: picadas de águas-vivas e espinhos de ouriços-marinhos, até mesmo alarme de tubarões, mas nunca pedaços de vidro quebrado. Como as pessoas podem ser tão descuidadas? E que sorte tivemos por *você* estar aqui... — Ela sorriu agradecidamente para a enfermeira, que agora guardava peritamente todo o equipamento no interior da caixa de primeiros-socorros. — Garota inteligente. Não sei como agradecer-lhe.

— Não foi nada. Se puder usar seu telefone, verei se consigo falar com a enfermaria das *Wrens*. Direi à enfermeira-chefe que espera uma paciente...

Depois que ela se foi, Toby disse:

— Se me dão licença, creio ser melhor vestir algumas roupas. Não seria correto voltar a Trincomalee, vestindo calções de banho molhados.

Assim, ele também se foi, deixando Judith e Toddy sozinhas. As duas entreolharam-se, desconsoladas.

— Que coisa terrível foi acontecer! — Toddy remexeu no bolso da blusa em busca do indispensável cigarro, sacudiu um do maço e o acendeu. — Lamento o que houve, acredite. Sinto-me inteiramente responsável. Está doendo muito?

— Não posso dizer que esteja agradável.

— E pensar que você se divertia à grande! — suspirou Toddy. — Não importa, sempre haverá outras vezes. Outros bons dias. Talvez eu vá visitá-la na enfermaria, levando uvas que eu mesma comerei. Anime-se! Devemos pensar de maneira positiva. Dentro de uma semana, não mais do que isso, você estará em pé e bem novamente. Agora, pense que poderá ter um excelente descanso. Ficar na cama, sem nada para fazer...

Judith, entretanto, não se consolou.

— Detesto não ter o que fazer.

Não obstante, e surpreendentemente, ela não achou o descanso aborrecido, em absoluto. Foi levada para uma enfermaria de quatro pacientes, e sua cama ficava perto da porta aberta que dava para um amplo terraço, sombreado por um teto de palha. Os postes que o suportavam estavam entrelaçados de buganvílias, de modo que o piso do terraço era salpicado de flores caídas, o que exigia varreduras constantes do empregadinho mais novo. Além do terraço, fervendo ao calor, estendia-se o jardim, descendo em plano muito inclinado até a praia. Mais além, tinha-se a vista maravilhosamente elevada do porto inteiro.

A despeito de sua finalidade e da inevitável agitação da vida hospitalar, a enfermaria era um lugar essencialmente tranqüilo, arejado, de paredes brancas e imaculadamente limpas, havendo até mesmo luxo, com encanamentos adequados, quadros nas paredes (reproduções coloridas dos Downs de Sussex e do Distrito dos Lagos) e belas cortinas de algodão, que oscilavam e enfunavam-se à brisa constante.

As três companheiras de Judith encontravam-se em estágios variados de recuperação. Uma fora atacada de dengue, outra fraturara o tornozelo ao pular de mau jeito em uma rocha, durante um animado piquenique. Somente a terceira estava de fato doente, sofrendo de recorrente ataque de disenteria amebiana, um persistente incômodo que todos temiam. Ela jazia na cama deprimida, pálida e enfraquecida, correndo entre as enfermeiras um rumor de que, quando fortalecida o suficiente, com toda certeza seria mandada para casa.

O verdadeiro prêmio era que, entre aquelas pacientes, nenhuma era ávida por conversar. Mostravam-se perfeitamente simpáticas e amistosas, mas após terem visto Judith instalada, saberem os detalhes de seu contratempo, trocarem nomes e darem-lhe boas-vindas em geral, nada mais aconteceu. A jovem com dengue já se recuperara o suficiente para concentrar-se diligentemente em sua tapeçaria. A de tornozelo quebrado estava mergulhada em uma gorda novela intitulada *Forever Amber*. De quando em quando, a jovem com disenteria animava-se o bastante para virar as páginas de uma revista, mas era evidente que tinha energia para pouco mais do que isso.

A princípio, Judith levou algum tempo para acostumar-se com esta tácita não-comunicação, diametralmente oposta à agitação e tagarelice da *banda* nos alojamentos. Entretanto, aos poucos foi ficando tão absorta como as companheiras, devaneando em meio a seus pensamentos, distanciando-se, como que em uma espécie de passeio solitário. Era algo não experimentado há tanto tempo, que ela não conseguia recordar quando acontecera pela última vez.

Em intervalos, enfermeiras tagarelas iam e vinham, tomando temperaturas, administrando pílulas ou servindo o almoço, porém na maioria do tempo o único som ouvido era o do rádio que borbulhava suavemente para si mesmo o dia inteiro, ligado na Rede das Forças Armadas, a qual transmitia música contínua, entremeada por curtos boletins noticiosos. A música era toda proveniente de discos e parecia escolhida ao acaso, em uma espécie de "barrica da sorte", de modo que as Andrews Sisters ("Rum e Coca-Cola") espremiam-se entre uma ária de Verdi e a valsa de *Copélia*. Judith achou certo divertimento em tentar adivinhar a música que seria irradiada a seguir.

Até aí chegava o limite de suas aptidões. A enfermeira-chefe (de busto amplo, engomada e bondosa como uma babá dos velhos tempos), oferecera livros da biblioteca da enfermaria, e quando estes foram rejeitados, apareceu com dois velhos exemplares da revista *Life*. Por algum motivo, contudo, Judith não sentiu desejo nem concentração para ler. Era mais fácil e bem mais agradável girar a cabeça no travesseiro e contemplar, através do terraço e do jardim, o admirável panorama de água e navios, as incessantes idas e vindas das lanchas e barcos, a mutação dos sutis azuis do céu. Tudo aquilo parecia muito animado, alegre e movimentado, mas também tranqüilo, o que até era estranho, levando-se em conta que a Frota estava ali, antes de mais nada, por razões estritamente bélicas. Ela recordou a ocasião, alguns meses atrás, em que um "objeto não-identificado" havia transposto as defesas e entrado no porto. Então houvera um terrível pânico, pois imaginava-se que podia ser um submarino japonês em miniatura, com intenção de torpedear e mandar toda a Frota das Índias Ocidentais para o outro mundo. Não obstante, descobriram que o intruso era uma baleia, procurando um refúgio sossegado para pôr no mundo um bebê-baleia. Quando aconteceu seu gigantesco parto, e mãe e filho ficaram aptos para viajar, uma fragata os escoltou de volta ao mar alto. Foi um agradável evento doméstico, que deixara todos interessados e divertidos durante dias.

Havia algo mais sobre a paisagem vista dali que era vagamente familiar, porém Judith precisou pensar bastante, antes de afinal descobrir o que seria. Não se tratava apenas da maneira como o panorama *parecia*, mas da *impressão* causada por tudo. Judith ruminou a idéia por algum tempo, tentando descobrir exatamente onde e quando já vira antes aquela paisagem. Então percebeu que o senso de *déjà vu* era parte das recordações de sua primeira visita à Dower House quando, com os Carey-Lewis, fora almoçar em um domingo com tia Lavinia Boscawen. Era isso. Ela havia espiado pela janela da sala de estar e vira o jardim, estendendo-se colina abaixo, depois o horizonte azul da Cornualha, como que desenhado, uma reta feita a régua, acima dos galhos mais altos dos pinheiros Monterey. Não era realmente a mesma coisa, claro, porém muito semelhante: encontrar-se bem alto em uma colina, com o sol brilhando, o céu e a água visíveis acima dos topos de árvores da selva.

A Dower House... Ela recordou aquele dia especial, assim como os dias que se seguiram, para culminar naquele em que ela e Biddy se mudaram para lá e tomaram posse da propriede. Judith não sentia dificuldade em imaginar que estava realmente *lá*. E sozinha. Sem Biddy, sem Phyllis e sem Anna. Indo de um para outro preciosamente familiar aposento, tocando móveis, ajeitando cortinas, endireitando a cúpula de um abajur. Podia ouvir seus passos no piso lajeado do corredor da cozinha, sentir o cheiro abafado e úmido da roupa lavada acabada de passar, o perfume dos narcisos. Agora ela subia a escada, a mão deslizando pelo corrimão polido, cruzava o patamar e ia abrir a porta que levava ao seu quarto. Ela viu a cama de casal com cabeceira de latão, aquela mesma cama onde um dia tia Lavinia havia dormido; fotografias em molduras de prata; seus próprios livros; sua caixa chinesa. Cruzou o assoalho para escancarar as janelas, e sentiu nas faces o toque do ar úmido e fresco.

Como um benevolente sortilégio, as imagens a encheram de contentamento e satisfação. Durante cinco anos, aquela tinha sido a sua casa, o seu lar. Agora, dezoito meses haviam passado desde a última vez que a vira, durante a licença de embarque, apenas uns poucos dias para despedir-se de Biddy e Phyllis. Na ocasião, a casa lhe parecera querida como sempre, mas terrivelmente deteriorada, maltratada e precisando de muita atenção, porém nada podia ser feito, em decorrência da escassez e restrições resultantes da guerra. E neste momento, decidiu com desalento, ela bem podia estar quase caindo aos pedaços.

Quando... dentro de um ano? Dois? Talvez mais tempo... a guerra terminaria e ela poderia voltar para casa, comemoraria a ocasião entregando-se a uma verdadeira orgia de reparos e reformas. A prioridade máxima seria o aquecimento central, a fim de ser afugentada a persistente umidade de incontáveis invernos chuvosos da Cornualha. E também um novo boiler, novos encanamentos, radiadores por todo canto. Com isto seguramente executado, tudo seco e aquecido como uma torrada, seus pensamentos passaram para outros deliciosos projetos. Nova pintura branca. Talvez novos papéis de parede. Cobertas de cama folgadas. Cortinas. As cortinas da sala de estar achavam-se desbotadas e em frangalhos por causa do sol, tinham levado muitos anos penduradas, e quando ela se mudara para lá com Biddy, já estavam em petição de miséria. Entretanto, escolher um chintz para substituí-las não seria tarefa fácil, pois desejava que as novas cortinas se parecessem exatamente com as velhas. Quem a ajudaria? Então, surgiu a inspiração. Diana. Diana Carey-Lewis. Escolher chintz era a atividade exata para ela. Portanto, Diana seria convocada.

Se quer saber, meu bem, tenho certeza de que a Liberty's tem exatamente a coisa certa. Por que não damos uma fugida até Londres e passamos uma manhã divina na Liberty's?

Judith cochilou. Pensamentos do estado de vigília deslizaram para sonhos. Ainda a Dower House. A sala de estar, cheia de sol. Agora, contudo, lá havia outros. Lavinia Boscawen, sentada em sua poltrona junto da janela, e Jeremy Wells, que tinha ido lá porque Lavinia perdera uma carta. Assim, ele esvaziava a secretária dela, a fim de encontrar a carta perdida.

A senhora a jogou fora, repetia Jeremy, porém ela insistia que não, que a enviara ao pessoal da limpeza.

Então, Judith saiu ao jardim, mas começou a chover, uma chuva que caía de um céu cor de granito. Quando ela tentou entrar, todas as portas estavam trancadas, não se abriram. Bateu na vidraça, mas tia Lavinia se fora, e Jeremy, parecendo demoníaco e com uma profusão de dentes, estava rindo dela.

As horas de visita na enfermaria das *Wrens* eram algo semelhante a uma festa móvel, começando no início da tarde e freqüentemente chegando às dez da noite, quando o último visitante ia embora. O relaxante enfoque da enfermeira-chefe a respeito de regras hospitalares e regulamentos era uma política deliberada da parte dela por saber que, em sua maioria, as jovens aos seus cuidados encontravam-se vulneráveis, deprimidas e exaustas. O que não era de admirar. De um modo ou de outro, todas elas estavam executando tarefas vitais e exigentes, além de trabalharem longas horas sob condições de um debilitante calor tropical. E, sendo em tão pouco número e socialmente tão solicitadas, suas preciosas horas de lazer nada tinham de repousantes. Mal chegavam do trabalho aos alojamentos, já estavam saindo outra vez para jogar tênis, nadar ou ir a alguma festa a bordo de um dos navios de Sua Majestade, quando não dançavam a noite inteira no Clube dos Oficiais.

Desta maneira, quando alguma nova paciente era admitida — por qualquer que fosse o motivo — na enfermaria, a prescrição da enfermeira-chefe para o restabelecimento incluía, não apenas medicamentos e pílulas, mas sono, um horário flexível, alguns confortos do lar e uma boa dose de mimos. Nos velhos tempos, isto seria chamado "cura de repouso". Na firme opinião da enfermeira-chefe, tal regime era apenas um caso de mero senso comum.

Em vista disso, ali reinava o mínimo de regulamentação. Quando iam para o trabalho ou voltavam dele, amigas passavam para ver uma paciente, levavam correspondência chegada de casa, roupa lavada, um livro ou uma sacola de frutas frescas. Os rapazes, de folga de seus navios ou de trabalhos em terra, iam e vinham, levando flores, revistas e chocolates americanos, enchendo a enfermaria com sua presença masculina. Se uma jovem era bonita e atraente, provavelmente contaria com três rapazes à volta de sua cama ao mesmo tempo, e se o timbre das vozes chegava a um nível inaceitável, a enfermeira-chefe surgia em cena a fim de afugentar a paciente e sua *entourage* para o terraço. Lá, eles dispunham de espreguiçadeiras, viam diminuir a claridade do céu crepuscular e entregavam-se a longos flertes e conversas.

Sendo aquele domingo o primeiro dia de Judith na enfermaria, e ainda não tendo corrido a notícia de que estava não só incapacitada como encarcerada, sua única visitante foi Penny Wailes, que apareceu às cinco da tarde, após ter passado o dia velejando com seu jovem fuzileiro naval. Ela chegou usando uma blusa e short sobre o maiô, e tinha o cabelo salitrado e despenteado pelo vento.

— Oh, coitadinha, eu sinto muito! Que triste sorte! A chefe dos alojamentos me falou sobre você. Trouxe-lhe um abacaxi, que conseguimos no Mercado das Frutas. Precisa de mais alguma coisa? Não posso demorar, porque esta noite há uma festa a bordo daquele novo cruzador, e tenho de voltar para uma tomar uma ducha e produzir-me. Amanhã direi ao capitão Spiros que ficaremos algum tempo com falta de pessoal no escritório. Quantos dias acha que vai ficar aqui? Uma boa semana, com certeza. E não se preocupe com aquela datilografia maçante. Eu e o chefinho podemos dar um jeito e, se não pudermos, deixaremos uma grande pilha de trabalho para você, quando voltar ao batente...

Ela continuou tagarelando por cerca de um quarto de hora, depois tomou noção do tempo, levantou-se rapidamente, prometeu voltar e se foi. Judith admitiu que aquela era a sua cota. Mais nenhum visitante. Contudo, pouco depois do por do sol, com o céu já escuro e as luzes acesas, ela ouviu alguém dizer seu nome e, erguendo os olhos, avistou a sra. Todd-Harper, aproximando-se em largas passadas ao longo da enfermaria. Era uma deliciosa surpresa.

— Queridinha!

Ela usava o uniforme costumeiro de camisa e calças compridas recém-passadas a ferro, mas era evidente que estava a caminho de alguma festiva noitada: a cabeça amarela reluzia como latão, ela estava de maquiagem completa, exalava uma onda de perfume e exibia uma profusão de jóias antigas, correntes, brincos e dois anéis que chegavam aos nós dos dedos. Tinha uma volumosa cesta pendendo de um ombro, e sua voz tilintante, além da aparência bizarra, provocaram uma certa comoção, fazendo com que a conversa cessasse momentaneamente e as cabeças se virassem na direção dela.

Toddy ignorou a atenção que despertava ou estava, felizmente, inconsciente dela.

— Oh, aí está você! Eu tinha que vir e certificar-me de que estava bem.

Judith ficou comovida.

— Toddy, não me diga que fez toda uma viagem só para me ver! E no escuro? Com você mesma dirigindo?

Ela achou que Toddy era muito corajosa. Logo depois do hotel a estrada cobria um trecho totalmente solitário, não sendo difícil imaginar um bando de ladrões ou salteadores surgindo do matagal baixo, com intenção de roubar ou até mesmo matar. Enfim, Toddy era experiente, velha conhecedora dos hábitos locais, não tinha medo de nada nem de ninguém. Qualquer salteador nativo tolo o bastante para forçar um confronto, sem dúvida levaria a pior, ouvindo as invectivas da língua ferina da mulher ou recebendo uma pancada na cabeça com o pesado porrete que, quando dirigia, Toddy sempre mantinha ao alcance da mão.

—Não há problema. —Ela puxou uma cadeira. —Eu tinha mesmo de vir abastecer-me no IMEA*5°. Deixei de fora algumas coisinhas para você. — Ela desentranhou o conteúdo da cesta, depositando oferendas sobre a cama. — Pêssegos enlatados. Geléia de uva. E um frasco de duvidoso óleo para banho. Só Deus sabe que cheiro tem. Talvez, Dissertações de Cãezinhos Falecidos. O que é essa coisa enorme aos pés da cama?

— É uma armação, para impedir que o lençol toque meu pé.

— Está doendo muito?

— Um pouco.

Uma cascata de risada masculina chegou pela porta aberta, vindo da escuridão do terraço. Toddy ergueu as sobrancelhas acentuadas a lápis.

—Está parecendo uma boa festinha. Aposto como um dos rapazes contrabandeou um frasco de bolso com gim. Pensei em trazer um escondido para você, mas tive medo de que a enfermeira-chefe encontrasse e houvesse problemas para nós duas. Agora, fale-me sobre seu pobre pezinho. O que foi que eles fizeram?

— Deram-me uma anestesia local e suturaram.

— Ughh! — Toddy esfregou o rosto, com a expressão de quem acabou de morder um limão. — Espero que você não tenha sentido a agulha indo e vindo. Quanto tempo vai ficar aqui?

— Talvez uns dez dias.

— E seu trabalho?

— Com toda certeza saberão arrumar-se sem mim.

— E Toby Whitaker? Fez o que devia fazer? Veio visitá-la?

— Ele hoje está de plantão.

— Um homem muito interessante, queridinha, mas um pouco maçante. Nem por sombras tão divertido como os outros que levou para me verem.

— Ele é casado, Toddy.

— Ora, isso não significa que tenha de ser maçante. Não consigo imaginar por que motivo saiu com ele.

—Foi por conta dos velhos tempos. Há séculos atrás, ele foi oficial de comunicações de tio Bob.

---

* Instituto da Marinha, Exército e Aeronáutica. (N.da T.)

— Tio Bob — repetiu Toddy, pensativamente. Ela estava a par dos Somerville, naturalmente, e também da Dower House, de Nancherrow e dos Carey-Lewis porque, no correr dos meses, de quando em quando as duas tinham oportunidade de conversar. Além disso, Toddy era uma mulher sempre avidamente interessada nos detalhes da vida de outras pessoas, também gostando de saber seus nomes corretos e onde situá-las. — Está falando do contra-almirante Somerville, do estado-maior do comandante-em-chefe, em Colombo?

Judith não pôde conter o riso.

— Toddy, faz apenas um *mês* que ele está em Colombo. Nem *eu* estive com tio Bob ainda! Não me venha dizer que já o conhece!

— Não, mas Johnny Harrington telefonou outra noite, e disse que eles tinham se encontrado em um jantar de gala. E você se lembra dos Finch-Payton? Atualmente estão mais velhos do que Deus, mas costumavam jogar *bridge* com seus pais. Pois bem, aparentemente, a pobre velha Mavis Finch-Payton passou da conta na bebida. Aliás, ela nunca soube quando parar, mas agora a coisa está ficando por demais evidente.

— Se quer saber, acho que você devia dirigir uma coluna de mexericos no *Fleet Newspaper*.

— Nem mesmo sugira semelhante coisa! Eu seria processada por todo mundo... Muito bem, vejamos que horas são. — Ela consultou o maciço relógio preso ao pulso. — Oh, ainda posso ficar mais um pouco.

— Qual é o programa?

— Nada demais. Apenas um drinque no clube, com o novo capitão de grupo.

— Novo capitão de grupo... Novo em Trincomalee ou novo para você?

Toddy fez uma careta.

— Em realidade, as duas coisas. E agora diga-me o que quer que lhe traga, quando eu voltar aqui. O que acha de um romance apimentado para passar o tempo?

— Seria ótimo. No momento não me sinto muito inclinada à leitura, mas tenho certeza de que logo desejarei ler.

— Então, o que ficou fazendo hoje?

— Nada.

— Nada? Não aprovo isso.

— Você disse que eu ia adorar não fazer nada.

— Eu me referi a descansar. Não a ficar aqui matutando.

— Quem disse que fiquei matutando? Em verdade, fui absolutamente construtiva, redecorando mentalmente minha casa na Cornualha.

— Isso é mesmo verdade?

— Por que está tão preocupada?

— Bem... é natural, não...? — Coisa rara, Toddy pareceu um pouco falha de palavras. — Sabe como é, quando a atividade da vida baixa por um momento, todos tendem a ficar um pouco cismados... Sei que fiquei, quando meu marido morreu. Esse foi um dos motivos de eu estar fazendo este trabalho. — Ela gaguejou um pouco. — Queridinha, sabe o que quero dizer...

Judith sabia, porém lhe cabia expressá-lo em palavras.

— Você acha que eu talvez esteja aqui morrendo de preocupação a respeito de mamãe, papai e Jess.

— Acontece que essas terríveis preocupações, que estão sempre lá no fundo, costumam voltar, emergir, quando há tempo para a gente pensar nelas. É como uma pausa na conversa.

— Eu não deixo que emerjam. É a única maneira de poder lidar com elas.

Toddy inclinou-se para diante e pegou a mão de Judith na sua, grande, marrom, de unhas vermelhas. Disse:

— Eu seria uma perigosa colunista de mexericos, mas esplêndida com uma coluna de anúncios pessoais, pessoas desaparecidas, coisas assim. Nem sempre é uma boa idéia deixar as coisas presas dentro da gente. Nunca falei sobre sua família com você porque não quero intrometer-me, mas fique certa de que sempre poderá falar comigo.

— De que adianta falar? Que bem isso faria a *eles*? Por outro lado, não tenho jeito para falar desse assunto. A única pessoa com quem eu falaria seria Biddy, porque ela os conheceu bem. Além de tia Louise, nunca houve mais ninguém, porém ela morreu naquele pavoroso acidente, quando eu tinha quatorze anos. Os próprios Carey-Lewis nunca conheceram mamãe e Jess, porque só depois delas partirem para Colombo e de tia Louise morrer é que comecei a passar os feriados com eles, em Nancherrow. Já lhe falei sobre isso, não? Falei sobre os Carey-Lewis? Eles foram uma bênção para mim e infinitamente generosos, além de terem sido a coisa mais próxima de uma família minha de fato, porém nunca chegaram a conhecer mamãe e Jess.

— Não é preciso *conhecer* uma pessoa antes para podermos mostrar solidariedade.

— Eu sei, mas não conhecer significa que não se pode recordar devidamente. É impossível recordar *juntos*. Não podemos dizer: "Isso aconteceu naquele dia em que fizemos um piquenique e choveu muito, e então um pneu do carro estourou." Ou: "Foi nesse dia que fomos a Plymouth de trem, um dia tão frio, que a charneca Bodmin estava embranquecida pela neve." Há mais uma coisa. É como quando a gente está doente, chorando um morto ou terrivelmente infeliz. Os amigos são maravilhosos e compreensivos, mas não ficam assim por muito tempo. Mais tarde, se continuarmos com as lamentações, lágrimas e sentindo pena de nós mesmos, eles ficam entediados e cessam de procurar-nos. Então, temos que fazer alguma espécie de acordo conosco mesmos. Um compromisso. Se não podemos dizer nada alegre, então é melhor ficarmos calados. De qualquer modo, agora já aprendi a conviver com isso. Estou falando da incerteza. Do não-saber. É algo mais ou menos como a guerra, que nenhum de nós sabe quando terminará. Sabemos apenas que estamos todos juntos *nesse* barco. O pior são os aniversários e o Natal. Não escrever cartões para todos eles, não escolher presentes, embrulhá-los e remetê-los pelo correio. E pensar neles o dia inteiro, imaginando o que estarão fazendo.

Toddy disse, em voz fraca:

— Oh, céus...

— Há outro motivo que às vezes me faz sentir falta de Biddy. É somente falando em avós e velhas tias que mantemos vivas as lembranças deles, muito depois de mortos. O contrário também é verdade. Se não ficarmos recordando as pessoas vivas, elas simplesmente tendem a desaparecer na obscuridade, tornam-se sombras. Deixam de existir. Às vezes é difícil até mesmo recordar como mamãe, papai e Jess *pareciam*! Jess está agora com quatorze anos. Acho que eu nem a reconheceria, caso a visse. E há quatorze anos vi meu pai pela última vez, dez anos desde que mamãe me deixou no internato e disse adeus. Por mais que se pense, é algo como aquelas antigas fotografias em sépia, que

863

encontramos nos álbuns dos outros. *Quem é essa?*, você pergunta, e depois talvez até ria. *Será realmente Molly Dunbar...? Não pode ser...!*

Toddy silenciara. Judith olhou para ela, viu a tristeza em seu rosto rude e coriáceo, o brilho de lágrimas não derramadas. Imediatamente arrependeu-se.

— Que discurso mais comprido e amargo! Sinto muito. Não pretendia falar tanto... — Ela tentou pensar em algo mais alegre para dizer. — Pelo menos, haja o que houver, não ficarei sem recursos, porque quando tia Louise morreu, deixou tudo para mim em seu testamento. — Isto, no entanto, mal foi dito, não pareceu alegre em absoluto, mas materialista e ambicioso. — Talvez este não seja o momento apropriado para começar a falar em tais coisas.

Toddy discordou com veemência.

— De modo nenhum! Temos que ser práticos. Todos sabemos que o dinheiro não compra a felicidade, mas, pelo menos, podemos ser infelizes com conforto.

— Ter independência de espírito. Era o que minha antiga diretora costumava repetir para nós. Entretanto, a independência corriqueira, do dia-a-dia, também é terrivelmente importante, e isso eu descobri por mim mesma. Também fui capaz de comprar a Dower House, para assim ter um lar. Não preciso ter de viver com mais ninguém. Possuo raízes próprias. Mesmo quando muito pequena, sempre achei que isso era a coisa mais importante do mundo.

— E é mesmo.

— Neste exato momento, a sensação é um pouco de marcar tempo. Porque não é possível eu seguir em frente e fazer planos, enquanto não souber com certeza o que foi feito de mamãe, papai e Jess. Minha única certeza é a de que, um dia, alguém irá me contar. Se tiver acontecido o pior, se nenhum dos três voltar mais, pelo menos já terei passado dez anos aprendendo a viver sem eles. De qualquer modo, este é também um pensamento egoísta, porque não melhora nada para eles.

— Na minha opinião, o que lhe compete fazer — disse Toddy — é pensar em seu futuro, no que irá fazer quando a guerra terminar. Entretanto, sei que isso é difícil, quando se é jovem. Para mim fica fácil falar, porque já vivi muitos e muitos anos. Tenho idade bastante para ser sua mãe. Posso olhar para trás e medir a forma, o propósito de tudo que aconteceu em minha vida. E, embora uma parte tenha sido infeliz, toda ela faz sentido. Aliás, se não me engano, há bem pouca chance de você ficar sozinha por muito tempo. Logo estará casada com algum bom homem, terá filhos e os verá crescerem naquela sua casa.

— É demasiado remoto, Toddy. Está a anos-luz de distância. Um sonho impossível. Neste momento, escolher hipotéticas cortinas no *Liberty's* é o máximo a que minha imaginação pode chegar.

— Pelo menos, acho um esperançoso passatempo. A esperança é muitíssimo importante. É como ser constante, continuar mantendo a fé. E esta guerra odiosa não pode durar para sempre. Não sei como nem quando, mas ela terminará. Um dia. Talvez mais cedo do que qualquer um de nós possa imaginar.

— É, suponho que sim. — Judith olhou em torno. A enfermaria estava ficando vazia, os visitantes despediam-se e iam embora. — Perdi toda a noção do tempo. — Ela recordou o compromisso de Toddy, no Clube dos Oficiais, e foi invadida pela culpa. — Você vai chegar atrasadíssima ao encontro com o seu capitão de grupo. Ele acabará pensando que foi esquecido.

— Oh, ele pode esperar. Enfim, talvez seja melhor eu ir andando. Sente-se bem agora?

— Sim, estou ótima. Você foi um anjo em ouvir-me.

— Nesse caso... — Toddy recolheu sua cesta e ficou em pé, depois inclinando-se para dar um beijo na face de Judith. — Cuide-se bem. Se quiser, voltaremos a conversar. Nesse meio tempo, voltarei com algum romance apimentado ou outra coisa qualquer que a ajude a passar o tempo.

— Obrigada por ter vindo.

Toddy se foi. Cruzou a enfermaria e desapareceu na porta do extremo oposto. Judith virou a cabeça no travesseiro e olhou para o céu estrelado, viu o Cruzeiro do Sul, muito alto, no firmamento azul-safira. Sentiu-se imensa e curiosamente cansada. Desligada. Ocorreu-lhe que talvez os católicos romanos sentissem o mesmo, após se terem confessado.

Ela terminará. Era a voz de Toddy. *Um dia. Talvez mais cedo do que qualquer um de nós possa imaginar.*

Enfermaria
Trincomalee

16 de agosto de 1945

Querida Biddy,
    Não sei por que motivo fiquei tanto tempo sem escrever, pois há quase duas semanas não tenho feito nada. Estou na enfermaria, porque fui nadar com Toby Whitaker (oficial de comunicações de tio Bob em Plymouth, antes da guerra) e acabei cortando o pé em um horrível caco de vidro, isso me fazendo vir parar aqui. Levei pontos, o oficial médico-chefe ficou preocupado com uma possibilidade de septicemia, em seguida tirei os pontos, passei a caminhar com muletas, mas agora está tudo bem e volto esta tarde para os alojamentos. Recomeçarei a trabalhar amanhã.
    Esta carta, contudo, não é sobre mim. O motivo de você não ter recebido uma antes, foi porque passei praticamente todos os momentos atenta ao rádio em nossa enfermaria, ouvindo os boletins noticiosos. Ficamos sabendo da bomba lançada em Hiroshima, no noticiário do começo da tarde daquele mesmo dia. Estávamos todas ouvindo Glenn Miller e ocupadas com nossos vários passatempos (em geral, não nos preocupamos em ligar o rádio para os noticiários) quando a enfermeira-chefe irrompeu subitamente e o ligou a todo volume, a fim de podermos ouvi-lo. De início, pensamos tratar-se apenas de mais um dos ataques regulares de bombardeio pelas forças americanas, mas logo foi ficando evidente que era algo muito mais importante e horrendo do que isso. Segundo informavam, cem mil pessoas perderam a vida instantaneamente — e isso não foi tudo naquela grande cidade, pois a própria cidade desapareceu; foi eliminada. Você deve ter visto as pavorosas fotos nos jornais e a nuvem em forma de cogumelo, além dos pobres sobreviventes, inteiramente queimados. De certo modo, nem vale a pena pensar-se nisso, concorda? O terrível é que nós fizemos isso, algo ainda pior do que o bombardeio de Dresden. O fato é que agora estamos um tanto aterradas, pois só consigo imaginar que

doravante este poder terrível ficará conosco, e que teremos de conviver com ele pelo resto de nossas vidas.

Seja como for, sinto vergonha em confessar que todas ficamos muitíssimo excitadas e bastante frustradas por estarmos presas na enfermaria, em vez de livres lá fora, andando de um lado para o outro, recolhendo todas as notícias e sendo parte de tudo, enfim. Por sorte, muita gente veio visitar-nos, trazendo jornais e coisas até que, pouco a pouco, a notícia do ocorrido, e a escala da destruição de Hiroshima foi perdendo a novidade. Então, na quinta-feira, ouvimos a notícia de que Nagasaki também havia sido bombardeada, após o que, pareceu bastante óbvio que os japoneses não continuariam por muito tempo mais. Contudo, foi preciso esperar mais alguns tensos dias, antes de ser noticiado que eles finalmente se renderam.

Pela manhã, em todos os navios da Frota houve serviços de Ação de Graças e, através da água, podíamos ouvir o hino "Eterno Pai, Forte na Salvação" cantado pela tripulação de todos os barcos, e os Corneteiros da Marinha Real tocaram o "Último Toque de Recolher", em memória de todos os homens que haviam sido mortos.

Foi um dia tremendamente excitante e um tanto ébrio, já que foram infringidos todos os regulamentos. Houve comemoração no refeitório do Destacamento Voluntário de Socorro, as pessoas iam e vinham o dia inteiro, e ninguém, em absoluto, parecia estar executando qualquer trabalho. À noite houve grandes comemorações, toda a Frota das Índias Ocidentais acendeu foguetes luminosos e holofotes, mangueiras de incêndio esguichavam água formando chafarizes, explodiam fogos e apitos soavam. No tombadilho de popa do navio-capitânea, a banda da Marinha Real executou — não as marchas cerimoniais, mas melodias como Little Brown Jug, In the Mood e I'm Going to Get Lit Up When the Lights Go On in London.

Ficamos amontoados no terraço e assistindo ao espetáculo —— o oficial médico-chefe e mais dois médicos, a enfermeira-chefe, todas as pacientes (algumas em cadeiras de rodas) e vários agregados, e todos que chegavam pareciam trazer uma garrafa de gim, de modo que o ambiente ficou realmente turbulento, e sempre que subia um foguete, todos nós gritávamos, vociferá-vamos e aplaudíamos.

Também eu fiz tudo isso e foi maravilhoso, mas, ao mesmo tempo, sentia-me um tanto assustada. Porque sei que agora, cedo ou tarde, surgirá alguém para me dizer o que foi feito de mamãe, papai e Jess, e se eles sobreviveram a estes terríveis três anos e meio. Se sobrevivi, foi porque deliberadamente evitei pensar demais neles, mas agora terei de arrancar a cabeça da areia e enfrentar a verdade, seja ela qual for. Assim que souber de alguma coisa, passarei um cabograma para você e telefonarei para tio Bob, caso consiga uma linha para o gabinete do comandante-em-chefe em Colombo. Com tanta movimentação por aqui, a situação certamente ficará um pouco desorganizada. Toby Whitaker veio ver-me há uns dois dias, e dizem que a Frota começará a mover-se para Cingapura. Já. Talvez o HMS Adelaide também vá. Não sei com certeza. Resta apenas esperar para ver.

Toddy foi outra pessoa que veio ver-me duas ou três vezes. Já lhe falei sobre ela em outras cartas, mas caso tenha esquecido, ela mora no Ceilão desde que se casou (agora está viúva), tendo conhecido mamãe e papai em Colombo, na década de 30. Ela é a única pessoa daqui que os conheceu, e por isso ficamos muito tempo falando neles em minha primeira noite na enfermaria. De fato, foi na véspera da bomba cair sobre Hiroshima, porém é claro que ignorávamos o que estava para acontecer, meu pé doía muito e eu me sentia algo deprimida. Então, para alegrar-me, ela disse, "A guerra terminará um dia. Talvez mais cedo do que qualquer um de nós possa imaginar." Pois justamente no dia seguinte foi lançada a bomba, e esse dia foi o começo do fim. Não acha extraordinário?

Minhas saudades para você, Phyllis, Anna e os Carey-Lewis, quando estiver com eles. E também para Loveday e Nat, da

Judith

Cedo ou tarde alguém me dirá o que foi feito de mamãe, papai e Jess.

Ela esperou. A vida continuou. Um dia se seguiu ao outro; a rotina era a costumeira. Seguir de lancha todas as manhãs para a angra de Smeaton e o HMS *Adelaide*. Longas e sufocantes horas passadas datilografando, arquivando, corrigindo livros confidenciais. Depois, voltar aos alojamentos a cada anoitecer.

Talvez agora, ela dizia para si mesma. Talvez hoje.

Nada.

Suas ansiedades eram compostas pelos fiapos de informação que se filtravam dos primeiros campos de concentração japoneses. Uma saga de atrocidades, trabalho escravo, fome e doenças. Outras pessoas comentavam tais fatos, mas não Judith.

No gabinete do capitão, todos que ali trabalhavam eram particularmente compreensivos e gentis, quase protetores, incluindo-se o suboficial escriturário chefe, conhecido por seu temperamento ácido e linguagem rude. Judith achava que o capitão Spiros fizera correr a notícia, mas não podia imaginar como ele ficara a par de suas circunstâncias familiares. Talvez houvesse sido informado pela primeiro-oficial, ficando então impressionado por haver tanta preocupação em um nível superior.

Penny Wailes era um consolo especial. Elas sempre haviam sido boas amigas e trabalhavam bem juntas, mas de repente surgira uma verdadeira identificação entre ambas, uma tácita compreensão, sem que muita coisa precisasse ser dita. Era mais ou menos como estar na escola e ter uma solidária e protetora irmã mais velha. Todo entardecer as duas faziam juntas a viagem de volta, e Penny nunca deixava Judith enquanto não passavam pela Sala do Regulamento e se certificavam de que ainda não havia nenhuma mensagem. Nenhuma convocação. Nenhuma notícia.

Então, aconteceu. Às seis horas de uma tarde de quinta-feira, Judith estava em sua *banda*. Tinha ido nadar na enseada e depois tomara uma ducha. Enrolada em uma toalha, penteava os cabelos molhados, quando uma das *Wrens* graduadas que trabalhavam na Sala do Regulamento veio à sua procura.

— Dunbar?

Ela se virou do espelho, com o pente na mão.

— Sim?

— Mensagem para você. Deverá apresentar-se à primeiro-oficial amanhã de manhã.

Judith ouviu-se responder, com absoluta calma:

— Eu tenho que ir trabalhar.

— A mensagem diz que ela já falou com o capitão Spiros. Você poderá ir para bordo em uma das lanchas seguintes.

— A que horas ela quer me ver?

— Dez e meia. — A *Wren* esperou uma resposta. — Tudo bem? — perguntou.

— Sim, tudo bem. Obrigada.

Judith tornou a encarar seu espelho e continuou penteando os cabelos.

Na manhã seguinte, alvejou os sapatos e o gorro, depois os deixou no sol para secarem. Vestiu um fardamento limpo, saia e camisa de algodão branco, ainda com os vincos do ferro de passar do empregado nativo. Era mais ou menos como o marinheiro preparando-se para a batalha. Se um navio entrava em batalha, toda a sua tripulação vestia roupas limpas, a fim de ser reduzida a chance de infecção se o indivíduo fosse ferido. Os sapatos estavam secos. Ela enfiou os cordões, amarrou-os, colocou o bibico na cabeça e saiu da *banda* para o sol ofuscante. Cruzou os alojamentos, passou pelo portão e desceu a familiar estrada que levava ao Quartel-General da Marinha.

A *Wren* de categoria mais elevada em Trincomalee era a primeiro-oficial Beresford. Ela e seu estado-maior, uma suboficial e duas *wrens* graduadas, ocupavam três salas no andar de cima de um dos prédios do QG da Marinha, com janelas dando para o comprido cais e o porto mais além. O panorama, sempre mutante e sempre movimentado, assemelhava-se a uma maravilhosa tela pendurada na parede, e os que visitavam seu gabinete invariavelmente faziam um comentário a respeito, paravam para olhar e perguntavam como ela conseguia concentrar-se em seu trabalho, tendo diante de si um quadro tão absorvente.

Entretanto, após quase um ano lidando com os muitos aspectos de seu posto de responsabilidade, o panorama além da janela perdera um pouco de sua magia e se tornara bastante vulgar, uma parte de sua vida do dia-a-dia. Sua mesa de trabalho era colocada em ângulo reto com a paisagem e, se erguesse os olhos de sua papelada ou parasse para um telefonema, ela tinha à frente uma parede vazia, dois arquivos e o curioso lagarto pregado ao reboco branco, como um ornamento decorativo.

Havia ainda três pequenas fotografias, emolduradas e colocadas discretamente sobre sua mesa, sem que perturbassem a concentração profissional. O marido, um tenente-coronel da Artilharia, e seus dois filhos. Ela não via estes filhos desde princípios do verão de 1940 quando, persuadida pelo marido, enviara os dois para o Canadá, a fim de lá permanecerem com parentes de Toronto, enquanto durasse a guerra. A recordação de colocá-los no trem em Euston e despedir-se deles, talvez para sempre, era tão terrível e traumática que, na maioria do tempo, ela a bloqueava em sua mente.

Agora, contudo, aquela guerra, tão pavorosa e impensada, terminara. Acabara. Eles tinham sobrevivido. Um dia, a família Beresford voltaria a reunir-se. Ficariam juntos novamente. Seus filhos contavam oito e seis anos, quando tinham partido para o Canadá. Agora estavam com treze e onze. Cada dia de separação havia sido doloroso. Nem um só se passara sem que deixasse de pensar neles...

Era o bastante. Com um estremecimento, ela reassumiu o controle. Este não era o momento de ficar cismando sobre seus filhos. Aliás, esta era a ocasião menos apropriada para isso. Hoje eram vinte e dois de agosto, uma quarta-feira, faltando quinze para as dez de uma manhã quase insuportavelmente quente, a temperatura aumentando na medida em que o sol se movia para o equinócio de setembro. A própria brisa que vinha do mar e os inevitáveis ventiladores de teto girando suas pás em pouco contribuíam para refrescar o ar, e a camisa de algodão da primeiro-oficial já estava úmida, colando-se a seu pescoço.

Os relevantes papéis jaziam sobre sua mesa. Ela os puxou para si e começou a ler, embora já os soubesse de cor.

Uma batida à porta. Exteriormente composta, ela ergueu a cabeça.

— Sim?

A *Wren* suboficial assomou com a cabeça.

— A *Wren* Dunbar, senhora.

— Obrigada, Richardson. Faça-a entrar.

Judith cruzou a porta aberta. Viu o gabinete espaçoso e com ar feminino, os ventiladores funcionando, a janela aberta na parede mais distante, emoldurando a vista familiar do porto. A primeiro-oficial ficou em pé atrás de sua mesa, como se acolhesse polidamente um visitante convidado. Era uma mulher alta e de feições agradáveis, aproximando-se dos quarenta, com cabelos castanhos e macios presos em um coque bem-feito, atrás da cabeça. Por algum motivo, ela nunca parecia totalmente correta em uniforme. Não que o fardamento assentasse mal, apenas era muito mais fácil imaginá-la usando um conjunto e pérolas, sendo a espinha dorsal do Instituto Feminino e organizando o trajeto floral para a igreja.

— Dunbar. Obrigada por vir. Bem, puxe uma cadeira e fique à vontade. Gostaria de uma xícara de chá?

— Não, obrigada, senhora.

A cadeira era comum e de madeira, incapaz de deixar alguém à vontade. Ela se sentou, de frente para a primeiro-oficial no outro lado da mesa, com as mãos juntas no colo. Os olhos de ambas encontraram-se. Então, a primeiro-oficial desviou os seus, ocupando-se desnecessariamente em ajeitar papéis e procurar a caneta.

— Recebeu a minha mensagem? Oh, é claro que recebeu, pois do contrário não estaria aqui. Falei ao telefone com o capitão Spiros ontem à tarde, e ele disse que não haveria impedimento para você tirar a manhã de folga.

— Obrigada, senhora.

Outra pausa. E então:

— Como está o seu pé?

— Perdão, o que disse?

— Perguntei como está o seu pé. Você sofreu um acidente com um pedaço de vidro. Já se recuperou?

— Sim. Sim, claro. Não foi muito sério.

— Ainda assim, bastante incômodo.

Estavam encerrados os preliminares. Judith esperou que a primeiro-oficial abordasse o assunto. Foi o que ela fez, após outra vacilação.

— Receio não ter notícias muito boas para você, Dunbar. Sinto muito.

— É sobre a minha família, não?

— Sim.

— O que aconteceu?

— Fomos informados pela Cruz Vermelha e pela Assistência Social Naval. As duas organizações trabalham em íntima colaboração. Eu... eu devo dizer-lhe que seu pai está morto. Faleceu na prisão de Changi, de disenteria, um ano depois da queda de Cingapura. Ele não estava sozinho. Outros em sua companhia ocuparam-se e cuidaram dele, mas, evidentemente, as condições eram desesperantes. Não havia medicamentos e o alimento era escasso. Muito pouco eles podiam fazer. Entretanto, seu pai estava entre amigos. Procure não pensar nele morrendo sozinho.

— Eu compreendo. — Judith sentiu a boca subitamente seca e mal conseguia pronunciar as palavras, que foram ditas em uma espécie de sussurro. Ela tentou novamente. Um pouco melhor agora. — E minha mãe? E Jess?

— Até o momento não dispomos de qualquer informação definitiva. Sabemos apenas que o navio delas, o *Rajah of Sarawak*, foi torpedeado no mar de Java, seis dias após ter zarpado de Cingapura. Antes de mais nada, o navio estava superlotado, tendo afundado rapidamente. Sobraram apenas momentos para que se pudesse escapar, e o veredito oficial parece ser de que, caso houvesse sobreviventes, seriam apenas uns poucos.

— Encontraram algum sobrevivente?

A primeiro-oficial meneou a cabeça.

— Não. Ainda não. São muitos os campos de prisioneiros em Java, Sumatra e na Malaia — inclusive, no próprio Japão há alguns campos de civis. Levará algum tempo até serem todos investigados.

— Talvez...

— Eu acho, minha querida, que você não deveria nutrir qualquer esperança.

— Foi o que lhe falaram para dizer-me?

— Sim. Lamento, mas foi.

As pás dos ventiladores giravam mais acima. Pela janela aberta chegou o som do motor de uma lancha, aproximando-se do cais. Em algum lugar, um homem martelava alguma coisa. Desaparecidos. Estavam todos mortos. Três anos e meio de espera e esperanças, para agora, isto. Nunca, nunca mais ver nenhum deles.

Por entre o prolongado silêncio que pairou entre elas, Judith ouviu a voz da primeiro-oficial.

— Dunbar? Você está bem?

— Sim. — Talvez não estivesse se portando devidamente. Talvez devesse estar chorando e soluçando. As lágrimas, no entanto, pareciam de todo improváveis, de todo impossíveis. Ela assentiu. — Sim, estou bem.

— Talvez... agora... uma xícara de chá ou alguma coisa?

— Não.

— Eu... eu realmente lamento muitíssimo.

Houve uma interrupção na voz da mulher, e Judith teve pena *dela* por parecer tão abalada, tão maternal, e porque devia ter sido uma terrível provação precisar transmitir aquelas devastadoras notícias.

Então falou, e ficou admirada por sua voz soar absolutamente inexpressiva e calma:

— Eu sabia do afundamento do *The Rajah of Sarowak*. Quero dizer, achava que devia ter sido afundado, que algo teria acontecido, porque ela nunca chegou à Austrália. Minha mãe disse que escreveria, assim que ela e Jess chegassem à Austrália, mas nunca recebi quaisquer cartas, depois da última enviada de Cingapura.

Ela recordou a carta, lera-a tantas vezes, que sabia de cor aquele último e doloroso parágrafo.

É muito estranho, mas a vida inteira, de quando em quando eu me surpreendi fazendo perguntas irrespondíveis. Quem sou eu? O que estou fazendo aqui? Para onde estou indo? Agora, tudo isto parece tornar-se terrivelmente verdadeiro, mais ou menos como um pesadelo que me perseguiu muitas vezes antes.

Uma premonição, talvez? Agora, contudo, ninguém jamais saberia.

— Percebi que devia ter acontecido alguma coisa ao navio, mas mesmo assim dizia para mim mesma que elas teriam sobrevivido, que tinham escapado em um barco salva-vidas ou sobre uma balsa. Haviam sido recolhidas... ou... — O mar de Java. Tubarões. O pesadelo pessoal de Judith. Apagar este detalhe. — ... porém acho que elas não tiveram nenhuma chance. Jess era muito pequenina. E minha mãe nunca foi grande coisa como nadadora.

— Você tem mais irmãos?

— Não.

De novo a primeiro-oficial baixou os olhos para os papéis em sua mesa, os quais eram os seus próprios — Judith percebia agora — o registro completo de sua carreira no Serviço, desde aquele dia após a morte de Edward, quando viajara de Penzance a Devonport a fim de alistar-se no Serviço Feminino da Marinha Real.

— Aqui diz que o capitão e a sra. Somerville são seus parentes mais próximos.

— Exato. Eu não poderia colocar meus pais, porque ambos estavam no estrangeiro. E ele agora é o contra-almirante Somerville, está servindo em Colombo, como chefe do Estaleiro Naval. Biddy Somerville é irmã de minha mãe. — Isto a fez recordar. — Prometi a ela que passaria um cabograma, assim que tivesse quaisquer notícias. Preciso fazer isso. Biddy está esperando.

— Podemos cuidar disso. Escreva o que quer dizer a ela e uma das *wrens* providenciará o envio do cabograma...

— Obrigada.

— Entretanto, você tem outros amigos no Ceilão, não é mesmo? Estou falando dos Campbell. Não passou sua última folga com eles, no interior?

— Sim, passei. Eles conheciam meu pai e minha mãe.

— Só os mencionei, por achar que você deveria ter alguns dias de licença. Para afastar-se de Trincomalee. Não gostaria de ficar com eles novamente?

Apanhada de surpresa, Judith considerou penosamente tal sugestão. Nuwara Eliya. As montanhas, o ar fresco e a chuva. As encostas das plantações de chá, parecendo acolchoadas de verdura, e a fragrância dos eucaliptos recendendo a limão. O bangalô casualmente confortável, lareiras acesas ao anoitecer... Entretanto, hesitou, e por fim meneou a cabeça.

— Não se sente tentada?

— Realmente, não. — Naquela sua última folga, os Campbell haviam-lhe proporcionado dias maravilhosos, porém não seria a mesma coisa. Não agora. Agora, ela achava que não conseguiria enfrentar uma sucessão de festas no Colina Clube, e tampouco legiões de caras novas. Ela ansiava por algum lugar tranqüilo. Um lugar para lamber as feridas.

— Os Campbell são incansavelmente gentis, mas... — Judith tentou explicar. — Acontece apenas que...

Ela não precisou dizer mais. A primeiro-oficial sorriu.

— Compreendo perfeitamente. Os amigos, mesmo os mais íntimos, podem ser cansativos. Portanto, aqui vai outra sugestão. Por que não ir a Colombo e ficar algum tempo com o contra-almirante Somerville? Sua residência oficial fica na Gale Road, ele certamente dispõe de bastante espaço e haverá criados para cuidar de você. O mais importante de tudo é que estará em família. Neste exato momento, acho ser isto o que realmente necessita. Tempo para chegar a um acordo com o que acabei de dizer-lhe. Oportunidade para analisar o sucedido... talvez até mesmo fazer alguns planos para seu futuro...

Tio Bob. Neste ermo divisor de águas em sua vida, Judith não conhecia outro homem no mundo com quem preferiria estar. Entretanto...

— Ele passa o dia inteiro trabalhando — disse. — Não quero ser um estorvo.

— Não acredito que chegue a sê-lo.

— Ele *falou* que eu poderia ir e ficar lá. Escreveu para mim, assim que chegou em Colombo. Então, disse que tudo estaria bem...

— Neste caso, o que estamos esperando? Por que não telefona para ele e se entendem pessoalmente?

— Bem, mas... e quanto ao meu trabalho? O capitão Spiros, o *Adelaide*?

— Conseguiremos uma escriturária temporária para ajudar a *Wren* Wailes.

— Quando eu poderia ir?

— Creio que imediatamente. Portanto, não percamos tempo.

— Até quando eu poderia ficar em Colombo?

— Vejamos... Você tem direito a duas semanas de folga, mas penso que poderíamos acrescentar a licença por morte de familiar. Isso lhe daria um mês.

— Um *mês*?

— Por favor, sem objeções, porque lhe estou dando apenas o que merece.

Um mês. Um mês inteiro com tio Bob. Novamente em Colombo. Judith recordou a casa onde tinha morado durante seus primeiros dez anos de vida. Recordou sua mãe, costurando na varanda, o frescor do vento marinho vindo do oceano Índico.

A primeiro-oficial esperava pacientemente. Judith ergueu o rosto e fitou-a dentro dos olhos. A mulher sorriu encorajadoramente.

— E então?

— A senhora está sendo tão gentil comigo... — foi tudo o que Judith conseguiu dizer.

— É o meu trabalho. Está combinado, então? — Após um instante, Judith assentiu. — Excelente. Neste caso, passemos aos arranjos necessários.

De: Gabinete da primeiro-oficial SFMR, Trincomalee
Para: Sra. Somerville, Dower House, Rosemullion, Cornualha, Inglaterra

22 de agosto de 1945

QUERIDA BIDDY INFELIZMENTE MÁS NOTÍCIAS PT BRUCE DUNBAR FALECEU DISENTERIA PRISÃO CHANGI 1943 PT MOLLY E JESS PERE-CERAM QUANDO RAJAH OF SARAWAK TORPEDEADO MAR DE JAVA PT TELEFONEI BOB EM COLOMBO PT AMANHÃ PARTINDO UM MÊS LICENÇA FICAR COM ELE PT ESCREVEREI DE LÁ PT NÃO FIQUE TRIS-TE POR MIM PT ABRAÇOS VOCÊ E PHYLLIS PT JUDITH.

De: Somerville, Rosemullion, Cornualha, Inglaterra
Para: Judith Dunbar a/c contra-almirante Somerville, Galle Road, 326. Colombo, Ceilão

23 de agosto de 1945

TELEGRAMA RECEBIDO PT ABALADA POR NOTÍCIAS PT GRATA VOCÊ ESTAR COM BOB PT RECEBA NOSSOS PENSAMENTOS AMOROSOS PT EU E PHYLLIS ESTAMOS AQUI SUA ESPERA VOLTA AO LAR PT BIDDY

Residência do Contra-Almirante
Galle Road, 326
Colombo

Quinta-feira, 28 de agosto de 1945

Querida Biddy

Demorei algum tempo para escrever-lhe esta. Peço que me desculpe. Obrigada pelo cabograma. Fez com que me sentisse melhor, apenas por ter notícias suas e saber que, embora estejamos a mundos de distância, temos os mesmos pensamentos tristes e talvez possamos consolar uma à outra. Entretanto, eu gostaria que estivéssemos juntas. O pior é saber que eles morreram há tanto tempo, sem jamais sabermos e nunca termos recebido uma só notícia. As condições em Changi eram indizíveis, sendo um milagre algum homem conseguir sobreviver a elas. Excesso de doenças, pouca alimentação e nenhum cuidado adequado. Pobre papai! Entretanto, estou certa de que havia amigos à sua volta, de modo que não ficou inteiramente só no fim. Quanto a Molly e Jess, eu apenas rezo para que tenham tido uma morte instantânea, quando The Rajah of Sarawak foi torpedeado. Para começar, quase o pior foi saber que nada me restou deles, nenhum objeto pessoal, nem uma só recordação. Foi como se tudo houvesse sido engolido por um grande abismo negro. Então, lembrei-me dos caixotes de mudança, de tudo o que embalamos, quando ainda morávamos em Riverside, antes de mamãe e Jess partirem para Colombo. Devem estar armazenados em algum lugar. Quando eu finalmente voltar para casa, talvez possamos procurá-los juntas.

Penso também em Phyllis, porque gostava muito de mamãe, e fico satisfeita por vocês duas estarem juntas.

Quanto a mim, estou sã e salva aqui com Bob. (Nada de tio mais, ele disse que estou muito velha para isso.) Estou levando uma vida de inaudito luxo.

Bem, é melhor eu começar pelo começo.

A primeiro-oficial que me deu a notícia foi extremamente bondosa e compreensiva. Creio que esperava ver-me prorromper em lágrimas histéricas, porém só mais tarde é que fiz isso. Ela obteve notícias de mamãe, papai e Jess através da Cruz Vermelha, que gradualmente vai descobrindo o destino de todos, seguindo a pista de pessoas desaparecidas e investigando os campos de prisioneiros, de modo que a notícia é absolutamente oficial. Ela então me disse que eu devia tirar uma licença, e de seu próprio gabinete telefonamos para Bob. E a resposta dele foi: "Ela pode vir imediatamente."

A primeiro-oficial providenciou tudo. Em vez de tomar um trem de Trincomalee para Colombo (terrivelmente quente, sujo e fuliginoso), fui levada até Kandir em um carro do estado-maior, partindo de Trincomalee às seis da manhã. O capitão Curtice (HMS Highflyer) e sua secretária iam para lá, a fim de participarem de uma reunião de estado-maior no QG Aliado. Eles ocuparam o assento traseiro do carro e eu segui na frente com o motorista, o que foi ótimo, já que assim ficava dispensada de conversar. A viagem é muito bonita, embora de carro demore bastante, porque a estrada é cheia de curvas e atravessa aldeias, com criancinhas acenando para nós, e macacos por todos os cantos. Mulheres sentadas ao lado de suas casas teciam folhas de palmeira que logo se tornariam tetos, e homens trabalhavam com elefantes. Paramos para almoçar em uma casa de descanso perto de Sigiriya (muito gentilmente, o capitão Curtice convidou-me para almoçar). Em Kandir, passei a noite em outra casa de descanso, depois disso pegando carona em outro carro do estado-maior até Colombo. Cheguei lá por volta de cinco da tarde, entregue a domicílio.

Bob não estava trabalhando, mas em casa, à minha espera. Quando o carro parou, ele saiu da porta principal, desceu a escada e, enquanto eu me esgueirava do carro, em meu uniforme já um tanto sujo, Bob simplesmente me tomou nos braços e me abraçou, sem dizer palavra.

Melhor do que ninguém, Biddy, você sabe como são amplos e confortáveis os abraços dele, todos exalando o cheiro de camisas limpas e loção para cabelos Royal Yacht. E foi nesse momento que me fiz em pedaços e chorei como uma criancinha, não tanto por mamãe, papai e Jess, mas porque me sentia extremamente cansada, e por ser tão bom apenas estar com ele, sabendo-me em total segurança, sem ter mais que pensar, planejar ou ser corajosa sozinha.

Bob está com excelente aparência. Talvez mais alguns cabelos brancos e linhas no rosto, mas, fora isso, continua como antes. Nem mais gordo, nem mais magro.

A casa dele é encantadora, um bangalô, porém enorme. Tem sentinelas nos portões e bandos de criados. Não fica no lado da Galle Road dando para o mar, mas no oposto, possuindo um amplo jardim sombreado, cheio de árvores e arbustos, belos e floridos. Os alojamentos do Serviço Feminino da Marinha Real ficam seis casas abaixo, na mesma rua, e quase em frente está aquela em que moramos, antes de papai ir para Cingapura. Não é a mais espantosa coincidência? Não sei quem agora mora lá. Talvez seja alguma família do Exército Indiano.

A casa de Bob. A gente sobe a escada e entra em um enorme vestíbulo, depois há portas duplas dando para uma ampla sala de estar. Esta tem portas que se abrem para a varanda e, um pouco além, vê-se um outro belo e vastíssimo jardim. Em ambos os lados há quartos e banheiros. (Tenho um quarto fresco e adorável, com piso de mármore, chuveiro e banheiro só para mim.) Como você provavelmente já sabe, Bob divide a casa com um homem chamado David Beatty, um civil que trabalha para o Governo. Ele mais parece um professor, sendo sumamente inteligente e erudito, além de falar pelo menos seis idiomas, o hindu e o chinês entre estes. Ele tem seu próprio estúdio e passa muito tempo trabalhando lá, mas sempre se junta a nós para jantar ao anoitecer, mostrando-se muito simpático e divertido, de uma forma um tanto seca e escolástica.

Conforme disse, há criados por toda parte. O mordomo é um homem encantador, um tamil chamado Thomas. É alto, tem a pele escura como uma uva-passa, e sempre usa uma flor atrás de uma orelha. Possui uma enormidade de dentes de ouro. Prepara drinques e serve as refeições, porém não creio que deva fazer muita coisa mais, havendo tantos outros criados de cate-

goria inferior. De qualquer modo, se ele não estivesse aqui, tenho certeza absoluta de que toda a administração desta casa iria por água abaixo.

Para cúmulo, Thomas é conhecido por preparar uma secreta poção mágica, que dizem ser infalível para curar ressacas.

Como vê, uma utilíssima especialidade. Inicialmente, fiquei três dias sem fazer nada, limitando-me a dormir, descansar na varanda, ler livros e ouvir maravilhosas músicas na vitrola de Bob (recordações de muito tempo atrás, em Keyham Terrace). Ele e David Beatty saem para trabalhar todas as manhãs, é claro, portanto fico sozinha, mas sem o menor problema e em absoluta tranqüilidade, com Thomas por perto, volta e meia me trazendo algo fresco para beber.

Eu não tenho de ficar aqui sem fazer nada, porque Bob tem dois carros e dois motoristas à sua disposição. Um carro do estado-maior da Marinha, com um motorista marinheiro, vem apanhá-lo todas as manhãs a fim de levá-lo para trabalhar, e o traz de volta ao anoitecer. Entretanto, ele tem também seu próprio carro, com um motorista chamado Azid, e já disse que poderei usá-lo sempre que quiser, para fazer compras ou outra coisa qualquer. Entretanto, ainda não me sinto com disposição para fazer algo que exija planejamento ou energia.

À noite, depois do jantar, com David Beatty de volta ao seu estúdio, nós temos conversado muito. Fazemos todo o percurso de volta ao passado e recordamos cada coisa, cada pessoa. Falamos sobre Ned e até mesmo sobre Edward Carey-Lewis. Bob me disse que está pretendendo deixar a Marinha. Acha que tendo lutado em duas guerras mundiais, isso é o bastante para qualquer homem. Ele quer ter algum tempo para ficar com você. Por outro lado, a bomba atômica alterou a face do futuro, o poder marítimo nunca mais será tão vitalmente importante, e a Marinha Real que ele conheceu a vida inteira agora está fadada a ser reformulada, modernizada e modificada por completo. Bob me contou que já faz algum tempo vocês vêm pensando em vender a casa de Devon e mudar-se para a Cornualha. Não gostaria que fizessem isso por minha causa, mas não posso imaginar nada que achasse mais maravilhoso. Entretanto, por favor, não deixe a Dower House enquanto eu não voltar para casa!

Esta carta parece eternizar-se!

Em minha terceira noite, quando Bob chegou em casa disse que eu já ficara tempo demais sozinha e que ia levar-me a um coquetel a bordo de um cruzador visitante. Assim, tomei uma ducha, enfiei um vestido adequado, e lá fomos nós. Foi muito divertido. O coquetel teve lugar no tombadilho superior, e cruzamos o porto em um veloz barco a motor do navio. Havia uma enormidade de caras novas, pessoas que jamais tinha visto antes — civis e do Exército — uma verdadeira mistura.

Em meio a toda essa socialização, Bob apresentou-me a um homem chamado Hugo Halley, capitão-de-corveta também servindo nos escritórios da Chefia do Comando. Findo o coquetel, oito de nós (incluindo Hugo) voltamos para terra e jantamos no "Galle Face Hotel". Tudo continuava exatamente como eu me lembrava, só que com muito mais gente. Hugo veio almoçar no domingo passado, e depois fomos de carro até Mount Lavinia; pretendíamos nadar, porém as ondas eram enormes e havia muita correnteza, de modo que ficamos sentados na praia por algum tempo e depois retornamos a Colombo, indo nadar na piscina do Clube dos Oficiais. Lá também há quadras de tênis, e pode ser que joguemos qualquer dia destes. Sei perfeitamente que se estivéssemos juntas, seus ouvidos estariam ardendo, e você ansiosa por detalhes, portanto, aqui vão eles. Hugo é muito simpático, extremamente apresentável, agraciado com um idiota senso de ridículo, e é solteiro. Não que, no momento, isto tenha a menor importância ou faça alguma diferença. Eu apenas o acho uma pessoa agradável como acompanhante. Assim, por favor, não comece a tecer fantasias e sonhar com um vestido branco, desenhado para ficar bem no lado das costas! De qualquer modo, ele me convidou para outra festa, em um outro navio, de maneira que precisarei tomar alguma providência quanto ao meu guarda-roupa. As mulheres de Colombo são muito elegantes, e meus desbotados trajes de Trincomalee fazem-me parecer uma parenta pobre.

Agora estou chegando ao fim. É curioso, mas começo a perceber como era pesada aquela enorme carga de incerteza, sem nunca saber ao certo o que tinha acontecido a Bruce, Molly e Jess. Agora, pelo menos, não tenho que ficar mais pensando nisso. O vácuo que eles deixaram é impreenchível, mas pouco a pouco está começando a ser novamente possível alguma espécie de futuro. Assim sendo, estou bem. Não precisa preocupar-se comigo.

A questão é que estou agora com vinte e quatro anos, sendo algo depressivo perceber que, em todos estes anos, pareço não ter realizado coisa nenhuma. Nem mesmo tive uma instrução adequada, por nunca ter ido para a Universidade. Retornar à Inglaterra e recolher os fios soltos será como começar tudo novamente, desde o início. Entretanto, ainda preciso descobrir o início de quê. Seja como for, creio que acabarei descobrindo.

Muitas saudades, querida Biddy, para você e todos daí.

Judith

Sete da manhã; uma hora perolada e quieta, a mais fresca do dia. Descalça, envolta em um robe fino, Judith saiu de seu quarto, desceu o corredor de mármore, cruzou a casa e chegou à varanda. O *mali* regava o gramado com uma mangueira e era possível ouvir muito trinar de pássaros, acima do distante rumor do trânsito na Galle Road.

Ela viu que Bob já estava lá, fazendo o *breakfast* em tranqüila solidão, tendo comido uma fatia de mamão-papaia e agora bebendo a terceira xícara de café puro. Ele passava os olhos pela edição matutina do *The Ceylon Times*, não a ouvindo chegar.

— Bob.

— Santo Deus! — Apanhado de surpresa, ele deixou rapidamente o jornal de lado. — O que está fazendo em pé tão cedo?

Judith inclinou-se para beijá-lo e depois sentou-se à mesa, diante dele.

— Eu queria fazer-lhe um pedido.

— Coma alguma coisa, enquanto pede.

Ouvindo vozes, Thomas já estava a caminho, trazendo uma bandeja com outro prato de mamão, torradas feitas na hora e o bule de chá da China para Judith. Nesta manhã, ele pusera um jasmim atrás da orelha.

— Obrigada, Thomas.

Os dentes de ouro cintilaram um sorriso.

— Um ovo cozido?

— Não, apenas mamão.

Thomas arranjou a mesa até dar-se por satisfeito, e depois recuou.

— O que você quer pedir?

De cabelos grisalhos, muito queimado de sol, barbeado e de camisa branca limpa, com suas ombreiras de contra-almirante pesadas de alamares dourados, Bob tinha uma aparência e um cheiro sumamente agradáveis.

— Preciso fazer algumas compras. Você poderia emprestar-me o carro e Azid para levar-me?

— Naturalmente. Não precisava levantar tão cedo para perguntar.

— Achei que seria melhor assim. De qualquer modo, já estava acordada. — Ela bocejou. — Onde está David Beatty?

— Já saiu. Tinha uma reunião hoje bem cedo. O que pretende comprar?

— Algumas roupas. Não tenho nada para vestir.

— Já ouvi isso antes.

— É verdade. Hugo tornou a convidar-me para sair e estou sem vestidos. Um problema e tanto.

— Qual é o problema? Falta de dinheiro?

— Estou bem provida. Acontece que nunca fiz muitas compras antes e não sei se sou boa nisso.

— Pensei que todas as mulheres fossem ótimas em suas compras.

— Isso é uma generalização. Tudo exige prática, inclusive fazer compras. Mamãe sempre era um pouco tímida quando precisava sair para comprar coisas; por outro lado, nunca tinha muito para gastar, na maioria das vezes. E depois que eu e Biddy ficamos morando juntas, a guerra estava em andamento e tudo se resumia a cupons para roupas e horrendos trajes funcionais. Era bem mais fácil não ter de escolher e reformar as roupas velhas. — Ela estendeu a mão para o bule e encheu uma xícara de chá escaldante. — A única pessoa que eu sempre soube ser experiente e perita no assunto foi Diana Carey-Lewis. Ela disparava

O Regresso

através das casas Harvey Nichols, Debenham e Freebodys como uma faca quente cortando manteiga, e os balconistas nunca ficavam irritados ou entediados com ela.

Bob começou a rir.

— Acha que eles vão ficar irritados e entediados com você?

— Não, mas seria ótimo ter uma amiga realmente decidida para ir comigo.

— Receio que isso esteja fora do meu alcance, porém, a despeito de sua falta de experiência, tenho certeza de que se sairá muito bem. A que horas pretende sair?

— Antes que fique muito quente. Que tal nove horas?

— Direi a Thomas para falar com Azid. Bem, meu carro deve estar esperando e eu preciso ir. Tenha um bom dia.

As lembranças que Judith tinha das ruas e lojas de Colombo eram vagas, sendo ainda mais vagas a exata localização das mesmas. Entretanto, disse a Azid para levá-la a Whiteaway & Laidlaw, a loja preferida de Molly e em cuja direção ela gravitava, da mesma forma como, em Londres, as mulheres gravitavam para a Harrods. Uma vez lá, Azid a deixou na calçada quente e movimentada, depois perguntou quando deveria voltar para apanhá-la.

Parada ao sol ofuscante, recebendo cotoveladas e empurrões dos transeuntes, Judith considerou a pergunta.

— Às onze? Sim, onze horas.

— Estarei esperando. — Ele apontou para os próprios pés. — Aqui.

Ela subiu os degraus à sombra do enorme toldo e cruzou a entrada. A princípio, apenas confusão. Em seguida conseguiu orientar-se, e, subindo a escada interna, encontrou o rumo do departamento de vestidos, uma caverna de Aladim tomada por espelhos e modelos, prateleiras, trilhos e uma impressionante profusão de roupas. Não sabia por onde começar e estava titubeante, parada no meio do recinto, quando foi salva pela aproximação de uma vendedora, trajando saia preta e uma blusinha branca. Uma eurasiana magra e ossuda, com enormes olhos escuros e cabelos negros presos por uma fita.

— Gostaria que a auxiliasse? — perguntou a jovem timidamente.

Depois disso, as coisas ficaram bem mais fáceis. *O que deseja comprar?* e Judith tentou pensar. Vestidos para ir a coquetéis. Talvez um longo para dançar. Vestidos de algodão para usar durante o dia...?

— Nós temos de tudo. A senhorita é muito esbelta. Venha, e então veremos.

Peças e mais peças foram tiradas ao acaso de cabides e armários, empilhando-se no braço da vendedora.

— Deverá experimentar todos eles, senhorita.

Em um compartimento de provas encortinado, Judith despiu sua blusa e a saia de algodão. Em seguida, vestido após vestido foram deslizados por cima de sua cabeça, admirados, considerados e depois removidos, porquanto um outro seria experimentado. Sedas, algodões e finos voais; brilhantes matizes azul-pavão, tons pastéis e a pura simplicidade do preto e do branco. Um traje de baile de seda indiana rosa para sari, com estrelas douradas bordadas à volta da bainha. Um vestido para coquetel em crepe da china azul-forte, salpicado de enormes flores brancas. Um envoltório de shantung cor de trigo, muito simples e sofisticado, e por fim um vestido negro em musseline de seda, suas saias vaporosas forradas de anáguas, com uma imensa gola de organza branca contornando o fundo decote...

Era angustiante ter de escolher, mas finalmente ela comprou o vestido de baile e três para coquetel (incluindo o irresistível negro de gola branca). Além destes, mais três vestidos de uso durante o dia e um vestidinho para tomar sol, com alças nos ombros.

A essa altura, dissolvidas todas as reservas, Judith via-se dona da situação. Vestidos novos precisavam de acessórios novos. Partiu deliberadamente em busca do departamento de calçados, e lá comprou sandálias, sapatos fechados de salto em cores vivas e uma audaciosa sandália com saltos altíssimos, de correias pretas cruzadas atrás do calcanhar, que seria usada com o vestido negro. Em seguida, adquiriu bolsas de mão, uma dourada e uma preta para noite, e uma linda bolsa para usar a tiracolo, em macio couro vermelho. Depois chegou a vez de echarpes e braceletes, um xale de caxemira, óculos escuros e um cinto de couro marrom, com fivela de prata gravada.

De volta ao andar térreo, dirigiu-se ao departamento de cosméticos, perfumado e cintilando sedutoramente, os balcões cheios de caixas em tons pastel e frascos, vidros trabalhados de perfume, batons de invólucro dourado, compactos incrustados de pedras, e pufes para pó em penugem de cisne, dentro de envoltórios de chifon. De dar água na boca. Havia muito que ela usara o último dos seus produtos Elizabeth Arden, e Trincomalee não sobressaía nem um pouco no setor de lojas adequadas de beleza. Assim, Judith comprou batons e perfumes, talcos e sabonetes, lápis para sobrancelhas, sombra de olhos e rímel, óleo para banho, xampus, esmalte de unhas e creme para as mãos.

Já passava da hora marcada para encontrar Azid, porém ele estava lá, quando ela cambaleou para a rua carregada de caixas, sacolas e embrulhos. Ao vê-la, o motorista adiantou-se rapidamente para aliviá-la da carga, deixou tudo no banco traseiro do carro e manteve a porta aberta para que ela entrasse e sentasse exausta, no couro fervente do assento.

Azid sentou-se ao volante e bateu a porta. Olhou para Judith pelo retrovisor e sorriu.

— A senhorita divertiu-se?

— Sim, Azid. Obrigada. Lamento ter feito você esperar.

— Não tem importância.

Rodando de volta à Galle Road, cercada por suas compras embrulhadas em papel branco, as vidraças do carro arriadas e a brisa refrescando seu rosto suado, Judith percebeu duas coisas. Uma delas, que pelo menos durante duas horas não havia pensado em Molly, em seu pai ou em Jess. A outra era que, embora acalorada e exausta, sentia-se ao mesmo tempo estimulada e... fútil. Não havia outra palavra. Refletiu nisso por um instante, depois concluiu que, pela primeira vez na vida, entendia a compulsão que impelia as mulheres a adquirir coisas; a comprar e gastar dinheiro, a acumular à sua volta uma imensidão de bens materiais, luxuosos, e inclusive desnecessários.

Parecia-lhe que ir às compras fornecia consolo quando uma mulher se sentia infeliz, um burburinho de excitamento quando entediada, e de auto-indulgência, se houvesse sido rejeitada. Talvez fosse frívolo e extravagante, mas seguramente era melhor do que a autopiedade, a busca de consolo em amores casuais ou na bebida.

Ela percebeu que sorria. Aquele vestido negro era delicioso. Devia fazer compras outra vez.

Então recordou todo o dinheiro que tinha gasto, e acrescentou uma prudente objeção: *mas não com muita freqüência.*

Caía a noite. Além das janelas abertas, uma palmeira silhuetava-se contra um aveludado céu azul, pontilhado pelas primeiras estrelas. Judith estava sentada diante de seu toucador e fixava um brinco na orelha. Da varanda, onde Bob Somerville tinha a companhia de um uísque com soda e seu cachimbo, vinha o som de um piano, amortecido pela distância e pela porta fechada, as notas abafadas espalhando-se pela casa como gotas d'água. Ele colocara um disco na vitrola, a música continuando a ser seu consolo e prazer constantes. Ela parou para ouvir. O Tema de Rachmaninoff sobre Paganini. Estendeu a mão para o outro brinco. Após colocá-lo, escolheu um dos novos batons, desenroscou a tampa dourada e concentrou-se em pintar cuidadosamente os lábios. No espelho, o reflexo de sua imagem a contemplava sob a luz suave; olhos cinzentos orlados de cílios escurecidos, sombras esfumadas abaixo dos malares, a curva dos lábios avermelhados. Havia lavado os cabelos, que jaziam macios e curtos sobre sua cabeça, louros e queimados pelo sol.

Perfume. O novo frasco. "L'Heure Bleu". Com o aplicador, Judith tocou a base do pescoço e o interior dos pulsos. O perfume encheu suas narinas e induziu uma sensação de luxo quase sibarítico, fazendo-a pensar imediatamente em Diana Carey-Lewis, em como ela apreciaria e aprovaria esta nova e sofisticada Judith.

Em pé, ela afastou o vestido dos ombros e o deixou cair ao chão. Enfiou os pés nas sandálias de salto alto e tiras cruzadas nos calcanhares, depois foi apanhar o vestido que havia estendido sobre a cama. Vestiu-o, deixando-o escorrer por sobre a cabeça, ajeitou as saias que se enfunavam transparentes como nuvens negras, e então, com a maior inocência, procurou fechar o zíper.

Era um problema e tanto. O zíper percorria as costas do corpete de alto a baixo, mas era de manejo impossível pela pessoa que estivesse usando o vestido. Pela manhã, quando o experimentara, a vendedora é que o tinha aberto e fechado, de modo que a dificuldade lhe passara despercebida. Entretanto, era evidente que semelhante traje requeria a ajuda de outra pessoa. De uma camareira, talvez, um marido ou mesmo um amante residente. Judith, contudo, não possuía nenhum destes úteis apêndices, logo, Bob é que teria de ser convocado. Pegando a bolsa de noite preta, ela saiu do quarto e desceu o corredor à procura dele, os saltos altos repicando no piso de mármore e o vestido, quase imaterial, escorregando de seus ombros.

Ele jazia reclinado em uma comprida poltrona, com uma só lâmpada por iluminação, seu uísque ao alcance, o cachimbo por companhia, e Rachmaninoff. Parecia em tal estado de beatitude, que chegava a ser vergonhoso perturbá-lo.

— Bob?

— Olá.

— Você vai ter de fechar meu zíper.

Bob riu, endireitou o corpo para uma posição sentada e ela ficou de joelhos, as costas viradas para ele, que executou a tarefa solicitada com a perícia de um homem casado há muito. Judith levantou-se em seguida e virou-se de frente. De súbito, sentia-se um pouco cônscia de si mesma.

— Gosta dele?

— É sensacional. Comprou-o esta manhã?

— Sim. Foi terrivelmente caro, mas não pude resistir. Também comprei sapatos. E uma bolsa.

— Está com uma aparência de um milhão de dólares. E disse que não sabia fazer compras!

— Não foi difícil. Eu aprendi. — Ela se sentou na extremidade da comprida cadeira, de frente para ele. — Divino Rachmaninoff! Eu gostaria que você fosse também.

— Para onde vocês vão?

— Para um navio. Acho que é um destróier australiano.

— Oh, *essa* festa... Aqui entre nós, também recebi um convite, mas declinei. Aleguei já ter um compromisso anterior. Portanto, não me deixe em situação delicada.

— Não deixarei. Prometo.

— Já tenho uma certa idade para ir dormir tarde todas essas noites. De vez em quando preciso de uma delas só para mim. De ir cedo para a cama.

— Se você for dormir cedo, como vou *sair* do meu vestido?

— Pode pedir a Thomas que puxe o zíper. Ele certamente ficará esperando até você voltar para casa.

— Thomas não ficaria embaraçado?

— Nada o deixa embaraçado.

A sineta da porta soou. Eles aguardaram. Ouviram Thomas cruzar o vestíbulo, a fim de abrir a porta da frente.

— Boa noite, *sahib*.

— Boa noite, Thomas.

— O almirante está na varanda.

— Obrigado. Conheço o caminho.

Um instante mais tarde ele estava lá, saindo da penumbra para as luzes acesas na casa, em fardamento de gala e com uma aparência imensamente distinta. Tinha o quepe seguro sob o braço.

Judith sorriu para ele.

— Olá, Hugo.

Foi-lhe oferecido um drinque, que ele recusou polidamente. Já estavam um pouco atrasados e seriam bombardeados com coquetéis, assim que estivessem a bordo.

— A caminho, então! — exclamou Bob, levantando-se. — Eu os acompanho até a porta.

Era evidente que mal podia esperar para ficar livre dos dois e ser deixado em paz com seu cachimbo e sua vitrola. Caminhou com eles até a porta da frente. Judith deu-lhe um beijo de boa-noite e assegurou que se divertiria. Depois entrou no carro de Hugo e eles partiram para sua noitada. Assim que cruzaram o portão, Bob fechou a porta da casa.

Era uma noite de lua-cheia, redonda e polida como prata, erguendo-se no leste, acima dos tetos da cidade. Seguiram pela Galle Road e depois cruzaram o Forte até o porto, no extremo oposto.

Um destróier australiano estava ancorado junto ao cais. Seu tombadilho superior cintilava com fieiras de luzes e o coquetel já se encontrava em pleno andamento. Judith subiu pela passarela atrás de Hugo, em direção ao rumor de vozes e entrechocar de copos. A reunião era semelhante à outra em que estivera com Bob, e percebeu alguns dos rostos lá vistos, reconhecíveis, mas sem que conseguisse ligá-los a nomes. Com a mão em seu cotovelo, Hugo a guiou para onde se achava o comandante do barco, ao qual apresentaram-se e fizeram os corretos cumprimentos de apreço. Receberam drinques, e atenciosos camareiros ofereceram-lhes canapés. Depois disso, tudo se resumiu à velha rotina das trocas de frases sociais, mais ou menos sem sentido, porém mesmo assim divertidas.

Pouco depois, separada de Hugo, mas conversando animadamente com dois jovens tenentes australianos, Judith sentiu uma mão que se fechava como garra em torno de seu pulso. Ao virar-se, viu à sua frente uma dama castigada pelo tempo, em um apertado vestido azul-pavão.

— Minha querida... já nos conhecemos. Bob Somerville apresentou-nos na outra noite. Moira Burridge. E você é Judith Dunbar. (Que vestido maravilhoso, adorei-o.) Onde está aquele homem divino?

A pressão da mulher afrouxou-se ligeiramente, e Judith pôde libertar o pulso. Um dos rapazes australianos afastou-se, expressando polidas escusas. O outro permaneceu estoicamente ao lado dela, com um sorriso fixo nos lábios, como se estivesse satisfeito.

— Preciso encontrá-lo. — Moira Burridge ficou na ponta dos pés (ela não era alta) e espiou em torno, acima da cabeça das outras pessoas. Tinha olhos enormes, pálidos como uvas verdes, e sua máscara começava a derreter e manchar. — Não vejo o malvado em lugar nenhum!

— Ele... ele não pôde vir. Tinha um compromisso anterior.

— Oh, que lamentável! Sem Bob, metade da animação destas reuniões desaparece. — Desapontada, ela voltou a atenção para Judith. — Então, *quem* trouxe você?

— Hugo Halley.

— *Hugo?* — Ela era o tipo de pessoa que, ao falar, chegava o rosto bem perto do de seu interlocutor. Judith procurou recuar, o mais discretamente possível, porém Moira Burridge apenas aproximou-se mais. — Quando foi que conheceu Hugo? Não faz mais de dois minutos que chegou aqui! Agora está hospedada com Bob, não é mesmo? Quanto tempo vai ficar em Colombo? Precisam ir ver-nos. Pretendemos dar uma festa. Bem, eu me pergunto qual seria o dia mais conveniente...

Judith murmurou algo sobre não ter certeza do que Bob estava fazendo.

— Vou ligar para Bob. Temos um apartamento no Forte. Rodney faz parte do estado-maior... — Um pensamento ocorreu-lhe. — Conhece Rodney, não? — Judith sentiu um pingo da saliva de Moira Burridge em sua face, mas era educada demais para limpá-la. — Não sabe quem é? Eu lhe mostrarei...

Um camareiro passou com uma bandeja de bebidas e, rápida como o raio, Moira Burridge deixou nela seu copo vazio, trocando-o por outro cheio.

— ... lá está ele! Conversando com aquele homem de dois galões e meio, da Marinha Indiana.

Com certa dificuldade, Judith localizou o capitão Burridge. Era um homem incrivelmente alto e calvo, com o rosto em forma de pêra, mas antes que pudesse fazer algum comentário conveniente, Moira Burridge já mudava de assunto.

— Agora, diga-me uma coisa. Ainda não entendi bem quem você é. Sei que se trata de uma espécie de parente. Chegada da Inglaterra, ou estou totalmente enganada?

Judith disse qualquer coisa sobre Trincomalee.

— Oh, não me diga que está servindo *lá!* Pobrezinha! Que lugar pavoroso! Cheio de mosquitos... Não sei por que achei que você tinha vindo da Inglaterra. Temos filhos lá, ambos estudando. Passam os feriados com minha mãe. Há dois anos que não vemos os coitadinhos...

A única coisa boa em falar com Moira Burridge era que ela não esperava qualquer espécie de resposta. Judith assentia de quando em quando, meneava a cabeça ou sorria fugazmente, mas a sra. Burridge, bem azeitada pelo álcool, limitava-se a matraquear incessantemente, a torto e a direito. Era mais ou menos como ser atropelada por um trem. Encurralada, Judith começou a desesperar-se.

Hugo, onde está você? Volte logo e salve-me!

— ... mas, para ser franca, na *realidade*, não sinto grande ansiedade em voltar para a Inglaterra. Temos uma casa em Petersfield, mas tudo está racionado, não há gasolina, e *chove*. O pior de tudo, não há criados. Ficamos terrivelmente mal acostumados, quando nos mandam para cá. Onde vão jantar, quando isto aqui terminar? Por que não nos juntamos todos e comemos alguma coisa no "Grand Oriental"...?

Que horror!

— Judith.

Ele voltara, e já não era sem tempo. Ela quase desfaleceu de alívio. O sorriso sedutor de Hugo pousou em Moira Burridge.

— Boa noite, sra. Burridge, como tem passado? Eu acabei de ter uma palavrinha com seu marido...

— Hugo, seu demônio! É só deixá-lo livre e já está escoltando a moça mais bonita a bordo. Acabei de sugerir, que tal irmos todos jantar juntos? Nós vamos ao "GOH"...

— É muita gentileza sua — a expressão de Hugo se tornou de profundo pesar — mas receio não podermos. Fomos convidados antes para jantar, e já estamos atrasados. Ouça, Judith, creio que devíamos ir andando...

— Oh, mas que lamentável! Vocês têm mesmo que ir? Estávamos nos divertindo tanto, não é, meu bem? Com um mundo de coisas para falarmos e nem chegamos à metade! — A essa altura, ela já adernava ligeiramente em seus incertos saltos altos. — Não faz mal, sempre haverá outras vezes. Então, conversaremos...

Por fim, Judith e Hugo conseguiram afastar-se. No alto da passarela, Judith olhou para trás e viu que a sra. Burridge estava novamente com um copo cheio, encurralara uma outra relutante jovem e prosseguia a todo vapor com sua conversa vazia.

A salvo no cais e fora do alcance dos ouvidos do oficial de vigia, ela comentou para Hugo:

— Jamais conheci uma mulher tão terrível, em toda a minha vida.

— Sinto muito. Eu devia ter zelado melhor por você. — Ele a tomou pelo braço e começaram a caminhar pelo cais, contornando guindastes e caixas de mercadorias, passando sobre cabos e correntes. — Ela é uma famosa ameaça. Tenho pena do pobre Rodney, mas é um sujeito tão maçante, que certamente a merece.

— Pensei que fosse passar o resto da noite com ela.

— Eu não permitiria que isso acontecesse.

— Cheguei a pensar em alegar uma horrível dor de cabeça. Uma enxaqueca. Bem, Hugo, eu não sabia que tínhamos sido convidados para jantar.

— Não fomos. Entretanto, reservei uma mesa no "Salamander" e não queria que Moira Burridge soubesse, porque então ela tentaria vir também.

— Nunca ouvi falar no "Salamander".

— É um clube privado. Sou membro dele. Podemos jantar e dançar. A menos, naturalmente, que você prefira o "GOH" com os Burridges. Sempre posso voltar e dizer a eles que mudamos de idéia.

— Faça isso e dou-lhe um tiro!

— Neste caso, que seja o "Salamander"!

Eles haviam estacionado o carro perto dos portões do estaleiro naval. Acomodaram-se nele e partiram, deixando o Forte e rodando para o sul, até um distrito de ruas amplas e antigas casas holandesas, desconhecido para Judith. Chegaram em mais dez minutos. Um impressivo edifício de espigões, recuado da rua, com um portão alto e uma via circular para carros, que levava à entrada principal. Muito discreto, sem letreiros ou luzes chamativas. Havia um porteiro de uniforme verde e magnífico turbante, além de outro indivíduo para estacionar o carro. Judith e Hugo subiram a ampla escadaria e cruzaram a porta esculpida que dava para um saguão de mármore, com pilares e um maravilhoso teto decorado. Cruzaram outra porta dupla e chegaram a um enorme pátio fechado, aberto para o céu e circundado por largos terraços, onde as pessoas jantavam. No centro ficava a pista de dança. A maioria das mesas já fora ocupada, cada uma iluminada por um abajur de cúpula vermelha, porém a única iluminação da pista de dança vinha da enorme lua subindo no céu. Uma orquestra tocava. Música sul-americana. Um samba, rumba ou algo assim. Vários casais rodopiavam pelo piso, alguns excelentes dançarinos, outros bem menos, mas fazendo o possível para seguir o compasso e o ritmo da astuciosa música.

— Capitão-de-corveta Halley.

O chefe dos garçons, em engomado jaleco e um sarongue branco, aproximou-se para recebê-los. Foram conduzidos à sua mesa, instalados em cadeiras e amplos guardanapos foram desdobrados e dispostos sobre seus joelhos. Os cardápios lhes passaram às mãos. Em passos silenciosos, o chefe dos garçons afastou-se.

Por cima da mesa, os olhos de ambos encontraram-se.

— Está tudo bem para você? — perguntou ele.

— Admirável. Não imaginei que tal lugar existisse.

— Foi inaugurado há apenas seis meses. Tem um número muito limitado de membros. Tive sorte bastante para ter uma localização no térreo. Agora há a lista de espera.

— Quem o dirige?

— Oh, um certo indivíduo. Meio-português, suponho.

— Aqui é como uma parte extraída de um filme imensamente romântico.

Ele deu uma risada.

— Não foi por isso que a trouxe.

— Por que me trouxe então?

— Por causa da comida, sua tolinha.

Pouco depois o chefe dos garçons retornava com o garçom de vinhos escoltado, trazendo um balde de gelo que continha uma grande e gelada garrafa verde. Judith estava pasma.

— Quando foi que pediu isso?

— Quando reservei a mesa.

— Não é *champanha*, é? Não poderia ser!

— Tem razão, não é, porém foi o melhor que pude conseguir. *Sahtheffrican*.

— O que disse?

— Sul-africano. Do Cabo. Um humilde vinho branco borbulhante, sem histórico e quaisquer pretensões. Um verdadeiro conhecedor de vinho torceria o nariz. Eu, no entanto, acho-o delicioso.

A rolha foi removida, o vinho despejado, o balde deixado sobre a mesa deles. Judith ergueu sua comprida taça.

— À sua saúde — disse Hugo.

Ela sorveu um pequeno gole e, se aquilo não era champanha, então era a melhor coisa seguinte. Fria, cintilante de borbulhas, deliciosamente refrigerante. Ele pousou sua taça e disse:

— Muito bem. Tenho duas coisas a dizer-lhe, antes que passe outro momento.

— E o que tem a dizer?

— Primeiro... é algo que eu talvez já devesse ter dito. Em poucas palavras, você está simplesmente estonteante.

Ela ficou emocionada com o elogio. E também algo embaraçada e confusa.

— Oh, Hugo!

— Ora, não fique tão desconcertada. As mulheres inglesas são reputadamente ruins para lidar com elogios. As americanas, ao contrário, são particularmente boas nisso. Aceitam palavras gentis e cumprimentos como algo que lhes é devido.

— Bem, foi muita gentileza sua. O vestido é novo.

— É um vestido encantador.

— E qual é a segunda coisa? Você disse que eram duas.

895

— Esta agora é um pouco diferente.

— Pois diga.

Pousando o copo na mesa, ele inclinou-se para frente.

— Estou a par do sucedido com sua família — disse. — Sei que acabou de ser informada de que nenhum deles sobreviveu... depois de Cingapura. Sei também que você ficou esperando notícias por três anos e meio, apenas para ser avisada de que não há mais esperanças. Entretanto, não quero começar a noite sem você saber que eu sei. Não desejo que palavras não ditas pairem entre nós, como algo que tivéssemos de contornar... uma espécie de área proibida.

Após um momento, Judith falou:

— Sim. Sim, você tem toda razão. Talvez eu devesse ter sido a primeira a dizer alguma coisa. Acontece apenas que não é muito fácil para mim...

Ele esperou e, então, como ela não terminasse a frase, disse:

— Não me incomodo se você falar a respeito, caso tenha vontade.

— De um modo geral, não tenho.

— Tudo bem.

Um pensamento ocorreu a ela.

— Quem lhe contou? — perguntou.

— O almirante Somerville.

— Ele lhe contou *antes* de nos conhecermos? Quero dizer, você sabia o tempo todo?

— Não. Foi somente no domingo passado, quando a levei de volta à Galle Road, depois que estivemos nadando. Você desapareceu por uns dez minutos, para trocar de roupa. Então, eu e ele aproveitamos este tempo e foi quando o almirante me contou.

— Você não me disse nada...

— Aguardei o momento mais apropriado.

— Fico satisfeita por você não ter sabido antes. Caso contrário, desconfiaria que estava apenas querendo ser gentil comigo.

— Não entendi.

— Oh, sabe como são essas coisas... *Estou levando minha sobrinha um pouco tristonha a uma festa. Quero que você a distraia.*

Hugo riu.

— Fique certa de que não tenho muito jeito com sobrinhas tristonhas. Vendo alguma à minha frente, sou capaz de correr mais de um quilômetro.

Houve uma breve pausa. Então, ele disse:

— Muito bem, assunto encerrado. Agora e para sempre?

— Acho melhor assim.

— Falemos de outras coisas. Quando volta para Trincomalee?

— Somente daqui a três semanas. Devo apresentar-me para trabalhar na manhã de segunda-feira. Bob vai ver se me consegue uma carona até Kandy, e de lá sigo para Trincomalee.

— Por que não vai de avião?

— Teria de ser um avião da RAF, e não é fácil conseguir caronas.

— Está querendo voltar?

— Não particularmente. Agora, toda a urgência perdeu o sentido. Terminada a guerra, suponho que seja apenas um caso de encerramento de atividades, com as pessoas sendo enviadas para casa pouco a pouco. Creio que o *Adelaide*, o navio aprovisionador de submarinos em que trabalho, e a Quarta Frota provavelmente serão despachados para a Austrália. Assim, terei que fazer algum trabalho com base em terra. — Judith estendeu a mão para sua taça, tomou outro gole do delicioso vinho e a deixou novamente sobre a mesa. — Em realidade, acho que já tive o suficiente disso tudo — admitiu. — O que de fato gostaria de fazer era embarcar em um navio de tropas e retornar à Inglaterra *agora*. Entretanto, não é provável que isso aconteça.

— E quando acontecer? O que fará então?

— Será o meu regresso ao lar. — Ela já lhe tinha falado sobre a Cornualha, a Dower House, Biddy Somerville e Phyllis, no dia em que haviam estado na praia em Mount Lavinia e ficaram olhando as ondas encapeladas vindo quebrar-se na areia. — Lá, não vou ter que procurar um emprego e nem fazer algo que não tenha vontade. Deixarei meu cabelo crescer até a cintura, irei para a cama quando me aprouver e dela sairei quando me der na veneta, podendo ficar na farra até alta madrugada. Levei uma vida inteira seguindo normas e regulamentos. No colégio, na guerra, com as *Wrens*. Já estou com vinte e quatro anos, Hugo. Não acha que é hora de pagar um ou dois tributos à minha juventude?

— Sem a menor dúvida. Entretanto, todos com a sua idade foram atingidos pela guerra. Uma geração inteira. Compreenda que, para certas pessoas, isso teve um efeito exatamente contrário. Foi uma espécie de liberação. De *backgrounds* convencionais, empregos sem perspectiva, horizontes limitados. — Judith pensou em Cyril Eddy, aferrando-se à oportunidade de deixar a mina de estanho e, finalmente, realizar a ambição de sua vida, que era ir para o mar. — Eu conheço pelo menos duas mulheres, bem-nascidas e casadas aos vinte e poucos anos, simplesmente porque não encontravam nada mais para fazer. Então veio a guerra e, aliviadas de maridos cansativos e com acesso aos franceses livres, poloneses livres e noruegueses livres, isso não se falando no exército dos Estados Unidos, elas começaram a divertir-se como nunca na vida.

— Será que voltarão para seus maridos?

— Espero que voltem. Como mulheres mais velhas e mais sensatas. Judith riu.

— Oh, mas é claro... Ninguém tornará a ser o mesmo.

— Sim, este seria um mundo enfadonho, se isso acontecesse. Judith achou que ele estava sendo muito sensato.

— Quantos anos você tem? — perguntou.

— Trinta e quatro.

— Nunca quis casar-se?

— Dúzias de vezes, mas não em tempos de guerra. Nunca me agradou a perspectiva de ser morto, porém odiaria morrer sabendo que deixava para trás uma viúva e uma fieira de crianças sem pai.

— Certo, mas agora a guerra terminou.

— É verdade, porém meu futuro continua com a Marinha. A menos que eu fique marcando passo, seja considerado supérfluo ou transferido para a reserva e executando um trabalho enfadonho em terra...

O chefe dos garçons aproximou-se para recolher o pedido de ambos, o que demorou algum tempo, porque eles ainda nem tinham examinado o cardápio. Por fim, os dois escolheram as mesmas coisas, frutos-do-mar e frango. O homem renovou a bebida em seus copos e tornou a retirar-se, tão silenciosamente como antes.

Por um instante, ficaram em silêncio. Então, Judith suspirou.

— Por que o suspiro? — quis saber Hugo.

— Não sei. Suponho que seja a idéia de voltar para Trincomalee. É mais ou menos como voltar para o internato.

— Não pense a respeito.

Ela animou-se.

— Sim, não vou pensar. Aliás, nem sei como chegamos a esta conversa tão séria.

— Talvez a culpa seja minha. Assim, ponhamos um ponto final nisso e comecemos a agir frivolamente.

— Não sei bem como começar.

— Pode contar-me uma piada ou sugerir um quebra-cabeça.

— Pena que não tenhamos chapéus de papel... Eles nos deixariam em evidência. Se começarmos a expor-nos, posso perder todos os meus privilégios aqui dentro e ser convidado a retirar-me. Pense no escândalo. Expulso do "Salamander". Moira Burridge adoraria, porque teria assunto para falar durante meses.

— Ela diria que foi merecido, por você contar mentiras e ser inamistoso.

— Acho que devemos fazer planos para as próximas três semanas e não perder um só momento. Assim, você voltará para Trincomalee com um brilho nos olhos e um lote de recordações agradáveis. Vou levá-la a Negombo, para mostrar-lhe o antigo forte português. É particularmente belo. Também nadaremos em Panadura, que é uma praia saída diretamente do *Lagoa Azul*. Talvez possamos ir de carro até Ratanapura. Na casa de descanso que existe lá, há velhos pratos de sopa colocados sobre mesas e cheios de safiras. Comprarei uma para você, a fim de que a incruste em sua narina. O que mais gostaria de fazer? Atividades esportivas? Podíamos jogar tênis.

— Não tenho raquete.

— Empresto-lhe uma.

— Depende. Que tal é como jogador?

— Brilhante. Sou o retrato da graça máscula, quando salto até a rede para felicitar o vencedor.

A orquestra tocava novamente. Nada de ritmo sul-americano agora, mas uma antiga e dolente melodia, solada pelo sax tenor.

Só tenho amor para dar-lhe, benzinho,
É o único que tenho de sobra, benzinho...

De repente, Hugo levantou-se.

— Vamos dançar — disse.

Os dois saíram para a pista de dança e Judith foi enlaçada pelos braços dele. Como já imaginara, Hugo dançava com tranqüila habilidade, não arrastando um pé após outro e nem a girando pela pista como um aspirador de pó, dois imprevistos que o correr dos anos lhe tinha ensinado a manobrar. Ele a manteve bem junto do corpo, a cabeça inclinada, de modo a que seus rostos se tocassem. E não falava. Aliás, não havia necessidade de falar coisa alguma.

Poxa, eu queria ver você espetacular, benzinho.
Não posso comprar diamantes da Woolworth's, benzinho.
Até chegar meu dia de sorte, bem sabe disso, benzinho,
Nada mais eu posso dar-lhe além de amor.

Por cima do ombro dele, Judith ergueu os olhos e contemplou a face da lua. Então, por um momento, sentiu-se tocada pela própria orla da felicidade.

Eram duas e meia da madrugada, quando ele a levou de volta à Galle Road. A sentinela abriu os portões para o carro, que rodou pela alameda até parar em frente ao pórtico da entrada principal. Eles saíram. O ar estava perfumado de flores do templo, e a lua brilhava tanto, que as sombras do jardim permaneciam negras como tinta nanquim. Judith parou ao pé dos degraus e se virou para ele.

— Obrigada, Hugo — disse. — Foi uma noite adorável. Toda ela.

— Incluindo a sra. Burridge?

— Pelo menos, ela nos fez rir. — Judith vacilou um instante, depois disse: — Boa noite.

Hugo pousou as mãos em seus braços e inclinou-se para beijá-la. Havia muito tempo que Judith não era tão intensamente beijada. E fazia ainda mais tempo desde que saboreara um beijo tão completamente. Passou os braços em torno dele e respondeu com uma espécie de agradecida paixão.

A porta da frente se abriu e eles foram apanhados em uma cunha de luz elétrica. Soltaram-se, divertidos, mas de maneira alguma embaraçados, e viram Thomas parado no alto dos degraus, suas feições escuras não mostrando desaprovação e nem satisfação. Hugo então desculpou-se por mantê-lo acordado até tão tarde, e Thomas sorriu, o luar refletindo-se em seus dentes de ouro.

— Boa noite — repetiu Judith, e subiu a escada, cruzando a porta aberta.

Thomas a seguiu, fechando e aferrolhando as pesadas trancas atrás de si.

Depois disso, os dias sucederam-se rapidamente, fluindo cada vez mais depressa, de modo que, como acontece em todas as férias agradáveis, antes mesmo de haver tempo para perceber os dias tinham formado uma semana, depois outra e mais outra. A data agora era dezoito de setembro. Dentro de mais três dias, Judith deveria iniciar a longa viagem de volta a Trincomalee. Recomeçaria a datilografar relatórios infindáveis, tendo que chegar dentro do horário nos alojamentos; nada de lojas e nada da agitação de uma cidade sofisticada. Nada de uma casa encantadora e organizada para onde voltar. Nada de Thomas. Nada de Bob. E nada de Hugo.

Ele mantivera a palavra. *Não devemos perder um só momento*, havia dito. Ainda melhor era o fato de não parecer arrependido de sua promessa. Nunca entediado e nunca entediando. Embora visivelmente encantado com a companhia dela e apreciando o tempo que Judith passava ao seu lado, Hugo se mantivera ternamente sem exigências, permitindo que ela se sentisse segura e protegida, nem por um momento assediada.

A essa altura, eles se tinham tornado tão íntimos e à vontade um com o outro, que podiam até mesmo discutir o assunto, enquanto curtiam as areias desertas e escaldantes de Panadura, secando-se ao sol após nadarem.

— ... não é que não a considere encantadoramente atraente ou que não queira fazer amor com você. Aliás, se fizesse, poderia ser intensamente agradável para nós dois. Entretanto, este não é o momento apropriado. Você se encontra demasiado vulnerável. É como uma convalescente, precisa de um pouco de paz. De tempo para cicatrizar suas feridas, colocar-se outra vez no rumo certo. A última coisa de que precisa é do trauma de um envolvimento físico. E de um caso sentimental imprudente.

— Não seria imprudente, Hugo.

— Bem, talvez tolo. Você decide.

Ele tinha razão. A idéia de precisar tomar *qualquer* espécie de decisão era um pouco aterradora. Ela desejava apenas deixar-se levar pela correnteza, tranqüilamente, seguir ao sabor da maré.

— Não pense que sou virgem, Hugo.

— Minha querida garota, nem por um momento imaginei que você fosse.

— Já dormi com dois homens. E amei muito os dois, mas também os perdi. Desde então, tenho evitado amar novamente. É doloroso demais. Leva muito tempo para cicatrizar.

— Eu me esforçaria ao máximo para não feri-la. Entretanto, não desejo confundir-me com suas emoções. Não agora. Fiquei gostando demais de você.

— Se eu pudesse ficar em Colombo... se não precisasse voltar para Trincomalee... se nós tivéssemos mais tempo...

— Que punhado de "se"! Isso tornaria as coisas muito diferentes?

— Oh, Hugo, eu não sei!

Ele lhe ergueu a mão e pressionou um beijo na palma.

— Eu também não sei. Portanto, vamos nadar outra vez.

***

Ao volante, Azid cruzou os portões abertos, passou junto à sentinela e rodou pela alameda em curva, até parar diante da porta principal. Então desligou o motor e, antes que Judith saísse, ele foi mais rápido e manteve aberta a porta do carro para ela.

As atenções dele sempre a faziam sentir-se um pouco como parte da Realeza.

— Obrigada, Azid.

Eram cinco e meia da tarde. Ela subiu os degraus, passou pela porta principal e cruzou o vestíbulo fresco, de onde chegou à sala de estar vazia e dali à varanda florida. Como imaginava, lá já encontrou Bob Somerville e David Beatty, relaxados nas compridas cadeiras após um dia de trabalho e saboreando seu momento de tranqüila camaradagem. Havia uma mesinha baixa entre as cadeiras de ambos, sustentando toda a tradicional parafernália de um chá da tarde.

David Beatty estava concentrado em um dos seus enormes e eruditos volumes, enquanto Bob lia o *Times* londrino, enviado a cada semana por via aérea. Ele ainda estava fardado. Short e camisa brancos, compridas meias da mesma cor e sapatos também brancos. Depois de ler o jornal, ele costumava tomar uma ducha, fazer a barba e mudar de roupa. Primeiro, no entanto, apreciava uma pausa para o chá da tarde, um ritual diário a seu gosto, porque era uma confortadora recordação dos simples prazeres domésticos do lar, da Inglaterra e de uma esposa distante.

Ele ergueu os olhos e largou o jornal.

— Oh, aí está você! Já me perguntava o que lhe teria acontecido. Puxe uma cadeira. Tome uma xícara de chá. Thomas preparou sanduíches de pepino.

— Oh, que civilizado! Boa tarde, David.

David Beatty sobressaltou-se e pestanejou, viu Judith e então baixou o livro, tirou os óculos e fez menção de recolher sua comprida estrutura, a fim de levantar-se da cadeira. Era uma cortês pantomima que acontecia sempre que ela o apanhava desprevenido, e costumava dizer "Não se levante", pouco antes dos sapatos dele tocarem o chão.

— Perdão. Estava lendo... não ouvi...

Ele sorriu, apenas para demonstrar que não havia aborrecimento, recolocou os óculos e dissolveu-se novamente sobre as almofadas, voltando ao seu livro. Perdido para o mundo. Conversa ociosa nunca fora o seu fraco.

Bob despejou chá na fina xícara branca, deixou cair uma fatia de limão e a estendeu para Judith.

— Esteve jogando tênis — observou.

— Como é que sabe?

— Graças aos meus poderes de observação e dedução, aliados ao seu traje branco e à raquete.

— Brilhante!

— Onde foi que jogou?

— No clube. Com Hugo e outro casal. Uma partida pra valer.

— Quem ganhou?

— Nós, naturalmente.

— Vai sair esta noite?

— Não. Hugo tem que ir a uma Noite do Convidado, no quartel. Só para homens.

— O que significa muita bebida e brincadeiras rudes e perigosas depois do jantar. Quando o vir novamente, é provável que ele esteja com uma perna quebrada. Antes que me esqueça, já providenciei aquela carona até Kandy, para você. De carro, na manhã do próximo sábado. Virão apanhá-la aqui, às oito horas.

Judith recebeu a informação com misturadas emoções. Contraiu o rosto, como uma criança.

— Eu não quero ir!

— Eu também não gostaria que fosse embora. Sentirei uma falta enorme de você, mas... o que se pode fazer? Mantenha-se firme, sem queixas. O dever chama. E, por falar em dever, tenho outra mensagem. Nada mais, nada menos, do que de parte da chefe das *Wrens*. Ela ligou para mim esta tarde. Perguntou se você estaria disponível amanhã de manhã e, em caso afirmativo, se podia contar com sua ajuda.

— Ajuda para quê? — perguntou Judith cautelosamente.

Já estivera no serviço por tempo suficiente para saber que jamais alguém se prestava voluntariamente a fazer o que fosse, sem antes tomar conhecimento de todos os detalhes. Pegando um sanduíche de pepino, começou a mastigar um pedaço de seu crocante adocicado.

— Para oferecer boas-vindas a um bando de rapazes que as merecem.

— Não entendi.

— Há um navio no porto, em rota para a Inglaterra. O *Orion*. Um navio-hospital. A primeira leva de prisioneiros de guerra da Ferrovia Bangcoc-Burma. Estiveram hospitalizados em Rangum. Receberam permissão de vir a terra durante algumas horas, seu primeiro passo de volta à civilização. Haverá uma espécie de recepção para eles, no Forte. Chá e bolinhos, suponho. A oficial-chefe está solicitando a algumas *Wrens* que funcionem como anfitriãs, conversem com os rapazes e os façam sentir-se em casa.

— O que você respondeu?

— Que ia discutir o assunto com você. Expliquei que acabou de ser informada da morte de seu pai em Changi e que talvez o encontro com um bando de prisioneiros emaciados pudesse fazê-la sofrer mais.

Judith assentiu. Terminara o sanduíche e, alheadamente, pegou outro. Prisioneiros de guerra da Ferrovia de Burma. No fim da guerra, quando o Exército entrara em movimento com os serviços médicos, tendo a Cruz Vermelha (e *Lady* Mountbatten) insistentes em seus calcanhares, os campos de ferrovias haviam sido abertos e expostos os seus horrores. Reportagens e fotos nos jornais tinham despertado ondas de incredulidade e repulsa, somente comparáveis à reação do mundo ocidental, uma humilhação universal para o espírito humano, quando os Exércitos Aliados, movendo-se para leste, descobriram os campos de Auschwitz, Dachau e Ravensbrück.

Milhares de homens haviam morrido na ferrovia, enquanto os sobreviventes trabalhavam como escravos até dezoito horas por dia, em meio à selva sufocante. Guardas brutais haviam mantido os doentes trabalhando, a despeito da fraqueza resultante da fome, exaustão, malária e da disenteria provocada pelas condições imundas em que os prisioneiros eram alojados.

Agora, no entanto, eles voltavam para casa. Retornavam.

Ela suspirou.

— Vou *ter* que ir. Se não for, nunca mais poderei olhar-me nos olhos, pelo resto da vida. Seria uma terrível fraqueza de minha parte.

— Nunca se sabe. Talvez isso a faça sentir-se melhor sobre as coisas.

— Depois do que suportaram, é de admirar que *algum* deles esteja apto o suficiente até mesmo para vir em terra...

— Eles passaram um pouco de tempo no hospital, sendo cuidados e alimentados adequadamente. Suas famílias já foram alertadas de que estão vivos e retornando.

— O que terei de fazer?

— Vestir seu uniforme e reunir-se, às nove horas.

— Onde?

— Nos alojamentos das *Wrewns* da Galle Road. Receberá lá suas instruções.

— Certo.

— Você é uma boa garota. Tome outra xícara de chá. E que tal jantar esta noite comigo e com David? Direi a Thomas que seremos três.

Nessa manhã, após tomar uma ducha e envolvida em seu robe fino, Judith fez o *breakfast* sozinha, uma vez que Bob e David Beatty já tinham ido trabalhar. O *breakfast* consistia de *grapefruit* e chá da China. Nada mais. Por algum motivo, ela não se sentia particularmente com fome. Depois de comer voltou a seu quarto, e viu que Thomas já estendera seu uniforme limpo sobre a cama recém-arrumada, com o bibico e os sapatos alvejados até mostrarem uma ofuscante brancura.

Judith vestiu o fardamento, sentindo-se um pouco como naquele último dia em Trincomalee quando, tomada de apreensão, envergara um uniforme limpo e descera a estrada empoeirada para sua entrevista com a primeiro-oficial. Agora, estava preparada novamente para a batalha. Abotoou os botões, amarrou os cordões dos sapatos, penteou os cabelos, colocou o gorro, passou batom e perfume. Pensou em levar uma mochila, mas depois desistiu. Não seria preciso. Por volta de meio-dia já estaria novamente em casa. Entretanto, apenas para uma emergência, tirou da bolsa um maço de notas de rúpias, que enfiou no bolso da saia.

No saguão encontrou Thomas à sua espera, ao lado da porta aberta.

— Gostaria que Azid a levasse de carro?

— Não, Thomas, obrigada, irei andando. São apenas algumas centenas de metros, descendo a rua.

— É muito bonito o que vai fazer. Homens corajosos. Aqueles japoneses, por Deus! Eu gostaria que dissesse a eles que foram muito valentes.

O rosto escuro de Thomas estava tomado pela angústia, e Judith ficou comovida por sua pequena explosão de sentimentos.

— Sim. Você tem toda razão. Eu direi a eles.

Ela saiu para a intensa claridade e para o calor, cruzou os portões e começou a descer a rua movimentada. Pouco depois os alojamentos das *Wrens* surgiam à frente, um amplo prédio eduardiano, branco e enfeitado como um bolo de noiva, com dois pavimentos e teto achatado, coroado por uma balaustrada ornamental. Um dia tinha sido a residência de um opulento mercador, mas agora perdera parte do seu brilho, e os jardins que circundavam a edificação — um enorme terreno com alamedas e gramados — mostravam construções de *bandas* com tetos de palha e blocos de ablução.

Judith cruzou o portão de entrada, recebendo do jovem sentinela um sorriso apreciativo e um assentimento de cabeça. Ela viu a camioneta estacionada sobre a alameda de cascalho, com um marinheiro atrás do volante absorvido na leitura de um antigo exemplar de *Tidbits*. Depois subiu degraus de baixa altura, sob o toldo de um pórtico impressivo, e passou para o grandioso saguão, agora funcionando como Sala de Regulamento. Havia mesas de trabalho e pequenas divisórias para correspondência. Já se achavam presentes várias *Wrens*, em pé e dispersas, aguardando que lhes dissessem o que fazer. Uma jovem terceiro-oficial parecia estar incumbida de tudo, tendo ao lado uma *Wren* graduada, para apoio moral. No momento enfrentava certa dificuldade com nomes e números.

— Estamos esperando quatorze *Wrens*. Quantas conseguimos...? — Com um lápis na mão, ela começou a contar as presentes. — Uma, duas...

— Doze, senhora.

Evidentemente, a *Wren* graduada era a mais eficiente das duas.

— Então, ainda faltam duas. — Ela avistou Judith, chegando à orla do pequeno grupo. — Quem é você?

— Dunbar, senhora.

— De onde?

— Do HMC *Adelaide*. Estou de licença.

— Dunbar. — A terceiro-oficial examinou sua lista. — Oh, sim, aqui está você. Vou riscar seu nome. Entretanto, ainda falta uma. — Ela olhou ansiosamente para seu relógio. Tamanha responsabilidade a estava deixando nervosa. — A última *Wren* está atrasada...

— Não, não estou! — A última voluntária irrompeu pela porta aberta, apresentando-se à chamada. — Ainda são cinco para as nove.

Era uma jovem baixa e atarracada, queimada como um bago de uva madura, de vivos e divertidos olhos azuis, e escuros cabelos curtos que se anelavam em torno da borda de seu gorro.

— Oh, que ótimo. Muito bem. — O jeito confiante da jovem deixara a terceiro-oficial um pouco desnorteada. — Hum... você é Sudlow?

— Exatamente. Do HMS *Lanka*. Consegui a manhã de folga.

Por fim, ficou decidido que estavam todas presentes e prontas para partir. Foram dadas instruções. A camioneta as levaria ao Forte, onde os ex-prisioneiros desembarcariam de lanchas-auxiliares.

Por que não no cais?, perguntou uma jovem.

— Teríamos que conseguir ônibus para levá-los até o Forte. Desta maneira, eles podem ir andando até Gordon's Green, que fica a pouca distância. Lá existem uma rampa de desembarque e um quebra-mar. Então, quando eles estiverem em terra, vocês os encontrarão, conversarão e os escoltarão para onde foram montadas as tendas. Serão servidos refrescos.

— E cerveja? — perguntou a *Wren* Sudlow, esperançosa.

— Não — foi a pronta resposta. — Haverá chá, bolinhos, sanduíches, coisas assim. Mais alguma pergunta?

— Quanto tempo teremos de ficar lá?

— Enquanto decidirem que estão sendo úteis. Deverão fazer com que eles se divirtam, sejam conduzidos. Deixados à vontade.

— Seremos apenas *nós*, senhora? — perguntou outra jovem, parecendo algo desanimada.

— Não, claro que não. Haverá enfermeiras do hospital e um contingente da Guarnição. Parece-me também que uma banda estará tocando. E então, quando da recepção na tenda, haverá oficiais de categoria superior de todas as três forças, e um ou dois ministros locais, além de dignitários. Assim, vocês não estarão sozinhas. — Ela passou os olhos em torno. — Todas compreenderam? Muito bem. Agora podem ir.

— E muita sorte britânica para todas — completou a *Wren* Sudlow por ela.

Suas palavras provocaram o riso geral, exceto o da terceiro-oficial, que fingiu nada ter ouvido.

As quatorze jovens saíram obedientemente para o sol quente e, ao ouvir a tagarelice do grupo, o marinheiro saltou de seu assento e caminhou até a traseira da camioneta, a fim de baixar a parte móvel e ajudar a subir quem quer que estivesse precisando de auxílio. Todas embarcadas, elas instalaram-se nos bancos de madeira que corriam ao longo de cada lado da camioneta. Após acomodadas, à semelhança de um rebanho, a traseira da camioneta foi fechada e aferrolhada. Um momento depois, o motor era ligado e partiram, saltitando e aos solavancos, através do portão e subindo a Galle Road.

Soprava uma ligeira brisa, porque as laterais da cobertura de lona tinham sido enroladas para cima, e a camioneta ficara aberta por todos os lados. Judith e a *Wren* Sudlow, sendo as últimas a embarcar, ficaram sentadas lado a lado, no final da carroceria.

— Que alvoroço! — exclamou a Sudlow. — Pensei que não conseguiria chegar. Tentei arranjar uma carona, mas não foi possível, então tive que tomar um *rickshaw*. Daí porque quase cheguei atrasada. — Ela olhou para Judith. — Já nos conhecemos? Você serve em Colombo?

— Não, em Trincomalee. Estou de licença.

— Eu já imaginava que não a conhecesse. Como se chama?

— Judith Dunbar.

— Eu sou Sarah Ludlow.

— Olá.

— Aquela terceiro-oficial não foi patética? Molhada como um esfregão. Não estou muito ansiosa por isso, e você? Chá com bolinhos em uma tenda do exército não me parece grande coisa como recepção, depois do que aqueles pobres coitados passaram.

— Não creio que eles tampouco fiquem muito excitados pela idéia.

Atrás delas, a Galle Road, ampla e de intenso trânsito, estirava-se poeirentamente na distância, entre as avenidas de altas palmeiras. Judith ficou espiando a rua ir-se alongando, e pensou em seu pai, morando em Colombo e passando de carro por aquele mesmo lugar, dia após dia, indo e vindo dos escritórios da Wilson-McKinnon. Pensou nele morrendo na sujeira e na impiedosa miséria que havia sido Changi, e tentou recordar como era exatamente a aparência dele, o som de sua voz, porém não foi possível. Tudo tinha ficado no passado, muito e muito tempo atrás. O que era uma vergonha, porque neste momento, nesta manhã, ela teria assumido uma postura sobranceira, orgulhosa, se pudesse contar com um pouco de apoio paterno. *Papai, se você está aí... De certo modo, estou fazendo isto por você. Não me deixe ser totalmente inútil.*

Ao seu lado, Sarah Sudlow remexeu-se no banco duro.

— Céus, o que eu não daria por um cigarro! — Sem dúvida, sentia-se tão apreensiva como Judith. — Chega a ser um problema, não? Quero dizer, imaginar coisas para *falar*. O que conversamos nos coquetéis dificilmente seria apropriado, e eu detesto pausas de silêncio. — Ela considerou a questão e teve uma brilhante idéia. — Ouça, tudo ficaria mais fácil, se agirmos em dupla. Então, se uma de nós não encontrar o que dizer, a outra entra em cena. O que acha? Devemos ficar juntas?

— Acho uma excelente idéia — respondeu Judith, imediatamente começando a sentir-se muito melhor.

Sarah Sudlow. Ela não poderia imaginar uma parceira mais firme em um momento de tensão.

Pontos de referência familiares foram ficando para trás. O "Galle Face Hotel", o campo de golfe "Galle Face"... A camioneta chocalhou através de uma ponte e depois ao longo da estrada que seguia pela margem leste do Forte. O mar era um clamor em azul, estirando-se até o horizonte. O vento vinha de sudoeste, empurrando uma firme procissão de ondas que vinham rebentar nas rochas. Eles chegaram ao promontório, com o farol em sua extremidade, formando um porto natural e abrigado do tempo, onde a água permanecia calma. Ali havia um quebra-mar e uma rampa de desembarque e, nas proximidades, em perfeitas fileiras e posição de sentido, Judith viu o pomposo espetáculo de uma banda de gaiteiros de fole siques, em esmerado traje cerimonial: bermudas e túnicas cáqui e magníficos turbantes. Seu tambor-mor era um homem de majestática altura e postura, com uma enorme maça de prata e uma faixa de seda escarlate, profusamente franjada, usada sobre um ombro e através do peito.

— Eu não sabia que os siques tocavam gaites de fole — disse Sarah. — Pensei que tocassem cítaras e estranhas flautas de encantar serpentes.

— Seja como for, parecem ser bons, não acha?

— Darei minha opinião depois de ouvir que tipo de ruído eles fazem.

A camioneta finalmente parou, a parte móvel traseira foi aberta e todas as jovens desembarcaram. Outros já haviam chegado antes delas: o comitê oficial de recepção, oficiais da Guarnição e do QG da Marinha, duas ambulâncias e algumas enfermeiras navais, com seus véus e aventais brancos agitando-se à brisa.

Em terra firme, mais atrás, ficavam a Torre do Relógio, os prédios governamentais, a Casa da Rainha, vários bancos e ministérios. Na relvada expansão de Gordon's Green (ponto de encontro em ocasiões cerimoniais como Arriar a Bandeira ou *garden parties* para cabeças coroadas visitantes), podiam ser vistas as tendas cáqui erguidas pelo Exército. Estavam todas embandeiradas e, acima delas, na ponta de um alto mastro, esvoaçava o pavilhão do Reino Unido.

O *Orion* jazia ancorado ao largo, a cerca de dois quilômetros de terra.

— Mais parece um transatlântico de antes da guerra, em cruzeiro de recreio, não acha? — observou Sarah. — Chega a ser irônico saber-se que, em realidade, é um navio-hospital, com a maioria dos doentes talvez demasiado enfermos ou enfraquecidos até mesmo para virem a terra. Oh, céus, eles já vêm vindo...

Judith espiou e viu, descrevendo a volta ao redor do promontório do farol, três lanchas enfileiradas que se aproximavam, rumando para o quebra-mar. Cada uma estava apinhada de homens, que a distância e a ofuscante claridade do sol reduziam a uma mancha de cáqui e rostos pálidos.

— Parece haver um bando e tanto deles, não é mesmo? — A tagarelice de Sarah, Judith podia imaginar, sem dúvida era nervosa, e praticamente incontido o fluxo de palavras. — Se quer saber, acho tudo isto um pouco bizarro. Quero dizer, tentarem relacionar os fatos pavorosos a todo este negócio *en fête*. Isto é, bandeiras, bandas de música e tudo isso. Só espero que eles não estejam... *Meu Deus!*

Ela foi silenciada no momento apropriado pela voz do tambor-mor, gritando sua primeira ordem, o que quase a matou de susto. Era evidente que ele fora bem treinado na cronometragem. O sol arrancou reflexos de sua maça, os tambores rufaram e, como um só homem, os gaiteiros içaram seus instrumentos à altura do ombro. Após isto, ouviu-se um canto fúnebre fantasmal, de arrepiar a espinha, enquanto os músicos enchiam os odres de suas gaitas, bombeando ar para as palhetas. Então, começaram a tocar. Não hinos marciais, mas uma antiga ária escocesa.

Veloz segue o galante barco como ave a voar,
Avante, gritam os marinheiros...

— Oh, céus — disse Sarah — só espero não chorar...

As lanchas chegaram mais perto, seus passageiros apertaram-se ombro a ombro. Agora já era possível divisar-se a fisionomia dos homens a bordo.

Levando o jovem que nasceu para Rei,
*Pelo mar, rumo a Skye**

Não havia por ali barcos galantes em particular e, certamente, quaisquer Reis vindo para terra, mas apenas homens comuns que tinham sobrevivido ao inferno e agora retornavam ao mundo real e familiar. Entretanto, que maneira de desembarcarem, acolhidos pelo som das gaitas! Certas pessoas eram inspiradas, decidiu Judith. Claro que ela já ouvira bandas de gaitas de fole, mas através do rádio ou em noticiosos no cinema, nunca tendo feito parte real de tudo aquilo, jamais vendo ou ouvindo a impetuosa torrente musical viajar no vento e no céu aberto. Agora a música, mesclada às circunstâncias da ocasião, provocava arrepios em suas costas e, como Sarah, ela sentia lágrimas ardendo atrás dos olhos.

Esforçou-se para contê-las, e perguntou em uma voz tão normal e firme como lhe foi possível:

— Por que eles estão tocando músicas escocesas?

— Provavelmente são as únicas que sabem. Aliás, a maioria dos prisioneiros é da Infantaria Ligeira de Durham, mas creio que também há alguns Gordons Highlanders. Das Terras Altas da Escócia.

Todos os sentidos de Judith ficaram tensos.

— Gordons? — repetiu.

— Foi o que disse minha segundo-oficial.

— Certa vez conheci um Gordon Highlander. Ele foi morto em Cingapura.

— Talvez você encontre alguns colegas dele.

— Não conheci nenhum de seus amigos.

A primeira lancha já atracava e estavam firmando as amarras. De maneira ordenada, seus passageiros iam subindo para o quebra-mar.

Sarah empinou os ombros.

---

* Nome de uma ilha no arquipélago das Hébridas. (N. da T.)

— Vamos. Não percamos mais tempo. É agora que entramos em cena. Sorrisos simpáticos e modos joviais.

Após toda a apreensão que tinham sentido, a tarefa não foi difícil em absoluto. Não se tratava de alienígenas de outro planeta, mas de rapazes comuns, e assim que os ouviu falar, nos tranqüilizadores sotaques regionais de Northumberland, Cumberland e Tyneside, Judith esqueceu todas as reservas. Magérrimos, de cabeças descobertas e com feições ainda mostrando a lividez da doença e da desnutrição, mesmo assim estavam todos arrumados e limpos, decentemente vestidos (graças à Cruz Vermelha de Rangum?) em uniformes de combate na selva em algodão verde e tênis de lona amarrados com cordões. Sem distintivos de posto ou precedência, sem emblemas regimentais. Caminharam ao longo do quebra-mar aos pares ou de três em três, aproximando-se lentamente, como se não estivessem bem certos de como deveriam agir. Entretanto, quando as *Wrens* e enfermeiras, inteiramente vestidas de branco, misturaram-se a eles falando e apertando mãos, seu acanhamento desapareceu.

Olá, eu sou Judith. É um prazer vê-lo. Eu sou Sarah. Bem-vindo a Colombo.

Nós até providenciamos uma banda, a fim de tocar para vocês.

Estamos imensamente satisfeitas em vê-los.

Em pouco tempo e com absoluta naturalidade, cada jovem tinha vários rapazes reunidos à sua volta, todos eles claramente aliviados ao serem informados do que lhes competia fazer.

— Vamos levá-los até Gordon's Green. É um campo de golfe, onde as tendas foram montadas.

— Formidável.

Uma das enfermeiras mais antigas bateu palmas, como uma professora querendo chamar a atenção.

— Ninguém precisa ir andando, se não estiver disposto. Temos condução de sobra, se alguém quiser uma carona.

O grupo de Judith, no entanto, agora aumentado para uns vinte homens, preferiu ir caminhando.

— Tudo bem. Então, vamos.

Eles começaram a andar sem pressa, subindo a suave ladeira que se erguia da beira-mar. A banda de gaitas de fole agora tocava outra melodia.

Venha até o mar, Charlie, orgulhoso Charlie, bravo Charlie.
Venha até o mar, Charlie, e dê boas-vindas a McLean.
Porque se estiver abatido, alegraremos seu coração...

O rapaz ao lado de Judith comentou:

— Aquela enfermeira. A que bateu palmas. Tivemos uma professora igual a ela, em minha terra, quando eu era garoto.

— Onde fica a sua terra?

— Em Alnwick.

— Já esteve antes em Colombo?

— Não. Fizemos uma parada aqui, a caminho de Cingapura, porém não descemos em terra. Os oficiais vieram, mas só eles. Talvez pensassem que poderíamos saquear.

Outro rapaz intrometeu-se na conversa.

— Não seria nada demais fazermos isso.

Em seu pescoço ele apresentava cicatrizes do que pareciam bolhas, e caminhava mancando penosamente.

— Está bem para você, ir caminhando? Não seria melhor uma carona?

— Não me fará mal exercitar a perna um pouco.

— De onde *você é?*

— Dos arredores de Walsingham. Dos fells*. Meu pai é criador de ovelhas.

— Todos vocês são da Infantaria Ligeira de Durham?

— Exatamente.

— E existem alguns Gordon Highlanders a bordo?

— Sim, mas eles estão na outra lancha. A que nos seguia.

— Não achei muito amistoso a banda tocar música escocesa para recebê-los. Os gaiteiros deviam ter tocado canções folclóricas de Northumberland, especialmente para vocês.

— Que canção?

— Não sei. Não conheço nenhuma.

---

* Vasta extensão de terras vazias ao norte da Inglaterra. (N. da T.)

Outro homem moveu-se para diante.

— Você não conhece "Quando o barco chega"?

— Não. Sinto muito. Sou totalmente ignorante nesse sentido.

— Como disse que era seu nome?

— Judith.

— Você trabalha em Colombo?

— Não. No momento estou de licença.

— Então, por que não está em outro lugar, divertindo-se?

— Oh, mas estou me divertindo!

Muito tempo mais tarde, quando tudo terminou, Judith recordava a recepção oficial para o retorno dos prisioneiros de guerra, da mesma forma como recordava os dias escolares da Entrega de Prêmios ou as festas ao ar livre na Inglaterra. Todos os elementos que levantavam fundos para igrejas estavam presentes. O cheiro da grama pisada, de lona e de abafada humanidade. A banda da Marinha Real, agrupada lá fora, tocando seleções ligeiras de Gilbert e Sullivan. As sufocantes tendas fervilhando de homens de cáqui e dignitários visitantes que tinham vindo apresentar cumprimentos. (O vigário, o governador do condado e o Coronel Carey-Lewis não teriam ficado nem um pouco deslocados.) Em seguida, os refrescos. Acompanhando os lados da tenda, mesas montadas sobre cavaletes estavam carregadas de petiscos. Bolos, sanduíches e bolinhos, todos foram devorados em tempo recorde, para serem prontamente substituídos por outros, vindos de alguma fonte infindável. Para beber havia limonada e café gelados, assim como chá quente. (De novo, era quase possível ver-se a sra. Nettlebed ou Mary Millyway incumbidas de servir o chá, com a sra. Mudge por conta dos jarros de leite e do açúcar.)

Tão cheia ficou a tenda, que o acesso às mesas improvisadas se tornou limitado e, em vista disso, após terem entregue seus "pupilos" sãos e salvos, Judith e Sarah viram-se forçadas a agir como garçonetes, lotando bandejas com xícaras, pratos e copos cheios, a fim de que cada um dos rapazes tivesse a sua parte no festim.

A essa altura, todos falavam ao mesmo tempo, o ambiente ficou muito quente e barulhento. Então, chegou o momento em que os reunidos finalmente se deram por satisfeitos, cessaram de comer e saíram para o gramado, onde ficaram espichados sobre a relva, fumando cigarros e ouvindo a banda.

Judith olhou para seu relógio e viu que já eram onze e meia. Sarah Sudlow não era vista em lugar algum, e os garçons agora limpavam os detritos da festa. Ela sentia a blusa colando-se às costas e, como parecia não haver muito mais a fazer, deixou a tenda, mergulhando sob as abas de lona e saltando sobre duas cordas de fixação. Estava de frente para o mar, e a brisa era misericordiosamente refrescante.

Ficou um momento sorvendo haustos de ar fresco, enquanto observava o pacato cenário. Os gramados de Gordon's Green, a Banda da Marinha Real (convenientemente cerimonial, com capacetes brancos), agora executando melodias do H.M.S. *Pinafore*, os grupos dispersos de homens relaxados. Então, seus olhos foram atraídos por um homem solitário que não se estirara na grama apoiado em um cotovelo, mas permanecia em pé, de costas para ela, aparentemente concentrado na música. Judith o notou, porque ele era diferente. Macilento e descarnado como os outros, mas sem usar o anônimo uniforme verde para a selva e os tênis de ginástica. Em vez disso, tinha nos pés um surrado par de botas para o deserto, do tipo sempre mencionado pelos oficiais da Marinha Real como "crepe-sola de bordel". Em sua cabeça de cabelos escuros havia um gorro escocês Gordon, com as fitas esvoaçando à brisa. Uma surrada camisa cáqui, de mangas enroladas até os cotovelos. E um saiote escocês. Um saiote Gordon. Puído e desbotado, as pregas costuradas até a bainha, de modo amadorístico. Ainda assim, no entanto, um saiote.

Gus.

Por um instante Judith pensou que poderia ser ele, mas logo viu que era impossível, porque Gus estava morto. Desaparecido, morto em Cingapura. Só que, talvez, aquele homem o houvesse conhecido.

> *... eu limpei as janelas e varri o chão,*
> *Poli a maçaneta da grande porta da frente,*
> *Poli com tanto cuidado aquela maçaneta,*
> *Que agora eu comando a Frota da Rainha.*

Judith caminhou pela relva em direção a ele. O homem não a ouviu chegar e nem se virou para olhar.

— Olá — disse ela.

Sobressaltado, ele girou a cabeça, e Judith ficou olhando para seu rosto. Olhos escuros, sobrancelhas espessas, faces cadavéricas, pele riscada por linhas finas que antes não existiam. Ela experimentou uma extraordinária sensação física, como se seu coração houvesse deixado de bater e, por um instante, ficasse congelada no tempo.

Foi ele quem rompeu o silêncio.

— Santo Deus... Judith!

Oh, Loveday, você estava enganada. Estava enganada o tempo todo.

— Gus!

— De onde foi que brotou?

— Daqui mesmo. De Colombo.

Ele não tinha sido morto em Cingapura. Não está morto. Está aqui. Comigo. Vivo.

— Você está vivo — disse ela.

— Pensou que eu não estivesse?

— Pensei. Durante anos, pensei que estivesse morto. Desde Cingapura. Todos pensamos. Quando o vi aí em pé, compreendi que não era você, porque não podia ser.

— Pareço um cadáver?

— Não. Você parece maravilhoso. — Ela era sincera ao dizer isso. — As botas, o saiote e o gorro... Como é que conseguiu permanecer com eles?

— Apenas o saiote e o gorro. Roubei as botas.

— Oh, Gus...

— Não chore.

Entretanto, ela deu um passo à frente, passou os braços pela cintura dele e apertou o rosto no algodão surrado da velha camisa cáqui. Podia sentir as costelas e os ossos de Gus, podia ouvir-lhe as batidas do coração. Os braços dele a envolveram, e os dois simplesmente permaneceram assim, muito abraçados, expostos à vista ou aos comentários dos outros. Ela tornou a pensar em Loveday, mas então não pensou mais. No momento, o único importante era que tinha encontrado Gus novamente.

Após um instante, os dois se separaram. Se alguém testemunhara aquela demonstração de íntima afeição, não estava mais olhando. Judith não tinha chorado, e Gus não a havia beijado. O momento cessara.

Agora, voltavam ao básico.

— Não vi você na tenda — disse para ele.

— Só estive lá um momento.

— Precisa ficar aqui?

— Não necessariamente. E você?

— Não necessariamente. Quando terá de voltar para bordo?

— As lanchas partem às três horas.

— Podíamos voltar à Galle Road. É onde me hospedo. Para um drinque ou almoçar alguma coisa. Há tempo.

— O que eu realmente gostaria de fazer — respondeu Gus — seria ir ao "Galle Face Hotel". Tenho uma espécie de encontro lá. Entretanto não posso ir por conta própria, já que não disponho de nenhuma espécie de dinheiro. Não tenho rúpias. Apenas notas japonesas.

— Eu tenho dinheiro. Vou levá-lo até lá. Irei com você.

— Como?

— Tomaremos um táxi. Há um ponto de estacionamento na rua ao lado da Torre do Relógio. Podemos ir andando até lá.

— Tem certeza?

— Claro que tenho.

— Não haverá problemas para o seu lado?

— Estou de licença. Sou um agente livre.

***

Assim, os dois esgueiraram-se para fora do campo. De novo, ninguém percebeu, mas, se percebeu, nada disse. Passaram pela tenda agora quase vazia, cruzaram o relvado, saíram na Queen Street e depois subiram por ela até o cruzamento junto da Torre do Relógio. Lá, alguns táxis antigos faziam ponto. Assim que os viram, os motoristas imediatamente começaram a discutir entre si sobre o preço da corrida, mas Judith e Gus entraram no primeiro táxi da fila, o que poupou bastante discussão.

— Sabe de uma coisa? — disse ela. — Somente agora percebi como deve ser difícil alguém atuar como testemunha. No tribunal. Em um julgamento de assassinato ou coisa assim. A gente pode jurar cegamente sobre a Bíblia que viu ou não viu uma pessoa, em um determinado momento vital. Entretanto, agora sei que aquilo que realmente *vemos* é governado por aquilo em que acreditamos ou julgamos ser verdade.

— Refere-se a mim?

— Não era *você*, até eu ver seu rosto.

— O melhor que já me aconteceu foi ver o seu. Fale-me sobre você. Disse que está de licença. Não trabalha aqui?

— Não. Meu posto é em Trincomalee. Imagino que você não se lembre de meu tio Bob Somerville. Creio que não chegou a conhecê-lo. Ele é contra-almirante no estado-maior do comandante-em-chefe. Estou hospedada em sua casa.

— Compreendo.

— Biddy, a esposa dele, era irmã de minha mãe.

— Era. Tempo passado.

— Isso mesmo. Meus pais estavam em Cingapura, mais ou menos na mesma época em que você...

— Eu sei. Encontrei-os uma vez, em uma festa do regimento no quartel de Selaring. Foi pouco antes de Pearl Harbor, quando ainda tínhamos festas. O que aconteceu com eles? Foram embora?

Judith meneou a cabeça.

— Não. Meu pai morreu em Changi.

— Eu sinto muito.

— Quanto a minha mãe e minha irmã menor, elas tentaram ir para a Austrália, porém o navio em que viajavam foi torpedeado no mar de Java. Não sobreviveram.

— Oh, Deus... *Sinto* muitíssimo.

— Daí o motivo de minha licença. Um mês. Para ficar com Bob. Terei de voltar para Trincomalee no fim desta semana.

— Mais alguns dias, e eu não a teria encontrado.

— Tem razão.

O táxi rodava ao longo do "Galle Face Green". Um bando de meninos jogava futebol, driblando e chutando uma bola, apesar dos pés descalços. Gus virou a cabeça para observá-los. Depois disse:

— As circunstâncias foram bem diferentes, mas meus pais também morreram. Não de fome ou torpedeados, mas quietamente, em suas camas, talvez em um hospital ou uma clínica de idosos. — Ele se virou para encará-la. Acrescentou: — Os dois eram muito velhos. Já eram, antes de meu nascimento. Fui seu único filho. Talvez eles também achassem que eu estava morto.

— Quem lhe contou isso?

— Uma gentil senhora, espécie de assistente-social, no hospital em Rangum.

— E, estando em Cingapura, você não podia mandar notícias para *ninguém*? Nem mesmo para seu pai ou sua mãe?

— Tentei contrabandear uma carta para fora de Changi, porém acho que nunca chegou às mãos deles. Nunca mais tive outra oportunidade.

O táxi agora manobrava para a fronteira do hotel, depois parando à sombra do enorme toldo. Eles desceram, entraram no prédio e passaram para o comprido saguão marginado por plantas floridas em vasos e vitrines exibindo maravilhosas jóias de alto preço: cordões e pulseiras de ouro, broches e brincos de safiras e diamantes, anéis de rubis e esmeraldas.

— Gus, você disse que tinha um encontro.

— E tenho.

— Com quem?

— Espere e verá. — Atrás do balcão de recepção havia um funcionário cingalês. — Kuttan ainda trabalha aqui?

— Naturalmente, senhor. É o encarregado do restaurante.

— Eu poderia falar com ele? Não levarei mais do que um momento.

— Posso dizer quem deseja vê-lo?

— O capitão Callender. Um amigo do coronel Cameron. Dos Gordon Highlanders.

— Perfeitamente. Poderia aguardar no terraço? — Ele indicou a direção, com uma frágil mão castanha. — Gostaria de algum refresco? Café gelado ou um drinque do bar?

Gus virou-se para Judith.

— O que você pediria?

— Talvez uma limonada.

— Limonada para a senhora e uma cerveja para mim.

— Perfeitamente, senhor.

Eles caminharam pelo polido piso de mármore do saguão e chegaram ao terraço, Gus à frente, escolhendo a mesa, ajeitando as cadeiras de vime. Seguindo-o, Judith surpreendeu-se com a tranqüilidade dele,

920

seu desligamento, seu natural ar de autoridade, algo que jamais poderia ser destruído. Ele não apenas sobrevivera à construção da Ferrovia de Burma, mas parecia ter sobrevivido com um certo estilo. Nele, o uniforme gasto não parecia cômico nem estranho, simplesmente porque Gus o envergava com todo orgulho. No entanto, havia qualquer coisa mais. Uma força interior que chegava a ser palpável, mas também formidável. Ela achou isso um pouco intimidante. Cedo ou tarde teria de contar a ele sobre Loveday. Nos tempos antigos, os portadores de más notícias freqüentemente eram decapitados. Ela decidiu não oferecer qualquer informação, a menos que o próprio Gus quisesse saber.

Sentados no terraço, pouco depois recebiam seus drinques. Algumas crianças, acompanhadas de amas vigilantes, nadavam na piscina. A brisa fustigava as folhas das palmeiras e, no final do jardim, além da balaustrada ornamental, estendia-se o mar.

— Está o mesmo de antes — disse Gus. — Nada mudou.

— Você esteve aqui?

— Sim, em nossa ida para Cingapura. Cheguei em um navio de tropas, via Cidade do Cabo, com mais alguns colegas do regimento. Ficamos aqui durante quatro dias, depois embarcamos em outro navio e zarpamos. Foi uma época bastante turbulenta. Festas e lindas garotas. — Acrescentou: — Bons momentos...

— Capitão Callender?

Não o tinham ouvido chegar, mas ele estava ali. Gus levantou-se.

— Kuttan...

O homem permanecia imóvel e sorridente, a túnica branca acentuada pelas ombreiras de seda vermelha que eram seu distintivo da profissão. Tinha cabelos bem penteados e oleados, o soberbo bigode no estilo das normas britânicas imaculadamente aparado. Tinha na mão esquerda uma bandeja de prata, sustentando uma garrafa de uísque Black & White.

— Por Deus, não pude acreditar em meus ouvidos, ao me dizerem que o senhor estava aqui. Que estava são e salvo.

— É bom ver você, Kuttan.

— Digo-lhe o mesmo. Deus é muito bom. Chegou no navio de Rangum?

— Cheguei. Partiremos esta tarde.

— Ficarei vendo seu navio cruzar o mar. Ao escurecer, com todas as luzes acesas. Muito bonito. Ficarei vendo o senhor regressar ao lar.

— E eu estarei pensando em você, Kuttan.

— E aqui está a garrafa de Black & White, que o coronel Cameron me pediu que guardasse para ele. Eu a mantive muito bem guardada, todo este tempo. — Ele olhou em torno. — O coronel Cameron não está com o senhor?

— Ele morreu, Kuttan.

O velho empregado do hotel ficou encarando Gus, com tristonhos olhos escuros.

— Oh, capitão Callender... Esta é de fato uma má notícia!

— Eu não queria ir embora de Colombo sem que você soubesse.

— Jamais esquecerei os dias em que ficaram aqui. O coronel Cameron era um fino cavalheiro. — Kuttan olhou para a garrafa de uísque. — Eu tinha tanta certeza de que ele voltaria para buscá-la, como prometeu... O coronel pagou por ela, naquela última noite. Ele disse, "Kuttan, quero que a guarde para mim. No gelo. Vamos comemorar novamente, em nosso regresso para casa." E agora, ele não vai mais voltar... — Pegando a garrafa na bandeja, Kuttan a depositou sobre a mesa. — Então, é o senhor que fica com ela.

— Eu não vim por causa do uísque, Kuttan. Vim para ver você.

— Fico muito agradecido. Vai passar no restaurante para almoçar?

— Acho que não. O tempo é pouco para apreciar sua deliciosa comida e, no momento, receio não ter estômago para ela.

— O senhor esteve doente?

— Agora estou bem. Você é um homem ocupado, Kuttan. Não devo afastá-lo de suas obrigações. — Gus estendeu a mão. — Adeus, velho amigo.

Os dois trocaram um aperto de mão. Kuttan então recuou, uniu as duas palmas e fez uma mesura, com muita afeição e respeito.

— Que Deus o acompanhe, capitão Callender.

Depois que ele se foi, Gus tornou a sentar-se e olhou para a garrafa de uísque.

— Preciso encontrar alguma espécie de saco ou cesta para colocá-la. Ninguém deverá percebê-la sendo levada para bordo do *Orion*. Não ajudaria em nada.

— Encontraremos alguma coisa — prometeu Judith. — Vai levá-la para a Escócia?

— Seria uma perda de tempo.

— O que acontecerá, em seu regresso?

— Ainda não tenho certeza. Suponho que deverei apresentar-me ao Q.G. em Aberdeen. Farei *check-ups* médicos. Terei uma licença...

— Você esteve muito doente?

— Não mais do que todos os outros. Beribéri. Disenteria. Úlceras e bolhas. Pleurisia, malária, cólera... Eles admitem que cerca de dezesseis mil britânicos morreram. Os homens que hoje desembarcaram, são apenas a terça parte dos que tiveram de ser deixados a bordo.

— Você não gostaria de falar?

— Sobre quê?

— Sobre Cingapura e como tudo começou. Recebi uma última carta de minha mãe... mas não dizia realmente nada, exceto que havia confusão e caos.

— Pois foi praticamente assim. Um dia após Pearl Harbor, os japoneses invadiram a Malaia*. Os Gordons guarneciam as defesas costeiras, mas no início de janeiro fomos removidos para o interior, para a Malaia, onde nos juntamos a uma brigada australiana. Entretanto, não havia a mais remota esperança para nós e, pelo fim de janeiro, recuamos para a ilha de Cingapura usando uma via elevada que cruzava os pântanos. De qualquer modo, era uma campanha condenada, indefensável e sem poder aéreo; dispúnhamos apenas de uns cento e cinqüenta aviões, porque uma grande parte da RAF estava lutando no norte da África. Então, havia os refugiados. O lugar estava apinhado deles. Fomos enviados para uma ação de retaguarda naquela via elevada. Mantivemos nossas posições durante três ou quatro dias, porém à custa de rifles e baionetas, já que nunca tivemos granadas para a artilharia. Houve alguma conversa esporádica de tentar-se escapar, dar o fora para Java ou qualquer lugar, porém não passou de boato. Assim, uma semana após a entrada em Cingapura, os japoneses chegaram aos reservatórios que forneciam toda a água potável. Havia pelo

---

* A Malásia, como federação, só foi criada em 16 de setembro de 1963, bem como o próprio nome. Cingapura, que no início fez parte da federação, separou-se em 1965. (N. da T.)

923

menos um milhão de pessoas na cidade, e os japoneses fecharam as torneiras. Foi o que bastou. Capitulação.

— E o que aconteceu com vocês?

— Fomos levados para Changi. Não era tão ruim, com guardas mais ou menos razoáveis. Fui designado para um grupo de trabalho e enviado para as ruas, a fim de reparar danos causados pelas bombas. Fiquei logo muito bom para contrabandear suprimentos e rações extras. Cheguei a vender meu relógio por dólares de Cingapura, os quais usei para subornar um dos guardas, a fim de que pusesse no correio uma carta para meus pais. Não sei se ele postou a carta ou se meu pai e minha mãe chegaram a recebê-la. Imagino que, agora, jamais ficarei sabendo. Além disso, o guarda me levou lápis e papel, um bloco para desenhos, e consegui enchê-los, escondendo-os durante os três anos e meio seguintes. Uma espécie de registro. Emtretanto, nada desenhei sobre a destruição humana.

— Você ainda tem esses desenhos?

Gus assentiu.

— Estão no navio. Com minha nova escova de dentes, minha nova barra de sabão e uma última carta de Fergie Cameron, que devo entregar para sua viúva.

— O que aconteceu em seguida, Gus?

— Bem, ficamos uns seis meses em Changi, depois correu a notícia de que os japoneses tinham construído excelentes acampamentos para nós no Sião. A coisa seguinte que soubemos foi a de sermos colocados em caminhões de aço para transporte de gado e viajarmos para o norte, em direção a Bangcoc, durante cinco dias e cinco noites. Trinta de nós em cada caminhão, de modo que não sobrava espaço para ninguém deitar. Foi pavoroso. Cada um de nós recebia uma xícara de arroz e uma de água por dia. Quando chegamos a Burma, muitos estavam passando mal e alguns tinham morrido. Em Bangcoc, fomos desembarcados dos caminhões, fracos de alívio porque a provação terminara. Apenas não sabíamos que aquilo era só o começo.

As crianças tinham parado de nadar e suas amas a levavam para dentro, a fim de fazerem uma refeição leve. A piscina ficou solitária. Gus pegou seu copo e bebeu o resto da cerveja.

— Isso é tudo — disse. — Não há mais nada. Ponto final. — Através da mesa, enviou para Judith o fantasma de um sorriso. — Obrigado por ouvir.

— E obrigada por contar.

— Não há mais nada a meu respeito. Agora, fale-me de você.

— Oh, Gus, o que posso dizer é muito pálido, em comparação.

— Por favor. Quando se juntou às *Wrens*?

— Um dia depois que Edward foi morto.

— Aquilo foi terrível. Escrevi para os Carey-Lewis. Na época, encontrava-me em Aberdeen, após Saint Valéry. Tinha muita vontade de ir vê-los, mas nunca houve tempo nem oportunidade, antes de minha partida para a Cidade do Cabo. — Ele franziu o cenho, recordando. — Você comprou a casa da sra. Boscawen, não foi?

— Sim. Depois que ela morreu. Uma casa encantadora. Sempre a adorei. Quando a comprei, significava que eu então tinha um lar. Biddy, a esposa de Bob Somerville, foi morar comigo. E também Phyllis, que trabalhava para minha mãe. Levou consigo a filhinha, Anna. Elas continuam lá.

— É para lá que regressará?

— Sim, para lá.

Judith esperou. Ele fez a pergunta:

— E Nancherrow?

— Na mesma. Exceto que Nettlebed parou de ser mordomo e tornou-se hortelão. Ainda executa suas antigas funções, claro, escova os *tweeds* do coronel, porém sente mais interesse por seus pés de feijão.

— E Diana? E o coronel?

— Não mudaram nem um pouco.

— Athena?

— Rupert foi ferido na Alemanha. Ficou inválido e deixou os Hussardos Reais. Agora moram todos em Gloucestershire.

Judith tornou a esperar.

— E Loveday?

Gus olhava para seu rosto. Ela respondeu:

— Loveday está casada, Gus.

— Casada? — Ele exibiu uma expressão da mais pura incredulidade. — Loveday? Casada? Com quem?

— Com Walter Mudge.

— O rapaz que cuidava dos cavalos?

— O próprio.

— Quando?

— No verão de 1942.

— Ora, mas... *por quê?*

— Ela pensou que você estivesse morto. Estava absolutamente convencida disso. Não havia nenhuma notícia sua, nenhuma carta... Apenas silêncio. Então, ela desistiu.

— Eu não compreendo — balbuciou ele.

— Não sei se consigo explicar. Na verdade, depois de Saint Valéry, ela teve uma espécie de premonição, uma revelação de que você estava vivo. E estava mesmo. Você voltou. Não havia sido morto e nem aprisionado. Isto... bem, isto a fez acreditar que houvesse algum tipo telepatia incrivelmente forte entre vocês dois. Após Cingapura ela tentou um contato novamente, concentrando-se em você, esperando alguma espécie de sinal ou mensagem de sua parte. Algo dizendo que você não estava morto, mas vivo. Só que nada aconteceu.

— Eu mal podia chegar a um telefone.

— Oh, Gus, procure entender! Sabe como é Loveday. Quando enfia uma idéia, uma convicção na cabeça, ninguém consegue demovê-la. De certo modo estranho, ela conseguiu convencer todos nós — qualificou Judith. — Pelo menos, convenceu Diana e o coronel.

— E você, não?

— Eu estava no mesmo barco. Tinha família em Cingapura, mas nenhuma notícia. Entretanto, continuei esperançosa, sabendo que tudo que me restava fazer era ter esperança. Continuei tendo esperança por *você*, até o dia do casamento dela. Depois disso, não fazia mais sentido.

— Ela é feliz?

— Como disse?

— Perguntei se ela é feliz.

— Creio que sim, embora faça muito tempo que não a vejo. Loveday tem um bebê, Nathaniel. O menino fará três anos em novembro. Ela mora em um chalé, na fazenda Lidgey. Oh, Gus, eu sinto muito. Receava demais contar-lhe isto. Entretanto, aconteceu; é um fato da vida. Não adianta mentir para você.

— Eu pensei que ela fosse esperar-me — disse ele.

— Não deve ficar zangado com Loveday.

— Não estou zangado.

Entretanto, de súbito ele pareceu desesperadamente abatido e fatigado. Levou uma das mãos ao rosto e esfregou os olhos. Judith pensou nele regressando ao lar, regressando à Escócia, ao nada. Sem pais, sem família. Sem Loveday.

— Precisamos manter-nos em contato, Gus — disse ela. — Aconteça o que acontecer, *devemos* manter contato. Vou dar-lhe meu endereço e você deve dar-me o seu, para que eu possa escrever-lhe. — Ela pensou nisso e percebeu que ambos estavam singularmente mal equipados. Levantou-se. — Vou arranjar papel e uma caneta em algum lugar. E, ao mesmo tempo, descobrir algo para você esconder sua garrafa de uísque. Espere aqui, não me demoro.

Ela o deixou sentado sozinho. Tornou a entrar, pagou a conta do bar e recebeu um resistente saco de papel castanho, no qual seria escondida a garrafa de Black & White. Depois disso, foi até a sala de *bridge*, onde roubou de uma escrivaninha duas folhas para correspondência do hotel, além de um lápis. Quando voltou para junto de Gus, viu que ele nem se movera. Permanecia como o tinha deixado, os olhos fixos na linha indistinta, entre dois matizes diferentes de azul, que era o horizonte.

— Aqui tem. — Ela lhe passou uma das folhas de papel e o lápis. — Escreva seu endereço. Onde eu possa alcançá-lo.

Ele escreveu, depois empurrou a folha de volta.

Ardvray
Bancharry
Aberdeenshire.

Judith dobrou o papel e o enfiou no bolso. Depois foi a sua vez.

The Dower House
Rosemullion.

— Se eu escrever, você promete responder, Gus?

— Naturalmente.

— Não restou muita coisa para nenhum de nós, não é mesmo? Assim, devemos apoiar um ao outro. É importante.

Agora foi ele quem dobrou o papel e o deixou abotoado dentro do bolso do peito da camisa.

— Sem dúvida. É importante. Judith... creio que agora preciso voltar. Não devo atrasar-me para a lancha. Perderia o transporte para o navio.

— Vou com você.

— Não. Prefiro ir sozinho.

— Encontraremos um táxi. Tome...

— O que é isso?

— Dinheiro para a corrida.

— Estou me sentindo um homem sustentado.

— Nada disso. Apenas muitíssimo especial.

Ele pegou o saco (que ainda parecia uma garrafa, a despeito do envoltório) e juntos deixaram o terraço, cruzaram o saguão e saíram do prédio. O porteiro chamou um táxi e manteve a porta aberta para Gus embarcar.

— Adeus, Judith — disse ele, em voz um pouco rouca.

— Prometa que escreverá. Escreverei para você, assim que regressar à Inglaterra.

Gus assentiu. Depois disse:

— Só mais uma coisa. Vai contar para todos, em Nancherrow, sobre hoje?

— Claro que sim.

— Então, diga que estou bem. Que estou ótimo.

— Oh, Gus!

Judith ergueu o rosto e o beijou nas duas faces. Ele entrou no táxi e bateu a porta. Depois foi levado embora, o carro manobrou para a rua e foi rodando ao longo do "Galle Face Green". Sorrindo e acenando, Judith o viu afastar-se, mas tão logo o táxi desapareceu de vista, ela pôde sentir o sorriso corajoso abandonando seu rosto.

Virada para o lado em que o táxi se fora, mandou um recado silencioso para Gus. *Mantenha contato. Você não pode desaparecer outra vez.*

— Posso chamar um táxi para a senhorita?

Virando-se, ela olhou para o porteiro, atencioso e resplendente em seu uniforme verde-garrafa. Por um momento, não soube o que lhe competia fazer e nem para onde devia ir. Enfim, não adiantava retornar ao Forte. Decidiu voltar para casa, tomar um banho e atirar-se na cama.

— Sim. Outro táxi. Obrigada.

Novamente a Galle Road, mas agora rodando na direção oposta, com certo conforto, em vez de sacolejar na carroceria de uma camioneta de três toneladas.

Vai contar para todos, em Nancherrow, sobre hoje?

Judith pensou em Walter Mudge, em Nathaniel e Loveday. No casamento que jamais deveria ter acontecido. No filho que nunca devia ter sido concebido e nem nascido. Loveday era sua amiga mais íntima. Pessoa alguma no mundo podia ser melhor companhia e ninguém seria capaz de infundir mais raiva. Olhando pela janela do táxi para as calçadas poeirentas, os transeuntes e a avenida de palmeiras pela qual passava, Judith mal suportava contemplar o sombrio regresso ao lar que Gus tinha diante de si. Era algo terrivelmente injusto, não o que ele merecia. De coração opresso, irritada por causa dele, ela transferiu seu ressentimento para Loveday, silenciosamente enfurecida.

Por que você sempre tem de ser tão cabeça-dura, tão impetuosa? Por que não me ouviu naquele dia, em Londres?

Eu já estou esperando um bebê! Loveday gritara para ela, como se Judith fosse alguma retardada. Mais franca seria impossível.

Você transtornou tudo. Gus está vivo e regressando para casa, mas não tem família, porque os pais idosos faleceram. Ele devia estar indo para Nancherrow, para encontrar *você* à sua espera. Tudo podia ter sido absolutamente perfeito. Ele regressando ao lar, para *você*. Ao invés de voltar para a Escócia e para uma casa vazia, sem família e sem amor.

O que o impedirá de ir a Nancherrow? Ele foi amigo de Edward. Mamãe e papai o acharam excelente pessoa. Nada poderá impedi-lo.

Como ele pode ir a Nancherrow, se você está casada com Walter? Gus a amava, Loveday. Estava apaixonado por você. Levou todo este tempo construindo ferrovias idiotas em Burma e dizendo para si mesmo que você o esperava. Como ele iria a Nancherrow? Você não deve ter coração nem imaginação, para sugerir semelhante coisa.

Ele devia ter-me deixado saber que estava vivo. Agora, ela soava rabugenta.

Como poderia? Segundo me contou, mal podia chegar perto de um telefone. Conseguiu escrever apenas uma carta, para os pais, e nem mesmo tem certeza de que eles a *receberam*. Por que você desistiu de ter esperanças? Por que não o esperou?

Não sei por que você ficou envolvida tão de repente.

Eu não estou *envolvida*, mas sinto-me responsável. Gus precisa *saber* que tem amigos. Não devemos deixá-lo desaparecer novamente. Entretanto, não acredito que ele volte a Nancherrow e duvido que vá visitar-me na Dower House, pois sabe que todos vivemos em íntimo contato e, cedo ou tarde, acabaria encontrando-se com você. Não vê que me deixou em uma posição insuportável?

Nós certamente não somos seus únicos amigos.

É possível, mas você sabe o quanto Gus *amava* a Cornualha. Era uma espécie de paraíso para ele, que ficaria pintando e teria você. Como pôde ser tão inflexível? Por que você sempre atrapalha tudo?

Você não sabe se atrapalhei tudo. Nós duas mal nos vimos nestes cinco anos. Como sabe que não sou feliz com Walter?

Porque Walter era o homem errado. Você devia ter esperado Gus.

Oh, cale-se!

O táxi agora diminuía a marcha, aproximando-se do lado da rua. Ela viu os portões familiares, a sentinela. Estava em casa. Saiu do táxi, pagou a corrida e cruzou os portões.

E então, neste dia extraordinário de extraordinários eventos, aconteceu a última coisa extraordinária, aquela que afugentaria da mente de Judith todas as preocupações, todos os pensamentos sobre Gus e Loveday. As portas do bangalô de Bob estavam abertas, e ela ainda caminhava pela alameda que conduzia à entrada, quando o viu surgir no alto da escada, depois descer correndo os largos degraus e prosseguir em longas passadas pelo bem tratado piso de cascalho, ao seu encontro.

— Onde foi que você *esteve*? — Bob nunca se zangara com ela em toda a sua vida, porém agora parecia furioso. — Estou à sua espera desde o meio-dia! Por que não voltou para casa? O que ficou fazendo?

— Eu... eu... — Inteiramente confusa pela explosão dele, Judith mal conseguia encontrar palavras para explicar. — ... eu encontrei alguém. Estive no "Galle Face Hotel". Sinto muito...

— Não se desculpe. — Ele não estivera zangado, apenas ansioso. Pousou as mãos nos ombros dela e a firmou, como se ela pudesse despedaçar-se a qualquer momento. — Somente ouça. Esta manhã recebi um telefonema de sua segundo-oficial em Trincomalee... Chegou um comunicado através de Portsmouth, do HMS *Excellent...* Jess sobreviveu em Java. Jacarta... *The Rajah of Sarawak...* um barco salva-vidas... uma jovem enfermeira australiana... campo de internamento...

Judith viu o rosto anguloso dele, os olhos transbordando de excitamento, a boca que se abria e fechava, formando palavras que ela mal entendia.

— ... amanhã ou depois... a RAF... um avião, de Jacarta para Ratmalana... ela estará aqui!

Finalmente ela compreendeu. Ele lhe dizia que Jess estava viva. A pequena Jess. Não se afogara. Não fora morta na explosão. Estava salva.

— ... a Cruz Vermelha nos comunicará quando ela deverá chegar... iremos recebê-la juntos, quando descer do avião...

— Jess?

Foi preciso um esforço enorme, até mesmo para dizer o nome dela. De repente, Bob a tomou nos braços e a apertou com tanta força, que Judith receou ter as costelas partidas.

— Sim, Jess! — Havia um tremor na voz, que ele nem mesmo tentou esconder. — Ela está voltando para você!

— É um dia muito excitante para você.

— Sim, é.

— Sua irmã, não? Foi o que disse o capitão de grupo.

— Sim.

— Que idade tem ela?

— Quatorze anos.

Eram cinco da tarde. Judith e Bob — conduzidos em certa pompa no carro dele do estado-maior — tinham-se apresentado ao posto da RAF em Ratmalana, às quatro e quinze. Lá, o comandante do posto viera recebê-los e os escoltara até a cantina, onde tomaram chá e ficaram esperando, até a Torre de Controle comunicar que o avião de Jacarta estaria pousando dentro de poucos minutos.

— Acha que poderá reconhecê-la?

— Sim, creio que sim.

Eles saíram da cantina e caminharam pela pista empoeirada, na direção da Torre de Controle. Bob Somerville e o capitão de grupo seguiam na frente, ambos fardados, falando de assuntos militares. O oficial mais novo — um tenente-aviador, prestando alguma espécie de serviço de recepcionista (secretário? primeiro-tenente? ajudante-de-campo? escudeiro?) — caminhava ao lado de Judith e conversava com ela. O rapaz ostentava um enorme bigode de piloto de combate e usava o quepe surrado em ligeiro ângulo. Ela adivinhou que seu acompanhante desfrutava de certa reputação como galanteador. De qualquer modo, ele claramente aproveitava a bênção de estar ao lado de uma jovem que nada tinha de hedionda e que, além disso, usava um atraente vestido — uma gritante diferença do onipresente uniforme cáqui da Força Aérea Auxiliar Feminina.

— Pretende ficar muito tempo em Colombo?

— Na realidade, ainda não sei.

Por fora ela estava calma, por dentro, uma pilha de nervos. E se o avião nunca chegasse? E se, quando aterrasse, Jess não estivesse a bordo? E se alguma coisa terrível houvesse acontecido, algum impedimento? E se uma explosão qualquer derrubasse o avião do céu, matando todos os passageiros?

— Você trabalha para o almirante?

— Não, apenas estou hospedada em sua casa.

— Uma excelente oportunidade.

Ele se esforçava ao máximo, porém ela não queria conversar. Diante da Torre de Controle, eles se juntaram a outros e também aos membros de uma equipagem de terra, todos usando macacões sujos, encarregados dos veículos de manutenção e dos carros-tanque. No extremo oposto da pista havia hangares e grupos de aviões estacionados ordenadamente, Tornados e Hurricanes. A pista estava limpa. O vento inflava as birutas.

Por um instante, ninguém falou. Era um momento de ansiosa expectativa. Então, o tenente-aviador rompeu o silêncio:

— Ele está chegando!

Judith sentiu o coração dar um salto. Os grupos da equipagem de terra, dispersos ao acaso, reuniram-se e correram para seus veículos.

Um ordenança de oficial surgiu no final da pista, em um traje escarlate. Com a mão em pala sobre os olhos, Judith ficou perscrutando o céu, mas nada conseguia enxergar, por causa do clarão do sol que se punha. Aguçando os ouvidos, captou apenas silêncio. Perguntou-se se o tenente-aviador teria sido agraciado com poderes extra-sensoriais. Talvez seu bigode fosse tão sensível como os de um gato, e portanto ele seria bem capaz de...

Então, ela avistou o avião, um brinquedo prateado, suspenso em luz. Ouviu o zumbido dos motores, enquanto ele vinha baixando do sudoeste, perdendo altura, orientado para a pista, o trem de aterrissagem descido, vindo para terra. Tocou o solo com um ruído trovejante, as rodas beijaram a pista, e Judith instintivamente ergueu a mão, querendo proteger o rosto do torvelinho resultante das lufadas de sufocante poeira que seriam arrojadas sobre eles.

Depois disso, tão logo a poeira baixou, houve mais cinco minutos de ansiedade, enquanto esperavam que o Dakota taxiasse lentamente, retornando do final da pista, e viesse parar junto à Torre de Controle. As hélices imobilizaram-se. As pesadas portas divisórias abriram-se pelo interior, e foi encostada ao avião uma improvisada escada com rodas. Os passageiros foram descendo aos poucos e começaram a caminhar pela faixa de concreto. Um líder de esquadrão da RAF, um grupo de pilotos americanos, três tamiles vestidos com decoro, carregando pastas. Dois soldados, um deles de muletas...

Por fim, quando Judith já começava a perder as esperanças, lá estava ela, descendo os degraus com dificuldade. Esquelética e bronzeada como um garoto, usando short e uma desbotada camisa verde, com os cabelos queimados de sol cortados bem rentes. Calçava desajeitadas sandálias de couro que pareciam ser dois números maiores. Pendurada a um ombro ossudo, uma pequena mochila de lona.

Ela parou por um instante, orientando-se, evidentemente um tanto perdida, ansiosa e apreensiva. Então, corajosamente, começou a caminhar atrás dos outros, mergulhando por baixo da asa do avião. Vindo.

Jess. Naquele momento, as duas podiam ter sido as únicas pessoas no mundo. Judith foi ao encontro dela, procurando naquele rostinho pétreo e ossudo algum traço da criança rechonchuda, da doce garotinha manhosa de quatro anos de idade, à qual dissera adeus por todos aqueles anos. Jess também a viu e estacou imóvel, mas Judith continuou andando, e foi maravilhoso, porque os olhos de Jess estavam fixos nela, olhos que continuavam tão azuis e tão límpidos como sempre haviam sido.

— Jess...

— Judith? — perguntou ela, porque não podia ter certeza.

— Sim. Judith.

— Pensei que não a reconheceria.

— Eu sabia que reconheceria você.

Judith estendeu os braços. Jess hesitou um momento mais, depois atirou-se para ela, para o abraço à sua espera. Agora estava tão alta, que o topo de sua cabeça chegava ao queixo de Judith. E abraçá-la era como envolver algo muito frágil, como um passarinho desnutrido ou um graveto. Ela enterrou o rosto nos cabelos ásperos de Jess e percebeu que cheirava a desinfetante; depois sentiu os braços magros da irmã apertarem-se com força em torno de sua cintura, e estavam beijando-se, só que desta vez não houve lágrimas.

Foram-lhes permitidos aqueles poucos momentos juntas, e quando caminharam ao encontro dos três pacientes homens que esperavam, eles as receberam com imensa gentileza e tato. Jess foi cumprimentada no mais casual dos tons, como se diariamente fizesse a longa viagem de Jacarta até ali. Bob nem mesmo tentou beijá-la, apenas amarfanhou-lhe os cabelos curtos com mão suave. Ela não falou muito e também não sorriu. Entretanto, estava bem.

O capitão de grupo acompanhou-os até onde o carro ficara esperando, à sombra de uma cobertura de palha. Ali, Bob se virou para ele.

— Não sei como agradecer-lhe.

— Foi um prazer, senhor. Um dia que não esquecerei.

E ele não se foi imediatamente, mas esperou, viu-os partir, perfilado em elegante continência enquanto o carro se afastava, depois ficou acenando até passarem pelos portões com guardas, saírem para a estrada e desaparecerem de seu campo visual.

— E agora — Bob ajeitou-se confortavelmente no assento e sorriu para sua sobrinha mais nova — Jess. Você está *realmente* seguindo o seu caminho.

Ela se sentara entre eles, no banco traseiro do enorme carro. Judith não conseguia parar de olhar para Jess, queria tocá-la, alisar-lhe os cabelos. Ela parecia bem. Havia três feias cicatrizes purpúreas em sua perna direita, cada uma do tamanho de uma moeda de meia coroa, e era possível perceber-se o relevo das costelas por baixo do fino algodão da camisa surrada. Entretanto, ela estava bem. Os dentes eram grandes demais para seu rosto e os cabelos davam a impressão de terem sido cortados com uma faca de trinchar. Entretanto, ela estava bem. Ela era bonita.

— Quando viu tio Bob você o reconheceu? — perguntou Judith.

Jess meneou a cabeça.

— Não — respondeu.

Bob deu uma risada.

— Como poderia? Como você poderia reconhecer-me, Jess? Tinha apenas quatro anos. E ficamos juntos durante muito pouco tempo. Em Plymouth. E era Natal.

— Eu me lembro do Natal, mas não me lembro de *você*. Lembro-me da árvore prateada e de alguém chamado Hobs. Ele fazia torradas amanteigadas para mim.

— Sabe de uma coisa, Jess? Você fala como uma pequena australiana. Gosto disso. Faz com que me lembre de alguns bons colegas meus, camaradas de navio nos velhos tempos.

— Ruth era australiana. — Ela pronunciou a palavra como "austrílian".

— Está falando da moça que cuidou de você? — perguntou Judith.

— Sim. Ela era ótima. Na minha mochila tenho uma carta dela para você. Ela a escreveu ontem. Quer a carta agora?

— Não. Espere até chegarmos. Então eu a lerei.

A essa altura já haviam deixado Ratmalana para trás e seguiam para o norte, pela ampla estrada que levava à cidade. Jess olhava pelas janelas, com certo interesse.

— Aqui é um pouco como era Cingapura.

— Não posso opinar. Nunca estive lá.

— Para onde exatamente estamos indo?

— Para minha casa — respondeu Bob. — Judith também está lá.

— É uma casa grande?

— Bastante.

— Nós vamos ficar lá?

— Naturalmente.

— Eu terei um quarto só para mim?

— Se for o que você quiser.

Jess não respondeu a isso. Judith disse:

— Há duas camas em meu quarto. Você poderá dormir comigo, se quiser.

Jess, entretanto, não quis comprometer-se.

— Vou pensar nisso — respondeu. E então: — Posso trocar de lugar com você, para poder espiar pela janela?

Depois disso ela não falou mais, simplesmente sentou-se de costas para Bob e Judith, interessada em tudo pelo qual passavam. Primeiro a zona rural, com pequenas propriedades agrícolas, carros-de-boi e poços, depois as primeiras casas, seguidas por lojas de beira de estrada e desmantelados postos de gasolina. Por fim entraram na comprida Galle Road, e foi somente quando o carro diminuiu a marcha e manobrou para passar pelos portões, que ela tornou a falar.

— Há um guarda no portão — disse, parecendo algo alarmada.

— Sim. É uma sentinela — disse-lhe Bob. — Ele não está lá para impedir que saiamos, mas para garantir que ninguém indesejável entre na casa.

— Ele é sua própria sentinela?

— Exatamente. Também tenho um jardineiro, um cozinheiro e um mordomo. Todos eles são meus. O jardineiro encheu a casa de flores para você, o cozinheiro preparou um pudim de limão especial para o seu jantar, e o mordomo, que se chama Thomas, mal pode esperar para conhecê-la... — O carro chegou à porta e parou. — Aliás, ele já está lá, veio recebê-la.

Foi uma excelente acolhida. Thomas já descia os degraus e abria a porta do carro, os cabelos recém-oleados, um hibisco enfiado atrás da orelha, irradiando alegria e prazer, os dentes de ouro cintilando, e ajudava Jess a descer, afagando-lhe a cabeça com sua enorme mão escura. Recolheu a mochila dela e a conduziu para dentro da casa, com um braço passado em seus ombros escanifrados, de um modo geral portando-se como se ela fosse sua própria filha perdida, e ele o pai amoroso.

— ... você fez uma boa viagem? De avião? Está com fome, está? E com sede? O que acha de um refresco...?

Jess, entretanto, parecendo um pouco confusa, disse que queria mesmo era ir ao banheiro. Assim, Judith entrou em cena, recuperou a mochila e a conduziu pelo corredor até o quieto santuário de seu arejado dormitório.

— Não ligue para Thomas.

— Eu não liguei.

— Ele tem andado muito ansioso, desde que soubemos de sua vinda. O banheiro é aqui...

Jess ficou parada na porta aberta, espiando para o mármore cintilante, as torneiras polidas, a reluzente porcelana branca.

— Isto é tudo para você? — perguntou.

— Para nós duas.

— No acampamento em Asulu havia apenas dois banheiros. Eles fediam. Ruth costumava limpá-los.

— Não deve ter sido muito agradável — disse Judith, sabendo que o comentário era dolorosamente inadequado, mas o único que pôde imaginar.

— Sim, não era mesmo.

— Por que não entra e se põe bonita? Garanto que depois se sentirá melhor.

Jess assim fez, não se preocupando em fechar a porta. Pouco depois, Judith ouviu a torneira correndo e o som de água lavando mãos e rosto.

— Não sei que toalha usar.

— Use qualquer uma. Não faz diferença.

Ela se sentou ao toucador e, na falta do que fazer, começou a pentear os cabelos. Então Jess voltou e encarapitou-se na extremidade de uma das camas. Os olhos das duas encontraram-se através do espelho.

— Está melhor agora?

— Sim. Eu estava mesmo querendo ir ao banheiro.

— É agoniante, não? Já se decidiu? Quer dormir aqui comigo?

— Tudo bem.

— Vou dizer a Thomas.

— Pensei que você fosse parecida com mamãe, mas não é.

— Que pena...

— Não. Você só é diferente. E mais bonita. Ela nunca usava batom. Quando desci do avião, pensei que você talvez não estivesse lá para me receber. Ruth me disse que, se você não estivesse, eu devia ficar no posto da RAF até a sua chegada.

Judith largou o pente e se virou para encarar Jess.

— Sabe de uma coisa? Eu estava pensando o mesmo. Ficava me repetindo que você não vinha naquele avião. E então, quando a vi... foi um alívio e tanto.

— É. — Jess bocejou. — Você mora aqui com tio Bob?

— Não. Estou apenas passando uns tempos. Meu trabalho é em Trincomalee. Lá é o grande porto da Marinha Real, no lado leste do Ceilão.

— Os oficiais de reabilitação em Asulu não conseguiam encontrar ninguém para mim. Tivemos que ficar no campo, até descobrirem onde você estava.

— Nem posso imaginar como eles chegaram a lidar com tais problemas. Seria parecido a procurar uma agulha no palheiro. O que aconteceu foi que, finalmente, fiquei sabendo que mamãe e papai tinham morrido. E você também, por falar nisso. Então, resolveram dar-me uma espécie de férias, cujo nome é licença por morte de familiar, e Bob me chamou para ficar aqui.

— Eu sempre soube que mamãe estava morta. Desde que o navio afundou. Entretanto, só me falaram sobre papai. Eles receberam uma mensagem da Cruz Vermelha, em Cingapura. Papai morreu na prisão. Morreu em Changi.

— Sim, eu sei. Aliás, ainda não me conscientizei disso o suficiente. Procuro não pensar muito a respeito.

— As mulheres morriam em Asulu, mas elas sempre tinham amigas.

— Eu acho que papai também teve amigos.

— É. — Ela olhou para Judith. — Nós duas vamos ficar juntas? Eu e você?

— Claro que ficaremos juntas. Nunca mais separadas.

— Para onde iremos? Onde vamos morar?

— Na Cornualha. Em minha casa.

— Quando?

— Não sei, Jess. Ainda não sei. Entretanto, planejaremos alguma coisa. Tio Bob ajudará. Bem — ela olhou para seu relógio. — São seis e meia. Em geral, nesta hora costumamos tomar uma ducha e trocar de roupa, depois ficamos algum tempo na varanda. Bebendo qualquer coisa. Em seguida, jantamos. Hoje o jantar será mais cedo, por sua causa. Achamos que você estaria um pouco cansada, que precisaria dormir.

— Só nós três é que vamos jantar? Você, tio Bob e eu?

— Não. David Beatty também estará presente. Ele mora na casa com Bob. É um homem muito simpático.

— Em Cingapura, mamãe sempre punha um vestido especial para jantar.

— Nós também costumamos mudar de roupa. Não para ficarmos elegantes, mas para estarmos refrescados e confortáveis.

— Eu só tenho estas roupas.

— Vou emprestar-lhe alguma coisa minha. Deve servir, porque você é quase da minha altura. Outro short, talvez uma blusa bonita. Também tenho um par de sandálias de couro vermelho e dourado, que poderão ficar para você.

Jess esticou as pernas e contemplou os pés com desgosto.

— Estas são horríveis. Há muito tempo que eu não usava sapatos. Elas foram tudo que conseguiram encontrar para mim.

— Amanhã pediremos o carro de Bob emprestado e faremos compras. Vamos comprar todo um enxoval novo para você, e também roupas quentes, para quando voltarmos à Inglaterra. Um blusão grosso de lã. E uma capa de chuva. Não esquecendo de sapatos apropriados e soquetes que aqueçam os pés.

— A gente consegue comprar esse tipo de roupas em Colombo? Em Cingapura ninguém usava nada que aquecesse.

— No alto das montanhas é bastante úmido e frio. É lá que ficam as plantações de chá. Bem, o que quer fazer agora? Que tal tomar uma ducha?

— Eu gostaria de ir ver o jardim.

— Por que não toma a ducha primeiro, troca de roupa e fica se sentindo uma nova garota? No banheiro há tudo de que precisa e, quando terminar, escolherá alguma coisa para vestir. Depois poderá ir e encontrar Bob ou explorar o jardim, antes que ele fique escuro.

— Eu tenho uma escova de dentes.

Jess pegou sua mochila. Desafivelou as correias e, lá do fundo, trouxe a escova de dentes, uma pequena barra de sabão e um pente. Depois surgiu algo embrulhado em um farrapo desbotado que, ao ser cuidadosamente desembrulhado, revelou-se um pequeno tubo, como uma flauta, feito de um pedaço de bambu.

— O que é isso?

— Ganhei de um dos garotos do campo. Ele mesmo que fez. Dá para tocar músicas perfeitamente. Certa vez tivemos um concerto. Organizado por Ruth e uma das senhoras holandesas.

Jess deixou a flauta em cima da cama, a seu lado, e começou a remexer novamente no interior da mochila.

— O que aconteceu àquele seu boneco de pano?

— Explodiu com o navio — respondeu Jess, em voz desapaixonada. Tirou da mochila um maço dobrado de papel, folhas pautadas e arrancadas de um bloco de rascunho amarelo. Estendeu-as a Judith.

— Isto é para você. De Ruth.

Judith apanhou as folhas.

— Parece uma carta bem comprida. Vou deixar para ler mais tarde.

Enquanto falava, colocou as folhas sobre o toucador, firmando-as com o pesado frasco de "L'Heure Bleu", de cristal lapidado. Depois, mostrou a Jess como fazer o chuveiro funcionar, e a deixou sozinha. Quando ela tornou a aparecer, algum tempo mais tarde, estava nua, exceto pela diminuta toalha de rosto que enrolara em torno da cintura. Os cabelos molhados espetavam o ar, e estava tão magra, que era possível contar-se cada costela. Entretanto, os seios juvenis já tinham começado a inchar, como pequenos botões de flor, e ela agora não cheirava mais a desinfetante, mas a sabonete Rosa Gerânio.

As duas levaram algum tempo escolhendo roupas e finalmente decidiram-se por short branco para tênis e uma blusa chinesa de seda azul. Após vestir a blusa e enrolar as mangas acima dos cotovelos pontudos, Jess pegou seu pente e penteou os cabelos úmidos, colando-os à cabeça.

— Você está muito bem. Sente-se melhor agora?

— Hum-hum. Eu tinha esquecido como era seda. Mamãe costumava usar vestidos de seda. Onde estará tio Bob?

— Na varanda, imagino.

— Vou até lá.

— Certo. Faça isso.

Foi bom, por um momento apenas ficar sozinha, exaurida pela emoção e tomada de gratidão, mas ainda assim, calma. Era importante manter a calma, porque desta maneira conseguiria reconstruir o relacionamento com Jess, começando do começo, por assim dizer. Da parte de Jess, quando do encontro em Ratmalana, a espontânea demonstração de afeição física havia sido resultante, não de um amor recordado, mas gerada pelo puro alívio em saber que não fora esquecida nem abandonada. Dez anos eram demasiado tempo para um amor sobreviver e, nesse período, muita coisa tinha acontecido a Jess. Entretanto, tudo terminaria bem, se Judith fosse paciente, não se desse pressa, não se intrometesse e procurasse tratar a irmã como se já fosse uma adulta. Uma contemporânea sua. Jess voltara. Era um começo. Aparentemente normal, composta e sem traumatismos. Este seria o ponto de partida.

Após um momento, Judith levantou-se, escolheu suas roupas, tomou uma ducha e tornou a vestir-se — calças compridas de tecido fino e uma blusa sem mangas. Passou uma sombra de batom, ergueu o frasco de "L'Heure Bleu" e tocou o aplicador na base do pescoço e atrás das orelhas. Depois deixou o frasco no toucador e pegou as páginas amarelas da carta da moça australiana.

Jacarta,

19 de setembro de 1945

Prezada Judith

Meu nome é Ruth Mulaney. Tenho vinte e cinco anos. Sou australiana.

Em 1941 terminei meus estudos de enfermagem em Sidney e fui para Cingapura, ficar com amigos de meus pais.

Quando os japoneses invadiram a Malaia, meu pai passou um cabograma dizendo-me que voltasse para casa, e consegui uma passagem no The Rajah of Sarawak. O navio era uma velha banheira flutuante, superlotada de refugiados.

Fomos torpedeados seis dias mais tarde, no mar de Java, por volta das cinco da tarde. A mãe de Jess havia descido por um momento e me pediu para ficar de olho na garota.

O navio afundou rapidamente. Houve muitos gritos, muita confusão. Agarrei Jess e um só colete salva-vidas, depois saltamos no mar. Consegui mantê-la segura até aparecer um barco salva-vidas, que nos recolheu. Nós fomos as últimas a entrar, porque o barco já estava muito cheio, e quando outros queriam entrar também, tínhamos de empurrá-los para fora ou bater neles com os remos.

Não havia barcos, coletes ou balsas suficientes. Tampouco havia água nem rações de emergência no barco, mas eu e outra mulher tínhamos uma garrafa de água. Em nosso barco também iam chineses, malaios e uma tripulação lascar*.

Ficamos à deriva naquela noite, e também no dia e noite seguintes. Pela manhã, fomos avistados por um barco pesqueiro indonésio, que nos recolheu. Eles nos levaram para Java, onde tinham sua aldeia junto ao mar. Eu queria ir a Jacarta, ver se conseguia outro navio que nos levasse para a Austrália, porém Jess estava doente.

Ela havia cortado a perna, não sei como, o ferimento ficara inflamado e provocara febre. Além disso, estava seriamente desidratada.

Os outros sobreviventes foram embora, mas nós duas ficamos com os pescadores, em sua aldeia. Pensei que Jess fosse morrer, porém era uma menina durona e levou a melhor.

Quando ela ficou em condições de ser removida, os aviões japoneses estavam aparecendo no céu. Por fim, na estrada de Jacarta conseguimos uma carona em um carro-de-boi, mas tivemos que caminhar pelos últimos vinte e cinco quilômetros. Os japoneses, contudo, já estavam lá, de modo que fomos detidas e colocadas em um campo em Bandung, com um punhado de holandesas e crianças.

Bandung foi o primeiro de quatro acampamentos. O último, em Asulu, foi o pior de todos. Era um campo de trabalho, e todas nós tivemos que labutar nas plantações de arroz, limpar ralos e latrinas. Sendo Jess tão criança, não a fizeram trabalhar. Estávamos sempre famintas, e às vezes passávamos fome, por-

---

* Marinheiro da costa oriental da Índia. (N. da T.)

que um dos castigos era todos ficarem sem alimento durante dois dias.

Comíamos arroz, mingau de sagu e sopa feita de restos de vegetais. Os indonésios às vezes jogavam algumas frutas por cima da cerca de arame ou eu conseguia trocar qualquer coisa por um ovo ou um pouco de sal. No campo havia mais duas australianas, enfermeiras. Uma delas morreu, e a outra foi fuzilada.

Jess nunca mais tornou a ficar realmente doente, mas teve úlceras e bolhas, que deixaram algumas cicatrizes.

Tentamos dar um pouco de instrução às crianças, porém os guardas tomaram todos os nossos livros.

Sabíamos que a guerra estava terminando, porque algumas mulheres tinham surripiado partes de um rádio, que depois montaram e esconderam.

Então, em finais de agosto, ficamos sabendo que os americanos tinham bombardeado o Japão e que as Forças Aliadas seriam desembarcadas em Java. Depois disso, o comandante do campo e todos os guardas desapareceram, mas nós continuamos lá, porque não havia lugar nenhum para onde irmos.

Um avião americano sobrevoou o campo, deixando cair caixotes em pára-quedas, contendo alimentos enlatados e cigarros. Aquele foi um ótimo dia.

Depois foi a vez dos ingleses, e vieram também os maridos holandeses que haviam sobrevivido em seus campos. Imagino que tenham ficado bastante chocados, quando viram o estado em que nos encontrávamos.

Dois motivos foram a causa de você demorar tanto a saber que Jess estava viva.

Um deles, é que há turbulências fermentando na Indonésia. Acontece que os indonésios não aceitam mais os holandeses como colonizadores. Isto fez com que tudo marchasse lentamente.

O outro motivo é que Jess foi inscrita com o meu sobrenome, como Jess Mulaney, e dissemos para todos que éramos irmãs. Eu não queria que ela se separasse de mim. Nem mesmo às holandesas contamos que não éramos irmãs.

Eu receava ser repatriada antes dela e por causa disso ter de deixá-la para trás, de modo que contei a verdade apenas quando chegou o momento de partirmos. Somente então o exército ficou sabendo que ela era realmente Jess Dunbar.

No decorrer destes três anos e meio, ela foi testemunha de alguns eventos terríveis, atrocidades e mortes. Jess pareceu aceitar tudo isso e a manter a cabeça baixa. Crianças parecem capazes de desligar-se. Ela é uma grande pessoinha e muito corajosa.

Durante o tempo em que ficamos juntas, nós nos tornamos muito íntimas e importantes uma para a outra. Ela parte amanhã de avião, e está bastante infeliz por termos de separar-nos. Ao mesmo tempo, aceita a circunstância de que não podemos mais continuar juntas.

Para facilitar as coisas, eu lhe disse que não será uma despedida para sempre, que um dia ela poderá vir à Austrália, ficar comigo e minha família. Somos pessoas tipicamente da classe média. Meu pai é um empreiteiro de obras e moramos em uma casinha em Turramurra, subúrbio de Sidney. Eu ficaria muito grata se, quando ela for um pouco mais velha, você a deixar fazer a viagem.

Irei para casa logo depois de Jess, assim que encontrar passagem em um navio ou um vôo em um avião.

Cuide bem de nossa irmãzinha.

Com afeto,

Ruth Mulaney

Judith leu a carta duas vezes, do começo ao fim, depois leu-a novamente e a dobrou, guardando-a na primeira gaveta de seu toucador. *Cuide bem de nossa irmãzinha.* Durante três anos e meio, Ruth havia sido a segurança de Jess, apesar de tênue. Era aí que residiam o amor e a lealdade de sua irmã menor. E tivera de dizer adeus, de deixar tudo isso para trás.

Agora já escurecera. Levantando-se, Judith saiu do quarto e foi à procura de Jess. Encontrou-a sozinha, na varanda iluminada pela lâmpada, folheando um dos maciços álbuns de fotografia de Bob. Quando Judith apareceu, ela ergueu os olhos.

— Venha ver estes retratos comigo. São tão engraçados! Mamãe e papai. Há séculos. Parecendo tão novos...

Judith instalou-se no almofadado sofá de vime e passou um braço pelos ombros da irmã.

— Onde está tio Bob?

— Foi trocar de roupa. Deu-me este álbum para olhar. Este é de quando eles moravam bem aqui, em Colombo. E aqui está um seu, com um *chapéu* horroroso... — Ela virou outra folha. — Quem são estas pessoas?

— Nossos avós. O pai e a mãe de mamãe.

— Parecem muito velhos.

— E eram. Além de incrivelmente enfadonhos. Eu odiava ficar com eles. Acho que você também não gostava muito, embora fosse tão pequenina. E esta aqui é Biddy, esposa do tio Bob. Irmã de mamãe. Você vai adorá-la. Ela é divertida, faz a gente rir o tempo todo.

— E este?

— É Ned, quando tinha uns doze anos. Filho deles. Nosso primo. Foi morto logo no começo da guerra, quando afundaram seu navio.

Jess não fez comentários. Simplesmente virou mais uma folha.

— Já li a carta — disse Judith. — Ruth parece ter sido uma pessoa especial, não?

— E foi mesmo. Também foi corajosa. Nunca tinha medo, fosse do que fosse.

— Ela disse que você também foi muito corajosa. — Jess deu de ombros, elaboradamente. — Ela disse que, nos campos, para todos os efeitos vocês duas eram irmãs.

— Nós fingíamos. No começo. Só que depois ficou parecendo de verdade.

— Deve ter sido muito difícil... dizer adeus para ela.

— Foi.

— Ruth disse que, quando você for um pouco mais velha, quer que vá à Austrália e fique hospedada em casa dela.

— Nós falamos sobre isso.

— Eu acho uma excelente idéia.

Jess ergueu a cabeça bruscamente e, pela primeira vez, fitou Judith no rosto.

— Eu *poderia*? Poderia ir?

— Naturalmente. É claro que poderia. O que acha de quando fizer dezessete anos? Faltam apenas três anos.

— Três *anos*!

— Você terá de freqüentar uma escola, Jess. Quando voltarmos. Terá muito que aprender. Entretanto, não precisará ficar longe. Poderá estudar no Santa Úrsula, onde estive. Como aluna externa.

Jess, entretanto, não estava interessada em conversas sobre escolas.

— Achei que você ia dizer que eu *não poderia ir*. — Ela estava claramente decidida a esticar o assunto. — Achei que ficaria muito caro. A Austrália é tão longe da Inglaterra...

— Não será tão caro como imagina, fique certa. E depois, quando voltar da Austrália, talvez possa trazer Ruth com você. Ela ficaria hospedada conosco.

— Está falando sério?

— Muito sério.

— Oh! ... Eu gostaria disso mais do que *qualquer coisa* no mundo! Se pudesse ter um único desejo, seria esse. Foi a pior coisa do mundo despedir-me dela esta manhã. Eu ficava pensando que nunca, nunca mais tornaria a vê-la. Posso escrever para Ruth e contar o que você disse? Sei o endereço dela na Austrália. Eu o decorei, para o caso de perder o pedacinho de papel.

— Acho que devia escrever para ela amanhã mesmo. Sem perda de tempo. Depois, as duas podem começar a ficar pensando no reencontro. É importante que a gente sempre tenha alguma coisa pela qual ansiar. Entretanto... — Judith vacilou. — Nesse meio tempo, talvez nós duas devamos começar a fazer planos mais imediatos.

Jess franziu a testa.

— Como assim? — perguntou.

— Acho que é hora de irmos para casa.

O Regresso

Judith arrumava as malas. Era uma ocupação que sempre considerara aborrecida, agora tornada mais complicada pelo fato de ser uma bagagem para duas pessoas, além de ter de preparar quatro volumes. Dois para Necessários em Viagem e mais dois para Não Necessários em Viagem.

Para os Não Necessários em Viagem, ela comprara duas grandes e fortes malas de couro, presas por correias com fivelas. Esperava-se que fossem fortes o bastante para sobreviverem a manipulações dos trabalhadores do cais, tanto em Colombo como em Liverpool, além de não se desmantelarem, caso despencassem de grande altura. Para os Não Necessários em Viagem, ela estava usando sua própria mala, que trouxera de Trincomalee, mas para Jess havia comprado um espaçoso saco de couro para viagem.

A loja "Whiteaway e Laidlaw", aquela "Harrods" do Oriente, não as decepcionara.

Quanto a roupas, a grande expedição para compras consumira a maior parte de um dia, e Judith gastou à vontade, deixando a prudência de lado. Sabia que o racionamento de roupas estava mais severo do que nunca na Inglaterra e que, após chegarem em casa, não haveria esperanças de comprar muita coisa mais. Por outro lado, era bem provável que todas as formalidades burocráticas demorassem algum tempo caminhando por seus variados canais competentes e, até lá, nem ela e nem Jess teriam acesso a cupons para roupas, não se falando em cupons para alimentos racionados, cupons para gasolina, cartões de identidade e todas as restrições dos tempos de guerra, que ainda perseguiam uma nação sitiada e tão longamente sofredora.

Assim, para Jess foi comprado um guarda-roupa completo, a começar pelas roupas íntimas. Blusas, suéteres, saias, meias de lã até os joelhos, pijamas, quatro pares de sapatos, um grosso robe e uma capa de chuva, quente e sensata. Tudo isto jazia sobre a cama de Jess, em pilhas perfeitamente dobradas e destinadas a uma viagem no porão do navio de transporte de tropas. Para a viagem de volta ao lar, ela deixara de fora apenas o básico mais essencial. Segundo fora informada, o navio estava lotado até as bordas de soldados que regressavam, e o espaço pessoal era altamente cotado. Portanto, shorts e macacões de algodão, um cardigan, uma camisola de dormir leve, tênis de lona de ginástica. Para o dia do desembarque, um par de calças compridas e um casaco de suede castanho...

Agora, às quatro da tarde, o calor era tal que se tornava impossível imaginar que, dentro de mais três semanas, ela e Jess estariam realmente *contentes* com todas aquelas peças grossas, pesadas e ásperas. O próprio esforço de dobrar uma suéter Shetland era mais ou menos como tricotar em uma enorme onda de calor, e ela podia sentir o suor escorrendo pela nuca, a umidade dos cabelos colados à testa.

— Senhorita Judith.

A voz suave de Thomas. Ela endireitou o corpo e se virou, puxando os cabelos para fora do rosto. Tinha deixado a porta aberta, a fim de criar uma corrente de ar, e agora via Thomas parado na soleira, acanhado pela interrupção.

— O que é, Thomas?

— Um visitante. Ele espera a senhorita. Na varanda.

— Quem é?

— O capitão-de-fragata Halley.

— Oh! — Judith levou instintivamente a mão à boca. Hugo. Estava em enorme falta com Hugo porque, desde a volta de Jess, uma semana atrás, não tornara a vê-lo, não mantivera contato e — verdade seja dita — mal se lembrara dele. Além disso, naqueles últimos dias houvera tanta coisa a providenciar, tantos preparativos a fazer, que nunca surgira um momento apropriado para que ela chegasse ao telefone e discasse o número dele. À medida que os dias corriam, o senso de culpa avolumava-se e, ainda nesta manhã, ela escrevera um lembrete para si mesma — LIGAR PARA HUGO — e enfiara o pedacinho de papel na moldura de seu espelho. E agora, ele estava *ali*. *Ele* é que tomara a iniciativa, fazendo-a sentir-se envergonhada por sua falta de boas maneiras. — Eu... eu irei ao encontro dele em um momento, Thomas. Quer dizer-lhe isto?

— Levarei o chá da tarde para ambos.

Thomas fez uma mesura e retirou-se silenciosamente. Sentindo-se em franca desvantagem, Judith suspendeu a arrumação de bagagens, lavou o rosto e as mãos suadas, depois tentou dar um jeito nos cabelos flácidos. O vestido de algodão sem mangas não estava limpo nem tinha poucos momentos de uso, mas teria de ser o suficiente. Enfiando os pés em sandálias de couro, ela deixou o quarto e foi ao teu encontro.

Encontrou Hugo em pé, um ombro recostado ao poste da varanda, de costas para ela, contemplando o jardim. Estava de uniforme, porém deixara o quepe no assento de uma cadeira.

— Hugo.

Ele se virou.

— Judith...

A expressão dele não era de aborrecimento ou censura, o que constituía um grande alívio. Pelo contrário, parecia deliciado em vê-la, como sempre.

— Oh, Hugo, estou morrendo de vergonha.

— Por quê?

— Porque há muito eu devia ter telefonado para você, a fim de dar-lhe alguma idéia do que estava acontecendo. Entretanto, tenho tido um mundo de coisas para fazer e, simplesmente, parecia não encontrar tempo. Fui muito descortês. Peço que me perdoe.

— Pare de censurar-se. Eu nem tinha pensado nisso.

— Minha aparência é de pura sujeira, porém tudo que estava limpo já foi posto na bagagem.

— Você está ótima. E, sem dúvida, mais limpa do que eu. Passei o dia todo em Katakarunda; pensei em dar uma passada por aqui, a caminho do Forte.

— Foi bom ter vindo. Porque viajamos amanhã.

— Já tão cedo?

— Deixei um lembrete em meu toucador, a fim de ligar para você no fim da tarde.

— Talvez eu é que devesse ter ficado em contato com você. Entretanto, sabendo da situação, não quis impor-me.

— Eu nunca iria embora sem me despedir de você, Hugo.

Ele ergueu as mãos, em um gesto de capitulação.

— Vamos esquecer isso. Você parece esgotada e eu me sinto esgotado. Por que não nos sentamos por um momento e simplesmente relaxamos?

Foi esta a melhor idéia que qualquer pessoa já tivera em todo aquele dia. Judith arriou na espreguiçadeira de Bob, com os pés sobre o descanso para pernas, e se recostou nas almofadas, com um suspiro de alívio. Hugo puxou uma banqueta e se sentou à frente dela, inclinado para diante, os cotovelos suportados pelos joelhos nus, queimados de sol.

— Muito bem, agora vamos começar do começo. Você parte amanhã?

— Levei a tarde inteira arrumando a bagagem.

— E quanto às *Wrens*? Seu trabalho?

— Oh, estou em licença por morte de familiar, mas de prazo indeterminado. Quando voltar para casa, conseguirei uma dispensa também por morte de familiar. Está tudo acertado. A oficial-chefe das *Wrens* em Colombo tomou todas as providências.

— Como vai voltar?

— Em um navio para transporte de tropas. No último momento, Bob conseguiu dois beliches para nós.

— No *Queen of the Pacific?*

— No próprio. Curiosamente, o mesmo velho barco em que vim. Esta viagem de agora, no entanto, vai ser realmente apertada. Há famílias do Ceilão regressando à Inglaterra e um destacamento da Real Força Aérea partindo da Índia. Enfim, não importa. O importante é que estaremos a bordo. — Ela sorriu, sentindo-se novamente culpada. — É uma coisa terrível de dizer, mas ajuda muito ter-se um contra-almirante como parente. Bob não esteve apenas puxando cordões, mas girando manivelas em cabos de aço. Gritando ao telefone, fazendo valer sua influência. Ele é que fez tudo.

— E Trincomalee?

— Não cheguei a voltar. E nunca mais voltarei lá.

— E seus pertences? O que deixou para trás?

— Tudo que era especial eu trouxe comigo para Colombo. Lá, deixei apenas uns poucos livros, algumas roupas desbotadas e meu uniforme de inverno. Não me preocupa o que possa acontecer a qualquer dessas coisas. Não tem importância. Aliás, na semana passada eu e Jess fomos à "Whiteaway e Laidlaw" e passamos o dia inteiro fazendo compras. Assim, estamos ambas equipadas para qualquer eventualidade.

Ele sorriu.

— Gostei da maneira como disse isso.

— Disse o quê?

— Eu e Jess. Como se vocês duas nunca se tivessem separado.

— Não foi um milagre, Hugo? Não parece um sonho? Eu talvez passe a *impressão* de que nunca ficamos separadas, mas ainda acordo à noite e me pergunto se tudo não é imaginação minha. Então, tenho que acender a luz, a fim de olhar para Jess, deitada na cama ao lado, e certificar-me de que é tudo verdade.

— Como está ela?

— Muitíssimo bem. Com capacidade para uma rápida recuperação. Talvez surjam problemas mais tarde. Físicos ou psicológicos. Até agora, no entanto, ela parece ter reagido com pleno sucesso.

— Onde Jess está agora?

— Bob a levou ao zoológico. Ela queria ver os crocodilos.

— Lamento não a ter encontrado.

— Logo estarão de volta. Fique até eles chegarem.

— Não posso. Fui convocado para uns drinques com o comandante-em-chefe, e, se chegar atrasado, posso pegar uma corte marcial.

Nesta altura, os dois foram interrompidos por Thomas, caminhando ao longo da varanda com a bandeja do chá. Hugo esticou-se para diante, puxou uma mesa, e Thomas, com sua costumeira formalidade, depositou a bandeja, fez uma mesura e retirou-se.

Depois que ele se foi, Judith disse:

— Sei que Bob contou a você tudo sobre Jess, sobre o campo em Java etc., mas não lhe contou sobre Gus Callender.

— Quem é Gus Callender? Quer que eu seja bonzinho e lhe sirva o chá?

— Por favor. Obviamente, ele *não* lhe contou. Foi, simplesmente, a coisa mais extraordinária, Hugo. Tudo acontecendo no mesmo dia. Na manhã do mesmo dia quando fomos informados de que Jess estava viva. Está a par daquele navio-hospital, o *Orion*? Com os homens que tinham estado construindo a estrada de ferro de Burma?

— Claro que estou. O navio ficou aqui por um dia, tendo partido no fim dessa mesma tarde.

— Bem, fui dar as boas-vindas aos rapazes que vinham em terra...
— Hugo estendeu-lhe a xícara e o pires, ela aspirou o perfume do chá da China e o odor picante do limão, mas estava quente demais para ser bebido, e então deixou que repousasse em seu colo. — ... e lá estava aquele homem, capitão nos Gordon Highlanders...

Judith relatou o bizarro encontro. Sua crença de que Gus estava morto e a súbita descoberta dele vivo. A ida de ambos ao "Galle Face Hotel"; o comovente encontro com o velho garçom; a garrafa de uísque Black & White. Ela lhe falou sobre a aparência de Gus, sobre como estava vestido e como, por fim, o colocara em outro táxi, rumo ao Forte e ao navio-hospital; a despedida dos dois.

— ... e então vim para cá, mas mesmo antes de entrar em casa, Bob já surgia na porta e me dizia que Jess estava viva. Duas pessoas que julguei desaparecidas para sempre! Tudo no mesmo dia! Não é uma coisa estranha, Hugo?

— Absolutamente espantosa — disse ele, e era sincero.

— O único porém é que não fico tão feliz a respeito de Gus como estou sobre Jess. Os pais dele já eram idosos, e morreram enquanto ele estava aprisionado e trabalhando na construção da estrada de ferro. Em Rangum, contaram a Gus que seus pais haviam falecido. Ele não tem mais nenhum parente no mundo. Era filho único. Acredito que seu regresso seja desolador, quando voltar à Escócia.

— Onde ele mora?

— Em algum lugar de Aberdeenshire. Não sei ao certo. Nunca o conheci muito bem. Ele era amigo de amigos meus, na Cornualha. Passou com eles o verão de antes da guerra. Foi onde o conheci e, desde então, nunca mais pus os olhos em cima dele. Até tornar a vê-lo, em pé, lá no "Gordon's Green".

— Ele tem um lar para onde voltar?

— Tem. Creio que é algo como uma imensa propriedade. E lá, certamente, parecia haver muito dinheiro. Ele estudou em Cambridge, e antes disso, em Rugby. Além do mais, dirigia um Lagonda muito elegante, de alta potência.

— Dá a impressão de que ele ficará bem.

— Sim, mas as *pessoas* importam, não é mesmo? Parentes, amigos...

— Se ele serviu em um regimento escocês, estará cercado de amigos.

— Espero que sim, Hugo. Sinceramente, é o que mais desejo.

O chá de Judith havia esfriado. Ela ergueu a xícara e tomou alguns goles, sentindo-se aquecida, mas também refrescada, tudo ao mesmo tempo. Ainda pensando em Gus, falou:

— Mesmo assim, eu *devo* manter contato com ele.

— E para quem — perguntou Hugo — *você* está regressando?

Ela deu uma risada.

— Para uma casa adorável, cheia de mulheres.

— E Jess?

— Mais cedo ou mais tarde, terá de ir para a escola. Talvez mais tarde. Ela merece algum tempo para instalar-se, adaptar-se, divertir-se um pouco.

— Amigos e família?

— Naturalmente.

— Nenhum pretendente apaixonado, esperando para reclamar você? Esperando para enfiar uma aliança em seu dedo?

Às vezes era difícil saber se Hugo estava ou não brincando. Judith olhou para o rosto dele, e viu que falava sério.

— Por que pergunta?

— Porque se houvesse, eu diria que ele era um felizardo.

Ela pegou sua xícara com o pires, depois inclinou-se e colocou tudo sobre a mesa.

— Hugo, eu seria capaz de odiá-lo, se por acaso pensasse que o usei, simplesmente.

— Eu jamais pensaria tal coisa. Aconteceu apenas que estava por perto, quando você enfrentava um dia ruim. Só desejava que houvéssemos tido mais tempo juntos.

— Já falamos sobre tudo isso antes. Não creio que fizesse qualquer diferença.

— É. Provavelmente não faria.

— Entretanto, isto não significa que não tenha sido o *máximo*. Conhecer você, e todas as coisas que fizemos juntos. E, com a guerra terminada, saber que ela não exterminou todas as coisas frívolas, triviais e divertidas que as pessoas *costumavam fazer* antes de tudo começar. Como "Só tenho amor para dar-lhe, meu bem", dançar ao luar, usar um vestido novo e quase morrer de rir da terrível Moira Burridge. Sou muito grata, sinceramente. Não posso imaginar mais ninguém que trouxesse tudo isso de volta, que tornasse tais coisas novamente reais, tão agradavelmente.

Hugo esticou o braço e segurou a mão dela.

— Quando eu voltar para a Inglaterra — seja lá quando for — poderemos encontrar-nos?

— Naturalmente. Você deve ir visitar-me na Cornualha. Sonho com uma casa bem perto do mar. Poderá passar o verão lá. Sozinho ou com alguma estonteante companheira. No correr do tempo, levará sua esposa e filhos, e todos iremos encher baldes de areia na praia.

— Gosto disso.

— De que você gosta?

— De claras intenções.

— Não desejo ficar grudada a você, Hugo. Nosso relacionamento nunca foi desse tipo. Entretanto, também não quero perdê-lo.

— Como poderei encontrá-la?

— Através da lista telefônica. Dunbar, Dower House, Rosemullion.

— Se eu telefonar para você, promete não dizer, "Quem, raios, é você?"

— Prometo. Afinal, creio que eu jamais diria tal coisa.

Ele ficou lá por mais algum tempo e eles continuaram conversando, sobre nada em particular. Por fim, Hugo olhou para seu relógio e disse que era tempo de ir andando.

— Preciso dar alguns telefonemas, escrever uma carta e apresentar-me ao comandante-em-chefe pronto para funcionar a contento, e cinco minutos antes da hora marcada.

— Quando será isso?

— Às seis e meia. Coquetéis. Ocasião de pompa e circunstância. Nada menos do que lorde e *lady* Mountbatten.

— Moira Burridge estará lá?

— Que os céus não permitam!

— Dê-lhe lembranças minhas.

— Se você não tomar cuidado, darei a ela seu endereço na Cornualha, acrescentando que mal pode *esperar* para tê-la como hóspede.

— Faça isso, e eu o mato!

Judith acompanhou-o até a porta, depois desceu a escada até onde o carro dele ficara estacionado, no caminho forrado de cascalho. Hugo virou-se para ela.

— Adeus.

— Adeus, Hugo.

Beijaram-se. Em ambas as faces.

— Foi maravilhoso.

— Sim. Maravilhoso. E muito obrigada.

— Estou satisfeito, tão satisfeito por tudo ter dado certo para você!

— Ainda não deu certo, Hugo — disse ela — mas é um começo.

"The Queen of the Pacific"
Mediterrâneo

Sexta-feira, 12 de outubro de 1945

Prezado Gus

Estou sentada em um convés de recreio, cercada por bandos de crianças aos gritos e mães perturbadas, além de um grande número de aviadores absolutamente entediados. Nada há onde sentar-nos, de modo que estamos todos agachados no convés, como um punhado de refugiados, ficando mais sujos a cada dia que passa, porque há escassez de instalações sanitárias!

Entretanto, devo explicar. É mais fácil começar pelo momento em que me despedi de você, diante do "Galle Face". Ao chegar em casa nesse dia, Bob (meu tio, o contra-almirante Somerville) me disse que minha irmã mais nova, Jess, havia sido encontrada em um campo de internação, em Java. Primeiro você, e depois ela! Um dia de milagres. Pensando em uma caça aos faisões, Bob disse que fora um tiro com espingarda de dois canos.

Ela agora está com quatorze anos. Veio de Jacarta a Colombo em um Dakota da Força Aérea americana. Eu e Bob fomos esperá-la no posto aéreo de Ratmalana. Ela está muito magra e queimada de sol. Em breve chegará à minha altura. O principal é que se encontra bem.

Em vista disso, tivemos uma semana de tremendos preparativos, cujo desfecho é que agora estamos ambas a caminho de casa. Consegui uma dispensa por morte de familiar e voltaremos juntas para Dower House.

Tenho pensado tanto em você... A esta altura, talvez já esteja de volta à Escócia. Estou enviando esta para o endereço que me deu e porei a carta no correio quando chegarmos a Gibraltar.

Foi a coisa mais maravilhosa tornar a encontrá-lo e poder-mos passar algum tempo juntos. Lamentei muitíssimo ter de contar-lhe que Loveday estava casada. Compreendo perfeitamente que, por causa dela, durante algum tempo você talvez não queira voltar à Cornualha. Entretanto, quando estiver de novo instalado em Ardvray e após recolher outra vez os fios de sua vida, é possível que pense diferente. Quando isto acontecer, saiba que a mais calorosa acolhida estará à sua espera. Não falo apenas de mim, mas também de Nancherrow. Apenas, venha. E não esqueça seu caderno de desenhos!

Por favor, escreva para mim, conte-me como estão indo as coisas e quais são os seus planos.

Com todo o meu afeto,

Judith

---

*Dower House,
Rosemullion*

Domingo, 21 de outubro
DIA DA BATALHA DE TRAFALGAR

Meu querido Bob
Elas estão em casa. Sãs e salvas. Aluguei um enorme táxi e, na sexta-feira, fui apanhá-las quando desembarcassem do Riviera, em Penzance. O trem chegou à estação, e lá estavam elas na plataforma, cercadas por pilhas de bagagens. Penso que nunca fiquei tão feliz em toda a minha vida.

Ambas estavam com boa aparência, embora cansadas e algo emaciadas. Jess em nada faz lembrar a garotinha gorducha e mimada que esteve conosco em Keyham, naquele Natal. A exceção são aqueles olhos azuis, tão brilhantes como sempre. Ela tem falado muito sobre você e sobre o pouco tempo passado em Colombo, na sua companhia.

O mais comovente foi quando ela tornou a ver Phyllis. No momento em que o táxi chegou à Dower House. Phyllis e Anna, com Morag em seus calcanhares, saíram da porta para receber-nos. Ninguém havia dito nada a Jess, porém mal ela pousou os olhos em Phyllis, desceu do táxi antes mesmo que ele parasse, e atirou-se nos braços dela. Penso que Anna ficou um pouco enciumada, porém Jess tem-se mostrado particularmente simpática com ela; segundo nos contou, passava muito do seu tempo nos campos de prisioneiros ajudando a cuidar das crianças menores.

Judith mostrou-me a carta daquela bondosa jovem australiana que cuidou de Jess, quando ambas foram internadas nos campos. As duas devem ter passado o diabo juntas, e estou certa de que, cedo ou tarde, Jess começará a falar de suas pavorosas experiências. Também tenho certeza de que, quando tocar neste assunto, será com Phyllis.

Esta manhã fui à igreja e disse OBRIGADA, MEU DEUS.

Agora é domingo à tarde, um friorento dia de outubro, as árvores estão sem folhas, chove de vez em quando e sopra um vento cortante. Judith levou Jess a Nancherrow para um chá no quarto de brinquedos com todos eles, além de Loveday e Nat. Há cerca de uma hora, as duas se foram andando, embrulhadas em capas de chuva e com botas de borracha. Devemos comprar uma bicicleta para Jess, na primeira oportunidade. Trata-se de algo realmente essencial, porque só recebemos uma colher de chá de gasolina por semana, e o carro de Judith continua sobre calços na garagem e totalmente fora de uso, até ela conseguir sua própria ração de combustível.

Estamos um pouco espremidas na casa, porém sem perda de conforto. Anna agora dorme no quarto da mãe, e seu quarto ficou para Jess. Entretanto, creio ser chegado o momento de eu voar deste ninho e começar a construir outro só para nós dois. Vi uma casa encantadora em Portscatho a semana passada: três quartos e dois banheiros, não na aldeia, mas sobre a colina, com vista para o mar. Fica a menos de um quilômetro do mercado da aldeia, e a uns três de Saint Mawes. (Com ancoradouro para seu barco?) Está em excelente estado e, se quiséssemos, pode-

ríamos mudar-nos para lá amanhã mesmo. Assim, estou pensando em fazer uma oferta e comprá-la. Outro dia falei com Hester Lang por telefone, e ela prometeu vir ficar comigo, para ajudar na mudança. Quero estar com tudo instalado e pronto para o seu regresso, quando então ficaremos juntos novamente.

Quanto a Phyllis, a grande novidade é que Cyril resolveu continuar na Marinha, em uma base regular. Ele se deu realmente bem, agora é suboficial, com uma folha de serviço excelente em tempo de guerra e uma Medalha de Bons Serviços, por intrepidez. Acho muito importante que tenhamos Phyllis instalada. Com o desaparecimento de Molly, sinto-me um pouco responsável por ela, após todos estes anos em que moramos juntas e plenamente felizes. Isso dependerá de quanto Cyril conseguir poupar de seu soldo, mas os dois devem ter sua própria casa, um lugar onde ele ficar, quando estiver de férias. Talvez uma casinha em Penzance, de parede e meia com outra. Se for cara demais para os recursos deles, será que não poderíamos ajudar um pouco? Estou certa de que Judith ajudaria, mas ela agora tem de pensar em Jess, nos estudos da irmã etc. Só conversarei com ela a respeito depois que parte do excitamento extinguir-se.

Bem, creio que já disse tudo. Se não parar agora, acabarei perdendo o correio de hoje. Procure imaginar-me, chapinhando na chuva colina abaixo, para colocar esta carta na caixa de correspondência. Levarei Morag comigo, para fazer um pouco de exercício. Ela agora está envelhecendo, mas fica num assanhamento incrível, caso a gente sussurre a palavra "passear".

Bob querido, como nós temos sorte! Agora, mal posso esperar pelo seu regresso ao lar. Não demore muito.

Todo o meu amor, como sempre.

Biddy

— Eu tinha esquecido o quanto esta estrada é comprida.

— Parece que estamos nela há séculos.

— É porque estamos caminhando. De bicicleta, nem se percebe a distância.

A alameda de carros que levava a Nancherrow parecia um pouco descuidada, cheia de depressões e poças, com as margens relvadas começando a ficar invadidas por ervas daninhas. As hidrângeas há muito estavam abandonadas, suas flores acastanhadas e secas, murchas pela umidade dos aguaceiros que o mar soprava e continuara soprando durante a tarde. Bem no alto, os galhos das árvores estavam pelados, agitando-se ao vento, e além deles ficava o céu pálido, manchado de nuvens cinzentas e pejadas de chuva.

— Na primeira vez que vim a Nancherrow, a alameda era tão comprida e sinuosa que, na minha imaginação, a casa seria absolutamente fantasmal, quando finalmente chegássemos a ela. Entretanto, não foi nada disso. É uma casa nova. Você verá. Mais tarde, quando li *Rebecca*, lembrei-me de Nancherrow, de quando vi tudo aquilo pela primeira vez.

— Eu nunca li *Rebecca*.

— Você não teve muita oportunidade, mas que prêmios lhe foram reservados! Montes de prêmios. Vou alimentá-la de livros, como alimentamos Morag com ração para cães.

— Quando era pequena, tive um livro de que sempre me lembro. Foi um presente de Natal. Era enorme, colorido, cheio de retratos e histórias. Gostaria de saber o que foi feito dele...

— Deve ter ficado embalado, suponho. Com todos os nossos outros pertences. Caixotes deles. Precisaremos retirá-los do depósito onde se encontram. São coisas que pertenceram a mamãe. Enfeites e porcelanas. Será como abrir uma caixa de Pandora...

As árvores rareavam. Estavam quase chegando. Fizeram a última curva da alameda e a casa surgiu diante delas, mas aproximava-se uma pancada de chuva que, como uma cortina cinzenta, escondia a vista do mar. Elas pararam e ficaram olhando, por um momento, os impermeáveis escorrendo, os cachecóis que tinham enrolado no pescoço sacudindo as pontas ao vento.

Jess disse então:

— Ela é mesmo *grande*!

— Eles precisavam de uma casa grande. Tinham três filhos, muitos empregados e bandos de amigos, sempre vindo hospedar-se aqui. Eu

tive um quarto só para mim. O quarto rosa. Mostrarei a você, depois do chá. Vamos, ou ficamos encharcadas novamente.

Elas correram pela alameda de cascalho e alcançaram o abrigo da porta da frente no momento exato em que a chuvarada caiu. Ali, elas deixaram as capas de chuva e tiraram as botas de borracha. Em seguida, Judith abriu a porta interna e, com pés calçados em meias curtas, ela e Jess entraram no saguão.

Sem mudanças. Exatamente como antes. O mesmo cheiro. Estava algo friorento, talvez, a despeito dos troncos que queimavam na enorme lareira, mas um arranjo de crisântemos e folhagens de outono, vívidos como chamas, erguia-se no centro da mesa redonda, onde ainda jaziam as coleiras dos cachorros, o Livro de Visitantes e a pequena pilha de correspondência, esperando ser recolhida pelo carteiro.

Nenhum som. Apenas o tique-taque do velho relógio.

— Onde está todo mundo? — cochichou Jess, parecendo um tanto temerosa.

— Não sei. Vamos ver. Primeiro no andar de cima.

No patamar do meio, ouviram os rumores indistintos do rádio do quarto de brinquedos, flutuando ao longo do corredor. A porta para lá estava entreaberta. Judith empurrou-a suavemente e viu Mary, ocupada com uma pilha de roupa para passar. Chamou-a pelo nome.

— Oh, *Judith*! — O ferro de passar foi solto com um baque, e os braços robustos de Mary se abriram para ela. — Não posso acreditar que você voltou para nós! E que realmente está *aqui*! Ficou longe tanto tempo. E esta é Jess? Olá, Jess, é maravilhoso conhecer você. Oh, mas vejam suas cabeças, estão ensopadas. Vieram andando, não foi?

— Viemos. Fizemos todo o trajeto a pé. Só temos uma bicicleta. Onde está Loveday?

— Logo estará aqui. Virá caminhando de Lidgey, com Nat. Precisou ajudar Walter a prender dois bezerros no estábulo.

— Como está Nat?

— Mais travesso do que nunca.

Mary tinha um pouco mais de grisalho nos cabelos e mais algumas linhas no rosto. Também emagrecera, mas, de um modo curioso, isso lhe ficava bem. Havia cerzidos em seu cardigan azul e a gola da blusa mostrava sinais de muito uso, mas ela continuava cheirando a sabonete Johnson para bebê e a roupa recém-passada.

960

— Já esteve com a sra. Carey-Lewis?

— Não. Viemos diretamente ao andar de cima, para ver você.

— Então, agora vamos descer e comunicar a ela que estão aqui.

Parando apenas para desligar o ferro de passar, depois o rádio, e colocar mais uma acha em seu pequeno fogo da lareira ("É uma bênção termos muitas árvores neste lugar, pois do contrário estaríamos todos morrendo de frio"), Mary saiu com elas do quarto de brinquedos, desceu a escada e seguiu pelo corredor até a porta da pequena sala de estar. Bateu de leve na porta, abriu uma fresta, e assomou com a cabeça.

— Alguém deseja *vê-los*! — exclamou e, dramaticamente, escancarou a porta.

E lá estavam eles, sentados a cada lado da lareira, Diana com sua tapeçaria, e o coronel com o *Sunday Times*. Aos pés dele, o velho Tiger dormia, mas Pekoe, que estivera cochilando no sofá e agora suspeitava de ladrões, ficou imediatamente atento e soltou uma cacofonia de latidos. Diana ergueu os olhos, tirou os óculos, deixou o bordado a um lado e ficou em pé.

— Quieto, Pekoe! É apenas Judith. É *Judith*! — Privado de seu prazer, Pekoe afundou novamente nas almofadas, com expressão contristada. — Judith! Oh, meu bem! Parece que foram mil anos! Venha cá e deixe-me abraçá-la. — Diana continuava esbelta, alta e encantadora como sempre, a despeito de seu cabelo cor de trigo maduro ter esmaecido para prateado. — Você voltou, minha preciosa terceira filha! E está com uma aparência simplesmente fascinante! E trouxe *Jess*. Jess. Eu sou Diana Carey-Lewis. Ouvimos tanta coisa sobre você, e esta é a primeira vez que nos vemos...

Liberada do abraço de Diana, Judith virou-se para o coronel, que agora estava de pé, esperando pacientemente a sua vez. Ele sempre aparentara ser mais velho do que o era em realidade, mas agora o tempo parecia tê-lo agarrado. E também as roupas, que pendiam frouxas e surradas em seu corpo magro — um velhíssimo paletó de *tweed* e desbotadas calças de veludo cotelê que, nos velhos tempos, ele não usaria nem para ser visto morto.

— Minha querida. — Formal e, como sempre, um pouco acanhado. Tomou as mãos de Judith nas suas e beijaram-se. — Como estamos felizes por tê-la em casa novamente!

— Não tanto como eu, por estar aqui. — Tiger agora, sempre cortês, conseguira adotar uma postura sentada, e Judith inclinou-se para acariciar-lhe a cabeça. Depois disse, com tristeza: — Ele está ficando velho...

Também Tiger envelhecera. Não estava gordo, mas pesado e artrítico, com o focinho inteiramente grisalho.

— Nenhum de nós parece mais jovem, em absoluto. Eu deveria começar a procurar outro filhote Labrador, mas de certo modo fico sem coragem...

— Edgar. Querido, precisa dizer "olá" para Jess.

Ele estendeu a mão.

— Como vai, Jess? Devo apresentar-lhe meu cão, Tiger. Esta é Jess, Tiger. — Ele sorriu, era aquele sorriso gentil e sedutor a que criança nenhuma resistia. — Você veio de bem longe, hein? O que acha da Cornualha? Chove sempre assim o tempo *todo*?

— Na verdade — disse Jess — eu me lembro da Cornualha.

— Por Deus, é mesmo? Faz um bocado de tempo, não é verdade? Por que não nos sentamos e você me fala sobre isso... aqui, nesta banqueta junto do fogo... — Ele empurrou algumas revistas e jornais para um lado. — Que idade você tinha quando partiu?

— Quatro anos.

— Oh, eu não sabia que já tivesse essa idade. Bem, claro que deve ter lembranças daqui. Eu me lembro de coisas acontecidas quando tinha dois anos. Sentado em minha cadeirinha, com uma outra criança enfiando-me um pedaço de biscoito amanteigado na boca...

Neste momento, Mary ergueu a voz ligeiramente para anunciar que ia colocar a chaleira no fogo para o chá, e todos concordaram ser uma excelente idéia. Depois que ela se foi, Diana afundou em sua poltrona, e Judith sentou-se na ponta do sofá não ocupada por Pekoe.

— Meu bem, que contratempos enfrentou... Parece mais magra. E terrivelmente elegante. Está tudo bem com você?

— Claro, está tudo bem.

— Loveday anda ansiosa para vê-la e mostrar-lhe seu menino levado. Ela e Nat estarão aqui dentro em pouco. E a pequena Jess! Que garota corajosa! Viver tais experiências... Biddy telefonou para cá, assim que recebeu o cabograma de Bob. Já nos tinha contado que...

— Percebendo a tempo o que ia dizer e que Jess podia ouvir, ela interrompeu a frase. Olhou de relance para Jess, sentada de costas para elas, conversando com o coronel. Falou, muito baixinho, mal movendo a boca *Jess estava morta.* Judith assentiu. — ... e, depois, *ouvir a notícia.* Ficar sabendo que não era verdade. Você deve ter quase morrido de alegria.

— Sim, foi muitíssimo excitante.

— E, meu bem, ficamos tão tristes sobre seus pais! ... Inacreditável. Eu ia escrever, mas você não me deu tempo. Biddy me contou todas as coisas terríveis, mas antes que eu pudesse pousar a pena no papel, soubemos que você estava voltando para casa. Que espécie de viagem fez?

— Aquilo mal podia ser considerado uma viagem. Seria melhor dizer uma prova de resistência. O navio estava superlotado. O refeitório era servido em três turnos, para que todos pudessem comer. Você bem pode imaginar...

— Uma coisa pavorosa... Por falar em refeições, os Nettlebed deixaram lembranças e disseram que logo virão vê-la. Eles agora têm o domingo inteiro de folga e foram a Camborne visitar um parente idoso, em uma casa de repouso. Não foi um paraíso, voltar para a Dower House? O jardim não está lindo? Dei algumas mudas de plantas a Phyllis...

Cheia de excitamento, Diana continuou tagarelando. Judith tentou dar a impressão de que ouvia, mas sua mente estava longe. Ela pensava em Gus Callender. Seria aquele o momento de contar a Diana e ao coronel que ele estava vivo? Não, decidiu, não era. Loveday é que devia ser a primeira pessoa a saber, e em particular. Mais tarde, ainda nesse dia, em algum lugar, haveria de contar para ela.

— ... onde Jess está dormindo?

— No quarto de Anna. Há espaço de sobra. Anna foi para o quarto de Phyllis. Apenas por enquanto.

— E que planos fez para Jess?

— Penso que terei de visitar a srta. Catto, a fim de saber se ela a aceita no Santa Úrsula.

— Oh, meu bem, é claro que ela vai aceitar! Não é extraordinário como a vida completa um círculo? Oh, onde está minha cabeça? Não lhe contei sobre Athena. Ela vai ter outro bebê. Creio que nascerá na primavera. Que excitante! Sinto uma falta deles terrível, quando partem de volta. A casa fica inteiramente vazia sem uma criança...

Mal ela havia dito a última frase, e foi como uma *deixa* para ouvirem os tons agudos de Nathaniel Mudge, aproximando-se pela cozinha, e em irada discussão com a mãe.

— Eu não quero tirar minhas botas!

— Vai ter que tirar. Estão cobertas de lama.

— Elas *não* estão cobertas de lama!

— Estão. Você espalhou lama por todo o chão da cozinha. Agora, venha cá...

— Não...!

— Nat...!

Um uivo. Evidentemente, Loveday o agarrara e lhe tirava as botas à força.

— Oh, céus! — disse Diana, em voz fraca.

Um momento mais tarde, a porta foi bruscamente escancarada, e seu neto irrompeu na sala, privado das botas, as bochechas rubras de indignação e o lábio inferior espichado para diante como uma prateleira.

— O que significa tudo isso? — perguntou Diana.

Nat replicou prontamente, com objetividade.

— Mamãe me tirou as botas. São botas novas. Elas são vermelhas. Eu queria *mostrar* elas pra vocês.

Diana tentou aplacá-lo, dizendo carinhosamente:

— Nós veremos suas botas qualquer outra hora.

— Eu quero que vocês vejam elas *agora*!

Judith levantou-se do sofá. Ao erguer-se, Loveday surgiu na porta aberta. Sua aparência continuava a mesma de sempre, uma adolescente mal ajambrada, de maneira alguma parecendo a mãe daquela impetuosa criança de três anos. Usava calças compridas, um velho pulôver e soquetes vermelhas. Os cabelos ainda lhe pendiam da cabeça em cachos escuros e lustrosos.

Houve uma pausa, enquanto elas simplesmente ficavam paradas, uma sorrindo para a outra. Então:

— Ora vejam só quem está aqui! — exclamou Loveday. — Céus, como é bom ver você! — As duas encontraram-se, abraçaram-se e beijaram-se superficialmente, do jeito como sempre tinham feito. —

Lamento estar um pouco atrasada, mas... Nat, não ponha seus dedos perto do olho de Pekoe! Sabe que não pode fazer isso.

Nat encarou a mãe com desafiantes olhos castanhos, e Judith, apesar de todas as suas boas intenções, dissolveu-se em gargalhadas.

— Você parece ter encontrado sua forma!

— Oh, ele é um terror. Não é, Nat? Você é um docinho, mas também um terror.

— Meu pai diz que eu sou um pestinha — informou Nat, a todos em geral.

Então, dando pela presença de Jess, mais uma estranha ali dentro, ficou olhando para ela fixamente, sem piscar. Claramente divertida, ela disse:

— Olá.

— Quem é você?

— Eu sou Jess.

— O que está fazendo aqui?

— Vim para o chá.

— Nós trouxemos biscoitos de chocolate na minha sacola, mamãe e eu.

— Você vai me dar um?

Nat considerou a sugestão. Depois disse:

— Não. Vou comer eles todos sozinho.

Ele então trepou no sofá e começou a dar saltos no assento. Por um momento, a impressão foi de que a tarde inteira se tornaria uma total confusão, mas Mary retornou prontamente, a fim de salvar o dia. Comunicou que o chá estava na mesa, e agarrou Nathaniel com seus braços fortes, em pleno no ar e no meio de um dos saltos do menino, em seguida carregando-o dali entre guinchos — que se esperava fossem de contentamento — em direção à sala de refeições.

— Ela é a única pessoa — disse Loveday, com uma espécie de desesperançado orgulho — que consegue fazer alguma coisa com ele.

— E quanto a Walter?

— Oh, Walter é pior do que o filho. Venha, mamãe, vamos comer.

Assim, foram todos para a sala de refeições, o coronel parando para colocar a grade de proteção diante da lareira, depois seguindo por último. A mesa para o chá estava posta, ostentando todos os recordados petiscos do quarto de brinquedos, de sanduíches de geléia e de queijo a um bolo de frutas em forma de anel e aos biscoitos de chocolate, fornecidos por Loveday.

Era uma mesa muito menor do que a recordada por Judith, dos velhos tempos. Todas as tábuas extensíveis tinham sido removidas, e o que permanecia tinha uma aparência estranhamente diminuta e inadequada no meio da enorme sala formal. Não havia mais as pesadas toalhas brancas adamascadas e, em seu lugar, achavam-se as humildes mas práticas toalhas de linho, axadrezadas em branco e azul. Sendo um chá de quarto de brinquedos, Mary sentou-se em uma extremidade da mesa, incumbida do enorme bule de chá castanho (Judith recordou que toda a prataria tradicional havia sido encaixotada, no início da guerra), e tendo Nat ao seu lado, sentado em uma cadeirinha alta. A princípio, ele não queria sentar-se na cadeirinha. A cada vez que era posto nela, escorregava para fora, até finalmente Mary o fazer sentar-se com tal baque no traseiro, que ele entendeu o aviso e ficou onde estava.

O coronel ocupava a outra extremidade da mesa, de frente para Mary, com Jess à sua esquerda.

— Gostaria de um sanduíche de geléia ou de queijo? — perguntou polidamente a Jess.

Ela respondeu que preferia de geléia, enquanto Nat batia com uma colher na mesa, anunciando para todos os reunidos que o que ele queria, e queria já, era um biscoito de chocolate.

Por fim ele foi silenciado, alimentado com um sanduíche de queijo, o pandemônio aquietou-se e a conversa normal pôde prosseguir. Mary serviu o chá. As xícaras foram passadas em torno. Cordial e fascinante, sempre a perfeita anfitriã, Diana virou-se para Jess.

— Bem, Jess, precisa contar-nos todas as coisas formidáveis que você e Judith planejam fazer, agora que estão novamente em casa. Qual vai ser a primeira?

Com todos os olhos voltados em sua direção, Jess ficou um pouco embaraçada. Engoliu apressadamente o pedaço de sanduíche de geléia que tinha na boca, e disse:

— Na verdade, ainda não sei.

Através da mesa, seus olhos encontraram os de Judith, em um claro pedido de ajuda.

— Que tal a bicicleta? — sugeriu Judith.

— Oh, sim! Vamos comprar uma bicicleta para mim.

— Talvez só encontrem de segunda mão — avisou Diana. — Tem sido muito difícil consegui-las novas. Como os carros. Não se pode comprar um carro novo hoje em dia, e os usados custam mais caro do que os novos. Bem, e o que mais? Não pretendem ir dar uma espiada na sua antiga casa em Penmarron? Aquela onde moravam?

— Nós pensamos em tomar o trem qualquer dia. E também em ir a Porthkerris.

— É uma boa idéia.

— Não vamos poder entrar na casa. Em Riverside, quero dizer, porque outras pessoas moram lá agora. — Sem ser interrompida, e com todos eles ouvindo gentilmente interessados, o súbito ataque de timidez de Jess morreu de morte natural. — Mesmo assim, achamos que podíamos olhar a casa. E também ir e ver...

Jess havia esquecido o nome. Tornou a virar-se para Judith.

— A sra. Berry — recordou-lhe Judith. — Na loja da aldeia. Ela costumava dar jujubas de fruta para você. E talvez façamos uma visita ao sr. Willis, perto das balsas. Entretanto, ele era amigo *meu*. Acho que nem conhecia Jess.

— Você vai gostar de Porthkerris, Jess — disse o coronel. — É um lugar cheio de barcos, de artistas e de ruelas engraçadas.

— E dos Warren — cantarolou Loveday. — Deve levar Jess à casa deles, Judith. A sra. Warren ficaria ofendidíssima, se vocês fossem a Porthkerris e não aparecessem para um lauto chá com ela.

— O que foi feito de Heather? Há anos que não tenho notícias dela. Continua trabalhando naquele horrível lugar de espionagem?

— Não, ela foi para a América, em alguma missão com seu chefe do Ministério das Relações Exteriores. Minha última notícia dela é de que estava em Washington.

— Valha-me Deus! Ela bem podia ter-me contado...

Loveday estava partindo o bolo.

— Quem quer um pedaço de bolo de frutas?

Já tendo terminado o seu sanduíche, Jess foi presenteada com uma enorme fatia.

— Não sei quem é Heather — disse ela.

— Era amiga nossa, nos velhos tempos — explicou Loveday. — Eu e Judith costumávamos ficar com ela e sua família. No verão antes da guerra, com o sol sem parar de brilhar, fomos para lá e ficávamos o tempo todo na praia. Judith tinha acabado de comprar seu carro, e nós duas nos sentíamos *terrivelmente* adultas.

— Ela esteve na escola com vocês? — perguntou Jess.

— Não. Ela freqüentou outra escola. Nós fomos para o Santa Úrsula.

— Judith acha que eu devo ir para lá — falou Jess.

— Outra pequena noviça para o convento.

— Oh, *Loveday*! — Sentada à extremidade da mesa, atrás de seu enorme bule de chá, Mary parecia bastante irritada. — Você me deixa francamente envergonhada, quando fica dizendo essas tolices! E na frente de Jess! O Santa Úrsula é um excelente colégio. Vocês duas foram muito felizes lá. Faziam um rebuliço e tanto, mas permitiam que continuassem lá, sem dúvida.

— Ora, Mary, os uniformes! E aqueles regulamentos amalucados!

Jess começava a ficar um pouco preocupada. Percebendo isso, o coronel pousou a mão sobre a dela.

— Não dê muita importância ao que diz essa minha filha tola. O colégio é excelente, e a srta. Catto uma dama esplêndida. Precisava ser, para aturar Loveday.

— Obrigada, papai, *muito* obrigada!

— De qualquer modo — Diana estendeu a xícara para que Mary tornasse a enchê-la — as alunas não usam mais uniformes. A guerra pôs um fim nisso. Além do que, uma outra escola de meninas, de Kent, foi evacuada para o Santa Úrsula, e, em resultado, os uniformes acabaram mesmo ficando diferentes, é claro. Foi preciso montarem abrigos pré-fabricados por todo o jardim, porque não havia salas de aulas suficientes para todas as alunas.

— Elas agora não usam mais nenhuma espécie de uniforme? — perguntou Judith.

— Apenas as gravatas colegiais.

— Que alívio! Nunca esqueci aquela interminável lista de roupas que a coitada da mamãe teve de ir comprar.

— Na casa "Medways", meu bem. Foi a primeira vez que vimos você. Todas nós, comprando aqueles horríveis uniformes escolares. Não parece que foi há um século?

— Foi há um século — disse Loveday abruptamente. E acrescentou: — Tudo bem, Nat. Tudo bem. Agora, pode comer seu biscoito de chocolate.

Quando por fim o chá terminou, a molhada tarde de outubro mergulhara em escuridão. O céu estava pejado de nuvens e a chuva caía com insistência, mas ninguém se levantou para ir fechar as pesadas cortinas.

— Que bênção! — suspirou Diana. — Acabou o *black-out*. Ainda não me acostumei com a idéia de estar livre dele. De poder ficar dentro de casa e contemplar o crepúsculo, sem precisar trancar tudo. Levamos tanto tempo fazendo as cortinas de *black-out* e pendurando-as, mas precisamos apenas de três dias para arrancá-las novamente. Mary, não comece a preocupar-se com as xícaras do chá, nós as lavaremos. Leve Nat para o quarto de brinquedos, e dê a Loveday alguns momentos para ela mesma. — Ela se virou para Jess. — Talvez gostasse de subir também, Jess. Não pense que estamos querendo ficar livres de você, meu bem, mas é porque lá há um mundo de coisas que, tenho certeza, adoraria ver. Livros e coisas assim, quebra-cabeças e lindos móveis para casa de bonecas. Bem, mas não deixe Nat pôr as mãos nisso. — Jess vacilou. Diana sorriu. — É só se você quiser — disse.

— Sim, eu gostaria de ir.

Mary limpou o rosto de Nat com um guardanapo.

— Nat não gosta de móveis de casa de bonecas. Ele gosta de blocos e dos pequenos tratores, não é, docinho? — Levantando-se, ela o tomou nos braços. — Vamos, Jess. Veremos o que podemos encontrar para você.

Depois que elas se foram, a paz foi absoluta. Diana esvaziou o último resto do bule em sua xícara, depois acendeu um cigarro.

— Que menina meiga, Judith. Deve estar orgulhosa dela.

— E estou.

— Parece bem segura de si.

— Puro engano. Ela ainda está tateando seu caminho.

O coronel levantou-se e apanhou no aparador um cinzeiro para sua esposa. Deixou-o sobre a mesa, ao lado dela; Diana ergueu o rosto para ele e agradeceu com um sorriso.

— Sem lágrimas? — perguntou a Judith. — Sem pesadelos? Sem traumas?

— Não sei dizer.

— Talvez um ligeiro exame médico fosse uma boa idéia. Contudo, devo dizer que, para mim, ela parece suficientemente saudável. Por falar nisso, o velho dr. Wells apareceu outro dia para uma espiada em Nat, que tossia e estava encatarrado. Mary e Loveday ficaram um pouco preocupadas com o menino. (Nada errado, apenas um resfriado de peito.) Entretanto, ele disse que Jeremy espera ter breve uma licença, a fim de vir um pouco em casa. Há dois anos que ele não tem qualquer licença. Ficou enfurnado no Mediterrâneo todo esse tempo. Vejamos, onde mesmo...?

— Em Malta — disse o coronel.

— Eu não conseguia lembrar se era em Malta ou Gibraltar. Sabia apenas que era em *algum lugar*.

— Suponho que ele logo seja desmobilizado — disse Judith, e ficou encantada pela naturalidade de sua voz. — Levando-se em conta o fato de ter sido um dos que primeiro se alistaram.

Alheadamente, Loveday serviu-se de mais um pedaço de bolo.

— Não consigo imaginá-lo instalado em Truro, depois de todas essas alegres andanças pelos altos mares.

— Pois eu consigo — replicou Diana. — Ele faz o retrato perfeito do clínico-geral do campo, com um cão no assento traseiro do carro. Nunca chegou a encontrá-lo, Judith?

— Nunca. Sempre achei que ele poderia ir para o Leste com a esquadra. Todos os conhecidos acabavam aparecendo em Trincomalee, cedo ou tarde. Entretanto, Jeremy nunca esteve lá.

— Sempre pensei que ele terminaria casando-se. Talvez Malta não tenha muitas belezas locais. — Diana bocejou, recostou-se na cadeira e passou os olhos pelas migalhas espalhadas na mesa do chá. — Acho melhor livrar-nos disso e lavarmos a louça.

— Não se preocupe, mamãe — disse Loveday, ainda mastigando bolo. — Eu e Judith faremos isso. Somos duas coleguinhas de colégio, querendo melhorar nossas notas.

— O que foi feito de Hetty? — perguntou Judith.

— Oh, ela finalmente escapou das garras da sra. Nettlebed e foi fazer seu serviço de guerra. Servente de enfermaria, em um hospital de Plymouth. Pobre Hetty... A emenda saiu pior do que o soneto. Vocês limparão mesmo tudo isso, queridinhas? Já passa das seis horas e sempre ligamos para Athena, nos fins de tarde do domingo...

— Dê lembranças minhas.

— Farei isso.

***

Enorme e antiquada como sempre, além de um pouco mais quente do que o resto da casa, a cozinha parecia estranhamente vazia sem os Nettlebed e Hetty fazendo o barulho costumeiro na copa.

— Quem agora areia as panelas? — perguntou Judith, amarrando um avental em torno da cintura e enchendo a velha pia de argila com a água escaldante da torneira de latão.

— A sra. Nettlebed, suponho. Ou, então, Mary. Mamãe é que não faria isso, tenho certeza.

— O sr. Nettlebed ainda cuida da horta?

— Sim, ele e o sr. Mudge. Comemos montanhas de verduras, porque não há muita coisa mais. E, embora a casa esteja vazia este fim de semana, parece contar com os mesmos convidados de sempre. Mamãe adotou os intermináveis militares baseados na região, de modo que, de vez em quando, eles ainda pingam por aqui. Receio que quando encerrarem seus afazeres locais, ela irá sentir falta de toda a movimentação e dos visitantes.

— E quanto a Tommy Mortimer?

— Oh, ele ainda vem de Londres, uma vez ou outra. Com vários outros velhos colegas. Isso é uma distração para mamãe. Quando Athena e Clementina foram embora, foi terrível para ela.

Judith esguichou um líquido de limpeza na água, agitou-o até formar borbulhas e depois colocou a primeira pilha de pratos dentro da pia.

— E Walter, como está? — perguntou.

— Ele está bem.

— E a propriedade?

— Excelente.

— E o sr. Mudge?

— Continua trabalhando, mas agora o serviço está ficando pesado demais para ele.

— O que acontecerá quando ele se aposentar?

— Não sei. Suponho que eu e Walter nos mudaremos para a casa da fazenda. Trocaremos de casa ou coisa assim. Não sei.

Suas respostas eram tão lacônicas e desinteressadas, que o coração de Judith gelou.

— O que vocês fazem quando ele *não* está trabalhando? Quero dizer, costumam ir ao cinema, fazem piqueniques ou vão ao *pub*?

— Eu às vezes ia ao *pub*, porém deixei de ir depois que tive Nat. Sempre posso deixá-lo com a sra. Mudge, mas, para ser sincera, não sinto muita atração por freqüentar *pubs*. Assim, Walter vai sozinho.

— Oh, *Loveday*...

— Por que esse tom de voz tão lúgubre?

— A situação não me parece muito divertida.

— Está tudo bem. Às vezes temos amigos para jantar ou coisa assim. Só que não sou grande coisa como cozinheira.

— E quanto aos cavalos? Vocês ainda montam juntos?

— Não muito. Eu vendi Fleet, e nunca me dei ao trabalho de procurar outro cavalo. Por outro lado, agora nem temos mais caçadas de verdade, porque todos os cães de caça foram suprimidos no começo da guerra.

— Bem, mas já que a guerra terminou, talvez as caçadas recomecem.

— É. Talvez.

Loveday havia encontrado uma toalha de chá e estava enxugando pratos e xícaras com a maior lentidão, uma peça de cada vez, que depois ia depositando em pilhas, na mesa da copa.

— Você é feliz, Loveday?

Loveday pegou mais um prato para enxugar.

— Quem foi que disse que o casamento era uma gaiola de pássaros no verão, instalada em um jardim? E que todos os pássaros do ar queriam entrar nela, enquanto que as aves engaioladas queriam sair?

— Não sei.

— Você é um pássaro do ar. Livre. Pode voar para qualquer lugar.

— Não, não posso. Agora tenho Jess.

— Está querendo entrar na gaiola do verão?

— Não.

— Nenhum marinheiro apaixonado? Não posso acreditar. Não me diga que continua amando Edward!

— Edward está morto há anos.

— Sinto muito. Eu não devia ter dito isso.

— Não me incomodo por você ter dito. Ele era seu irmão.

Loveday enxugou mais dois pratos.

— Sempre achei que Jeremy gostava de você.

Judith raspou uma teimosa migalha pegajosa do bolo de frutas, aderida a um prato.

— Acho que você deve estar enganada.

— Vocês mantêm contato? Os dois se correspondem?

— Não. A última vez que estive com ele foi em Londres, no começo de 1942. Pouco antes de Cingapura. Depois disso, nunca mais o vi nem tive notícias.

— Vocês brigaram?

— Não. Não brigamos. Penso que, simplesmente, decidimos seguir caminhos separados.

— Eu gostaria de saber por que ele nunca se casou. Deve estar com bastante idade agora. Uns trinta e sete anos. Suponho que, quando ele voltar, seu pai irá aposentar-se. Então, Jeremy ficará responsável por todas os calos e bolhas destas redondezas.

— Exatamente o que ele sempre quis.

O último prato, depois o bule. Judith puxou o tampão do ralo e espiou a água espumada ir desaparecendo pelo cano.

— Tarefa encerrada — disse.

Desatando o avental, pendurou-o de volta em seu cabide, depois virou-se e ficou encostada contra a borda da pia.

— Eu sinto muito.

Loveday pegou o último prato e o enxugou. Judith franziu a testa.

— Sente muito? Por quê? — perguntou.

— Por falar aquilo sobre Edward. Tenho dito coisas horríveis aos outros estes dias, mas sem ter tal intenção. — Loveday colocou o prato no alto da pilha. — Você *vai* visitar-me, não vai? Em Lidgey. Nunca viu minha curiosa casinha, depois de terminada. E eu adoro a propriedade, adoro os animais. Também adoro Nat, embora ele seja tão voluntarioso. — Ela ergueu o punho surrado da suéter e olhou para o relógio. — Santo Deus, preciso ir andando! Minha cozinha está uma verdadeira bagunça e tenho de preparar o chá de Walter, botar Nat na cama…

— Não vá ainda — disse Judith.

Loveday pareceu um tanto surpresa.

— Eu tenho que ir.

— Só mais cinco minutos. Tenho uma coisa para dizer a você.

— O que é?

— Promete ouvir, sem me interromper?

— Tudo bem. — Loveday içou-se para a mesa e ficou lá sentada, com os ombros caídos e as pernas penduradas, envoltas nas calças compridas. — Dispare.

— É sobre Gus.

Loveday gelou. Na copa de piso lajeado, resfriada pelo vento, o único som era o zumbido da geladeira e o lento gotejar de uma das torneiras de latão, cujas gotas d'água caíam dentro da pia de argila.

— O que há sobre Gus?

Judith contou-lhe.

— ... e, então, Gus falou que era hora de voltar ao navio-hospital, nós lhe encontramos um táxi e nos despedimos. Ele foi embora. Fim da história.

Loveday mantivera a palavra. Não fizera qualquer comentário e nenhuma pergunta. Apenas ficou ali sentada, imóvel como uma estátua, ouvindo o relato de Judith. Agora, ainda estava calada.

— Eu... eu escrevi para ele, no navio de tropas em que vim para cá. Postei a carta em Gibraltar, mas Gus não respondeu.

— Ele está bem? — perguntou Loveday.

— Não sei. Seu estado era bom, levando-se em conta tudo o que passou. Magro, mas, afinal, Gus nunca foi muito gordo. E um pouco abatido.

— Por que ele *não* nos contou...?

— Já expliquei. Ele não podia. Houve apenas uma carta, e foi dirigida aos pais dele, que nada sabiam sobre você, Diana ou o coronel. Mesmo que a tivessem recebido, não saberiam a quem transmitir a notícia.

— Eu tinha tanta certeza de que ele estava morto!

— Eu sei, Loveday.

— Foi como ter a convicção em cada célula do corpo. Uma espécie de vazio. Um vácuo.

— Não deve censurar-se.

— O que acontecerá a ele?

— Gus estará bem. Os regimentos escoceses são notoriamente tribais. Como uma família. Todos os amigos dele estarão por perto.

— Não quero que ele venha aqui — disse Loveday.

— Posso compreender isso. Para ser sincera, não creio que também Gus faça muita questão de vir.

— Ele acreditou que eu o esperava?

— Acreditou — disse Judith, e não havia outra resposta.

— Oh, Deus! Eu devia estar eufórica, não sentada aqui parecendo um fim de semana chuvoso.

— Também não gostei muito de contar para Gus... que você estava casada.

— Isso é diferente. Foi o fim de uma coisa. Para Gus, é o começo do resto de sua vida. Pelo menos, não está arruinado, sem posses. Existe *algo* para o que regressar.

— E você?

— Oh, eu tive tudo. Marido, filho, a fazenda. Nancherrow. Mamãe e papai. Mary. Tudo imutável. Tudo como sempre desejei. — Ela ficou em silêncio por um momento, e então perguntou: — Mamãe e papai sabem sobre Gus?

— Não. Eu queria que você fosse a primeira a saber. Se quiser, posso contar para eles agora.

— Não. Eu mesma conto. Depois que você e Jess forem embora. Antes que eu volte para Lidgey. Será melhor assim. — Loveday tornou a olhar para seu relógio. — Bem, parece que tenho mesmo de ir para casa. — Ela deslizou para fora da mesa. — Walter estará impaciente por seu chá.

— Você está bem?

— Estou. — Loveday pensou nisso, depois sorriu e, de repente, lá estava novamente a garota levada, mimada e teimosa de anos atrás. — Sim, estou ótima.

Na manhã seguinte, Diana foi à Dower House.

Era segunda-feira. Depois do *breakfast*, os poucos moradores da casa tinham se dispersado. Primeiro Anna, descendo a colina para ir à Escola Primária de Rosemullion, de mochila às costas e, no bolso, um biscoito para comer no recreio. Depois Biddy, porque era o seu dia de Cruz Vermelha em Penzance. Jess, que havia descoberto a Cabana no decorrer de algumas explorações solitárias, apaixonara-se por seu encanto, sua privacidade e sua pequenez; então, provida de vassouras e espanadores, descera o jardim correndo, disposta a uma pequena faxina.

Eram onze horas, e ela ainda não voltara. Phyllis pendurava no varal a roupa lavada da semana e, na cozinha, Judith preparava a sopa. A carcaça da galinha da véspera fervia na panela para fazer o caldo e, em pé diante da pia, ela limpava verduras, cortava alho-porro e cebola. Sempre considerara extremamente terapêutico preparar uma sopa (era um pouco parecido a montar uma pilha de coisas variadas), e a fragrância exalada durante o cozimento, condimentada com ervas da horta, era tão confortadora como o cheiro de pão acabado de assar ou o cálido odor de biscoitos de gengibre recém-saídos do forno.

Judith cortava cenouras, quando ouviu o carro subindo a colina, passar pelo portão aberto e parar diante da fachada da casa. Não esperando ninguém em particular, ela espiou pela janela e viu Diana descer do combalido furgão da peixaria, comprado no início da guerra para economizar gasolina e, desde então, utilizado para todo serviço.

Cruzando a copa, Judith saiu pela porta dos fundos. Diana falava com Phyllis sobre a sebe de escalônias que fazia a divisória entre o jardim e o relvado reservado aos varais de roupa lavada. Ela usava uma saia justa de *tweed* e um casaco frouxo, tendo no braço uma grande e antiquada cesta para compras no mercado.

— Diana!

Diana virou-se.

— Oh, meu bem, não estou incomodando, estou? Trouxe para vocês alguns legumes e ovos frescos de Nancherrow. — Ela avançou pelo caminho de cascalho, com seus elegantes e polidos sapatos. — Pensei que poderiam aproveitá-los e, ao mesmo tempo, vim conversar com você.

— Estou na cozinha. Entre e eu lhe preparo uma xícara de café — convidou Judith.

Seguiu em frente, na direção da porta dos fundos. Na cozinha, Diana deixou a cesta em cima da mesa, puxou uma cadeira e sentou-se. Judith pegou a chaleira, encheu-a e depois a colocou no fogo.

— Que cheiro divino, meu bem!

— É uma sopa. Você se incomoda, se continuo picando legumes?

— Nem um pouco. — Diana ergueu as mãos e afrouxou o nó da echarpe de seda que envolvia elegantemente seu pescoço esguio. — Loveday nos contou sobre Gus.

— Sim. Ela disse que ia contar.

— Notou se ficou perturbada, quando você lhe disse?

— Acho que ficou bastante abalada, mas sem lágrimas.

— Meu bem, lágrimas são pelos mortos, não pelos vivos.

— Loveday disse mais ou menos isso.

— É uma terrível confusão, não acha?

— Não, não acho que seja. É triste que ela fosse tão obstinada sobre Gus haver morrido, como é triste que Loveday não tivesse a confiança de esperá-lo voltar para casa. Entretanto, não é uma confusão. Apenas, eles não estão juntos. Nunca ficarão juntos. Loveday construiu a *sua* vida, e Gus terá de também construir uma para ele.

— Pelo que Loveday me contou, parece que ele vai precisar de uma pequena ajuda.

— Acho que será difícil ajudá-lo, se ele não responde às cartas e nem mantém contato conosco.

— Oh, mas Gus foi tão amigo de Edward! Somente por esse motivo, acho que devíamos todos ajudá-lo. Ele escreveu uma linda carta, quando Edward foi morto, além de enviar-nos o desenho que tinha feito dele. É o bem mais precioso de Edgar. Um retrato que diz muito mais do que qualquer fotografia. Está na mesa de Edgar, a fim de que possa contemplá-lo em cada dia de sua vida.

— Eu sei, mas não será fácil nos unirmos para ajudá-lo, se ele mora no outro extremo do país.

— Gus poderia vir e ficar conosco. Acha que eu devo escrever-lhe e pedir que venha ficar em Nancherrow?

— Não. Não creio que seja uma boa idéia. Mais tarde, talvez, mas não agora.

— Por causa de Loveday?

— Ela não o quer aqui. E mesmo que você o convide, duvido que ele venha. Pelo mesmo motivo.

— Então, o que *faremos*?

— Em breve escreverei de novo para ele, nem que seja com o fim de obter alguma espécie de resposta. Se conseguir uma reação qualquer, pelo menos saberemos em que terreno pisamos. Como ele está se saindo, como enfrenta a vida novamente, essas coisas...

— Eu e Edgar ficamos encantados com ele. Gus esteve conosco muito pouco tempo, mas simpatizamos tanto com ele...

A voz de Diana extinguiu-se. Ela suspirou.

— Oh, Diana, não adianta pensar no que poderia-ter-sido. Não faz nenhum bem ficar evocando o passado e dizendo *se apenas*...

— Você me censura?

— Eu, censurar *você*?

— Por deixá-la casar com Walter.

— Você dificilmente a impediria. Ela esperava Nathaniel.

— Nathaniel não vem ao caso. Ele poderia ter nascido e depois viver muito feliz conosco, em Nancherrow. E se as pessoas comentassem, que diferença faria? Nunca nos preocupamos com o que os outros pudessem dizer.

A água da chaleira fervia. Judith despejou pó de café no jarro, encheu-o e o deixou por um momento na parte de trás do fogão.

— Sim, mas ela queria casar com Walter.

— É verdade. E nós não apenas a *deixamos* casar com ele; de certo modo, até a encorajamos. A nossa menininha. Edward se fora, e eu não podia suportar a perda também de Loveday. Casar com Walter significava que ela continuaria perto de nós. Aliás, sempre gostamos dele, apesar de sua falta de polimento e de maneiras rudes. Edgar gostava dele porque era bom com os cavalos e por ser sempre tão solícito com Loveday, vigiando-a nos dias de caçada e ajudando-a quando ela começou a trabalhar na fazenda. Ele foi seu amigo. Sempre achei que o mais importante, em se tratando de casamento, é casar com um amigo. A paixão esfria com o tempo, mas a amizade dura para sempre. Eu realmente acreditei que eles eram o certo um para o outro.

— Existe algum motivo para supor que não sejam?

Diana suspirou.

— Não. Acho que não. Entretanto, ela só tinha dezenove anos. Talvez, se tivéssemos sido um pouco mais firmes, se lhe disséssemos para esperar...

— Diana, se você discutisse, ela apenas se mostraria mais e mais decidida a fazer prevalecer a própria vontade... porque Loveday é assim. Naquele dia em Londres, tentei argumentar com ela, quando me disse que estava noiva, somente para me arrepender de ter dito alguma coisa a respeito de seu casamento.

O café estava pronto. Judith encheu duas canecas e colocou uma diante de Diana. Do andar de cima chegou até elas um ruído trovejante, mais ou menos como um avião querendo pousar. Após ter lidado com sua roupa lavada, Phyllis agora estava ocupada em passar o aspirador de pó no patamar.

— Eu de fato pensei que funcionasse. Funcionou para mim — disse Diana.

— Não entendi.

— Edgar nunca foi a minha paixão, mas sempre foi meu amigo. Eu sempre o conheci, desde garotinha. Ele era amigo de meus pais. Eu o achava de meia-idade. Velho. Costumava levar-me ao parque e dávamos comida aos patos. E então, quando a guerra começou... A Primeira Guerra. Eu tinha dezesseis anos e estava perdidamente apaixonada por um rapaz que tinha conhecido em Eton, no Quatro de Julho. Ele fazia parte dos Coldstream Guards e partiu para a França. Depois voltou, de licença, mas é claro que teve de voltar para a França. Foi morto nas trincheiras. Eu já fizera dezessete anos. E estava grávida.

A voz de Diana não se alterou uma só vez. Ela dizia todas aquelas coisas, evocando só Deus sabia que recordações, para prosseguir de maneira tão inconseqüente, como se estivesse descrevendo um novo e fascinante chapéu.

— *Grávida?*

— Exatamente. Fui descuidada, meu bem, mas naquele tempo não éramos muito sabidas.

— O que aconteceu?

— Aconteceu Edgar. Não podendo contar a meus pais, contei a ele. Então, Edgar disse que ia casar comigo, que seria o pai do meu filhinho e que nunca, jamais, eu me preocuparia ou seria incomodada pelo resto de minha vida. — Diana riu. — Foi isso que aconteceu.

— E o bebê?

— Athena.

— Ora, mas...

Era claro que nada havia a dizer.

— Oh, meu bem, não ficou chocada, ficou? Aquele foi apenas outro tipo de amor. Jamais achei que estava *usando* Edgar. E depois de todo o torvelinho, toda a paixão, a tragédia e o desespero, estar com ele era como deslizar para um porto seguro, sabendo que nada voltaria a ferir-me novamente. E assim tem sido. É como sempre foi.

— Athena... Jamais suspeitei, nem por um segundo.

— E por que suspeitaria? Por que alguém suspeitaria? Edward foi o primeiro filho de Edgar, mas nenhuma filha foi mais amada do que Athena. Ela parece comigo, eu sei. Entretanto, possui algo do pai, que somente eu e Edgar conseguimos ver. Ele era um lindo rapaz. Alto, de olhos azuis e louro. Minha mãe costumava chamá-lo de Adônis. "Esse rapaz", ela dizia, "é um verdadeiro Adônis."

— Athena sabe?

— Não, claro que não sabe. Por que lhe contaríamos? Edgar é o seu pai. Ele sempre foi. Que curioso... Há anos que nem mesmo penso nisso. Aliás, nem sei bem por que lhe conto isso agora.

— Por causa de Loveday.

— Claro. Justificando meus atos. A história que se repete. Outra guerra odiosa, um bebê a caminho e o homem constante que surge. Um amigo. — Diana tomou um gole do café. — Nunca contei isso para alguém.

— E eu jamais direi uma palavra a quem quer que seja.

— Eu sei que não diria, meu bem. O que estou tentando dizer é que Edgar é a minha vida.

— Eu sei.

Elas ficaram em silêncio. Judith pensou em Tommy Mortimer e no enigma do íntimo relacionamento dele com Diana, algo que nunca chegara a entender direito. Agora, no entanto, a par da verdade, entendia completamente. *Edgar é a minha vida.* Entretanto, ele era mais velho, com seu modo de vida já assentado, um provinciano, de ponta a ponta. Diana perdera o seu amado, mas nunca a juventude. Ela sempre necessitara dessa dimensão extra, de Londres, concertos, festas, compras e roupas. De almoçar no Ritz. Tommy Mortimer havia sido a chave para esse outro mundo.

— Por que está tão pensativa, meu bem?

— Eu pensava em Tommy Mortimer.

— Ele nunca foi meu amante.

— Não era nisso que pensava.

— Tommy não é esse tipo de homem. Não quero dizer que ele seja *efeminado*, mas apenas e confortavelmente assexuado.

— Quando fui a Nancherrow pela primeira vez, ele estava lá... e eu não conseguia entender a situação.

— Oh, meu bem, você pensou que Edgar devia expulsá-lo pela porta da frente?

— Não exatamente.

— Tommy nunca foi uma ameaça. Edgar sabia disso. Ele era apenas uma pessoa de quem eu precisava. Então, Edgar permitia que o tivesse, porque ele é o mais doce, o mais generoso homem do mundo. Um homem que me fez muito, muito feliz! Como vê, isso realmente *funcionou* para mim. Deu certo. Daí por que pensei que também fosse dar certo para Loveday.

— Diana, a decisão foi de Loveday. Não sua.

Neste momento, foram interrompidas, talvez fortuitamente. Uma porta bateu na frente da casa, e alguém chamou:

— Judith!

— Estou aqui, na cozinha! — respondeu Judith, levantando a voz.

— Jess — disse Diana. — É incrível, mas esqueci inteiramente que ela estava aqui!

As duas começaram a rir por causa disso, quando a porta foi aberta bruscamente e Jess apareceu, um tanto descabelada e suja de teias de aranha, mas cheia de satisfação.

— Consegui dar um jeito, mas preciso de alguma coisa para limpar as vidraças. — Ela percebeu Diana, e vacilou. — Eu... eu sinto muito. Não sabia que estava aqui.

— Oh, Jess querida, não se desculpe. Passei apenas para trazer alguns ovos e legumes. O que você andou *fazendo*?

— Limpando a Cabana. Estava cheia de teias de aranha, de besouros e coisas mortas, mas limpei tudo. Também havia dois camundongos mortos no chão. Acho que estamos precisando de um gato. Temos algum produto para limpar vidraças?

— Não sei. Vou dar uma espiada.

Diana sorriu.

— Aquela casinha não é um encanto? Foi construída para meus filhos, Athena e Edward. Eles passavam horas, dias e semanas lá. Acampando e cozinhando salsichas que tinham um cheiro horrível depois de prontas.

— Quando o verão chegar, vou dormir lá. O tempo todo.

— Não se sentirá solitária?

— Levarei Morag para me fazer companhia.

— Quer café? — perguntou Judith.

Jess franziu o nariz.

— Só um pouquinho.

— Então, beba uma caneca de leite. E coma um biscoito ou qualquer coisa.

— Eu quero *limpar* as vidraças.

— Cinco minutos para um lanche revigorante, e depois poderá continuar com sua faxina.

— Oh, está bem.

— O leite está na geladeira e os biscoitos na lata. Sirva-se à vontade.

Jess foi à geladeira e tirou a garrafa do leite. Perguntou:

— Você ligou para o Santa Úrsula?

— Liguei. Temos uma entrevista com a srta. Catto amanhã à tarde.

— Você falou com ela?

— Naturalmente.

— Não vou precisar começar imediatamente, não é mesmo?

— Não, mas talvez seja matriculada em meados do período letivo.

— Quando será isso?

— Por volta de cinco de novembro.

— O Dia de Guy Fawkes — disse Diana.

Jess franziu o cenho.

— O que é Dia de Guy Fawkes? — perguntou.

— Oh, é a mais idiota comemoração de um pavoroso evento, quando então queimamos na fogueira uma efígie do pobre Guy Fawkes. Também soltamos fogos de artifício e, de um modo geral, comportamo-nos como um bando de pagãos.

982

— Parece bastante divertido.

— Você vai ficar como aluna interna ou externa?

Jess deu um de seus elaborados encolhimentos de ombros.

— Não faço a menor idéia.

Ela pegou uma caneca no aparador e a encheu de leite.

— Externa seria o melhor, talvez — disse Judith — porém há o problema do transporte e da gasolina. Os ônibus estão fora de cogitação. Talvez ela fique como interna semanal. Seja lá o que for. Ainda veremos.

Jess conseguira abrir a lata de biscoitos com certa dificuldade, nela encontrando dois exemplares. Enquanto comia o primeiro, aproximou-se e ficou recostada ao ombro de Judith. Então, disse:

— Judith, eu gostaria que você visse se encontra algo com que eu possa limpar as vidraças...

— ... e tudo vai depender — disse a srta. Catto — de como Jess estava classificada em sua escola, em Cingapura. Que idade tinha ela, quando deixou a escola?

— Onze anos.

— E não freqüentou qualquer tipo de escola desde então?

— Não houve nenhum ensino formal. Entretanto, as holandesas do campo de prisioneiros eram, em sua maioria, esposas de plantadores de chá, portanto, instruídas e cultas. Montaram classes iniciais para as crianças, porém os japoneses lhes tomaram todos os livros. Assim, suas "alunas" apenas as ouviam contar histórias, além de receberem noções de conhecimento geral e cantarem canções de aprendizado. Elas até chegaram a improvisar um ou dois concertos. Um dos garotos fez para Jess uma flauta, de um pedaço de bambu.

A srta. Catto meneou a cabeça. Disse, tristemente:

— É quase impossível imaginar-se.

Elas estavam no estúdio da srta. Catto, reservado a ocasiões tão importantes e vitais. Ali é que a diretora dera a Judith a notícia do acidente automobilístico fatal de tia Louise. Também naquele aposento é que o sr. Baines lhe tinha falado sobre o legado de tia Louise — e a vida de Judith ficara modificada e enriquecida desde então.

Eram quatro da tarde. O Santa Úrsula estava singularmente silencioso. As aulas haviam terminado às três, e todas as garotas tinham deixado o prédio em tropel, diretamente para o campo de jogos, onde corriam na lama arremessando bolas de hóquei, ou jogavam basquete. Somente uma ou duas alunas mais velhas haviam ficado para trás, estudando na biblioteca, praticando ao piano ou no violino. De muito longe, Judith e Jess podiam ouvir os sons vagos de escalas repetidas interminavelmente.

No relacionado às aparências externas, o Santa Úrsula havia mudado, e não para melhor. Os anos de guerra tinham deixado sua marca; durante todo esse tempo a srta. Catto batalhara, encarregada não de apenas um colégio, mas de dois, às voltas com os pressionantes e infindáveis problemas de espaço insuficiente, alimentos severamente racionados, *black-outs*, alertas antiaéreos, funcionários semiqualificados ou idosos e um mínimo absoluto de auxiliares para as tarefas dentro e fora do colégio.

Em resultado, tudo exibia cicatrizes bem visíveis. Os terrenos, embora não exatamente tomados pelas ervas, nenhuma semelhança tinham com os imaculadamente ordenados jardins de antes da guerra e, da janela do estúdio da srta. Catto, era possível ver-se os seis hediondos abrigos pré-fabricados que tinham sido construídos na quadra de tênis e no campo de críquete de antigamente.

Até mesmo o pequeno estúdio da srta. Catto, sempre tão arrumado, parecia algo dilapidado, com papéis empilhados sobre sua mesa de trabalho e uma velha chaleira elétrica pousada na trempe vazia. As cortinas (que Judith reconheceu) estavam obviamente nas últimas, os estofamentos frouxos e com buracos, o tapete surrado e no fio.

A srta. Catto também não se saíra muito bem. Ainda na casa dos quarenta, ela aparentava bastante mais idade. Os cabelos agora estavam totalmente grisalhos, havia linhas em sua testa e em redor da boca. Entretanto, continuava exalando a antiga aura de total competência, e seus olhos eram os mesmos de outrora — sábios e gentis, com um brilho de inteligência e de humor. Após uma hora em companhia dela, Judith não tinha uma única objeção quanto a entregar Jess aos seus cuidados.

— Creio que talvez fosse melhor ela começar pelo quarto grau iniciante. As colegas seriam um ano mais novas, porém todas formam uma turma particularmente simpática, e eu não desejaria vê-la lutando com as lições, o que poderia fazê-la perder a confiança.

— Eu a acho inteligente. Se for estimulada, não levará muito tempo para acompanhar as mais adiantadas.

Evidentemente, Jess tinha conquistado a srta. Catto. A princípio um tanto amedrontada e nervosa, ela respondera com apenas monossílabos às perguntas da diretora, mas logo relaxara e perdera o acanhamento. Em seguida, a entrevista formal transformara-se em agradável conversa, entremeada com muitos risos. Pouco mais tarde, soou uma batida à porta e uma das alunas mais velhas apareceu, dizendo que levaria Jess para mostrar-lhe o colégio. Esta aluna usava uma saia de flanela cinza e um pulôver azul-vivo, grossas soquetes brancas e sapatos de couro cru bastante confortáveis. Judith a considerou muito mais atraente do que ela e Loveday na mesma idade, quando então pareciam embrulhadas em informe *tweed* verde e meias de algodão marrons.

— Obrigada, Elizabeth, é muito gentil de sua parte. O que acha de meia hora? Assim, teriam tempo suficiente. Lembre-se de mostrar a Jess os dormitórios, o ginásio e as salas de música.

— Eu me lembrarei, srta. Catto. — A jovem sorrira. — Vamos, Jess.

As duas ainda não tinham voltado.

— ... ela tem conhecimento de algum idioma?

— Creio que um pouco de francês básico. Enfim, a esta altura é provável que já o tenha esquecido.

— Talvez precise de aulas extras. Entretanto, não queremos sobrecarregar a menina e, portanto, fiquemos no básico. Quando quer que ela comece?

— Eu gostaria de saber sua opinião.

— Eu sugeriria o mais breve possível. Depois do meio-período, possivelmente. Será a seis de novembro.

A data parecia terrivelmente próxima.

— Poderíamos discutir este ponto com Jess? Quero que ela tome parte ativa em tudo. Que se sinta tomando suas próprias decisões.

— Você tem toda razão. Assim que ela voltar, nós três formaremos um pequeno comitê. Sua irmã ficará como externa ou interna? Se ela quiser, poderá ser uma interna semanal, embora não seja um arranjo que eu recomende com freqüência. Pode ser um tanto perturbador, em particular se as circunstâncias da menina são um pouco incomuns. Enfim, esta é uma decisão que cabe a você e a Jess.

— Não creio que ela *possa* ficar como externa. Acho muito difícil, com tão pouca gasolina e tão poucos ônibus.

— Uma interna, então? Bem, depois falaremos a respeito. Quando ela terminar sua pequena excursão pelo colégio, tenho certeza de que já estará tranqüilizada, convencida de que não irá ficar encarcerada em outro terrível campo de prisioneiros.

— Vamos receber uma lista do enxoval necessário, não?

A srta. Catto sorriu.

— Ficará muito feliz em saber que essa lista foi consideravelmente reduzida. Hoje em dia mal enche uma página. Normas e regulamentos tiveram que ser abolidos. Às vezes penso que éramos terrivelmente antiquados, inclusive vitorianos, antes da guerra. A verdade é que gosto de ver as garotas usando suas próprias roupas de cores alegres. Crianças jamais deveriam ser homogeneizadas. Agora, cada uma tem sua própria identidade, sendo prontamente reconhecível. — As duas entreolharam-se, acima da mesa. — Eu lhe prometo, minha querida, que farei o possível para Jess ser feliz.

— Eu sei disso.

— E você, Judith? Como está?

— Estou bem.

— E sua vida?

— Nunca cheguei a ir para a Universidade.

— Eu sei. Aliás, sei tudo a seu respeito, porque vejo o sr. Baines de tempos em tempos, e ele me dá notícias suas. Fiquei muito abalada pelo ocorrido com sua mãe e seu pai, mas, pelo menos, você ainda tem Jess. E, muito importante, está capacitada a dar-lhe um lar. — A srta. Catto sorriu. — De qualquer modo, não se deixe afogar pela vida doméstica, Judith. Você tem um cérebro bom demais para isso, pode ter um brilhante futuro.

— Eu não poderia ir para a Universidade agora.

A srta. Catto suspirou.

— É verdade. Não supus que pudesse. Seria uma espécie de regressão. Não importa. De qualquer modo, nossa intenção era boa... Tem visto Loveday Carey-Lewis?

— Tenho.

— Ela é feliz?

— Pelo menos parece ser.

— Nunca pude imaginar, ao certo, o que seria feito de Loveday. Em geral consigo captar o padrão, a direção da vida de uma criança; ter alguma idéia de como ela se sairá, após deixar para trás os dias escolares. Com Loveday não foi possível. Era a euforia ou o desastre, sem que eu jamais pudesse decidir o que prevaleceria.

Judith refletiu nisso.

— Um meio-termo, talvez?

A srta. Catto riu.

— Pode ser. Bem, o que me diz de uma xícara de chá? Jess logo estará de volta e tenho alguns biscoitos de chocolate para ela. — A srta. Catto levantou-se, jogando sobre o ombro sua puída beca negra. — Os dias de serviçais e bandejas de chá há muito terminaram. Assim, eu mesma fervo a minha chaleira e preparo um ótimo chá para mim.

— Jamais a imaginei dedicada a tarefas domésticas.

— E não sou mesmo.

Dower House,
Rosemullion

Sábado, 3 de novembro

Querido tio Bob

Peço que me perdoe por não lhe ter escrito antes, mas acontece que tenho estado ocupada visitando pessoas com Judith e limpando a cabana do jardim, que é onde eu vou dormir, assim que o tempo esquentar o suficiente.

Muito obrigada por me deixar ficar em Colombo. Eu adorei tudo, especialmente os crocodilos.

Vou para o colégio na terça-feira. Acho que eu não tinha vontade de ficar interna, mas agora resolvi ficar, porque a srta. Catto disse que elas fazem montes de coisas especiais nos fins de semana, como representar, ler em voz alta e sair em expedições. Além disso, vou poder telefonar para Judith sempre que quiser. Só que quando anoitecer, não durante o dia.

A srta. Catto é muito simpática e absolutamente divertida.
Morag está passando muito bem.
Espero que você também esteja bem.
Por favor, dê lembranças minhas ao sr. Beatty e a Thomas.

Um beijo da

Jess

P.S. Biddy manda mil lembranças.

— Não quero que você entre, Judith. Prefiro despedir-me na escada da frente do colégio. Se você entrar, vou ficar com a impressão de que tudo isso vai demorar demais.

— É o que você realmente quer?

— É. Aquela garota simpática, Elizabeth, disse que virá encontrarnos, que me mostrará meu dormitório e tudo o mais. Ela disse que estará esperando na porta.

— Foi muita gentileza dela.

— Ela também disse que pelo resto do período será a minha chefe de turma especial, e que, se me sentir perdida ou qualquer coisa, é só procurá-la, que me ajudará.

— Está me parecendo um bom arranjo.

Elas estavam quase chegando. Judith manobrou o carro para fora da estrada principal e ganhou a ladeira da colina, através da propriedade de pequeninas casas, até onde ficavam os portões do colégio. Eram duas e meia da tarde, e chovia, um chuvisco fino misturado a nevoeiro marinho, que encharcava suavemente os jardins invernais e as árvores peladas. Os limpadores de pára-brisa não haviam parado, desde que tinham deixado Rosemullion.

— Que curioso — disse Judith.

— O que é curioso?

— A história que se repete. Quando mamãe me trouxe ao Santa Úrsula pela primeira vez, eu disse a ela exatamente a mesma coisa. "Não entre. Diga adeus na escada." E foi o que ela fez.

— Bem, mas agora é diferente, não é?

— Sim. Graças a Deus é diferente. Eu me despedi dela e pensava que seria por quatro anos. Pareceu-me uma eternidade. Era a eternidade, embora felizmente eu não soubesse naquele momento. Nós duas não teremos uma despedida de verdade. Será apenas um até logo. Porque eu, Biddy e Phyllis nunca estaremos muito distantes. Mesmo quando Biddy se mudar, quando tiver uma nova casa, todos iremos ficar bem perto uns dos outros. E nosso próximo encontro será no Natal.

— Vai ser um Natal completo?

— O melhor de todos.

— Vamos ter uma árvore de Natal, como Biddy fez em Keyham?

— Branca e prateada. Chegando até metade da escada.

Jess disse:

— Vai ser esquisito, sem você.

— Também vou sentir sua falta.

— Bem, não vou ficar morrendo de saudades de casa.

— Claro que não, Jess. Eu a conheço, sei que não ficará.

A despedida das duas não demorou muito. Conforme havia prometido, a aluna mais velha — Elizabeth — estava lá, na enorme porta principal, esperando por elas. Ao ver o carro aproximar-se, apertou a capa de chuva contra o corpo e saiu para recebê-las.

— Olá! Aí estão vocês! Que dia horrível, não? Havia muito nevoeiro na estrada...?

Sua segurança e maneiras amistosas fizeram desaparecer inteiramente qualquer possível embaraço ou tensão.

— Eu levarei sua mala e seu bastão de hóquei. Consegue trazer o resto? Daqui, iremos diretamente ao andar de cima e eu lhe mostrarei onde irá dormir...

Tudo foi devidamente conduzido para dentro do prédio. Diplomaticamente, Elizabeth ficou a uma distância que não a deixaria ouvir as palavras das duas irmãs. Nos degraus da escada principal, em meio ao chuvisco impertinente, Judith e Jess entreolharam-se.

— Muito bem — disse Judith, com um sorriso. — É aqui que a deixo.

— Sim. — Jess estava controlada, mas firme em sua decisão. — Aqui mesmo. Tudo estará bem agora. — Ela se mostrava tão tranqüila e dona da situação, que Judith sentiu vergonha de seus temores e de que, ao menor encorajamento, poderia comportar-se como a mais sentimental das mães, com lágrimas ardendo por trás dos olhos. — Obrigada por me ter trazido.

— Até outro dia, Jess.

— Até.

— Eu amo você.

As duas beijaram-se. Jess ofereceu-lhe um leve e curioso sorriso, deu meia-volta e se foi.

Judith chorou um pouco no carro, quando voltava para casa, mas só porque Jess se mostrara tão magnífica, porque a Dower House ia ficar vazia sem ela e porque haviam passado tão pouco tempo juntas. Então, encontrou um lenço, assoou o nariz e parou de chorar, dizendo seriamente a si mesma que deixasse de ser tola. No Santa Úrsula, Jess iria florescer como uma plantinha: mentalmente estimulada, perpetuamente ocupada e na saudável companhia de garotas de sua idade. Ela já vivera tempo demais entre adultos. Vivera tempo demais sentindo fome, privações e a perda de entes queridos, todos os horrores de um mundo cruel e adulto. Agora, finalmente, teria tempo e espaço para redescobrir as alegrias e os desafios de uma infância normal. Era do que precisava. Afinal de contas, esta fora a única coisa sensata a fazer.

Assim, tudo em intenção do melhor. De qualquer modo, ia ser difícil não sentir um certo vazio e a falta da irmã. Rodando de volta através da charneca tomada pelo nevoeiro, Judith decidiu que estava precisando de um pouco de companhia de gente da sua idade, portanto, iria visitar Loveday. Ainda não tinha ido a Lidgey, simplesmente porque todo o seu tempo dos últimos dias fora ocupado com Jess. Haviam feito o prometido passeio a Penmarron; tomaram o trem para Porthkerris, exploraram a encantadora cidadezinha, visitaram os Warren e foram recebidas com um dos clássicos chás da sra. Warren. Além disso, Jess teria de ser equipada para o Santa Úrsula. A lista de roupas não era tão longa nem complexa como na época de Judith e, graças à casa "Whiteaway e Laidlaw", em Colombo, Jess estava provida de todas as vestimentas necessárias. Entretanto, havia muitos outros itens variados que ela não possuía, os quais precisaram ser procurados nas desnudas lojas de Penzance. Um bastão de hóquei, botas para hóquei, papel de correspondência, uma caixa de tintas para pintura. Um avental grande para usar nas aulas de ciências, uma caneta-tinteiro, tesouras para costura e um conjunto de geometria. E por fim, mas não menos importante, uma Bíblia e um "Livro de Orações com Hinos Antigos e Modernos", ambos de uso obrigatório em qualquer entidade anglicana ritualista digna do nome.

Em seguida, tudo devia ser embalado.

Assim, de certo modo Loveday tinha sido negligenciada. Agora, no entanto, nesta mesma tarde surgia a oportunidade; manteria sua promessa, faria a visita, ficaria uma ou duas horas com Loveday e Nat. Judith desejou ter pensado nisso antes, porque então compraria flores em Penzance para sua amiga e talvez um brinquedo ou alguns doces para Nat. Enfim, agora era tarde. Os presentes teriam que esperar.

Após cruzar Rosemullion em seu carro, ela subiu a colina, atravessou os portões de Nancherrow e dirigiu por quase dois quilômetros mais, até chegar à curva que descia para a fazenda. A estradinha afundava, estreita e sulcada como um leito de rio, apertada entre muros de granito e maciços de giestas. Naquela curva, um poste de sinalização exibia a palavra LIDGEY, e havia também a plataforma de pedra onde Walter deixava diariamente os latões de leite, que mais tarde seriam recolhidos na camioneta do mercado de leite.

Era cerca de quilômetro e meio de estradinha acidentada e sinuosa até a casa da fazenda, porém a meio caminho mais abaixo erguia-se o chalé de pedra que o coronel mandara reformar, por ocasião do casamento de Loveday e Walter. A construção se cingia à curvatura da ladeira, seu teto de ardósia reluzindo à chuva, sendo prontamente identificado pelo varal com roupa lavada sacudindo-se e enfunando-se ao vento molhado. Ela chegou ao portão, que permanecia aberto e escorado por um grande bloco de pedra arredondada, além do qual uma trilha relvada se fundia ao que devia ter sido um jardim, mas deixara de sê-lo. Ali havia apenas o varal, alguns maciços mais de giesta e uns poucos brinquedos largados em torno. Um triciclo enferrujado, uma pá e um balde de lata. Judith freou o carro, desligou o motor e ouviu o vento. Um cão latiu em algum lugar. Ela desceu do carro, caminhou pelo caminho de lajes de granito e abriu uma porta cuja tinta descascava, cheia de cicatrizes.

— Loveday!

Viu-se em um pequeno vestíbulo onde estavam pendurados velhos casacos e capas de chuva. No chão, botas incrustadas de lama, jogadas ao acaso.

— Loveday!

Ela abriu uma segunda porta.

— Sou eu!

Cozinha e sala de estar, tudo em uma só peça. Quase uma réplica da casa da sra. Mudge. Um fogão da Cornualha em fogo lento, roupas penduradas em um varal alto, movido a polia, pisos lajeados, alguns tapetes; a mesa, a pia de argila, as vasilhas de comida dos cães, o balde para alimentar os porcos, as pilhas de jornais velhos, o aparador vergado ao peso de peças desconexas, o sofá cambaio.

Nat jazia no sofá, o polegar enfiado na boca. Dormia profundamente. Usava um macacão imundo, encharcado no lugar onde urinara dentro dele. O rádio, encarapitado em uma prateleira do aparador, borbulhava para si mesmo. *Ainda voltaremos a encontrar-nos, não sei onde, não sei quando.* Loveday passava roupa.

Quando a porta se abriu, ela ergueu os olhos. Judith anunciou, sem necessidade:

— Sou eu.

— Bem. — Loveday soltou o ferro com um baque, sobre o descanso. — De onde está vindo?

— Do Santa Úrsula. Acabei de deixar Jess no colégio.

— Oh, Deus, ela está bem?

— Comportou-se de maneira excepcional. Muito segura de si. Sem lágrimas. Eu é que quase me desmanchei.

— Acha que Jess vai gostar de lá?

— Sim, acho que vai. Teve permissão de ligar para mim, sempre que ficar triste. No momento, quem está triste sou eu, de modo que vim em busca de um pouco de alegria.

— Não tenho certeza se veio ao lugar certo.

— Para mim parece ótimo. Eu adoraria uma xícara de chá.

— Vou pôr a chaleira no fogo. Tire sua capa. Pendure-a por aí, em qualquer lugar.

Judith tirou a capa, mas não encontrou lugar algum onde deixá-la, porque havia uma pilha de roupa lavada em uma cadeira, um volumoso gato dormindo em outra, e Nat, em sono profundo, ocupando o sofá. Assim, ela retornou ao pequeno vestíbulo e pendurou sua capa em uma cavilha de madeira, sobre um par de calças pretas de lona, sujas de lama.

— Lamento sinceramente não ter vindo antes, Loveday, mas não tive um momento de folga, havia tanta coisa a fazer por Jess... — Judith caminhou até o sofá e baixou os olhos para o garotinho adormecido. As bochechas de Nat estavam muito coradas, uma mais do que a outra, e seu punho gorducho aferrava um velho pedaço de manta, com os remanescentes de uma orla de cetim. — Ele sempre dorme à tarde?

— Nem sempre, mas esta noite só pegou no sono às duas da madrugada. Passei momentos terríveis com ele. Acho que deve ser a dentição. — Loveday encheu a chaleira na pia e foi colocá-la no fogão. — Para ser sincera, nunca sei quando ele vai dormir ou ficar acordado. Sempre foi um terror na hora de dormir. E se pega no sono, eu o deixo onde estiver, porque são meus únicos momentos de paz. Por isso eu agora tentava terminar de passar a roupa.

— Se o acordarmos agora, o mais provável é que ele durma durante a noite.

— Sim, talvez. — Entretanto, Loveday não pareceu muito seduzida pela idéia. — Assim que ele acorda, começam as estripulias, e ponto final. De qualquer modo, está molhado demais para deixá-lo brincando lá fora.

Mas eu sei que voltaremos a encontrar-nos em um dia ensolarado, gemeu o rádio. Ela foi até o aparador e desligou o aparelho.

— Música xaroposa. Fico ouvindo porque me faz companhia. Vou dar um jeito nisso e arranjar um pouco de espaço para você...

Ela começou a amontoar a roupa ainda por passar, mas Judith a impediu.

— Eu faço isso. Deixe-me terminar, enquanto você prepara o chá. Gosto de passar roupa. Depois, acorde Nat e tomaremos nosso chá juntos...

— Tem certeza? Passar roupa dá trabalho.

— E para que são os amigos, meu bem? — perguntou Judith, no tom de voz de Mary Millyway, enquanto pegava uma amarfanhada camisa no alto da pilha e a estendia na tábua de passar. — Isto precisa parecer imaculado, depois de passado a ferro? Porque, então, vou precisar umedecer o pano um pouquinho.

— Não. Não há necessidade. Depois é só dobrar, e eu guardo na gaveta de camisas de Walter. — Loveday deixou-se cair no sofá, ao lado do filho adormecido. — Ele já se molhou, o grande safadinho — disse, mas sua voz era indulgente. — Ei, Nat! Acorde! Vamos tomar chá.

Ela pousou uma das mãos no estômago rechonchudo do menino, depois inclinou-se para beijá-lo. Ocupada em passar a roupa para Loveday, Judith concluiu que a aparência dela era péssima; dava a impressão de cansada, com olheiras escuras sob os olhos. Pensou então se chegaria o dia em que a casinha estaria arrumada, ou mesmo moderadamente limpa e em ordem, mas decidiu que isso talvez jamais acontecesse.

Os olhos de Nat abriram-se. Loveday o ergueu do sofá e colocou-o sobre os joelhos, embalando-o por um momento, falando com ele, até vê-lo bem desperto. Olhando à sua volta, ele viu Judith.

— Quem é ela?

— Judith. Você a conheceu no outro dia. Na casa da vovó.

Os olhos de Nat eram escuros como duas uvas suculentas.

— Eu não lembro dela.

— Pois ela se lembra de você, e veio aqui visitar você. — Loveday levantou-se, com o filho no colo. — Vamos trocar suas calças.

— Posso ir também e conhecer o resto da casa? — perguntou Judith.

— Não, não pode — respondeu Loveday com firmeza. — Está muito desarrumado. Se me dissesse que vinha, eu chutaria tudo para debaixo da cama. Preciso ser avisada com antecedência, antes de permitir excursões turísticas pela casa. Algo mais ou menos como nas Mansões Senhoriais. Da próxima vez, terei prazer em mostrar-lhe.

Havia uma porta na outra extremidade da cozinha, e Loveday desapareceu atrás dela deixando-a entreaberta, de modo que Judith viu de relance a grande cama com cabeceira de latão. Esforçando-se em alisar as rugas da camisa amarrotada, de tecido grosso, ela ouvia a voz de Loveday conversando com Nat. Ouviu-a também abrindo e fechando gavetas, depois o ruído de torneiras escorrendo e de descarga do vaso sanitário. Pouco mais tarde, mãe e filho voltavam. Nat, envergando um macacão limpo e de cabelos escovados, parecia um anjinho comportado. Loveday o deixou sentado no chão, encontrou um pequeno caminhão para ele brincar e o entregou à própria sorte.

A água fervia na chaleira. Ela pegou o bule.

— Passei *uma* camisa.

— Oh, esqueça isso! Desligue o ferro. Se quiser ajudar, pode preparar a mesa... As xícaras estão naquele guarda-louça. Os pratos também. Há um pedaço de bolo de açafrão na lata de guardar o pão, e manteiga naquela travessa em cima da geladeira...

Juntas, as duas improvisaram a mesa do chá, empurrando para o lado alguns jornais e exemplares do *The Farmer's Weekly*, a fim de fazer espaço. Nat foi convidado a juntar-se a elas, mas recusou-se, preferindo continuar no chão com seu caminhão, que empurrava de um lado para o outro fazendo ruídos de *vrum-vrum-vrum*, para torná-lo real. Loveday não insistiu.

— Desculpe pela bagunça — disse — e por não deixar você ver a casa.

— Não seja tola.

— Vou fazer uma faxina geral, e depois envio-lhe um convite formal. Na verdade, a casinha é um doce, e o banheiro novo um encanto. Ladrilhado, com canos aquecidos para pendurar as toalhas, e tudo. Meu querido papai foi mesmo generoso. O problema é que só temos um quarto. Sei que Nat dormiria melhor se tivesse seu próprio quarto, porém não há muito que possamos fazer. — Ela serviu o chá de Judith. — Sua casa está sempre tão arrumada, não se vê nada fora do lugar...

— Graças a Phyllis, mas também não temos um esperto garotinho de três anos andando por lá.

— Ele nunca é muito levado se o dia estiver bom, porque brinca lá fora quase o tempo todo. Quando chove, no entanto, fica impossível, sujando tudo de lama em suas idas e vindas.

— Onde está Walter?

— Oh, em algum lugar. Acho que nas plantações do alto da colina. Ele logo estará de volta, a fim de ordenhar as vacas.

— Você ainda ajuda na ordenha?

— Às vezes. Se a sra. Mudge estiver ausente.

— Fez a ordenha hoje?

— Não, hoje não, graças a Deus.

— Está parecendo cansada, Loveday.

— Você também ficaria, se só conseguisse dormir às três da madrugada.

Loveday ficou calada, muito quieta, com os cotovelos ossudos fincados na mesa, as mãos envolvendo a xícara de chá quente, de olhos baixos. Os compridos cílios escuros jaziam sobre as faces pálidas. Quando Judith olhou para sua tristeza, percebeu que brilhavam com lágrimas não derramadas.

— Oh, Loveday...

Em uma espécie de zangada negativa, Loveday balançou a cabeça.

— Estou apenas cansada.

— Se houver alguma coisa errada, sabe que pode me dizer.

Loveday tornou a negar com a cabeça. Uma lágrima escapou, deslizou por seu rosto. Ela ergueu a mão e a limpou bruscamente.

— Não deve ficar guardando as coisas para si mesma. Isso não faz nenhum bem.

Loveday nada disse.

— É alguma coisa entre você e Walter? — Judith precisou ganhar coragem para fazer semelhante pergunta, sabendo que se arriscava a uma resposta furiosa de Loveday, mas mesmo assim a fez. Loveday não investiu contra ela. — Há algo errado entre vocês?

Loveday murmurou alguma coisa.

— O que disse?

— Eu disse que há outra mulher. Ele arranjou outra mulher.

Judith sentiu-se desfalecer. Depositou cuidadosamente sua xícara em cima da mesa. Perguntou:

— Você tem certeza disso?

Loveday assentiu.

— Como é que sabe?

— Eu sei. Ele a tem procurado. Quando anoitece, no *pub*. Às vezes só volta para casa altas horas da noite.

— Bem, mas como é que você *sabe*?

— A sra. Mudge me contou.

— *A sra. Mudge?*

— Sim. Ela ficou sabendo na aldeia. Então me contou, dizendo que eu precisava saber. Que devia discutir o assunto com Walter. Dizer a ele que encerrasse o caso.

— Ela está do seu lado ou do dele?

— Do meu. Até certo ponto. Na opinião da sra. Mudge, quando um homem começa a andar atrás de uma mulher, é porque há algo errado com sua esposa.

— Por que a sra. Mudge não o chama às falas? Afinal, é filho dela!

— Ela diz que não é da sua conta, que não lhe compete interferir. Aliás, devo dizer que nunca interferiu. Reconheço que tem essa qualidade.

— Quem *é* a tal mulher?

— Uma qualquer. Veio para Porthkerris durante o verão. Apareceu com um sujeito metido a pintor ou coisa assim. De Londres. Morou algum tempo com ele, depois os dois brigaram, ou ela encontrou mais alguém, ou então o deixou.

— E onde ela mora agora?

— Em um carroção, lá no alto de Veglos Hill.

— Onde Walter a conheceu?

— Em um *pub* qualquer.

— Como é o nome dela?

— Você não vai acreditar.

— Diga.

— Arabella Lumb.

— Não acredito!

E de repente, incrivelmente, as duas estavam rindo, apenas por um instante, e Loveday ainda tinha lágrimas nas faces.

— Arabella Lumb! — Repetido, o nome soava ainda mais improvável. — Você já a viu?

— Sim, uma vez. Ela estava em Rosemullion, certo anoitecer, quando fui tomar uma cerveja com Walter. Ficou o tempo todo sentada em um canto, perto do bar, olhando para ele, mas os dois não se falaram, porque *eu* estava lá. Uma intrusa. Atrapalhando o romance. Ela tem uma aparência de cigana com peitos enormes... sabe como é, a velha

Mãe Terra. Com pulseiras e colares, sandálias e esmalte verde nas unhas bastante sujas dos pés.

— Nossa! Deve ser pavorosa.

— No entanto, é *sexy*. A mulherzinha transpira sexualidade. Exuberância. Como uma enorme fruta pra lá de madura. Uma espécie de excitamento. Acho que a palavra seria "palpável". Talvez devêssemos ver no dicionário.

— Não. Você escolheu a palavra certa.

— Tenho uma horrível sensação de que Walter está fascinado. — Lovely recostou-se na cadeira e tateou no bolso das calças compridas, até encontrar um amassado maço de cigarros e um isqueiro barato. Tirou um dos cigarros e o acendeu. Após um momento, acrescentou: — E eu não sei como agir.

— Aceite o conselho da sra. Mudge. Discuta o assunto com ele.

Loveday fungou com força. Então ergueu o rosto e, através da mesa, seus olhos adoráveis encontraram os de Judith.

— Eu tentei, ontem à noite. — Sua voz era desanimada. — Estava zangada, farta dessa situação. Walter chegou em casa às onze horas, e estivera bebendo uísque, eu pude sentir o cheiro. Quando está bêbado, ele fica agressivo, de modo que tivemos uma discussão terrível e acabamos acordando Nat, porque gritávamos um com o outro. Ele disse que faria a droga que lhe agradasse, que procuraria a droga de quem bem quisesse. Disse também que, afinal de contas, a culpa era minha, porque eu não passava de uma droga inútil de esposa e de mãe, que a casa vive de pernas para o ar, e que nem ao menos sei cozinhar direito...

— Isso foi rude e injusto.

— Sei que não sou muito boa na cozinha, mas é horrível alguém nos lançar isso na cara. Há mais uma coisa. Walter não gosta que eu leve Nat a Nancherrow. Acho que fica ressentido. Como se, de certo modo, *ele* fosse humilhado...

— Walter, mais do que qualquer outro homem, não tem o direito de ficar irritado.

— Ele diz que estou querendo transformar Nat em um pequeno maricas. Quer que ele seja um Mudge, não um Carey-Lewis.

Tudo aquilo era compreensível, mas também desconcertante.

— Ele gosta de Nat?

— Gosta, quando Nat está comportado, divertido ou engraçado. Não, quando o menino está cansado, exigente ou precisando de atenção. Às vezes, passam dias sem que dê uma palavrinha a Nat. Aliás, Walter tem um gênio danado e, nestes últimos tempos, vem se portando de um modo francamente impossível.

— Quer dizer, desde que Arabella Lumb entrou em cena?

Loveday assentiu.

— Oh, isso não pode ser sério, Loveday. Todos os homens atravessam fases de tolices, quando então saem dos trilhos e perdem o juízo por completo. Por outro lado, se *ela* apontou suas grandes e bem treinadas armas para ele, penso que Walter não tem muitas chances.

— Ela não irá embora, Judith.

— Talvez vá. — Entretanto, mesmo quando falava, Judith não se sentia muito esperançosa. — Você tem sido feliz com Walter. Creio que agora deve limitar-se a sorrir e suportar a tensão, esperando que ele caia em si. Não vale a pena discutir e brigar. Isso apenas torna as coisas piores.

— Agora é tarde demais para dizer isso.

— Não estou sendo de muita ajuda, não é mesmo?

— Sim, está. Apenas poder falar a respeito, ajuda e muito. O pior é não ter ninguém com quem falar. Mamãe e papai — ela procurou a palavra adequada — *explodiriam*, se soubessem.

— É de surpreender que ainda não saibam.

— A única pessoa que *poderia* estar a par dos boatos é Nettlebed. E nós duas sabemos que ele jamais soltaria uma palavra para qualquer dos dois.

— É verdade. Ele nunca faria isso.

Durante todo este tempo, Nat estivera deitado sobre a barriga, concentrado em seu brinquedo. De repente, decidiu que tinha fome. Levantou-se com certa dificuldade e caminhou até a mesa, ficando na ponta dos pés para ver o que havia em cima dela.

— Eu tô com fome.

Loveday amassou o cigarro em um pires ao lado, inclinou-se e colocou o filho sobre o joelho. Estampou um beijo no alto da cabecinha coberta de bastos cabelos escuros e, com os braços em torno dele, passou manteiga em uma fatia de bolo de açafrão. Depois a entregou a Nat.

Ele mastigou ruidosamente, enquanto encarava Judith sem pestanejar. Ela lhe sorriu.

— Eu queria trazer um presente para você, Nat, mas não encontrei uma loja. Da outra vez que vier aqui, trarei uma coisa. O que você vai querer?

— Eu quero um carro.

— Como, um carrinho?

— Não. Um carro grande, que eu entre dentro.

Loveday riu.

— Você é um garotão que não perde uma oportunidade, hein? Judith não pode comprar um *carro* para você.

Judith afagou a cabeça de Nat.

— Não ligue para sua mãe — disse ao menino. — Posso fazer tudo o que eu quiser.

Quando o chá terminou, já passava bastante das cinco horas. Judith disse:

— Eu realmente preciso ir. Biddy e Phyllis devem estar se perguntando o que aconteceu comigo, na certa imaginando terríveis dramas com Jess.

— Foi ótimo ver você. Obrigada por ter vindo.

— Estou contente por vir aqui. Da próxima vez, passarei *toda* a roupa lavada. — Ela foi apanhar sua capa de chuva. — E você deve levar Nat à Dower House qualquer dia. Para almoçar ou qualquer coisa.

— Nós gostaremos de ir. Não é mesmo, Nat? Escute, Judith, você não dirá uma palavra, está bem? Daquilo que lhe contei?

— Nem uma palavra. Entretanto, continue a me contar o que for acontecendo.

— Eu contarei.

Loveday ficou em pé com Nat nos braços, e foram até a porta aberta, ver Judith ir embora. No exterior, o nevoeiro ficara mais espesso e tudo estava cinzento, úmido e gotejante. Judith ergueu a gola da capa e preparou-se para uma corrida molhada até o carro, mas Loveday a chamou, e ela se virou.

— Ainda não teve notícias de Gus?

Judith balançou a cabeça.

— Nem uma linha.

— Foi apenas curiosidade.

<hr/>

Judith voltou para casa dirigindo através do crepúsculo escuro e melancólico, atravessou Rosemullion, subiu a colina e cruzou os portões da Dower House. A janela da cozinha brilhava cálida e amarela através do anoitecer sombrio, e alguém deixara acesa a luz acima da porta principal. Guardou o carro de Biddy na garagem, onde o seu pequeno Morris ainda se aninhava, sem rodas, em cima de blocos de madeira e protegido da poeira por uma suja e pegajosa manta. Os necessários cupons para gasolina ainda não tinham sido enviados pela autoridade competente e, enquanto não chegassem, de nada adiantaria chamar alguém para recolocar os pneus, carregar a bateria e descobrir se o negligenciado carrinho ficara avariado após anos de desuso.

Seguiu pelo caminho de cascalhos, e usou a porta dos fundos para entrar em casa. Na cozinha, encontrou Phyllis abrindo massa, e Anna sentada no outro lado da mesa, tentando fazer seu dever de casa.

— Tenho que escrever uma frase com a palavra "falei".

— Bem, isso não deve ser muito difícil... Judith! Onde foi que esteve? Pensávamos que ia chegar horas atrás.

— Fui ver Loveday e Nat.

— Já estávamos achando que acontecera algo errado com Jess e você ficara retida.

— Eu sei. Devia ter telefonado. Não houve nada de anormal. Ela se mostrou à altura da situação. Nem quis que eu entrasse no colégio em sua companhia. Precisei despedir-me na porta.

— Oh, ainda bem! A casa fica esquisita sem ela, não é mesmo? Como se sempre tivesse morado aqui... Anna vai sentir falta de Jess, não vai? E agora, vamos com isso, termine seu dever de casa.

Anna suspirou elaboradamente.

— Não consigo pensar numa frase.

Judith foi em seu socorro.

— Que tal "Eu telefonei para Jess e falei com ela"?

Anna considerou a sugestão.

— Não sei escrever "telefonei".

— Então, escreva "vi". "Eu vi Jess e falei com ela."

— Está bem.

Com os dedos enroscados ao redor do lápis, a ponta da língua surgindo entre os dentes, Anna começou a escrever, firmemente concentrada.

— Quer uma xícara de chá, Judith?

— Não, obrigada, já tomei. Onde está a sra. Somerville?

— Na sala de estar. Esperando sua chegada. Está impaciente, tem algo para contar a você.

— O quê?

— Não me compete dizer.

— Espero que seja alguma notícia boa.

— Pois então, vá lá e descubra.

Judith foi, livrando-se da capa de chuva enquanto andava. Abriu a porta da sala de estar e viu-se diante de um quadro aconchegante. As lâmpadas tinham sido acesas e o fogo crepitava na lareira. Em frente desta, sobre o tapete, jazia Morag. Biddy ocupava sua cadeira de braços, perto das chamas, ocupada em tricotar um quadrado. Tricotar quadrados era mais ou menos o limite de suas habilidades. Ela os tricotava com restos de lã em cores variadas e, após ter cerca de uma dúzia prontos, levava-os para a Cruz Vermelha, onde alguma outra senhora, ligeiramente mais habilidosa, unia todos os quadrados com pontos de crochê, que depois se tornavam alegres cobertores de retalhos. Em seguida, os cobertores eram enviados para a Cruz Vermelha, na Alemanha, e distribuídos aos campos que ainda estavam cheios de pessoas melancólicas, deslocadas e sem lar. Biddy dizia que este era seu trabalho-para-a-paz.

— Judith! — Ela largou o tricô e tirou os óculos. — Está tudo bem? Nenhum problema com Jess?

— Nem um só.

— Que bom para ela. Jess é uma mistura singular. Uma garotinha em um momento, e muito amadurecida em outro. Tenho certeza de que se sairá esplendidamente, mas isto aqui fica um pouco vazio sem ela. Onde foi que esteve?

— Visitei Loveday. — Judith fechou as cortinas contra o crepúsculo úmido do penumbroso dia de novembro. — Phyllis disse que você tinha algo para me contar.

— E tenho mesmo. Muito excitante. Que horas são?

— Quinze para as seis.

— Vamos tomar um drinque. Uísque com soda. O que acha?

— Acho ótimo. Estou morta de cansaço.

— Emocionalmente exaurida, meu bem. Sente-se comodamente e eu lhe trarei um.

Levantando-se, Biddy saiu da sala porque, tradicionalmente, os copos e garrafas eram sempre guardados na sala de refeições. Sozinha, Judith colocou mais uma tora no fogo e afundou na outra cadeira de braços. Emocionalmente exaurida, havia dito Biddy, e era verdade. Entretanto, Biddy ignorava que ela ficara mais exaurida por sua conversa com Loveday do que por separar-se de Jess. E isso, claro está, era algo que continuaria sendo ignorado.

Após um momento, Biddy retornou com os dois drinques. Deu um para Judith e tornou a sentar-se, colocando o copo, com algum cuidado, na mesa ao seu lado. Depois acendeu um cigarro. Por fim, com tudo perfeitamente ao alcance, disse:

— Muito bem...

— Fale — pediu Judith.

— Consegui a casa. A casa em Portscatho. O corretor de imóveis deu-me a notícia esta tarde.

— Oh, Biddy, é maravilhoso!

— Posso mudar-me a qualquer momento, depois de meados de janeiro.

— Tão depressa?

— Bem, há um mundo de coisas por fazer. Estive pensando, organizando listas. Terei de ir a Devon, e finalmente vender Upper Bickley.

— Para quem vai vendê-la?

— Para a família da Marinha que morou lá durante toda a guerra, pagando aluguel. Há dois anos estão querendo comprar, mas se vendesse, eu então teria que colocar todos os meus pertences em um guarda-móveis. Do jeito como está, eles tomam conta de tudo para mim.

— E ainda querem comprar a casa?

— Mal podem esperar por isso. Assim, o que tenho a fazer é ir a Bovey Tracey, selecionar tudo aquilo, fazer um inventário do restante, para então providenciar embaladores e transportadores, todo esse tipo de coisa. Vou ligar para Hester Lang esta noite e perguntar se posso ficar com ela. Será mais fácil resolver tudo, comigo estando lá. Assim... — Ela estendeu o braço para seu drinque e ergueu o copo. — Um brinde, meu bem.

— A Portscatho!

As duas brindaram à nova casa. Judith perguntou:

— Quando é que pretende ir?

— Pensei em algum dia da semana que vem. E ficarei lá com Hester, durante algum tempo.

Judith alarmou-se.

— Oh! E estará de volta para o Natal?

— Somente se você quiser.

— Oh, Biddy, você *precisa* estar aqui no Natal. Prometi a Jess um Natal de verdade e, como nunca organizei um, vou necessitar de muita orientação e ajuda. Além disso, temos que arranjar uma árvore e preparar um jantar de Natal adequado, com todos os enfeites. Você precisa voltar.

— Muito bem, então, voltarei. Só até meados de janeiro. Depois disso, farei a minha grande mudança. Quero estar com tudo pronto antes de Bob voltar para casa.

— É terrivelmente excitante, mas só Deus sabe como sentiremos sua falta.

— Também sentirei falta de todas vocês. E, sem Phyllis, terei de começar a aprender como cuidar de uma casa novamente. Enfim, a gente sempre anda para diante, até mesmo velhotas como eu. Há mais uma coisa em que pensei. Quando for para a casa de Hester, tomarei o trem e deixarei meu carro aqui. Você precisa ter condução própria, o que não é o meu caso porque, se ficar muito necessitada, Hester me emprestará o carro dela.

— Biddy, é sacrifício demais de sua parte!

— Não, não é. E ainda tenho alguns cupons vencidos de gasolina. Estritamente falando, são ilegais, mas no posto de gasolina, mais acima na estrada, eles são muito bons para fechar os olhos. Portanto, tudo dará certo com você. — Ela tornou a pegar seu tricô. — É mesmo muito excitante, não? Nem acredito que de fato consegui a casa! Ela é precisamente o que eu tinha em mente. E o melhor de tudo, é que não fica muito longe de você. Apenas uma hora de carro. E com vista para o mar; a gente pode descer a alameda até as rochas, e nadar. Além disso, o jardim é do tamanho *exato*, nem grande, nem pequeno.

— Mal posso esperar para vê-la.

— E eu mal posso esperar para mostrá-la a você. Entretanto, quero que só a veja quando estiver tudo em ordem, comigo perfeitamente instalada.

— Você é tão malvada quanto Loveday. Ela não me deixou ver seu chalé, porque disse que estava tudo em desordem.

— Oh, pobre Loveday... Você certamente a pegou desprevenida. Como está ela? E Nat, fez muita traquinagem?

— Pelo contrário, estava até muito dócil. Quer que eu lhe dê um carro que ele possa dirigir por aí.

— Céus, que criança ambiciosa!

— De maneira nenhuma. Por que ele não teria um? — Judith espreguiçou-se. O calor da lareira, juntamente com o uísque, a tinham deixado sonolenta. Ela bocejou. — Se encontrar forças, vou tomar um banho.

— Faça isso. Está me parecendo um pouco abatida.

— Este foi um daqueles dias em que tudo acontece. Tudo muda. Pessoas indo embora. Primeiro Jess, agora você. Não fico infeliz por Jess, apenas não a tive comigo por muito tempo. Foi muito bom ficarmos juntas, mas não durou tanto como eu queria...

— Você fez o que era o melhor para ela.

— Sim, eu sei. Apenas... — Judith deu de ombros. — É tudo isso, sei lá!

Tudo isso. Judith pensou em horóscopos. Ela não os lia com freqüência, mas, quando fazia isso, eles sempre mencionavam choques de planetas — Mercúrio mal aspectado com o Sol, ou Marte em posição desfavorável em algum lugar, desta maneira ficando desarmonioso com o signo de nascimento da pessoa que, no caso dela, era Câncer. Talvez a fase atual fosse particularmente tempestuosa e ativa, e os céus infindáveis a tivessem reservado para ela. Judith sabia apenas que, desde quando fora informada da morte de Bruce e Molly, sua vida havia sido bombardeada por eventos inesperados. Hugo Halley fora um deles, assim como descobrir Gus com vida, e encontrar Jess, miraculosamente, regressando sã e salva de Java. Só que Jess já partira, tinha ido ao encontro de sua nova vida. E agora, também Biddy estava no mesmo caminho. Cedo ou tarde, Phyllis e Anna partiriam também, construiriam um novo lar para elas e o suboficial Cyril Eddy.

Entretanto, o mais debilitante de tudo talvez fossem as preocupações particulares. Sua crescente preocupação com Gus, alarmante e frustrante ao mesmo tempo. Além disso, ser repositório de confidências que jamais desejaria ouvir: Athena não sendo filha de Edgar — e aquele desprezível Walter, tendo um caso com Arabella Lumb, o que deixava Loveday tão miseravelmente infeliz.

— Tudo acontece tão depressa — disse, em voz um tanto fraca.

— A guerra agora terminou e estamos todos ganhando velocidade, trocando de marcha, fazendo o máximo para retornarmos a alguma espécie de normalidade. A vida das pessoas não pode permanecer imóvel, pois do contrário jamais sairemos do lugar, ficaremos estagnados.

— Eu sei disso.

— Você está cansada. Vá e tome seu banho. E pode perfumar-se com a última gota de meu Floris Stephanotis — como um prêmio e tanto. Phyllis está preparando para o jantar a Torta Econômica Especial de Vegetais, do sr. Woolton. Acho que devemos comemorar a ocasião. Abrirei uma garrafa de vinho.

Ela parecia tão esfuziante e satisfeita com sua feliz sugestão, que Judith teve de rir, a despeito de si mesma.

— Sabe de uma coisa, Biddy? Às vezes você tem as idéias mais inteligentes do mundo. O que farei sem você?

Biddy trocou de agulhas e iniciou outra carreira do tricô.

— Um bocado de coisas.

Dower House,
Rosemullion

14 de novembro de 1945

Prezado Gus

Será que recebeu minha carta, escrita no navio de transporte de tropas e postada no correio em Gibraltar? Enviei-a para Ardvray, mas talvez você ainda não tenha ido para casa. Seja como for, enviarei esta para o QG dos Gordons, em Aberdeen, e então você a receberá, sem a menor dúvida.

Nós viemos para cá por volta de 19 de outubro, e foi emaravilhoso o regresso ao lar. Tenho estado muito ocupada com Jess. Ela foi matriculada em meu antigo colégio, como aluna interna. A diretora — srta. Catto — que também foi a minha diretora, mostrou-se particularmente gentil e compreensiva. Ainda não tornei a ver Jess desde que nos separamos, porém ela nos tem escrito cartas satisfeitas e parece estar se adaptando à nova vida.

Estive com todos em Nancherrow. Também com Loveday. Seu filho Nat é robusto e esperto, e ela o adora. Consegui comprar para ele um carro movido a pedais, de segunda mão, e o menino gostou tanto, que quer levá-lo consigo para a cama.

Gostaria de saber quais os seus planos para o Natal. Sem dúvida haverá inúmeros amigos na Escócia, fazendo fila para estarem em sua companhia.

Por favor, escreva-me contando o que tem acontecido e se você está inteiramente bem.

Receba o meu abraço amigo,

Judith

Dower House,
Rosemullion

5 de dezembro de 1945

Prezado Gus

Continuo sem notícias suas. Eu gostaria que você não morasse tão longe, porque então poderia procurá-lo. Peço-lhe que me envie qualquer coisa, nem que seja apenas um cartão-postal dos canteiros floridos municipais de Aberdeen. Você prometeu manter contato e tranqüilizar-me, porém se preferir ser deixado em paz e não desejar mais cartas, basta dizer, e eu compreenderei.

Aqui, estamos com moradores a menos em casa, porque Biddy Somerville viajou para vender sua casa em Devon. Ela adquiriu outra em um lugar chamado Portscatho, perto de Saint Mawes. Creio que pretende mudar-se para lá em meados de janeiro. Levará consigo sua cadela Morag. Como Jess adorava o animal, estou pensando em dar-lhe um cachorro que ficará no lugar de Morag, quando Biddy nos deixar para sempre.

Judith aqui fez uma pausa, enquanto pensava no que escrever em seguida e na maneira de escrevê-lo. *Não quero que Gus venha aqui,* insistira Loveday. Entretanto, talvez pela primeira vez na vida, Loveday devesse ficar em segundo lugar, numa lista de prioridades. Os problemas dela, embora difíceis, não estavam na mesma categoria dos de Gus Callender. O que quer que sucedesse a ela, estaria cercada de familiares amorosos e compreensivos, ao passo que Gus não tinha um só parente próximo para apoiá-lo durante sua reabilitação, após os horrores sofridos na Estrada de Ferro de Burma. Além disso, de um modo obscuro, enquanto os dias passavam sem qualquer carta ou mensagem dele, a ansiedade de Judith por Gus ia aumentando. "Sem notícias quer dizer boas notícias", assim dizia o velho ditado, mas os instintos gritavam alto e claro para ela que nem tudo ia bem com ele.

Respirando fundo, Judith finalmente tomou sua decisão e tornou a pegar a caneta.

> *Biddy virá para o Natal. Esta é uma casa onde vivem cinco mulheres, mas se você quiser, por favor, venha e passe o Natal conosco. Talvez não esteja sozinho, porém ignoro este detalhe, porque ainda não tive notícias suas. Se vier, não o forçarei a ir a Nancherrow, a estar com Loveday ou seja o que for, prometo. Terá plena liberdade para passar seu tempo exatamente como desejar.*
> *Se estou interferindo e me tornando incômoda, por favor, diga. Não voltarei mais a escrever, enquanto não tiver notícias suas.*
>
> *Um abraço amigo da*
>
> *Judith*

À medida que o Natal ia chegando, o tempo se deteriorava, e a Cornualha exibiu sua face mais ingrata: céus cor de granito, chuva e um cortante vento leste. As velhas e mal ajustadas janelas da Dower House en nada contribuíam para manter o mau tempo no lado de fora, os dormitórios estavam gelados e, como um fogo era aceso na sala de estar às nove horas de cada manhã, a pilha de toras diminuía visivelmente, tornando necessário um telefonema de emergência para o fornecedor, ou seja, as Propriedades Nancherrow. O coronel não as deixou desprovidas e foi pessoalmente entregar a nova carga, dirigindo o trator colina acima, com o truque carregado rodando a reboque. O dia anterior havia sido um domingo, e Phyllis, Judith e Anna tinham passado quase todo ele empilhando as toras ordenadamente contra a parede da garagem, onde o prolongamento do teto as manteria protegidas do pior da chuva.

Estavam agora na segunda-feira, e continuava chovendo. Metódica e tradicionalista, Phyllis lavara a roupa da semana, mas como era impossível pendurá-la fora de casa, todas as peças tinham sido colocadas no varal suspenso da cozinha, onde fumegavam umidamente acima do calor do fogão.

Batalhando com uma receita de pudim de Natal para os tempos de guerra (cenouras raladas e uma colherada de geléia de laranja), Judith quebrou um ovo dentro da mistura e começou a mexê-la com a colher. O telefone tocou no vestíbulo. Esperançosa, aguardou que Phyllis atendesse, mas ela limpava os quartos do sótão e certamente não ouvira a chamada. Assim, Judith procurou um saco de papel, enfiou nele a mão suja de trigo, como uma luva, e foi atender.

— Dower House.

— Judith, é Diana.

— Bom-dia. Aliás, que dia horrível!

— Dos piores. Entretanto, você conseguiu as toras que queria.

— Sim. Seu maravilhoso marido veio trazê-las, e estamos todas aconchegadas novamente.

— Meu bem, tenho notícias excitantes. Jeremy Wells está em casa. De licença. E o melhor de tudo é que não se trata de uma licença apenas, mas de licença para desmobilização. Ele será desmobilizado e voltará em definitivo. Não é incrível? Aparentemente, o próprio Jeremy solicitou o desligamento, em vista de ter ficado um longo período como Voluntário da Reserva da Marinha Real, e também porque o velho dr. Wells está de fato muito idoso e cansado para ficar clinicando sozinho por mais tempo. E eles o estão deixando sair... Judith? Ainda está ouvindo?

— Sim. Estou ouvindo.

— Como não disse uma palavra, pensei que a ligação tivesse caído.

— Não. Não caiu.

— Não é formidável?

— Sim, é maravilhoso. Fico realmente satisfeita. Quando... quando é que você soube?

— Ele chegou em casa no sábado. Ligou para mim esta manhã. Virá a Nancherrow na quarta-feira, para passar alguns dias. Assim, pensamos em fazer uma boa reunião para comemorar o seu regresso. Quarta-feira à noite. Loveday e Walter, Jeremy e você. Venha, por favor. Edgar vai abrir seu último champanha. Ele o guardou por todo esse tempo, e eu simplesmente rezo para que não tenha ficado com gosto *esquisito*. Enfim, se ficar, ele terá de encontrar alguma outra coisa. Você virá, não é mesmo?

— Claro que sim. Vou adorar ir.

— O que acha de quinze para as oito? Que prazer, ter todos vocês comigo novamente. Tem boas notícias de Jess?

— Sim, excelentes notícias. Ela está se destacando no hóquei e já faz parte da equipe principal.

— Garota esperta! E Biddy?

— Telefonou no sábado. Vendeu a casa, de modo que agora pode pagar o preço da nova.

— Quando ela tornar a telefonar, dê lembranças minhas.

— Darei...

— Então, até quarta-feira, meu bem.

— Até lá. Estou ansiosa para ir.

Judith desligou o telefone, mas não voltou logo para a cozinha. Jeremy. De volta. Desmobilizado. Não mais na segurança do distante Mediterrâneo, mas em casa para sempre. Ela disse para si mesma que não lamentava nem se alegrava. Sabia apenas que antes deles poderem reiniciar qualquer tipo de relacionamento despreocupado, tudo devia ser abordado, e devia estar preparada para encará-lo com a mágoa, desapontamento e mesmo ressentimento que ele lhe causara. Não importava o fato de tudo aquilo ter acontecido três anos e meio atrás. Jeremy lhe fizera uma promessa e não a cumprira, por isso não esboçando qualquer tentativa de explicar sua perfídia ou desculpar-se. Portanto, haveria um confronto entre eles...

— O que faz aí, parada junto ao telefone e olhando para o vazio?

Era Phyllis, descendo a escada com sua pá de lixo e espanadores. Vendo Judith, tinha feito alto a meio caminho, um tanto perplexa, com a mão na cintura do avental.

— O que disse?

— Você está com uma cara de buldogue. Eu não desejaria encontrá-la em uma noite escura. — Phyllis terminou de descer a escada. — Alguém telefonou?

— Sim. A sra. Carey-Lewis.

— E o que ela disse, para você ficar assim?

— Oh, nada de especial. — A fim de acrescentar algum peso às suas palavras, Judith mostrou um sorriso alegre. — Convidou-me para jantar na quarta-feira. — Phyllis continuou parada, esperando mais informações. — Jeremy Wells está de volta.

— Jeremy! — O queixo de Phyllis caiu, em evidente prazer. — Jeremy Wells? Bem, isso é formidável. Ele está de licença?

— Não. Sim. Licença para desmobilização. Vai voltar para sempre.

— Quem diria! Pense só nisso! Foi a melhor notícia que já ouvi. Então, por que essa cara? Eu podia jurar que você ficaria nas nuvens.

— Oh, *Phyllis!*

— Ora, por que não? Ele é um homem encantador. Foi um bom amigo seu desde aquele dia em que o conheceu no trem de Plymouth; também se mostrou firme como uma rocha, quando Edward Carey-Lewis foi morto.

— Eu *sei*, Phyllis.

— Ele sempre teve uma queda por você, Jeremy teve. Qualquer tolo podia ver isso. E já é hora de você ter um homem em casa. Será muito mais divertido. Enfiada aqui com um bando de mulheres! Isso não é vida para você, Judith.

De certo modo, isto foi a última gota. Judith perdeu a paciência.

— Você não sabe nada de nada sobre isto!

— O que quer dizer com eu não sei nada de nada sobre isto?

— Apenas o que eu disse. E tenho um pudim de Natal para preparar.

Ao dizer sua fala de saída, ela começou a andar, cruzou o corredor lajeado e chegou à cozinha. Phyllis, no entanto, não pretendia ser posta de lado com tanta facilidade, e a seguiu, rente aos seus calcanhares.

— Não vamos encerrar o assunto por aqui...

— Phyllis, francamente, não é da sua conta!

— É melhor que seja. Quem mais há por aqui agora, além de mim? Alguém precisa dizer-lhe certas coisas, se você vai começar a ficar agitada, apenas ao ouvir o nome de Jeremy. — Ela guardou a pá de lixo e os espanadores no armário, depois retornando ao ataque. — Você brigou com ele ou coisa assim?

— Todos me perguntam isso. Não. Não brigamos.

— Pois então...?

Era impossível argumentar com Phyllis.

— O que houve foi falta de comunicação. Desencontro. Sei lá! Sei apenas que há três anos e meio não o vejo.

1012

— Por causa da guerra; mas agora a guerra terminou. — Judith nada disse. — Ouça, você vai acabar fazendo desse pudim uma boa comida para cachorro. Dê-me lugar e eu verei o que se pode fazer... — Não contra a vontade, Judith entregou-lhe a colher de pau. — Parece um pouco seco, não? Acho que vou colocar mais um ovo na massa. — Phyllis mexeu o pudim, experimentalmente, e Judith sentou-se na borda da mesa, observando-a. — O que vai usar?

— Ainda não pensei.

— Bem, pense agora. Alguma coisa sedutora. Você ficou muito bonita, parece uma artista de cinema, quando põe toda aquela maquiagem. O que quer fazer é deixá-lo de queixo caído.

— Não, Phyllis. Acho que não é exatamente o que quero.

— Tudo bem, então. Seja cabeçuda, se preferir. Guarde tudo consigo mesma. No entanto, quero dizer-lhe uma coisa. O que passou, passou. É melhor assim. Não adianta ficar guardando ressentimentos. — Ela quebrou um segundo ovo dentro da tigela e começou a mexer a mistura, como se tivesse culpa por toda a situação. — Não deve prejudicar seus interesses por um momento de mau humor.

Parecia não haver nenhum comentário em resposta a tal observação. Entretanto, Judith ficou com a incômoda sensação de que talvez Phyllis estivesse certa.

Rupert Rycroft, ex-major dos Dragões da Guarda Real, desceu mancando os portais da casa Harrods, chegou à borda da calçada e ali parou, decidindo qual o seu próximo movimento. Era meio-dia e meia, hora do almoço, e o dia de dezembro estava gelidamente frio, com um vento brusco e cortante, mas misericordiosamente não chovia. Sua reunião em Westminster ocupara a maior parte da manhã e sua ida à Harrods o remanescente dela. Podia considerar seu o restante do dia. Pensou em chamar um táxi, seguir para a estação de Paddington e lá tomar um trem de volta a Cheltenham, onde deixara seu carro no pátio de estacionamento. Também poderia ir almoçar em seu clube, em seguida rumando para Paddington. Sentindo fome, optou pelo clube.

Entretanto, embora — ou talvez porque — parecesse haver tanta gente em movimento, empregados de escritório, pessoas fazendo compras de Natal, rapazes de uniforme e homens mais velhos carregando pastas, todos emergindo das estações do metrô ou descendo de ônibus lotados, percebia-se uma nítida escassez de táxis. Quando um surgia à vista, invariavelmente já estava ocupado. Se fosse ágil e capaz, Rupert ficaria feliz embarcando em um ônibus 22 que o levasse até Piccadilly. Jamais fora perturbado por falsas ilusões de sua própria importância. Entretanto, sua perna tornava impossível o esforço físico para subir em um ônibus; e pior ainda era desembarcar da maldita coisa quando chegasse a hora. Assim, teria que ser um táxi.

Ele esperou, um homem alto e apresentável, com sua apropriada indumentária de grosso sobretudo azul-marinho, gravata do regimento e chapéu-coco. Não levava o indispensável guarda-chuva fechado, mas uma bengala que fazia as vezes de uma terceira perna e sem a qual teria dificuldade em movimentar-se de um lado para o outro. Escadas e degraus constituíam um sério problema. Além disso, com sua outra mão enluvada ele segurava uma sacola de compras verde-escura, da Harrods. Nela havia uma garrafa de *sherry* Tio Pepe, uma caixa de charutos e uma echarpe de seda Jacqumar, um presente para sua esposa. Na agenda de Rupert, fazer compras na Harrods não significava comprar. Em outras lojas, ele tendia a sentir-se um pouco perdido, indeciso ou embaraçado, mas comprar coisas na Harrods era como gastar dinheiro em um clube para cavalheiros esplendidamente exclusivo e tranqüilizadoramente familiar, desta maneira tornando-se algo aprazível.

Estava a ponto de perder todas as esperanças, quando finalmente apareceu um táxi, rodando no lado contrário da rua. Rupert fez sinal para ele, erguendo sua sacola de compras como uma bandeira porque, se levantasse a bengala, provavelmente cairia. O motorista avistou-o, fez uma perfeita curva em U e parou junto dele.

— Para onde, senhor?

— Para o Clube de Cavalaria, por favor.

— Perfeitamente.

Rupert inclinou-se para entrar no táxi. Ao fazer isso, viu a corrente incessante de pedestres e, nesse instante, esqueceu de entrar no táxi, porque seus olhos e toda a sua atenção foram atraídos pelo rapaz que caminhava na sua direção. Alto — quase tão alto quanto o próprio Rupert — vagamente familiar e miseravelmente trajado, com a barba por fazer e rosto encovado. Dolorosamente magro. Uma boa camada de cabelos negros roçando a gola erguida do surrado paletó de couro, velhas calças de flanela cinza, sapatos gastos e sem graxa. O rapaz carregava uma caixa de mantimentos, da qual assomava uma cabeça de aipo e o gargalo de uma garrafa. Os olhos escuros e fundos não se desviavam para a esquerda ou a direita, mantendo-se fixos à frente, como se tudo quanto importasse fosse o rumo a seguir.

Dentro de cinco segundos, não mais do que isso, ele passava ao lado de Rupert e continuava seu caminho. Outros transeuntes logo entrariam em cena, formando uma barreira atrás dele. Se hesitasse, o rapaz desapareceria de vista. Pouco antes disso acontecer, Rupert ergueu a voz e gritou, atrás dele:

— Gus!

O rapaz estacou em seco, imobilizou-se, como um homem baleado. Fez uma pausa e virou-se. Viu Rupert em pé ao lado do táxi, e os olhos de ambos encontraram-se. Por um longo momento, nada aconteceu. Então, lentamente, Gus voltou atrás.

— Gus. Rupert Rycroft.

— Eu sei. Lembro-me de você. — Tudo quanto Rupert sabia sobre Gus é que ele havia sido prisioneiro de guerra dos japoneses. Considerado morto, em vez disso tinha sobrevivido. Entretanto, nada mais sabia. — Pensou que eu estivesse morto?

— Não. Eu sabia que você conseguira escapar. Casei-me com Athena Carey-Lewis, de modo que a notícia chegou até nós, através de Nancherrow. É formidável vê-lo novamente. O que está fazendo em Londres?

— Apenas passando algum tempo.

Nesse momento, saturado com todo aquele palavrório, o motorista do táxi irritou-se.

— E então, senhor, vai querer este táxi ou não?

— Sim, vou querer — replicou Rupert friamente. — Espere um momento. — Ele se virou para Gus. — Para onde está indo agora?

— Para Fulham Road.

— É lá que mora?

— Por enquanto. Aluguei um apartamento.

— O que me diz de almoçar?

— Com você?

— Com quem mais poderia ser?

— Obrigado, mas não posso. Eu o envergonharia. Nem mesmo fiz a barba...

Era uma recusa, mas Rupert percebeu subitamente que, se deixasse Gus sumir de vista, nunca mais tornaria a encontrá-lo. Assim, insistiu:

— Tenho o dia inteiro livre. Sem compromissos. Por que não vamos até seu apartamento, você se apronta e depois procuramos um *pub* ou coisa assim? Podemos conversar. Atualizar coisas. Há muito não nos vemos.

Gus, contudo, ainda vacilava.

— É um apartamento miserável...

— Não importa. Não aceito justificativas. — Chegara o momento de agir. Rupert abriu a porta do táxi e ficou de lado. — Vamos, meu velho, entre.

Gus entrou, deslizando para a outra extremidade do assento e colocando sua caixa de mantimentos no piso, entre os pés. Rupert o seguiu em ritmo ligeiramente menos ágil, ajeitou a perna na posição correta e depois trancou a porta com barulho.

— Ainda para o Clube de Cavalaria, senhor?

— Não. — Rupert virou-se para Gus. — É melhor dizer a ele.

Gus forneceu seu endereço de Fulham ao motorista, e o táxi moveu-se para dentro da rala corrente do trânsito. Depois disse:

— Você foi ferido.

Não era uma pergunta, pelo contrário.

— Fui. Na Alemanha, faltando poucos meses para o fim das hostilidades. Perdi a perna. Como é que soube?

— Judith me contou. Em Colombo. Quando eu vinha para casa.

— Judith. Sim, claro.

— Está fora do exército?

— Sim. Moramos em Gloucestershire, em uma casa na propriedade de meu pai.

— Como vai Athena?

— É a mesma de sempre.

— Ainda sedutoramente linda?

— É o que eu acho.

— E vocês têm uma garotinha, não é mesmo?

— Temos. Chama-se Clementina, e agora está com cinco anos. Athena vai ter outro bebê na primavera.

— Loveday costumava escrever para mim e dar-me todas as notícias da família. Foi como fiquei sabendo. E o que faz em Gloucestershire?

— Aprendo todas as coisas que há anos devia saber... como dirigir a propriedade, as lavouras, a administração florestal e as caçadas. Já decidi que o exército não prepara um homem para a vida civil, em absoluto. Durante algum tempo, acalentei a idéia de ir para o Colégio de Agricultura em Cirencester, mas acho que, em vez disso, talvez seja melhor encaminhar meus escassos talentos em outra direção.

— Que direção?

— A política.

— Santo Deus, que idéia! — Gus tateava o bolso do paletó, a fim de pegar um maço de cigarros e um cinzeiro. Acendeu um cigarro, e Rupert percebeu o instável tremor em sua mão, os dedos longos e espatulados manchados de marrom, com nicotina. — O que pôs isso em sua cabeça?

— Não sei. Ou melhor, sei. Depois que saí do hospital, fui visitar as famílias de alguns homens do regimento, que haviam sido mortos quando fui ferido. Guarnições de tanques, coisa assim. Homens a cujo lado lutei durante toda a penosa travessia do deserto ocidental, e também na Sicília. Homens decentes. Com famílias vivendo em ambientes insignificantes e esquálidos. Cidades industriais, com casas pegadas umas às outras na parte dos fundos, chaminés enfumaçadas, tudo imundo e pavoroso. Foi a primeira vez que vi pessoalmente como vivia a outra metade das pessoas. Francamente, achei aquilo doentio, e então pensei que devia fazer alguma coisa para melhorar tal situação. Para tornar este país um lugar onde seus habitantes possam viver com orgulho. Soa um tanto ingênuo e idealista, mas tenho a firme certeza de que devo dar minha contribuição.

— Que bom para você, se achar que isto fará alguma diferença.

— Esta manhã tive uma entrevista com o presidente do Partido

Conservador, na Câmara dos Comuns. Eu teria de ser aceito como candidato em perspectiva para algum distrito eleitoral... provavelmente um reduto trabalhista onde jamais venceria, nem em mil anos, mas seria uma boa experiência. Então, com o correr do tempo e um pouco de sorte, ser membro do Parlamento, em Westminster.

— O que Athena pensa a respeito?

— Ela me apóia.

— Até posso vê-la, sentada em um palanque de Conservadores, com um chapéu enfeitado de flores.

— Falta ainda muito tempo para que isso aconteça...

Gus amassou a ponta do cigarro e inclinou-se, a fim de falar ao motorista.

— É no lado direito da rua, logo depois do hospital...

— Certo, senhor.

Parecia que tinham chegado. Rupert espiou pela janela do táxi com algum interesse, não estando familiarizado com aquela parte de Londres. Seu território, que incluía o "Ritz", o "Berkeley", seu clube e os grandes estabelecimentos na cidade dos amigos de sua mãe, ficava delimitado por fronteiras claramente dispostas, nos quatro pontos cardeais: o rio, avenida Shaftesbury, Regent Park e a Harrods. Além de tais fronteiras, era como pisar em terreno desconhecido. Agora, ele podia ver a evidência de muitos danos causados pelos bombardeios, crateras temporariamente fechadas com tábuas e paredes vazias, onde, um dia, erguera-se uma pequena casa colada às casas vizinhas e igual a elas. Tudo parecia um tanto desmantelado e descuidado. Pequenos estabelecimentos comerciais espalhavam suas mercadorias pelas calçadas: uma quitanda, um jornaleiro, uma loja de móveis usados, e o Café "Enguia-e-Torta", de janelas empanadas pelo vapor.

O táxi parou e Gus desceu, inclinando-se para recolher sua caixa de mantimentos. Rupert desceu em seguida. No meio-fio, começou a remexer no bolso da calça em busca de trocados, porém Gus foi mais rápido.

— Fique com o troco.

— Muito obrigado.

— Vamos — disse Gus.

Ele cruzou a calçada, com Rupert seguindo-o. Entre o café e uma pequena mercearia havia uma porta estreita, com a tinta marrom-escura descascando. Gus tirou do bolso um molho de chaves e a abriu, caminhando na frente por um corredor úmido e abafado, com degraus que subiam para a penumbra do alto. Havia linóleo no piso e na escada. Um cheiro repugnante, composto de repolho estragado, gatos vadios e banheiros por lavar, impregnava o ambiente. Quando a porta se fechou atrás deles, ficou quase totalmente escuro.

— Eu lhe disse que era um lugar miserável — disse Gus, começando a subir a escada.

Rupert transferiu a bengala para a mão com a sacola de compras e o seguiu desajeitadamente, içando-se nos degraus com ajuda do corrimão. Quando a escada fez a volta, uma porta aberta revelou um banheiro desagradavelmente úmido e frio, o linóleo enrolando-se, e a fonte do mau cheiro. Continuaram subindo para o patamar do primeiro pavimento. A escada prosseguia, elevando-se na penumbra parcamente iluminada, porém eles estavam diante de outra porta, que Gus abriu com sua chave. Entraram para um aposento de frente, com teto alto e duas compridas janelas dando para a rua.

A primeira coisa de que Rupert teve conhecimento foi o frio intenso. Havia uma lareira, mas nenhum fogo, sua abertura exibindo-se como um cemitério de fósforos apagados e pontas de cigarro. Junto ao guarda-fogo ele viu um pequeno aquecedor elétrico, porém não estava ligado e, mesmo que estivesse, seria difícil imaginar o que suas duas pequenas barras poderiam fazer para combater a frialdade existente. As paredes achavam-se cobertas por um papel pateticamente florido, da espécie que Athena sempre dizia ser como um pesadelo de abelha, mas agora desbotado, sujo e começando a descascar nas quinas. As cortinas, estreitas e curtas demais, haviam sido visivelmente confeccionadas para outro aposento e, sobre o mármore negro da platibanda da lareira, jazia um vaso verde com empoeirada folhagem artificial. Sofás cambaios e poltronas, estofados em um desbotado tecido aveludado marrom, tinham algumas almofadas tortas, e uma mesa, talvez destinada às refeições, estava tomada por jornais e revistas velhas, uma xícara e pires sujos, e uma surrada pasta de executivo, deixando entrever o que pareciam cartas e contas antigas.

Sem dúvida, decidiu Rupert, aquele não era um lugar agradável.

Gus pousou sua caixa de mantimentos em cima da mesa. Depois, virando-se, encarou Rupert.

— Sinto muito, mas eu avisei.

Não adiantava encobrir os fatos.

— Jamais vi algo tão deprimente, em toda a minha vida.

— Você mesmo havia dito. Como vive a outra metade das pessoas. Isto nem chega a ser um apartamento. Aqui só há salas. Eu uso o banheiro no alto da escada, e o quarto fica no outro lado do patamar.

— Que diabo você faz aqui?

— Emprestaram-me estas acomodações. Eu não queria ir para um hotel. Preferia ficar sozinho. Alguma outra pessoa morou aqui e deixou tudo imundo. Não me dei ao trabalho de limpar nada. Em realidade, estive com uma forte gripe, que me prendeu na cama por três dias. Por causa disso nem fiz a barba. E precisava sair esta manhã, porque minha comida tinha acabado. Era forçoso comprar alguma coisa para comer. Uma empreitada um tanto difícil, uma vez que não tenho cartão de racionamento.

— Se o que vou dizer não o ofende, acho que podia ter-se organizado melhor.

— É possível. Quer um drinque? Tenho uma garrafa de uísque duvidoso, mas terá de ser com água da torneira. Ou talvez prefira uma xícara de chá. Lamento não ter muito mais para oferecer.

— Obrigado, mas não quero nada.

— Bem, sente-se e fique à vontade. Vou trocar de roupa. Dê-me cinco minutos. Tome... — Ele remexeu na caixa de mantimentos e dela tirou um exemplar do *Daily Mail.* — Fique lendo enquanto me espera.

Rupert pegou o jornal, mas não o leu. Assim que Gus saiu, ele o deixou em cima da mesa e depois colocou sua sacola da Harrods ao lado das compras de Gus. Cruzando o aposento, chegou à janela e ficou olhando para baixo, contemplando o trânsito da Fulham Road através do embaciado das vidraças sujas.

Sua mente era uma espécie de torvelinho, e ele se viu recuando com o pensamento, tentando captar os fatos que podia recordar sobre Gus Callender e aquele dourado verão de 1939, quando todos haviam estado juntos em Nancherrow. Dirigindo um espetacular Lagonda, ele surgira inesperadamente, vindo da Escócia, como amigo de Edward em Cambridge. Era um rapaz reservado, introvertido, moreno e simpático, com uma indiscutível aura de opulência. O que havia dito sobre si mesmo? Que estivera estudando em Rugby, que a casa de seu pai ficava em Deeside, uma região conhecida como rica, devido às extensas propriedades da fidalguia rural, da velha nobreza e, inclusive, realeza. Em algum lugar houvera montes de dinheiro. Entretanto, o que acontecera?

Ele recordou outros aspectos de Gus, menos materialistas. A maneira como se adaptara ao estilo de vida de uma família que só então conhecia e, obscuramente, se tornara um deles. Seu talento para desenhar, pintar e retratar. O croqui de Edward, que ocupava um lugar de orgulho na mesa de trabalho de Edgar Carey-Lewis, mostrava a mais reveladora e perceptível semelhança que Rupert já vira. E então, a pequena Loveday. Ela só tinha dezessete anos, porém seu amor por Gus e as atenções dele por ela haviam tocado o coração de todos eles.

Após a queda de Cingapura, Loveday se mostrara tão segura, tão convencida de Gus estar morto, que conseguiu persuadir a família de que ele nunca mais regressaria. Nessa época, Rupert estava no norte da África, com a Divisão Blindada, mas chegavam cartas de Athena contando-lhe cada detalhe do que tinha acontecido ou estava para acontecer.

E então, por fim, Loveday casara com Walter Mudge.

Rupert suspirou profundamente. Percebeu que sentia um frio cada vez maior e que seu coto da perna começava a latejar, indício seguro de que permanecera tempo demais em pé. Virou-se da janela e, ao fazê-lo, Gus entrou, parecendo ligeiramente melhorado, após ter feito a barba, penteado os longos e bastos cabelos e trocado as roupas por uma camisa pólo azul-marinho e um venerável paletó de *tweed*.

— Lamento deixá-lo esperando. Você devia ficar sentado. Tem certeza de que não quer aquele drinque?

— Não, não quero — respondeu Rupert, negando com a cabeça. Mal podia esperar para se ver fora dali. — Vamos encontrar um *pub*.

— Há um logo mais abaixo, nesta rua. Pode caminhar até lá?

— Desde que não tenha de andar depressa...

— Iremos devagar — disse Gus.

***

Aquele era um dos *pubs* antigos que de algum modo tinham escapado aos bombardeios, embora os prédios a cada lado tivessem sido destruídos até os alicerces e deixado o "Coroa e Âncora" isolado, apontando da calçada como um dente velho. O interior era em penumbra e confortável, com muito mogno e guarnições de latão, aspidistras em vasos e uma lareira onde crepitava um fogo alimentado a coque, o que impregnava o recinto de um cheiro semelhante ao das salas de espera de antigas estações ferroviárias.

No bar, eles pediram duas cervejas, e a garçonete disse que lhes prepararia sanduíches, mas que só dispunha de presunto enlatado e picles. Assim, eles concordaram com o presunto enlatado e o picles, em seguida levando suas cervejas para junto da lareira. Ali encontraram uma mesa vazia e, tão logo Rupert tirou o sobretudo e o chapéu-coco, ambos ficaram à vontade.

— Há quanto tempo está em Londres, Gus?

— Creio que perdi a noção do tempo. — Gus acendia outro cigarro. — Que dia é hoje?

— Terça-feira.

— Foi na quinta-feira que cheguei? Sim, foi. E logo depois, caí de cama com a gripe. Pelo menos, acho que foi assim. Não procurei um médico nem nada. Apenas fiquei na cama e dormi.

— E está bem agora?

— Sinto-me um pouco fraco. Sabe como é.

— Quanto tempo pretende ficar por aqui?

Gus encolheu os ombros.

— Não fiz planos.

Rupert percebeu que não chegava a lugar algum, que já era hora de deixar de rodeios, indo direto ao ponto. Disse:

— Ouça, Gus, permite que eu lhe faça algumas perguntas? Porque se não permitir, ficarei calado. Entretanto, deve compreender que estou naturalmente ansioso por saber como, raios, você chegou a essa situação.

— Não é tão ruim como parece.

— A questão não é essa.

— Por onde quer começar?

— Por Colombo, talvez? Não foi onde teve o encontro com Judith?

— Sim, Judith. Aquela foi uma das melhores coisas, tornar a encontrá-la. É uma pessoa tão meiga, foi tão gentil comigo... Não dispúnhamos de muito tempo, apenas umas duas horas, antes de eu voltar novamente para o navio. Eu tinha uma garrafa de uísque comigo. "Black and White". O velho garçom do "Galle Face Hotel" guardara-a para quando Fergie Cameron voltasse, mas Fergie havia morrido, e então ele quis que eu ficasse com ela.

— Quando foi que você voltou à Inglaterra?

— Oh, não sei. Suponho que em meados de outubro. Chegamos em Londres, depois fomos todos despachados para Aberdeen. Sabia que meus pais morreram?

— Não, não sabia. Sinto muito.

— Disseram-me que eles haviam morrido quando fui para o hospital, em Rangum. Os dois eram bastante idosos. Já tinham muita idade, quando eu era pequeno. Entretanto, gostaria de tê-los visto novamente. Escrevi para eles de Cingapura, quando estava preso em Changi, mas nunca receberam a carta. Pensavam que eu tivesse morrido, e minha mãe teve um ataque fulminante do coração; ficou três anos internada em uma clínica particular, e depois morreu. Durante esse tempo, meu pai continuou morando em Ardvray, com governantas e criados cuidando dele. Não voltou mais para Aberdeen. Talvez pensasse que perderia a reputação. Era um velho muito teimoso e também muito orgulhoso.

Rupert franziu a testa.

— O que quer dizer? Não *voltar mais* para Aberdeen... Pensei que sempre tivessem vivido em Ardvray.

— Todos pensavam isso. Era o que deviam presumir, imaginando vastas propriedades, charnecas com galos silvestres, fidalgos rurais estabelecidos. E eu nunca procurei esclarecer o assunto, por me ser mais fácil continuar com todos supondo coisas. A verdade é que minha família jamais possuiu grandes extensões de terras e nada tinha de fidalguia rural. Meu pai era um humilde nativo de Aberdeen, que ganhou dinheiro e subiu na vida por si mesmo. Quando eu era criança, morávamos em uma casa em Aberdeen, com os trens passando ao pé do jardim. Entretanto, ele queria o melhor para mim. Sendo eu o seu único filho, desejava tornar-me um cavalheiro. Assim, mudamo-nos de Aberdeen e fomos morar em Deeside, numa hedionda casa vitoriana, onde minha mãe nunca foi feliz. Quanto a mim, fui mandado para uma escola preparatória particular, saindo de lá para Rugby e depois para Cambridge. Um cavalheiro, com antecedentes e fina educação. Por algum motivo, antecedentes e fina educação eram importantes naquela época, antes da guerra. Eu não me envergonhava de meus pais. Aliás, dedicava bastante do meu tempo aos dois. Admirava-os. Inclusive sabendo que eles eram socialmente inaceitáveis. Fico revoltado, só em falar nisso.

— O que aconteceu com seu pai?

— Ele morreu, também com um ataque do coração, logo depois de minha mãe. Quando voltei a Aberdeen, pensei que pelo menos me veria razoavelmente bem de vida, com dinheiro suficiente para recomeçar a vida. Então, tudo evidenciou-se. O dinheiro se escoara pouco a pouco. A propriedade perdendo o valor no mercado, os custos hospitalares para minha mãe, a manutenção de Ardvray como moradia de um velho, pagamentos aos criados, à cozinheira, aos jardineiros. Ele jamais pensou em reduzir seu estilo de vida, em nenhum sentido. Depois, foi a vez de seu capital. Títulos e ações. Eu nunca percebera que ele investira tanto na Malaia, em borracha e estanho. E, claro está, tudo terminara.

Rupert decidiu que não era hora de enfeitar frases.

— Você está arruinado? — perguntou bruscamente.

— Não, não estou arruinado, mas vou ter que arranjar um trabalho de alguma espécie. Coloquei Ardvray no mercado...

— E quanto a seu carro? Aquele invejável Lagonda?

— É curioso você lembrar-se disso! O carro está numa garagem em Aberdeen, em algum lugar. Nem mesmo passei por lá para reclamá-lo.

— Sinto muito, Gus. Isto não parece exatamente como um regresso ao lar.

— Jamais pensei que parecesse. — Depois, em voz baixa: — Mas pelo menos estou em casa.

Eles foram interrompidos pela garçonete, trazendo os sanduíches.

— Lamento não ser grande coisa, mas é tudo que temos aqui. Botei um pouco de mostarda dentro, botei mesmo, e assim podem fingir que é um presunto de primeira.

Os dois agradeceram, Rupert pediu mais duas cervejas, e ela levou os copos vazios. Gus acendeu outro cigarro.

— E quanto a Cambridge? — perguntou Rupert.

— O que tem Cambridge?

— Não recordo que estudos fazia...

— Engenharia.

— Não poderia voltar à Universidade e terminar seu curso?

— Não. Eu não faria isso. Não poderia voltar para lá.

— E o que me diz da pintura?

— Não fiz coisa alguma, desde que fui libertado pelo exército e levado para o hospital em Rangum. A vontade de desenhar parece ter-me abandonado.

— Você tem um talento notável, estou certo de que poderia viver da pintura.

— Obrigado.

— Aquele desenho que fez de Edward... É sensacional!

— Aquilo foi há muito tempo atrás.

— Um talento como o seu nunca morre.

— Não tenho tanta certeza. Aliás, não tenho certeza de nada. No hospital, eles ficavam insistindo para que eu voltasse a desenhar. Deram-me papéis, lápis, tintas...

— Está falando do hospital em Rangum?

— Não, não em Rangum. Estive em outro hospital nas últimas sete semanas. Um hospital psiquiátrico em Dumfries. Os médicos me levaram para lá, porque eu estava caindo aos pedaços. Não conseguia dormir. Tinha pesadelos. Tremores. Dilúvios de lágrimas. Imagino que fosse uma espécie de colapso...

Rupert estava pasmo.

— Meu caro rapaz, por que não me contou isso antes?

— Seria muito tedioso. Vergonhoso. Nada para orgulhar-me...

— Eles o ajudaram?

— Sim. Foram admiráveis. Sábios e pacientes. Entretanto, ficavam insistindo comigo para que voltasse a desenhar, mas eu tinha um bloqueio mental a respeito. Assim, recusei-me, e então me deram uma cesta para tecer, em vez disso. Lá havia jardins magníficos, e uma gentil enfermeirinha voluntária costumava levar-me para dar voltas. Havia céu, arvoredos e relva, porém nunca pareciam reais. Era como se eu estivesse espiando o mundo de outra pessoa através de um vidro grosso, ao mesmo tempo sabendo que nada daquilo tinha algo a ver comigo.

— Ainda tem essa mesma sensação?

— Tenho. Por isso é que vim a Londres. Pensei que se viesse para o lugar mais anônimo, mais povoado e desgastamte, seria capaz de raciocinar, sobreviver à minha provação e depois voltar à Escócia, para recomeçar tudo outra vez. Um dos rapazes que esteve comigo no hospital disse que eu podia usar seu apartamento. Na hora, pareceu-me uma boa idéia. Entretanto, quando cheguei aqui e peguei a gripe, a coisa deixou de ser aquela tão boa idéia de antes. — Gus acrescentou, apressadamente: — Agora, no entanto, estou bem de novo.

— Você quer voltar à Escócia?

— Ainda não decidi.

— Poderia ir à Cornualha.

— Não, não poderia.

— Por causa de Loveday?

Gus não respondeu. A garçonete voltou com as cervejas, Rupert pagou por elas e deixou uma boa gorjeta na bandeja da moça.

— Oh, obrigada, senhor. E nem ainda comeram seus sanduíches! Eles acabarão ficando secos.

— Logo os comeremos. Muito obrigado.

O fogo morria na lareira. Ela percebeu e parou para jogar mais uma carga de carvão sobre as brasas. Por um momento tudo ficou negro e enfumaçado, mas depois as chamas começaram novamente a crepitar.

— O pior foi Loveday — disse Gus.

— O que disse?

— Eu guardei a imagem dela, como uma foto particular. A outra coisa era água. Pensar em água. Regatos escoceses cor de turfa, despencando sobre rochedos como cerveja. Água para olhar, fluindo para ou rolando sobre alguma praia vazia. Água para ouvir, beber, nadar nela. Água fria corrente. Limpando, curando, purificando. A enseada em

Nancherrow e o mar na maré alta, fundo, límpido e azul como cristal de Bristol. A enseada; Nancherrow. E Loveday.

Após um momento, Rupert disse:

— Acho que você deveria voltar à Cornualha.

— Judith convidou-me. Ela escreveu para mim. Três cartas. E nunca respondi a nenhuma. Tentei uma ou duas vezes, mas não adiantou. Eu não conseguia pensar em algo para dizer. Entretanto, sinto-me mal por isso. Prometi a ela que manteria contato, e faltei com a palavra. A essa altura, Judith provavelmente já nem pensa mais em mim. — O fantasma de um sorriso cruzou suas feições sombrias. — Jogou-me a um lado, como uma luva usada ou um bagaço de laranja. E não a censuro.

— Creio que não devia ficar aqui em Londres, Gus.

Gus pegou seu sanduíche e deu uma mordida experimental.

— Não está nada ruim.

Rupert, contudo, ficou sem saber se ele falava do sanduíche ou de Londres.

— Ouça — disse, inclinando-se para frente — se você não quer ir à Cornualha — e compreendo inteiramente seus setimentos — então venha a Gloucestershire comigo. Agora. Hoje. Tomaremos um táxi para Paddington e depois um trem para Cheltenham. Meu carro está lá. Iremos de carro para casa. Você pode ficar conosco. Embora não sendo a Cornualha, nosso campo também é encantador. Sei que Athena o receberá de braços abertos. Poderá ficar conosco pelo tempo que quiser. Apenas, por favor, em atenção a mim, não volte para aquele apartamento pavoroso.

— Isto teria um sentido de fim da linha. Não posso continuar fugindo.

— Por favor, venha comigo!

— É muita gentileza sua, mas não posso aceitar. Procure compreender. *Eu mesmo* é que devo resolver a situação. Uma vez feito isso, poderei começar a sair do abismo novamente.

— Não posso deixá-lo.

— Pode. Estou muito bem. Já deixei o pior para trás.

— Promete não cometer nenhuma loucura?

— Como acabar comigo? Não, eu jamais faria isso. Entretanto, não pense que não me sinto grato. — Rupert levou a mão ao bolso do peito e tirou sua carteira. Por um instante, Gus pareceu levemente divertido.

— E estou bem provido de dinheiro. Não preciso de ajuda financeira.

— Você me insulta. Quero dar-lhe o meu cartão. Com endereço e número de telefone. — Ele estendeu o cartão, e Gus o pegou. — Prometa que ligará para mim, se as coisas ficarem difíceis ou você precisar de algo.

— É muita generosidade.

— E continua de pé o convite para ficar em minha casa.

— Estou muito bem, Rupert.

Depois disso, parecia não haver muito mais a dizerem. Terminaram seus sanduíches e a cerveja, Rupert pegou seu sobretudo e o chapéu-coco. Em uma das mãos, segurou a bengala e a sacola da Harrods. Os dois deixaram o *pub* e saíram para a tarde cinzenta e frígida, caminhando por algum tempo, até surgir um táxi, rodando pela rua. Gus fez sinal e, quando o carro parou junto ao meio-fio, os dois homens viraram-se um para o outro.

— Adeus.

— Adeus, Rupert.

— Boa sorte.

— Dê lembranças minhas a Athena.

— Darei.

Rupert entrou no táxi, e Gus bateu a porta atrás dele.

— Para onde, senhor?

— Estação de Paddington, por favor.

Quando o táxi começou a rodar, Rupert virou-se no banco e espiou pelo vidro traseiro. Gus, entretanto, já dera meia-volta e caminhava, afastando-se dele. Um momento depois, desaparecia de vista.

Nessa noite, pouco antes das nove horas, tendo relatado tudo a Athena, Rupert Rycroft fez uma chamada interurbana para a Dower House. Lá, Judith e Phyllis passavam juntas um serão tranqüilo ao pé da lareira, tricotando e ouvindo uma opereta leve, *Sangue Vienense*, que o rádio transmitia. A música por fim terminou e elas aguardaram o noticiário. Então, além da porta fechada, o telefone começou a tocar.

— Que droga! — exclamou Judith.

Não que ela estivesse ansiosa pelo noticiário, mas porque o telefone continuava no vestíbulo e, naquela fria noite de dezembro, lá estava gelado. Largando o tricô, jogou um cardigan nos ombros e enfrentou corajosamente os frígidos ventos encanados.

— Dower House.

— Judith, aqui é Rupert. Rupert Rycroft. Estou falando de Gloucestershire.

— Céus, que bom ouvir você! — Ela intuiu que a conversa ia ser longa, de modo que puxou uma cadeira e sentou-se. — Como vão todos aí? E Athena, como está?

— Todos estamos bem, mas não foi por isso que liguei. Pode me ouvir por um momento?

— É claro.

— O assunto é um pouco complicado, portanto, não me interrompa...

Judith não o interrompeu. Rupert falava e ela ouvia. Ele estivera em Londres nesse dia. Vira Gus Callender. Gus, vivendo em aposentos miseráveis, na Fulham Road. Os dois tinham ido a um *pub* almoçar juntos, e lá Gus lhe contara tudo que estivera acontecendo, desde sua volta para casa. A morte dos pais, o desaparecimento da fortuna paterna, a longa permanência no hospital psiquiátrico.

— *Hospital?* — A notícia era alarmante. — Por que ele não nos *comunicou*? Ele *devia* ter-nos dito! Escrevi para ele, mas nunca me respondeu!

— Ele me disse. Foram três cartas suas. Entretanto, não creio que se encontrasse em condições de respondê-las.

— E agora, ele está bem?

— Não sei dizer. Está com uma aparência terrível. E fuma como uma chaminé.

— Afinal, por que Gus está em Londres?

— Acho que ele apenas queria estar em algum lugar absolutamente sozinho.

— Não tinha condições de pagar um hotel?

— Acredito que sua situação financeira não tenha chegado a tal ponto. Enfim, ele não quis ir para um hotel. Conforme falei, preferia ficar só consigo mesmo. Chegar a um entendimento. Provar a si mesmo que podia seguir em frente. Um amigo emprestou-lhe a chave daquele lugar horrível, mas assim que chegou a Londres, ele caiu de cama com uma forte gripe. Deve ser por isso que tinha uma aparência tão doentia e o apartamento estava tão sujo.

— Ele lhe falou sobre Loveday?

— Falou.

— E...?

Rupert vacilou.

— Gus não disse muita coisa, mas acho que o abandono dela teve muito a ver com o seu colapso.

— Oh, Rupert, *é demais* ouvir isso sobre ele! O que podemos fazer?

— Esse é o motivo de meu telefonema. Convidei-o a vir junto comigo para Gloucestershire. A ficar aqui comigo e Athena por algum tempo. Entretanto, ele não quis vir. Foi absolutamente cortês a respeito, mas também absolutamente firme.

— Então, por que ligou para mim?

— Ele tem mais intimidade com você do que comigo. Foi quem o reencontrou, em Colombo. Além disso, não é parte da família. Eu e Athena somos um pouco mais ligados a Nancherrow. Nós dois achamos que você talvez pudesse ajudar.

— De que maneira?

— Talvez indo a Londres. Tenho o endereço dele. Você poderia ir vê-lo, tentar tirá-lo de lá. Acho que Gus iria à Cornualha se fosse em sua companhia.

— Eu o convidei a vir para cá, Rupert. Em minhas cartas. Na última, inclusive, convidei-o a vir para o Natal. Não creio que ele aceite a minha interferência...

— Penso ser algo que precisa arriscar. Você poderia ir?

— Sim, poderia.

Rupert hesitou.

— A questão é que não quero forçá-la, mas acho que não há tempo a perder.

— Está preocupado, não está?

— Sim, de fato estou.

— Nesse caso, irei imediatamente. Amanhã mesmo, se você preferir. Biddy não está aqui, mas Phyllis e Anna estão. Posso deixar a casa. — Ela pensou rapidamente, já fazendo planos. — Eu até poderia ir a

Londres de carro. Seria melhor do que ir de trem, porque contar com um carro lá me daria mais influência com ele.

— E quanto à gasolina?

— Biddy me deixou um monte de cupons ilegais. Conseguirei passá-los na garagem daqui.

— Será um longo trajeto, nesta época do ano.

— Não tem importância. Já o fiz antes. E não há muito tráfego nas estradas. Se for amanhã, posso passar a noite na casinha da Mews e depois ir para a Fulham, bem cedo no dia seguinte.

— Quando você o vir, talvez ache que estou fazendo uma tempestade em copo d'água, mas não é nada disso. Acredito que, acima de tudo o mais, Gus está precisando de velhos amigos. E com Nancherrow fora de cogitação, só resta você.

— É melhor que me dê o endereço dele. — Ela encontrou um lápis e, enquanto Rupert falava, ia anotando na capa da lista telefônica.

— ... mais ou menos na metade da Fulham Road, depois do Brompton Hospital, do lado direito da rua.

— Não se preocupe, eu o encontrarei.

— Judith, você é um encanto de pessoa. Tirou uma carga da minha consciência.

— Talvez eu não consiga nenhum resultado positivo.

— De qualquer modo, pode tentar.

— Sim. Vou tentar. E obrigada por ligar. Tenho andado muito preocupada com ele. Odiei despedir-me de Gus em Colombo; parecia tão vulnerável, tão terrivelmente *só...*

— Em minha opinião, é precisamente assim que ele está. Depois, conte-nos como se saiu.

— Contarei, prometo.

Falaram mais um pouco e depois se despediram. Judith desfez a ligação. Percebeu que tiritava, gelada até os ossos, não somente pela temperatura do vestíbulo, mas por saber que estavam confirmados todos os seus temores a respeito de Gus. Após um momento, levantou-se e foi para a sala de estar, onde colocou outra tora no fogo, em seguida agachando-se perto de seu reconfortante calor.

O noticiário radiofônico acabara de ser encerrado. Phyllis estendeu o braço e desligou o aparelho.

— Foi um longo telefonema — observou.

— Sim. Era Rupert Rycroft. Sobre Gus Callender.

Phyllis sabia tudo sobre Gus, porque no decorrer das semanas após ter regressado ao lar, Judith lhe relatara o encontro deles em Colombo e como tivera de contar a ele que Loveday estava casada com Walter Mudge.

— O que houve com ele? — perguntou Phyllis.

Judith explicou. Phyllis largou seu tricô e ficou ouvindo, a fisionomia aos poucos ficando muito angustiada.

— Oh, pobre homem! A vida não foi nada justa com ele, hein? Rupert não podia fazer alguma coisa para ajudá-lo?

— Ele o convidou para ficar em Gloucestershire, mas Gus recusou.

Phyllis pareceu um pouco alarmada.

— Então, o que ele quer que você faça?

— Que eu vá a Londres e tente convencer Gus a vir para cá, suponho.

— Ele não é violento, é?

— Oh, Phyllis, pobre rapaz, claro que não é!

— A gente nunca sabe, quando lida com pessoas tendo problemas mentais. Já li coisas horríveis nos jornais...

— Não se trata disso. — Judith evocou Gus. — Ele jamais seria assim.

— Então, quer dizer que você vai?

— Sim, acho que devo ir.

— Quando?

— Amanhã mesmo. Sem perda de tempo. Irei de carro. Voltarei para casa na quinta-feira.

Houve uma longa pausa. Então, Phyllis disse:

— Você não pode ir amanhã. Amanhã é quarta-feira. O jantar comemorativo em Nancherrow. O jantar para Jeremy Wells. Você não pode deixar de ir.

— Eu tinha esquecido.

— *Esquecido?* — exclamou Phyllis, começando a indignar-se. — Como poderia ter esquecido? Como pode sair correndo atrás do amigo de outra pessoa, quando tem de pensar em sua própria vida? No seu próprio futuro? Adie a viagem para Londres por um dia, quero dizer. Vá na quinta-feira. Deixar passar um dia não irá matar ninguém!

— Não posso, Phyllis.

— Bem, eu penso que isso é muito rude. O que irá pensar a sra. Carey-Lewis? O que pensará Jeremy, acreditando que irá revê-la depois de todos estes anos, mas descobrir que você partiu para Londres, a fim de ver um outro homem?

— Gus não é apenas um outro homem.

— A mim, parece que é. Mesmo tendo sido amigo de Edward, isso não é motivo para que tudo recaia sobre você.

— Se eu não for, Phyllis, nunca mais serei capaz de olhar-me dentro dos olhos pelo resto da vida. Não compreende o que ele tem passado? Foram três anos e meio de puro inferno, construindo aquela estrada de ferro no meio da selva sufocante; enfraquecido e doente, quase morrendo de disenteria; surrado e humilhado pelos guardas mais sádicos e cruéis. Ver seus amigos morrendo ou serem mortos. Ou coisa pior. Ainda é de admirar que ele tenha tido um colapso? Em tais circunstâncias, como posso pensar em mim mesma ou em Jeremy?

Esta explosão silenciou Phyllis. Ela ficou sentada, contemplando o fogo, ainda parecendo contrariada, mas, pelo menos, não discutindo mais. Então disse:

— É como os alemães e os judeus. Não sei como os seres humanos podem ser tão desumanos uns com os outros. Jess me disse coisas. Ela me contou coisas. Às vezes, quando nós duas estávamos sozinhas lidando na cozinha ou quando eu lhe dizia boa-noite, depois dela ir para a cama. Talvez a situação não tenha sido tão ruim para ela e aquela moça australiana. Pelo menos, as duas não tinham que construir estradas de ferro. No último campo onde estiveram, em Asulu, as condições eram tão ruins, havia tão pouca comida, que dez das mulheres, lideradas pelo médico, foram queixar-se ao comandante. Ele então mandou surrá-las, raspar o cabelo delas e trancá-las em uma jaula de bambu durante cinco dias. Fiquei muito impressionada com isso, Judith. Se eles podiam fazer uma coisa dessas com mulheres e crianças...

— Eu imagino — disse Judith. Jess nunca lhe tinha contado, mas conversara com Phyllis, e isso a deixou grata, pois significava que todos os horrores dos campos de prisioneiros não estavam sendo sufocados, trancados no peito de sua irmã. Repetiu: — Eu imagino.

Phyllis soltou um suspiro.

— Pois bem, você sabe o que faz. Quando viaja?

— Amanhã bem cedo. Levarei o carro da sra. Somerville.

— Acha que ele virá com você?

— Não sei.

— E se ele vier, onde irá dormir?

— Terá de ficar no quarto da sra. Somerville.

— Vou deixá-lo pronto. Trocar a roupa de cama. É melhor telefonar para a sra. Carey-Lewis.

— Está bem. Daqui a pouco.

— Está parecendo abatida, depois de tudo isto. O que me diz de uma boa xícara de chocolate quente?

— Eu adoraria.

— Então, vou prepará-la. — Phyllis enrolou seu tricô e enfiou as agulhas no novelo de lã. — Isso nos animará um pouco, antes de irmos para a cama.

De volta ao vestíbulo, Judith discou o número de Nancherrow.

— Alô?

— Diana, é Judith.

— Oh, meu bem!

— Desculpe por ligar tão tarde.

— De que se trata?

Mais uma vez, explicações. De quando em quando, Diana soltava leves exclamações de horror, mas, fora isso, ficou muito atenta, não fazendo perguntas ou interrompendo.

— ... portanto, viajo para Londres amanhã. Se você não se incomodar, ficarei na Mews, e espero trazer Gus comigo na quinta-feira.

— Meu jantar comemorativo! Minha festinha de regresso ao lar!

— Eu sei, e sinto muito, mas não tenho alternativa.

— Meu bem, não vou suportar! Tínhamos planejado um jantar tão festivo!

— Lamento muitíssimo, Diana.

— Oh, céus! Por que estas coisas sempre têm de acontecer no momento errado?

Como não havia resposta para isto, Judith então perguntou:

— E quanto a Loveday?

Houve um longo silêncio, e Diana suspirou audivelmente.

— É no que estou pensando.

— Loveday não quer que Gus venha à Cornualha — disse Judith.

— Ela não quer vê-lo. Pelo menos, foi o que me falou.

— Oh, céus, é tudo tão difícil...

— Acho que você não devia contar a ela sobre Gus. Se ele vier ficar aqui, na Dower House, creio que seria melhor Loveday ignorar. Não há motivo para que fique sabendo.

— Sim, mas ela pode descobrir, cedo ou tarde.

— Concordo, mas não imediatamente. Pelo que Rupert disse, fiquei com a impressão de que Gus não se encontra em condições de lidar com confrontos emocionais.

— Eu odeio segredos.

— Eu também, mas será apenas por um ou dois dias, até vermos como fica a situação. Faça o seu jantar de comemoração e diga a Loveday que precisei ausentar-me. Aliás, diga ao coronel e a Jeremy Wells para também ficarem calados. Se Gus voltar comigo e ficar aqui em casa algum tempo, é claro que Loveday terá de saber. Entretanto, no momento acho que seria mais prudente todos nós ficarmos de boca fechada.

Diana permaneceu calada por bastante tempo. Judith conteve o fôlego. Entretanto, quando Diana tornou a falar, tudo quanto ela disse, foi:

— Sim, claro. Você está certa, naturalmente.

— Sinto muito ter prejudicado sua festa.

— Acho que o caro Jeremy também sentirá.

***

Tinham-lhe destinado o seu antigo e familiar quarto e, sozinho, ele subiu para o andar de cima, carregando a surrada maleta verde da Marinha. Havia muito que não vinha a Nancherrow, e por isso não desfez a maleta imediatamente, deixando-a na prateleira aos pés da cama, para ir abrir a janela e olhar para fora, com alguma satisfação, a fim de contemplar a vista que recordava desde tanto tempo atrás. Era quase meio-dia. De quando em quando, o sol tímido cintilava, saindo de trás das nuvens. Havia uma fieira de roupa lavada estendida no varal, e os pombos caminhavam pelo piso lajeado ou amontoavam-se na plataforma de seu pombal, arrulhando entre si e, presumivelmente, queixando-se do frio. Era um momento para sentir-se aliviado. Volta e meia ele precisava recordar a si mesmo que a guerra terminara, que estava realmente de volta à Cornualha, agora para sempre. Este era um deles, e ele sabia que, com um pouco de sorte, nunca mais tornaria a ficar longamente afastado deste lugar mágico, que sempre considerara seu segundo lar. Então, sentiu-se imensamente grato por lhe ser permitido viver, por não ter sido morto e, desta maneira, poder regressar.

Pouco depois, fechou a janela e se virou para lidar com sua maleta, mas então ouviu passos rápidos no corredor, assim como a voz de sua anfitriã:

— Jeremy! — A porta foi escancarada e lá estava ela, usando sensatas calças compridas de flanela cinza e uma enorme suéter de mohair azul-pálido, mas ainda assim conseguindo parecer frágil e intensamente feminina. — Querido! Perdoe-me por não estar lá para recebê-lo; é que eu falava ao telefone, como sempre. Como vai? — Ela o beijou amorosamente, e depois acomodou-se sobre a cama dele, sem dúvida tendo em mente demoradas conversas. — Fez uma boa viagem? — como se ele houvesse dirigido um carro por cem quilômetros, em vez de ter vindo apenas de Truro. — Céus, como é formidável tornar a vê-lo! E você está com uma aparência maravilhosa. Bronzeado do Mediterrâneo. Querido, terei visto um fio grisalho em sua têmpora?

Um pouco embaraçado, Jeremy ergueu a mão, a fim de tocar esta decadente evidência da idade avançada.

— Sim, deve ter visto.

— Não se preocupe. Acho que fica muito distinto. Agora, olhe para mim. Cabeça tão prateada como uma moeda de seis *pence*. Muito bem, ouça, porque tenho tanta coisa a dizer-lhe, que nem sei por onde começar. O mais importante de tudo, sabe que Judith está em casa?

— Sim, sei. Meu pai me contou. Ele também contou que os pais dela morreram e que Jess voltou para casa.

— Pobre Judith, viveu fases terríveis, mas com imensa coragem. Odeio chamá-la de sensata, porque acho a palavra francamente *abominável*, mas nunca vi ninguém com tanto bom senso. Além de ser incrivelmente bonita. E com um corpo espetacular. Entretanto, Judith não é o meu assunto principal deste momento... Jeremy, você se lembra de Gus Callender? Ele ficou aqui, naquele último verão.

— Claro que me lembro. O amor de Loveday. O rapaz que foi morto em Cingapura.

— Meu querido, ele não foi morto. Sobreviveu. Prisioneiro de guerra. Estrada de ferro de Burma. Algo pavoroso demais. Judith o encontrou em Colombo, quando ele voltava para casa. Ela lhe contou que Loveday estava casada e, naturalmente, o coitado ficou abaladíssimo. Então, assim que voltou para cá, ela disse para Loveday que Gus estava vivo, e Loveday contou para nós — para mim e Edgar.

Tudo quanto Jeremy encontrou para dizer foi:

— Santo Deus!

— Sim... Tudo muito singular, não? Seja como for, ele retornou à Escócia, e simplesmente *desapareceu*. Judith escreveu-lhe; creio que estava um pouco preocupada com ele e sentia-se responsável, mas Gus nunca respondeu. Pois *então*, ontem, Rupert, o marido de Athena, estava em Londres e foi onde encontrou Gus, inesperadamente. Perambulando pelas ruas e parecendo um fantasma. Um quadro por demais depressivo. Entretanto, Rupert o convenceu a almoçarem juntos e, durante esse almoço, ficou sabendo que ele sofrera um terrível colapso nervoso, a ponto de precisar ser internado em uma espécie de asilo. Seus pais morreram enquanto esteve prisioneiro, e todo o dinheiro da família evaporou-se... uma história de absoluta desgraça. Rupert ficou muitíssimo perturbado. Tentou levá-lo para sua casa em Gloucestershire, mas Gus não quis ir.

— Onde ele está morando?

— Em uma espécie de apartamento sórdido, um lugar medonho, para onde ninguém desejaria ir.

— E o que aconteceu?

— Oh, meu querido, isto está nos tomando tempo demais, porém é muito importante. Acontece que Judith foi hoje para Londres, ver se consegue fazer algo para ajudar. Talvez trazê-lo para a Dower House.

— E quanto a Loveday?

— Loveday disse para todos nós que não quer ver Gus. Acho que ela se sente um pouco envergonhada. Não que tenha algo do que envergonhar-se, mas a gente entende... — A voz dela extinguiu-se. Depois fitou Jeremy, esperançosa. — Você entende, não é, Jeremy querido?

Ele suspirou.

— Sim, acho que entendo.

— Tudo ficou um tanto depressivo, porque esta noite eu planejava uma reunião festiva em *sua* homenagem, por voltar para casa. Nettlebed havia depenado faisões, a sra. Nettlebed ia fazer um pudim de frutas com creme, e Edgar estava feliz da vida, escolhendo um vinho na adega. Foi então que Judith telefonou, já bem tarde ontem à noite, comunicando que estava de partida para Londres. Loveday também telefonou, dizendo que Walter tampouco poderia vir, de maneira que resolvemos esquecer tudo por enquanto. É decepcionante demais.

— Oh, não se preocupe com isso — Jeremy procurou tranqüilizá-la. — Foi muita gentileza de vocês, apenas pensarem em uma reunião.

— Bem, acho que... em outra ocasião... — Ela ficou calada um instante, e depois olhou para seu pequeno relógio de ouro. — Preciso ir agora. Prometi a Edgar que telefonaria para o fornecedor de grãos, sobre o alimento das galinhas. As coitadas estão famintas, porque nada chegou até agora. — Diana ficou em pé. — Almoço à uma hora, está bem?

— Para mim, está ótimo.

Ela caminhou para a porta e lá, com a mão na maçaneta, virou-se para ele.

— Jeremy, se Gus *vier* com Judith, não diremos nada a Loveday. Apenas no começo. Até vermos como ele está.

Jeremy compreendeu.

— Tudo bem.

Ela meneou a cabeça, a expressão muito abatida.

— Odeio conspirações, e você? — disse, mas antes que Jeremy pudesse responder, já desaparecera de vista.

Ela o deixou só, com a mala ainda por desfazer e a mente em uma espécie de torvelinho, porque esta nova vida em tempos de paz parecia repleta de problemas, decisões a tomar e assuntos — que tinham esperado tempo demais — a serem finalmente esclarecidos.

Faltavam apenas algumas formalidades, antes que ele deixasse o VRMR para sempre, com uma excelente recomendação do capitão-médico, seu superior, e uma pequena recompensa monetária quando da desmobilização, vinda de uma pátria agradecida. Entretanto, ao voltar para casa, Jeremy encontrara o pai idoso tomado de melancolia. Agora havia um governo trabalhista no poder e comentários gerais sobre um projetado Serviço Nacional de Saúde, o qual pretendia modificar toda a face da profissão médica, tornando obsoleta a velha tradição do médico de família. Na opinião de Jeremy, isto só podia ser uma boa coisa, mas ele pôde perceber que seu pai já tinha idade demais para manejar a convulsão que isso significaria.

Assim sendo, ao invés de voltar a clinicar em Truro, não seria este o momento de mudar? Uma nova locação e uma nova parceria; homens jovens e métodos modernos. Um colega da Marinha já lhe falara a respeito, expondo uma idéia que a Jeremy parecera muitíssimo atraente. De qualquer modo, ele não queria comprometer-se enquanto não conversasse com Judith.

Ela constituía o seu último e mais pressionante dilema. Acima de tudo, Jeremy ansiava tornar a vê-la, ao mesmo tempo temendo um confronto que poderia encerrar para sempre seus longamente acalentados sonhos. No correr dos anos, desde aquela noite passada juntos em Londres, tinha pensado nela constantemente. No meio do Atlântico, em Liverpool, Gibraltar e Malta, iniciara cartas que nunca eram terminadas. Uma vez após outra ficara sem palavras, perdera a coragem, e então amassava as folhas escritas pela metade, jogando-as na cesta de papéis usados. Dizia para si mesmo: de que adianta? Sim, porque àquela altura já teria sido esquecido, certamente ela encontrara outro alguém.

Judith não estava casada. Jeremy sabia. Entretanto, as revelações de Diana sobre Gus Callender o encheram de inquietação. Para Loveday, as implicações do retorno de Gus eram perfeitamente compreensíveis, mas, segundo parecia, agora também Judith estava profundamente envolvida. O fato dela preferir não comparecer ao jantar-reunião de Diana e partir precipitadamente para Londres a fim de estar com Gus, nada predizia de bom para Jeremy Wells. Enfim, Gus tinha sido amigo de Edward, e este fora o grande amor da vida de Judith. Talvez isto tivesse algo a ver com o que ocorria. Ou, então, a compaixão transformara-se em uma emoção mais profunda. Amor. Ele não sabia dizer. Havia passado um tempo demasiado longo sem saber o que quer que fosse.

De repente, sentiu vontade de um drinque, mais do que tudo no mundo. Um gim com angostura. Desfazer a mala ficaria para mais tarde. Jeremy foi ao banheiro, lavou as mãos, penteou os cabelos e depois saiu do quarto, descendo para o andar de baixo em busca da bebida confortadora.

Judith deu uma última olhada em torno, para certificar-se de que não havia esquecido nada. O colchão sem as roupas de cama, a xícara e o pires do *breakfast* lavados e deixados no secador de louças. A geladeira desligada, as janelas fechadas e trancadas. Pegou sua pequena sacola de viagem, desceu os degraus estreitos, cruzou a porta da frente e a bateu com firmeza, trancando-a após sair.

Eram nove horas da manhã, mas apenas com meia claridade. O céu estava escuro, carregado, e durante a noite geara bastante. Na Mews, as luzes ainda estavam acesas dentro das pequeninas casas, despejando quadrados amarelos sobre as lajes geladas. Não havia flores nos vasos nem nas jardineiras das janelas, mas alguém comprara uma árvore de Natal e a deixara encostada à parede, ao lado da porta principal. Talvez ainda neste dia ela fosse levada para dentro, a fim de ser decorada e receber sua fiação com luzes feéricas.

Ela deixou sua sacola no banco traseiro do carro de Biddy e sentou-se atrás do volante. O carro não gostou de ter passado a noite no frio, e foram necessárias duas ou três tentativas antes do motor pegar, mas finalmente ele ganhou vida, espirrando nuvens de fumaça. Judith ligou os faroletes laterais e rodou por todo o comprimento da Mews, depois passando por baixo da arcada, na extremidade mais distante.

Parecia estranho encontrar-se em Londres sem os balões de barragem que flutuavam alto no céu, e com as lâmpadas ainda acesas na rua. Entretanto, persistiam por toda parte as evidências de danos causados pelas bombas e privações da guerra e, ao dirigir pela Sloane Street acima, ela viu que embora as vitrines ostentassem vidraças, em vez das tábuas outrora pregadas para protegê-las, as mostras de Natal no interior das fascinantes lojas não tinham qualquer semelhança com o suntuoso fausto de antes da guerra.

Àquela hora ainda havia muita gente circulando. Eram mães apressando os filhos para a escola, empregados de escritório sendo sugados aos bandos para as instalações dos trens subterrâneos ou fazendo fila pacientemente nas paradas de ônibus. Todos pareciam um tanto abatidos e vexados, assim como seus trajes, e algumas mulheres estavam mal vestidas como camponesas, envoltas em sobretudos, botas e lenços grossos na cabeça.

No topo da Sloane Street ela dobrou para a esquerda, no sinal de trânsito, desceu a Brompton Road e entrou na Fulham. Dirigindo, disse para si mesma, *uma coisa de cada vez*. Estivera dizendo-se isso desde que deixara Rosemullion, bem cedo na manhã anterior. *Encha o tanque do carro e as latas de gasolina sobressalentes*. (Outras garagens, durante o trajeto, talvez não fossem muito solícitas no recebimento de cupons ilegais de gasolina.) *Vá para Londres. Vá para a Mews. Passe a noite lá*. Agora, as sugestões eram "Descubra o apartamento de Gus". "Toque a campainha." "Espere que ele chegue à porta." Se ele não aparecesse, então o que ela deveria fazer? Arrombar a porta? Ligar para a polícia ou a brigada de incêndio? E no caso dele abrir, o que lhe diria? Judith pensou em Diana. Diana nunca vacilava quanto ao que fazer. *Gus querido! Olá! Sou eu. Que linda manhã!*

Ela passou pelo Brompton Hospital e, lentamente, começou a examinar os números da rua, pregados na fachada das lojas ou sobre as portas. Estava quase lá. Entre duas ruas laterais, uma fila de pequenos estabelecimentos comerciais, cujos donos emergiam para empilhar caixotes de couve-de-bruxelas na calçada ou montar seus estandes de jornais. Viu o Café "Enguia e Torta", um dos pontos de referência de Rupert, e parou junto ao meio-fio. Desceu do carro e o trancou. A porta estreita espremia-se entre o café e uma pequena mercearia. Havia duas cigarras sobre o batente da porta, etiquetadas com nomes escritos em pedaços de cartolina. Um das etiquetas dizia NOLAN, a outra PELOVSKY. Não era muita ajuda. Após vacilar por um momento, Judith apertou a de nome PELOVSKY. Esperou.

Como nada acontecesse, tornou a pressionar. Se nada continuasse a acontecer, então tentaria Nolan. Seus pés, calçados em botas forradas de pele, começaram a ficar gelados, a friagem da calçada introduzindo-se pelos solados de borracha. Talvez Gus ainda estivesse na cama, dormindo. Talvez a campainha não funcionasse. Talvez ela devesse procurar abrigo no "Enguia e Torta", tomar uma xícara de chá...

Então, ouviu passos. Alguém aproximava-se descendo um lance de escada. Ficou atenta à porta. Escutou o clique de uma lingüeta, a porta se abriu para dentro e, na soleira, por fim e inacreditavelmente, estava Gus.

Por um momento sem palavras, eles simplesmente ficaram se olhando. Judith silenciara por um instante, apenas por sentir-se tão aliviada de vê-lo ali, e Gus, claramente atônito por encontrá-la em sua porta.

Ela precisava dizer *qualquer coisa*!

— Não sabia que você fosse Pelovsky — disse.

— Não, não sou. O nome é de outra pessoa.

A aparência dele não era tão ruim. Não tão decadente como ela havia temido. Terrivelmente magro e pálido, é claro, mas barbeado e vestindo casualmente uma grossa suéter pólo e calças de veludo cotelê.

— Devia trocar a etiqueta.

— Judith, que *diabo* você está fazendo aqui?

— Vim ver você. E estou congelando. Posso entrar?

— Claro. Sinto muito... — Ele recuou, fazendo espaço para que ela passasse. — Venha...

Judith cruzou a porta, que Gus fechou atrás deles. O recinto ficou muito escuro, e havia um cheiro mofado, desagradável, pairando no ambiente abafado.

— Como entrada, isto não é lá grande coisa — desculpou-se ele. — Vamos subir.

Gus tomou a frente e Judith o seguiu na escada escura. Chegando ao patamar, ela viu a porta entreaberta, na parede contrária. Os dois entraram para o aposento que ficava além, com seu papel de parede que fazia mal aos olhos e suas cortinas esfiapadas. Na lareira, um pequeno fogareiro elétrico ardia com visor, emanando um débil calor de suas duas barras, mas as janelas sujas continuavam embaçadas pela geada, e o frio ali dentro era terrível.

— É melhor não tirar o casaco — avisou ele. — Lamento, mas tudo aqui é um pouco sórdido. Passei a manhã de ontem tentando fazer uma pequena limpeza, porém a melhora não chegou a ser visível.

Havia uma mesa. Judith viu que Gus empurrara para uma extremidade papéis, anotações e os restos do jornal da véspera, havendo na outra as evidências do *breakfast*, uma xícara de chá e um pedaço de pão em um prato.

— Eu o interrompi — disse ela.

— Nem um pouco. Já terminei. Esteja à vontade...

Ele caminhou até a lareira e, da platibanda, apanhou um maço de cigarros e um isqueiro. Depois que acendeu o cigarro, virou-se e recostou os ombros contra a platibanda. Os dois encararam-se, acima do tapete gasto diante da lareira. Judith sentou-se no braço de um dos sofás cambaios, mas Gus permaneceu onde estava, em pé.

Não adiantava ficar com rodeios. Ela disse:

— Rupert telefonou para mim.

— Ah! — fez ele, como se tudo ficasse imediatamente claro. — Entendo. Pensei que devia ser algo assim.

— Não fique aborrecido com ele. Rupert estava sinceramente preocupado.

— Ele é um sujeito simpático. Entretanto, receio que me tenha surpreendido em um dia ruim. Gripado e coisas assim. Agora já estou melhor.

— Rupert me disse que você esteve doente. Que foi hospitalizado.

— Exato.

— Você recebeu minhas cartas? — Gus assentiu. — Por que não respondeu a nenhuma delas?

Ele meneou a cabeça.

— Eu não me sentia em condições de comunicar-me com ninguém, quanto mais de rabiscar palavras em um papel. Sinto muito. Foi ingratidão minha. Mesmo com você tendo sido tão gentil.

— Quando vi que não tinha notícias suas, comecei a ficar preocupada de fato.

— Não deveria. Já tem problemas pessoais suficientes. Como vai Jess?

— Muito bem. Já instalada no colégio.

— Que milagre para você, encontrá-la novamente!

— Sim, foi um milagre. Bem, Gus, acontece que não vim aqui para falar sobre Jess...

— Quando foi que chegou a Londres?

— Ontem. Vim dirigindo. Estou com o carro lá fora, estacionado na rua. Passei a noite na casa de Diana, e depois vim até aqui. Rupert me deu seu endereço. Não foi difícil encontrá-lo.

— Veio fazer compras de Natal?

— Não, não vim fazer compras. Vim encontrar você. Foi o único motivo.

— Que gratificante! Foi muita bondade sua.

— Quero que venha para a Cornualha comigo.

Ele respondeu prontamente, sem qualquer hesitação:

— Não posso. Obrigado, mas não vou.

— Por que tem de ficar em Londres?

— É um lugar tão bom quanto qualquer outro.

— Para quê?

— Para ficar sozinho. Aprumar-me sobre os pés. Acostumar-me a viver por conta própria. Um hospital psiquiátrico é uma experiência emasculadora. Enfim, algum dia terei que começar a procurar um trabalho. Tenho contatos aqui. Antigos colegas de colégio, rapazes que estiveram no exército. Uma espécie de rede de comunicação.

— Já esteve com algum deles?

— Ainda não...

Judith não acreditava inteiramente em toda aquela conversa; podia adivinhar que Gus procurava tranqüilizá-la e, desta maneira, ficar livre dela.

— É assim tão importante? Ter um trabalho?

— É importante. Não urgente, mas necessário. Rupert provavelmente a deixou a par dos detalhes do falecimento de meu pai. Quando ele morreu, de um modo ou de outro seu capital se derretera para meros trocados, por assim dizer. Não posso mais levar a vida aprazível de um cavalheiro endinheirado.

— Conhecendo-o, sei que isso não seria problema.

— Claro, mas cria uma certa necessidade por ação positiva.

— Só que não *imediatamente*. Tem que dar a si mesmo uma oportunidade. Você esteve doente. Passou momentos terríveis. Estamos em meados do inverno, o tempo fica inclemente e o Natal está quase em cima. Você não pode passar o Natal sozinho. Venha comigo. Agora. — Ela se ouviu suplicando. — Ponha alguma roupa em uma mochila, tranque a porta e vamos juntos para casa!

— Lamento. Lamento sinceramente, mas não farei isso.

— Por causa de Loveday? — ela quis saber, porém mal ousando perguntar.

Pensou que Gus fosse negar, mas ele não o fez. Assentiu.

— Sim.

— Você não *terá* que ver Loveday...

— Ora, vamos, Judith, não diga tolices! Como deixaríamos de nos ver? É irreal imaginar que não nos encontraríamos.

— Não teremos que *dizer nada...* que contar para quem quer que seja...

— E o que espera que eu faça? Que me disfarce com uma barba postiça, óculos escuros e falando nos tons guturais de um deslocado centro-europeu?

— Poderíamos chamá-lo de sr. Pelovsky.

A frase não valeu como piada, e tampouco ele achou graça.

— Não quero estragar a vida dela.

Não vai ser preciso, Gus. Walter Mudge e Arabella Lumb já estão cuidando disso, e com a máxima eficiência. Ela engoliu as palavras, já na ponta de sua língua, e foi uma boa coisa. Aquele era um detalhe que jamais deveria ser contado. Em vez disso, falou:

— Loveday não é tão importante quanto você, Gus. A pessoa com quem devemos preocupar-nos é você.

Ele não respondeu a isto.

— Ouça — insistiu ela — se não quer ir para Rosemullion, então deixe-me levá-lo a Gloucestershire, e o deixarei lá, com Rupert e Athena. Sei que eles adorariam recebê-lo.

O rosto de Gus era inexpresivo, os olhos escuros fundos e sombrios. Judith nada estava conseguindo da parte dele e, tendo que apelar para sua paciência o tempo todo, começava a aborrecer-se. Nada havia mais irritante neste mundo do que um homem teimoso e inflexível.

— Oh, Gus, por que tem que ser tão obstinado e cabeça-dura? Por que não quer a ajuda de nenhum de nós?

— Eu não preciso de ajuda.

— Isso é ridículo! Egoísta e horrível. Não está pensando em mais ninguém, além de em si mesmo. Como imagina que todos *nós* nos sentimos, sabendo que está sozinho, sem família, sem lar e sem... nada? Não podemos fazer coisa alguma em seu benefício, se você não ajudar a si mesmo. Sei que viveu provações infernais, como sei que esteve doente, mas tem que dar uma chance a si próprio. Nada de ficar trancado neste apartamento horrível, ruminando seu sofrimento, pensando em Loveday...

— Oh, *cale-se!*

Por um tenso momento, Judith pensou que fosse prorromper em lágrimas. Levantando-se do sofá, foi até a janela e contemplou o tráfego na rua, até sentir diminuir a quente ardência por trás de seus olhos e ter certeza de que não iria chorar.

— Eu sinto muito — disse Gus, às suas costas.

Ela não respondeu.

— Eu adoraria ir com você. Uma parte de mim anseia acompanhá-la, Judith, mas tenho medo de mim mesmo. Do que poderia acontecer. De fazer-me em pedaços novamente.

— Nada poderia ser pior do que este lugar — murmurou ela.

— O que disse?

— Eu disse que nada poderia ser pior do que isto aqui.

Houve um silêncio. Após um momento, Judith ouviu-o dizer:

— Ouça, meus cigarros acabaram. Vou dar uma descida rápida e comprar outros no jornaleiro. Fique aqui. Não vá embora. Logo estarei de volta. Então, farei uma xícara de chá para você ou qualquer outra coisa.

Judith permaneceu imóvel. Ouviu-o sair do aposento, depois os passos descendo apressadamente a escada escura. A porta da rua se abriu e fechou com ruído.

Com frio, cansada e desanimada, ela deixou escapar um longo e trêmulo suspiro. O que fazer em seguida? O que dizer? Virando-se, olhou em torno, examinando aquela salinha deprimente. Chegou até a mesa e pegou o jornal da véspera, que parecia representar o único divertimento ali dentro. Suas páginas mal dobradas haviam escondido outras posses, agora reveladas: uma surrada pasta de executivo, aberta e cheia de papéis, cartas e contas antigas; uma pasta de cartolina; um bloco de desenhos e um livro encadernado em lona — ou um álbum — ambos presos com uma grossa tira de borracha. Intrigada, largou o jornal e puxou o livro para mais perto. Reparou na capa suja, manchada e gordurosa, nos cantos dobrados das páginas muito manuseadas. Lembrou-se da voz de Gus, quando se tinham sentado no terraço do "Galle Face Hotel", e ele lhe falara dos últimos dias de Cingapura. De como vendera seu relógio por dólares de Cingapura e subornara um guarda da prisão para arranjar-lhe papel, lápis e um bloco para desenho.

Seu bloco de croquis. *Uma espécie de registro. Só que não para consumo humano.*

Judith sabia que não devia espionar. Ela não queria espionar. Suas mãos, no entanto, pareciam possuir alguma compulsão independente e toda própria. Afastando a tira de borracha, abriu o livro ao acaso, o bloco de desenho. Croquis feitos a lápis. Muito detalhados. Página após página. Uma longa fileira de homens emaciados, seminus, as costas vergadas ao peso de dormentes de madeira para a estrada de ferro, caminhando em fila única através da selva. Uma figura encurvada, amarrada a um poste, deixada ali para desidratar-se e morrer sob o sol inclemente. Um guarda japonês, com a coronha do rifle erguida acima de um prisioneiro esquelético, caído e jazendo na lama. Depois, outra página. Uma execução, o sangue esguichando de um pescoço cortado, como dois gravetos vermelhos...

Uma náusea crescente deixou um gosto ácido em sua boca.

Ela ouviu a porta da rua ser fechada com um baque, em seguida os pés de Gus subindo a escada. Fechou rapidamente o bloco de desenho e ficou apertando a capa entre as mãos, como se fechasse a tampa sobre uma caixa de horrores, vivos, letais e contorcidos.

Aquilo bastava. Repetiu, em voz alta:

— Isto *basta!*

Ele havia chegado à porta.

— Você disse alguma coisa?

Judith se virou para ele.

— Sim, eu disse. E não vou deixar você aqui, Gus. Não estou pedindo que venha comigo, estou *dizendo* que você vai comigo! E se não for, então vou ficar aqui e apoquentá-lo até que faça o que eu digo!

Surpreso diante da explosão dela, Gus desviou os olhos do rosto de Judith para o topo da mesa, e ali viu seu bloco, tendo ao lado a tira de borracha que o mantinha fechado. Então disse, em voz muito pausada:

— Não devia tê-lo aberto, Judith.

— Pois bem, eu o abri. E vi os desenhos. Não devia andar com ele por aí, como se essas fossem as únicas recordações que já teve. Elas sempre estarão gravadas em seu bloco. Jamais desaparecerão. Um dia, entretanto, se você permitir, acabarão desbotando. Só que não conseguirá fazer isso sozinho. Terá de *partilhar* esse conhecimento. Foi tudo perdido, se não quiser vir comigo. Terá sido tudo em vão. Estive dirigindo por todo este estirão, e o carro de Biddy não faz mais do que setenta e poucos quilômetros por hora, e eu tive que perder o jantar comemorativo de Diana pela volta de Jeremy Wells para casa, e agora terei de refazer todo o trajeto para casa, enquanto você fica aí, como um zumbi mumificado...

— Judith...

— Não quero mais falar sobre isto, mas, pela última vez, *por favor!* Se eu não partir agora, jamais chegarei em casa. A distância é muito grande, e às quatro já estará escuro...

De repente, tudo aquilo foi mais do que ela poderia suportar: seu desapontamento, a recusa dele em ouvi-la, o terrível conteúdo do bloco de desenhos. Sua voz interrompeu-se e ela sentiu o rosto crispar-se. Por fim, prorrompeu em emocionadas e cansadas lágrimas.

— Oh, *Gus*...

— Não chore — disse ele e, aproximando-se, passou os braços em torno dela, assim ficando até o pior do choro terminar. — Você realmente desistiu de uma reunião com Diana, Jeremy e todos eles... por minha causa?

Procurando um lenço, ela assentiu.

— Isso não importa. Pode acontecer outra vez.

Judith assoou o nariz. Gus falou então:

— Eu não gostaria de imaginá-la dirigindo sozinha, por todo o trajeto até a Cornualha. A setenta e poucos quilômetros por hora.

Com os dedos, ela enxugou as lágrimas nas faces.

— Não há muito que você possa fazer a respeito.

— Claro que posso. — Ele sorriu pela primeira vez. — Dê-me apenas cinco minutos.

Tomaram a direção oeste, através de Hammersmith e Staines, para entrar na A30. Judith dirigia, pensando que Gus talvez quisesse dormir e, por outro lado, já estava acostumada às peculiaridades do velho carro de Biddy. Sentado ao seu lado, Gus chupava balas enquanto acompanhava o trajeto em um surrado mapa rodoviário, pois disse que era educado o suficiente para não fumar seus cigarros no carro de outra pessoa. Em Hartley Wintney, deixaram para trás o último subúrbio. Depois disso, as cidades que atravessaram eram vilarejos rurais, com mercados, casas agachadas de tijolos vermelhos marginando as ruas principais, e *pubs* intitulados "O Leão Vermelho" e "A Cabeça do Rei". Salisbury, Crewkerne, Chard e Honiton. Fizeram alto em Honiton. Gus ficou enchendo o tanque com a gasolina do último latão sobressalente e Judith saiu em busca de comida, voltando depois com dois pastéis de carne de caça e um par de garrafas de refrigerante à base de gengibre. Os dois fizeram este modesto piquenique dentro do carro.

— Pastéis! — exclamou Gus satisfeito, mordendo o seu. Mastigou por um momento, depois olhou para Judith com expressão desapontada. — Isto não tem nenhum gosto de pastel.

— Então, tem gosto de quê?

Ele deu outra dentada e tornou a mastigar.

— De camundongo e lama, dentro de um esfregão.

— Não se pode esperar um pastel feito pela sra. Nettlebed. Não depois de seis anos de guerra. A gente precisa da melhor carne para um recheio adequado, porém a maioria das pessoas já esqueceu até mesmo que aparência tem a carne. De qualquer modo, aqui é Devon, e em Devon eles não são chamados de pastéis. São mais conhecidos como "mata-fome" ou coisa assim.

— Onde foi que conseguiu tão inútil informação?

— Qualquer um que tenha estado na Marinha sabe o que é um "mata-fome".

Gus replicou:

— Fico arrepiado só de pensar.

Continuaram rodando. As nuvens de Londres haviam desaparecido, o fim de tarde era claro e frio. O sol de inverno, redondo e vermelho como uma laranja, jazia baixo sobre as montanhas de Dartmoor. Exeter. Okehampton. Launceston. Estava escuro agora, os faróis tinham sido acesos e, aos lados da estrada estreita, via-se apenas o vazio da charneca.

Cornualha.

Gus ficou silencioso. Por muito tempo ele nada disse, mas por fim perguntou:

— Você já teve fantasias, Judith?

— Que tipo de fantasias?

— Oh, sabe como é. Quando se é criança e estamos crescendo. Galopar no deserto, na garupa de um atraente xeque. Ou salvar a vida de um iatista afogando-se, para então descobrir que era seu astro de cinema favorito.

— Fantasias desse tipo, não. Não especificamente. Entretanto, costumava fingir que o *Riviera da Cornualha era o Expresso do Oriente*, e eu estava seguindo para Istambul, onde entregaria documentos secretos, mas sendo seguida de perto por vários e sinistros espiões. Coisas de Agatha Christie, amedrontadoramente excitantes. E quanto a você?

— Minhas fantasias nem de longe eram tão aventureiras. Não creio que tenha sido um jovem particularmente aventureiro, mas as fantasias que tive pareciam-me reais. Havia três, muito distintas entre si. Uma era que eu iria à Cornualha, onde nunca tinha estado antes, e abraçaria uma vida de pintor boêmio. Moraria no chalé de um pescador, caiado de branco e com lajes na entrada, deixaria meu cabelo crescer, usaria um chapéu como Augustus John, sapatilhas e os macacões azuis dos operários franceses. Também fumaria cigarros "Gitane", teria um estúdio e caminharia sem pressa até algum prazeiroso *pub*, onde seria tão famoso e reverenciado, que as pessoas disputariam a honra de pagar-me uma bebida.

— Uma fantasia totalmente inofensiva. Entretanto, por que a Cornualha, se nunca estivera aqui antes?

— Eu a conhecia de fotos, telas, obras de arte. De artigos em "The Studio". Do colégio em Newlyn. Do colégio em Porthkerris. Sabia como era a cor do mar e das falésias, a extraordinária qualidade da luz.

— Como pintor, você teria sido um sucesso, tenho plena certeza.

— Talvez. Entretanto, pintar era o meu "pequeno passatempo", como meu pai o chamava. Chegou então o momento de ir para Cambridge, estudar engenharia. Um rumo totalmente diverso. — Ele fez uma pausa, parecendo ponderar alguma coisa. — Nossa geração talvez seja a última a fazer o que lhe mandarem.

— Quais eram as outras duas fantasias?

— As telas, novamente. Uma obra de Laura Knight, uma gravura que rasguei de uma revista e emoldurei, depois levando-a comigo para a escola, para casa e a Universidade. Uma jovem sobre um rochedo.

Usando uma velha suéter e tênis. Morena como uma cigana, com uma trança castanho-avermelhada caindo sobre um ombro. Linda.

— Você ainda a tem?

— Não. Outra baixa de Cingapura.

— E o terceiro devaneio?

— Esse era menos específico. Difícil de explicar. Seria encontrar um lugar, uma casa, um local ao qual eu pertencesse. Inclusive meu nome. Antes de conhecer Edward, eu era Angus. Depois que o conheci, fiquei sendo Gus. Fomos juntos para a França, em férias. Então, ele me convidou para Nancherrow. Eu nunca estivera na Cornualha, mas dirigi sozinho por todo o trajeto, desde Aberdeenshire. E ao cruzar os limites do condado, fui tomado pela extraordinária sensação de estar regressando. Era o meu regresso ao lar. Como se já tivesse visto tudo aquilo antes. As paisagens eram inteiramente reconhecíveis e muito queridas. E quando cheguei a Nancherrow, tudo se ajustou, como se houvesse sido orquestrado. Forjado. Pretendido. Em Nancherrow, encontrei Loveday; e quando Edward apresentou-me a seu pai, o coronel disse, *Gus, meu caro rapaz, como foi bom ter vindo, e que prazer sentimos em recebê-lo*, ou coisa assim. Então, todos eles deixaram de ser fantasias, tornaram-se reais. Todos os sonhos, apenas por um breve período, foram verdadeiros.

Judith suspirou.

— Oh, Gus... Não sei se é a casa ou as pessoas que vivem nela. Entretanto, você não foi o único a sentir-se assim sobre Nancherrow. E nem *tudo* ficou no passado. Edward se foi, bem sei. E suponho que, para você, Loveday também. Só que ainda existe o futuro. E o que existe no futuro capaz de impedi-lo de ser pintor? De viver aqui, ter um estúdio, trabalhar em algo que ama e que talvez deva explorar... Agora não há nada que o impeça.

— Não. Nada. Exceto minha própria e inexistente confiança. Minha falta de vontade. O medo de fracassar.

— Isso é apenas *agora*. Você esteve doente. O *agora* não vai durar para sempre. Você ficará melhor, mais forte. As coisas mudarão.

— Talvez. Ainda veremos. — Ele espreguiçou-se no assento, movendo as pernas entorpecidas. — Você deve estar cansada, pobre garota.

— Agora não está longe.

Ele baixou o vidro de sua janela e ambos foram momentaneamente assaltados por uma rajada de ar frio e fresco. Gus virou o rosto e aspirou uma boa porção daquele ar.

— Sabe de uma coisa? — disse. — Posso sentir o cheiro do mar.

— Eu também.

Ele subiu o vidro.

— Judith...

— Diga.

— Obrigado.

Segurando uma caneca de porcelana Wedgwood, cheia de chá forte e escaldante, Judith bateu à porta do quarto de Biddy.

— Gus?

Ela abriu a porta, para um jato de ar gelado. As janelas estavam inteiramente abertas, as cortinas sacudindo-se ao vento, e o peso da porta quase lhe era arrancado da mão. Fechou-a apressadamente atrás de si, e as cortinas agitaram-se com menos força.

— Você deve estar *congelando* — disse.

— Nada disso.

Ele estava deitado na cama, recostado em travesseiros, as mãos entrelaçadas atrás da cabeça. O paletó do pijama era azul, e um início de barba, crescida durante a noite, formava uma mancha escura em seu queixo.

— Trouxe-lhe uma caneca de chá — disse Judith, colocando a caneca na mesinha ao lado da cama.

— Você é um encanto. Que horas são?

— Dez e meia. Importa-se se eu fechar a janela? O vento encanado percorre a casa inteira, e estamos tentando mantê-la aquecida.

— Sinto muito. Eu devia ter pensado nisso. Apenas achei tão bom sentir o ar puro em meu rosto... O hospital era superaquecido, e a atmosfera de Londres é sempre pesada e malcheirosa, para não se falar no barulho do trânsito.

— Entendo o que quer dizer.

Ela fechou os velhos caixilhos da janela e ficou por um momento espiando para o dia, através da vidraça. O céu estava aquoso e coberto de nuvens. Houvera tido uma pancada de chuva e logo haveria outra. Poças cintilavam nos caminhos, e os galhos pelados das árvores gotejavam sobre a fanada relva invernal do jardim. O vento gemia, chocava-se contra a casa, sacudia a janela. Judith virou-se e foi reclinar-se sobre o trilho de latão dos pés da cama de casal em que Biddy dormia.

— Como foi seu sono?

— Não muito ruim. — Ele tinha se sentado na cama, os joelhos dobrados para cima sob as cobertas, seus dedos compridos envolvendo o calor da caneca, uma mecha de cabelos negros caindo sobre a testa. — Ainda estava escuro quando acordei. Fiquei vendo o céu encher-se de luz. Devia ter-me levantado bem cedo, para o *breakfast*?

— Eu lhe disse ontem à noite que não. Só o incomodei agora, porque tenho de ir a Penzance comprar alguns mantimentos e quis saber se você precisava de alguma coisa.

— Como cigarros? — sugeriu ele.

— Naturalmente.

— E sabão de barba...

— Prefere em tubo ou para ensaboar naquelas pequenas bacias?

— Será que conseguiria uma baciazinha?

— Posso tentar.

— Vou precisar de um pincel de barba.

— Isso é tudo?

— Creio que sim. Vou dar-lhe algum dinheiro.

— Não se preocupe. Apresentarei a conta quando voltar. Não pretendo demorar. Estarei em casa à hora do almoço. Phyllis preparou uma torta de coelho-e-pombo. Acha que consegue comer coelho e pombo?

— Se consegui comer um "mata-fome", posso comer qualquer coisa.

Ela riu.

— Levante-se quando tiver vontade. Tome um banho, se quiser. O jornal da manhã está na sala de estar e acendi a lareira. — Ela caminhou para a porta e a abriu. — Até mais tarde.

— Até.

Quando ela voltou, faltando quinze minutos para uma hora, a cozinha estava inundada pelo cheiro agradável da torta de coelho, e Phyllis punha para ferver uma panela de couve-de-bruxelas. Judith pousou suas cestas apinhadas em uma ponta da mesa de madeira, e começou a tirar as compras de dentro delas.

— Consegui uma porção de cavalinha fresca e podemos comê-la no jantar. Trouxe também um osso para a sopa. E nossas rações de açúcar e manteiga. Parecem ficar mais e mais menores a cada semana.

— O sr. Callender trouxe cartão de racionamento?

— Terei de perguntar-lhe. Não creio que tenha algum.

— Ele vai precisar ter — avisou Phyllis. — Um homem daquele tamanho come o dobro do que comemos.

— Teremos de enchê-lo de batatas. Ele já se levantou?

— Sim, está por aí. Veio à cozinha dizer olá, e depois passou algum tempo no jardim. Agora está lendo o jornal, na sala de estar. Eu disse a ele para manter o fogo aceso. Botar uma tora de vez em quando.

— O que achou da aparência dele?

— Um pouco magro, não? Pobre alma... Não gosto nem de pensar no que ele passou!

— É duro — disse Judith.

O último pacote foi tirado das cestas, nelas restando apenas os artigos que havia comprado para Gus. Juntou-os e foi à procura dele, encontrando-o inteiramente à vontade nas profundezas da poltrona de Biddy, lendo o jornal. Ao vê-la, deixou o jornal de lado.

— Minha consciência começa a reclamar por eu estar sendo tão preguiçoso.

— É exatamente como precisa ficar. Quer um drinque ou qualquer coisa? Creio que há uma garrafa de cerveja.

— Não, obrigado.

— Aqui estão suas coisas. — Judith sentou-se na banqueta ao pé da lareira e foi entregando os artigos que tirava de um amarrotado usado saco de papel. Sabão para barba Yardley's Lavender, dentro de uma baciazinha de cedro, nada mais, nada menos. Eles as receberam para o Natal, e o farmacêutico tirou esta debaixo do balcão. Aqui tem seu pincel de barba, em pêlo de texugo. E cigarros. E este é um presente meu.

— Judith! O que é?

— Abra e veja.

Era grande e bastante pesado, embrulhado em papel branco e amarrado com barbante. Gus o pousou sobre os joelhos, desatou o barbante e rasgou o papel, deixando à vista um grosso bloco de papel espesso, tamanho ofício, uma caixa de lápis H.B., a caixa de pintura Winsor e Newton em esmalte preto, e três belos pincéis em pêlo de marta.

— Sei que no momento você não pensa em pintar — disse ela rapidamente — mas tenho certeza de que logo sentirá vontade. Espero que esteja tudo certo. Comprei na loja de arte. O papel certamente não é da qualidade que você gostaria, mas era o melhor que tinham...

— Está perfeito, é um presente maravilhoso! — Inclinando-se para diante, ele pousou a mão no ombro dela, puxou-a para perto e beijou-lhe a face. — Você é a pessoa mais doce deste mundo. Obrigado.

— Não vou sugerir coisas nem interferir mais. Prometo.

— Acho que não me incomodaria muito se você interferisse.

Eles três almoçaram na cozinha aquecida e, depois da torta e de cerejas enlatadas com cobertura de creme de leite, Judith e Gus vestiram casacos impermeáveis e saíram para a tarde chuvosa, varrida pelo vento. Caminharam, não descendo até o mar, mas subindo a colina de Rosemullion, pela estrada que levava às charnecas. Depois abandonaram a estrada e seguiram através do terreno ermo onde se via a relva invernal, fetos castanhos e maciços de urze. Dali ganharam as serpenteantes trilhas de ovelhas, que iam até os dólmens no topo. As nuvens pareciam persegui-los, empurradas do mar. Havia gaivotas e maçaricos-reais revoluteando muito bem no alto, e, quando finalmente escalaram a rocha e lá ficaram de pé, enfrentando o vento, o terreno desdobrou-se por completo em torno deles, e ficaram circundados pelo horizonte.

Voltaram para casa por uma rota diferente, isto tornando o passeio uma caminhada realmente longa, de modo que já eram quatro e meia e a escuridão descera, quando finalmente cruzaram o portão da Dower

House. Anna já voltara da escola e se sentara diligentemente à mesa da cozinha, lutando com seu dever de casa. Quando eles surgiram à porta, exaustos e fustigados pelo vento, ela deixou o lápis de lado e ergueu os olhos, curiosa em saber quem, afinal, era o homem que viera para ficar e sobre o qual sua mãe tanto lhe falara.

Phyllis já tinha a chaleira no fogo, para o chá.

— Vocês demoraram um bocado. Devem estar com os pés doloridos.

— É esquisito sair para uma caminhada sem Morag. Vamos ter de arranjar um cachorro para nós. Olá, Anna. Este é Gus Callender. Ainda não o conhecia, não é mesmo?

Gus libertou-se de seu cachecol e sorriu para ela.

— Olá, Anna — disse.

Anna ficou corada de acanhamento.

— Olá — respondeu.

— O que está fazendo?

— Dever de casa. Somas.

Ele puxou uma cadeira e sentou-se ao lado dela.

— Somas de dinheiro. São sempre as mais difíceis...

Phyllis passava margarina em fatias de pão de açafrão. Disse, sem erguer os olhos:

— Jeremy Wells ligou, de Nancherrow.

Judith sentiu o coração dar um salto involuntário, e imediatamente ficou irritada por ser tão tola.

— O que ele queria?

— Oh, não muita coisa. — Outra fatia e mais margarina. — Apenas perguntou se você já tinha voltado. Eu disse que tinha. Disse que você e o sr. Callender tinham saído para andar um pouco.

— Como foi o jantar de comemoração?

— A sra. Carey-Lewis desistiu da idéia. Você não estaria presente, e Walter tinha qualquer coisa mais para fazer.

Judith esperou que Phyllis fornecesse mais detalhes, porém ela ficou calada. Era evidente que ainda estava um pouco sentida por aquela história de Jeremy. A fim de aplacá-la, perguntou:

— Ele quer que eu ligue?

— Não. Ele disse que não se preocupasse. Que não havia necessidade. Não era nada importante.

O Regresso

Eram onze da noite, faltava uma hora para a meia-noite, e ele ainda não voltara.

Enrodilhada em um canto do sofá, Loveday olhava o mostrador do relógio e os lentos minutos que se escoavam. O vento voltar a soprar, vindo do mar, a fim de uivar para as janelas da casinha e sacudir suas portas. Volta e meia ela podia ouvir os cães de Walter latindo nos canis, porém não se aventurava a sair e descobrir o que os perturbava. Talvez fosse uma raposa. Ou um texugo, remexendo os depósitos de lixo.

Ele havia saído às sete. Terminada a ordenha, lavara-se, trocara de roupa e partira em seu carro, nem ao menos provando a torta de batata com carne picada que ela havia preparado para o seu chá. A torta continuava lá, no forno de baixo, a essa altura provavelmente congelada e seca. Não importava. Ela o deixara ir, mantendo um silêncio amuado, pois sabia que se dissesse alguma coisa, fizesse objeções, protestasse ou exigisse explicações, haveria uma explosão — mais uma briga entre ambos, encerrada por um ensurdecedor bater da porta, no momento em que ele saísse. Os dois pareciam nada mais ter a dizer que fosse remotamente construtivo, e tudo que restara eram palavras cruéis e dolorosas a serem trocadas.

O jovial convite de sua mãe para o jantar em homenagem a Jeremy Wells, em Nancherrow, deixara Loveday tomada por algo semelhante a pânico. No presente estado de espírito de Walter, ela não tinha certeza de que ele iria de bom grado e, em caso contrário, seus pais pressentiriam algo errado, começariam a fazer perguntas. Até mesmo transmitir a ele o convite feito exigiu um pouco de coragem de sua parte, e foi quase um alívio ouvi-lo dizer que tinha coisas melhores a fazer do que ir a jantares de luxo e que, além disso, já fizera planos para aquela noite.

— Você gostava de Jeremy.

— Não tenho nada contra ele.

— Não quer vê-lo outra vez?

— Logo o verei por aí. E, se ele quiser ver-me, pode vir, que me encontrará aqui.

Assim, Loveday telefonara para a mãe com escusas para a ausência de Walter, somente para ser informada de que a pequena reunião havia sido temporariamente cancelada, porque Judith também não poderia ir.

— O que ela está fazendo? — perguntara Loveday.

— Ela foi a Londres.

— A Londres? Para quê?

— Oh, eu não sei. Compras de Natal? Seja lá o que for, queridinha, está tudo adiado por ora. Teremos nossa reunião em qualquer outra noite. Como está Nat?

— Muitíssimo bem.

— Beije-o por mim.

Assim, ficava eliminada uma preocupação, porém ainda havia muito mais.

Desde a tarde em que Judith tomara chá com ela e Loveday lhe fizera confidências, seu relacionamento com Walter fora piorando em ritmo alarmante, fazendo-a começar a crer que não somente deixara de ser amada, como o marido de fato a odiava. Ele ficou quatro ou cinco dias sem dirigir a Nat uma palavra gentil e, se por acaso faziam alguma refeição juntos, Walter mergulhava em silêncio, lia um jornal ou folheava as páginas do último *Farmer's Weekly*. A princípio, ela tentara fazer perguntas sobre a fazenda e os animais — sobre tudo o que agora tinham em comum — porém ele respondia por monossílabos, deixando-a sem notícias. Ultimamente, Loveday nem mesmo tentara romper aquela carrancuda e muito aterradora antipatia. Havia a terrível sensação de que, se o contrariasse além da conta, ele poderia realmente levantar-se da mesa e espancá-la.

Onze e quinze. Inquieta, Loveday resolveu fazer uma caneca de chocolate.

Levantou-se do sofá e colocou no fogão uma panela com leite para aquecer. Em seguida, querendo companhia, ligou o rádio. A Rádio Luxemburgo era sempre boa em programas musicais. Ela ouviu Bing Crosby cantando "Deep Purple", a canção favorita de Athena, naquele último verão antes da guerra. Quando Gus tinha ido a Nancherrow.

Ela pensou em Gus. Em geral não costumava pensar nele, porque as lembranças do que havia feito a deixavam tão angustiada, arrependida e aborrecida consigo mesma que, tinha certeza, devia ser exatamente o que *ele* pensava a seu respeito. Aos dezenove anos, ela agora percebia que havia sido pateticamente fraca e, ao mesmo tempo, infantilmente teimosa em fazer prevalecer, como de hábito, a própria vontade. Recusando-se a aceitar o fato de que poderia ter-se enganado, em sua inabalável convicção de que Gus tinha morrido em Cingapura; firmemente decidida a continuar para sempre em Nancherrow, a nunca ser arrancada dos braços amorosos de sua família; aferrando-se à primeira tábua de salvação que não a deixaria afogar-se, a qual, no caso, era Walter. Com tardia percepção, sabia agora que Arabella Lumb significava apenas uma espécie de catalisador, precipitando os acontecimentos. Se não fosse Arabella, teria sido qualquer coisa ou qualquer outra pessoa. Nat era realmente o único bem que resultara de todo aquele desastre.

Loveday tinha absoluta certeza de que nunca mais veria Gus. *Não quero que ele venha aqui*, havia dito a Judith. Entretanto, isso não era porque ela não *quisesse* vê-lo, mas apenas por sentir tanta vergonha do que fizera a ele. E se *ela* era capaz de pensar coisas tão deprimentes sobre si mesma, o que *ele* não pensaria? O amor, sem a força da fé, da confiança, de nada adiantava a ninguém. Se, a esta altura, ele já a tivesse tirado da cabeça, tomando um rumo em direção inteiramente diversa, não lhe cabia o direito de censurá-lo. A única culpada era ela própria.

De qualquer modo, aquela fora uma época maravilhosa.

Esperando o leite ferver, sentiu as lágrimas chegarem aos olhos, mas não saberia dizer se eram por ela própria ou por Gus.

Ouviu a voz de Nat, vinda do quarto. Chorando, chamando por ela. Deixou o leite de lado e parou, na leve esperança de que ele continuasse dormindo. Nada disso aconteceu, e Nat simplesmente chorou mais alto, fazendo-a ir até o quarto e tirá-lo de sua caminha, embrulhado em uma enorme manta. Loveday o trouxe para a cozinha e o acomodou no sofá.

— Por que está chorando?

— Eu quero mamããe...

— Eu estou aqui. Não precisa chorar mais.

Nat enfiou o polegar na boca e a ficou observando, por sob as pálpebras abaixadas. Ela encontrou uma caneca, preparou o chocolate e depois voltou para junto do menino, com quem ficou falando por um instante, dando-lhe golinhos da bebida doce e quente que ele adorava. Pouco depois, Nat tornava a adormecer. Quando terminou de beber o chocolate, Loveday deixou a caneca no escorredor, desligou o rádio e deitou-se ao lado do filho, com o braço sob o corpinho firme e cálido, a manta enrolando os dois. Os cabelos dele eram macios contra seus lábios. Ele desprendia um cheiro gostoso de sabonete. Após um momento, ela fechou os olhos. Os dois dormiram.

Ela acordou às sete. A luz elétrica ficara acesa a noite inteira, permitindo-lhe ver o mostrador do relógio e saber, imediatamente, que Walter não estivera em casa, que não voltara. Nat dormia profunda e tranqüilamente. Loveday puxou o braço que mantinha sob o peso dele e sentou-se com cuidado. Depois deslizou para fora do sofá e ajeitou as dobras da manta em torno do corpinho rechonchudo do filho.

Loveday espreguiçou-se. Passar a noite em posição tão incômoda a deixara com os membros doendo, entorpecidos, e um mau jeito no pescoço. No exterior, o vento amainara um pouco, porém o tempo continuava razoavelmente tormentoso e, ali em cima, sobre a face da ladeira, havia pouco abrigo. Aguçou os ouvidos para captar latidos, mas os cães não emitiam som algum. Imaginou que Walter, tendo passado a noite na farra, retornara à fazenda para a ordenha da manhã e os soltara dos canis, quando a caminho dos estábulos. De certo modo alheado, perguntou-se se ele estaria enfrentando uma brutal ressaca ou as alfinetadas de uma consciência culpada. Provavelmente, nem uma coisa nem outra. Fosse o que fosse, não fazia a menor diferença. Um dia isso já tivera importância, mas, após essa última noite, o bem-estar de seu marido não lhe causava mais nenhuma preocupação.

Chegando junto do fogão, ela abriu o forno de baixo, recolheu os remanescentes solidificados da torta que lá deixara e os raspou para dentro do balde de comida dos porcos. Em seguida retirou as cinzas e acendeu o fogo. Crepitando suavemente, as chamas deixavam o fogão pronto para mais um dia. Isso era tudo que ia fazer.

No vestíbulo, tirou do cabide sua grossa capa de chuva e a vestiu. Amarrou uma echarpe de lã em volta da cabeça e enfiou os pés calçados em soquetes dentro das botas de borracha. Voltou à cozinha e tomou Nat nos braços, enrolando-o em sua manta espessa como se fosse um bebê. Ele não acordou. Apagando a luz, ela saiu da cozinha escura, cruzou a porta e enfrentou o vento frio da negra manhã de dezembro.

Não precisava de lanterna, porque sabia de cor cada trecho do caminho, cada pedra e cada laje. Seguiu pela trilha que acompanhava as lavouras, e no sopé da colina se juntava à alameda que conduzia a Nancherrow. Carregando Nat, Loveday iniciou a longa caminhada para casa.

Às sete horas da manhã, Nettlebed era sempre o primeiro a descer. Nos velhos tempos, mesmo em hora tão matinal, ele costumava vestir-se de acordo com a formalidade e importância de sua posição. Entretanto, os anos da guerra, durante os quais tinha usado os trajes de hortelão, ao mesmo tempo que os de mordomo, haviam colocado um ponto final em tal imponência e, em vez disso, ele inventara para si mesmo uma espécie de meio-termo. Camisa de flanela listrada, colarinho branco removível, gravata preta e um pulôver azul-marinho de decote em V. Sobre estas peças, quando engajado em trabalho sujo, como cozinhar, depenar faisões ou polir guarnições de latão, vestia um avental de açougueiro de listras azuis e brancas, que a sra. Nettlebed decidira ser aceitavelmente prático, de nenhum modo rebaixando a posição de seu marido.

As tarefas da manhã seguiam uma rotina imutável. Destrancar e abrir as folhas externas da porta principal. Puxar para os lados as cortinas da sala de refeições e salas de estar, abrir uma fresta das janelas para que o ar puro penetrasse e fizesse desaparecer o cheiro de fumaça de charutos. Em seguida, rumo à cozinha. Uma chaleira no fogareiro para o chá matinal do coronel. Destrancar a porta da copa que dava para o pátio. Em seguida, descer o corredor até a sala de armas, onde Tiger ainda dormia. (No correr dos anos, Pekoe insinuara-se no quarto da sra. Carey-Lewis e lá dormia, junto dela. Ele tinha uma cesta de vime no canto do quarto, mas todos sabiam que seu lugar de escolha eram os pés da cama dela.)

Tiger estava rígido nas manhãs, e Nettlebed solidarizava-se com o velho cão, porque também ele sofria de reumatismo, tendo agora sessenta e cinco anos e ficando em pé a maior parte do dia. Quando soprava o vento leste, seus joelhos inchados o castigavam sem piedade.

— Vamos levantar, rapaz — ordenava Nettlebed.

Tiger então se içava sobre as quatro patas e cambaleava através da porta para a escuridão invernal e o vento irritante. Nettlebed o acompanhava, porque do contrário não teria certeza de que Tiger fizera suas necessidades.

Esta manhã o cão demorou séculos, e Nettlebed gelara até os ossos, quando ele finalmente tornou a entrar. Era triste ver um bom cão envelhecendo. Nettlebed nunca tivera muito tempo para cães, já que não nascera nem fora criado para cavalheiro de vida ao ar livre, mas gostava de Tiger, pois este tinha acompanhado o coronel através de todos os anos da guerra e de muita tristeza. Não se passava um dia sem que Nettlebed deixasse de pensar em Edward.

Com Tiger cambaleando e ganindo em seus calcanhares, ele voltou para a cozinha. Ali, o velho cão acomodou-se sobre sua manta, ao lado do fogão. A chaleira fervia. Nettlebed aqueceu o pequeno bule de chá branco. O relógio marcava sete e meia. Ele estendeu o braço para pegar a lata de chá e, ao fazer isso, ouviu abrir-se a porta dos fundos da copa, dando passagem a uma rajada de vento através do piso lajeado.

— Quem está aí? — perguntou, assustado, indo olhar.

— Sou eu, Nettlebed!

Loveday chutou a porta para trás, a fim de fechá-la, porque tinha os braços ocupados com algo informe e embrulhado em uma manta, que só podia ser o pequeno Nat. Nettlebed decidiu que a aparência dela, com as botas enlameadas e toda envolta em echarpes, era a de um refugiado.

— Loveday! O que está fazendo aqui, em hora tão imprópria?

— Eu apenas vim caminhando desde Lidgey.

Ele ficou horrorizado.

— Carregando Nat?

— Sim. Por todo o trajeto. Estou exausta. Não tinha percebido que ele pesava tanto.

Ela cruzou a copa e entrou na cozinha. Depositou Nat cuidadosamente sobre a enorme mesa de madeira crua, fazendo um travesseiro com uma ponta da manta e acomodando o filho da maneira mais confortável que pôde. Nat nem se moveu. Loveday ergueu o corpo com cuidado, as mãos pressionando o final das costas.

— Ah! — suspirou, de puro alívio.

O espanto de Nettlebed transformou-se em indignação.

— Não devia ter carregado Nat esse tempo todo. Terminará prejudicando-se, e ninguém pode negar isso.

— Estou bem, mas lá fora faz um frio danado. — Ela caminhou até o fogareiro, aproximou as mãos da superfície quente por um momento, depois agachou-se para falar com Tiger: — Olá, meu lindo!

A cauda de Tiger ficou batendo no chão, *tump-tump-tump*. Eles sempre se adoraram.

Nettlebed contemplava a pequena cena com o coração opresso. Temia e adivinhava justamente o pior. Desde algum tempo, sabia que a situação estava difícil em Lidgey. Era seu costume, duas noites por semana — não mais — ir até o *pub* de Rosemullion, a fim de conversar com dois velhos amigos, disputar um jogo de dardos e saborear uma cerveja. Tinha reparado em Walter com aquela mulher, a tal Arabella Lumb, como diziam que se chamava, e Nettlebed era dos que sabiam identificar uma notícia ruim quando a via. Já vira os dois juntos por mais de uma vez, sentados a uma mesa de canto, sendo óbvio para qualquer homem com dois olhos no rosto, que eles não se tinham encontrado por acaso.

Walter Mudge estava agindo de maneira absolutamente irresponsável. Outrora, Nettlebed apreciara bastante o jovem Walter, mas isso fora antes dele casar-se com Loveday, quando ficava em seu lugar (os estábulos) e entregava leite e creme na porta dos fundos. Ao ser anunciado que ele e Loveday iam ser marido e mulher, Nettlebed e a sra. Nettlebed haviam desaprovado firmemente, mas, em respeito aos desejos de seus empregadores, guardaram para si mesmos o que pensavam. Tudo quanto Nettlebed pudera fazer, tinha sido presentear Walter com um traje decente para o casamento, a fim de que ele não envergonhasse a família diante do governador do condado e de seus distintos amigos.

Ultimamente, no entanto, Nettlebed começara a pensar que talvez tivesse sido melhor estrangular Walter Mudge com uma gravata, atirá-lo ao mar e assumir as conseqüências.

Tiger cochilava novamente. Loveday levantou-se, ficando de costas contra o fogareiro.

— Onde está a sra. Nettlebed?

— Lá em cima, no apartamento. Vai tirar a manhã de folga. Suas varizes a estão deixando inutilizada. Elas a crucificam, acredite.

— Oh, coitada dela! Talvez devesse ser operada. Eu sinto muito.

— Estou preparando o *breakfast* esta manhã. Quer uma xícara de chá?

— Talvez. Daqui a pouco. Não se preocupe. Eu mesma posso prepará-la.

Ela desenrolou a echarpe da cabeça e a enfiou no bolso da capa. Nettlebed viu as olheiras escuras de cansaço sob os olhos e notou que, apesar da longa caminhada de Lidgey até ali, não havia cor alguma nas faces de Loveday.

— Está tudo bem, Loveday? — perguntou.

— Não, Nettlebed. Nem um pouco. Está tudo errado.

— É Walter?

— Ele não voltou para casa esta noite. — Mordendo o lábio, ela encontrou o olhar triste e preocupado do mordomo. — Você sabia sobre ela, não sabia? Arabella Lumb. Tenho certeza de que você sabia.

— Sim — suspirou ele. — Eu imaginei.

— Creio que está tudo acabado. Comigo e Walter, quero dizer. *Sei* que acabou. Aliás, penso que foi um enorme, terrível erro desde o começo.

— Você voltou para casa?

— Sim. E não volto mais para lá.

— E quanto ao menino? É filho de Walter.

— Não sei sobre Nat. Na realidade, não sei nada de nada. Ainda não tive tempo de analisar bem as coisas. — Ela franziu o cenho. — Preciso ter tudo bem claro na cabeça, antes de enfrentar todos eles. Papai, mamãe e Mary. Acho que, neste momento, o que eu gostaria mesmo era de ficar um pouco sozinha. Dar uma caminhada. Arejar a cabeça.

— Não acha que já caminhou demais?

— Não vou levar Nat. — Ela olhou para a criança profundamente adormecida, em sua cama improvisada. — Se eles virem Nat, saberão que voltei. Não quero que fiquem sabendo ainda... não, enquanto eu não encontrar todas as respostas para todas as perguntas.

Ouvindo-lhe a voz firme e olhando para ela, ocorreu a Nettlebed que jamais vira antes a Loveday de agora. Sem lágrimas, sem pirraças, sem histrionismos. Simplesmente uma estóica aceitação de uma situação infeliz, e nenhuma palavra de ressentimento ou censura. Talvez, disse para si mesmo, Loveday finalmente tivesse amadurecido, e se sentiu tomado por um novo respeito, uma nova admiração por ela.

— Eu podia levar o pequeno Nat para nosso apartamento — disse.
— A sra. Nettlebed ficará de olho nele por enquanto. Assim, alguém só saberá que ele está aqui quando você quiser. Até você voltar.

— Bem, mas e quanto às varizes da sra. Nettlebed?

— Ela apenas ficará de olho no menino. Não irá carregá-lo no colo.

— Oh, Nettlebed, está sendo muito gentil. E não dirá nada, certo? Quero eu mesma falar tudo, explicar a situação.

— O *breakfast* é às oito e meia. Ficarei de boca fechada até você voltar.

— Obrigada.

Loveday aproximou-se dele, passou os braços por sua cintura e o abraçou de leve, pressionando a face contra a lã do seu pulôver. Nettlebed não se recordava de já tê-la visto agir daquela maneira antes, e por um momento viu-se apanhado de surpresa, não sabendo ao certo o que fazer com as mãos. Entretanto, antes de poder corresponder ao abraço, ela já se afastara, inclinava-se sobre a mesa e, tomando o adormecido Nat nos braços, entregava-o a ele. O menino parecia pesar uma tonelada, e os joelhos reumáticos de Nettlebed encurvaram-se ligeiramente sob a carga. Entretanto, carregou a criança através da cozinha e subiu a estreita escada dos fundos que levava aos seus aposentos particulares, em cima da garagem. Quando voltou, após deixar Nat aos cuidados de sua espantada esposa, Loveday já se fora, e levara Tiger com ela.

———

Caminhar era mais ou menos como flutuar, emergir para a superfície de uma profunda e escura lagoa. Tudo negro no começo, depois clareando para índigo, em seguida azul, e então irrompendo na luz ofuscante. Ele abriu os olhos e ficou surpreso ao descobrir que ainda estava escuro; o céu além da janela era um céu noturno, pontilhado de estrelas. Do andar de baixo, do poço da escada, chegou até ele o som suave do carrilhão do relógio de pé, marcando docemente as sete horas. Ele não se lembrava de quando já dormira tanto, tão profundamente, tão absolutamente despreocupado. Sem sonhos e sem pesadelos, não acordando pela madrugada com um grito nos lábios. As cobertas estavam lisas e sem amarrotados, um seguro sinal de que mal se movera, de que todo o comprimento de seu corpo estava em paz, relaxado e tranqüilo.

Ele pensou no dia anterior, procurando explicar o motivo daquele desconhecido estado de beatitude, e recordou um dia de ordenada tranqüilidade, de muito exercício e de uma assombrosa dose de ar puro.

Ao anoitecer, depois que ficara escuro, ele e Judith haviam jogado cartas e tinham ouvido um concerto de Brahms pelo rádio. Chegada a hora de dormir, Phyllis lhe preparara uma caneca de leite quente e mel, rematada com uma colher de chá de uísque. Talvez esta poção mágica o tivesse nocauteado, porém ele sabia que bem mais provável seria a extraordinária, intemporal e curativa qualidade da velha casa de Lavinia Boscawen. Um santuário. Ele não conseguia pensar em qualquer outra palavra.

Sentia-se tão repousado, que seus membros estavam cheios de uma ignorada e há muito tempo esquecida energia. Não podia ficar deitado mais tempo. Levantou-se, foi até a janela aberta, debruçou-se para fora com os cotovelos no peitoril, e aspirou o ar frio e o cheiro de maresia, ouviu o sussurro do vento nos pinheiros de Monterey, no início do jardim. Pelas oito horas, o sol estaria subindo. Ele foi assaltado por seus velhos sonhos com água, profunda, fria e límpida, ondas se quebrando em uma praia; o som que produziam, espumando-se sobre rochas.

Pensou no novo dia que tinha pela frente. O sol, esgueirando-se acima da fímbria do horizonte, com os primeiros raios do alvorecer tingindo de rosa os céus crepusculares, e aquela luz refletida no mar movente, cinza-chumbo... De repente, ele foi outra vez obcecado pelo antigo desejo de registrar tudo aquilo, traduzi-lo para sua própria linguagem. Capturar, com lápis, pinceladas e aquarelas, as camadas de escuridão que desbotavam e os prismas de luz. Então, ficou tão grato por este ressurgimento de seu instinto criativo, que se percebeu tremendo, em uma espécie de êxtase.

Talvez fosse por causa do frio. Ele recuou da janela e a fechou. Sobre o toucador estavam empilhados perfeitamente o bloco de desenho, os lápis, tintas e os pincéis de pêlo de marta que Judith lhe comprara. Contemplou-os, e disse para eles, *mais tarde. Agora, não. Quando houver luz no céu, sombras e o brilho da chuva na relva, então começaremos a trabalhar.* Despiu o pijama e vestiu-se rapidamente. Suas calças de veludo cotelê, a camisa grossa, a pesada suéter pólo, seu paletó de couro. Carregando os sapatos (como qualquer indivíduo esgueirando-se por um corredor, com aspirações românticas), ele abriu a porta do quarto, tornou a fechá-la suavemente atrás de si e desceu a escada. Silenciosamente, o antigo relógio marcava os segundos. Cruzou a cozinha, calçou os sapatos e amarrou os cordões. Em seguida, deslizando os ferrolhos da porta dos fundos, saiu para o frio.

Era longe demais para ir caminhando. Recordou, dos velhos tempos, a grande extensão da alameda para carros em Nancherrow, e ficou impaciente por estar lá. Assim, abriu a pesada porta da garagem, onde se aninhavam, lado a lado, os dois idosos carros. E a bicicleta de Judith. Ele a segurou pelo guidom e a empurrou para fora, para o caminho de cascalhos. Havia um farolete dianteiro, que ele ligou, mas faltava o traseiro. Não importava. Àquelas horas, não haveria muito movimento na estrada rural.

Tendo sido originalmente comprada para uma jovem de quatorze anos de idade, a bicicleta era pequena demais para ele, mas isso tampouco importava. Girando a perna sobre o selim, montou e partiu, descendo velozmente a colina e atravessando Rosemullion com os joelhos ossudos apontados para os lados. Na ponte, foi forçado a desmontar, a fim de empurrar a bicicleta ao subir a empinada ladeira. Nos portões de Nancherrow, tornou a montar e pedalou pela estrada escura e marginada de árvores, ziguezagueando e chocalhando ao longo da alameda acidentada, que um dia havia sido imaculadamente macadamizada. Muito alto acima dele, os galhos vazios dos olmos e faias sacudiam-se ao vento produzindo estranhos rangidos e, de quando em quando, um coelho saltitava através do oscilante facho de luz do pequeno farol dianteiro.

Ao deixar as árvores para trás, a casa surgiu-lhe à vista, um vulto pálido. Acima da porta principal, uma luz brilhava por trás de uma janela encortinada. O banheiro do coronel. Gus imaginou-o em pé diante do espelho, fazendo a barba com sua afiada e antiquada navalha. As rodas da bicicleta matraquearam sobre o cascalho, e ele receou que a cortina do banheiro fosse puxada para um lado e que o coronel espiasse para baixo, descobrindo a sinistra e furtiva figura. Nada disso aconteceu. Deixou a bicicleta perto da porta principal, recostada contra a parede. Apagou a lâmpada acesa no alto, e depois caminhou cautelosamente até a frente da casa, por fim chegando ao terreno gramado.

O céu começava a clarear. Além das árvores desfolhadas e abaixo de uma comprida e enodoada nuvem cor de carvão, o sol anunciava-se acima do mar, vermelho-sangue e perfeitamente redondo, a metade inferior da nuven já tingida de rosa-forte. As estrelas desbotavam. Havia um cheiro de musgo e terra molhada no ar, tudo estava limpo e recém-lavado, cristalino e puro. Ele desceu o ondulado dos gramados e ganhou a trilha que mergulhava por baixo e através do matagal. Ouviu o ruído do regato, o fluir e chapinhar da água. Seguindo o som, cruzou a pequena ponte de madeira e mergulhou a cabeça no túnel de guneras. Quando alcançou a pedreira, já havia claridade suficiente para enxergar os degraus escavados em seu lado e para cruzar o solo rochoso entre os maciços de samambaias e tojos. Pulou o portão, seguiu pela estrada, depois o muro de pedras e a passagem nele existente — ele estava no topo do penhasco.

Ali fez uma pausa, pois por causa disso é que viera. A maré estava baixa, e a praia da enseada, um cinzento semicírculo de areia, estava orlada de algas e detritos deixados pelas águas. O sol surgira de todo agora, e as primeiras sombras alongadas espichavam-se pelo topo turfoso do penhasco. Então recordou o dia, aquela tarde de agosto, no verão antes da guerra, quando vira a irmã de Edward pela primeira vez, e ela o fizera descer até a enseada. Os dois tinham se sentado, abrigados do vento, e a sensação era de estar com uma pessoa a quem conhecera a vida inteira. Chegada a hora de irem embora dali, ela havia ficado em pé e tinha se virado para contemplar o mar, momento em que ele a identificara como sua jovem no penhasco, a gravura de Laura Knight, que era um dos seus mais preciosos bens.

Olhou para aquela rocha em particular, onde um dia havia ficado com Loveday. Foi então que os viu, e esfregou os olhos em descrença, imaginando-se ofuscado pela claridade do novo sol. Ela estava sentada de costas para ele, agachada contra a rocha, o cão bem apertado contra o lado de seu corpo, porque ela tinha passado um braço em torno do pescoço do animal. Por um segundo, julgou ter enlouquecido novamente, que ainda não se recuperara, que estava sofrendo de alguma alucinação auto-induzida. Foi então que, instintivamente, pressentindo sua presença, Tiger levantou a cabeça, farejou o ar, ergueu-se sobre as patas e caminhou com dificuldade pelo topo relvoso do rochedo, a fim de lidar com o intruso. Ele latiu, seu latido de aviso. *Quem é você? Fora daqui!* Nesse momento, seus olhos cansados viram Gus, e ele não latiu mais. Aproximou-se, a cauda abanando, as orelhas empinadas, o mais depressa que as patas artríticas podiam levá-lo, enquanto deixava escapar ruídos satisfeitos, produzidos no fundo da garganta.

Chegou ao lado de Gus, que se inclinou para afagar-lhe a cabeça, ao mesmo tempo em que via o focinho cinzento e o peso dos anos de Tiger.

— Olá, Tiger! Olá, meu velho!

Quando ele endireitou o corpo e espiou, ela estava lá em pé, com as mãos nos bolsos, de costas para o mar. A echarpe de lã lhe escorregara da cabeça, e ele distingiu os anéis escuros, iluminados por trás pelo sol, como uma auréola.

Loveday. Nada havia mudado. Nada. Ele sentiu o nó aumentar em sua garganta, simplesmente porque a encontrara de novo, e ela ainda estava lá. A impressão era quase como se ela soubesse que ele viria e estivera à sua espera.

Ele a ouviu chamar seu nome.

— Gus! — E o vento capturou a palavra, enviou-a em vôo terra adentro, acima dos campos invernais. — Oh, *Gus!* ...

E ela começou a correr encosta acima na direção dele, e ele foi ao seu encontro.

Era a manhã de sábado, e Jeremy Wells dormiu além da hora. Isto provavelmente tinha acontecido porque só conseguira dormir a altas horas da madrugada, já que havia bebido três xícaras de café após o jantar e saboreado um excelente *brandy* com o coronel. Assim, ficara deitado de olhos abertos, o cérebro trabalhando, ouvindo o vento soprar e o chocalhar das persianas. De vez em quando, acendia a luz para ver as horas. Por fim, deixara a luz acesa e ficara lendo por uma ou duas horas, porém tudo isso havia sido um pouco insatisfatório.

Assim, acabou dormindo demais. Não exageradamente, mas o *breakfast* às oito e meia era uma norma de Nancherrow, e ele só chegou ao andar de baixo quando faltavam quinze para as nove. Na sala de refeições encontrou Diana, o coronel e Mary Millyway, a essa altura já comendo torradas com geléia e na segunda xícara, de café ou de chá.

— Sinto muito — desculpou-se. — Custei a acordar.

— Oh, meu querido, não tem a menor importância. Foi Nettlebed quem preparou o *breakfast* esta manhã, portanto, teremos ovos cozidos. Creio que já consumimos toda a nossa ração de bacon.

Enquanto falava, Diana abria sua correspondência e estava cercada por cartas lidas pela metade e envelopes abertos.

— O que houve com a sra. Nettlebed?

— Teve folga esta manhã. A coitada está com varizes terríveis. Talvez você pudesse dar uma espiada nela. Estamos convencendo-a a fazer uma cirurgia, porém ela tem pavor de operações. Diz que não precisa da *faca*. Confesso que a entendo muito bem. Céus, eis aqui um convite para um coquetel. Em Falmouth. Como as pessoas podem pensar que alguém irá gastar toda a sua cota de gasolina em troca de um mísero *sherry*?

Esta era uma pergunta que não exigia resposta. O coronel estava absorto em *The Times*. Quando passou por ele a caminho do aparador, Jeremy pousou uma mão em seu ombro.

— Bom-dia, senhor.

— Oh, Jeremy. Olá. Bom-dia. Dormiu bem?

— Não muito bem. Uma combinação de café forte e uma ventania uivante.

Mary juntou-se a ele diante do aparador.

— O vento diminuiu um pouco, mas continua soprando. — Ela ergueu o abafador do bule de café e sentiu a temperatura com as mãos. — Estou achando um pouco frio. Vou fazer um café novo para você.

— Não é preciso, Mary. Posso beber chá.

— Você sempre foi um apreciador de café. Eu sei disso. Não demoro mais do que um minuto — disse ela, e saiu da sala.

Jeremy tirou seu ovo cozido de dentro da cesta acolchoada e no formato de uma galinha, encheu uma xícara de chá forte, porque sempre podia mudar para o café mais tarde, e foi sentar-se à mesa. Sem palavras, o coronel estendeu-lhe silenciosamente um exemplar do

Western Morning News, dobrado com precisão. Diana estava concentrada em sua correspondência. Em Nancherrow, nunca era encorajada a conversa durante o *breakfast*. Jeremy pegou a colher e cortou com perfeição o topo de seu ovo.

Faltando vinte para as nove, Nettlebed começou a preocupar-se, porque Loveday ainda não tinha voltado. Não que ele temesse um acidente, algo desastroso, como cair pela borda do penhasco e quebrar o tornozelo. Loveday conhecia aqueles penhascos como a palma da mão e tinha os pés seguros de uma cabrita. Entretanto, a responsabilidade por ela o incomodava. Já lamentava sua cumplicidade e desejava apenas que ela voltasse, agora, antes de ser forçado a tomar uma atitude e contar para o coronel que Loveday não somente deixara o marido como, ao mesmo tempo, havia desaparecido.

Preocupado, ele perambulou pela cozinha — de maneira muito contrária aos seus costumes — indo até a janela, tomando um gole de chá, carregando uma só panela até a copa, limpando alguns respingos de leite derramado e retornando à janela.

Nem sinal da jovem marota. A essa altura, sua preocupação aproximava-se da irritação. Assim que ela chegasse, haveria de dizer-lhe o que pensava, da mesma forma como uma mãe ralharia com um filho que quase tivesse sido atropelado por um ônibus.

Às dez para as nove, cansado de andar de um lado para outro e vigiar o relógio, saiu pela porta da copa e cruzou o pátio, chegando à alameda dos fundos, onde ficou parado ao vento, olhando para ver se a encontrava, através da extensão do jardim e na direção do mar. De seu vantajoso ponto de observação, contudo, podia ver também a grande garagem onde ficavam guardados todos os carros da família, e reparou que uma das suas portas estava aberta. Foi até lá investigar, tendo constatado que o pequeno furgão de pescador desaparecera. As implicações disso eram bastante agourentas — a menos que um assaltante houvesse entrado na garagem durante a noite e tivesse levado o furgão. Entretanto, na hipótese de um assaltante, ele certamente não teria levado o furgão, e sim o Bentley da sra. Carey-Lewis, que continuava ali, só faltando pedir que o roubassem.

A essa altura, bastante agitado, Nettlebed voltou para a casa, mas agora entrando pela porta da sala de armas. Lá encontrou Tiger, cansado e profundamente adormecido em sua cesta.

— Para onde ela foi? — perguntou, mas Tiger apenas piscou e voltou a dormir.

Então aconteceu a terceira coisa, a qual deitou tudo a perder. Quando Nettlebed retornava à cozinha, ouviu o inequívoco berreiro irado de Nathaniel Mudge, vindo do andar de cima, de seu próprio apartamento.

Chegou a hora, ele disse para si mesmo.

Nesse momento, Mary Millyway surgiu à porta do corredor, trazendo nas mãos o bule de café da sala de refeições.

— Eu ia apenas... — começou ela, parando em seguida. — Que barulheira é essa?

Nettlebed sentiu-se como um colegial apanhado em flagrante surripiando maçãs.

— É Nat Mudge. Está lá em cima no apartamento, com a sra. Nettlebed.

— O que ele está fazendo aqui?

— Loveday o deixou. Às sete e meia desta manhã.

— Ela o deixou? E para onde foi, então?

— Eu não sei — admitiu Nettlebed, angustiadamente. — Saiu para dar uma caminhada. Disse que precisava refrescar a cabeça, analisar coisas. Prometeu estar de volta à hora do *breakfast*, mas não apareceu.

— Analisar coisas? O que isso significa?

— Você sabe. Ela e Walter.

— Oh, danação! — exclamou Mary, isto indicando o seu desespero, porque em todos os anos que haviam trabalhado juntos, Nettlebed nunca a ouvira praguejar.

— Ela levou Tiger, mas Tiger voltou e está na sala das armas — prosseguiu Nettlebed, nos tons de alguém determinado a isentar-se de culpa. — E o furgão pequeno não está na garagem.

— Você acha que ela fugiu?

— Não sei o que pensar.

Os gritos de Nat aumentavam de tom cada vez mais. Mary largou o bule.

— É melhor eu subir e dar um jeito nessa criança. A pobre sra. Nettlebed vai acabar enlouquecendo.

Ela saiu da cozinha e subiu a escada estreita.

— Quem está fazendo todo este escândalo? Vamos, Mary quer saber!

Assim, pelo menos um problema estava sendo resolvido. Sozinho, Nettlebed desatou as tiras de seu avental de açougueiro e o deixou no encosto de uma cadeira. Alisou os cabelos ralos com as mãos e saiu da cozinha, ereto e digno, a fim de encontrar o coronel e comunicar-lhe o que sucedia.

Entrou na sala de refeições e fechou a porta atrás de si. Ninguém lhe deu muita importância. Ele pigarreou.

O coronel ergueu os olhos do jornal.

— O que é, Nettlebed?

— Eu poderia ter uma palavrinha com o senhor?

— Naturalmente.

Agora, tanto a sra. Carey-Lewis como o jovem médico estavam prestando atenção.

— É um assunto... um tanto delicado, senhor.

A sra. Carey-Lewis intrometeu-se.

— Delicado, Nettlebed? Como assim?

— Assuntos de família, senhora.

— Bem, todos aqui somos a família, Nettlebed. Exceto se for algo que você não queira que eu e Jeremy ouçamos.

— Não se trata disso, senhora.

— Pois bem, então fale para todos nós.

— É sobre Loveday, senhora.

— O que há com Loveday? — A voz do coronel era severa, pois ele já previa alguma crise.

— Ela apareceu em minha cozinha esta manhã, senhor, às sete e meia. Trazendo o pequeno Nat. Tinha vindo de Lidgey andando. Parece que... — Nettlebed pigarreou e tornou a começar. — Parece que houve algum problema com o jovem casal. Entre Walter e ela.

Uma longa pausa. Então, a sra. Carey-Lewis perguntou, sua voz perdendo o tom insistente:

— Ela o deixou?

— Assim parece, senhora.

— Bem, mas o que *aconteceu?*

— Segundo creio, senhora, os olhos de Walter foram atraídos por outra pessoa. Uma jovem. Ele a tem encontrado no *pub* de Rosemullion. E esta noite não voltou para casa.

Os três ficaram olhando fixamente para ele, sem palavras, em um aparente e total espanto. *Eles nem por sombras imaginavam,* pensou Nettlebed, o que em nada lhe facilitava as coisas.

— E onde está ela agora? — perguntou afinal o coronel.

— É essa a questão, senhor. O problema. Ela saiu para uma caminhada, queria ficar sozinha. Disse que estaria de volta às oito e meia, para o *breakfast.*

— E já são quase nove horas.

— Sim, senhor. E ela não voltou, senhor. Entretanto, quando saiu levou Tiger, mas Tiger já voltou para casa, está na sala de armas. E o furgão pequeno sumiu da garagem.

— Oh! — exclamou a sra. Carey-Lewis, parecendo aterrada, o que não seria de admirar. — Não me diga que ela fugiu!

— O culpado sou eu, senhora. Deixei que ela saísse, mas não a ouvi voltar. Estava cuidando do *breakfast.* E com o ruído do vento soprando tão forte, também não ouvi nenhum barulho do motor do furgão...

— Oh, Nettlebed, você não tem culpa de nada! Ela é muito inconveniente e malcriada, para sumir desse jeito. — A sra. Carey-Lewis pensou nisso. — Ora, mas para onde, afinal, ela iria? E onde está Nat?

— A sra. Nettlebed ficou tomando conta dele, em nosso apartamento. O menino dormia, mas agora já acordou. Mary está com ele.

— Oh, o pobre queridinho! — A sra. Carey-Lewis abandonou suas cartas, empurrou a cadeira para trás e ficou em pé. — Tenho que ir ver o coitadinho... — Quando passou pelo coronel, parou para dar-lhe um beijo no alto da cabeça. — Não fique nervoso com tudo isso. Ela estará bem. Nós a encontraremos...

Em seguida deixou a sala. O coronel ergueu o rosto para Nettlebed, que o fitou nos olhos.

— Este chamado "caso" é alguma novidade para você, Nettlebed?

— Não inteiramente, senhor. Já vi Walter e a jovem juntos por mais de uma vez, no *pub* em Rosemullion.

— Quem é ela?

— Chama-se Arabella Lumb, senhor. Não é um bom tipo, em absoluto. Não é coisa que valha.

— Você nunca nos contou nada.

— Não, senhor. Não me competia. Aliás, tinha a esperança de que isso terminasse.

— Sim. — O coronel deu um suspiro. — Eu entendo.

Houve outra pausa, e Jeremy Wells falou pela primeira vez:

— Tem certeza de que ela não desceu até o penhasco?

— Quase absoluta, senhor.

— Acham que eu devia ir dar uma espiada?

O coronel considerou sua sugestão.

— Seria conveniente. Apenas para tranqüilizar-nos. Entretanto, creio que o prognóstico de Nettlebed provavelmente esteja certo. Tiger jamais voltaria para casa sem ela.

Jeremy levantou-se.

— Mesmo assim, vou até lá. Farei uma vistoria pelos arredores.

— Seria muita bondade sua. Obrigado. — O coronel também ficou em pé e dobrou o jornal, que deixou arrumado sobre a mesa, ao lado de seu prato. — De qualquer modo, antes que façamos ou digamos outra coisa, preciso ir a Lidgey, descobrir o que diabo está acontecendo.

No espaço de meia hora, Jeremy havia descido até o penhasco em acelerada corrida, feito um reconhecimento minucioso do terreno e voltado, também correndo ladeira acima. Era uma boa coisa estar em plena forma física.

Encontrou todos na cozinha — Diana, Mary, os Nettlebed e o pequeno Nat, ainda de pijama e finalmente acalmado pela comida, um substancial *breakfast* que estava a ponto de terminar, sentado a uma extremidade da mesa da cozinha. Mary estava ao lado dele e os outros espalhados pelo aposento em várias atitudes, reunidos em busca de companhia, como fazem todos, em momentos de incerteza ou ansie-dade. Antes de abrir a porta, ele ouvira o zumbido e murmúrio das vozes, assim como o grito esganiçado de Nat exigindo atenção. Entre-tanto, quando entrou, todos pararam de falar e olharam em sua dire-ção. Ele sacudiu a cabeça.

— Nem sinal dela. Percorri toda a praia até o outro promontório. Loveday não está lá.

— Eu achei que ela não estaria — disse Nettlebed.

Ainda assim, Diana agradeceu a Jeremy por ter ido checar. Com as pernas envoltas em grossas meias elásticas, a sra. Nettlebed tinha um bule de chá ao alcance, mantendo-se quente na chapa do fogão.

— Aceita uma xícara, dr. Wells? — perguntou.

— Obrigado, mas agora, não.

— Você acha...? — começou Diana, para então interromper-se e olhar para Nat, que enfiava no rosto, não na boca, um pedaço de torrada. — Jeremy, não estamos querendo falar demais na frente de você-sabe-quem.

— Canecas pequenas têm asas grandes — disse Mary.

— Quando ele terminar seu *breakfast*, talvez fosse melhor você levá-lo para a sala de brinquedos, Mary. Encontre alguma coisa que não seja um pijama, para ele vestir. — Ela olhou para Jeremy com ar desolado. — Eu gostaria de saber o que está acontecendo. Gostaria que Edgar voltasse e nos contasse...

Foi o que ele fez, mal as palavras haviam saído da boca de Diana. Tinha ido a Lidgey a pé, porque não valia a pena pegar o carro e fazer o longo trajeto de ida e volta pela estrada. E também a pé tinha voltado. Cruzara o pátio, entrando na casa pela sala de armas. Todos ouviram a estrondosa batida da porta ao ser fechada. No momento seguinte o coronel estava com eles, tirando o boné de *tweed* e tendo no rosto a expressão mais sombria e furibunda que Jeremy já testemunhara.

— Mary, leve o menino daqui — disse ele.

Assim que Nat foi levado da cozinha e a porta fechada atrás deles, o coronel caminhou até a mesa, puxou uma cadeira e sentou-se.

Ficaram todos esperando, com certa expectativa, e então ele lhes relatou a lamentável saga. Chegando à grande casa da fazenda, havia entrado e lá encontrado os Mudge, em um estado que só podia ser chamado de choque.

Emudecido pela incredulidade e vergonha, o sr. Mudge mal pronunciara uma palavra, mas a sra. Mudge, que sempre apreciava descrever um desastre, mesmo que envolvendo sua própria gente, vociferante e indignadamente (em meio a incontáveis xícaras de chá), fornecera ao coronel um vívido relato de tudo quanto acontecera.

1076

Walter não voltara a tempo de ordenhar as vacas, um serviço que acabara sendo feito por seus idosos pais. Somente depois que eles terminaram, com as vacas já soltas novamente, o local de ordenha limpo e arrumado, o filho errante apareceu, ainda envergando suas melhores roupas, que então pareciam bem piores pelo uso.

Ele não demonstrara remorso algum. Ao ser interrogado, disse aos pais que não agüentava mais, que estava cheio. Acrescentou que não pretendia mais ficar ali, que estava indo embora. Que estava farto de Nancherrow, de Lidgey, dos Carey-Lewis, de ser escravo. Farto das responsabilidades com esposa e filho, de um casamento ao qual fora forçado e de parentes afins que o fitavam de nariz em pé. Ia embora. Tinham-lhe oferecido emprego em uma garagem, nas proximidades de Nancledra, e ficaria morando no alto da Veglos Hill, na carroça-trailer de Arabella Lumb.

Quando o coronel terminou houve um longo silêncio, durante o qual os únicos sons ouvidos foram o soturno tiquetaquear do relógio da cozinha e o débil zumbido do refrigerador a eletricidade. Estavam todos se portando, pensou Jeremy, como um grupo de subordinados em formatura, aguardando as Ordens do Capitão. Somente Diana abriu a boca, como se fosse fazer algum comentário, mas tornou a fechá-la prudentemente, quando percebeu o olhar acerado e incomum de seu marido.

— Assim, essa é a situação. Fiz o melhor que pude para tranqüilizar os Mudge. De maneira alguma podem ser responsáveis pelo comportamento de seu filho. Também pedi a eles que, por enquanto, fiquem de boca fechada. Para Mudge, não será difícil ficar calado, mas a sra. Mudge é uma mulher naturalmente tagarela. De qualquer modo, eles compreendem que nada bom pode resultar de muitos comentários, embora eu receie que em menos de um dia os mexericos já tenham se espalhado por todo o distrito de West Penwith. Também nós teremos que ser discretos. Por causa de Loveday. A primeira pessoa a tomar conhecimento do assunto e ser instruída a respeito deve ser o sr. Roger Baines, nosso advogado. — Ele enfiou a mão no bolso do peito e tirou seu relógio de ouro de caçador. — Dez horas. A essa altura, o sr. Baines já deve estar em seu escritório. — O coronel levantou-se. — Falarei com ele pelo telefone de meu estúdio. — Então olhou em torno, de um rosto grave para o outro. Todos assentiram, concordando com suas decisões. Depois pousou os olhos no rosto da esposa, sua expressão suavizou-se, e ele sorriu. — Sinto muito, minha querida Diana, você ia dizer alguma coisa.

— Eu apenas ia dizer que... Bem, pensei que Loveday poderia ter ido procurar Judith. Judith seria exatamente a pessoa para quem ela se voltaria.

— Se assim fosse, Judith já não nos teria telefonado?

— Talvez não. Talvez elas ainda estejam conversando.

— É uma idéia. Você quer ligar para a Dower House?

— Não — respondeu Diana. — Acho que não devemos telefonar. Telefonemas podem tornar-se algo remotos e talvez angustiantes. Se Loveday não estiver lá, Judith poderá ficar muito preocupada. Acho que alguém devia ir à Dower House e explicar a situação a Judith. — Ela virou a cabeça e, através da mesa, seus olhos fascinantes encontraram os de Jeremy. Diana sorriu persuasivamente. — Tenho certeza de que Jeremy faria isso para nós.

— É claro.

Ao falar, Jeremy perguntou-se se Diana sabia o que estava fazendo a ele. Ou, talvez, por ele.

— E você ligará para nós, quando chegar lá. Apenas para informar-nos de uma coisa ou de outra.

Jeremy levantou-se.

— Irei agora mesmo — disse.

Judith estava sozinha. Sendo sábado, Anna não tinha aulas, e Phyllis aceitara a oferta de carona feita pelo sr. Jennings, cuja esposa dirigia a agência dos correios de Rosemullion. Assim, logo depois do *breakfast*, às oito horas, o velho Austin do sr. Jennings rodara até a porta dos fundos, ela e a filha tinham embarcado e, com certo estilo, levadas até Saint Just, onde passariam o dia com a mãe de Phyllis.

Agora já passava das dez da manhã, e Gus, o outro ocupante da Dower House, ainda não aparecera. A porta do quarto dele permanecia firmemente fechada, e Judith ficou satisfeita, pois isso indicava que dormia e estava tendo um bom descanso. Quando Gus finalmente aparecesse, ela lhe prepararia um *breakfast*, mas até lá havia outras coisas ocupando-lhe a mente.

Judith decidira que esta seria uma boa oportunidade para fazer o que há séculos pretendia, isto é, medir as janelas da sala de estar para colocar novas cortinas, pois as antigas estavam tão surradas, que exibiam mais um rasgão, a cada vez que eram corridas. Teria sido perfeitamente possível cuidar disso com Phyllis na casa. Entretanto, Phyllis era tão eficiente e tão diligente, que tão logo alguém começava uma tarefa, ela se fazia presente, observando o que era feito, dando um ou dois palpites curiosos, para terminar cuidando de tudo sozinha. Era uma pequena irritação, mas viável.

Assim, ela encontrara a escada de mão, uma trena, e começara a trabalhar. Seus cupons para roupas haviam finalmente chegado, despachados por um Ministério qualquer, e agora verificaria a quantidade de tecido necessário para as cortinas, desde que usasse como forro as cortinas velhas ou o excesso de lençóis de algodão que possuía. Logo que calculasse as medidas e decidisse quanto precisaria de tecido, escreveria uma carta para a casa Liberty's, de Londres, solicitando amostras de padronagens. Também enviaria uma pequena amostra das cortinas antigas, porque as cores não deviam ser muito fortes nem demasiado berrantes.

Equilibrada no alto da escada de mão, com a língua presa entre os dentes para maior concentração, Judith mediu a sanefa, tendo acabado de decidir que ficaria melhor sendo cinco centímetros mais comprida, quando ouviu a porta da frente ser aberta e fechada. Era um pequeno aborrecimento porque, nesse momento, ela não sentia a menor vontade de ser perturbada. Parou de medir e esperou, desejando que o visitante, fosse quem fosse, nada tendo ouvido, julgasse a casa vazia e resolvesse ir embora.

Entretanto, ele ou ela não se foram. Soaram passos no corredor, depois a porta da sala de estar foi aberta, e Jeremy entrou no aposento.

Usava uma grossa suéter de *tweed* e tinha amarrado um cachecol escarlate em torno do pescoço. O primeiro pensamento de Judith foi que Jeremy estava tão exatamente o mesmo, tão imutável, que os anos passados desde o último encontro de ambos pareciam nunca ter acontecido. Seu segundo pensamento foi idêntico à reação que tivera àquela noite, quando se sentira tão mal e infeliz em Londres e ele aparecera na casinha da Mews, imprevistamente e sem se ter anunciado — e o vira subir a escada, sabendo que, se pudesse escolher, seria ele a única pessoa que de fato desejaria ver.

Isso era inesperado e algo incômodo, porque a deixava indefesa, quando sua intenção era a de ser bastante firme e fria com ele.

— O que está fazendo? — perguntou ele.

— Tomando as medidas da janela.

— Para quê?

— Vou fazer cortinas novas.

Jeremy então sorriu.

— Olá.

— Olá, Jeremy.

— Será que poderia descer daí? Quero falar com você, mas se continuar aí em cima, acabarei com um torcicolo.

Assim, ela desceu cautelosamente e, nos últimos e frouxos degraus, ele lhe deu a mão para ajudá-la. Quando Judith chegou ao chão, Jeremy continuou a segurar-lhe a mão, e então deu-lhe um beijo no rosto, dizendo:

— Há quanto tempo... É formidável tornar a vê-la. Está sozinha em casa?

— Phyllis e Anna foram a Saint Just...

— Eu estou vindo de Nancherrow...

— Elas foram visitar a mãe de Phyllis.

— Loveday não está aqui?

— Loveday? — Judith encarou-o, e percebeu que ele não viera à Dower House simplesmente para vê-la. Havia algo mais. — Por que Loveday estaria aqui?

— Ela desapareceu.

— *Desapareceu?*

— Ela deixou Walter. Ou melhor, Walter abandonou-a. Ouça, é um tanto complicado. Por que não sentamos, para que eu possa explicar?

Ela não havia acendido a lareira, de modo que a sala estava fria, mas instalaram-se no amplo banco-janela, um lugar não exatamente *aquecido*, mas pelo menos tocado pelo sol que nascia. Com toda simplicidade, mas lucidamente, Jeremy contou-lhe tudo que estivera acontecendo em Nancherrow no correr daquela manhã, começando com Loveday e Nat vindo de Lidgey, e terminando com as descobertas do coronel e o seu conclusivo pronunciamento.

— ... assim sendo, está tudo acabado. O casamento parece ter-se desfeito em pedaços. E agora, não sabemos onde procurar Loveday.

Judith ouvira a triste história em crescente desalento. Não sabia o que dizer, porque aquilo era ainda mais terrível do que poderia imaginar.

— Oh, céus... — disse por fim, e era bastante inadequado, em vista das circunstâncias. — É sofrimento demais para ela. Pobre e pequena Loveday! Eu sabia que estava atravessando uma fase terrível, com Walter sendo tão mesquinho. Também sabia da história de Arabella Lumb, mas nada podia dizer, porque a própria Loveday me pediu que não contasse.

— Então, ela não veio procurá-la?

Judith negou com a cabeça.

— Não.

— Gus está por aqui?

— Sim, claro que sim. Está hospedado aqui em casa.

— E onde está agora?

— No andar de cima. Ainda não acordou. Continua dormindo.

— Tem certeza?

Judith franziu a testa. Jeremy parecia desconfiado, como se ela estivesse dizendo mentiras horríveis.

— Claro que tenho certeza. Por que não teria?

— Foi só uma idéia que tive. Talvez fosse melhor você dar uma espiada. Ou eu mesmo irei, se preferir.

— Não — a voz dela era firme. — Eu irei ver. Não me incomodo.

Ela ainda segurava a trena. Então, fez a fita enrolar-se novamente e a deixou sobre a almofada do banco-janela. Depois, levantando-se, saiu do quarto e subiu a escada.

— Gus?

Nenhuma resposta.

Ela abriu a porta do quarto de Biddy, e então se viu diante da cama vazia, das cobertas jogadas a um lado e da mossa no travesseiro, onde ele afundara a cabeça. A janela estava fechada. Sobre o toucador viam-se os poucos pertences dele, escovas de cabelo com dorso de madeira, um frasco de pílulas, o bloco para desenhos e a caixa de pintura que ela lhe dera. O pijama azul fora deixado sobre uma cadeira, mas as roupas dele, seus sapatos e o paletó de couro tinham desaparecido. Como o próprio Gus.

Perplexa, ela fechou a porta e tornou a descer a escada.

— Você tem razão — disse para Jeremy. — Ele não está lá. Deve ter-se levantado bem cedo, antes que qualquer de nós acordasse. Não ouvi ruído nenhum. Imaginei que ele apenas estivesse dormindo.

— Tenho um pressentimento de que Gus está com Loveday — disse Jeremy.

— Loveday e Gus?

— Devemos ligar para Nancherrow...

Entretanto, quando ele falou isto, o telefone começou a tocar. Judith disse:

— Talvez agora seja Diana...

Ela saiu ao corredor para atender, e Jeremy a seguiu, de modo que estava ao seu lado, quando Judith ergueu o fone.

— Dower House.

— Judith?

Não era Diana. Era Gus.

— Gus! Onde você está? O que está fazendo?

— Estou em Porthkerris. Telefonando da casa de seus amigos, os Warren.

— O que está fazendo *aí*?

— Loveday quer explicar. Ela quer falar com você.

— Ela está com você?

— É claro.

— Ela já falou com os pais?

— Sim. Neste momento. Primeiro falou com eles, agora é com você. Ouça, antes que eu passe o fone para Loveday, há três coisas que preciso dizer-lhe. Uma é que sinto muito, mas roubei sua bicicleta, que ainda está em Nancherrow, onde a estacionei, perto da porta principal. A segunda coisa é que vou seguir seu conselho e ser pintor. Ou tentar ser. Vejamos em que isso dá.

Era quase demasiado para digerir ou mesmo começar a compreender.

— E quando foi que você...?

— Falta uma última coisa a dizer. Já a disse uma vez, mas preciso dizê-la novamente.

— O que é?

— Obrigado.

— Oh, Gus...

— Pronto, Loveday vai falar.

— Mas... Gus...

Ele já passara o fone para Loveday. Ela ouviu a voz de Loveday, esganiçada pelo excitamento, falando precipitadamente como quando eram crianças, jovens e irresponsáveis, sem uma só preocupação no mundo.

— Judith, sou eu.

E Judith ficou tão agradecida, tão aliviada por estar falando com ela, que até esqueceu tudo sobre sua ansiedade ou mesmo mostrar-se um pouco zangada.

— Loveday, você é o *fim*! O que está pretendendo?

— Oh, Judith, não complique. Primeiro, já falei com mamãe e papai, de modo que não precisa mais ficar preocupada com eles. E estou com Gus. Tinha descido até os penhascos, sozinha, querendo apenas pensar no que ia dizer a todo mundo, e levei o querido Tiger comigo. Fiquei lá, sentada na penumbra e espiando o sol nascer, quando de repente vi Tiger fazendo *au-au-au*; então me virei, e lá estava Gus. Ele não sabia que me encontraria lá. Apenas foi porque *também* queria ir aos penhascos. A essa altura, eu já tinha decidido que não voltaria mais para Walter, por isso foi tudo tão especialmente maravilhoso, tão mágico, e lá estávamos nós dois, juntos outra vez... E eu nem ao menos sabia que ele tinha *voltado* à Cornualha! Nem ao menos sabia que ele era *seu* hóspede! E de repente, Gus estava *lá*, exatamente no momento em que mais precisava dele!

— Oh, Loveday... Fico tão feliz por você!

— Não é nem um décimo, uma só migalha do quanto eu mesma estou feliz!

— E então, o que vocês fizeram?

— Ficamos conversando, conversando... Então, pensei que era impossível pararmos de conversar, que precisávamos ficar mais algum tempo juntos. Assim, voltamos até a casa e, na ponta dos pés, coloquei

Tiger de volta na sala de armas. Depois Gus deu partida no furgão da peixaria e seguimos pela estrada da charneca até Porthkerris.

— Por que Porthkerris?

— Era a maior distância que poderíamos rodar, sem que faltasse gasolina. Não, este é um motivo tolo. Escolhemos Porthkerris por sabermos que, aqui, encontraríamos um estúdio para o querido Gus. Um estúdio onde ele possa trabalhar e, esperamos, também morar, sem nunca ter de voltar para aquela horrível Escócia. Ele sempre quis pintar. Então, pensei nos Warren. Sabia que, se alguém conhecia Porthkerris, tinha de ser o sr. Warren; ele nos diria a quem procurarmos, talvez soubesse de algum estúdio para alugar ou comprar. Aliás, não poderíamos ir a mais nenhum lugar, porque não tínhamos nenhum dinheiro conosco, nem talões de cheques ou seja o que for. O querido Gus contou os trocados que tinha no bolso da calça: quinze xelins, quatro *pence* e meio *penny*. Uma insignificância que não teria nenhuma utilidade para nós. Assim, viemos para cá. E eles foram absolutamente adoráveis, como sempre. A sra. Warren preparou-nos o maior *breakfast* que já se viu, enquanto o sr. Warren ficava grudado ao telefone o tempo todo. Assim que eu desligar, vamos todos ver um apartamento na North Beach. É apenas um estúdio, mas tem uma espécie de banheiro e o que se conhece como *kitchenette*. Eu nem mesmo sei o que é uma *kitchenette*, mas garanto que será perfeitamente adequada...

Loveday ficaria tagarelando para sempre, mas Judith achou que já era hora de interrompê-la.

— Quando é que você volta para casa? — perguntou.

— Oh, este anoitecer. Estaremos de volta ao anoitecer. Nós não *fugimos*, nem nada assim. Apenas estamos querendo ficar juntos. Planejando coisas. Planejando nossas vidas.

— E quanto a Walter?

— Walter foi embora. Papai me contou. Arabella Lumb ganhou a partida, e boa sorte para ela!

— E Nat?

— Papai falou com o sr. Baines. Eles admitem que posso ter Nat comigo. Ainda veremos. E Gus disse que sempre quis um garotinho, então acha uma boa idéia começar a vida de casado já com o prêmio de uma família pronta. — Ela silenciou por um momento, e depois falou, em um tom de voz inteiramente distinto: — Eu sempre o amei,

Judith. Mesmo quando sabia que ele estava morto, mas era difícil explicar para todos vocês. Gus foi o único homem a quem amei de verdade. Quando você me contou que ele voltara de Burma, isto foi a pior e a melhor coisa que já tinha ouvido. Entretanto, não era fácil falar a respeito. Sei que tenho sido impossível...

— Oh, Loveday, se deixasse de ser impossível, você não seria você! Daí por que todos a amamos tanto.

— Venha esta noite — disse Loveday. — Venha a Nancherrow esta noite. Vamos ficar todos juntos. Exatamente como fazíamos antes. Faltará apenas Edward, mas acho que ele também estará lá, não acha? Creio que ele estará lá, em algum lugar, bebendo à nossa saúde...

Judith disse, através das lágrimas:

— Ele não faltaria, por nada do mundo. Boa sorte, Loveday.

— Eu amo você.

Judith desligou, e estava em prantos.

— Não choro por sentir-me infeliz, mas por ela estar tão feliz. Você tem um lenço?

Claro que Jeremy tinha um lenço. Ele o pescou do bolso, limpíssimo e perfeitamente dobrado. Deu-o a Judith, que assoou o nariz e enxugou as lágrimas, tolas e irracionais.

— Pelo que deduzi — disse Jeremy — tudo vai bem.

— Maravilhosamente bem. Eles estão juntos. Eles se amam. Sempre se amaram. Gus vai continuar pintando e morar em um estúdio em Porthkerris. Um estúdio com uma *kitchenette*.

— ... e Loveday.

— Provavelmente. Não sei ao certo. Ela nada disse. Enfim, não importa. — O choro terminara. — Fico com seu lenço. Vou lavá-lo para você.

Judith enfiou o lenço no punho da suéter, sorriu para Jeremy e, de repente, havia apenas eles dois. Nada mais para desviar-lhes a atenção. Ninguém por perto. Apenas os dois. Então, pela primeira vez, talvez um leve constrangimento, uma certa timidez. Procurando disfarçar, ela perguntou:

— Quer uma xícara de café ou qualquer outra coisa?

— Não. Não quero café, não quero Gus, Loveday ou seja quem for. Quero você e eu. É hora de conversarmos.

E, indubitavelmente, era hora. Eles voltaram para a sala de estar, tornaram a ocupar o banco-janela, e agora o sol baixo brilhava de vez em quando, banhando todos aqueles móveis antiquados e os tapetes desbotados, arrancando cintilações irisadas das gotas do candelabro de cristal de Lavinia Boscawen.

Judith perguntou:

— Por onde começamos? O que conversaremos?

— Pelo início. Por que nunca respondeu minha carta?

Ela franziu o cenho.

— Oh, mas você nunca me escreveu!

— Escrevi. De Long Island.

— Pois nunca recebi carta nenhuma.

Agora, foi ele quem franziu a testa.

— Tem certeza?

— Claro que tenho. Cansei de esperar uma carta sua. Naquela manhã em Londres, você disse que ia escrever. Prometeu escrever, mas nunca escreveu. Jamais recebi uma carta. Então, concluí que você simplesmente mudara de idéia, ficara receoso. Concluí que, afinal de contas, achara melhor não manter contato.

— Oh, Judith! — Ele exalou um suspiro, que soou mais como um gemido, do que um suspiro. — Todos estes anos... — Estendendo a mão, tomou a dela. — Eu escrevi. Estava passando dias em uma casa em Long Island, e quase me fiz em pedaços, tentando encontrar as palavras certas para dizer-lhe. Depois levei a carta comigo para Nova York e a enviei pelo correio militar, postei-a na caixa do correio de bordo do HMS *Sutherland*.

— Então, o que aconteceu?

— Só posso pensar em um navio que tenha sido afundado. A Batalha do Atlântico estava no auge. E o correio, com minha carta, teria ido parar no fundo do oceano.

Ela meneou a cabeça.

— Nunca havia pensado nessa hipótese. — Depois perguntou: — O que dizia a carta?

— Dizia um monte de coisas. Dizia que eu jamais esqueceria aquela noite que passamos juntos em Londres, quando você se sentia tão infeliz, e tive que partir muito cedo no dia seguinte, a fim de juntar-me a meu navio. Também dizia o quanto a amava. O quanto sempre a amei, desde o momento em que a vi pela primeira vez, sentada naquele compartimento do trem em Plymouth, olhando pela janela para ver a frota, enquanto chocalhávamos através da Ponte de Saltash. E então tudo se completou, quando voltei a encontrá-la em Nancherrow e ouvi o som de "Jesus, Alegria dos Homens", vindo de seu quarto, quando soube que você estava lá e o quão absolutamente importante e essencial era em minha vida. No fim da carta, eu lhe pedia que se casasse comigo. Porque havia chegado a um ponto em que não podia imaginar um futuro sem você. Pedi-lhe que escrevesse. Que respondesse. Dizendo sim ou não, para sossegar minha mente.

— E você não recebeu uma resposta.

— Não recebi.

— Não achou que era muito estranho?

— Para ser franco, não. Nunca me considerei um grande partido. Além disso, tenho treze anos a mais que você e sempre fui parco em bens materiais. Você, ao contrário, tinha tudo. Juventude, beleza e independência financeira. O mundo era seu. Talvez merecesse algo melhor do que a vida de esposa de um médico rural. Portanto, não estranhei. Quando não recebi qualquer resposta sua, não achei estranho, em absoluto. Decidi apenas que era o fim de tudo.

Judith disse:

— Talvez eu devesse ter-lhe escrito, mas não estava segura a meu respeito. Nós dormimos juntos e fizemos amor, bem sei. Tudo aquilo pareceu perfeito. No entanto, Edward amou-me por sentir pena de mim. Queria dar-me a espécie de felicidade que imaginava me faltar. Assim, eu tinha muito medo de que seus motivos fossem os mesmos. Afinal, eu estava vivendo maus momentos, e você me deu consolo.

— Eu nunca fiz isso, minha querida.

— Agora eu sei, mas naquela época era mais nova. Não me conhecia bem. Era inexperiente. — Judith olhou para ele. — Existe algo sobre o que não falamos. Jess. Eu agora tenho Jess. Ela faz parte de mim. Somos a família uma da outra. O que quer que aconteça comigo, acontecerá também para Jess.

— Ela se incomodaria, se eu acontecesse a você? Porque eu gostaria muito que nós três ficássemos juntos. Sempre a recordo do trem, sendo terrivelmente birrenta e jogando aquele boneco de pano em você. Mal posso esperar para tornar a vê-la.

— Jess agora está com quatorze anos e amadureceu muito. Quanto ao pobre e grotesco boneco, não existe mais. Morreu no mar.

— Sinto-me tomado de vergonha. Nunca lhe disse uma palavra sobre seus pais ou sobre Jess. Apenas comigo mesmo é que falava neles. Entretanto, senti imensamente por você e fiquei gratíssimo, quando meu pai contou que Jess havia voltado. Ela foi para o Santa Úrsula?

— Sim, e está feliz. Entretanto, enquanto não for adulta e capaz de firmar-se nos próprios pés, continua sendo responsabilidade minha.

— Querida Judith, isso não é nenhuma novidade. Você sempre teve responsabilidades, desde o dia em que a conheci. Responsabilidade por si mesma, por Biddy Somerville e Phyllis, por um lar que fosse seu. Então houve a guerra, e você alistou-se nas *Wrens*. — Ele tornou a suspirar. — É a minha única ressalva.

— Não compreendo.

— Talvez, antes de dedicar-se à vida conjugal, você queira ter algum tempo seu, apenas para divertir-se. Como fazia Athena, antes da guerra. Entenda, ser frívola, comprar chapéus e ir a clubes noturnos. Ser levada por homens sedutores a almoçar no "Ritz". Fazer cruzeiros em iates particulares e bebericar martinis em mansões ensolaradas.

Judith deu uma risada.

— Que lances de imaginação! — exclamou. — Você faz isso parecer um pesadelo.

— Fala sério?

Ele estava sendo muito terno. Ela pensou nisso, e então perguntou:

— Nunca chegou a conhecer, na Marinha, um homem chamado Hugo Halley?

— Não, acho que não conheci.

— Ele foi realmente encantador. Conheci-o em Colombo, quando fiquei hospedada com Bob Somerville. E a guerra havia terminado, de modo que não tínhamos de pensar mais nela. Então, fizemos tudo isso que você acabou de mencionar. E não estávamos apaixonados, não havia compromissos entre nós, mas foi uma época muito divertida, fascinante. Portanto, entendo do assunto. Já o experimentei, ainda que por pouco tempo. Assim, quando formos casados, eu lhe prometo que não levarei o resto da vida sentindo-me frustrada ou lograda, no mínimo sentido.

— Você disse mesmo isso?

— O quê?

— Quando formos casados?

— Creio ter dito.

— Eu agora já tenho cabelos grisalhos.

— Eu sei. Já os notei, mas sou educada demais para comentar.

— Estou com trinta e sete anos. Terrivelmente velho. Entretanto, amo-a tanto, que minha esperança é de que ser velho não tenha importância.

Jeremy esperou que Judith dissesse "*Claro* que não tem importância", porém ela ficou calada. Sentada ali, seu rosto era um estudo de profunda concentração.

— Por que está tão absorta em seus pensamentos?

— Estou fazendo cálculos. E nunca fui muito rápida em aritmética mental.

— Cálculos?

— Isso mesmo. Sabia que a idade exatamente certa para as pessoas se casarem é quando a esposa tem metade da idade do homem mais sete?

Um enigma. Confuso, Jeremy balançou a cabeça.

— Não. Não sabia.

— Pois bem, você tem trinta e sete anos. E metade de trinta e sete é dezoito e meio. E dezoito e meio mais sete são...

— Vinte e cinco e meio.

— Bem, eu tenho vinte e quatro anos e meio, portanto estou bastante próxima. Quase no ponto. Se não tivéssemos esperado três anos e meio, então tudo teria dado errado entre nós. Eu poderia ter sido um desastre. Agora, no entanto...

De repente, ela estava rindo, ele lhe beijou a boca aberta e risonha, o que levou bastante tempo, e Jeremy sentiu o despertar físico de seu corpo, em sua mente brotando a idéia de que seria maravilhoso tomá-la nos braços, encaminhar-se para o lugar adequado mais próximo, e amá-la, longa e apaixonadamente. Entretanto, o senso comum assomou à borda de sua mente, dizendo-lhe que este não era o momento propício. Os dramas de Nancherrow estavam na primeira linha da agenda, e quando tornasse a fazer amor com ela, ele desejava que fosse sem pressa, sem restrições de tempo e, se necessário, que durasse toda uma noite.

Soltou-a suavemente. Separados, ele ergueu a mão para afastar do rosto dela um anel de cabelos cor de mel.

— De quem foi a declaração — perguntou Jeremy — sobre a balbúrdia da *chaise longue* e a profunda, profundíssima paz da cama de casal?

— A sra. Patrick Campbell.

— Eu tinha certeza de que você saberia. No momento, acha que devemos controlar-nos e tentar fazer algum plano para o nosso futuro?

— Não estou bem certa se, precisamente agora, conseguirei fazer planos.

— Então, eu os farei. Exceto que ainda nem mesmo decidi qualquer coisa sobre mim mesmo, quanto mais sobre você e Jess.

— Pretende voltar para Truro e ficar com a clínica de seu pai?

— É o que você desejaria?

Judith foi sincera. Respondeu:

— Não. Sinto muito, mas a coisa terrível é que jamais quero deixar esta casa. Sei que não devemos permitir que tijolos e argamassa dirijam nossa vida, porém este lugar é muito especial. Não apenas por causa de tia Lavinia, mas por ter sido uma espécie de refúgio para tanta gente. Um lar. Biddy veio para cá, quando sofria desesperadamente pela perda de Ned. Depois Phyllis e Anna. E Jess, regressando ao lar, aqui, depois de tudo por que passou. Inclusive Gus, que parecia em pedaços, achando que nunca mais tornaria a ser feliz. Você compreende?

— Totalmente. Sendo assim, riscarei Truro da lista.

— Seu pai não ficará muito contrariado?

— Acredito que não.

— Nesse caso, o que você fará?

— Tenho um velho colega da Marinha. Um bom amigo. Capitão-cirurgião da VRMR, chamado Bill Whatley. Há cerca de dois meses, quando estávamos em Malta, ele me pôs uma idéia na cabeça. E se nós dois iniciássemos uma nova clínica, bem aqui? Em Penzance?

Mal ousando esperar a resposta, Judith olhou fixamente para Jeremy.

— Você aceitaria?

— Por que não? A guerra terminou. Podemos fazer qualquer coisa. Bill é londrino, mas deseja instalar sua família no campo, de preferência junto ao mar. É um grande velejador. Conversamos bastante a respeito, mas eu não quis comprometer-me, enquanto não soubesse como ficaria a situação com você. Não era minha intenção voltar e perturbar sua vida, caso não desejasse ver-me nos arredores. Seria um tanto embaraçoso, ter um antigo apaixonado em sua soleira.

— Penzance dificilmente seria a minha soleira. E se você for um médico em Penzance, morar lá fica longe demais. Haveria chamadas noturnas e coisas assim.

— Seremos dois clinicando juntos. Faremos turnos. Construiremos um belo e moderno prédio para a clínica, com uma boa residência anexa. Um apartamento útil, para os plantões noturnos.

— Com *kitchenette*?

Jeremy, entretanto, começou a rir com vontade.

— Sabe de uma coisa, minha querida? Estamos discutindo minúcias sem importância. Atravessando pontes às quais ainda nem mesmo chegamos. Deixemos que o futuro cuide de si mesmo.

— Que clichês! Você até parece um político...

— Bem, eu poderia ser pior. — Jeremy olhou para seu relógio. — Santo Deus, quinze para meio-dia! Acabei esquecendo por completo o motivo que, antes de mais nada, me levou a procurá-la. Creio que devo voltar a Nancherrow, ou Diana começará a pensar que me juntei ao clube e fugi também. Você virá comigo, Judith querida?

— Se você quiser...

— Eu quero.

— Devemos contar a eles? Sobre nós dois?

— Por que não?

A perspectiva, por qualquer motivo, era um pouco temerosa e intimidante.

— O que eles *irão* dizer?

— Por que não vamos lá e descobrimos?

Este livro foi composto na tipografia
Classical Garamond BT, em corpo 11/15, e impresso
em papel off-set no Sistema Digital Instant Duplex
da Divisão Gráfica da Distribuidora Record.